ANATOMIE ET PHYSIOLOGIE HUMAINE

ANATOMIE ET PHYSIOLOGIE HUMAINE

Eldra Pearl Solomon
P. William Davis

Hillsborough Community College

Adaptation française de

Christian Cholette

Université du Québec à Chicoutimi

McGRAW-HILL, ÉDITEURS

Montréal • Toronto • New York • Saint Louis
San Francisco • Auckland • Bogotá • Guatemala
Hambourg • Johannesburg • Lisbonne • Londres
Madrid • Mexico • New Delhi • Panama
Paris • San Juan • São Paulo • Singapour
Sydney • Tokyo

UNDERSTANDING
HUMAN ANATOMY AND PHYSIOLOGY

ANATOMIE
ET PHYSIOLOGIE HUMAINE

Dépôt légal 3e trimestre 1981
Bibliothèque nationale du Québec
Imprimé et relié au Canada

1 2 3 4 5 6 7 8 9 0 ML81 0 9 8 7 6 5 4 3 2 1

ISBN 0-07-077883-3

Cet ouvrage a été composé en Schoolbook, 10 points par les Ateliers de Typographie Collette inc. et imprimé sur les presses de Métropole Litho inc. Yves Tremblay en a été l'éditeur, Richard Lavallée a assuré la révision du manuscrit.

AVANT-PROPOS

Le corps humain est une machine dont le fonctionnement repose sur une complexité structurale évidente. Bien que l'anatomie descriptive macroscopique de type traditionnel ait toujours sa place en médecine, elle est de plus en plus remplacée par une anatomie topographique et fonctionnelle dont le but est de mettre en lumière le support physique des gestes et des activités. Comment peut-on, par exemple, expliquer les mouvements de la main sans en étudier la structure anatomique et sans analyser les rapports entre les éléments squelettiques et musculaires?

Les auteurs de cet ouvrage ont réussi à présenter un texte qui marie et ajuste avec soin les notions d'anatomie et de physiologie. Chaque fonction du corps humain repose sur une organisation structurale qui est responsable de ses caractères spécifiques; toutefois, selon la complexité ou le niveau de la présentation d'une fonction donnée, le choix des éléments structuraux décrits devra varier afin qu'il y ait la meilleure adéquation possible. C'est d'ailleurs l'une des grandes qualités de cet ouvrage que d'accorder aux notions anatomiques une importance qui va de pair avec la précision des explications physiologiques fournies.

Une place assez importante a été réservée à l'étude de la pathologie et des maladies représentatives des grands systèmes et appareils du corps. Le but de ces éléments de nature médicale est d'apporter un complément d'informations qui révèle, sous l'angle du clinicien, la nature essentielle d'un certain nombre de dysfonctions structurales et organiques qui influent sur l'équilibre normal du corps humain. Ces notions visent aussi à mettre en relief jusqu'à quel point les conditions de vie et de milieu dans lesquelles un organisme évolue ont un impact sur son comportement: effets du stress, du tabagisme, du régime alimentaire, du bruit, etc. Il ne faudrait pas, finalement, négliger le fait que l'étude des états pathologiques aide souvent à mieux comprendre le fonctionnement normal du corps humain et à en découvrir les limites et la relative fragilité.

Ce texte s'adresse aux étudiants de niveau secondaire, collégial ou universitaire, inscrits à divers programmes d'enseignement (sciences de la santé, techniques infirmières, techniques paramédicales, éducation physique, etc.) qui suivent un premier cours de biologie, d'anatomie ou de physiologie humaine. Bien entendu, l'ouvrage ne s'adapte parfaitement à aucun programme précis, mais les auteurs ont pris un très grand soin que le contenu puisse être compris dans son ensemble sans recours à des ouvrages spécialisés. En certains endroits, toutefois, des références en bas de page peuvent permettre au lecteur curieux d'approfondir des sujets particuliers. Les trois premiers chapitres ont même été conçus de façon à donner une information de base qui permette à l'utilisateur d'aborder l'étude des chapitres suivants. Ainsi le contenu du texte est accessible à un grand nombre de lecteurs, à la rigueur même à ceux qui n'ont pas de formation scientifique préalable. Dans ce but, l'aspect didactique a été particulièrement soigné. La présentation est sobre et attrayante, l'attention étant spontanément captée par la couleur; l'insertion des termes en italique, les mots clés des paragraphes où ils se trouvent, en fait à la fois des repères pour l'oeil et des guides pour l'étude. Chaque chapitre débute par une énumération d'un certain nombre d'objectifs d'apprentissage qui, bien que n'étant pas exhaustifs, soulignent les éléments essentiels de la matière. Un court résumé et un choix de questions suivent chaque chapitre afin que l'étudiant puisse évaluer par lui-même le chemin qu'il a parcouru. L'ouvrage comporte de plus des instruments didactiques généraux qui devraient être très utiles; un lexique d'environ 1200 mots utilisés dans le texte et un index complet et élaboré qui permet, au premier coup d'oeil, de référer au lexique, au texte, à un tableau ou à une figure.

Les exigences de la science moderne sont nombreuses et l'une des contraintes qu'elle nous impose est la normalisation des termes et des unités. Dans cet esprit nous n'avons ménagé aucun effort (dans l'édition française) afin de rendre le texte conforme à la nouvelle nomenclature anatomique française internationale telle qu'elle apparaît dans Sobotta, Tome IV, *Atlas d'anatomie humaine*, Maloine 1977. Sachant que la nomenclature française traditionnelle est profondément ancrée dans les moeurs de la plupart des scientifiques, nous avons en général placé le terme ancien entre parenthèses après le nouveau terme, et parfois même nous l'avons répété dans des figures ou des tableaux. Nous sommes conscients que certains termes, comme *oreillette*, *pavillon de l'oreille*, *cubitus* ou *étrier*, ne deviendront pas spontanément *atrium*, *auricule*, *ulna* et *stapes*. Nous devons cependant encourager les enseignants à persévérer dans leurs efforts afin que ceux qu'ils forment acceptent et utilisent cette terminologie. Il leur sera ainsi plus aisé de se mettre au diapason de la littérature internationale, de plus en plus conforme aux Nomina Anatomica.

Peut-être encore plus complexe est la normalisation des mesures dans les unités du système international. En règle générale nous nous sommes servi de ces unités dans l'édition française: utilisation du *joule* à la place de la *calorie*, de la *masse* au lieu du *poids*, du *pascal* pour le *millimètre de mercure*, etc. Un guide d'utilisation assez complet du SI a été inséré en appendice afin d'exposer le mieux possible la logique interne du nouveau système et des unités qui en découlent. Pour les unités moins courantes, les mesures des tests biochimiques faits en laboratoire d'hôpital, par exemple, nous nous sommes inspirés du New England Journal of Medicine, **292**: 795-802, 1975: "Normal Laboratory Values in SI Units", par D.S. Young. Lorsque les nouvelles unités amenaient une importante recalibration mentale, par exemple une pression partielle d'oxygène dans le sang veineux ou une pression artérielle diastolique en kilopascals, nous avons aussi placé les valeurs en millimètres de mercure.

Les puristes vont assurément relever des anomalies terminologiques, des omissions ou encore des archaïsmes. Qu'il nous soit permis de dire que notre but n'était pas d'écrire une bible, mais bien de rendre disponible un volume de référence qui soit le plus utile au plus grand nombre possible d'utilisateurs. Nous avons donc accepté de faire pour un temps quelques compromis (comme l'utilisation des termes néphron ou diarthrose) et d'être attentifs à toutes les remarques et suggestions qui nous seraient faites afin d'améliorer éventuellement le contenu du texte.

Bien que le volume américain soit excellent au départ, j'ai voulu garantir la qualité de l'édition française en soumettant chaque chapitre à un ou plusieurs spécialistes dont la compétence est reconnue. Ces réviseurs scientifiques sont pour la plupart des amis personnels; qu'il me soit permis ici de les remercier de leur collaboration.

Plusieurs autres personnes ont apporté, à des titres divers, leur contribution à la réalisation de cet ouvrage. Qu'elles aient revu et corrigé des textes, dactylographié des manuscrits, traduit des tableaux et des figures, je les assure de mon estime et de ma profonde gratitude.

Christian Cholette DSc.

LISTE DES COLLABORATEURS

Révision scientifique

Chapitre 2
Dr André LeBrun, chimiste
Département des sciences pures
Université du Québec à Chicoutimi (Québec)

Chapitre 3
Dr Gaston Chevalier, biologiste
Département des sciences biologiques
Université du Québec à Montréal (Québec)

Chapitre 4
Dr Lucien Privé, pathologiste
Hôpital de Chicoutimi
Chicoutimi (Québec)

Chapitre 5
Dr Florent Blanchet, orthopédiste
Hôpital de Saint-Jean-d'Iberville
Iberville (Québec)

Chapitre 6
Dr Yves Poussart, biologiste
Laboratoire de bionique, Université Laval (Québec)
Département de biologie, Université de Moncton (Nouveau-Brunswick)

Chapitre 7
Dr Gilles Marceau, médecin
Département d'anatomie
Université Laval (Québec)

Chapitre 8
Dr Yves Poussart, biologiste
Laboratoire de bionique, Université Laval (Québec)
Département de biologie, Université de Moncton (Nouveau-Brunswick)

Chapitre 9
Dr Louis Larochelle, médecin
Département d'anatomie
Université Laval (Québec)

Chapitre 10
Dr Jacques Blais, oto-rhino-laryngologiste
Hôpital de Chicoutimi
Chicoutimi (Québec)

Dr Gaston A. Lapointe, ophtalmologiste
Hôpital de Chicoutimi
Chicoutimi (Québec)

Chapitre 11
Dr Roch Belley, dentiste
Chicoutimi (Québec)

Dr Gilles Lapointe, gastro-entérologue
Hôpital de Chicoutimi
Chicoutimi (Québec)

Chapitre 12
Dr Clément Richard, biochimiste
Département des sciences pures
Université du Québec à Chicoutimi (Québec)

Chapitre 13
Dr Gérald Tremblay, cardiologue
Hôpital de Chicoutimi
Chicoutimi (Québec)

Dr Hervé Simard, hématologiste
Hôpital de Chicoutimi
Chicoutimi (Québec)

Chapitre 14
Dr Guy Pelletier, immunologiste
Centre Hospitalier de l'Université Laval (Québec)

Chapitre 15
Dr Hélène Archibald, médecin
Hôpital de Chicoutimi
Chicoutimi (Québec)

Chapitre 16
Dr Pierre Berthiaume, néphrologue
Hôpital de Chicoutimi
Chicoutimi (Québec)

Chapitre 17
Dr Léo Gosselin, endocrinologue
Hôpital de Chicoutimi
Chicoutimi (Québec)

Chapitre 18
Dr André Lemay, endocrinologue
Hôpital Hôtel-Dieu de Québec
Centre Hospitalier de l'Université Laval
(Québec)

Chapitre 19
Denis Larrivée MSc., biologiste
Département des sciences pures
Université du Québec à Chicoutimi (Québec)

Dr Louis-Marie Lalancette, biologiste
Département des sciences pures
Université du Québec à Chicoutimi (Québec)

Dr Andrée L. Cholette, pathologiste
Hôpital de Chicoutimi
Chicoutimi (Québec)

Révision linguistique

Madame Marie Cholette, écrivain (Québec)

TABLE DES MATIÈRES

ANATOMIE ET PHYSIOLOGIE HUMAINE

1 PRÉSENTATION DU CORPS HUMAIN

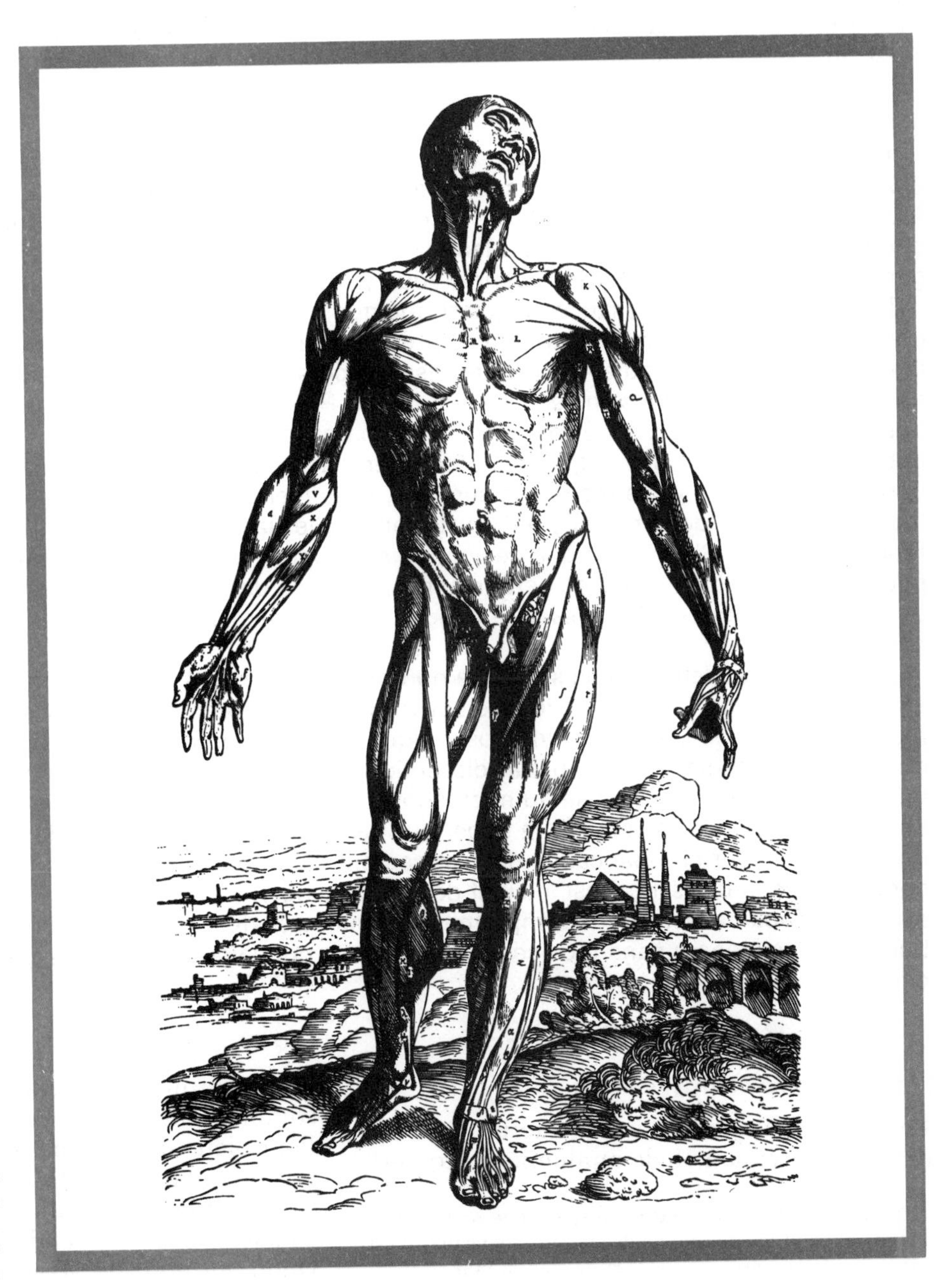

Dessin tiré d'un texte d'anatomie du seizième siècle par André Vésale. («*De Humani Corporis Fabrica*», 1543.)

OBJECTIFS

L'étude de ce chapitre devrait vous permettre de[1]:

1 Définir l'anatomie, la physiologie et quelques sciences connexes.
2 Définir et employer adéquatement les principaux termes d'orientation spatiale en anatomie humaine.
3 Énumérer et localiser les principales parties et les cavités du corps humain.
4 Définir l'*homéostasie* et, à l'aide d'exemples, montrer que c'est un principe fondamental du fonctionnement de l'organisme.
5 Définir ce que sont les systèmes, les organes, les tissus, et présenter les principaux appareils du corps en décrivant les organes qui les composent, leur fonction, leur contribution au maintien de l'homéostasie.
6 Présenter la structure du pouce en tant qu'exemple d'un organe humain et décrire ses fonctions.
7 Résumer les principales caractéristiques et les rôles respectifs des tissus les plus importants, nommer les endroits où ils se situent, en mettant l'accent sur les tissus conjonctifs et épithéliaux.

Imaginons que vous venez de faire un achat important. De retour à la maison, votre esprit est entièrement accaparé par cette acquisition et vous vous empressez, avant de la ranger avec soin dans un endroit sûr, de parcourir la documentation qui l'accompagne. Manuel d'instruction, fiches techniques, garanties, tout y passe. Vous en parlez, vous y rêvez.

Tout individu, à la naissance, acquiert quelque chose de merveilleux: un corps. Pendant les premières années, il prend progressivement conscience de la réalité qui l'entoure puis, par l'apprentissage personnel et par l'expérience des autres, il apprend à s'en servir, à le soigner. Peu à peu chaque être prend possession de son corps, de ses possibilités extraordinaires et de ses faiblesses. Malheureusement, le manufacturier n'a pas fourni de garantie avec le produit. Il y a un vaste réseau de services, mais bien peu de pièces de rechange. Autant donc prendre le temps d'en étudier la structure et le fonctionnement. C'est le but que ce volume se propose d'atteindre. C'est un peu le manuel d'instruction de cette machine capable de faire bien des choses, de supporter bien des déboires, à la condition de respecter ses exigences minimales.

L'*anatomie* est l'étude de la structure du corps; l'étude de son fonctionnement est la *physiologie*. Ces deux sciences couvrent un vaste domaine, subdivisé en plusieurs secteurs. L'anatomie macroscopique traite des organes et des tissus que l'on peut étudier à l'oeil nu, par dissection, alors que l'*histologie* traite des mêmes objets, mais à l'échelle du microscope: c'est l'anatomie microscopique. La *cytologie* étudie les cellules, la *génétique* se penche sur le contrôle de leur division et de leur croissance. Le développement d'un organisme, de la conception à la naissance, est le sujet de l'*embryologie*. La *pathologie* s'intéresse aux causes et aux symptômes des maladies. Notre étude du corps humain nous mènera dans tous ces secteurs de la connaissance et dans bien d'autres.

LES ORIENTATIONS GÉNÉRALES

Le corps humain est une structure à trois dimensions et son étude anatomique requiert une terminologie directionnelle et relative, comme celle employée pour la géographie. Pour bien situer un pays ou une ville, on peut utiliser la latitude et la longitude, mais aussi la localisation relative au nord, au sud, à l'est ou à l'ouest de tel ou tel endroit. Lyon est au sud de Dijon, au nord de Marseille. Montréal est au

[1] Aucun objectif d'apprentissage spécifique ne traite de l'étude et de la mémorisation des termes nouveaux. Il est utile d'en faire une liste à jour et de bien la maîtriser.

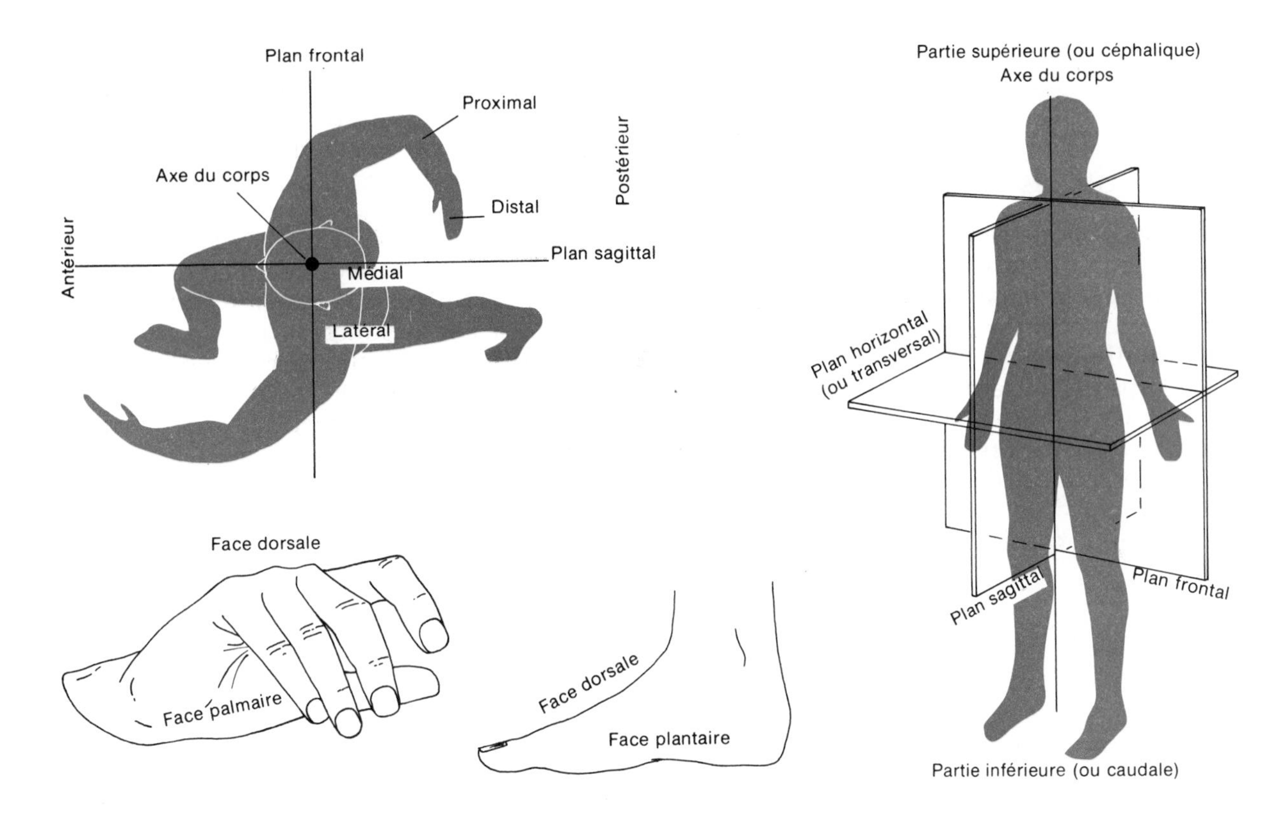

Figure 1-1 Termes anatomiques généraux définissant les principaux plans d'orientation du corps humain.

sud-ouest de Québec, à l'est d'Ottawa. L'un des pôles du corps humain, le dessus de la tête, est à l'opposé de la plante des pieds. Ce sont les pôles *supérieur* (*céphalique* ou *crânien*) et *inférieur* (figure 1-1). L'*axe du corps* part du centre de la calotte crânienne et descend jusqu'à l'aine. La face avant (le ventre) est *antérieure* ou *ventrale*. La face arrière (le dos) est *postérieure* ou *dorsale*.

L'axe principal, rejoignant les parties supérieure et inférieure, est la *ligne médiane*. Elle passe par le centre du corps. Par rapport à elle, les mains sont *latérales* ou de chaque côté. On emploie deux autres termes pour distinguer l'attache de l'extrémité des membres: *proximal* et *distal*. Le premier signifie plus près du tronc, le second, plus loin. Les mains et les pieds possèdent une face dorsale (dos de la main, dessus du pied) et une face *palmaire* pour la main, *plantaire* pour le pied.

Ces termes de référence sont définis par rapport à une *position anatomique* de référence, soit le corps debout, les yeux fixant droit devant, les bras de côté, les paumes et les orteils vers l'avant. À titre d'exemple, la position des épaules est inférieure à la tête, mais supérieure à la poitrine. Le coude est en position distale par rapport à l'épaule, mais proximale par rapport à la main. Quelle est la position du genou par rapport au pied? À la cuisse?

Il est souvent nécessaire, lors d'études anatomiques ou en pratique médicale, de se représenter les parties du corps en sections ou en tranches. Une section transversale, perpendiculaire à la ligne médiane, est une *coupe transversale*. Une section séparant la partie frontale de la partie dorsale du corps est une *coupe frontale*. Une *coupe sagittale* est perpendiculaire à une section frontale; elle est médiane si elle passe par l'axe principal du corps.

LES RÉGIONS ET LES CAVITÉS

Il est possible de subdiviser le corps en une portion axiale (tête, cou, tronc ou torse) et une portion appendiculaire (membres). Le tronc comprend le thorax, l'abdomen et le pelvis (bassin) (figure 1-2).

Le corps est une structure creuse contenant une *cavité dorsale*, osseuse, et une *cavité ventrale* (*cavité viscérale* ou *coelome*). La cavité dorsale est divisée en deux: la *cavité crânienne* qui contient le cerveau et le *canal vertébral* qui contient la moelle épinière. La cavité viscérale comprend à son tour la *cavité thoracique*, la *cavité abdominale* et la *cavité pelvienne*. La cavité thoracique se divise en deux *sacs pleuraux* contenant chacun un poumon, et, entre les deux, le *médiastin* où se trouve le coeur.

Le *diaphragme* sépare les cavités thoracique et abdominale. Cette dernière contient l'estomac, l'intestin grêle, la majeure partie du gros intestin, le foie, le pancréas, la rate, les reins et les uretères. La partie inférieure de la cavité abdominale s'appelle la cavité pelvienne. On y retrouve la vessie, une partie du gros intestin et les organes reproducteurs chez la femme. Chez l'homme, le *scrotum* (*cavité scrotale*), une évagination de la cavité pelvienne, contient les testicules.

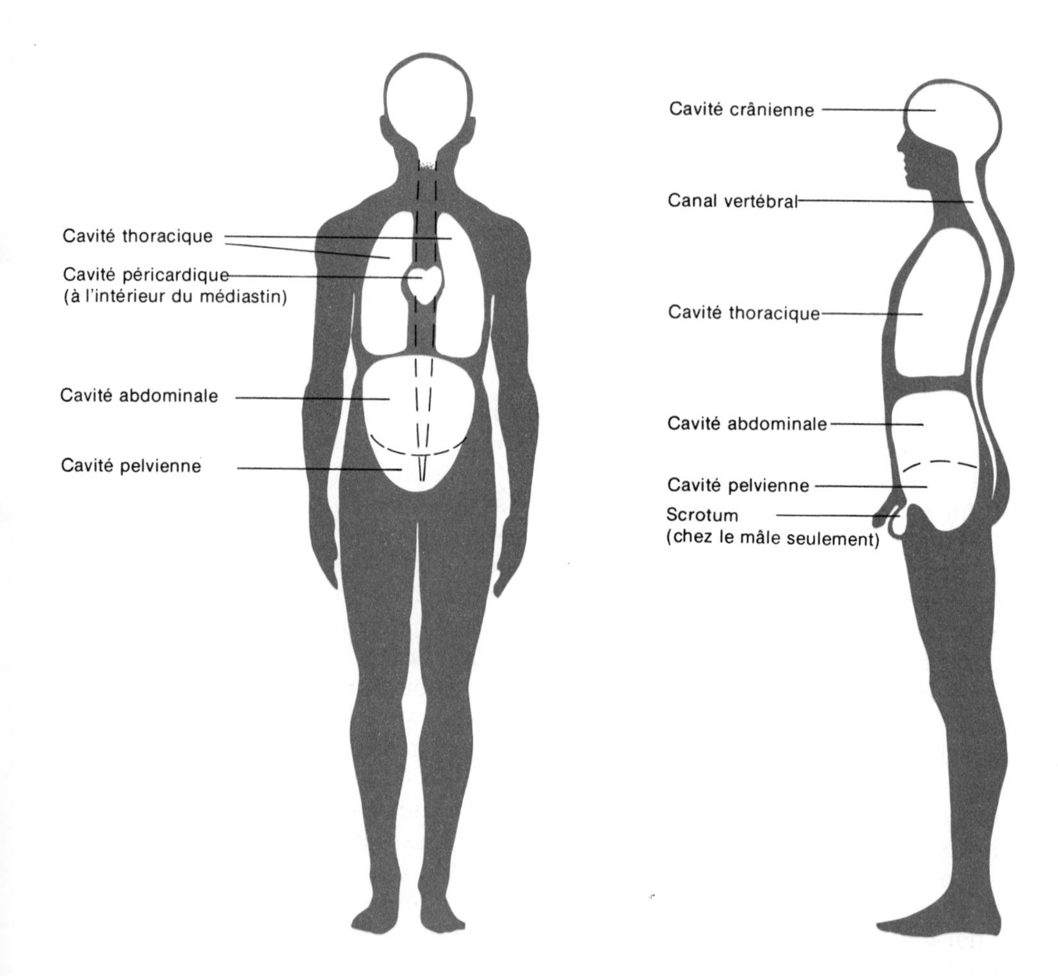

Figure 1-2 Principales cavités du corps humain.

LES APPAREILS ET LES SYSTÈMES DU CORPS

La bonne marche et le maintien de l'intégrité de l'organisme humain reposent sur un ensemble d'appareils et de systèmes dont la liste apparaît au tableau 1-1: les appareils tégumentaire, squelettique, circulatoire, urinaire, digestif, respiratoire et reproducteur, ainsi que les systèmes musculaire, nerveux et endocrinien.

Chaque appareil et système de l'organisme humain se compose de plusieurs tissus et organes qui coopèrent pour assurer un ensemble de fonctions. L'appareil circulatoire, par

Tableau 1-1 Les principales fonctions du corps humain

Système ou appareil†	Organes	Fonctions	Capacités homéostatiques
Appareil tégumentaire	Peau, poils, ongles, glandes sudorifères	Protection corporelle contre l'infection, les écorchures et la déshydratation; sensation du tact (toucher)	Rôle important des glandes sudorifères dans l'homéothermie; maintien de l'intégrité du milieu interne grâce à l'imperméabilité du revêtement cutané
Appareil squelettique*	Os, cartilages, ligaments, et structures associées	Support et protection; transmission de la force musculaire. Réserve de calcium et de phosphore.	Régulation de la teneur du sang en calcium et en phosphore
Système musculaire*	Muscles volontaires, formant le gros de la masse corporelle; muscles des viscères et du coeur (involontaires)	Mobilité corporelle et circulation des liquides internes	Recherche de nourriture, de conditions favorables à la vie. La *vasomotricité* assure le maintien de la pression sanguine; le coeur permet la circulation du sang.
Système nerveux	Cerveau, moelle épinière, nerfs, ganglions et organes des sens	Régulation directe ou indirecte de l'activité des autres systèmes; intégration des informations sensorielles et sensitives du dehors et du dedans	Régulation générale des mécanismes homéostatiques
Système endocrinien	Glandes sans canal produisant des hormones	Régulation des réactions chimiques et de l'intégrité structurale du corps par action sélective sur l'activité d'organes cibles	Activité conjointe avec le système nerveux dans le contrôle des réactions chimiques cellulaires et de la composition sanguine
Appareil circulatoire	Coeur, vaisseaux sanguins et structures associées; vaisseaux lymphatiques	Intermédiaire entre toutes les structures du corps, réunissant leurs fonctions et leurs produits. Système de transport de l'organisme.	Les capacités régulatrices des divers systèmes peuvent s'exprimer grâce au sang, mais lui-même contrôle peu de chose. Il transporte de l'oxygène, des nutriments, des hormones, évacue des déchets; maintient le pH, l'hydratation et l'équilibre ionique des tissus.
Appareil urinaire	Reins, vessie et structures associées	Évacuation hors de l'organisme des substances toxiques et de celles dont le taux est au-dessus de la normale	Avec le système endocrinien, il veille sur la composition chimique (ionique et osmotique) du sang

(Suite à la page suivante)

Tableau 1-1 Les principales fonctions du corps humain *(Suite)*

Système ou appareil†	Organes	Fonctions	Capacités homéostatiques
Appareil digestif	Bouche, estomac, intestin, foie, pancréas	Dégradation chimique des aliments et absorption (intestin) dans le sang	Apport adéquat de nutriments et de matériaux aux cellules
Appareil respiratoire	Poumons, trachée, bronches et et bronchioles	Apport d'oxygène et élimination du gaz carbonique du sang	Maintien d'un contenu suffisant d'oxygène sanguin, ajustement du pH et élimination du gaz carbonique
Appareil reproducteur	Gonades et structures associées	Fécondation et développement foetal	Transmission du bagage héréditaire d'un individu. Maintien des caractères sexuels secondaires. Il assure la continuité de l'espèce humaine.

† Un appareil comprend l'ensemble des organes ainsi groupés en vue d'une même fonction. On parle de système si tous les organes sont constitués d'un même tissu (système osseux, vasculaire, etc.).

* Les muscles et les structures squelettiques ont un fonctionnement interdépendant si intime au point de vue mécanique, qu'ils sont souvent présentés comme un seul appareil moteur.

exemple, comprend le coeur, le sang, les vaisseaux sanguins et plusieurs autres organes. Leur union assure le pompage et la circulation du sang, permettant le transport de diverses substances d'un endroit à un autre de l'organisme. Chaque organe est fait de plusieurs tissus, lesquels se composent de cellules spécialisées et de leurs produits.

Chez un adulte humain, il y a environ 10^{14} cellules (100 000 000 000 000) qui forment les tissus et les organes. «Il est étonnant qu'une harpe de mille cordes puisse demeurer accordée si longtemps» faisait remarquer un médecin vivant au dix-neuvième siècle, Sir William Osler. Il est encore étrange de constater aujourd'hui que malgré sa complexité, le corps humain fonctionne aussi bien, et pendant aussi longtemps (le temps d'une vie).

L'HOMÉOSTASIE

La performance extraordinaire du corps humain est due en grande partie aux délicats mécanismes qui maintiennent acceptables les conditions de vie des cellules. Celles-ci, pour survivre et opérer, doivent être dans un environnement caractéristique dont les différents paramètres sont ajustés de façon constante et précise. La température et la pression doivent être maintenues à l'intérieur de limites très strictes; il doit aussi y avoir en tout temps un approvisionnement adéquat de nutriments, d'oxygène, d'ions et de plusieurs autres produits chimiques. On appelle *homéostasie* cette tendance spontanée au maintien des conditions internes. Les mécanismes physiologiques aptes à remplir ce rôle sont les *mécanismes homéostatiques*. On doit le terme d'homéostasie (du grec *homoios*, même, et *stasis*, demeurer immobile) au physiologiste Walter Cannon. Il ne faut pas se méprendre sur l'immobilisme de l'environnement intérieur. On doit plutôt parler d'un équilibre dynamique dont l'ajustement précis, continu, est sous le contrôle conjugué de plusieurs intervenants.

Il existe plusieurs mécanismes homéostatiques faisant partie de notre quotidien. L'explication du fonctionnement de l'un de ceux-ci vous permettra de comprendre, par analogie, le concept d'homéostasie du corps humain: la plupart d'entre nous possède un thermostat dans sa maison. Selon son ajustement, il arrête la fournaise lorsque la température dépas-

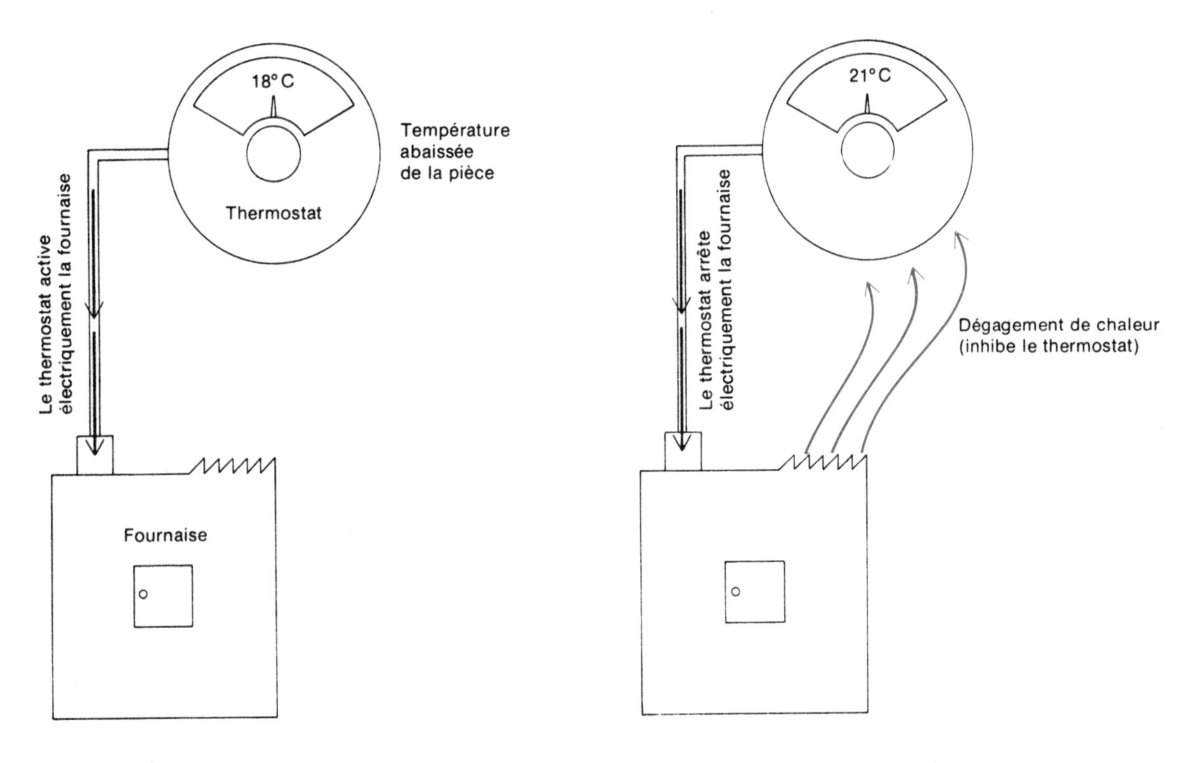

Figure 1-3 Le concept de rétroaction négative se compare à une fournaise reliée à un thermostat.

se une certaine valeur. Lorsque la température redescend, le thermostat remet la fournaise en marche. La température de la maison oscille entre deux valeurs dont l'écart dépend de la sensibilité du thermostat. La maison sera confortable sans que les occupants aient à lire un thermomètre et sans appareillage compliqué pour tenir compte de variables telles la température extérieure, l'intensité lumineuse, la vitesse et la direction des vents, l'humidité relative et ainsi de suite. Lorsqu'un produit (ici, la chaleur) contrôle son propre niveau en arrêtant ou en bloquant sa production à la source (la fournaise), c'est un système à *rétroaction négative* (figure 1-3). La température corporelle est maintenue à trente-sept degrés Celsius (37°C) d'une façon analogue, quoique plus complexe. Si elle dépasse cette valeur, un thermostat spécial, localisé dans l'hypothalamus (partie du cerveau), perçoit cette augmentation de température et émet un signal nerveux qui active les glandes sudorifères (sudoripares). Il y a alors transpiration. L'évaporation de l'eau à la surface du corps permet de réduire la température à un niveau normal. En même temps, les capillaires de la peau se dilatent, permettant d'évacuer plus rapidement la chaleur vers la surface d'où elle est dissipée par radiation. Lorsque la température du corps diminue, ces modifications disparaissent.

D'un autre côté, si la température passe sous la valeur normale, les messages nerveux de l'hypothalamus provoquent alors une constriction anormale des capillaires de la peau; les contractions musculaires rythmiques du grelottement dégagent de la chaleur. Des modifications glandulaires à moyen ou à long terme amènent une augmentation de la production calorifique de tous les tissus. Par son comportement, un individu peut aussi se diriger vers un endroit plus chaud, mettre un gilet ou une veste. Lorsque la température est rétablie, ces modifications disparaissent (figure 1-4).

L'homéostasie est un concept fondamental en physiologie. L'étude des systèmes corporels nous amènera à discuter des innombrables interactions qui assurent la stabilité de l'organisme. Lorsque les mécanismes homéostati-

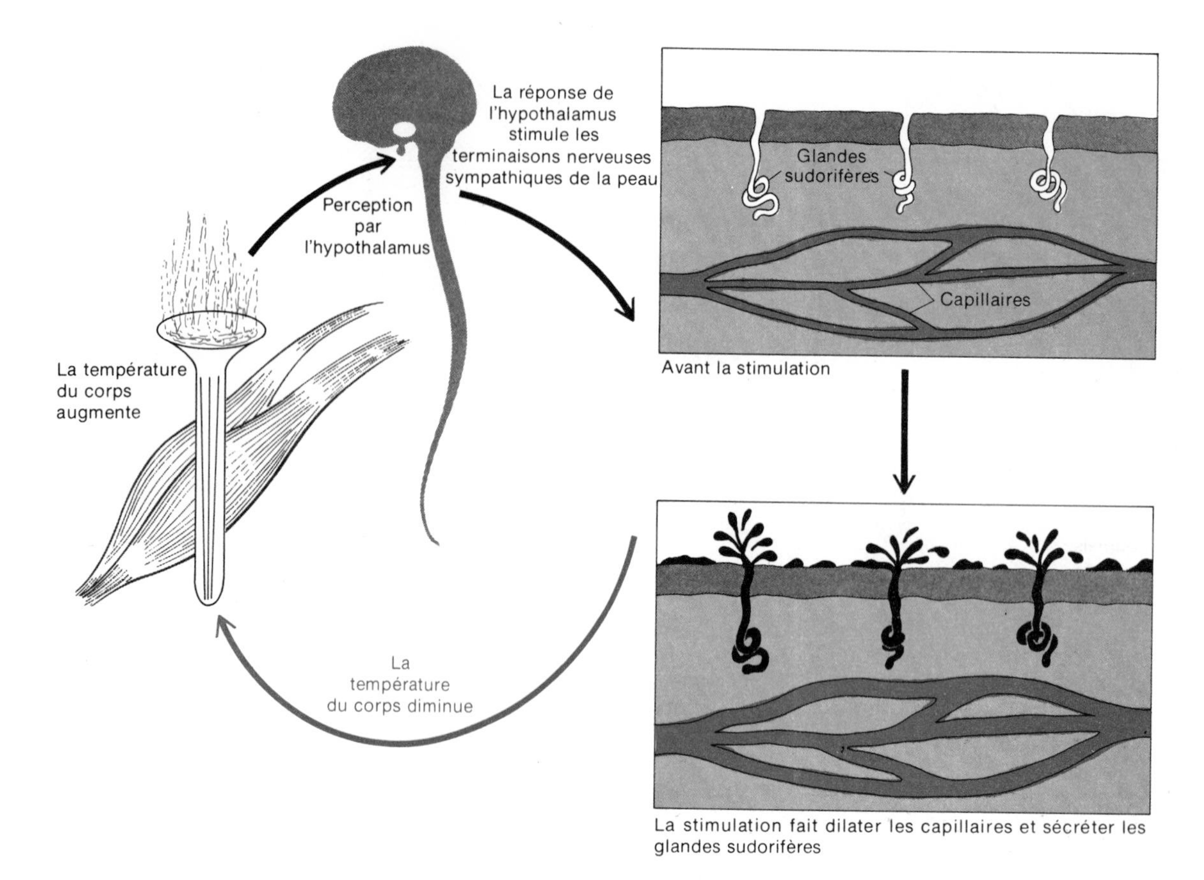

Figure 1-4 Contrôle de la température corporelle par rétroaction négative.

ques ne peuvent ramener l'environnement intérieur à la normale, il se développe des états pathologiques. Si le contrôle est trop défectueux, alors l'organisme meurt.

UN ORGANE TYPE

L'appréciation personnelle d'un organe va de pair avec son étude. Par exemple, on peut en présenter un qui est familier: le pouce (pollex) (figure 1-5). C'est un organe représentatif de la façon de vivre des humains. Le fait qu'on puisse l'opposer aux autres doigts rend la main habile aux plus fines manipulations d'une façon telle qu'il est extrêmement difficile et même impossible pour la majorité des autres animaux, même les grands singes, de l'imiter. Grâce à lui, il est possible aussi bien de lancer une masse que de réparer une montre. Cette versatilité est rendue possible grâce à une disposition très flexible des articulations, une grande variété de muscles et un mécanisme de contrôle très précis.

Le fonctionnement du pouce

Le pouce est un levier triple, articulé, rembourré, possédant à une extrémité une surface de prise sillonnée de fines crêtes. L'examen de votre pouce fait voir deux articulations bien nettes, mais en le bougeant il devient évident qu'elles ne sont pas les seules responsables de sa mobilité. Une troisième articulation, bien encastrée dans la main, permet des mouvements dans presque toutes les directions. Les deux articulations distales ne servent que dans un plan (l'action d'entourer un objet). Les articulations du pouce sont placées entre des os adjacents. La paire distale, les *phalanges,* forme le squelette du pouce. Le premier métacarpien (un os du *métacarpe*), proximal aux phalanges et enfoui dans la paume de la main, s'articule avec un os du *carpe* (le trapèze).

Le pouce est un organe puissant qui doit plier, s'étendre, et se mouvoir dans tous les sens. Huit muscles en assurent la mobilité. Il peut paraître, à première vue, que ce soit beaucoup pour un si petit membre, jusqu'à ce que l'on réalise la complexité de ses mouvements. Sachant qu'un muscle ne peut que tirer, et non pousser, on comprend qu'il faille plusieurs muscles pour permettre un mouvement compliqué. On doit aussi considérer que l'espace disponible dans la main, pour les muscles du pouce, est restreint. S'ils s'y trouvaient tous, elle serait soit immense et malhabile, soit très faible à cause de la petitesse des muscles.

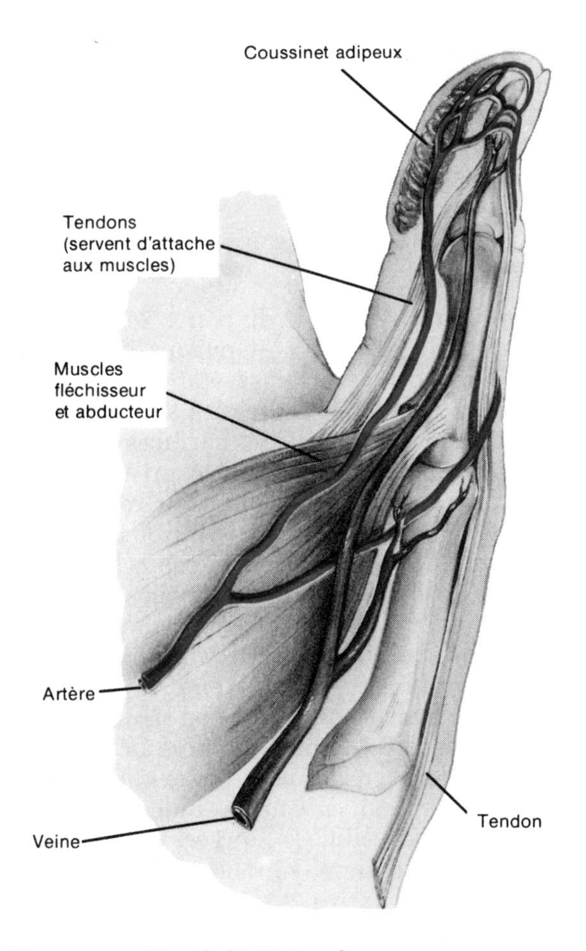

Figure 1-5 Vue de l'intérieur du pouce.

Le problème ne se pose pas pour le pouce puisque quatre des muscles moteurs sont situés dans l'avant-bras. Ils agissent par l'intermédiaire de *tendons* qui sont fixés aux os. Chaque tendon (structure en forme de câble) est dans une enveloppe ou un fourreau lui permettant de glisser d'en avant en arrière en accord avec les mouvements du pouce. Lorsque le pouce est dirigé le plus loin possible vers l'arrière, on peut très bien voir l'un des tendons qui devient proéminent. On peut aussi sentir en même temps le muscle auquel il est attaché; il se contracte et durcit à chaque élévation du pouce. Les muscles du pouce localisés dans l'avant-bras sont les *muscles extrinsèques* du pouce.

Il y a aussi un certain nombre de *muscles intrinsèques* du pouce, soit ceux qui sont situés dans la main. Ils forment le bourrelet musculaire à la base du pouce, à sa rencontre avec la paume. L'importance du pouce est mise en évidence par le grand nombre de muscles intrinsèques qu'il possède. Aucun autre doigt n'en possède autant: ils sont quatre pour saisir un côté d'un objet; le pouce est seul de son côté.

L'apport sanguin

Chaque structure du pouce requiert un apport sanguin. On peut voir, sur une main intacte, plusieurs des plus importants vaisseaux sanguins qui irriguent et drainent le pouce. Sous la pression du coeur, les *artères* amènent le sang vers un organe; les *veines* assurent le retour du sang des organes vers le coeur. Les *capillaires* s'aboutent aux artères et aux veines, dans l'organe. En passant dans ces vaisseaux très fins, le sang laisse filtrer une certaine quantité de liquide au travers des minces parois capillaires. Ce liquide s'insinue entre les cellules pour former le *liquide extracellulaire* ou *interstitiel.*

Il est facile de sentir les pulsations du pouls au niveau du poignet. Elles sont dues à l'artère radiale qui amène le sang du coeur vers la main. Les veines sont visibles plus facilement que les artères; elles ont une apparence bleutée à cause de la qualité du sang qu'elles véhiculent. Après son passage dans les capillaires le sang perd une partie de son oxygène, ce qui lui confère une couleur plus foncée.

Le contrôle du pouce

Après avoir observé la structure du pouce, sa mécanique contractile et son approvisionnement en sang, notre intérêt se porte sur les mécanismes de contrôle. La finesse du mouvement dont le pouce est capable serait inutile sans précision. Cette précision est justement assurée par les muscles grâce aux nerfs qui les commandent.

Le pouce possède une grande variété de récepteurs sensitifs responsables de la sensation du toucher et du sens de position. Grâce à eux il est possible, sans le concours de l'oeil, de savoir ce que fait le pouce. D'ailleurs, l'information ainsi recueillie pourrait difficilement être transmise par la vue. C'est le système nerveux central qui reçoit d'abord les données acheminées par des nerfs sensitifs; les décisions les plus adéquates sont alors prises et les ordres quittent le cerveau par les nerfs moteurs commandant l'activité des muscles du pouce, que ce soit pour la conduite d'une automobile, la dactylographie d'un texte ou encore pour faire de l'auto-stop.

L'apparence extérieure

Le pouce est particulièrement bien rembourré à son extrémité avec du *tissu conjonctif* et *adipeux*. Il est recouvert d'une peau épaisse et d'un ongle. La peau du pouce est fixée plus fermement au tissu conjonctif sous-jacent du côté palmaire (là où se trouvent les empreintes digitales) que du côté dorsal. Les empreintes digitales, si importantes dans les enquêtes policières, sont des crêtes concentriques permettant d'augmenter l'adhérence du pouce lorsqu'il est posé sur un objet quelconque. Sur la face dorsale, la peau, relativement mince et mal assujettie, recouvre un espace de drainage et rejoint l'ongle.

Ce dernier repose sur une matrice, revêtement dépourvu de son recouvrement résistant et sec qui, ailleurs, imperméabilise la peau. C'est sans importance pour la matrice puisque l'ongle la recouvre. Il est possible de mesurer la vitesse de croissance de l'ongle. Dans la plupart des cas, l'allongement est de 0,5 mm par semaine. Dans la nature, il s'use à peu près à la même vitesse, mais dans des conditions de vie «modernes», il faut le couper régulièrement à moins de vouloir ressembler à un mandarin chinois.

En plus de l'ongle, le pouce possède des glandes sudorifères et des poils. Sur sa face palmaire, comme dans la paume de la main, on retrouve les glandes responsables des sueurs froides ou des mains moites, lors d'une peur, d'un énervement, d'un trac ou de toute autre situation stressante.

LES TISSUS

Presque toutes les structures dont nous avons parlé jusqu'ici sont des amas de cellules spécialisées qui, réunies, forment des tissus. Un *tissu* est donc un ensemble de cellules similaires, spécialisées, et de leurs produits, dont le rôle est d'accomplir une ou un groupe de fonctions. Les quatre principaux types de tissus du corps sont les tissus épithéliaux, conjonctifs, musculaires et nerveux.

Le tissu épithélial

En reprenant l'exemple du pouce, le *tissu épithélial* est le plus évident puisqu'il forme la peau. On retrouve du tissu épithélial un peu partout; il enveloppe toutes les surfaces extérieures du corps et limite les surfaces internes. Le tube digestif, le tractus respiratoire, les voies urinaires et génitales sont recouverts d'épithélium. C'est un tissu de protection. En plusieurs endroits (comme la peau, le revêtement du tube digestif) on remarque une usure des cellules épithéliales qui sont remplacées au fur et à mesure de leur perte (figure 1-6).

L'épithélium de recouvrement peut être *simple* (une assise cellulaire) ou *stratifié* (plusieurs assises cellulaires) comme l'épiderme. Dans les deux cas, il peut être *pavimenteux* (cellules aplaties), *cuboïde* (cellules cubiques) ou *cylindrique* (cellules allongées). Les cellules de tous les épithéliums sont bien appliquées les unes contre les autres et soutenues à leur base par un mince dépôt extracellulaire, la *membrane sous-épithéliale* (*lame basale*). La surfa-

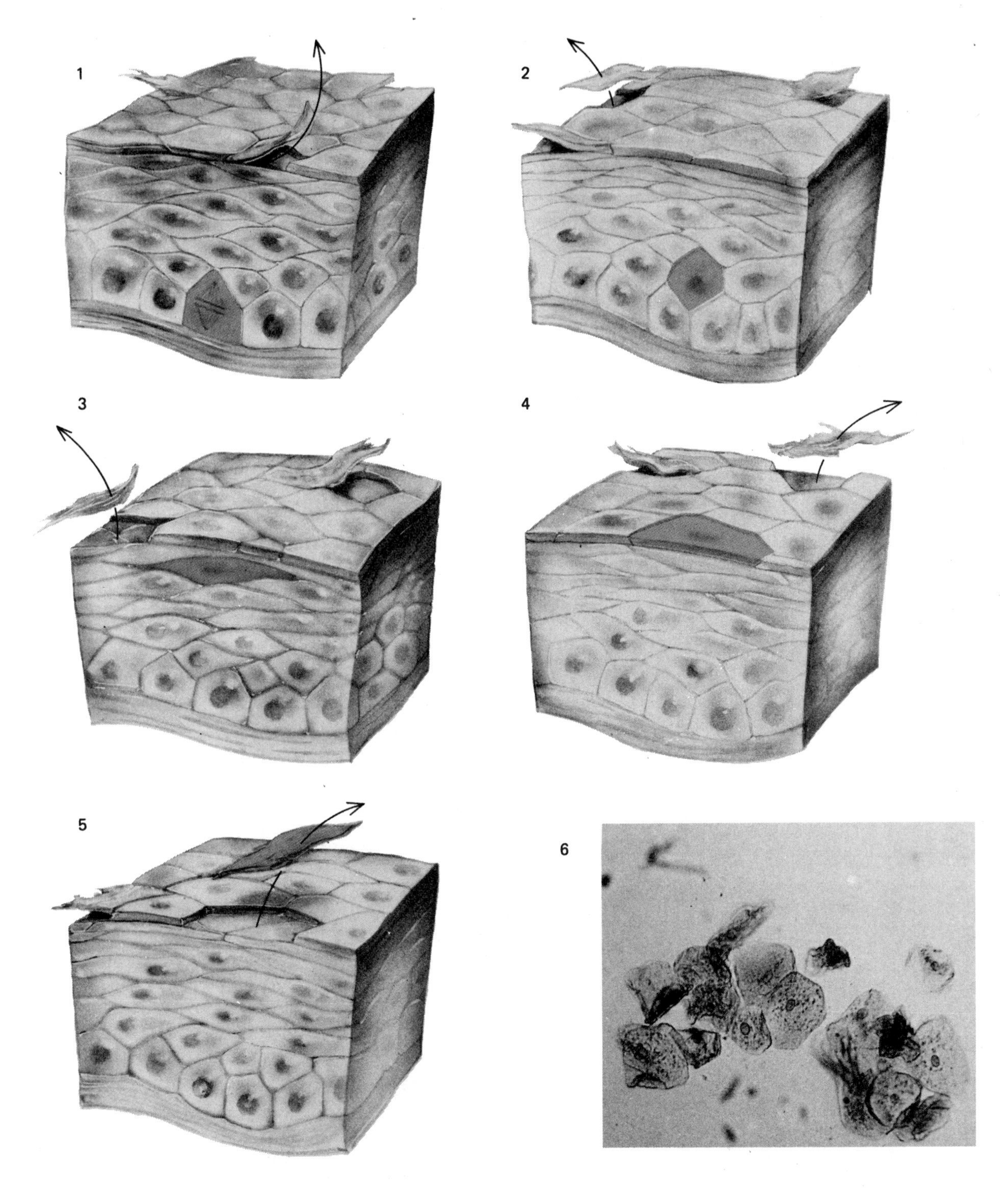

Figure 1-6 Transformation et desquamation d'un épithélium pavimenteux stratifié. On peut suivre la cellule colorée à partir du stratum basale (là où elle est formée) jusqu'à la surface, où elle se détache. Les cellules superficielles de ces tissus sont mortes et doivent toujours être remplacées à leur chute. Ce type d'épithélium est fait de plusieurs couches de cellules à divers degrés de maturité.

Tableau 1-2 Les tissus conjonctifs et épithéliaux*

Nom du tissu	Schéma	Principales localisations	Fonctions	Description et commentaires
Les tissus conjonctifs Aréolaire (lâche)	Fibroblaste Fibres élastiques Fibres de collagène	Partout où un «emballage lâche» et élastique est requis. Enveloppe des organes, relie le derme aux muscles sous-jacents.	Soutien	Contient des fibres élastiques et conjonctives produites par les fibroblastes et enfouies dans une substance fondamentale semi-liquide, au milieu de plusieurs groupes variés d'autres cellules
Adipeux		Derme de la peau, rembourrage de certains organes internes	Réserve de matériel nutritif, isolation, soutien d'organes tels les reins, les seins	Présence de peu de fibres de collagène. Avant d'atteindre leur forme en anneau caractéristique, par l'accumulation de globules lipidiques, ces cellules sont de forme étoilée.
Dense fibreux		Tendons, ligaments, etc.; attache résistante entre les organes	Soutien; transmission des forces mécaniques (par exemple entre un muscle et un os)	Assemblage par emboîtement† de faisceaux de fibres de collagène entremêlées avec des rangs bien alignés de fibroblastes. Ces derniers sécrètent le collagène, protéine très résistante.
Élastique		Là où des structures doivent être étirées et reprendre leur forme initiale, comme le tissu pulmonaire, les parois des grosses artères	Assure l'élasticité aux structures qui en contiennent	Fibres ramifiées de couleur jaunâtre dispersées entre des fibroblastes

Cartilage hyalin	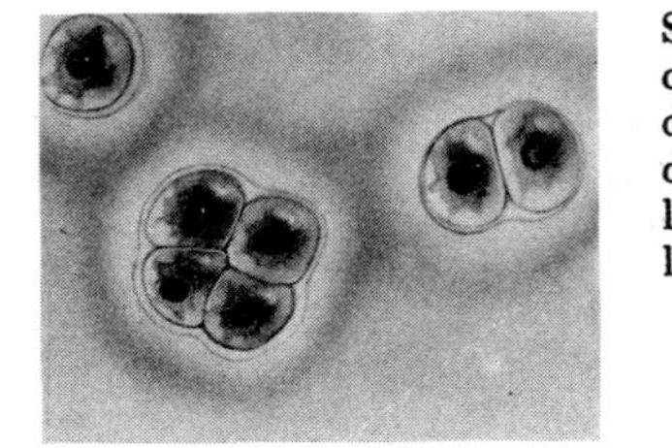	Surface articulaire des os, cartilages costaux, du nez, du larynx, de la trachée et des bronches. Le cartilage le plus commun dans l'organisme.	Soutien flexible et diminution du frottement dans les articulations	Fibres transparentes. Les cellules (chondrocytes) sont dispersées dans la substance fondamentale où elles occupent peu de place.
Cartilage fibreux (fibrocartilage)	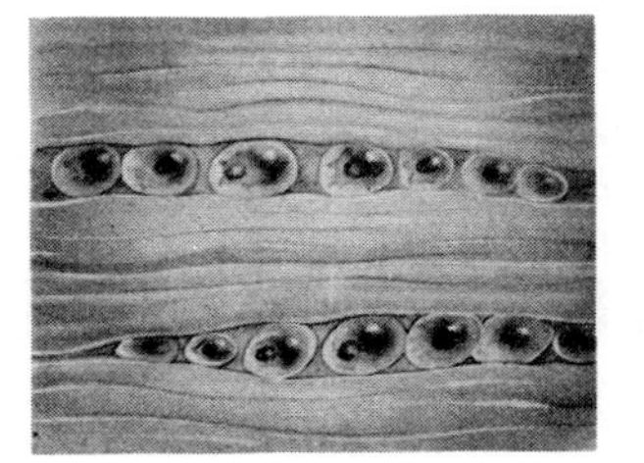	Là où il faut à la fois rigidité et résistance. Disques intervertébraux, insertion des ligaments et des tendons sur les os. Existe en continuité avec du cartilage hyalin ou du tissu fibreux dense	Soutien, lien entre des structures, amortissement des chocs	Ressemble beaucoup au cartilage hyalin mais avec un contenu de fibres de collagène blanches enfouies dans la matrice
Cartilage élastique	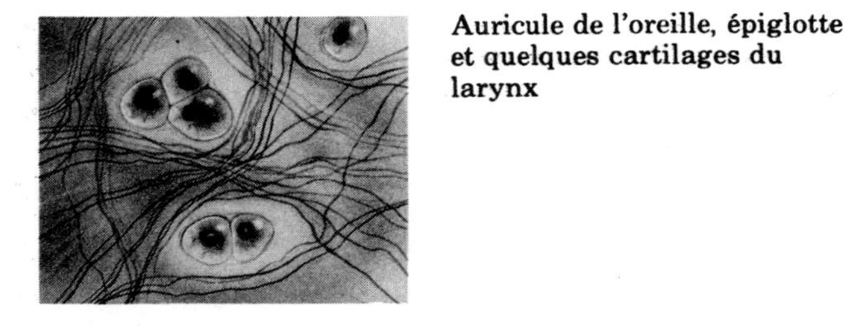	Auricule de l'oreille, épiglotte et quelques cartilages du larynx	Soutien à des endroits où la flexibilité est importante	Prépondérance des fibres élastiques, lui conférant une couleur jaune
Les tissus épithéliaux Simple pavimenteux	Membrane sous-épithéliale	Alvéoles pulmonaires, capsule glomérulaire surface externe du tympan	Passage de matériaux aux endroits où il n'y a que peu ou pas de protection requise	Comme tous les épithéliums, il possède une membrane sous-épithéliale sécrétée par les cellules. Ces dernières sont aplaties, de contour irrégulier, ajustées les unes aux autres pour former un feuillet continu. C'est l'épithélium le plus simple.

(Suite à la page 14 et 15)

Tableau 1-2 Les tissus conjonctifs et épithéliaux* *(Suite)*

Nom du tissu	Schéma	Principales localisations	Fonctions	Description et commentaires
Simple cubique	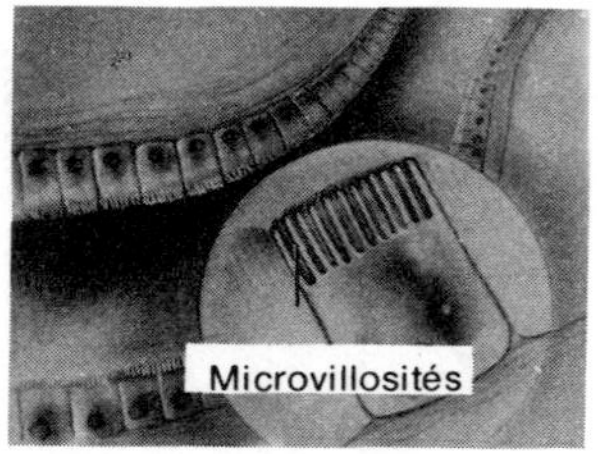 Microvillosités	À la fois dans les unités sécrétrices et les canaux excréteurs de nombreuses glandes, follicules thyroïdiens, tubes rénaux	Sécrétion et absorption	Chaque cellule apparaît comme une boîte ou un cube dans les coupes perpendiculaires à la surface. Elles possèdent quelquefois des microvillosités favorisant l'absorption.
Simple cylindrique	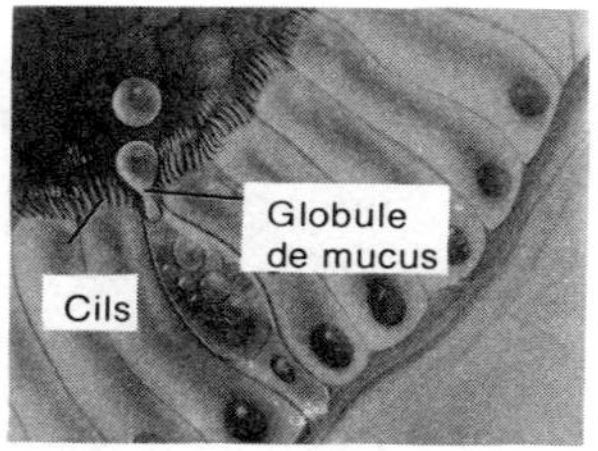 Globule de mucus; Cils	Bordure de la plus grande partie du tube digestif. L'épithélium cylindrique cilié couvre toute la portion supérieure des voies respiratoires.	Sécrétion, plus particulièrement de mucus. Absorption, protection et mouvement de la couche de mucus.	Feuillet de cellules cylindriques en une seule couche, les noyaux disposés en rangée, près de la base. Elles contiennent souvent des vacuoles sécrétrices, un appareil de Golgi très développé et des cils. Un réseau de fibrilles intracellulaires forme la charpente interne.
Pseudo-stratifié	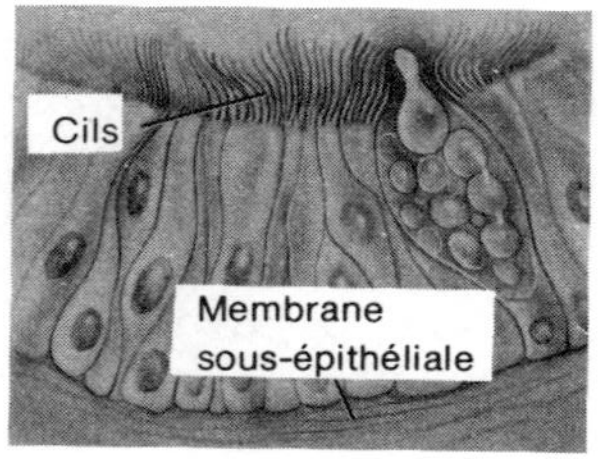 Cils; Membrane sous-épithéliale	Certaines voies respiratoires, canaux de plusieurs grosses glandes; en bordure de certains des canaux de l'appareil génital mâle. Peut être cilié.	Sécrétion, protection, mouvement de mucus	Composé de plusieurs types de cellules, les noyaux se trouvant à des niveaux différents en coupe perpendiculaire, ce qui donne l'impression de plusieurs couches. Toutes les cellules n'atteignent pas la lumière quoique toutes s'appuient sur les membranes sous-épithéliales. Cilié, sécrétion de mucus, avec ou sans microvillosités.

Pavimenteux stratifié	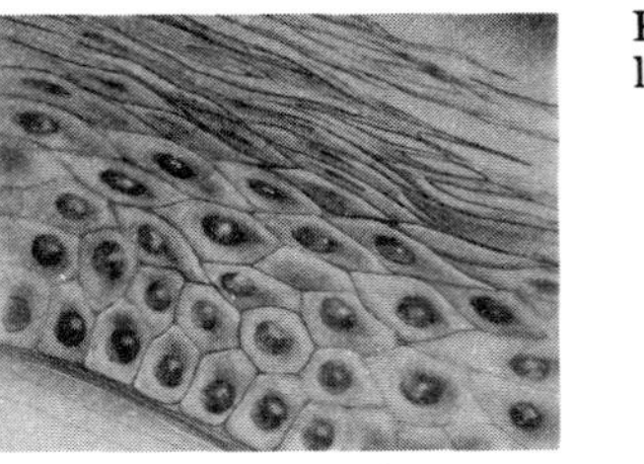 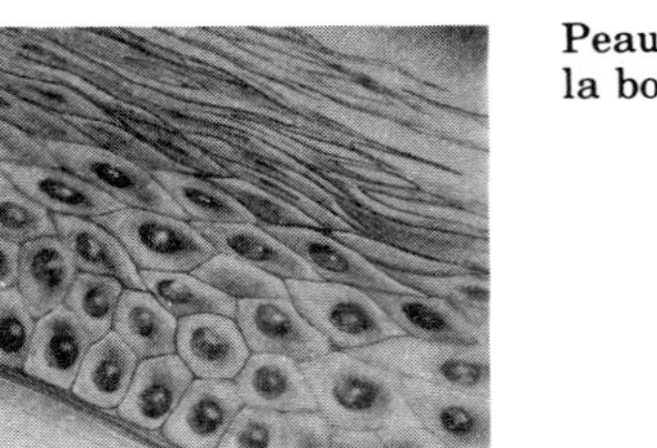	**Peau, surface du vagin et de la bouche**	**Tissu de protection, peu ou pas absorbant et à peu près imperméable. La couche *kératinisée* de la peau est continuellement usée par frottement et remplacée par les couches sous-jacentes.**	**Membrane épaisse, à plusieurs assises cellulaires, dont les plus profondes seules ont une activité métabolique. Leur division repousse les cellules superficielles vers la surface. Ces dernières ne sont pas kératinisées sur les surfaces humides mais imperméabilisées par la *kératine* et aplaties sur la couche superficielle de la peau.**
Cubique stratifié	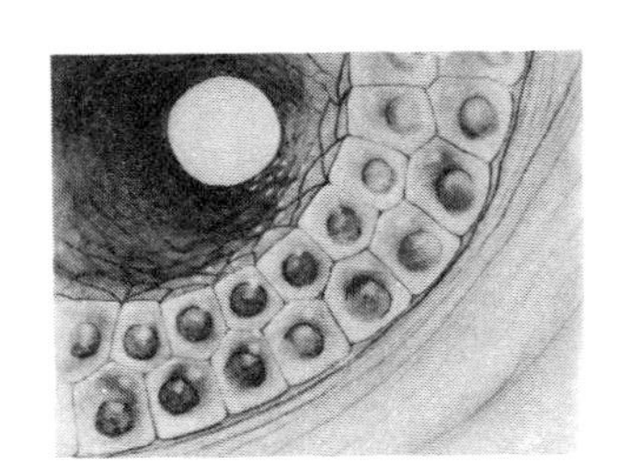	Seulement dans les canaux excréteurs des glandes sudorifères	Protection	Formé de deux couches de cellules cubiques
Transitionnel (de transition)	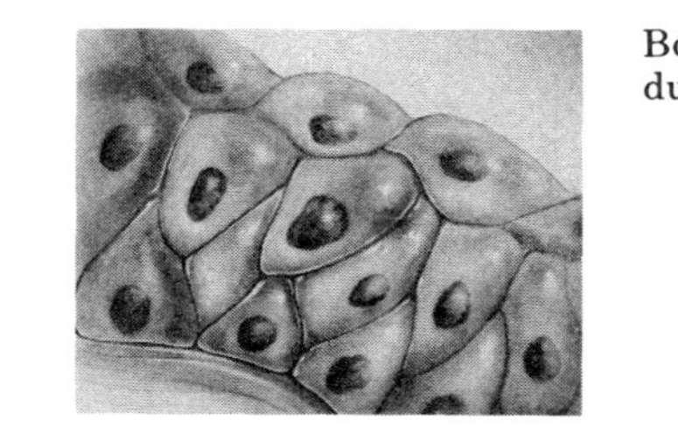	Bordure de l'appareil urinaire du bassinet jusqu'à l'urètre	Tolérance à la distension	Couche de cellules basales cubiques ou cylindriques, les couches superficielles variant d'aspect suivant le degré de distension, de rond à pavimenteux

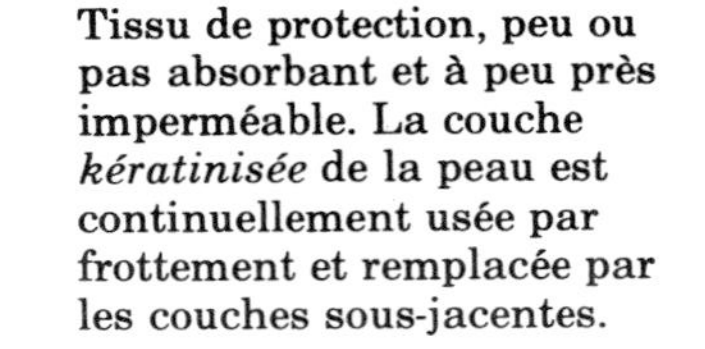
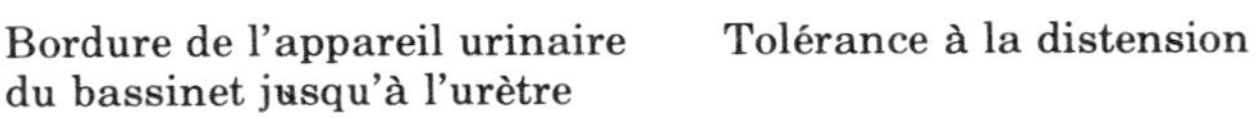
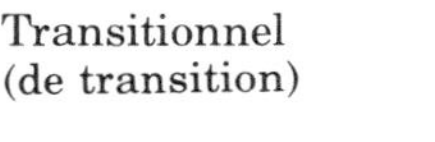

* On a omis de ce tableau quelques tissus conjonctifs, les tissus nerveux et musculaires, soit parce qu'on les aborde dans ce chapitre soit parce qu'on les retrouve avec des systèmes spécialisés auxquels ils sont étroitement associés. Les tissus conjonctifs et épithéliaux sont de toutes façons présents dans presque tous les systèmes et organes. Ce tableau pourra servir de référence immédiate lorsque des tissus conjonctifs ou épithéliaux seront présentés plus loin dans ce volume, en rapport avec la description d'organes spécifiques. La liste des localisations n'est pas exhaustive.

† L'assemblage par emboîtement est une union entre deux éléments selon la technique de menuiserie à tenons et à mortaises. On peut aussi représenter ce type d'assemblage par l'interpénétration des doigts d'une main entre les doigts de l'autre main.

ce libre des cellules externes possède souvent des différenciations comme des *cils* (fines projections filiformes), ou des *microvillosités* (fins replis membranaires) augmentant considérablement la surface de la cellule. En plus de protéger les tissus sous-jacents, les épithéliums peuvent être spécialisés dans la sécrétion ou l'absorption. D'autres enfin, grâce aux battements rythmiques et coordonnés de cils à leur surface, peuvent transporter du mucus ou des matériaux divers.

L'épithélium glandulaire est un tissu sécréteur. La *glande* est formée d'une ou de plusieurs cellules épithéliales dont le produit de sécrétion est évacué, soit par un canal qui rejoint l'extérieur, soit directement dans le milieu ambiant. Les *glandes exocrines*, comme les glandes sudorifères, correspondent au premier groupe. S'il n'y a pas de canal d'évacuation, on parle de *glandes endocrines* et les produits de sécrétion sont des *hormones*. Ces dernières, relâchées dans le liquide interstitiel, diffusent vers le sang et sont transportées à destination par l'appareil circulatoire.

Le tissu conjonctif

Il est très différent du tissu épithélial. Il est formé de quelques cellules enfouies dans une grande quantité de matériel extracellulaire. C'est la *substance fondamentale*, assemblage complexe de diverses molécules organiques. On retrouve, éparpillées dans cette dernière, trois types de fibres: des *fibres de collagène*, des *fibres réticulées* et des *fibres élastiques*. Les premières, plus nombreuses, contiennent une protéine, le collagène, mieux connu sous sa forme hydratée, la gélatine. La résistance à la tension de ces fibres est comparable à celle de l'acier. Quant aux fibres réticulées, elles sont aussi formées de collagène, mais plus fines. Les fibres élastiques, comme leur nom l'indique, se laissent étirer facilement et reprennent leur longueur initiale lorsque la tension se relâche. Toutes ces fibres, de même que la substance fondamentale, sont produites par les cellules du tissu conjonctif, dont les représentants les plus nombreux sont les *fibroblastes*.

Le tissu conjonctif supporte et ancre les structures du corps. Il sert aussi à protéger des structures, à emmagasiner et à transporter des matériaux (sang). Lorsque des tissus sont endommagés, le tissu conjonctif sert à la réparation.

On classe les tissus conjonctifs selon le type et la densité des fibres et l'organisation des cellules. L'os, le cartilage, le tissu adipeux (graisse) et aréolaire (emballage lâche de la plupart des organes et tissus) en sont quelques exemples (figures 1-8). On considère aussi le sang comme un tissu conjonctif liquide. Le tableau 1-2 fait la liste de plusieurs tissus conjonctifs.

Le tissu adipeux La graisse est un tissu particulier, une variété de tissu conjonctif qui contient quelques fibres. Le tissu adipeux se distingue par la forme arrondie de ses cellules, littéralement bourrées de gouttelettes oléagineuses coalescentes qui étirent le matériel vivant de la cellule. La vacuole centrale devient énorme et la cellule ne forme plus bientôt qu'une mince enveloppe tout autour (figure 1-7). Plusieurs fonctions dans l'organisme relèvent du tissu adipeux: l'isolation, le support, le rembourrage et la mise en réserve qui, malheureusement, est proportionnelle à la «bouffe».

Le tissu sanguin Le sang est une suspension d'*éléments figurés* ou *cellulaires*: les globules rouges et blancs et les plaquettes sont contenus dans un liquide couleur paille, le *plasma*. Les globules rouges, à maturité, sont des cellules qui présentent une caractéristique unique: elles ne possèdent pas de noyau. Ils sont remplis d'*hémoglobine*, pigment rouge leur permettant de transporter de l'oxygène aux tissus. Le sang lui doit d'ailleurs sa couleur rouge. Les globules blancs, de loin moins nombreux, possèdent un noyau mais ne contiennent pas d'hémoglobine; certains d'entre eux, les *lymphocytes*, combattent les organismes pathogènes. Quant aux plaquettes, elles servent à la coagulation du sang.

Le tissu osseux et cartilagineux Les os du pouce, comme tous les autres, sont enveloppés dans une membrane fibreuse rigide, le *périoste*, servant à leur croissance et à l'insertion des

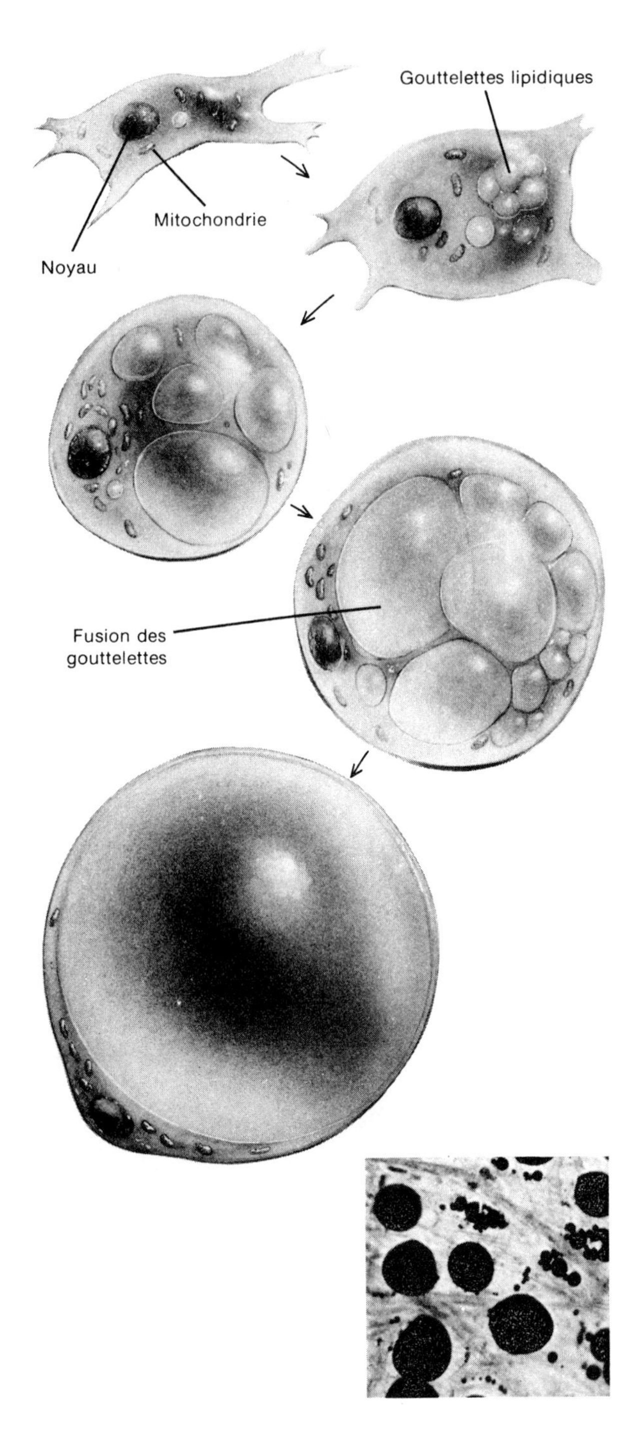

Figure 1-7 Maturation d'une cellule adipeuse. Les gouttelettes lipidiques se fusionnent et forment une grosse vacuole centrale. En médaillon: photomicrographie d'un tissu adipeux (environ ×100). Les noyaux des cellules sont peu apparents sur cette photo. Les taches noires sont des gouttelettes lipidiques fortement colorées.

muscles. L'os est un type de tissu conjonctif dans lequel les cellules sont encastrées, séparément les unes des autres, dans la substance (ou matrice) osseuse rigide elle-même (figure 1-8). De fait, les cellules ne sont pas complètement isolées puisqu'elles mourraient. Elles sont interreliées grâce à de fins prolongements qui pénètrent la substance osseuse. De plus, elles se situent toutes à proximité d'un capillaire sanguin.

À la surface articulaire des os, on retrouve un tissu conjonctif spécialisé: le *cartilage* (le croquant). Comme tous les tissus conjonctifs, il est composé de trois éléments: cellules, fibres et substance fondamentale, les deux dernières formant la *matrice* ou *substance intercellulaire*. Comme dans le tissu osseux, les cellules cartilagineuses (*chondrocytes*) occupent de petites *logettes* ou *lacunes* (*chondroplastes* ou *nids cellulaires*) largement séparées les unes des autres par la matrice. La nutrition du cartilage se fait à partir du liquide qui le baigne; c'est un tissu à peu près dépourvu de vaisseaux sanguins. Ses besoins en oxygène sont presque nuls et la respiration cellulaire est anaérobie, comme chez beaucoup de bactéries. Sa régénération est très difficile et tout dommage qui lui est causé peut avoir des conséquences à long terme, sinon permanentes (*calcification*).

Le tissu musculaire

Le tissu musculaire (figure 1-9) est constitué de cellules contractiles. Nous avons vu auparavant que les muscles permettent les mouvements du pouce; ce sont des *muscles striés*, volontaires, comme tous les muscles squelettiques (ceux dont les insertions se font sur des os et qui sont impliqués dans les actions volontaires). Ce type de muscle est caractérisé par son apparence striée ou rayée et ses cellules, appelées *fibres musculaires*, possèdent plusieurs noyaux.

Les muscles involontaires appartiennent à deux catégories selon leur apparence: le *muscle lisse* et le *muscle cardiaque*. Le premier existe dans la paroi des organes creux ou tubulaires et ne possède pas de bandes transverses. Le second est confiné au coeur et ses cellules sont striées. Comme leur nom l'indique, ces muscles sont responsables des mouvements involontaires de l'organisme.

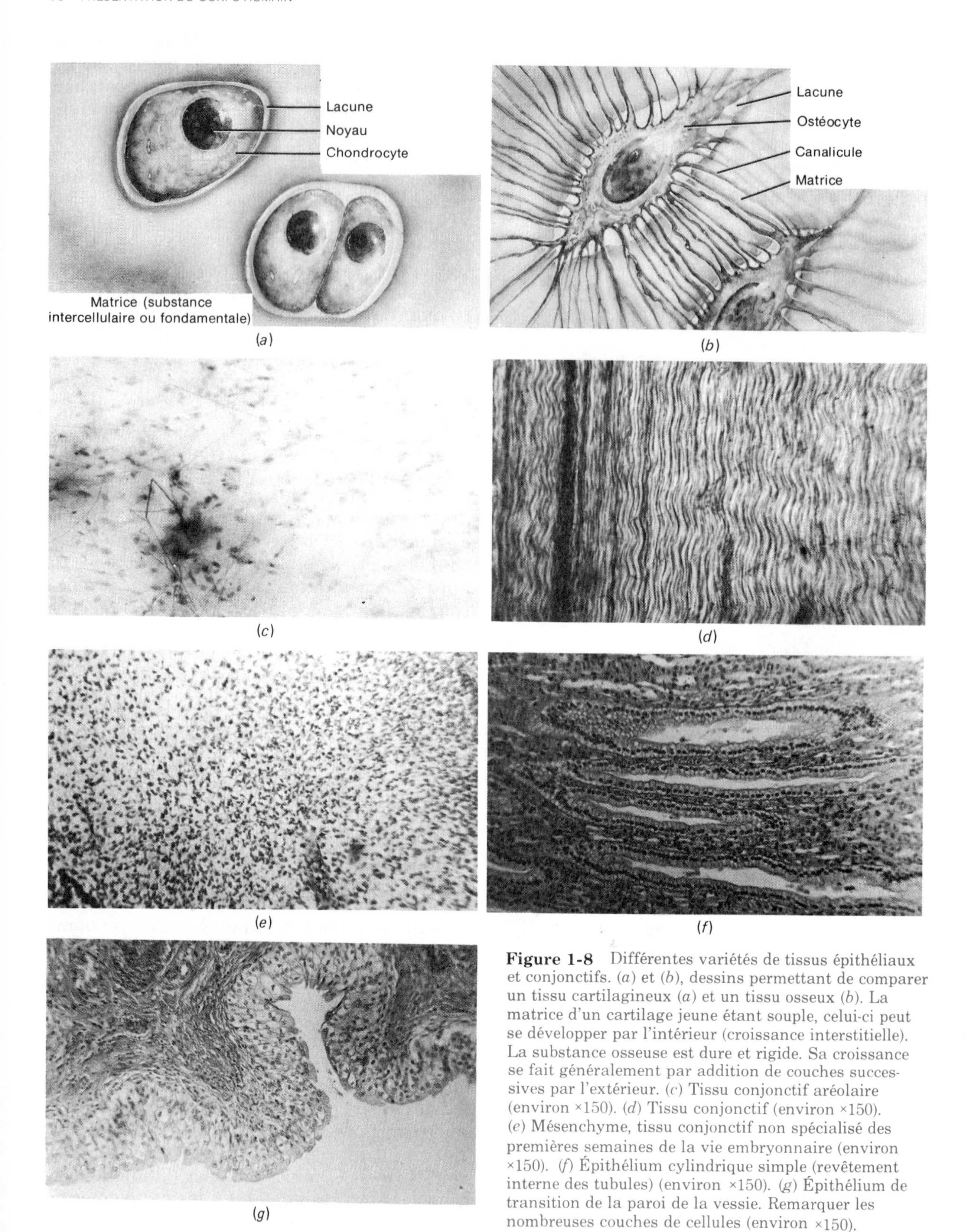

Figure 1-8 Différentes variétés de tissus épithéliaux et conjonctifs. (*a*) et (*b*), dessins permettant de comparer un tissu cartilagineux (*a*) et un tissu osseux (*b*). La matrice d'un cartilage jeune étant souple, celui-ci peut se développer par l'intérieur (croissance interstitielle). La substance osseuse est dure et rigide. Sa croissance se fait généralement par addition de couches successives par l'extérieur. (*c*) Tissu conjonctif aréolaire (environ ×150). (*d*) Tissu conjonctif (environ ×150). (*e*) Mésenchyme, tissu conjonctif non spécialisé des premières semaines de la vie embryonnaire (environ ×150). (*f*) Épithélium cylindrique simple (revêtement interne des tubules) (environ ×150). (*g*) Épithélium de transition de la paroi de la vessie. Remarquer les nombreuses couches de cellules (environ ×150).

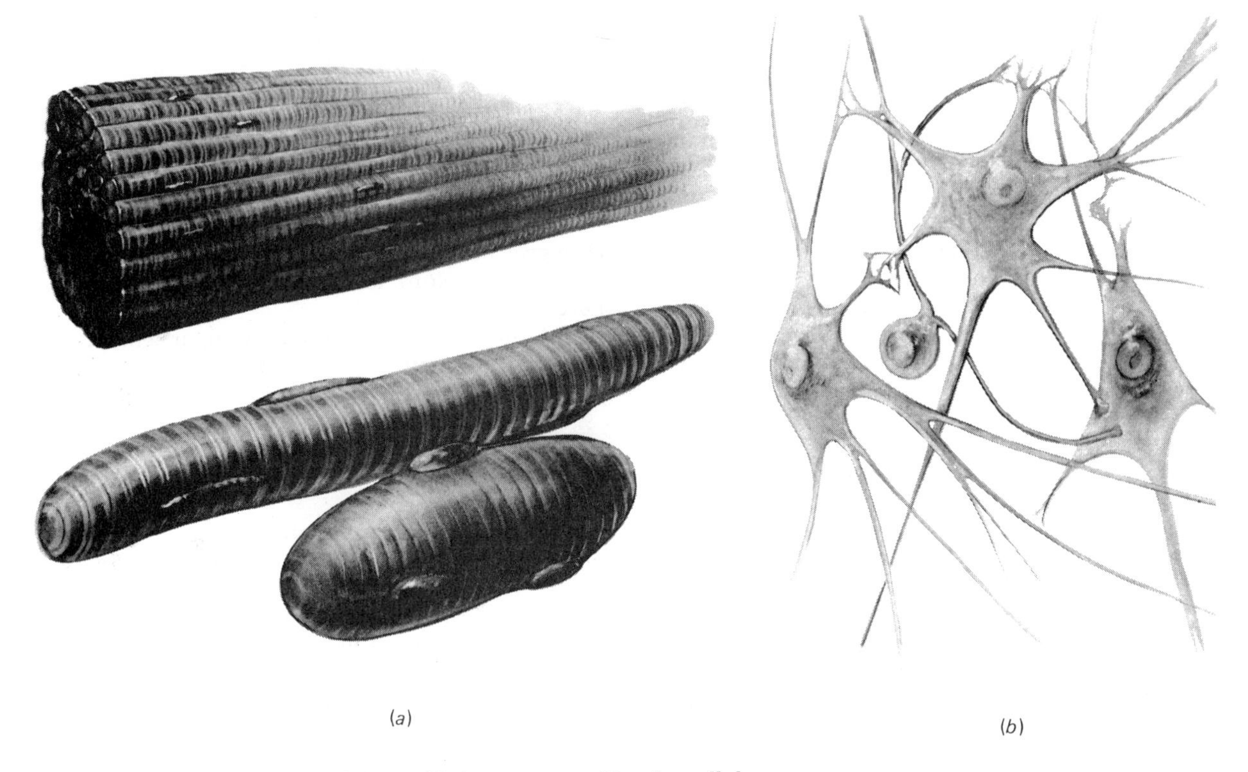

Figure 1-9 (*a*) Tissu musculaire et (*b*) tissu nerveux. Une des cellules musculaires (celle du bas) est en contraction. Les cellules musculaires ont plusieurs noyaux.

Le tissu nerveux

Le tissu nerveux est spécialisé dans la réception des stimulus, la transmission de l'information, et le contrôle de l'activité des cellules musculaires et glandulaires. La majeure partie du tissu nerveux se trouve dans le cerveau et la moelle épinière. Il existe aussi des faisceaux de tissu nerveux, les nerfs, qui recueillent l'information afférente des récepteurs sensitifs distribués à travers tout l'organisme, et retournent aux organes effecteurs les décisions volontaires du cerveau ou les réponses réflexes de la moelle.

Nous avons discuté dans ce chapitre des principaux tissus de l'organisme. Certains autres, plus particuliers et moins répandus, reviendront ultérieurement lorsque nous parlerons des appareils et des systèmes auxquels ils sont associés. Le chapitre suivant étudie les cellules qui composent tous les tissus, organes, et systèmes du corps.

RÉSUMÉ

1 Les principaux termes de localisation anatomique:

TERME	ORIENTATION
Céphalique (supérieur)	Vers le haut
Inférieur	Vers le bas
Ventral (antérieur)	Vers l'avant
Dorsal (postérieur)	Vers l'arrière
Transversal	Perpendiculaire à la ligne médiane
Sagittal	Parallèle à la ligne médiane, coupant les surfaces antérieure et postérieure
Latéral (externe)	Éloigné de la ligne médiane
Médial (interne)	Près de la ligne médiane
Distal	Éloigné du point d'insertion d'un membre
Proximal	Près du point d'insertion d'un membre

2 On divise le corps en deux grandes cavités: l'une osseuse et dorsale, le canal neural, l'autre ventrale,

la cavité viscérale. Cette dernière comprend la cavité thoracique et la cavité *abdomino-pelvienne.*

3 Le concept d'homéostasie implique la capacité de l'organisme à maintenir les conditions intérieures du corps à un niveau compatible avec le maintien de la vie et les fonctions propres des tissus. En général, l'homéostasie est assurée par des mécanismes à rétroaction négative.

4 L'organisme humain comprend dix grands systèmes et appareils interreliés, formés d'une association d'organes intégrés quant à leurs fonctions. Chaque organe a une fonction déterminée et est formé de tissus spécialisés, c'est-à-dire d'associations homogènes de cellules et de produits cellulaires. Ces dix systèmes et appareils sont présentés au tableau 1-1.

5 Le pouce est un doigt important puisqu'il peut être opposé à chacun des autres doigts, permettant une «prise de main» caractéristique de l'humain. Il contient surtout des os et des muscles dont l'arrangement permet des mouvements antagonistes.

6 Les quatre principaux tissus de l'organisme sont les tissus musculaire, nerveux, épithélial et conjonctif. Les cellules musculaires, spécialisées dans la contraction, sont allongées, et celles du muscle volontaire sont polynucléées. Les cellules nerveuses, spécialisées dans la transmission, sont encore plus longues que les cellules musculaires. Le tissu conjonctif est d'abord un tissu de soutien et d'ancrage alors que l'épithélium a un rôle de protection, de sécrétion, d'absorption et même de transport dans certains cas. Le tableau 1-2 présente plus en détail ces deux derniers tissus.

QUESTIONS DE RÉVISION

1 Localiser anatomiquement l'ombilic, l'oreille et le gros orteil.

2 Quelles sont les principales cavités dans l'organisme?

3 À quel système ou appareil appartiennent les structures suivantes?

- **a)** Le crâne.
- **b)** Le nerf sciatique.
- **c)** La veine céphalique.
- **d)** Le gros intestin.
- **e)** La vessie.

4 Qu'est-ce que l'homéostasie?

5 Comment est contrôlée la température corporelle?

6 Faire la liste des principaux tissus.

7 Comparer l'os et le cartilage.

8 Comparer le tissu adipeux et le sang.

9 Nommer, de mémoire, les principaux tissus épithéliaux.

10 Comparer les fonctions des tissus suivants:

- **a)** Épithélium simple pavimenteux.
- **b)** Épithélium stratifié pavimenteux.
- **c)** Épithélium simple cylindrique.
- **d)** Épithélium stratifié de transition.

2 LA CHIMIE DE LA VIE

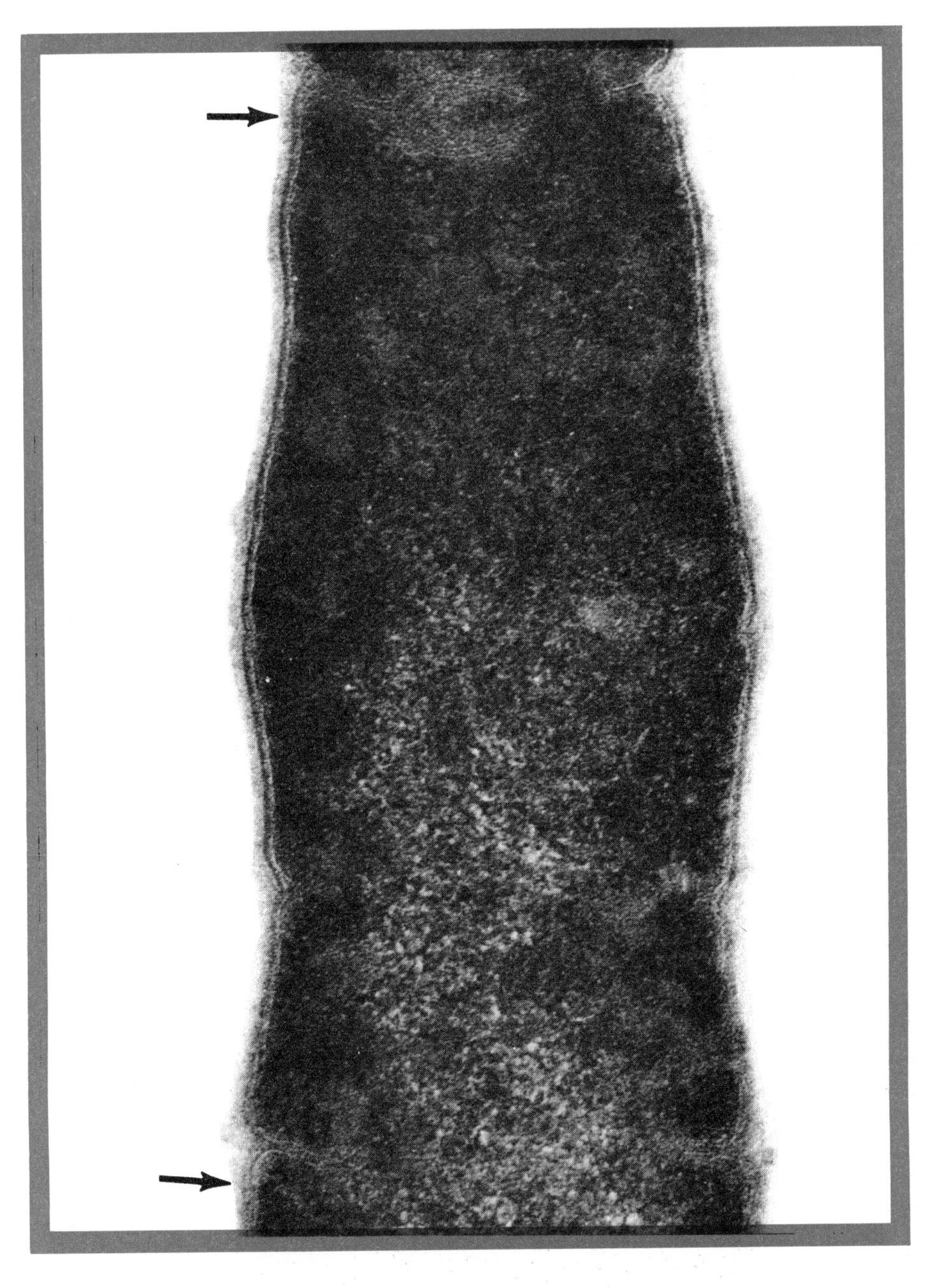

Bactérie après traitement avec un antibiotique. Ce dernier bloque la production de la paroi cellulaire, empêchant les deux cellules filles de se séparer. Les flèches attirent l'attention sur des anomalies membranaires entre les cellules filles.
(Victor Lorian; reproduit avec la permission de l'American Journal of Clinical Pathology.)

OBJECTIFS

L'étude de ce chapitre devrait vous permettre de:

1 Présenter la membrane cellulaire. Décrire et relier sa structure et ses fonctions essentielles.
2 Décrire chimiquement les glucides, les lipides, les protéines et les acides nucléiques, connaître leurs sous-unités, les reconnaître à partir d'exemples et résumer leurs rôles dans la vie de la cellule et de l'organisme.
3 Décrire les fonctions des enzymes, énumérer leurs propriétés essentielles, reconnaître leur aspect chimique et présenter la théorie de leur fonctionnement.
4 Distinguer les liaisons covalentes et ioniques, faire la relation entre les liaisons ioniques et l'ionisation, résumer le processus d'ionisation des composés, plus particulièrement des acides.
5 Définir le pH et le caractériser comme acide, neutre ou basique, pour n'importe quelle valeur.
6 Décrire comment les tampons amortissent les changements de pH d'une solution.

Si la lecture requiert une bonne connaissance de l'alphabet et qu'une partie de l'aptitude à faire des mathématiques repose sur l'habileté à compter, de même toute étude biologique nécessite la possession de rudiments de chimie. La connaissance des concepts chimiques impliqués dans le fonctionnement du corps est nécessaire, spécialement en ce qui concerne l'étude de la cellule, puisque les organites cellulaires ou certaines régions spécialisées des cellules ont une fonction chimique. On peut même dire que la vie d'un organisme repose sur une coordination exceptionnelle des multiples réactions chimiques qui construisent, réparent et entretiennent le corps, support physique de la vie. C'est pourquoi, avant d'entreprendre l'étude de la cellule, une révision de quelques concepts élémentaires de la chimie s'impose.

LES ATOMES ET LES MOLÉCULES

Que la matière soit vivante ou non, elle est composée d'éléments chimiques. On connaît aujourd'hui environ 105 éléments différents dont 92 sont naturels. Les autres ont été produits en laboratoire. Environ 98 pour 100 de la masse du cytoplasme est représenté par 6 éléments, soit le carbone, l'hydrogène, l'oxygène, l'azote, le calcium et le phosphore. On retrouve environ 20 autres éléments dans la matière vivante, mais en quantité minime. Un *élément* est une population homogène d'une seule sorte d'atomes. D'une autre façon, on pourrait dire que la plus petite partie constituante d'un élément, qui en conserve les propriétés caractéristiques, s'appelle un atome. Les *atomes* sont les unités de base de la matière participant aux réactions chimiques.

Lorsque deux atomes ou plus s'unissent chimiquement, ils forment une *molécule*. Les molécules peuvent être formées d'atomes d'une même espèce (l'oxygène moléculaire est formé de deux atomes d'oxygène) ou d'espèces différentes (l'eau contient deux atomes d'hydrogène unis à un atome d'oxygène). Une molécule formée d'atomes différents dans des proportions définies s'appelle un *composé chimique*.

Les chimistes utilisent un système d'abréviations pour représenter les éléments: les *symboles chimiques*. Par exemple, le symbole chimique du carbone est C, celui de l'hydrogène, H. Le tableau 2-1 présente la liste des symboles chimiques de plusieurs éléments d'importance biologique.

On peut donner la composition d'un composé chimique grâce à une écriture télégraphique, la *formule chimique*. C'est une combinaison de symboles chimiques et de nombres dans une disposition conventionnelle, permettant de qualifier les atomes et de quantifier leurs proportions relatives dans chacune des molécules d'un composé chimique. Le symbole chimique de l'hydrogène est H et celui de l'oxygène est O. Or l'eau contient habituellement deux fois plus d'hydrogène que d'oxygène; la molécule d'eau contient alors deux atomes

Tableau 2-1 Quelques éléments d'importance biologique

Nom	Symbole chimique	Importance biologique
Carbone	C	Composant de toutes les molécules organiques; peut se lier à quatre atomes; forme le squelette des molécules organiques
Hydrogène	H	Peut faire partie de plus de combinaisons chimiques que tout autre élément; élément constituant de tous les composés organiques
Oxygène	O	Nécessaire à la respiration cellulaire; élément constituant de plusieurs composés organiques
Azote	N	Composant de toutes les protéines et des acides nucléiques
Calcium	Ca	Forme la structure des dents et des os; nécessaire à la contraction musculaire, à la transmission de l'influx nerveux et à la coagulation du sang
Phosphore	P	Composant de beaucoup de protéines et d'acides nucléiques
Sodium Chlore	Na Cl	Ions essentiels du sang et des autres liquides corporels
Fer	Fe	Composant de l'hémoglobine et de plusieurs enzymes
Magnésium	Mg	Présent dans le sang et les autres liquides corporels; nécessaire à maintes réactions enzymatiques
Soufre	S	Composant de la plupart des protéines

d'hydrogène et un atome d'oxygène (H_2O). Le contenu atomique des molécules constituantes des divers composés chimiques varie selon les espèces d'atomes et leurs proportions relatives. Dans les composés chimiques complexes, on constate que l'arrangement spatial des atomes dans les molécules peut conférer des caractéristiques chimiques spéciales même si les espèces atomiques et leurs proportions sont les mêmes (mêmes *formules brutes*).

Une *équation chimique* montre comment des substances chimiques réagissent entre elles pour former des produits. Par exemple, $2H_2 + O_2 \rightarrow 2H_2O$. Le sens de la flèche indique le sens préférentiel de la réaction. Dans cette dernière, l'eau est formée de deux gaz: l'hydrogène et l'oxygène. En parcourant ce volume, vous rencontrerez de multiples exemples de formules et de réactions chimiques.

Un atome important: le carbone

On peut à peine imaginer la petitesse des atomes. Supposons que vous preniez entre vos doigts un crayon ordinaire à mine de graphite, une forme presque pure de l'élément carbone et faussement appelée un «crayon de plomb». Écrasez la mine pour la réduire en une poussière si fine que les grains individuels ne soient visibles que grâce aux microscopes les plus puissants. Chaque grain contient encore plusieurs milliers d'atomes de carbone. La balance la plus sensible ne pourrait enregistrer la masse de plusieurs milliards d'atomes de carbone. C'est cependant sur les propriétés de ces minuscules structures que repose la vie.

Les chimistes subdivisent traditionnellement la science chimique en deux réalités: la chimie organique et la chimie inorganique. Les *substances inorganiques* (ou minérales) sont relativement simples: le sel, la rouille, l'eau ou l'amiante. Les *composés organiques*, d'un autre côté, peuvent être beaucoup plus complexes que les substances inorganiques les plus compliquées; ils contiennent tous des atomes de carbone (figure 2-1). Ces derniers forment le squelette des molécules organiques grâce à leur tendance à s'unir les uns aux autres. Ce squelette, dont la longueur peut être presque infinie et les ramifications innombrables, rend possible la très grande complexité des molécules organiques. Il ne pourrait y avoir de fondement chimique à la vie sans cette complexité. L'éventail des structures disponibles parmi les substances inorganiques est trop étroit pour qu'une cellule, même la plus simple, puisse assumer ses multiples fonctions. Les atomes de carbone ont une structure leur permettant d'établir quatre liaisons pour former une chaîne droite ou ramifiée. Les autres atomes n'ont pas cette capacité; leur structure ne le permet pas.

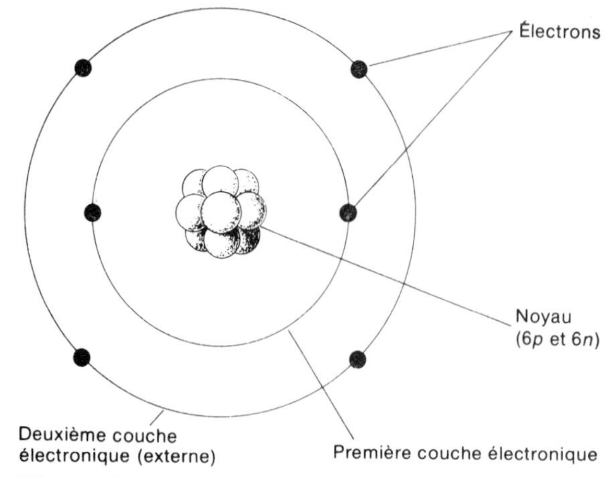

Figure 2-1 Représentation simplifiée de l'atome de carbone.

La structure atomique

Pendant que les anciens philosophes grecs discutaient de la structure de la matière, l'un d'entre eux, Démocrite, prétendit que toute chose, y compris l'âme humaine, était composée de minuscules particules qu'il nomma *atomes*. Il affirma même que ceux de l'âme étaient les plus nobles. Il disait que les atomes étaient indivisibles et que par diverses combinaisons, ils formaient toutes les «choses matérielles». Quoique ces affirmations n'étaient pas inédites, on considère Démocrite, né environ 460 ans avant Jésus-Christ, comme le père de la théorie atomique. Il est même possible que grâce au recyclage écologique, quelques atomes de Démocrite se retrouvent en vous.

Ce n'est pas avant le dix-neuvième siècle que la théorie atomique put être exprimée sous une forme moderne. L'explosion se produisit entre les années 1920 et 1930, lors de la découverte des principes terrifiants de la fission et de la fusion nucléaires. De nos jours, la progression des connaissances est continuelle avec la mise en évidence et la caractérisation de particules subatomiques aux noms étranges et fantaisistes: les pions, quarks, hadrons, leptons, mésons, muons, kaons et neutrinos. Une courte phrase tirée d'un article scientifique récent peut inquiéter les profanes: «Puisque le courant neutre existe dans les réactions de neutrino, on s'attend à observer aussi une classe de particules nouvelles, les particules *charmées*, dont l'existence explique l'absence du courant neutre dans les interactions de particules étranges»[1]. Heureusement, le concept du noyau indivisible suffit aux biologistes.

Le noyau de l'atome Un atome est composé de plusieurs parties et la compréhension des propriétés atomiques repose sur celle des parties de l'atome. Un atome est une structure contenant essentiellement du vide; on le compare souvent à notre système solaire. La comparaison est valable en ce qui concerne le rapport matière/espace vide. Au centre de l'atome, le *noyau* est entouré d'un certain nombre de couches concentriques où évoluent des *électrons*. Ces derniers ont une charge électrique négative alors que, dans le noyau, les *protons* ont une charge positive et les *neutrons*, aucune charge. L'atome de carbone a deux couches électroniques: la première, intérieure, compte deux électrons; l'autre, quatre. Le noyau contient six protons et six neutrons.

Les particules de même charge se repoussant énergiquement, le noyau devrait exploser comme lors de la fission nucléaire. La très grande cohésion entre les éléments nucléaires (la raison pour laquelle nous n'avons pas tous encore disparu dans une gigantesque explosion atomique) tient au fait que le noyau des atomes est stabilisé par des forces intranucléaires résidant dans des particules spéciales, les gluons.

Les électrons Les électrons de l'atome de carbone circulent autour du noyau. Un atome neutre contient exactement le même nombre d'électrons et de protons. Les charges sont opposées, donc s'attirent mutuellement et se neutralisent globalement. On peut ainsi rapprocher des atomes sans que les noyaux se repoussent avec violence. On pourrait croire que les électrons, à cause de cette attraction, finissent par faire partie du noyau. D'ordinaire, cela ne se produit pas. Les électrons sont plutôt à des distances privilégiées du noyau, les *orbitales*. La rotation des électrons autour du noyau et l'orbitale dans laquelle ils évoluent sont l'expression de leur niveau énergétique.

Il est judicieux, ici, d'apporter un exemple. Prenez une balle attachée à un élastique et faites-la tourner au-dessus de votre tête. Plus la balle tourne vite, plus il y a d'énergie dans le système et plus elle s'éloigne de vous. C'est la force centrifuge qui pousse la balle et cette force est contrebalancée par la tension dans

[1] «La Recherche», n° 74, janvier 1977.

l'élastique. Le rayon de rotation de la balle représente donc l'énergie contenue dans le système. Si la résistance de l'élastique devient plus faible que la force centrifuge, il casse et la balle s'envole. De même, dans l'atome, plus un électron possède d'énergie, plus son rayon de rotation est grand (plus son orbitale est éloignée du noyau). Dans le cas de la balle, l'augmentation et la diminution du contenu énergétique est graduelle et continue. Le rayon de rotation peut prendre n'importe quelle valeur entre celle de l'élastique au repos et celle de l'élastique étiré au maximum. À l'opposé, l'électron gagne et perd de l'énergie par quantités discrètes (par *quanta*). Le niveau énergétique d'une orbitale par rapport à une autre représente exactement la quantité d'énergie qu'un électron doit acquérir ou dissiper pour passer de l'une à l'autre.

Cette analogie éclaire le fait que les électrons d'un atome ont des niveaux d'énergie différents. C'est même systématique: il ne peut y avoir plus de deux électrons au niveau le plus bas, plus de huit au second, plus de dix-huit au troisième, et ainsi de suite en accord avec des règles qui dépassent largement les objectifs de ce volume.

Selon leur niveau énergétique, les électrons forment des amas autour du noyau dont la configuration peut être très variable et complexe. Pour les besoins de la discussion, on dira que la configuration type des électrons peut être représentée par des sphères concentriques autour du noyau. Les sphères centrales sont plus petites et ne peuvent loger autant d'électrons que les sphères périphériques; cette notion est importante puisqu'il y a une limite à l'encombrement électronique d'une région donnée autour du noyau. Les charges électroniques étant de même signe, il y a répulsion réciproque entre les électrons. La première sphère électronique d'un atome, sauf l'hydrogène, possède deux électrons. Puisque le noyau de carbone possède six protons, six électrons gravitent autour de lui. La seconde sphère contient donc les quatre autres et pourrait même en acquérir quatre de plus. C'est ce qui arrive avec un atome plus gros, comme par exemple le sodium. Un atome assez gros possède des électrons non seulement au premier et au deuxième niveau, mais aussi à plusieurs niveaux supérieurs. L'atome de carbone possède quatre électrons à son niveau supérieur. Il peut s'associer avec d'autres atomes de multiples façons, assurant ainsi la très grande diversité des composés organiques.

Les liaisons covalentes

Les atomes d'hydrogène et d'hélium sont particuliers; le premier n'a qu'un électron, le second en a deux. Nous avons vu que la première sphère (le plus bas niveau énergétique) ne peut contenir plus de deux électrons et que c'est la seule sphère que possèdent ces deux éléments. Dans tous les autres cas, un atome qui possède quatre électrons ou plus dans la sphère externe est insatisfait ou avide d'électrons. La stabilité atomique n'est possible que s'il y a huit électrons au niveau supérieur. Cet anneau électronique périphérique caractérise les relations qui existent entre les atomes; en d'autres termes, il est responsable, par sa composition, des propriétés électriques d'un atome, de sa *réactivité.*

L'atome de carbone peut se joindre à d'autres atomes et partager avec eux un certain nombre d'électrons et ainsi remplir son anneau externe. Inéluctablement, ce partage amène le rapprochement des atomes auxquels appartiennent les électrons partagés. Il y a donc formation d'une liaison et le groupe d'atomes ainsi liés devient une molécule. Ces liaisons ne sont pas, comme on pourra le constater, les seules possibles. Elles caractérisent cependant les molécules organiques, en particulier les liaisons carbone-carbone. Une liaison formée grâce à un partage d'électrons est une *liaison covalente.* La figure 2-2 montre différentes possibilités de partage: par exemple, dans une chaîne d'atomes de carbone, il reste de la place pour des liaisons latérales avec des atomes ou des groupes d'atomes. Plus précisément, un atome de carbone peut former quatre liaisons avec d'autres atomes. Ces derniers peuvent être différents ou semblables, les liaisons peuvent être simples, doubles ou triples. Dans ce dernier cas, l'atome de carbone partage trois paires d'électrons au lieu d'une seule. Le tableau 2-2 présente quelques-uns des nombreux composés organiques carbonés.

LES PRINCIPAUX COMPOSÉS ORGANIQUES

Les composés organiques ont une structure et des attributs ayant des conséquences directes

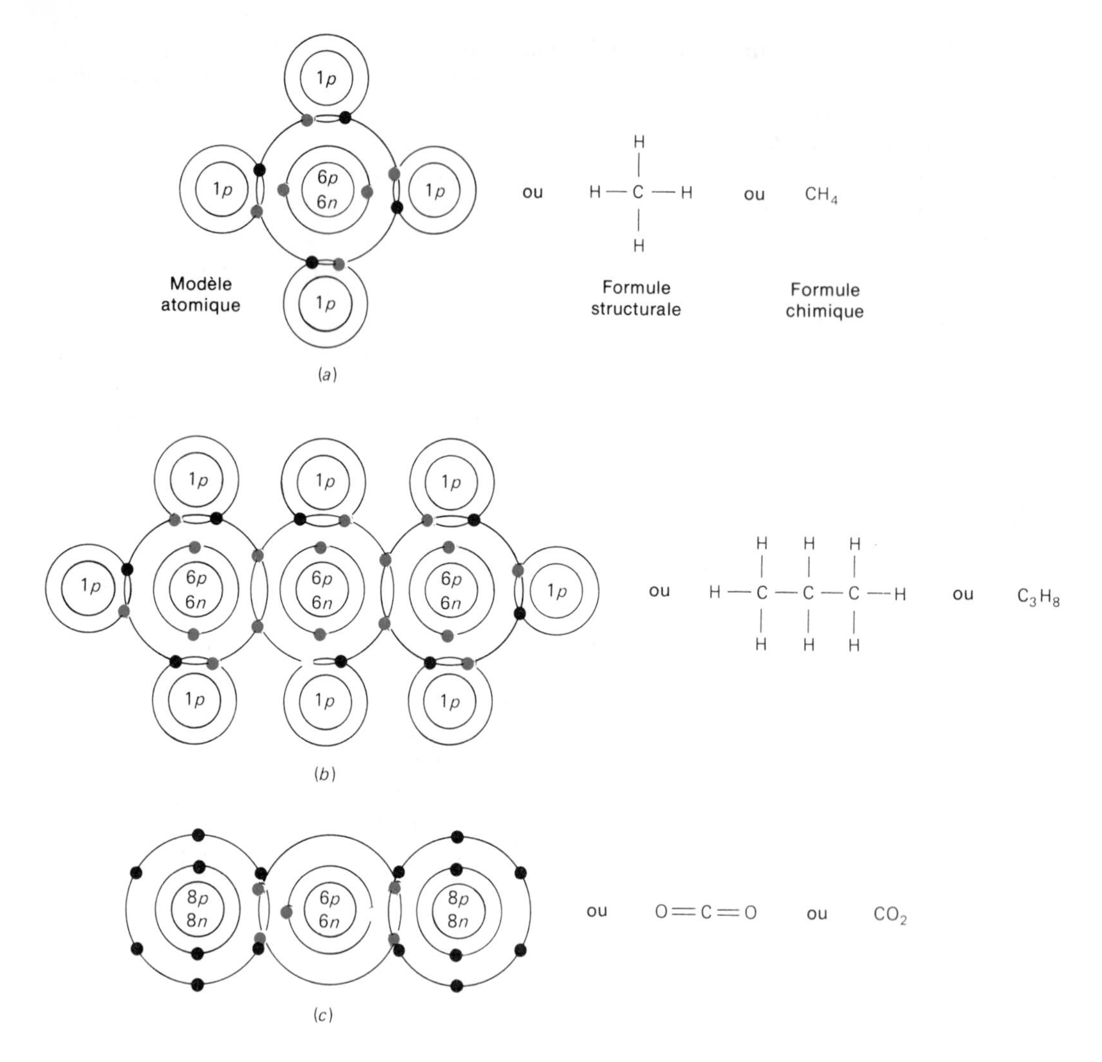

Figure 2-2 La liaison covalente. Rappel: la première couche électronique d'un atome ne contient que deux électrons alors que la seconde en requiert huit pour être pleine. Les électrons du carbone sont colorés en rouge. (*a*) Trois représentations différentes du méthane. L'hydrogène ne possède qu'un électron. Le modèle atomique fait voir que chaque atome d'hydrogène se sert d'un électron du carbone pour compléter sa couche électronique alors que l'atome de carbone se sert des quatre atomes d'hydrogène, fournissant chacun un électron, pour compléter sa couche électronique externe. Le partage de ces quatre paires d'électrons représente quatre liaisons covalentes qui forment la molécule de méthane. La formule structurale est plus simple à écrire; la liaison covalente est représentée par un trait. (*b*) Le propane, gaz souvent utilisé pour le camping, montre de quelle façon deux atomes de carbone peuvent partager des électrons pour former une chaîne. Chaque paire partagée forme une liaison covalente. (*c*) Le gaz carbonique illustre la capacité des atomes de carbone à partager plus d'une paire d'électrons avec un autre atome. Le partage de *deux paires* d'électrons avec l'oxygène forme une *double liaison*, représentée par deux traits entre le carbone et l'oxygène.

sur la forme et les fonctions des organites cellulaires qui les contiennent. L'un des meilleurs exemples est la relation entre la structure des *lipides* et l'arrangement ultramicroscopique de la membrane qui enveloppe les cellules.

Les lipides sont des substances graisseuses. Leur relative simplicité permet de les utiliser pour présenter les composés organiques d'importance biologique. Il y a plusieurs sortes de

Tableau 2-2 Les principales classes de composés organiques d'importance biologique

Classe	Description	Signes distinctifs	Principales fonctions biologiques
LIPIDES* — Glycérides (lipides complexes)	Combinaison d'une molécule de glycérol avec un, deux ou trois acides gras, formant respectivement les *mono*glycérides, les *di*glycérides et les *tri*glycérides. Les acides gras sont insaturés ou saturés selon qu'ils contiennent ou non une double liaison carbone-carbone (C=C).	Le glycérol forme l'une des extrémités de la molécule H | H — C — O(H) | H — C — O(H) | H — C — O(H) | H	Formation de la membrane cellulaire, mise en réserve d'énergie, isolation thermique, soutien des organes
— Stéroïdes (lipides simples)	Molécules formées de quatre anneaux d'atomes de carbone (le cyclo-pentanoperhydrophénanthrène). Trois de ces anneaux contiennent six carbones, le quatrième en contient cinq.	Entrelacement de quatre anneaux	Le cholestérol, les sels biliaires, la vitamine D et certaines hormones sont des stéroïdes
GLUCIDES	**1** Sucres simples, pour la plupart formés de cinq (pentose) ou six (hexose) carbones, associés en forme d'anneaux **2** Les glucides plus complexes viennent de l'association en chaînes plus ou moins longues d'unités à six carbones (hexoses), chaînes formées par déshydratation. Une unité est un monosaccharide (glucose). Deux unités forment un disaccharide (maltose, sucrose). Plusieurs unités forment les polysaccharides (inuline, amidon, glycogène, cellulose). La formule empirique d'un sucre simple est $C_n(H_2O)_n$, celle d'un disaccharide est $C_{12}H_{22}O_{11}$ et celle d'un polysaccharide est $(C_6H_{10}O_5)_n$	La forme des anneaux: 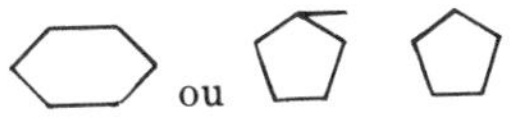 ou Hexose Pentose Calcul des atomes de carbone, d'hydrogène et d'oxygène	Combustible cellulaire; mise en réserve d'énergie; composant des mucopolysaccharides et des acides nucléiques
PROTÉINES (protéines de structure et enzymes)	Un seul ou plusieurs polypeptides (chaînes d'acides aminés) dont l'agencement spatial ou tridimensionnel est caractéristique	Présence d'acides aminés associés par des liens peptidiques (C-N)	Catalyse; transport de l'oxygène; contraction musculaire. Structure du corps.
ACIDES NUCLÉIQUES	Squelette formé par la répétition de groupements pentose-phosphate, auxquels sont liées des bases azotées **1** L'ADN se présente sous la forme d'un double filament et contient les bases guanine, cytosine, adénine et thymine, liées à un désoxyribose **2** L'ARN se présente sous la forme d'un monofilament et contient les bases guanine, cytosine, adénine et uracile, liées à un ribose	Présence d'une chaîne de pentose-phosphate. La double hélice caractéristique de l'ADN.	Dépositaire de l'information génétique; responsable de sa transmission et de son expression

* On connaît d'autres lipides, tels les phospholipides et les prostaglandines.

Fraction glycérol

Fraction acide gras

Molécule de triglycéride

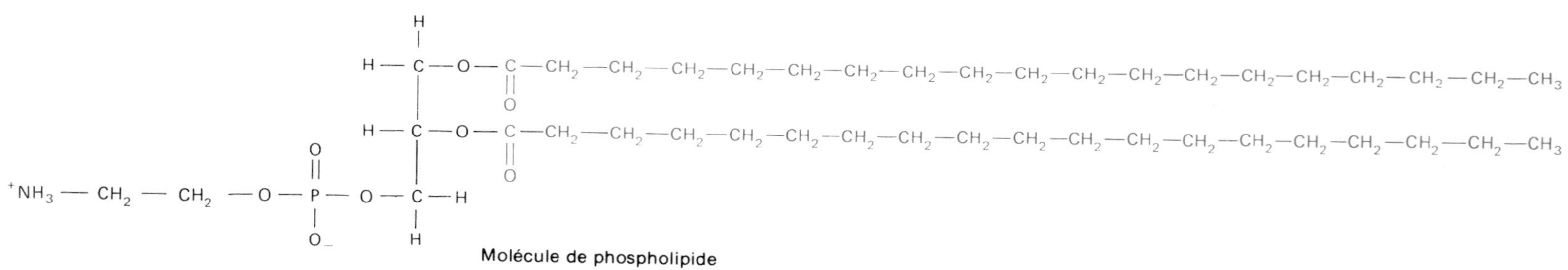

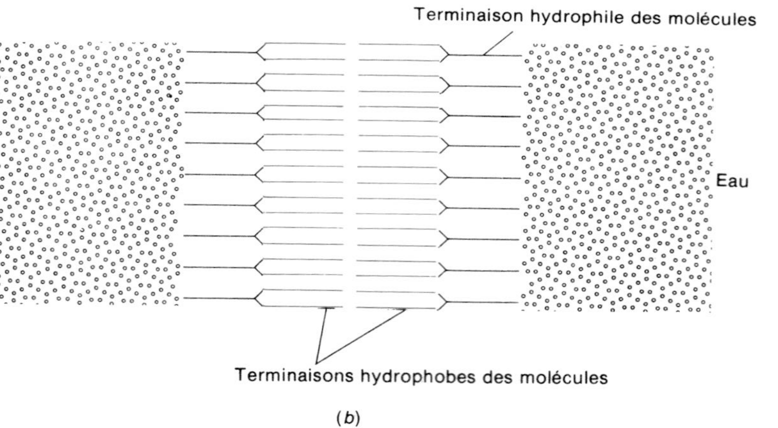

Figure 2-3 (*a*) Deux graisses (lipides). Les éléments acide gras sont colorés. (*b*) Une double couche lipidique. Les parties hydrophobes (acides gras) sont colorées.

lipides, les principaux groupes étant les glycérides, les phospholipides et les stéroïdes. Les premières sont probablement les plus familières (figure 2-3).

Les glycérides représentent une série de composés chimiques contenant du glycérol (mieux connu sous le nom de glycérine) lié chimiquement à un, deux ou trois acides gras. Ils peuvent être semblables ou dissemblables, en général à cause des liaisons carbone-carbone. On dit qu'un acide gras est *insaturé* lorsqu'il contient des liaisons doubles entre les carbones (C = C). Dans le cas contraire, l'acide gras est *saturé* s'il contient autant d'atomes d'hydrogène qu'il est possible d'en mettre sur la chaîne: il est saturé en hydrogène.

Les *phospholipides* sont aussi des lipides. On remarque, à la figure 2-3, qu'ils sont aussi formés de glycérol, ce dernier étant lié à une base qui contient du phosphore et souvent de l'azote (deux éléments généralement absents des lipides). Le glycérol est aussi lié à un ou deux acides gras. Les deux extrémités d'une molécule de phospholipide sont physiquement et chimiquement différentes. La base tend à s'associer avec l'eau alors que l'autre bout tend à être expulsé de l'eau. Le premier bout est *hydrophile* (qui aime l'eau), le second, *hydrophobe* (qui déteste l'eau). La polarité de ces molécules est responsable de la configuration qu'elles adoptent dans l'eau: les bouts *hydrophobes* se rapprochent alors que les bouts *hydrophiles* font face à l'eau. L'une des façons d'atteindre cette configuration est la formation de deux rangées de molécules, la *double couche lipidique*.

On peut voir au microscope électronique des représentations de la membrane cellulaire, la *membrane plasmique*, très semblable à une double couche lipidique. Cette enveloppe mince, très élastique, assure le maintien d'une composition intracellulaire différente de celle du milieu et d'une forme cellulaire caractéristique, permet le passage de certaines substances, l'exclusion de certaines autres, l'attache entre les cellules, la reconnaissance et la mobilité cellulaires.

La double couche lipidique de la membrane cellulaire semble être liquide et inclure des globules protéiques, probablement des molécules individuelles ou des agrégats de quelques molécules (figure 2-4). Ces protéines peuvent être des récepteurs qui, en se combinant avec des hormones, acceptent des messages chimiques pour la cellule. Elles ont aussi un rôle important de transport de substances au travers de la membrane ou tout simplement de voie passive au mouvement des petites particules de part et d'autre de la membrane cellulaire.

Les protéines

On retrouve des protéines un peu partout: à l'intérieur et à l'extérieur de la cellule et dans la membrane cellulaire. Elles peuvent se subdiviser en *protéines structurales* et en *enzymes*. Les premières, comme le collagène des fibres conjonctives ou la kératine de la peau et des ongles, participent à la structure physique de l'organisme alors que les enzymes sont des catalyseurs biologiques de première importance. Quelques autres protéines, comme l'hémoglobine du sang (figure 2-5) ou les protéines contractiles des muscles, n'appartiennent ni à l'une ni à l'autre de ces catégories.

Les protéines sont formées de quelques dizaines à plusieurs centaines d'*acides aminés* liés les uns aux autres. Un acide aminé ressemble à un acide gras très court contenant un groupement aminé (NH_2), parfois deux. On retrouve environ vingt acides aminés différents dans les organismes vivants; c'est, en quelque sorte, l'alphabet protéique[2]. Les mots et les phrases changent de signification selon les lettres qui les composent et l'ordre dans lequel ils se trouvent. Ainsi les propriétés chimiques et physiques des protéines dépendent et du contenu et de l'ordre des acides aminés. C'est pour cette raison que les protéines du blanc d'oeuf sont différentes de celles d'un ongle.

La liaison chimique de deux acides aminés (par exemple entre la glycine et l'alanine) forme un dipeptide. Cette réaction amène la formation d'une molécule d'eau; les réactions de cette sorte sont des réactions de *déshydratation* (voir page 31).

Ainsi, des centaines d'acides aminés peuvent être liés les uns aux autres et donner de longs *polypeptides*. Ces derniers peuvent, à leur tour, s'associer à d'autres polypeptides et prendre la configuration caractéristique d'une *protéine* complète et fonctionnelle (figure 2-5).

Dans certains cas, l'absence ou la substitution d'un seul acide aminé de la chaîne peut

[2] Voir l'appendice 2.

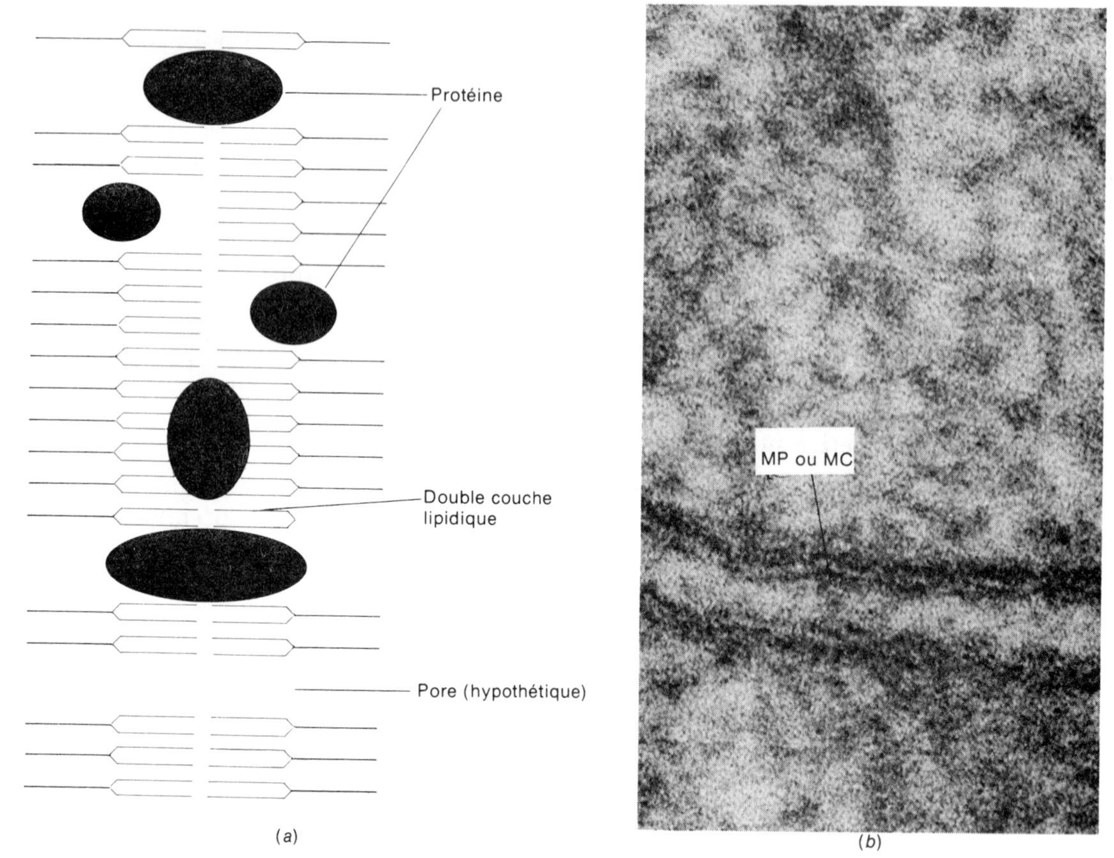

Figure 2-4 Membrane plasmique. *(a)* Dessin. *(b)* Photomicrographie (microscope électronique) de la membrane plasmique ou cellulaire (MP ou MC) (environ ×400 000). *(Dr Lyle C. Dearden.)*

être cruciale. Dans l'anémie à hématies falciformes, l'hémoglobine (pigment rouge des globules sanguins) est anormale. Le malade est non seulement anémique mais encore sujet périodiquement à des douleurs dues à la malformation des globules rouges qui ont tendance à obstruer les capillaires. Il y a 574 acides aminés dans l'hémoglobine. L'anémie à hématies falciformes est caractérisée par la substitution d'un seul acide aminé de la chaîne: la molécule entière devient anormale. (Une petite anomalie de cette sorte n'est pas toujours aussi catastrophique puisque l'hémoglobine est souvent fonctionnelle malgré des variantes mineures. Tout dépend de l'endroit où l'anomalie se trouve sur la molécule.)

Il y a de grandes variations de grosseur et de forme entre les protéines. Le filament d'acides aminés peut être enroulé sur lui-même; on a alors une *protéine globulaire*. Souvent, chez ces dernières, le filament d'acides aminés prend la forme d'un ressort. On parle alors d'une configuration hélicoïdale, l'*hélice alpha*. Dans d'autres protéines, les filaments d'acides aminés sont droits et souvent plusieurs filaments parallèles sont reliés les uns aux autres par des ponts transversaux: ce sont des *protéines fibreuses*, telles le collagène et la kératine. Il existe plusieurs autres formes difficiles à classifier. Il est important de se souvenir que la configuration, quelle qu'elle soit, dépend des propriétés physiques et chimiques des acides aminés constituants.

Les enzymes

Ce sont des protéines qui contrôlent les réactions chimiques de la cellule. La chimie de la vie est en quelque sorte la chimie des *enzymes*.

Groupement carboxyle — Groupement aminé — Liaison peptidique

$$H_2N{-}CH_2{-}COOH + H_2N{-}CH(CH_3){-}COOH \longrightarrow H_2N{-}CH_2{-}CO{-}NH{-}CH(CH_3){-}COOH + H_2O$$

Glycine + Alanine → Glycylalanine (dipeptide)

$$H_2N{-}CH_2{-}CO{-}NH{-}CH(CH_3){-}COOH + H_2N{-}CH(CH_2SH){-}COOH \longrightarrow H_2N{-}CH_2{-}CO{-}NH{-}CH(CH_3){-}CO{-}NH{-}CH(CH_2SH){-}COOH + H_2O$$

Glycylalanine + Cystéine → Glycylalanylcystéine (tripeptide)

Formation d'un dipeptide et d'un tripeptide

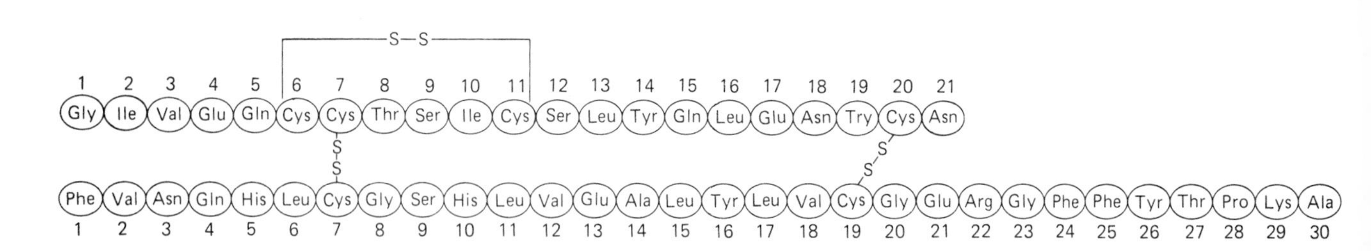

(*a*)

Figure 2-5 Protéines. (*a*) L'insuline. Chaque ellipse représente un acide aminé et les codes de trois lettres sont les abréviations de leurs noms (voir l'appendice 2). L'insuline est une protéine composée de deux chaînes droites unies par des atomes de soufre (S-S). (*b*) L'hémoglobine est une protéine globulaire contenant quatre chaînes d'acides aminés (en gris). Chaque chaîne est associée à une structure qui contient du fer (l'hème) et est colorée dans cette figure. (*Tiré de "The Hemoglobin Molecule", Scientific American, Nov. 1964, par M.F. Perutz. Copyright © 1964 par Scientific American, Inc. Tous droits réservés. Avec la permission de Scientific American.*)

La plupart des enzymes sont globulaires. Elles sont requises dans presque toutes les fonctions cellulaires ou corporelles et se trouvent presque partout, sous toutes les formes, dans l'organisme.

Il est difficilement concevable qu'à l'intérieur d'une cellule, pourtant de dimension microscopique, puissent se dérouler autant de réactions chimiques différentes. On les compte par centaines et même par milliers dans les fonctions routinières d'une cellule ordinaire. Un coup d'oeil aux figures du chapitre 12 donne une bonne impression de leur nombre et de leur complexité.

Toutes ces réactions chimiques sont contrôlées et coordonnées d'une façon précise, puisqu'à l'instar d'une chaîne de montage, chaque réaction dépend de la bonne marche de plusieurs autres. Le montage d'une automobile, par exemple, pourrait être impossible à compléter sans chacune des pièces, même les plus insignifiantes, qui entrent dans sa fabrication, que ce soit un roulement à billes ou un boulon particulier. Il doit donc y avoir une planification élaborée et une synchronisation parfaite entre le moment où une pièce est requise au montage et sa disponibilité pour celui qui la pose.

La plupart des transformations chimiques des molécules de la cellule se font par étapes. Une substance donnée peut subir de 20 à 30 modifications avant d'atteindre une forme donnée. La molécule peut alors entrer dans une autre chaîne de réactions, être complètement transformée ou même dégradée dans les processus de production d'énergie. Les besoins de la cellule sont changeants; le système de contrôle chimique doit être flexible. La clé de ce contrôle se trouve dans les fonctions des enzymes.

Les enzymes constituent une classe de composés depuis longtemps connue des chimistes: les *catalyseurs*. Ils permettent d'accélérer la vitesse d'une réaction chimique *tout en demeurant inchangés*. Les enzymes sont parmi les meilleurs catalyseurs. Dans de bonnes conditions, certaines enzymes accélèrent plusieurs centaines voire plusieurs milliers de fois la vitesse des réactions chimiques.

L'*anhydrase carbonique*, par exemple, est une enzyme. Comme la plupart d'entre elles, on l'identifie par sa terminaison en *-ase*. On la trouve dans plusieurs tissus ou organes comme le sang, le rein, le cerveau. Elle accélère la formation d'acide carbonique à partir du gaz carbonique (produit normal de l'activité cellulaire) selon la réaction:

$$\underset{\text{gaz carbonique}}{CO_2} + \underset{\text{eau}}{H_2O} \xrightarrow{\text{anhydrase carbonique}} \underset{\text{acide carbonique}}{H_2CO_3}$$

L'enzyme n'est pas nécessaire à la réaction; cependant, sans elle, la vitesse deviendrait si faible que la réaction, par le fait même, s'avérerait inutile à l'organisme. L'enzyme est requise pour que la réaction se fasse à un rythme suffisamment élevé. L'eau et le gaz carbonique sont les *substrats*, c'est-à-dire les molécules sur lesquelles l'enzyme agit. L'acide carbonique est le *produit* de la réaction. Les scientifiques ont démontré depuis longtemps que les enzymes forment des composés chimiques temporaires avec les substrats. Puis ces composés se défont, libérant les produits et l'enzyme originale qui peut être réutilisée.

Enzyme + substrat 1 + substrat 2 → complexe enzyme-substrat
Complexe enzyme-substrat → enzyme + produit(s)

L'enzyme n'est ni transformée ni modifiée de façon permanente dans la réaction.

La figure 2-6 explique comment le complexe enzyme-substrat donne des produits différents des molécules originales. Sur chaque enzyme, on trouve des zones qu'on appelle des *centres actifs* (aussi appelés *sites actifs*) qui individualisent la molécule. Ils sont localisés assez près les uns des autres à la surface de l'enzyme. En cours de réaction, les substrats qui viennent occuper ces sites sont mis en contact et réagissent, formant un nouveau composé. Ce dernier, qui a peu d'affinité pour l'enzyme, est libéré dans le milieu.

Le contrôle de l'activité enzymatique Le contrôle des réactions chimiques de la cellule est sous la gouverne des enzymes. Mais qu'est-ce qui contrôle l'activité enzymatique? On connaît plusieurs systèmes de contrôle disponibles. Premièrement, jusqu'à une certaine valeur maximale, la vitesse d'une réaction enzymatique est proportionnelle à la quantité d'en-

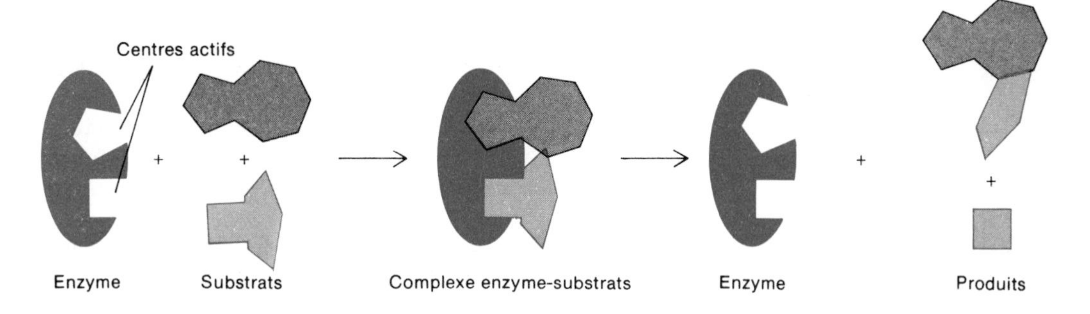

Figure 2-6 Le mécanisme par emboîtement de l'action des enzymes. Les substrats s'ajustent aux centres actifs un peu comme une clé dans une serrure.

zyme présente. À son tour, la concentration de l'enzyme est sous la dépendance de l'information génétique du noyau de la cellule par un mécanisme compliqué présenté au chapitre 19.

Un autre système de contrôle enzymatique très important est le *contrôle structural* (ou *allostérique*); c'est l'activation d'enzymes déjà synthétisées et présentes dans le cytoplasme sous une forme inactive. Les enzymes ont alors une configuration (ou une disposition spatiale) inadéquate, la forme des centres actifs ne permettant pas l'attache des substrats (figure 2-7). L'acidité, l'alcalinité, la force ionique (concentration en sels d'une solution) ou la présence de certains sels peuvent modifier la configuration des protéines.

Quelques enzymes sont indirectement sous le contrôle d'hormones, messagers chimiques véhiculés par le sang et dont dépendent plusieurs fonctions de l'organisme. Chaque hormone possède un ou plusieurs *organes cibles*: par exemple, l'hormone sexuelle mâle provoque la pousse des poils sur le visage et non sur la plante des pieds ou sur la tête; la glande thyroïde sécrète une hormone responsable, entre autres, de la régulation de la consommation d'oxygène des cellules de l'organisme. Il y a beaucoup d'autres hormones. Certaines provoquent la synthèse intracellulaire de l'adénosine monophosphate cyclique (AMP cyclique) dans les tissus sensibles à leur action. L'AMP cyclique active à son tour certaines enzymes et en inactive d'autres. De telles enzymes possèdent un *centre allostérique* (aussi appelé *centre d'activation*) qu'occupe la substance activatrice lorsqu'elle est présente. L'occupation de ce site, par exemple par l'AMP cyclique, modifie la forme de l'enzyme, exposant les centres actifs dans une disposition opérationnelle. L'enzyme peut alors faire son travail.

Les coenzymes En général, pour opérer, une enzyme a besoin d'une plus petite molécule, non protéique, une *coenzyme*. La coenzyme fait partie de l'enzyme et la fraction protéique de l'enzyme est l'*apoenzyme*. L'union de l'apoenzyme et de la coenzyme permet l'activité de l'enzyme. Plusieurs enzymes requièrent des coenzymes qui sont membres de la famille des vitamines B, si importantes dans la nutrition. C'est apparemment la raison pour laquelle ces vitamines sont indispensables à la santé. Une carence en vitamine B provoque rapidement de multiples déficiences enzymatiques pouvant entraîner la mort.

Les conditions enzymatiques optimales L'activité enzymatique est aussi influencée par d'autres agents, soit la force ionique, la température ou l'acidité de la solution. En général, les enzymes ont une activité maximale lorsqu'elles sont dans des *conditions optimales*. Ces dernières sont définies par des valeurs précises de plusieurs paramètres du milieu: par exemple, l'élévation de la température augmente l'activité d'une enzyme jusqu'au point où celle-ci est *dénaturée* (perd irréversiblement sa conformation spécifique) par la chaleur; c'est le processus que subit le blanc d'oeuf lorsqu'il cuit. À partir de là, l'activité enzymatique diminue brusquement. La température juste sous ce point critique est optimale pour une enzyme donnée. Les enzymes ont aussi des optima (ou

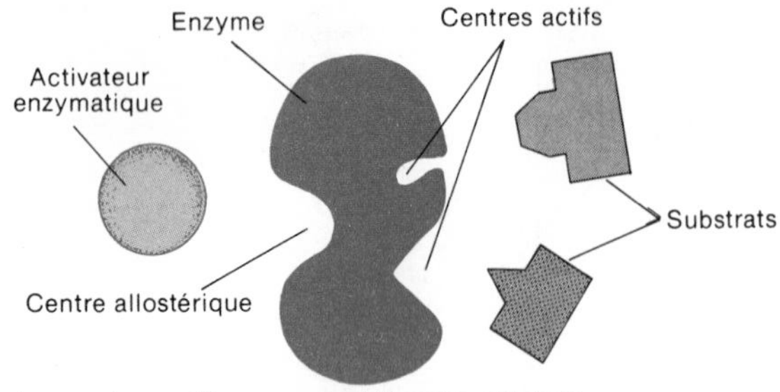

Les centres actifs ne peuvent fixer les substrats

(*a*)

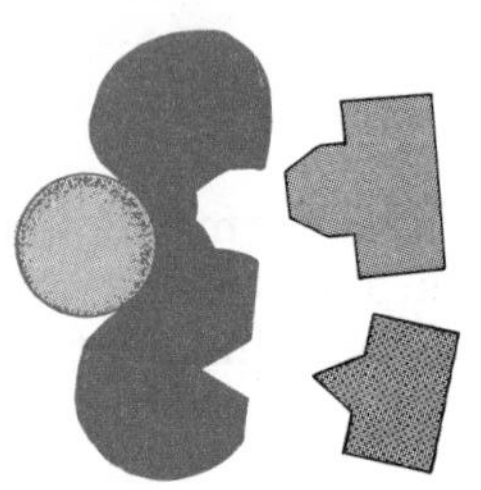

L'activateur se fixe au centre allostérique ce qui change la forme de l'enzyme, découvrant ses centres actifs

(*b*)

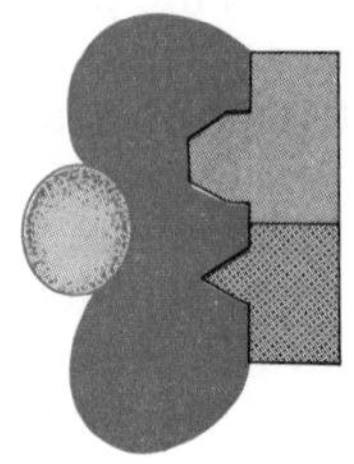

Les substrats se fixent aux centres actifs. La réaction peut ainsi s'effectuer

(*c*)

Figure 2-7 Régulation allostérique de la fonction enzymatique.

optimums) d'acidité: par exemple, la pepsine, enzyme de la digestion protéique dans l'estomac, a un optimum qui est acide alors que l'amylase, enzyme salivaire de la digestion de l'amidon, a un optimum légèrement alcalin.

L'inhibition enzymatique On peut, grâce à certains agents chimiques, diminuer ou même annihiler l'activité enzymatique. De tels *inhibiteurs* sont en général chimiquement similaires (des analogues structuraux) au substrat naturel de l'enzyme, quel qu'il soit. L'inhibiteur est cependant assez différent pour ne pouvoir se substituer ou réagir de la même façon que le substrat naturel; il s'attache au centre actif de l'enzyme, empêchant le substrat normal d'en faire autant. On parle d'*inhibition compétitive* lorsque l'inhibiteur se lie de façon temporaire à l'enzyme sans l'endommager irréversiblement (figure 2-8). Si l'inhibiteur se lie de façon permanente à l'enzyme, on parle d'*inhibition non compétitive*. L'enzyme devient non fonctionnelle. Un certain nombre d'insecticides et de médicaments sont des inhibiteurs enzymatiques.

La pénicilline offre un bon exemple de l'action d'un médicament. Cet antibiotique et ses dérivés inhibent l'action d'une enzyme bactérienne, la transpeptidase, responsable de la formation de liaisons chimiques dans des composés qui entrent dans la fabrication de la paroi cellulaire. Les bactéries sensibles sont donc incapables de synthétiser la paroi rigide qui les entoure et ne peuvent se diviser efficacement (figure 2-9). Les cellules humaines n'ont pas de telles parois. Elles n'utilisent pas la transpeptidase et ne sont pas affectées par la pénicilline. C'est seulement dans les cas d'allergie que les traitements à la pénicilline sont déconseillés.

Les glucides

L'amidon, les sucres, la cellulose, le glycogène et quelques composés moins connus comme les mucopolysaccharides sont des glucides; ils forment la réserve énergétique de la majorité des cellules. L'utilisation d'un sucre simple à six carbones, le glucose par exemple, permet l'étude de l'architecture de base des glucides.

Les sucres simples La molécule de glucose contient 6 atomes de carbone, 12 d'hydrogène et 6 d'oxygène: $C_6H_{12}O_6$ selon l'écriture conventionnelle en chimie. Cette formule peut aussi s'écrire $C_6(H_2O)_6$. Ces proportions (une molécule d'eau par atome de carbone, dans le glucose) trompèrent les chimistes qui crurent que tous les glucides étaient formés d'une combinaison de carbone et d'eau, d'où le nom

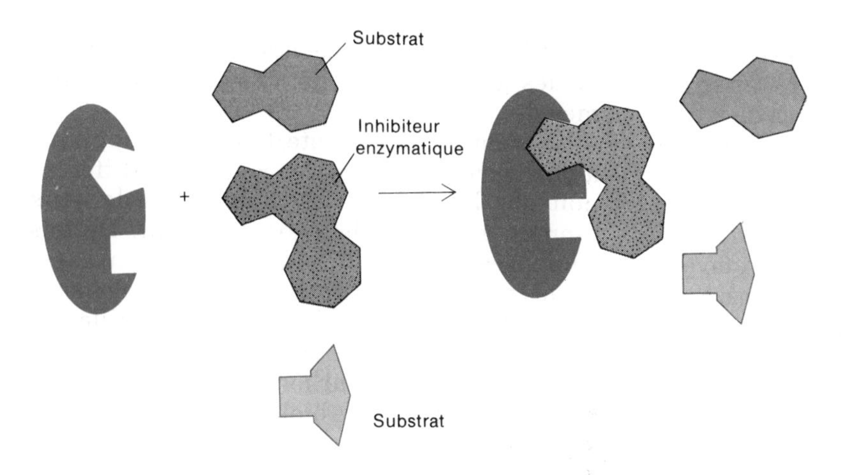

Figure 2-8 Inhibition compétitive d'une enzyme.

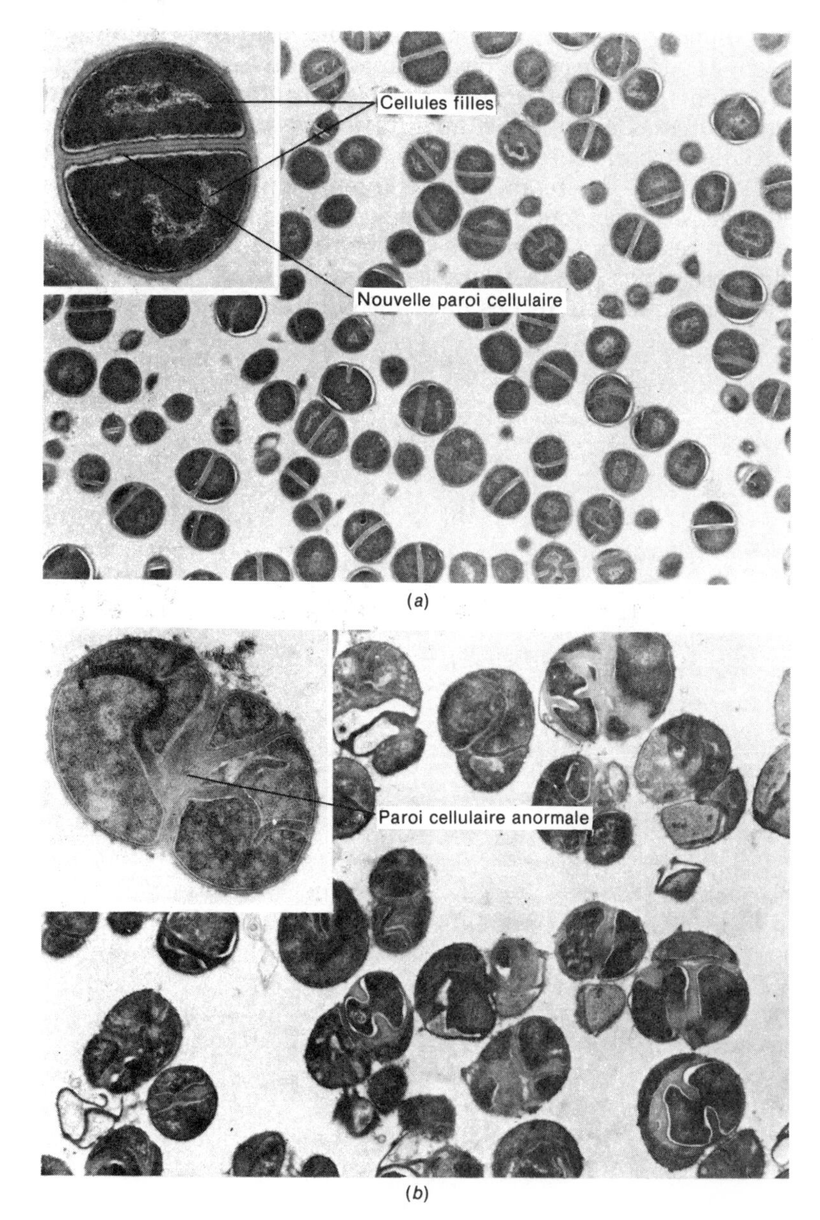

Figure 2-9 Les antibiotiques causent des anomalies de structure de la paroi cellulaire bactérienne. (*a*) Bactéries normales. En médaillon, le plus fort grossissement permet de voir la formation d'une nouvelle paroi cellulaire entre les cellules filles d'une bactérie en fin de division. (*b*) Bactéries anormales. (Grossissement des médaillons ×54 000). [(*a*) *et* (*b*), *Victor Lorian et Barbara Atkinson; avec la permission de l'American Journal of Clinical Pathology.*]

d'«hydrates de carbone». Le terme est resté en anglais (carbohydrates) malgré la grande diversité de composition de ces molécules. En français on utilise le terme *glucide* beaucoup plus général et plus approprié pour représenter cette classe de produits chimiques.

Les formules simples comme $C_6H_{12}O_6$, pour représenter des composés organiques, trouvent encore leur utilité en présentant les espèces et les proportions des atomes d'une substance. C'est la *formule empirique* ou formule brute. Les *formules structurales* sont des diagrammes qui donnent en plus l'arrangement des atomes dans les molécules. Elles sont de deux sortes pour représenter le glucose et le fructose, des sucres simples à même formule brute $C_6H_{12}O_6$. Dans les deux cas, comparons attentivement les *formules droites* et les *formules «en anneau»*. Notons la numérotation des atomes de carbone correspondants.

La formule droite, même si elle semble plus simple, est inexacte quand il s'agit de représenter ces deux sucres. Ces derniers forment des polygones que la formule en anneau présente adéquatement. Les deux formules montrent bien toutefois que ces sucres, comme les acides gras, sont formés d'une chaîne d'atomes de carbone.

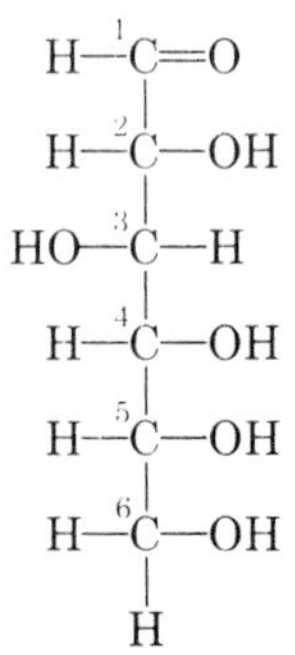

Glucose 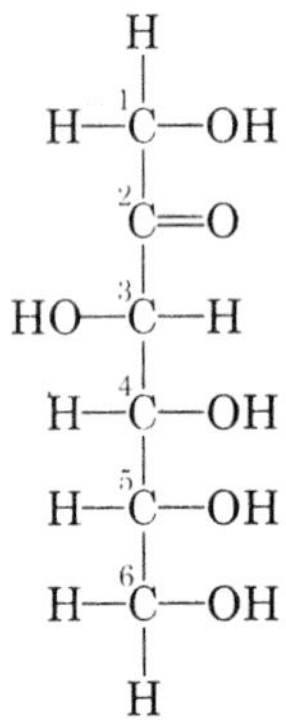 Fructose

Formules droites

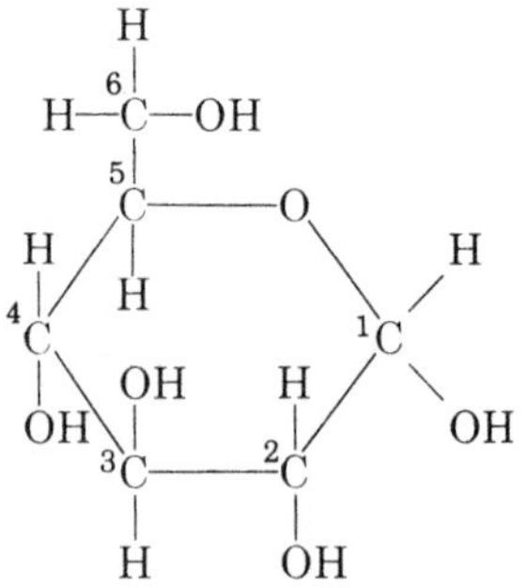

Glucose 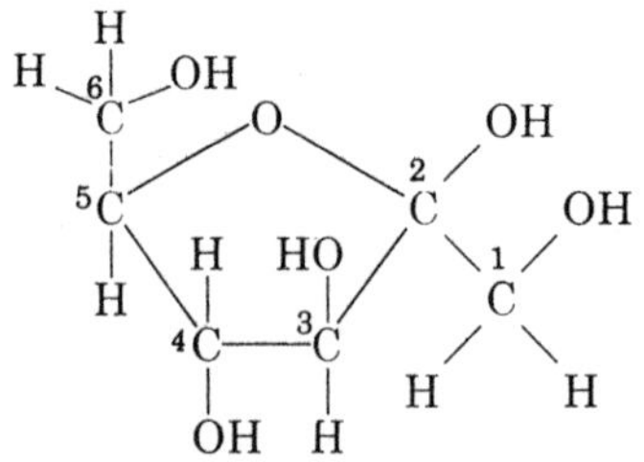 Fructose

Formules «en anneau»

La même formule brute, $C_6H_{12}O_6$, s'applique à plusieurs sucres simples connus qui diffèrent non par l'espèce ou les proportions de leurs atomes, mais par leur arrangement. De tels composés, dont les formules brutes sont identiques mais dont les formules structurales sont différentes, sont des *isomères*. La famille des sucres à six carbones sont des *hexoses*. Quelques sucres à cinq carbones, les *pentoses*, ont aussi une importance biologique, comme un ou deux sucres à sept carbones. Ces sucres simples sont tous des *monosaccharides*, littéralement, un sucre unique.

Les disaccharides et les polysaccharides Il est possible de réunir des monosaccharides en longues chaînes, à peu près comme les acides aminés dans les protéines, par des réactions de déshydratation (enlèvement d'une molécule d'eau). La dégradation de longues chaînes de glucides par la digestion représente le processus inverse, soit l'addition d'eau qui reforme des molécules individualisées des sucres simples: c'est l'*hydrolyse*. La réunion de deux hexoses forme un disaccharide. Le sucre de table, le sucrose, en est un exemple. Une chaîne de quelques unités est un *oligosaccharide*, alors qu'une longue chaîne, comme l'amidon ou la cellulose, est un *polysaccharide* (figure 2-10). Les nombreux oligosaccharides et polysaccharides diffèrent les uns des autres par les hexoses qui les composent, la longueur de leurs chaînes, le genre de ramifications qu'ils possèdent ou encore par le type de liaisons reliant leurs unités.

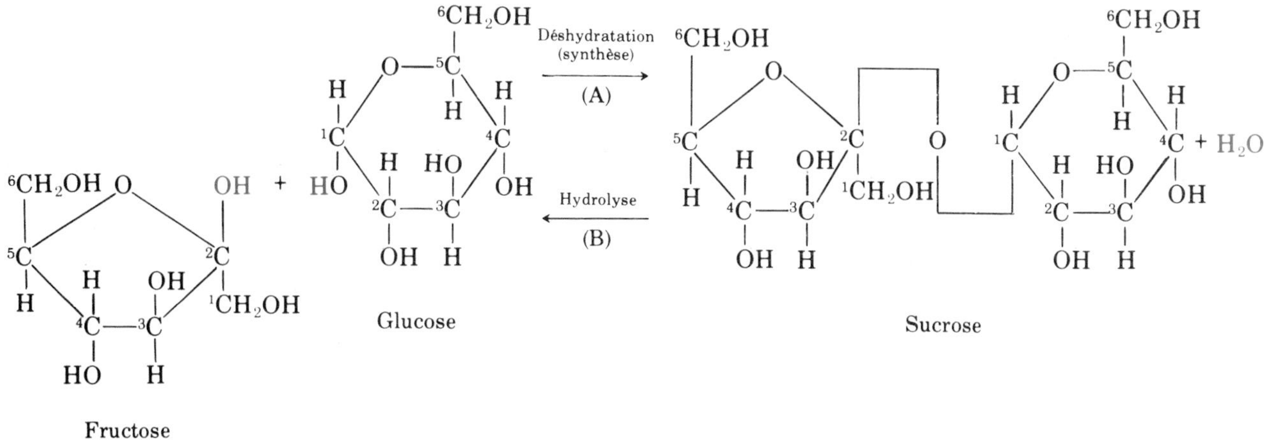

Malgré la grande diversité de glucides, les cellules de l'organisme ne peuvent utiliser que peu de sucres simples. Le plus important au menu cellulaire est le glucose. Les sucres complexes sont en général réduits en monosaccharides par la digestion avant même d'être absorbés vers le courant sanguin par la muqueuse intestinale. Alors seulement sont-ils distribués aux cellules par l'appareil circulatoire.

Les cellules des muscles, du foie, et certains globules blancs, peuvent faire des réserves de glucose en vue d'une utilisation future ou d'une éventuelle libération dans le sang lorsqu'il est requis par l'organisme. Cet entreposage se fait grâce à la reconstitution cellulaire de chaînes de glucose, le *glycogène*. On peut le voir dans le cytoplasme de ces cellules: il forme de fins granules ou de grandes plages facilement colorés grâce à l'iode (il a alors une couleur rouge-violette).

Les acides nucléiques

Malgré leur très grande importance, on parlera peu des *acides nucléiques* dans ce chapitre, leur étude détaillée étant abordée au dernier chapitre. Il y a deux variétés principales d'acides nucléiques: l'*acide désoxyribonucléique* (ADN) et l'*acide ribonucléique* (ARN). Ce sont des chaînes d'unités pentose-phosphate auxquelles sont attachées des bases organiques azotées: les *bases puriques* (*purines*) et les *bases pyrimidiques* (*pyrimidines*). Le code génétique de tous les organismes vivants est lié à l'ordre de ces bases le long de la molécule. Ce sont probablement les composés chimiques les plus étudiés de nos jours dans les laboratoires de recherche biologique puisqu'ils emmagasinent toute l'information régissant la structure et le fonctionnement des cellules, des tissus, des organes, des systèmes et de l'organisme lui-même.

LES LIAISONS IONIQUES, L'IONISATION ET L'ACIDITÉ

Les liaisons covalentes des composés organiques, bien qu'essentielles à la vie, ne sont pas les seules liaisons chimiques existant dans la cellule. Des substances inorganiques plus simples, le sel de table, le bicarbonate de sodium, l'acide chlorhydrique, l'ammoniaque et bien d'autres, sont aussi indispensables au bon fonctionnement des organismes vivants.

Les liaisons ioniques

Certaines substances chimiques s'unissent par un transfert au lieu d'un partage d'électrons: c'est la caractéristique des *liaisons ioniques* (souvent appelées *liaisons électrovalentes*) (figure 2-11). Le sel de table (le chlorure de sodium) est formé grâce à une liaison ionique. L'examen des atomes de sodium et de chlore aide à comprendre la différence entre une liaison ionique et une liaison covalente.

Le sodium, sous sa forme cristalline chimiquement pure, est un métal argenté assez fria-

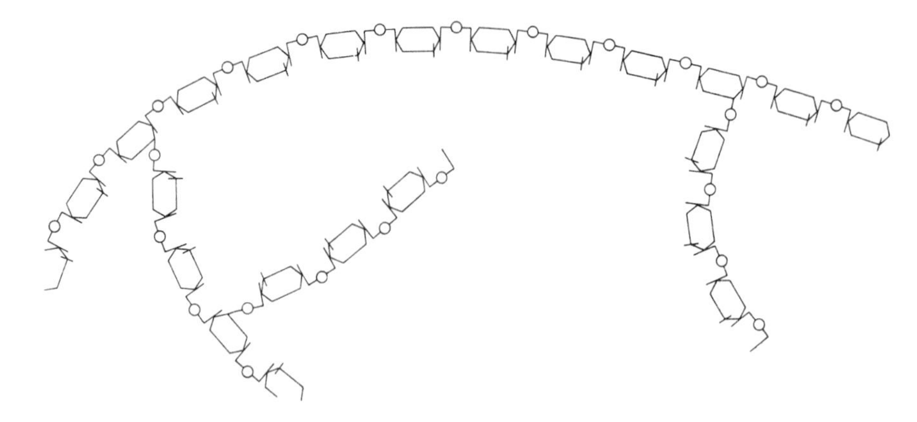

Figure 2-10 Un polysaccharide est formé d'unités de sucres simples représentées par les hexagones.

ble pour être coupé facilement avec un couteau. Il est tellement réactif qu'il réagit violemment avec l'eau lors de son immersion; il prend feu et peut exploser, volatilisant dans toutes les directions de fines gouttelettes de sodium métallique en fusion. Le chlore, à l'état pur, n'est pas une substance beaucoup plus douce. C'est un gaz jaune-vert, dense, utilisé comme poison pendant la première guerre mondiale et servant aujourd'hui, en très faibles quantités, à détruire les bactéries de l'eau et des égouts. Combinés, ces deux poisons potentiels forment le sel de table commun et inoffensif. Comment est-ce possible?

Avec onze protons dans son noyau, le sodium possède aussi onze électrons distribués comme suit: deux au premier niveau, huit au second et un seul au troisième. Avec moins de quatre électrons au niveau supérieur, le sodium se comporte comme tous les autres atomes: il recherche la stabilité en se débarrassant de cet électron de sorte que la couche sous-jacente, complète, devienne la couche supérieure.

Le noyau de chlore, de son côté, a dix-sept protons, donc, dix-sept électrons. Les deux premiers niveaux en comptent dix (2 + 8), ce qui en laisse sept au dernier niveau. Lorsqu'un atome possède *plus* de quatre électrons à ce niveau, il tend à en acquérir jusqu'à ce qu'il en ait huit. Le chlore a une place libre.

La situation est la suivante: un élément est prêt à céder un électron alors que l'autre en cherche un. Le sodium et le chlore sont des partenaires naturels à un transfert d'électron si l'occasion se présente. La réaction entre les deux est violente. L'expérimentateur qui y survit pourra constater que le sodium solide et le chlore gazeux, lorsque mis en présence, laissent au fond de la fiole une poudre fine: du sel de table. La faible réactivité du chlorure de sodium contraste avec les qualités réactives des substances originales. C'est normal puisque maintenant les deux atomes réunis possèdent chacun une couche électronique externe complète de huit électrons; ils sont, pour ainsi dire, «satisfaits».

Bien que le nombre d'électrons ait changé dans les deux cas, les noyaux sont demeurés intacts. Il y a un surplus d'une charge positive dans l'atome de sodium (11 protons, 10 électrons) et d'une charge négative dans celui de chlore (17 protons, 18 électrons). Ces atomes chargés de signes contraires s'attirent et le lien ainsi formé entre les deux est une liaison ionique. Ces atomes chargés sont des *ions*. Vous pouvez maintenant comprendre la différence entre *une liaison ionique, résultant du transfert d'un électron d'un atome à l'autre, et une liaison covalente, où deux atomes partagent une paire d'électrons.*

D'autres atomes peuvent perdre ou gagner plus d'un électron. La *valence* est la valeur de la charge qu'un élément peut acquérir en gagnant ou en perdant des électrons lors de la formation d'une liaison ionique. Bien qu'il y ait des formes intermédiaires de liaisons atomiques, l'autre type de liaison est caractérisé par le nombre d'électrons qu'un atome peut

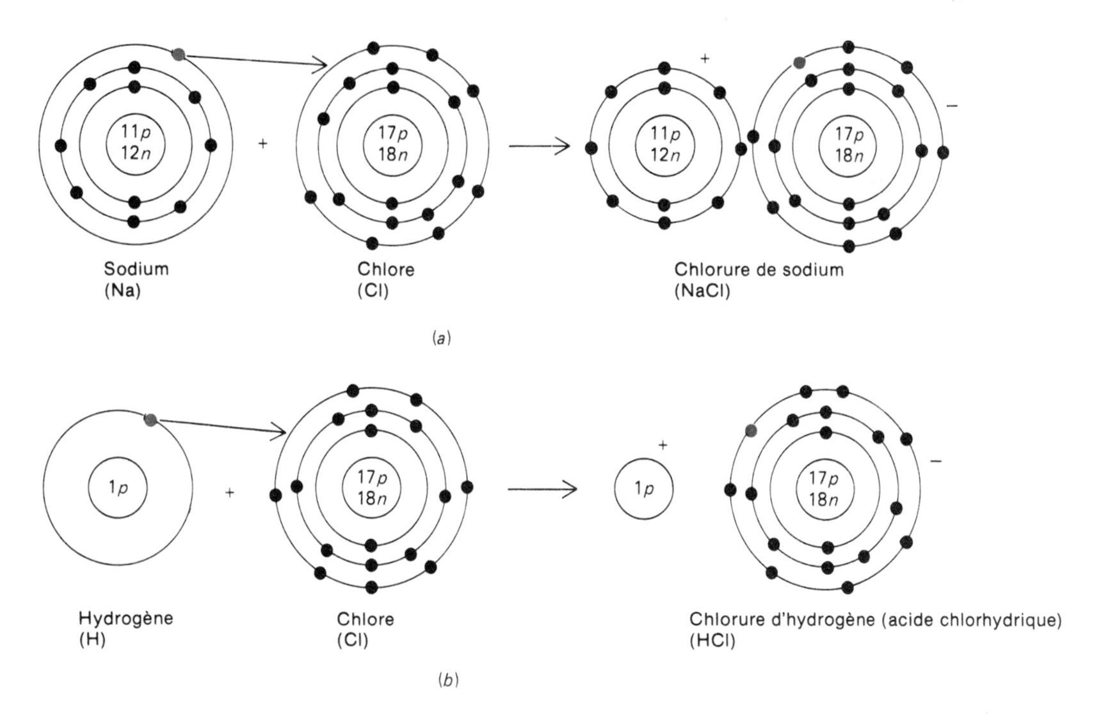

Figure 2-11 La liaison ionique. (*a*) Le chlore accapare un électron du sodium, formant le chlorure de sodium. (*b*) Le chlore accapare l'électron de l'hydrogène et il se forme du chlorure d'hydrogène (acide chlorhydrique).

partager. Un atome qui peut perdre des électrons a une *valence positive* alors que celui qui en gagne a une *valence négative*. Les substances métalliques comme le sodium, le calcium et le fer, ont des valences positives; d'autres atomes (comme l'oxygène) ont des valences négatives. Le tableau 2-3 présente la valeur de la valence de plusieurs éléments courants.

Quelques composés inorganiques contiennent et des liaisons covalentes et des liaisons ioniques. Les atomes liés par covalence ont tendance à former un groupe appelé ion polyatomique (un groupe d'atomes avec une charge collective positive ou négative). Tous les ions chargés positivement sont des *cations*; ceux chargés négativement sont des *anions*.

L'ionisation

Une liaison ionique, en un sens, est moins tangible et beaucoup plus labile qu'une liaison covalente. La dissolution dans l'eau d'un composé à liens ioniques sépare un certain nombre de ses anions et cations: il y a *dissociation*, les deux ions se *dissocient* (figure 2-12); ce processus s'appelle l'*ionisation*. Dans bien des substances à liaisons ioniques, comme les sels, les atomes sont déjà des ions, mais en présence

Tableau 2-3 Les principaux ions d'importance biologique

Nom	Formule	Valence (charge)
Sodium	Na^+	+1
Potassium	K^+	+1
Hydrogène	H^+	+1
Magnésium	Mg^{2+}	+2
Calcium	Ca^{2+}	+2
Fer	Fe^{2+} ou Fe^{3+}	+2 (ferreux) ou +3 (ferrique)
Ammonium	NH_4^+	+1
Chlorure	Cl^-	−1
Iodure	I^-	−1
Carbonate	CO_3^{2-}	−2
Bicarbonate	HCO_3^-	−1
Phosphate	PO_4^{3-}	−3
Acétate	$C_2H_5COO^-$	−1
Sulfate	SO_4^{2-}	−2

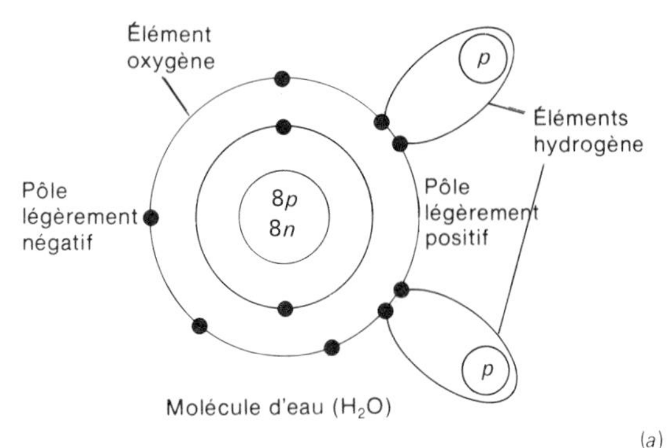

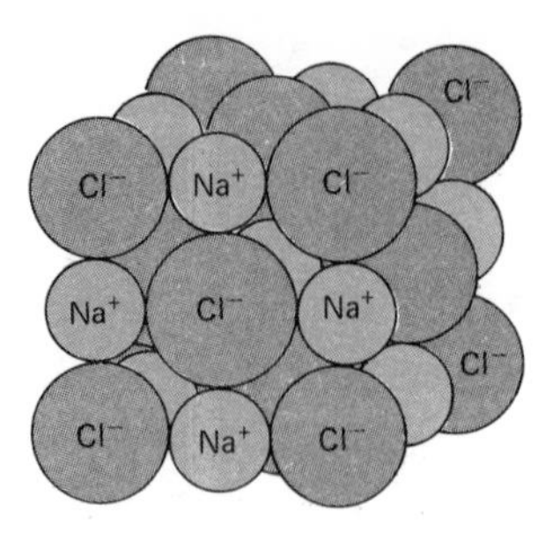

Molécules de chlorure de sodium (NaCl)

(a)

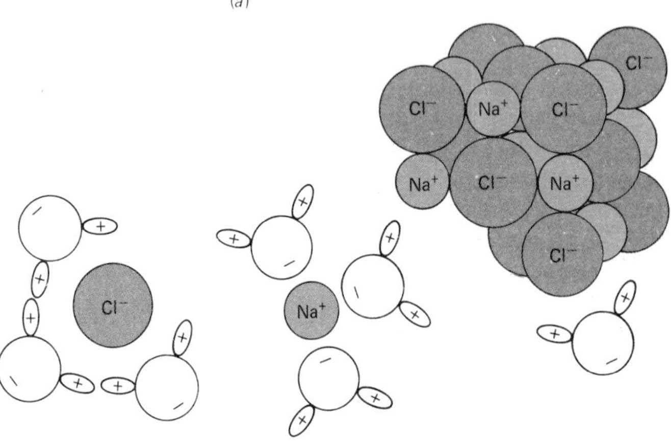

(b)

Figure 2-12 Le rôle de l'eau dans l'ionisation. (*a*) La molécule d'eau est formée par deux liaisons covalentes entre l'hydrogène et l'oxygène. Ce dernier atome, plus gros que les deux atomes d'hydrogène, a huit protons dans son noyau. Les électrons partagés sont donc attirés un peu plus vers le noyau de l'oxygène que vers ceux des atomes d'hydrogène. Il y a création d'une faible charge positive au pôle hydrogéné de la molécule d'eau et d'une faible charge négative à l'autre pôle. (*b*) En présence d'eau, le cristal de NaCl est soumis à des forces d'attraction. Les pôles négatifs des molécules d'eau sont attirés par les ions sodium et les entourent. Ils se libèrent des ions chlorure, c'est-à-dire qu'ils se dissolvent. En même temps les pôles positifs des molécules d'eau entourent les ions chlorure, les séparant des ions sodium.

d'eau, les ions se dissocient et augmentent leur mobilité. Voici quelques exemples d'ionisations:

$$Na^+Cl^- \xrightarrow{H_2O} Na^+ + Cl^-$$

chlorure de sodium → ion sodium + ion chlorure

$$Ca^{2+}Cl_2^- \xrightarrow{H_2O} Ca^{2+} + 2Cl^-$$

chlorure de calcium → ion calcium + ions chlorure

$$Na_2^+SO_4^{2-} \xrightarrow{H_2O} 2Na^+ + SO_4^{2-}$$

sulfate de sodium → ions sodium + ion sulfate

$$NH_4^+I^- \xrightarrow{H_2O} NH_4^+ + I^-$$

iodure d'ammonium → ion ammonium + ion iodure

$$(NH_4^+)_3PO_4^{3-} \xrightarrow{H_2O} 3NH_4^+ + PO_4^{3-}$$

phosphate d'ammonium → ions ammonium + ion phosphate

L'acidité, l'alcalinité et le pH

Les membres d'une classe de composés, les *acides*, ont tendance à se dissocier d'une façon toute particulière dans l'eau. Ils libèrent un ion hydrogène positif (H^+) et un anion quelconque. C'est l'ion H^+ qui caractérise l'acidité. Voici quelques acides communs et les produits de leur dissociation:

$HCl \xrightarrow{H_2O} H^+ + Cl^-$

acide chlorhydrique — ion chlorure

$H_3PO_4 \xrightarrow{H_2O} 3H^+ + PO_4^{3-}$

acide phosphorique — ion phosphate

$C_2H_5COOH \xrightarrow{H_2O} H^+ + C_2H_5COO^-$

acide acétique (vinaigre) — ion acétate

$H_2SO_4 \xrightarrow{H_2O} 2H^+ + SO_4^{2-}$

acide sulfurique — ion sulfate

$H_2CO_3 \xrightarrow{H_2O} H^+ + HCO_3^-$

acide carbonique — ion bicarbonate

La force d'un acide dépend de son taux de dissociation. Ainsi l'acide chlorhydrique, HCl, est un acide très fort: sa dissolution dans l'eau permet la dissociation de presque toutes les molécules, libérant des ions hydrogène. D'un autre côté l'acide carbonique, H_2CO_3, est un acide faible car il se dissocie peu dans l'eau. C'est un acide toléré par l'organisme et on en retrouve une grande quantité dans le sang. Il y a aussi de l'acide chlorhydrique dans l'organisme, mais seulement dans l'estomac dont les parois sont adaptées pour résister à son action digestive.

Que ce soit dans l'estomac ou ailleurs, l'acidité d'une solution est proportionnelle à la concentration des ions H^+, laquelle, à son tour, dépend de la concentration de l'acide et de son taux de formation d'ions H^+. Si on peut remplacer un acide fort par un acide faible, l'acidité de la solution sera réduite. Supposons que votre acidité stomacale augmente brusquement (brûlements d'estomac), pour avoir mangé, par exemple, une boulette de viande trop épicée. La raison principale de votre mal est l'hypersécrétion d'acide chlorhydrique par la paroi irritée de l'estomac. Si vous avalez du bicarbonate de sodium (bicarbonate de soude), l'acidité stomacale diminuera beaucoup pour la raison que nous venons de mentionner.

$HCl + NaHCO_3 \longrightarrow NaCl + H_2CO_3$

acide chlorhydrique — bicarbonate de sodium — chlorure de sodium — acide carbonique

Le soulagement, bien que temporaire, est immédiat. L'acide fort a été remplacé par un acide faible. Une partie de l'acide carbonique formé se dissocie en eau et en gaz carbonique, qui peut sortir bruyamment par la bouche (éructation, rot).

Le même mécanisme s'opère dans les cellules ou le sang. Les liquides de l'organisme contiennent beaucoup d'ions bicarbonate. Si le sang ou le liquide cellulaire, pour une raison ou pour une autre, devient trop acide, les ions H^+ se combinent aux ions bicarbonate. On obtient de l'acide carbonique selon la réaction:

$H^+ + HCO_3^- \longrightarrow H_2CO_3$

ion hydrogène — ion bicarbonate — acide carbonique

On exprime scientifiquement l'acidité et son opposé, l'alcalinité, par le symbole *pH*. On peut alors les exprimer avec des nombres. Une solution dont le pH est inférieur à 7 est acide. Plus le pH est bas, plus la solution est acide. Ainsi un pH de 2 est beaucoup plus acide qu'un pH de 6. Le calcul mathématique du pH, qui mesure la quantité d'ions H^+ libres en solution, fait que l'acidité augmente beaucoup plus vite que la valeur du pH: un pH de 5, par exemple, est 10 fois plus acide qu'un pH de 6; il représente une augmentation de 10X de la concentration d'ions H^+. Un pH de 4 représente une autre augmentation de 10X, de sorte qu'une solution à pH 4 est 100 fois plus acide qu'une autre à pH 6.

Le pH exprime aussi bien l'alcalinité que l'acidité. L'eau est toujours légèrement dissociée,

$H_2O \longrightarrow H^+ + OH^-$

eau — ion hydrogène — ion hydroxyle

formant des ions H^+ et OH^- en quantités égales mais très faibles. L'eau pure a donc, en très petite quantité, une concentration mesurable d'ions hydrogène. En effet, aussitôt formés, ces ions ont tendance à s'associer derechef à un taux égal à celui de leur formation. De nouveaux ions apparaissent continuellement et disparaissent aussi vite. Lorsque les deux processus atteignent un équilibre, la concentration des deux ions devient constante. La réaction doit donc être revue, pour plus de précision, et s'écrire avec *deux* flèches, marquant la simultanéité des deux réactions:

$$H_2O \rightleftharpoons H^+ + OH^-$$

L'*équilibre* ionique de l'eau est nettement déplacé vers la gauche: c'est la représentation actuelle de la situation où il y a très peu d'ions libres par rapport aux ions associés.

La plupart des réactions chimiques qui ont lieu dans un organisme vivant sont réversibles et présentent un état d'équilibre. Si on ajoute à l'eau une source d'ions OH^-, il y aura association immédiate avec les quelques ions H^+ disponibles. De l'eau est formée et la concentration d'ions H^+ est réduite sous le niveau caractéristique de l'eau pure. Le pH de cette dernière est 7 et l'addition d'ions OH^- *augmente* le pH. Théoriquement, on peut enlever complètement les ions H^+ d'une solution. Le pH d'une telle solution est 14. Toutes les solutions alcalines ont un pH élevé, c'est-à-dire plus grand que 7.

Quelques liquides de l'organisme ont des pH élevés (le suc pancréatique peut avoir un pH de 8,2). La majorité des cellules ne tolèrent pas un pH élevé. Le sang, et à un moindre degré les autres liquides de l'organisme, résistent aux changements du pH. Puisqu'une augmentation du pH implique ordinairement une augmentation des ions OH^-, le sang neutralise leur effet en les transformant en eau.

Si quelqu'un absorbe une nourriture ou une médication alcaline, les ions OH^- en excès réagissent avec l'acide carbonique presque toujours présent dans les liquides corporels grâce au métabolisme cellulaire qui produit du CO_2.

$$CO_2 + H_2O \longrightarrow H_2CO_3$$

$$H_2CO_3 \longrightarrow H^+ + HCO_3^-$$

$$H^+ + OH^- \longrightarrow H_2O$$

Nous avons vu que l'acide carbonique ne libère que peu d'ions H^+. Au fur et à mesure de leur utilisation par les ions OH^- présents pour former de l'eau, l'acide carbonique se dissocie. À la fin, il ne reste que quelques ions OH^-, de l'eau et des ions bicarbonate, relativement peu nocifs.

Un mécanisme similaire amortit les variations du pH du côté acide. L'excès d'ions H^+ se combine aux ions bicarbonate, formant de l'acide carbonique. Ce dernier, jusqu'à un certain point, est inoffensif.

Le processus selon lequel des ions amortissent les variations du pH est l'*effet tampon*: il requiert un acide faible et un composé métallique (un *sel*) de cet acide. Dans le sang, l'acide carbonique et l'ion bicarbonate forment un *couple tampon* très efficace. Il existe plusieurs autres systèmes tampon dans l'organisme et ils fonctionnent tous à peu près sur le même principe.

Nous avons abordé, dans ce chapitre, la majorité des principes de chimie requis pour comprendre le travail des cellules et de l'organisme. Le chapitre suivant présente chacun des organites cellulaires et son fonctionnement, à la lumière de ce que nous avons vu jusqu'ici.

RÉSUMÉ

1 Pour les besoins de la biologie, on peut considérer que les atomes sont les particules fondamentales de la matière. Ils sont formés d'un noyau et d'une à plusieurs sphères où évoluent les électrons. Les propriétés chimiques d'un atome dépendent principalement de la configuration électronique de la sphère externe.
2 Un atome qui peut perdre ou gagner un ou des électrons dans sa sphère externe peut aussi former des liaisons ioniques avec d'autres atomes. Une autre liaison, la liaison covalente, implique un partage d'électrons, au lieu d'un transfert.
3 La membrane cellulaire est une double couche lipidique percée de pores (possiblement) où flottent des granules protéiques. Elle assure le maintien des différences physico-chimiques entre les milieux interne et externe de la cellule tout en régissant les transferts de substances de part et d'autre.
4 Les glucides sont surtout des substances combustibles; les protéines sont des enzymes ou des protéines de structure; les lipides forment la membrane cellulaire et sont des substances de réserve énergétique. Les acides nucléiques contiennent le bagage génétique de l'organisme et assurent son expression.

5 Les enzymes sont des catalyseurs organiques. Elles se combinent temporairement avec leurs substrats puis se détachent des produits en reprenant leur forme originale. Elles ont des optimums très précis de température et de pH, possèdent une grande spécificité quant à leurs substrats et peuvent être contrôlées par des changements de configuration induits par certaines substances (inhibiteurs allostériques). Les analogues structuraux des substrats d'une enzyme inhibent son action, de même que toute modification structurale des centres actifs.
6 Le pH mesure l'acidité ou l'alcalinité d'une solution. Sa valeur est fonction de la concentration des ions hydrogène. Un pH supérieur à 7 est alcalin (ou basique), alors qu'inférieur à 7, il est acide; exactement à 7, il est neutre.
7 Les liaisons ioniques (électrovalence) représentent des liens interatomiques formés par un transfert d'électrons, alors que la covalence est basée sur un partage d'électrons. Les liaisons ioniques se défont dans l'eau par dissociation des ions. Les acides contiennent au moins une liaison ionique avec l'hydrogène. Leur dissociation libère un H^+ et un anion. Le taux de dissociation d'un acide en définit la force.
8 Une solution tampon est habituellement formée d'un acide faible et d'un de ses sels. L'ajout d'un acide fort provoque la formation d'un sel de ce dernier et l'apparition de l'acide faible. Celui-ci est moins dissocié que l'acide fort, son pH est plus élevé et le changement de pH de la solution sera plus faible qu'en l'absence du tampon. Les tampons amortissent aussi l'effet des bases (ou alkalis) en solution.

QUESTIONS DE RÉVISION

1 Qu'est-ce qu'un atome? Une molécule?
2 Quel est le nombre d'électrons dans la couche superficielle d'un atome qui possède trois protons? Neuf protons? Douze protons?
3 Qu'est-ce qu'une liaison covalente? Une liaison ionique? Quelle sorte de liaison l'atome de carbone forme-t-il?
4 Décrire la structure des phospholipides, leur disposition dans la membrane plasmique et expliquer les raisons de cette disposition.
5 Décrire la structure des enzymes, ce qu'elles font et comment elles le font.
6 Énumérer quelques facteurs qui influencent l'activité enzymatique. Quels sont leurs modes d'action?
7 Qu'est-ce qu'un monosaccharide? Un disaccharide? Donner des exemples.
8 Quelle est la différence entre la concentration en ions hydrogène d'une solution à pH 9 et à pH 6?
9 Montrer comment une solution d'acide carbonique peut minimiser une augmentation du pH.

3 LA CELLULE
Principe de vie

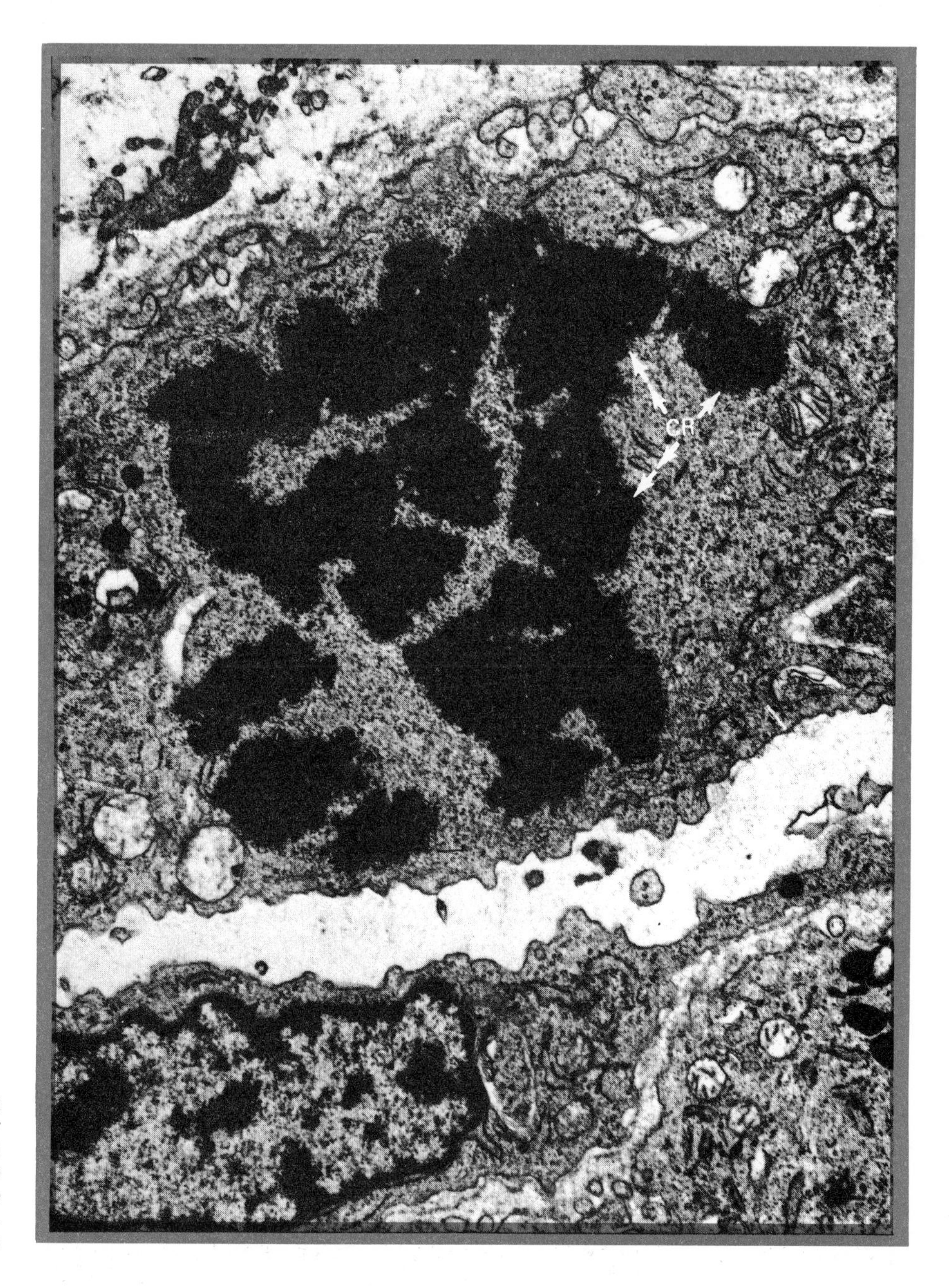

La chromatine s'est condensée pour former les chromosomes (CR) de cette cellule épithéliale en voie de division (environ ×13 000). (*Dr Lyle C. Dearden*.)

OBJECTIFS

L'étude de ce chapitre devrait vous permettre de:

1 Donner deux raisons pour lesquelles on considère que la cellule est l'élément fondamental de la vie.
2 Décrire un lymphocyte, sa structure et ses fonctions, et l'utiliser comme cellule type.
3 Décrire la locomotion d'un lymphocyte.
4 Décrire le phénomène de la diffusion des composants des liquides, prédire la direction initiale de leur diffusion et relier la diffusion au phénomène de l'osmose.
5 Décrire le transport actif, le reconnaître à partir d'exemples, résumer l'hypothèse de son fonctionnement et le relier à la vie de la cellule.
6 Décrire la pinocytose et la phagocytose et résumer le rôle des vacuoles dans ces deux processus.
7 Présenter la structure et les fonctions digestives des lysosomes.
8 Définir la respiration cellulaire et décrire les mitochondries, leur structure et leur rôle, en tant qu'organites responsables de la respiration cellulaire.
9 Définir l'oxydation en termes de perte d'hydrogène ou d'électrons et faire la relation avec la respiration cellulaire.
10 Décrire la structure et résumer les fonctions (*a*) des centrioles, (*b*) du réticulum endoplasmique, (*c*) de l'appareil de Golgi, (*d*) des microtubules, (*e*) des cils et des flagelles.
11 Décrire la structure et la composition chimique du noyau et du nucléole.
12 Décrire la mitose et résumer les raisons de son importance fonctionnelle.

Au premier chapitre, nous avons constaté qu'un tissu est un ensemble de cellules et qu'un organe est formé de tissus. Si nous rassemblons des organes, nous pouvons constituer un système et, comme un organisme comprend plusieurs systèmes, il est donc un édifice cellulaire. Nous pourrions faire une analogie entre la cellule et l'organisme: la cellule est composée de structures membraneuses, lesquelles forment des organites; ces derniers sont spécialisés dans des fonctions diverses et formés de molécules organiques, diversifiées dans leur structure, mais toutes composées d'atomes. Pour qu'il y ait vie, les organites doivent faire partie d'un ensemble cellulaire. La cellule, et non ses parties, est capable de survivre si les conditions du milieu sont adéquates. En culture de tissu, par exemple, on peut conserver des cellules pendant des années dans des milieux nutritifs artificiels. La cellule, considérée comme la plus petite entité d'un organisme, peut non seulement, grâce à ses composantes structurales et métaboliques, maintenir son intégrité mais encore se développer et se diviser pourvu qu'elle soit dans un milieu compatible avec ses exigences essentielles.

Il n'existe pas qu'un seul type cellulaire; il y a un modèle de base sur lequel viennent se greffer des particularités qui feront qu'une cellule de la cornée sera transparente, qu'un globule rouge transportera de l'oxygène ou qu'un lymphocyte pourra lutter efficacement contre une agression d'agents pathogènes. Parce qu'il présente toutes les caractéristiques fondamentales d'une cellule, le *lymphocyte* nous servira de modèle dans cette étude (figure 3-1). Son nom lui vient de sa présence en grande quantité dans la lymphe, liquide qui s'écoule dans un système de drainage de tous les tissus, le système lymphatique. On le retrouve aussi dans le tissu sanguin et dans la matrice du tissu conjonctif lâche.

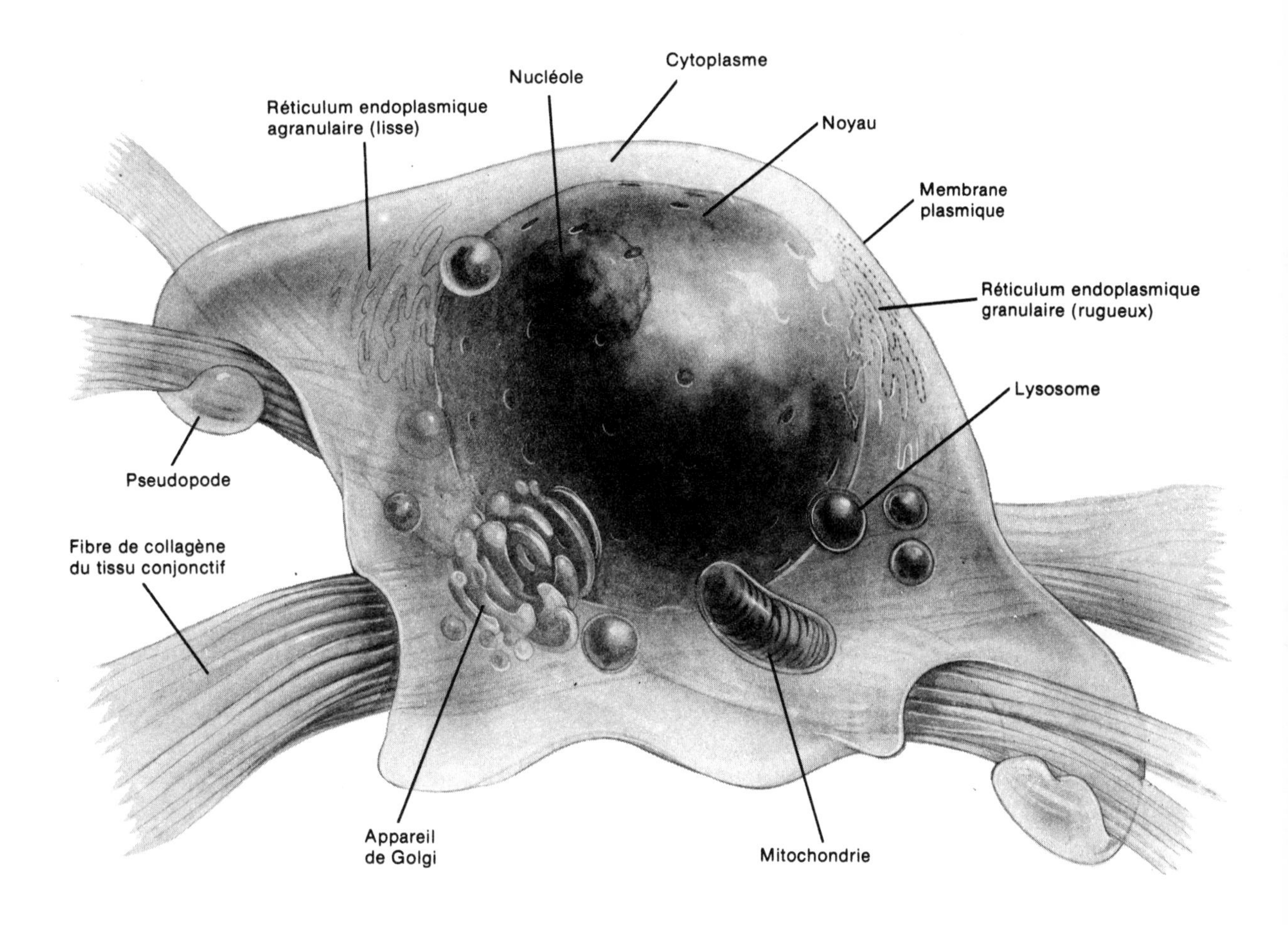

Figure 3-1 Le lymphocyte, une cellule type. Ce dessin montre un lymphocyte au sein d'un tissu conjonctif lâche, glissant sur un faisceau de fibres de collagène typiques de ce tissu.

Le lymphocyte, grosse cellule de forme variable, se meut grâce à des projections cytoplasmiques, les *pseudopodes*, c'est-à-dire des sortes de pieds dans lesquels le contenu cellulaire s'écoule. On a observé ce type de locomotion la première fois chez les amibes, qui sont des organismes unicellulaires, et c'est pourquoi on parle encore aujourd'hui de *mouvement amiboïde*. Pour que l'écoulement du contenu cellulaire se fasse, l'intérieur de la cellule doit être fluide, permettant ainsi au lymphocyte de s'insinuer dans toutes les parties d'un organisme. C'est ce type de mouvement, la *diapédèse*, qui est présenté à la figure 3-2.

À L'INTÉRIEUR DE LA CELLULE

Ce milieu intracellulaire fluide, complexe et changeant, commence à peine à être compris. Longtemps on n'y a vu qu'une sorte de liquide avec des inclusions plus ou moins précises. La venue d'instruments de recherche plus raffinés, tels que le microscope électronique et l'ultracentrifugeuse, a permis à la cytologie et à la biologie moléculaire de nous présenter une image de plus en plus nette des structures et des activités intracellulaires. Il y a à peine une génération, les scientifiques reconnaissaient dans le «protoplasme» de la cellule un *noyau*

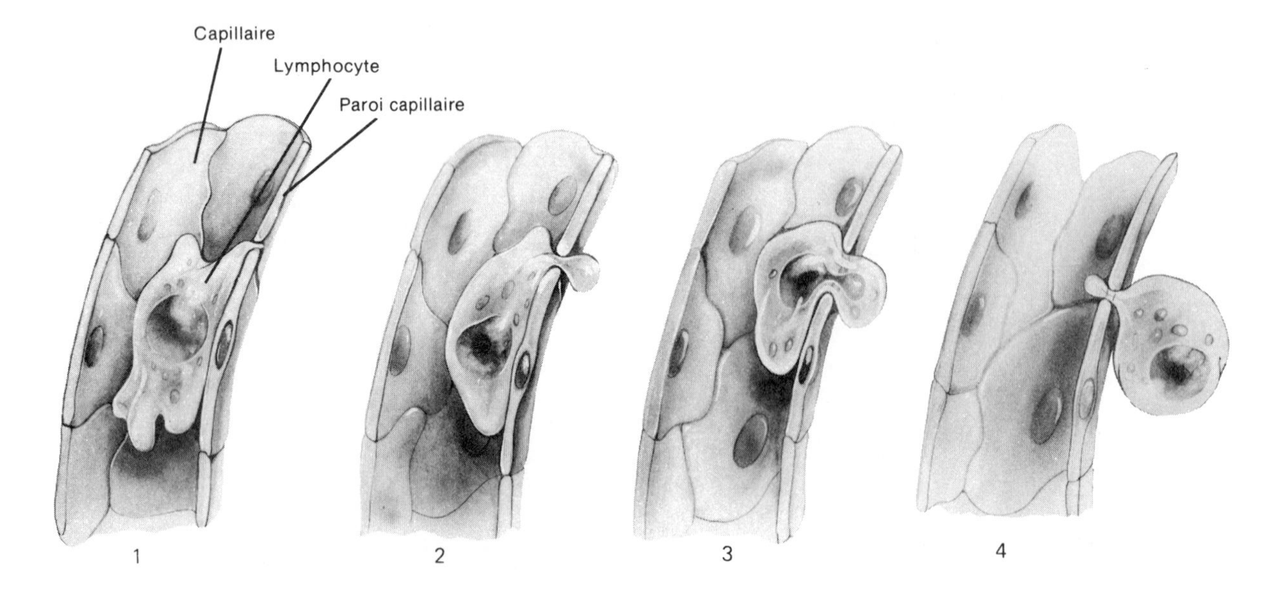

Figure 3-2 La diapédèse. Le lymphocyte utilise cette forme spécialisée de mouvement amiboïde pour s'infiltrer entre les cellules de la paroi capillaire et se rendre dans les tissus avoisinants.

et, dans le noyau, un *nucléole*. On soupçonnait, sans être capable de la voir, l'existence d'une membrane qui devait envelopper la cellule. Aujourd'hui les chercheurs ont non seulement pu visualiser la membrane cellulaire, mais encore constater qu'elle est présente dans beaucoup de structures et de fonctions cellulaires.

À l'intérieur de la cellule se trouve le *cytoplasme* entouré de la membrane plasmique. Le cytoplasme contient diverses structures minuscules appelées *organites cellulaires*: le noyau, les mitochondries, l'appareil de Golgi, les lysosomes, le réticulum endoplasmique, les centrioles et quelques autres. Le tableau 3-1 présente la liste et les fonctions principales de ces organites.

Bien que l'on pense que la structure générale de la membrane est la même partout, il est admis que ses propriétés diffèrent énormément en fonction de l'endroit où elle se trouve, soit autour de la cellule, du noyau, des mitochondries, des vacuoles et des lysosomes, ou encore lorsqu'elle forme le réticulum endoplasmique, les crêtes mitochondriales ou l'appareil de Golgi.

LE MOUVEMENT DES PARTICULES DANS LA CELLULE

Au chapitre 2, nous avons étudié la structure de la membrane cellulaire et nous venons de constater que son rôle ne se limite pas à envelopper la cellule. Or la cellule ne peut vivre qu'en échangeant avec le milieu ambiant une quantité considérable d'ions et de molécules. Ces échanges dynamiques entre les compartiments de la cellule et le milieu environnant doivent se faire, pour la plupart, à travers une structure membranaire.

En effet, l'activité d'une cellule ne sera rendue possible qu'avec l'apport de matériaux (les *nutriments*) et l'élimination des substances toxiques (les résidus métaboliques). Le lymphocyte, par exemple, a besoin d'oxygène pour se mouvoir, se développer et maintenir son intégrité. Ces activités, à leur tour, produisent du gaz carbonique et des substances de rebut. L'utilisation de l'oxygène se fait surtout dans les mitochondries et c'est là aussi que la grande partie du gaz carbonique est formée. De l'air ambiant jusqu'à l'intérieur de la mitochondrie,

Tableau 3-1 Nomenclature et rôles des principaux organites cellulaires

Organite	Rôles et caractéristiques
Membrane cellulaire (plasmique)	Protection. Maintien de la composition du milieu intracellulaire. Barrière sélective au mouvement des particules vers et hors de la cellule.
Vacuoles	Absorption d'eau (pinocytose). Ingestion d'organismes étrangers (bactéries, virus) ou de débris cellulaires (fragments de membranes, etc.) (phagocytose).
Réticulum endoplasmique (RE)	Squelette cellulaire. Transport intracellulaire. Origine des membranes des autres organites. Fabrication des stéroïdes. Le RE granulaire est parsemé à sa surface de ribosomes et sert à la synthèse des protéines. Le RE agranulaire n'a pas de ribosomes à sa surface.
Ribosomes	Synthèse des protéines. Association fréquente avec le RE.
Lysosomes	Petites vacuoles contenant des enzymes digestives (hydrolases). Digestion intracellulaire et mort cellulaire (autophagie).
Mitochondries	Respiration cellulaire. Centrales énergétiques de la cellule.
Appareil de Golgi	Emballage des sécrétions cellulaires. Production des membranes des lysosomes.
Noyau	Centre de contrôle de l'hérédité cellulaire grâce à la présence d'acides nucléiques
Nucléole	Biogénèse des ribosomes. Contenu important en ADN et en ARN.
Centrioles	Fonction associée à la mitose
Flagelles	Locomotion cellulaire (ex.: spermatozoïdes)
Cils	Mouvement de matériel (ex.: le revêtement des voies respiratoires)

l'oxygène et le gaz carbonique suivent la même route, mais dans des directions inverses, tout en traversant un grand nombre de structures membraneuses: paroi pulmonaire, paroi capillaire, membrane du globule rouge, membrane plasmique du lymphocyte, membranes du réticulum endoplasmique, membranes externe et interne de la mitochondrie. Qu'une seule de ces membranes devienne imperméable à l'oxygène et le lymphocyte mourra. Beaucoup d'autres substances auraient pu servir d'exemple: la démonstration aurait été la même. On comprendra alors sans peine qu'on doive commencer l'étude de la cellule par une analyse des propriétés de transfert des structures membraneuses et des forces responsables de ces mouvements.

La diffusion

L'eau est le principal constituant cellulaire, formant environ 80 pour 100 du contenu cellulaire du lymphocyte. Les ions et les molécules sont dissous dans l'eau, le tout formant une *solution.* L'eau est le *solvant,* les ions et les molécules, les *solutés.* Si une solution aqueuse ne contient que des substances dont la taille n'est pas supérieure à celle des molécules, c'est une solution «vraie»: c'est en partie le cas du *liquide intracellulaire* qui contient aussi des particules dont la taille excède celle des molécules (les macromolécules et les organites). Le liquide intracellulaire est donc une suspension de grosses particules dans une solution aqueuse d'ions et de molécules.

Nous avons déjà mentionné que le liquide intracellulaire a une composition différente de celle du liquide extracellulaire (ou interstitiel). L'examen, par exemple, de la distribution des ions potassium montre une concentration beaucoup plus grande à l'intérieur qu'à l'extérieur de la cellule, dans un rapport d'environ 30 à 40 pour 1. Ces ions, étant en solution, sont libres de se mouvoir dans toutes les directions: c'est l'*agitation thermique.* S'ils sont en mouvement, ils vont tendre à occuper tout l'espace qui leur est accessible, y compris le milieu interstitiel, puisque la membrane cellulaire est perméable aux ions potassium. Ceci signifie que la membrane plasmique laisse passer avec une relative facilité les ions potassium qui entrent en collision avec elle dans leur perpétuelle agitation. Il y aura beaucoup plus de collisions avec la face interne de la membrane qu'avec la face externe. Par conséquent, plus d'ions potassium passeront vers l'extérieur de la cellule que vers l'intérieur. Ce *mouvement net* d'ions, qui se fait toujours à partir des régions de forte concentration vers celles de moindre concentration, est la *diffusion.* La force motrice de ce mouvement s'appelle l'agitation thermique. Il est évident que le même raisonnement s'applique au solvant, c'est-à-dire l'eau, en ce qui concerne les liquides corporels (figures 3-3). Si, dans l'espace disponible pour une particule en solution, la concentration est la même partout, il n'y aura pas de mouvement net de cette particule. On dira que le *flux net* égale zéro. En reprenant l'exemple du potassium, si les concentrations sont égales de part et d'autre de la membrane, il y aura autant de collisions sur les deux faces de la membrane, donc autant d'ions qui entreront dans la cellule que d'autres qui en sortiront.

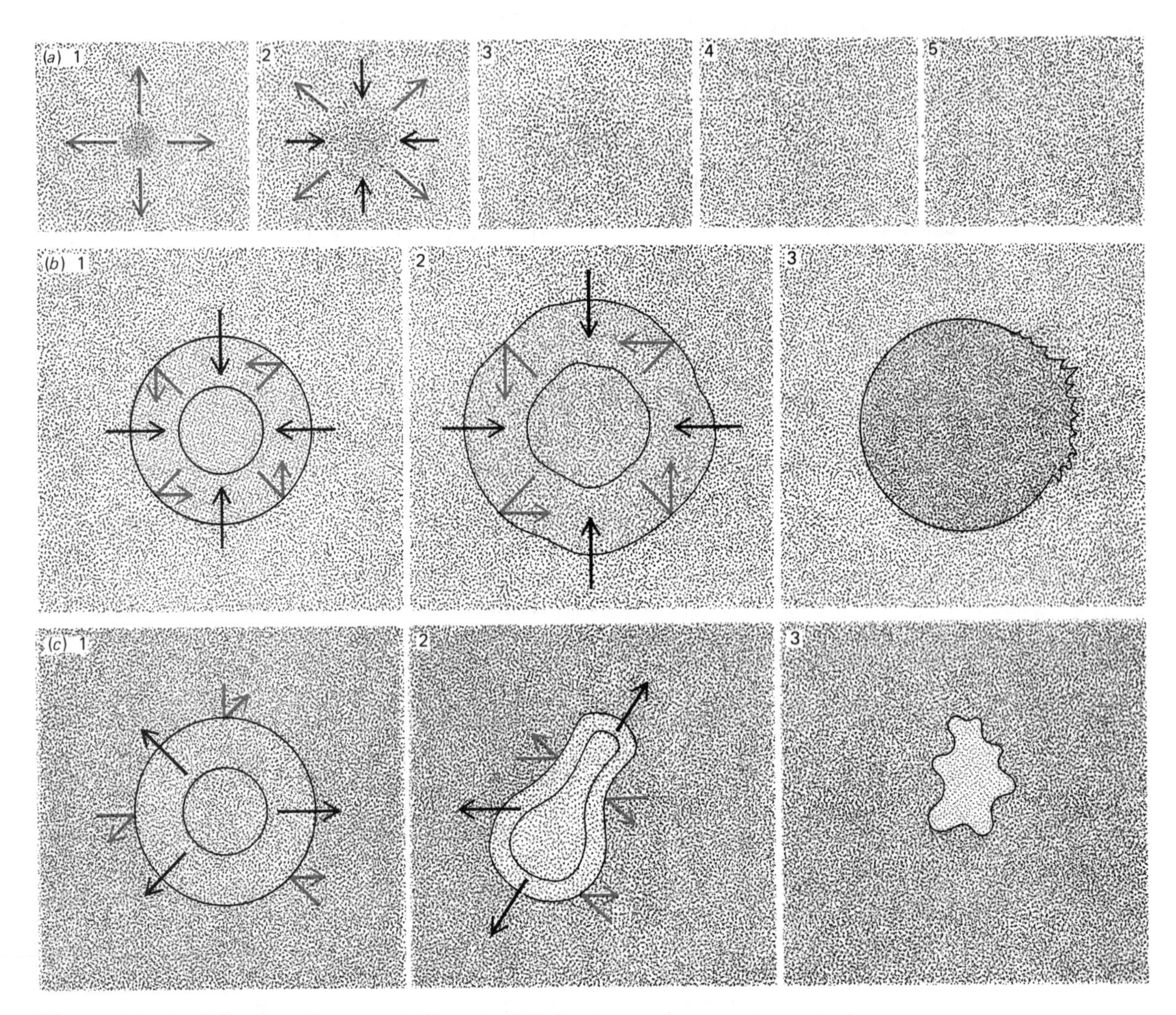

Figure 3-3 La diffusion et l'osmose. (*a*) Dans la diffusion, les composants d'une solution se distribuent uniformément dans tout l'espace accessible et leur concentration tend à être la même partout. Ici, les molécules du soluté (colorées) diffusent vers la périphérie et les molécules du solvant (noires) vers le centre, où se trouvent les molécules du soluté. Dans les deux cas les particules diffusent de la zone où leur concentration est grande vers celle où elle est plus basse. (*b*) Un globule rouge est ici placé dans de l'eau distillée (pure). L'intérieur de la cellule a une concentration en eau inférieure à celle du milieu environnant à cause de la présence de sels en solution. L'eau diffuse donc vers la cellule. Si la membrane empêche les sels de sortir, la cellule éclatera éventuellement sous la pression de l'eau. (*c*) *Plasmolyse* d'un globule rouge. La solution entourant la cellule est beaucoup plus concentrée (hypertonique) que le liquide intracellulaire; l'eau a donc une concentration plus grande dans la cellule et elle diffuse hors de celle-ci. La cellule se contracte.

L'osmose et la dialyse

Ces deux phénomènes sont étroitement liés: le premier réfère au passage (au flux net) d'un solvant à travers une membrane, le second à celui d'un ou de plusieurs solutés. Dans un organisme, l'eau est le solvant, les solutés sont les ions et les molécules qui y sont dissous, et la membrane est la plupart du temps une membrane cellulaire. Posons donc les éléments qui vont permettre de comprendre ces deux termes.

Si une membrane se laisse traverser par le solvant ou les solutés qui baignent ses deux faces, on dit qu'elle est perméable. Si sa perméabilité est restrictive, c'est-à-dire qu'elle bloque le passage à certaines substances et qu'elle en laisse passer d'autres, on dit qu'elle est semi-perméable. La membrane cellulaire est semi-perméable: elle laisse passer l'eau sans difficulté mais offre une résistance variable au passage des solutés. Certains sont même complètement exclus.

Cette sélectivité dépend de la structure et de la composition de la membrane cellulaire. Celle-ci est composée en grande partie de lipides (ou graisses). Si un soluté se dissout facilement dans les lipides, il pourra se dissoudre dans la membrane et passer au travers. Si un autre soluté n'a qu'une faible «liposolubilité», il trouvera dans la membrane une barrière à peu près infranchissable. Or l'eau est très peu soluble dans les lipides. La facilité avec laquelle l'eau peut traverser la membrane a donc amené les scientifiques à postuler la présence de pores membranaires grâce auxquels l'eau et les petites particules peu solubles dans les lipides peuvent entrer ou sortir de la cellule par diffusion (voir au chapitre 2).

Supposons qu'une cellule soit placée dans un milieu qui contient une concentration de solutés égale à celle du liquide intracellulaire et que l'eau soit aussi en concentration égale de part et d'autre de la membrane et n'ait tendance ni à entrer ni à sortir de la cellule: on dit alors que cette cellule est en équilibre osmotique, que les deux solutions sont *isotoniques*. Si maintenant on place cette cellule dans de l'eau distillée (ne contenant aucun soluté), l'eau a tendance à entrer dans la cellule puisque la concentration de l'eau à l'extérieur (100 pour 100), est plus grande que celle qui règne dans la cellule où se trouvent des solutés. Comme l'eau traverse la membrane très rapidement, plus vite que les solutés, ce flux net d'eau fera gonfler la cellule qui pourra éventuellement éclater (figure 3-3): dans ce cas, on dit que la cellule était placée dans un milieu *hypotonique*. Qu'arrive-t-il à une cellule placée dans un milieu *hypertonique*? Vous devriez pouvoir répondre à cette question.

Ce mouvement de l'eau, lorsqu'il correspond à un flux net d'un côté ou de l'autre de la membrane cellulaire, est le phénomène de l'*osmose* (voir la terminologie au tableau 3-2). Lorsque le flux net s'applique à un soluté et non au solvant, on parle de *dialyse*. Pour la majorité des gens, ce terme évoque le «rein artificiel»; en effet, tout individu atteint d'une insuffisance rénale importante doit se soumettre périodiquement à un traitement qui consiste à faire dévier une partie de la circulation sanguine vers un appareil à dialyse afin d'éliminer du sang les substances qui sont normalement évacuées dans l'urine. On peut maintenant expliquer ce qui se passe.

Tableau 3-2 Terminologie de l'osmose (les solutions A et B sont séparées par une membrane perméable à l'eau et aux solutés)

Concentration des solutés dans la solution A	dans la solution B	Tonicité	Diffusion des solutés	Diffusion du solvant
Grande	Faible	A hypertonique à B B hypotonique à A	A → B	B → A
Faible	Grande	B hypertonique à A A hypotonique à B	B → A	A → B
Égale à celle de la solution B	Égale à celle de la solution A	A et B isotoniques	A → B = B → A	A → B = B → A

Il y a, dans le sang de cette personne, une accumulation de solutés; s'ils ne sont pas évacués dans l'urine, on doit les éliminer autrement. La dialyse consiste à mettre en contact, de part et d'autre d'une membrane artificielle et semi-perméable, le sang et une solution dont la composition ionique est identique à celle d'un sang normal. On voit donc que toute accumulation d'urée, par exemple, rend le sang plus concentré en urée que le liquide de dialyse. L'urée diffusera du côté de la membrane où sa concentration est la plus faible. Il en sera ainsi pour toute substance dont la concentration sanguine est plus grande que celle du liquide de dialyse. Il faut que la membrane artificielle ait des caractéristiques de perméabilité très strictes pour que l'urée, le sodium et la créatinine, par exemple, puissent quitter le sang mais non les plaquettes, les globulines, et les autres protéines plasmatiques.

Le transport actif

Les processus de transport que nous venons de décrire dépendent du mouvement incessant des molécules et des ions ainsi que de leur tendance à occuper tout l'espace qui leur est accessible. On dit alors que le mouvement net qui en résulte est dû à des forces passives, ne faisant intervenir que la propension des particules à se répartir uniformément. Lorsqu'on observe un mouvement net de particules, qui va à l'encon-

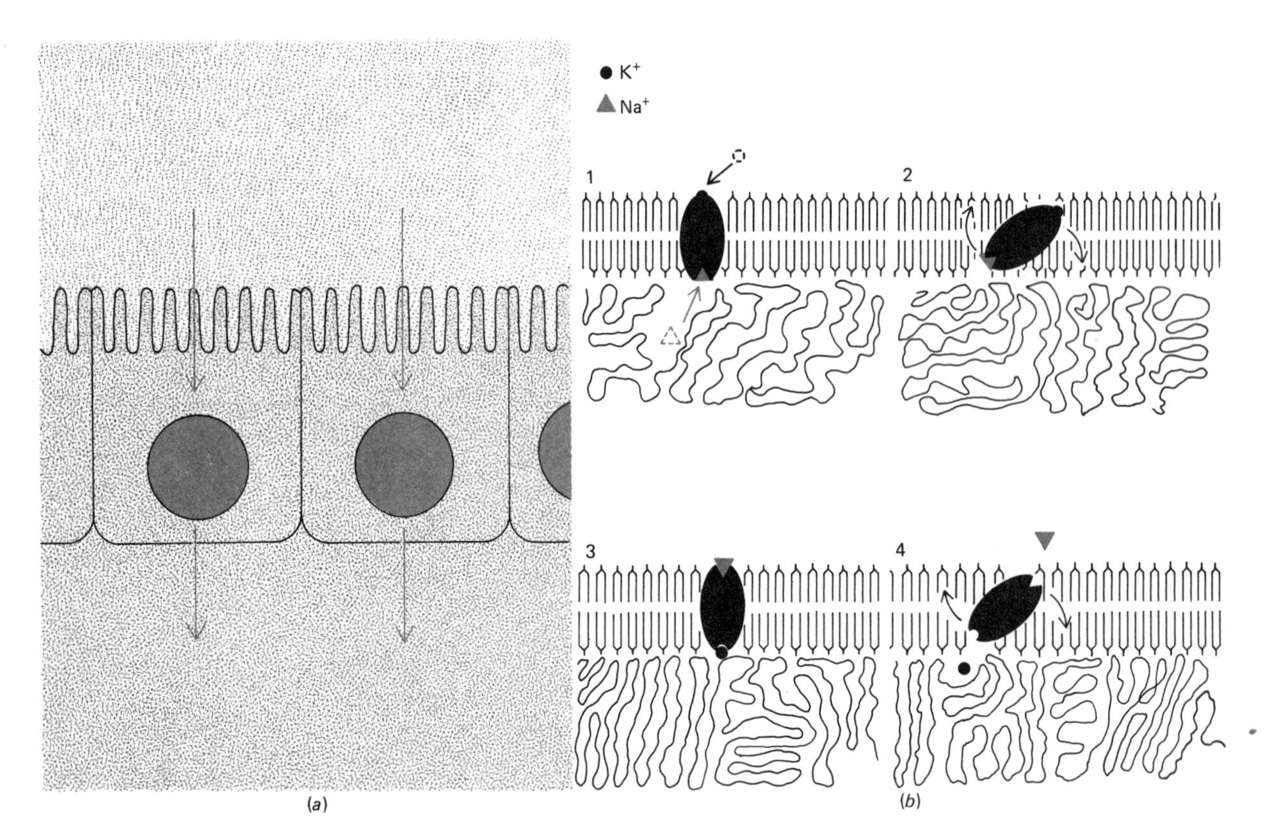

Figure 3-4 (*a*) Le transport actif. Le sodium (en couleur) est absorbé activement **au travers de** la surface apicale des cellules rénales et s'accumule d'un côté de la membrane cellulaire, dans le sens contraire à celui de la diffusion. Une fois dans la cellule, le sodium diffuse normalement au travers de la membrane basale dans le liquide interstitiel. (*b*) L'hypothèse du transport actif Na — K (sodium — potassium). Une molécule de transport, située dans la membrane, s'associe aux ions Na^+ et K^+. La formation du complexe ions-transporteur modifie la configuration du transporteur qui bascule d'un demi-tour. Les ions libérés, le transporteur bascule de nouveau dans sa position première. L'énergie cellulaire est requise à au moins un stade de ce processus.

tre de cette règle, on doit postuler un autre mécanisme de transport: c'est le *transport actif*, caractérisé par un fonctionnement qui requiert de l'énergie métabolique.

Dans cette optique, on pourrait comparer une cellule à un vieux rafiot prenant l'eau de partout. Il ne reste à flot que grâce à des pompes qui refoulent à l'extérieur l'eau qui entre continuellement: viennent-elles à manquer, ou à fonctionner à un régime insuffisant, le bateau coule. Dans la cellule, la concentration de potassium est supérieure à celle qui prévaut à l'extérieur; il est essentiel pour la vie de la cellule que la situation demeure ainsi. De même, le sodium est plus concentré à l'extérieur qu'à l'intérieur de la cellule; or il est connu que ces deux ions diffusent au travers de la membrane cellulaire qui ne fait que freiner leur mouvement. La cellule doit donc continuellement pomper du potassium vers l'intérieur et du sodium vers l'extérieur. C'est un mécanisme de transport actif qui assure ces mouvements; on le nomme familièrement la pompe Na-K (le transport sodium-potassium de la figure 3-4). Selon une hypothèse actuellement considérée comme plausible, le transport de ces deux ions serait lié à la rotation d'une protéine membranaire suite à l'attache en des sites précis de sa face externe d'un ion potassium et d'un ion sodium sur sa face interne. Ces deux réactions, couplées à une troisième qui serait un transfert d'énergie d'une molécule à l'intérieur de la cellule vers la protéine de transport, provoqueraient un changement de forme de cette dernière, amenant le potassium vers l'intérieur et le sodium vers l'extérieur. Le relâchement simultané de ces deux ions permettrait à la protéine de reprendre sa forme première et d'être en mesure d'échanger deux autres ions.

Ce mécanisme de transport Na-K est loin d'être le seul qui existe dans la membrane cellulaire. On connaît presque autant de systèmes de transport actif qu'il y a de substances transportées de part et d'autre des membranes cellulaires. Ces systèmes existent-ils dans toutes les membranes, certains étant fonctionnels et d'autres non fonctionnels, ou y a-t-il des cellules qui possèdent l'exclusivité de certains transports membranaires? La question reste sans réponse. On sait toutefois que la pompe Na-K existe chez tous les types cellulaires connus.

LA PHAGOCYTOSE ET LA PINOCYTOSE

La diffusion et le transport actif ne sont pas les seuls moyens mis à la disposition de la cellule pour assimiler des matériaux. L'*endocytose* permet de capturer des particules solides plus ou moins grosses (figure 3-5). Du grec «phagein», manger, la *phagocytose* ne concerne que quelques cellules de l'organisme: certains globules blancs et quelques autres types cellulaires. Les macrophages, cellules du système macrophagique, peuvent éliminer bactéries ou débris cellulaires: dans un premier temps, la cellule s'accole, par exemple, à une bactérie par sa membrane plasmique; cette dernière s'invagine, formant un repli ou une poche qui entraîne la bactérie à l'intérieur de la cellule. L'invagination, toujours reliée au milieu ambiant par un goulot, se fait de plus en plus profonde, jusqu'à ce que le goulot se referme. La bactérie se trouve alors enfermée dans une *vacuole de phagocytose* où sont déversées des enzymes assurant la digestion des constituants chimiques de la bactérie. Cette digestion produit de petites molécules qui traversent la membrane vacuolaire de la même façon qu'elles auraient franchi la membrane plasmique: par diffusion ou transport actif. Elles peuvent être réutilisées dans le métabolisme du macrophage. Souvent la vacuole de phagocytose disparaît[1] en même temps que son contenu. Si la vacuole reste intacte, dans une dernière étape, elle vient s'ouvrir à la surface de la membrane plasmique par un processus d'endocytose à rebours (*exocytose*).

D'autres cellules présentent le phénomène de la *pinocytose* (du grec «pinein», boire). Les vacuoles formées sont de très petite taille (0,1 μm de diamètre en moyenne) et très nombreuses. Elles emprisonnent une partie du milieu extracellulaire et l'amènent dans le cytoplasme. Au microscope, l'observation montre qu'elles diminuent rapidement de volume pour disparaître, leur contenu diffusant dans le liquide intracellulaire. Chez l'humain c'est un processus caractéristique des cellules possédant des *microvillosités* (projections de la membrane plasmique augmentant considérable-

[1] Dans ce cas, la membrane de la vacuole est plutôt détruite par les toxines de la bactérie, non par les hydrolases lysosomiales.

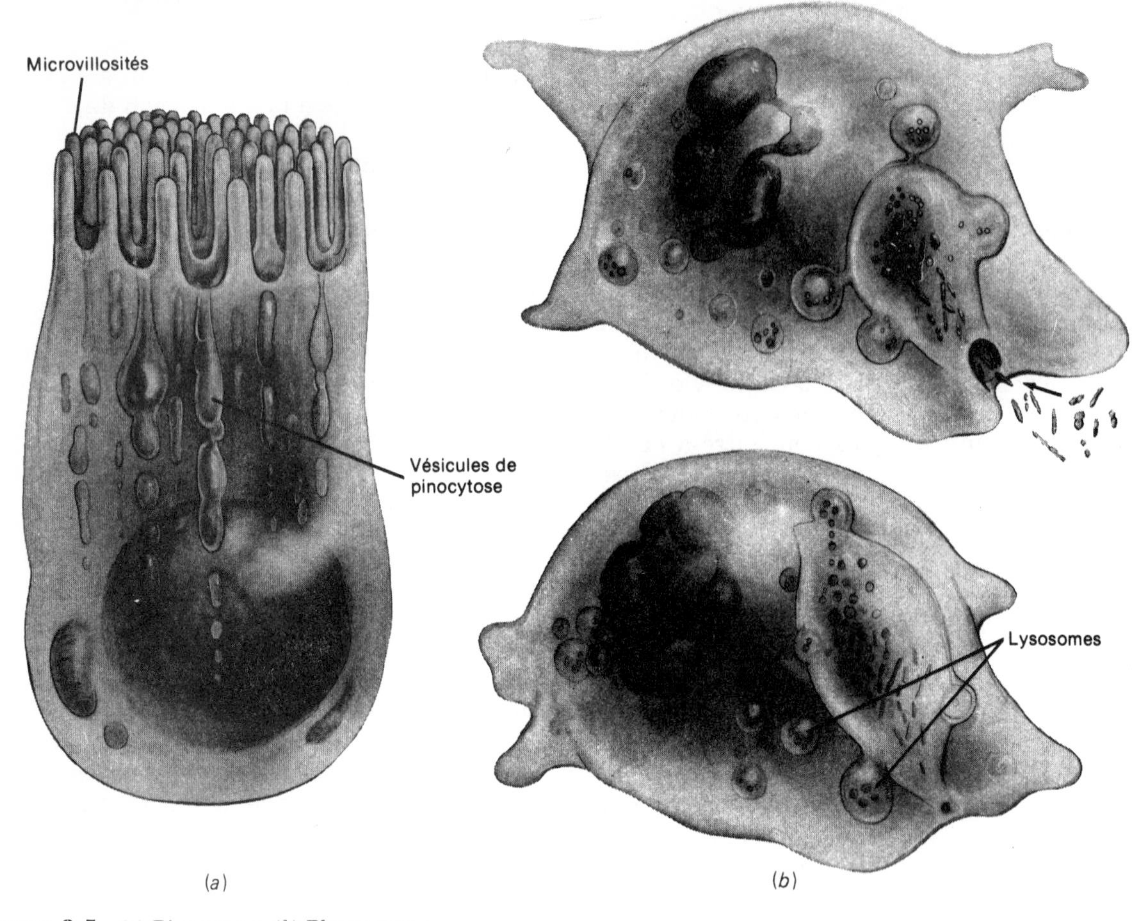

Figure 3-5 (*a*) Pinocytose. (*b*) Phagocytose.

ment la surface d'absorption). Ces cellules tapissent la paroi de la lumière du petit intestin et des tubes rénaux. Les vacuoles de pinocytose se forment entre les microvillosités probablement pendant que ces dernières sont actives et absorbent des ions minéraux ou d'autres substances.

LES ORGANITES CELLULAIRES

Les lysosomes

Les enzymes utilisées par le *macrophage* ou le globule blanc pour digérer une bactérie sont contenues dans les *lysosomes*, petites inclusions entourées d'une membrane simple; ils ont un rôle dans la phagocytose et dans la lyse cellulaire qui se produit pendant le développement de certains organes. La main d'un jeune embryon, par exemple, est palmée, c'est-à-dire que les doigts sont reliés les uns aux autres par une lame tissulaire qui se désintègre au cours du développement. Les cellules de ces palmures, et seulement ces dernières, sont détruites par la libération des enzymes digestives des lysosomes dans leur cytoplasme. Le contrôle de ce mécanisme est d'une incroyable précision. À défaut de se manifester, il peut en résulter une malformation, la *syndactylie* (ou doigts palmés). Dans d'autres cas, chez l'adulte, un dysfonctionnement des lysosomes peut causer l'arthrite articulaire. L'étude de leur fonctionnement devrait permettre d'approfondir considérablement nos connaissances dans ces domaines particuliers.

Les mitochondries

Les cellules produisent de l'énergie par la *respiration cellulaire*; la plupart des réactions chimiques de la respiration cellulaire ont lieu dans les *mitochondries* (figure 3-6). À l'exemple des centrales d'énergie d'une ville, qui consomment du combustible, il en va de même pour les mitochondries. Elles possèdent toutes une organisation générale similaire, bien qu'elles varient en taille, en nombre et en forme dans une même cellule. Elles sont formées de deux membranes, la surface de la membrane interne étant la plus grande. Celle-ci doit donc faire de nombreux replis pour trouver sa place à l'intérieur de la membrane externe. En coupe, elle prend souvent l'aspect de digitations, les *crêtes mitochondriales*. Il est bien établi que plusieurs enzymes et substances impliquées dans la production d'énergie cellulaire doivent être situées en des lieux précis et selon une disposition particulière sur la membrane mitochondriale pour une efficacité maximale. Puisque la membrane interne contient ces molécules, c'est là un indice sûr de son rôle. On constate que plus une cellule a une grande activité énergétique, plus les crêtes sont nombreuses et développées.

La respiration cellulaire Un moteur automobile produit de l'énergie en la brûlant brusquement: le mélange gazeux explose dans la chambre à combustion et repousse le piston. Par contre, la respiration cellulaire se fait de façon beaucoup plus graduelle. La mitochondrie libère l'énergie de son combustible par étapes. Au chapitre 12 on verra comment le glucose (ou tout autre nutriment) subit dans la cellule des transformations chimiques qui le dégradent éventuellement en ses éléments constituants, le gaz carbonique et l'hydrogène. Les atomes d'hydrogène sont pris en charge par une succession de composés, les *transpor-*

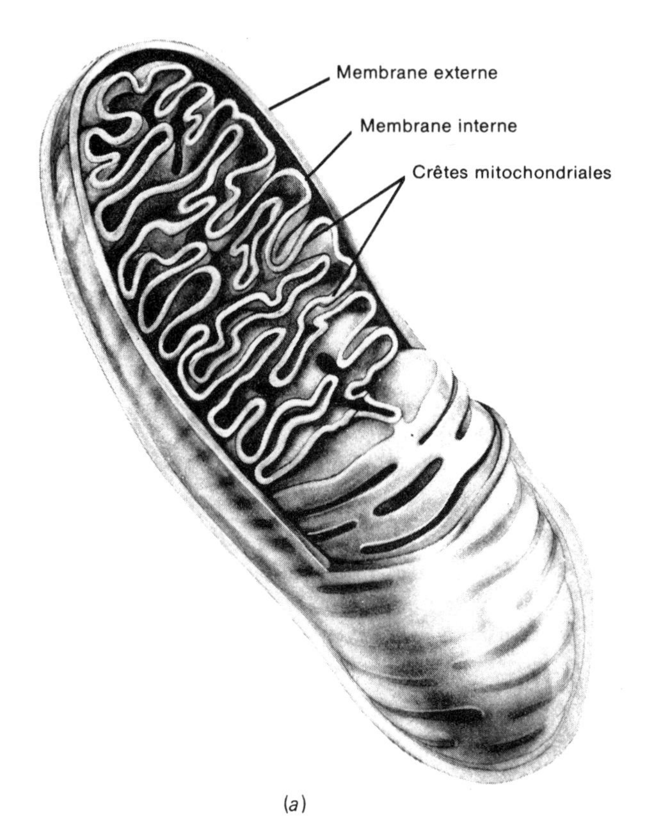

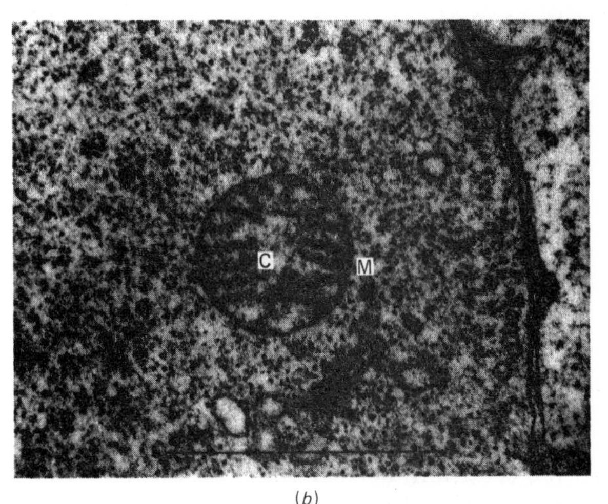

Figure 3-6 (*a*) Illustration d'une mitochondrie. Elle a été coupée pour mettre en évidence les crêtes mitochondriales. Les mitochondries peuvent posséder plusieurs formes différentes. (*b*) Photomicrographie au microscope électronique montrant une mitochondrie en coupe transversale (environ ×30 000). La ligne noire représente la longueur d'un micromètre (μm); *M*: mitochondrie; *C*: crêtes mitochondriales. (*Dr Lyle C. Dearden.*)

teurs d'hydrogène, qui soutirent l'énergie contenue dans ces atomes avant de leur permettre de se lier à l'oxygène cellulaire. On représente cette réaction ainsi:

$$4H + O_2 \longrightarrow 2H_2O + \text{énergie}$$

La quantité d'énergie libérée à partir de l'hydrogène pendant la respiration cellulaire est très grande. Une partie est libérée en chaleur et sert à maintenir la température corporelle. Le reste est capturé par des substances spécialisées dans le transfert d'énergie et utilisé dans des réactions cellulaires consommatrices d'énergie: la contraction musculaire, la synthèse des graisses, etc.

L'oxygène et la respiration La respiration cellulaire implique une *oxydation* des molécules combustibles. Ultimement, c'est l'oxydation qui libère l'énergie contenue dans les liaisons chimiques de la molécule combustible. Historiquement, la première définition donnée à l'oxydation fut la liaison d'un produit avec l'oxygène, mais ce n'est qu'un cas particulier d'oxydation. La réaction terminale de l'hydrogène et de l'oxygène, dans la respiration cellulaire, est un exemple de ce type d'oxydation. Une autre façon d'oxyder un composé est de lui enlever des atomes d'hydrogène. C'est aussi une réaction impliquée dans la respiration cellulaire. Finalement, l'enlèvement d'un électron à une substance est une autre sorte d'oxydation, aussi présente dans la respiration cellulaire. Si on se rappelle l'association du sodium et du chlore, on constate qu'il y a perte d'un électron par le sodium au profit du chlore. Le sodium est donc oxydé et le chlorure de sodium est formé même en l'absence d'oxygène.

La *réduction* d'un composé est le contraire de son oxydation: perte d'oxygène, gain d'hydrogène ou d'électrons. Il y a réduction de l'oxygène s'il se lie à l'hydrogène, comme le chlore est réduit en acceptant l'électron du sodium. Toute oxydation est donc jumelée à une réduction et vice versa.

Le réticulum endoplasmique et l'appareil de Golgi

Le cytoplasme de la majorité des cellules contient un système de membranes, le *réticulum endoplasmique* (RE) (figure 3-7). Sa composition chimique est similaire à celle de la membrane cellulaire, et plusieurs chercheurs supposent qu'il est relié à cette dernière. L'examen microscopique de certaines cellules permet de constater que les membranes internes sont en continuité avec la membrane plasmique. À l'intérieur du cytoplasme, le RE forme un ensemble de cavités appelées *citernes* donnant à ces régions une structure spongieuse. Les citernes communiquent souvent entre elles par un réseau de canalicules. Peu abondant dans les cellules indifférenciées (par exemple les cellules embryonnaires), le RE est une structure ou une phase solide qui permet une activité de synthèse plus efficace que dans une phase liquide. Il permet de plus la compartimentation de la cellule, d'où son implication dans la concentration et le transport de substances synthétisées.

On reconnaît traditionnellement deux types de RE, *granulaire* (*rugueux*) et *agranulaire* (*lisse*). Dans certaines conditions, le RE peut passer d'une forme à l'autre. Le premier doit

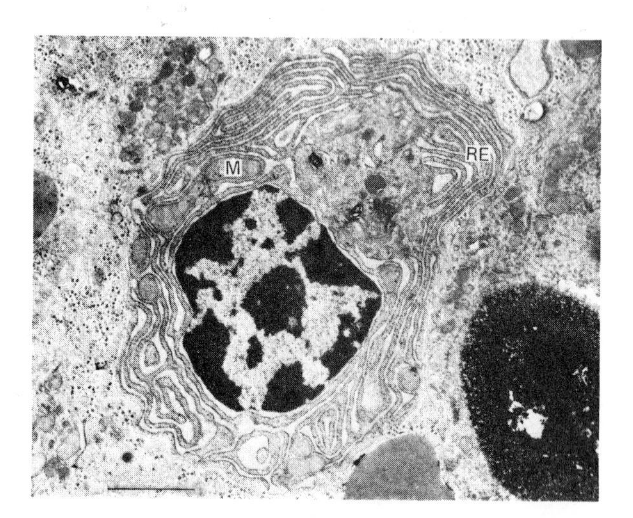

Figure 3-7 Photomicrographie au microscope électronique montrant le réticulum endoplasmique granulaire d'un plasmocyte (environ ×7 000). La ligne noire représente la longueur de 1 μm. *RE*: réticulum endoplasmique granulaire; *M*: mitochondrie. Le RE occupe beaucoup de place dans cette cellule et ceci s'explique par le rôle du plasmocyte. Il produit des anticorps, protéines qui servent à la défense de l'organisme en attaquant les bactéries et autres corps étrangers nuisibles pouvant accéder à l'intérieur du corps.

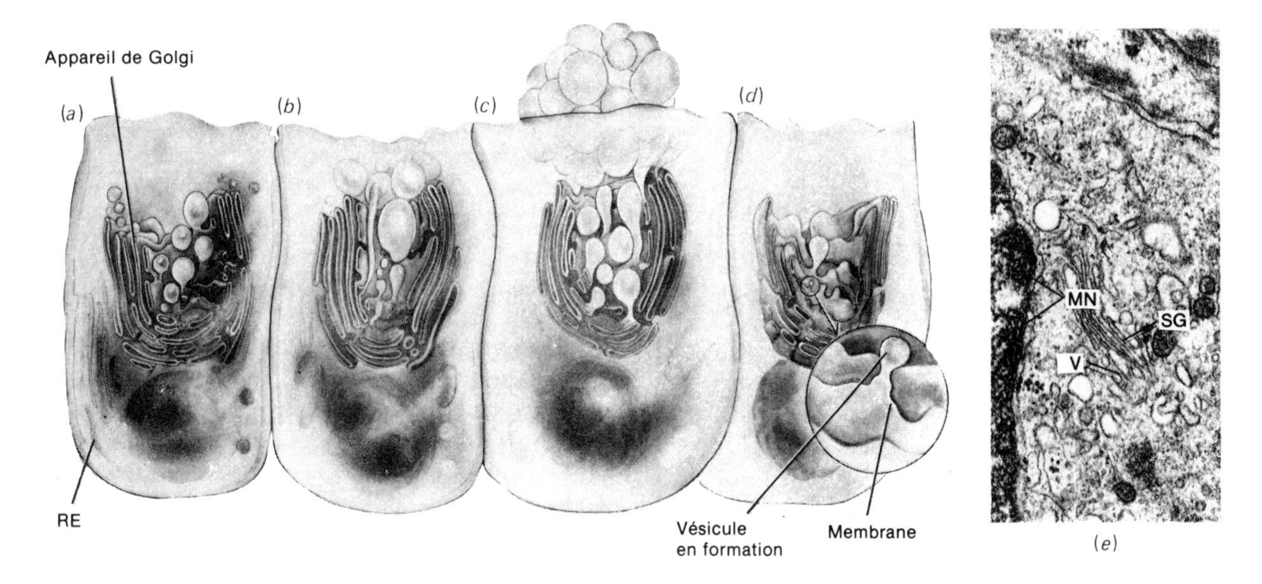

Figure 3-8 De (*a*) à (*d*), dessins d'une cellule épithéliale caliciforme. Pendant le cycle de sécrétion, ces cellules produisent du mucus qui s'accumule d'abord dans les vésicules de l'appareil de Golgi. Les gouttelettes individuelles grossissent, se fusionnent et sont expulsées pendant que le cycle continue. (*e*) Photomicrographie au microscope électronique d'une coupe de l'appareil de Golgi d'un lymphocyte (environ ×30 000). MN: membrane nucléaire; V: vésicules; SG: saccules golgiens. Les saccules sont les espaces délimités par les membranes. (*Dr Lyle C. Dearden.*)

son nom à son apparence au microscope électronique; il est couvert d'un très grand nombre de fines particules, les *ribosomes*, responsables de la production des enzymes et autres protéines cellulaires. Quelques-uns sont libres dans le cytoplasme et d'autres, distincts, se trouvent dans les mitochondries. Le RE agranulaire ne contient pas de ribosomes. Dans certaines cellules, le RE est impliqué dans la synthèse des *stéroïdes* (lipides).

L'*appareil* (ou le *complexe*) *de Golgi* est une structure formée de membranes comme le RE (figure 3-8). Les cavités formées par le RE sont polymorphes, celles de l'appareil de Golgi, plus régulières. Longtemps considéré comme un artéfact (phénomène secondaire aux techniques de fixation et de coloration), son existence n'est plus mise en doute aujourd'hui grâce au microscope électronique. L'appareil de Golgi d'un lymphocyte est souvent logé dans une concavité du noyau. Dans les cellules à mucus de l'intestin, il forme un genre de coupe entourant partiellement le noyau. Très développé dans les cellules sécrétrices, il a un rôle dans les dernières phases de la production et de l'emballage des produits de sécrétion, avant leur libération hors de la cellule.

Il est formé de *saccules* empilés (figure 3-8). À mesure que les produits de sécrétion s'accumulent à l'intérieur de ceux-ci, des bourgeonnements périphériques de la membrane donnent naissance à des *vésicules* de sécrétion. Ces dernières se détachent et migrent vers la membrane plasmique où elles libèrent leur contenu. Il est aussi démontré que l'appareil de Golgi participe à la production des lysosomes. Il semble probable que la membrane des lysosomes soit d'abord une membrane ayant appartenu aux saccules golgiens.

Le noyau

Généralement localisé au centre de la cellule, le noyau se reconnaît facilement parmi les orga-

«Si on devient ce que l'on mange, Claude, tu es mariée à un sandwich au beurre d'arachide.»

Figure 3-9 Caricature par Henry R. Martin.

nites cellulaires (figure 3-10). Il contient la majeure partie de l'information génétique[2]; par le fait même, il contrôle la vie de la cellule et détermine ses caractéristiques ainsi que les rôles structuraux des acides aminés, des phospholipides, et des autres matériaux cellulaires. Un individu ne devient pas ce qu'il mange, car tous les aliments qu'il absorbe sont transformés en matière vivante. S'il est vrai que l'achat des éléments qui constituent un organisme humain est à la portée de tous (le prix d'un lunch au restaurant), par contre seuls les millionnaires pourraient payer le prix des matériaux finis et encore, ceux-ci ne formeraient pas un humain.

Le noyau est entouré d'une double membrane. L'une d'elles est en continuité avec le RE et il n'est pas exclus que les deux dérivent de ce dernier. De place en place, la membrane (ou l'enveloppe) nucléaire est percée de pores assez grands pour que des matériaux puissent passer du *nucléoplasme* au cytoplasme et vice versa. On doit cependant assumer une limite et probablement une régulation de ces mouvements. Le nucléoplasme, plus ferme et plus épais que le cytoplasme, contient trois types principaux de molécules: l'ADN, l'ARN et des protéines basiques, les *histones*. L'ADN contient l'information génétique de la cellule. On peut comparer l'ADN à un ruban, un disque magnétique ou encore à une carte perforée, c'est-à-dire à un lieu de stockage d'informations codées. Il n'est pas facile de lire le contenu d'une carte perforée sans connaître le code. Il était encore plus difficile pour les scientifiques, à partir du matériel génétique, de reconstituer le code. Pourtant, aujourd'hui, on en connaît les éléments essentiels. Nous étudierons au dernier chapitre comment l'information génétique est emmagasinée dans le noyau et comment elle s'exprime.

Le *nucléole* est une zone spécialisée du noyau, visible au microscope optique et électronique. Aucune membrane ne l'isole du reste du noyau. Un examen plus approfondi révèle qu'on y retrouve des portions spécialisées de plusieurs chromosomes, possiblement responsables de la synthèse des ribosomes, dont des «pièces détachées» y sont temporairement entreposées.

[2] Les mitochondries sont dépositaires d'une faible quantité de matériel génétique mais la plus grande part de l'information requise à leur production se trouve dans le noyau.

Les microtubules et leurs dérivés

De minuscules structures tubulaires, nommées *microtubules*, jouent un rôle important dans la structure et la vie de la cellule. On les connaît depuis longtemps. Ils sont difficiles à analyser, leur préservation étant très délicate. De plus ils apparaissent et disparaissent suivant les besoins de la cellule. Ils sont constitués de polymères organiques qui se dépolymérisent et se dissolvent facilement dans le cytoplasme.

On a réussi à étudier quelques structures microtubulaires: les microtubules de l'appareil mitotique (à voir bientôt), les neurofibrilles des cellules nerveuses (servant hypothétiquement au transport intracellulaire) et quelques autres. Ces organites peuvent sembler disparates, mais leur constitution fondamentale est identique.

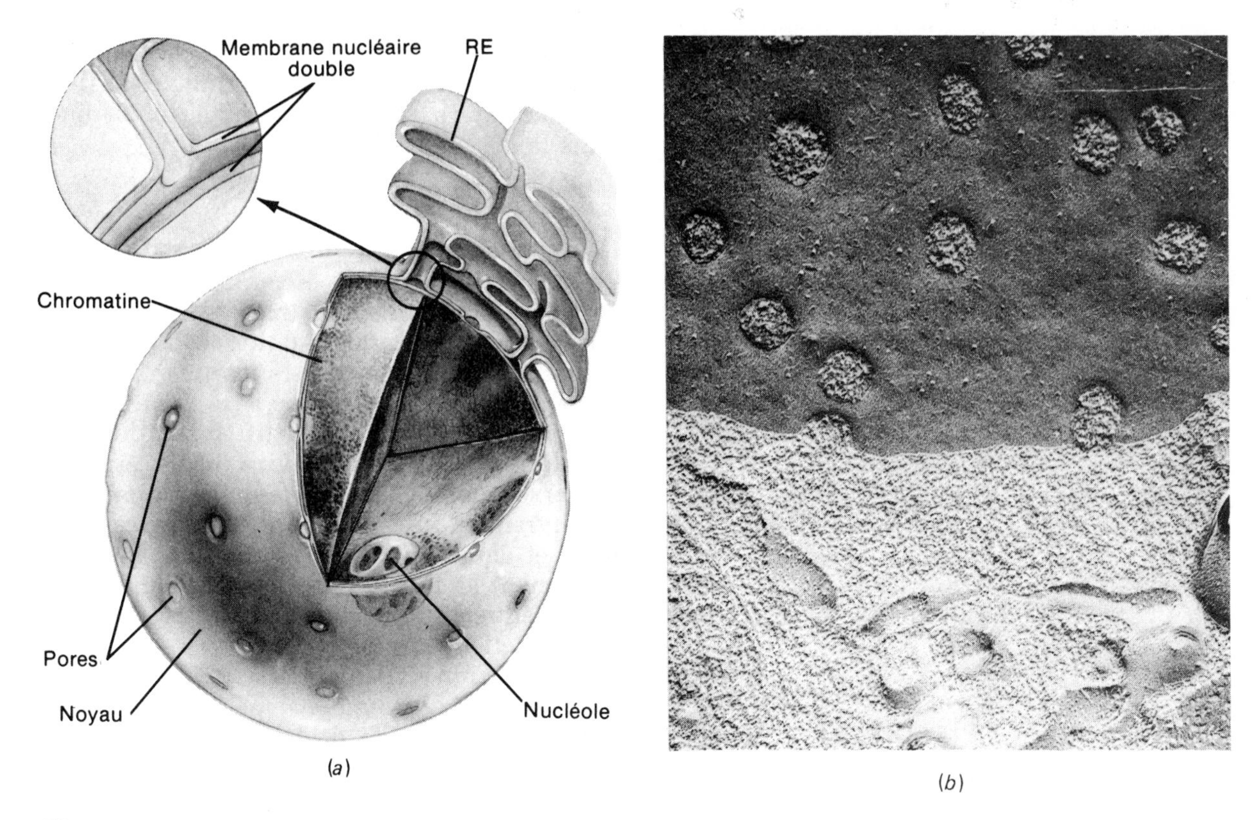

Figure 3-10 Le noyau cellulaire. (*a*) Illustration où une partie du noyau a été enlevée pour en montrer l'intérieur. (*b*) La technique du *cryodécapage* permet de préparer des échantillons fixés par la congélation pour étude au microscope électronique à transmission. Ici, vue de la membrane nucléaire (environ ×60 000). (*Dr Daniel Branton, Université de Californie, Berkeley*).

Ce sont des bâtonnets creux, en spirale, et leur paroi se compose de deux types de *protéines tubulaires* en alternance (figure 3-11). Leurs propriétés physiques et chimiques sont telles qu'elles s'associent automatiquement et forment des microtubules, en autant que les deux sont présentes et que les conditions chimiques du milieu s'y prêtent. Les microtubules spécialisés possèdent, bien sûr, des compléments structuraux.

Les cils et les flagelles Les voies respiratoires sont tapissées d'une couche de mucus en perpétuelle escalade, à partir des bronches vers l'orifice de la trachée. Le mouvement est causé par l'action de cellules spécialisées dont la surface est couverte de projections filiformes, les *cils* (figure 3-12); le battement de ces derniers assure le transport du mucus.

Les cils et les *flagelles* (structures similaires aux cils mais plus longues), dont le mouvement ondulant rappelle celui de la lanière d'un fouet, font bouger la cellule ou le liquide extracellulaire de la même manière que les bras d'un nageur. Les cils sont des tubes creux contenant des microtubules dont la disposition est constante et caractéristique des cils et des flagelles, sauf en ce qui concerne les flagelles bactériens, totalement différents. Les tubules périphériques sont des doublets, formant un huit en coupe transversale. Ils sont reliés sur toute leur longueur par de fines projections latérales (figure 3-12). Au centre, il y a deux microtubules individuels. Le faisceau est dans une fine gaine membraneuse.

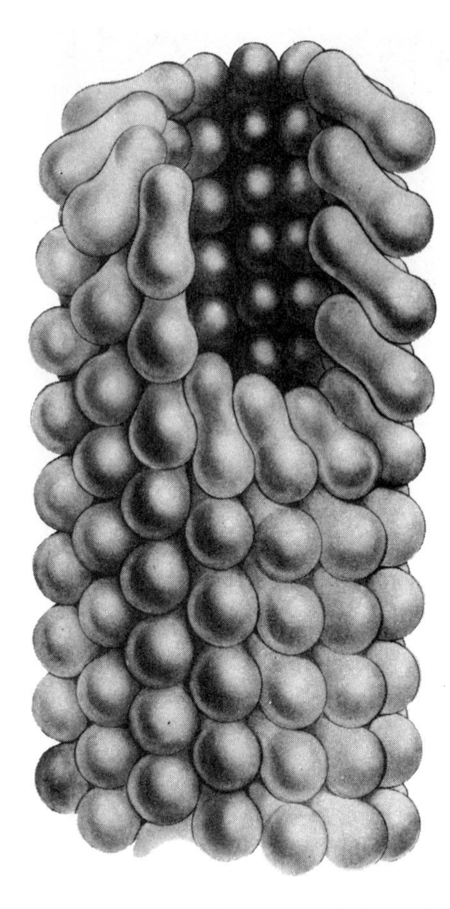

Figure 3-11 Structure d'un microtubule partiellement ouvert dans le haut. Le dessin présente l'organisation des unités constituantes, de courts bâtonnets en forme d'arachide disposés en spirale.

Les ondulations des cils et des flagelles sont assurées par le glissement des tubules périphériques, et la force se transmet des uns aux autres grâce au mouvement des projections (figure 3-13). On ne connaît pas encore très bien le rôle des tubules centraux, mais ils peuvent être impliqués dans le contrôle du mouvement global de l'organite. (Les tubules périphériques sont rattachés aux tubules centraux par des projections radiales qui permettent le mouvement de courbure du cil mais en limitent l'amplitude.)

Les centrioles Toutes les cellules possèdent deux *centrioles*, cylindres creux dont la paroi, comme celle des cils, est constituée de neuf groupes de tubules disposés en cercle. Chaque groupe contient cependant trois tubules au lieu de deux (figure 3-14). Ils ont un rôle important dans la division cellulaire.

LA DIVISION CELLULAIRE ET LA MITOSE

La vie d'un organisme humain débute par la fécondation d'un ovule. Adulte, cet organisme compte des milliards de cellules qui ont toutes le même ancêtre. Ce passage se fait grâce à des divisions cellulaires et à la différenciation des cellules. Dans l'organisme adulte, certains tissus se renouvellent constamment: le sang, le recouvrement interne de l'intestin, la peau qui s'use et doit toujours être remplacée. Ce remplacement se fait par division cellulaire. Elle est essentielle à la construction du corps et à son entretien normal.

La division cellulaire est généralement associée à un phénomène appelé *mitose*, c'est-à-dire la duplication du bagage génétique et son transfert intégral, sous forme de chromosomes, dans les cellules filles. Lors de la mitose, la membrane nucléaire disparaît en même temps que se forment les chromosomes, agrégats de matériel nucléaire. Ils contiennent de l'ADN et des protéines et portent l'information génétique. Chez l'humain, il y a 23 paires de chromosomes par cellule (sauf les cellules sexuelles).

Le matériel génétique se duplique avant le début de la mitose puis les chromosomes se forment. Pendant un certain temps, chaque chromosome reste attaché à sa réplique par le *centromère* (figure 3-15), constriction primaire qui partage le chromosome en deux bras. On appelle *chromatides* les deux chromosomes ainsi liés par un seul centromère. La première phase de la mitose, la *prophase*, représente la condensation du matériel génétique, soit l'épaississement des chromatides. La membrane nucléaire se désorganise et on note l'apparition d'un réseau fusiforme. Durant la seconde phase, la *métaphase*, les chromatides se disposent sur le plan équatorial de la cellule (*plaque équatoriale*). Les centromères s'attachent aux microtubules du fuseau. Lors de l'*anaphase*, la duplication des centromères permet aux deux chromosomes de la paire de se détacher et de se repousser; les microtubules du fuseau semblent tirer vers les pôles, chacun de

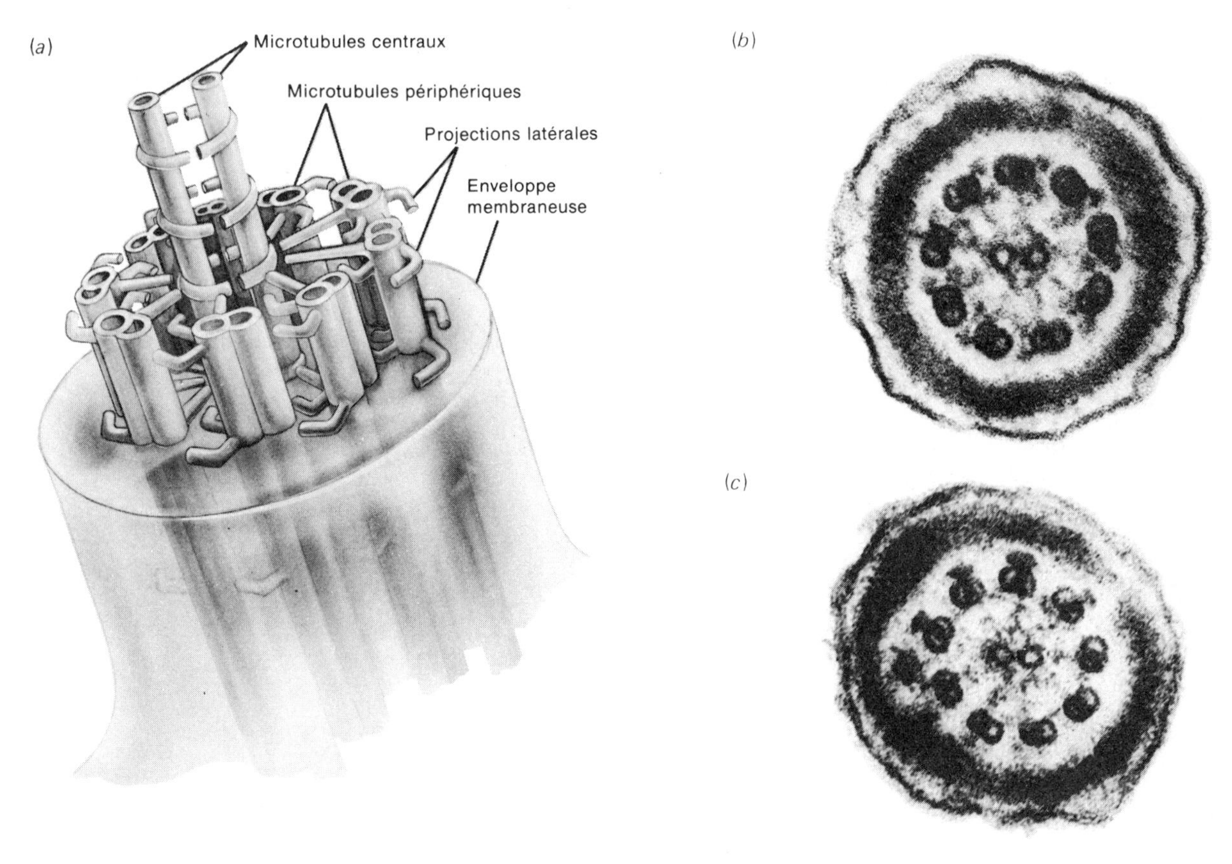

Figure 3-12 Cil humain. (*a*) Dessin de la base d'un cil coupé transversalement. (*b*) Photomicrographie au microscope électronique d'un cil humain normal en coupe transversale (environ ×8 000). (*c*) Section transversale d'un cil anormal chez un individu porteur d'un caractère héréditaire affectant la mobilité des cils. On remarque l'absence de projections latérales. (*Björn Afzelius, avec la permission de Science. Copyright 1976 par l'AAAS.*)

son côté, les deux chromosomes fils. À la *télophase*, le fuseau disparaît, la membrane nucléaire se reforme autour des deux groupes de chromosomes et, en général, la cellule se divise (*cytocinèse*) par la formation d'un étranglement (sillon de division) selon le plan équatorial. Les deux cellules filles se séparent, possédant chacune un ensemble de chromosomes identique à celui de la cellule mère.

Selon le type de tissu et son stade de développement, ce phénomène peut se répéter maintes fois. L'épithélium intestinal, la peau, les tissus hématopoïétiques (responsables de la formation des globules sanguins) de la moelle des os contiennent, pendant toute l'existence, des cellules en perpétuelle division; elles remplacent celles qui disparaissent ou qui s'usent. Les cellules nerveuses et musculaires, à maturité, ne se divisent plus (bien qu'on ait réussi à provoquer la mitose, en laboratoire, chez des cellules nerveuses). Les cellules nerveuses d'un adulte de 45 ans ont donc un peu plus de 45 ans, et elles ne sont pas remplacées à leur mort. La même chose vaut pour les cellules musculaires. Le tissu musculaire cependant peut être régénéré par des cellules satellites, cellules musculaires non différenciées chez l'adulte.

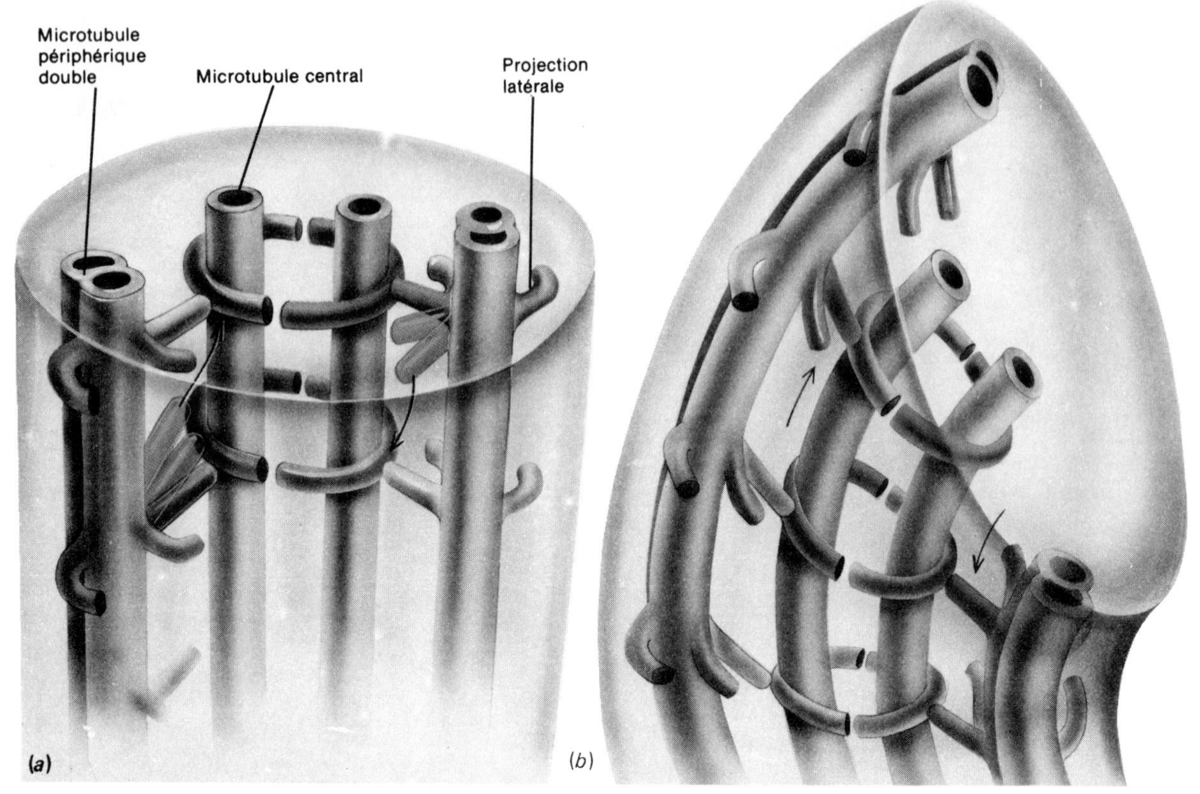

Figure 3-13 Dessin d'un cil en mouvement. Section longitudinale montrant deux paires de microtubules périphériques et les deux microtubules centraux. (*a*) Microtubules au repos. (*b*) Il est probable que le mouvement de bascule des projections latérales permette le déplacement de la paire de gauche vers le haut assurant la flexion du cil du côté opposé.

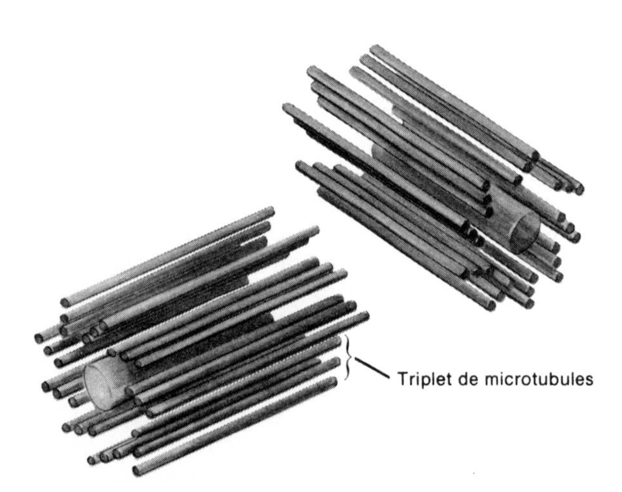

Figure 3-14 Illustration d'une paire de centrioles.

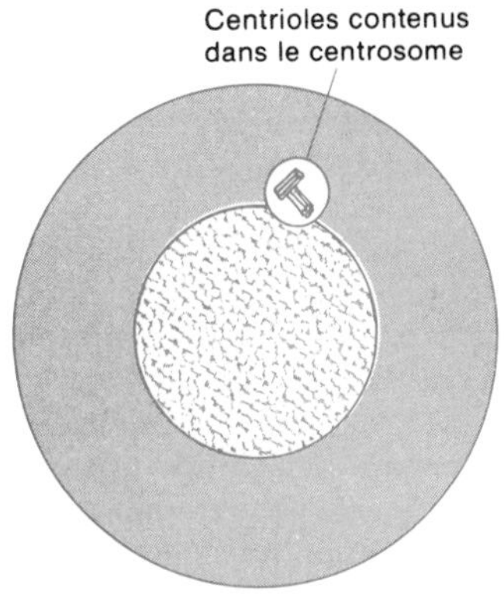

(*a*) Interphase. La cellule exerce son activité métabolique. La duplication des filaments chromatiniens a lieu pendant la phase centrale (phase s) de l'interphase.

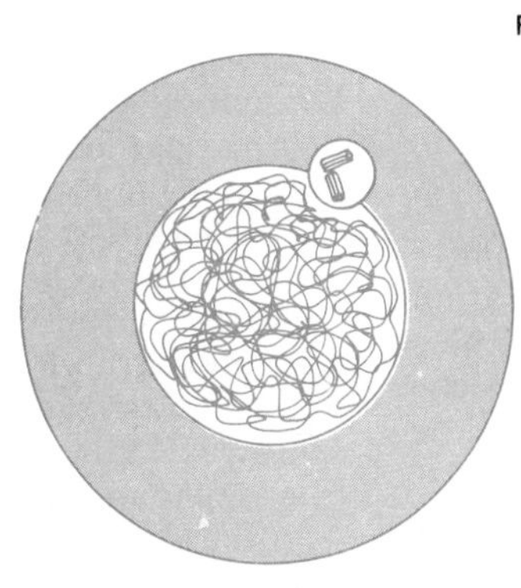

(*b*) Fin de l'interphase. Elle se caractérise par l'apparition de fins filaments chromatiniens maintenant dupliqués.

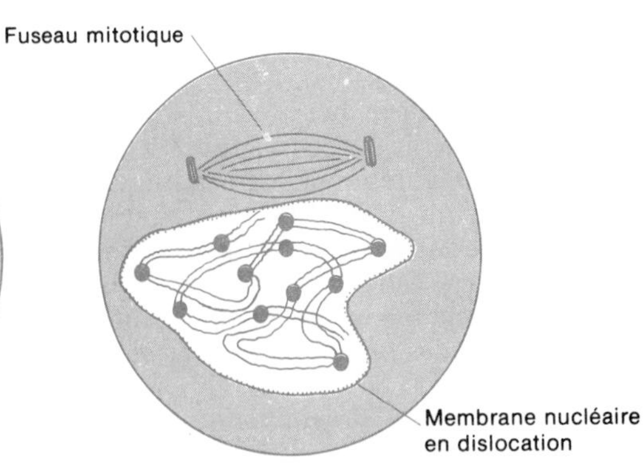

(*c*) Début de la prophase. Le nucléole et la membrane nucléaire se désagrègent. Les filaments de chromatine deviennent évidents. Ils commencent à se raccourcir et à s'épaissir pour prendre l'aspect en bâtonnet des chromosomes.

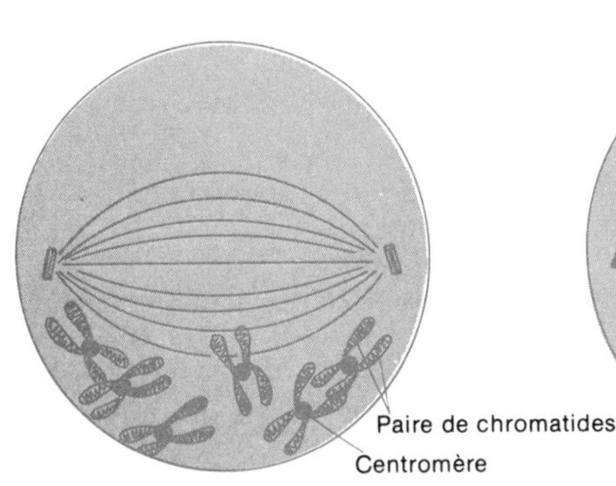

(*d*) Fin de la prophase. Chacun des centrioles a migré vers un pôle de la cellule et un fuseau s'est formé entre eux. Les chromosomes, continuant à s'épaissir et à raccourcir, ont presque atteint leur forme métaphasique.

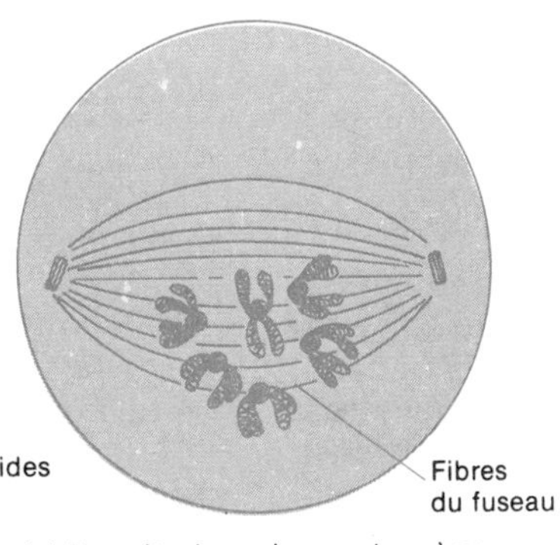

(*e*) Prométaphase. Les centromères des chromosomes s'attachent aux fibres du fuseau.

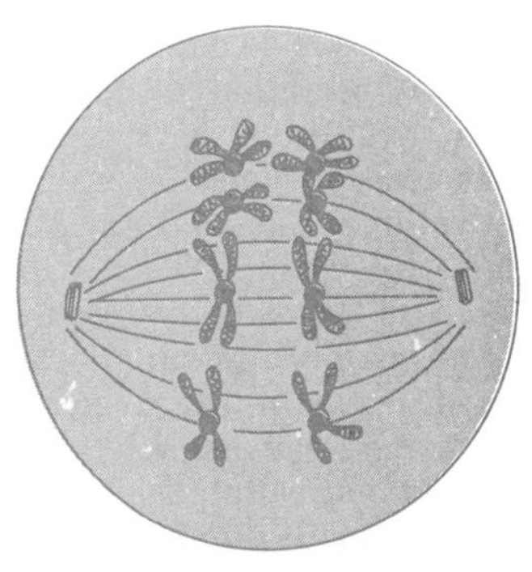

(*f*) Métaphase. Les paires de chromatides s'alignent au plan équatorial. La phase suivante s'amorce par la division des centromères permettant la séparation des chromatides filles.

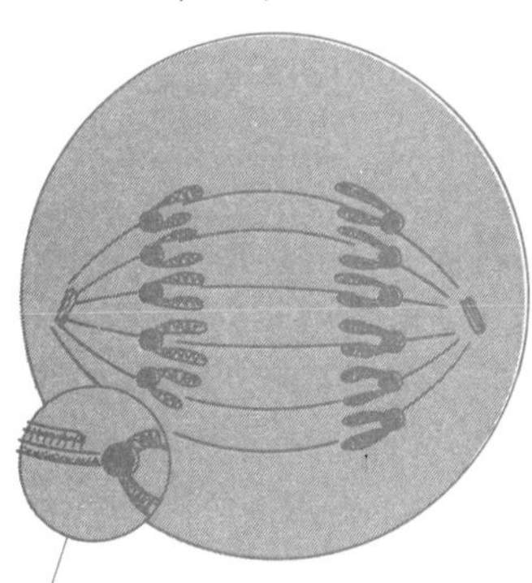

(*g*) Anaphase. Les chromatides (maintenant devenues des chromosomes) se déplacent vers les pôles de la cellule.

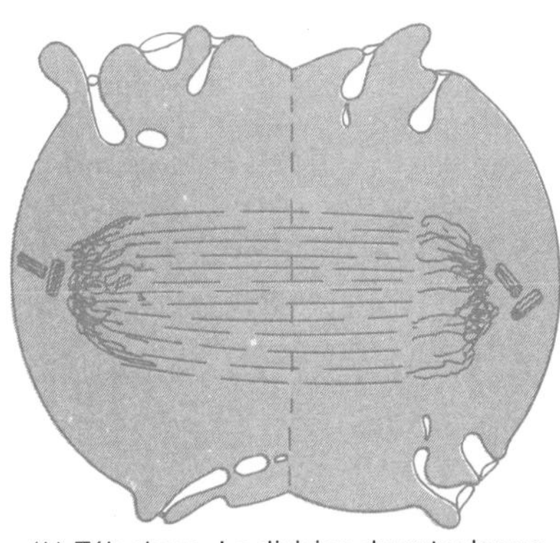

(*h*) Télophase. La division du cytoplasme cellulaire (cytocinèse) se produit enfin, donnant deux cellules filles. Les noyaux se reforment et il y a duplication des centrioles. Il se produit souvent des processus de pinocytose à ce stade.

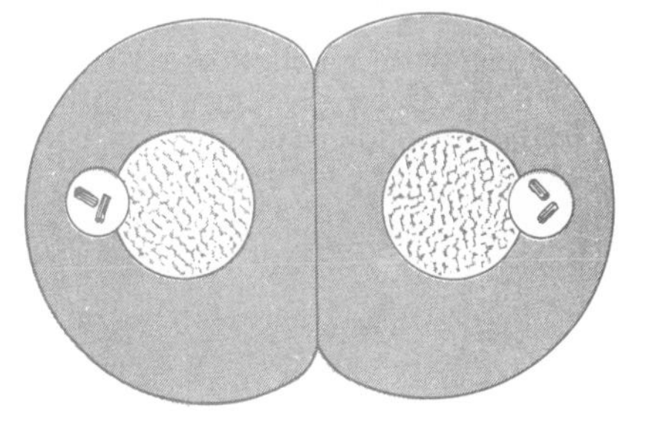

(*i*) Les deux cellules filles sont formées, génétiquement (et habituellement morphologiquement) identiques à la cellule mère. Leur taille seulement est différente.

Figure 3-15 La mitose.

RÉSUMÉ

1 On considère que la cellule est l'entité fondamentale de la vie parce qu'elle est la plus petite unité métabolique autonome de l'organisme.

2 Dans une solution, le solvant et les solutés diffusent à partir des régions où leur concentration est forte vers celles où leur concentration est plus faible. Si une membrane semi-perméable empêche la diffusion des solutés et non du solvant, on parle d'osmose.

3 Il est normal de trouver des différences de concentration des solutés entre le liquide intracellulaire et extracellulaire. Pour les produire et les maintenir, les cellules transportent activement des substances au travers de la membrane, dans un sens contraire à celui de la diffusion. Ce processus de transport actif utilise de l'énergie.

4 L'endocytose (pinocytose et phagocytose) est un processus de capture de matériel extracellulaire par invagination de la membrane cellulaire qui s'enfonce dans le cytoplasme et y forme des vésicules ou vacuoles entourées de la membrane plasmique. Elles ont un rôle d'absorption et/ou de digestion du matériel capturé.

5 Les lysosomes (petites vésicules entourées d'une membrane simple) sont responsables de la digestion cellulaire d'agents étrangers infectieux (bactéries, par exemple) capturés par phagocytose et de la lyse cellulaire. Ils contiennent des enzymes à fort pouvoir digestif (hydrolases).

6 Les mitochondries, organites entourés d'une double membrane, sont le siège de la respiration cellulaire, oxydation de combustibles organiques, en particulier du glucose. La membrane interne est très développée, sa superficie est plus grande que celle de la membrane externe et elle forme des crêtes. Sa surface est parsemée des enzymes responsables de la respiration cellulaire.

7 L'oxydation peut se définir en termes de perte d'hydrogène. Les combustibles organiques, dans la respiration, sont d'abord oxydés de cette façon, libérant de l'énergie. La capture de l'hydrogène par l'oxygène, formant de l'eau, libère aussi de l'énergie. La respiration est cette libération d'énergie. L'oxydation est aussi une perte d'électrons. La réduction, accompagnant toujours l'oxydation, représente le phénomène inverse.

8 Les cils et les flagelles sont des organites filiformes formés de microtubules, servant à la propulsion de certaines cellules ou au déplacement du liquide extracellulaire de certaines autres.

9 Les centrioles sont de fins cylindres doubles formés de tubules creux servant pendant la mitose. Le réticulum endoplasmique est responsable de la synthèse protéique et probablement aussi du transport intracellulaire. L'appareil de Golgi emballe les sécrétions intracellulaires et semble être à l'origine des membranes des lysosomes.

10 Le noyau de la cellule est enfermé dans une double membrane percée de pores et contient de l'ADN, de l'ARN et des histones.

QUESTIONS DE RÉVISION

1 Qu'est-ce que la diffusion? Dans quelle direction se fait le mouvement?

2 Qu'est-ce que l'osmose? La dialyse?

3 Pourquoi le transport actif est-il nécessaire à la vie de la cellule?

4 Décrire la phagocytose.

5 Pourquoi la membrane interne des mitochondries est-elle plissée?

6 Définir l'oxydation de deux façons au moins. Pourquoi est-elle toujours accompagnée d'une réduction?

7 Quelles sont les subdivisions du réticulum endoplasmique?

8 Quel est le rôle de l'appareil de Golgi?

9 Qu'est-ce qu'un nucléole? Quel est son rôle?

10 Décrire un cil, son fonctionnement.

11 Résumer le phénomène de la mitose.

12 Pourquoi considère-t-on la cellule comme l'entité fondamentale de la vie? Pourquoi ne peut-on dire la même chose de la mitochondrie?

4 LE REVÊTEMENT CUTANÉ

Fibres de collagène d'une cicatrice hypertrophique (environ ×50 000). Noter les excroissances qui semblent relier les fibres de collagène. (*Dr C. Ward Kischer*.)

OBJECTIFS

L'étude de ce chapitre devrait vous permettre de:

1 Faire la liste des structures tégumentaires.
2 Faire la liste de six fonctions des téguments et montrer leur rôle dans le maintien de l'homéostasie corporelle.
3 Tracer un schéma légendé de la peau montrant les couches de l'épiderme.
4 Décrire les étapes de la différenciation d'une cellule basale de l'épithélium jusqu'à sa maturation en surface.
5 Décrire la composition et les fonctions du derme, de l'hypoderme.
6 Décrire le développement, la structure et la croissance d'un poil.
7 Décrire le développement des glandes sébacées et la sécrétion du sébum. Relier leur mauvais fonctionnement à l'acné et aux comédons.
8 Décrire le rôle homéostatique des glandes sudorifères dans le maintien de la température corporelle normale.
9 Localiser les glandes sudorifères de type apocrine et décrire leurs rôles.
10 Décrire les ongles en tant qu'excroissances de l'épiderme.
11 Décrire le processus de la pigmentation et expliquer le rôle de protection de la mélanine contre les rayons ultraviolets.
12 Expliquer la réponse homéostatique de la peau à une exposition excessive au soleil.
13 Décrire comment la peau peut servir d'indicateur de certains états pathologiques de l'organisme.
14 Décrire l'inflammation et ses symptômes; donner les raisons pour lesquelles c'est un mécanisme homéostatique.
15 Décrire le processus de guérison d'une blessure.
16 Distinguer les brûlures du premier, second et troisième degré; décrire leurs traitements respectifs.
17 Distinguer les tumeurs bénignes et malignes; faire la liste des différences entre les cellules cancéreuses et normales. Énumérer les causes manifestes du cancer et le fondement cellulaire de cette maladie.
18 Donner les causes du cancer de la peau; en identifier trois types décrits dans ce chapitre.

La *peau* et les *phanères* (les *téguments*) forment l'enveloppe corporelle. La peau est résistante et protège le corps des substances et des influences nuisibles. Elle contient des glandes, des poils, des ongles, et plusieurs autres structures. C'est la partie de l'organisme avec laquelle chacun est le plus familier puisqu'elle est exposée directement à la vue; l'apparence extérieure d'un individu dépend du soin qu'il y porte. La peau participe au maintien de la température corporelle. La transpiration permet l'excrétion d'eau et de produits du catabolisme. La peau est l'organe des sens le plus étendu du corps, spécialisé dans la réception des stimulus tactiles, thermiques et douloureux.

La peau a aussi un rôle de communication. Cet aspect important et souvent négligé de l'enveloppe tégumentaire s'exprime à travers ses réactions et son apparence. On peut serrer une main, embrasser, frapper. Des modifications involontaires de la peau expriment des états émotionnels: rougir d'embarras, de gêne, blêmir de rage, blanchir de peur. L'anxiété provoque une sudation anormale. Par son apparence, sa coloration, sa température ou sa texture, la peau reflète souvent l'état général d'un organisme sain ou malade.

LES FONCTIONS DE LA PEAU

La peau forme le recouvrement extérieur de l'organisme, sa surface de contact avec le milieu extérieur. Par le fait même, elle est sujette à une usure continuelle par frottement, à l'assèchement, au froid et à la chaleur, aux coupures, brûlures, engelures et éraflures. Sa capacité de régénération est vitale pour l'organisme. La surface de la peau, chez un adulte, mesure environ deux mètres carrés et forme une barrière efficace contre le passage des substances étrangères de l'environnement. Les téguments protègent aussi l'intégrité du milieu intérieur et son équilibre en empêchant l'eau et les autres composants de l'organisme de s'en échapper. Les cellules baignent dans un liquide, une solution saline diluée, dont la composition est rigoureusement contrôlée. Les humains sont des organismes terrestres; leur milieu est par conséquent un environnement gazeux relativement sec, et la peau empêche toute évaporation excessive, même dans des conditions très sévères. En autant qu'un apport d'eau suffisant est disponible, les cellules ne se dessèchent pas. On peut nager pendant des heures dans l'eau de mer ou l'eau douce, respectivement hypertonique et hypotonique au milieu intérieur, sans plissement ou oedème importants de la peau.

La peau est une surface protectrice contre les blessures autant qu'une barrière contre les organismes pathogènes du milieu. Plusieurs souches bactériennes sont les hôtes des surfaces corporelles; cependant, une peau saine empêche leur entrée et celle de maints produits chimiques avec lesquels elle vient en contact. Celui qui a déjà contracté «l'herbe à puce» sait toutefois que certains produits chimiques peuvent la pénétrer. L'absorption d'acétone ou de tétrachlorure de carbone au travers de la peau peut endommager des organes internes, tandis que d'autres substances peuvent produire un empoisonnement mortel. Malgré tout, la peau offre une protection remarquable contre l'entrée de substances étrangères.

L'organisme humain est sans protection thermique, étant dépourvu d'une couche de fourrure isolante. Il a donc besoin d'un excellent système de contrôle de la température interne. L'homéothermie repose en grande partie sur le réseau capillaire très développé et les glandes sudorifères de la peau. Ces dernières excrètent une partie de l'eau en excès et certains déchets métaboliques hors de l'organisme.

La peau contient des structures sensitives sensibles au toucher, à la pression, la chaleur, le froid et la douleur; elles permettent de faire le lien entre l'environnement extérieur et le système nerveux central. La peau est aussi le site de synthèse de la vitamine D, grâce à la transformation d'un dérivé du cholestérol par l'action du rayonnement ultraviolet solaire.

LES COUCHES DE LA PEAU

La peau contient trois couches: l'épiderme, le derme et l'hypoderme (figure 4-1).

L'épiderme

L'épiderme est formé d'un épithélium pavimenteux stratifié. Les cellules basales prolifèrent continuellement; au fur et à mesure de leur maturation, les nouvelles cellules migrent vers la surface où elles dégénèrent, meurent et tombent. L'épiderme, en général, est très mince, un peu comme une feuille de papier; il est malgré tout formé de quatre ou cinq sous-couches ou *stratums* (*strata*).

La partie profonde de l'épiderme, le *stratum basale* (aussi appelé *stratum germinativum* ou *couche basale*), est la couche germinative de l'épiderme; les cellules s'y divisent constamment par mitose, approvisionnant les couches superficielles en cellules nouvelles.

Plusieurs de ces cellules nouvelles migrent vers le *stratum spinosum* (*couche de cellules à épines* ou *polyédriques* ou *corps muqueux de Malpighi*), formé d'une dizaine de rangées de cellules reliées entre elles par des ponts intercellulaires. La technique de fixation pour leur observation en microscopie optique amène une rétraction cytoplasmique qui permet de voir les ponts. Les cellules acquièrent ainsi un aspect particulier qui leur vaut le nom de cellules à épines. Ces épines (ou prolongements cytoplasmiques) contiennent des faisceaux de filaments, les *tonofibrilles*, qui aboutissent à des joints intercellulaires, les *desmosomes*, genre de boutons-pression reliant deux membranes cellulaires. Les cellules à épines se différencient et se spécialisent dans la synthèse de la *kératine*, le revêtement protéique

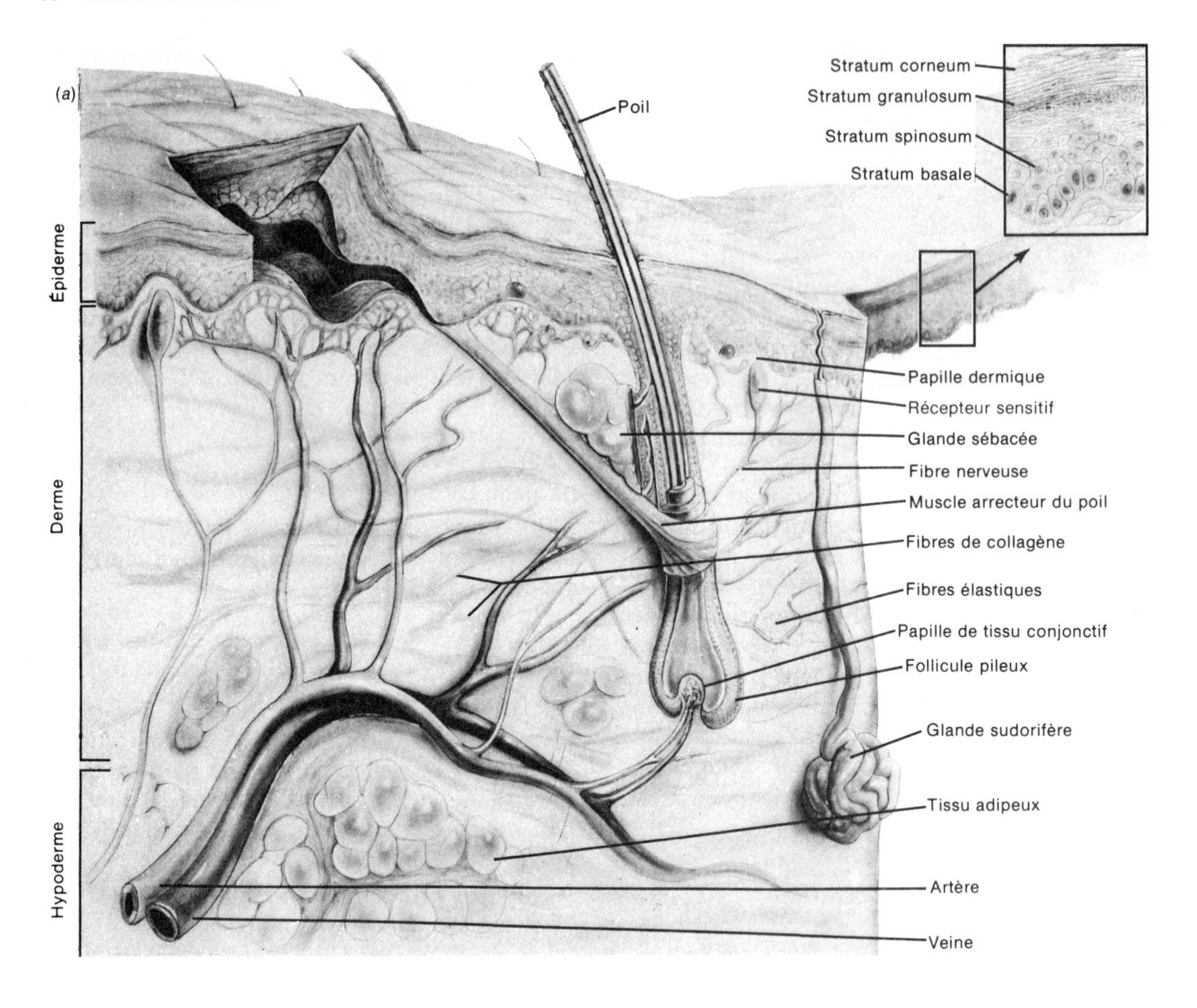

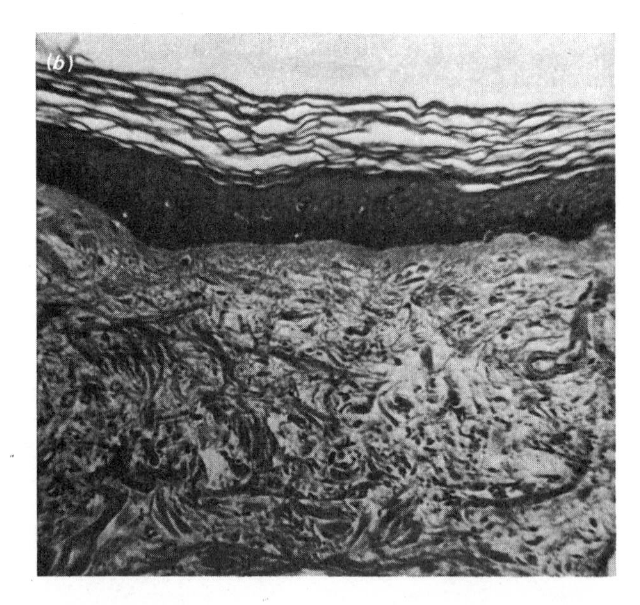

Figure 4-1 (*a*) Aspect microscopique de la peau. À gauche, l'épiderme a été soulevé pour montrer les papilles dermiques. (*b*) Photomicrographie de la peau (×100).

résistant et imperméable de la peau. Au cours de leur maturation, les cellules épineuses perdent la capacité de se diviser. Migrant lentement vers la surface, elles s'aplatissent et s'emplissent de granules de kératine. Ces cellules granuleuses forment le *stratum granulosum* (*couche granuleuse*).

En même temps, les cellules perdent leur noyau et leurs autres organites par digestion lysosomiale; elles s'amincissent encore et meurent. La peau très épaisse de la paume des mains et de la plante des pieds contient le *stratum lucidum* (*couche transparente*), formée d'environ quatre rangs de cellules mortes émergeant du stratum granulosum. Il n'y a pas de couche transparente ailleurs dans l'épiderme.

Le *stratum corneum* (*couche cornée*) recouvre superficiellement l'épiderme d'une vingtaine d'assises de cellules plus ou moins désintégrées. Les cellules n'y sont plus individualisées; elles ressemblent plutôt à des lamelles de kératine agglutinées pour protéger et imperméabiliser le corps. Le cycle cellulaire de l'épiderme dure environ quatre semaines; les deux premières permettent aux cellules nouvellement formées d'atteindre le stratum corneum où elles séjournent en moyenne deux semaines de plus avant de desquamer avec des milliers d'autres, quotidiennement. Un organisme sain possède une population cellulaire épidermique bien équilibrée.

Le derme

Le *derme* donne à la peau la consistance que l'on sent au toucher (figure 4-1). Celui-ci est fait d'un tissu conjonctif composé surtout de fibres de collagène. Le collagène assure la force et la résistance mécanique de la peau; il lui confère aussi son élasticité. La partie supérieure du derme se caractérise par la présence de *papilles dermiques*, petites éminences digitiformes faisant saillie dans l'épiderme. Le réseau très dense des capillaires des papilles oxygène et nourrit les cellules de l'épiderme tout en assurant la régulation thermique. À la surface de la paume des mains et de la plante des pieds, des arrangements réguliers de crêtes et de sillons reflètent l'organisation sous-jacente des papilles dermiques. Caractéristiques de chaque individu, les dessins formés par ces lignes se reforment selon un patron immuable même après l'enlèvement des couches superficielles de l'épiderme. C'est pourquoi les empreintes digitales sont utiles comme moyen d'identification.

Si les terminaisons nerveuses et les vaisseaux sanguins sont absents de l'épiderme, ils abondent dans le derme. Les structures spécialisées de la peau, les follicules pileux et les glandes, sont également localisées dans le derme; elles dérivent de cellules du stratum basale, repoussées dans le derme pendant le développement embryonnaire. Les cellules du derme et des couches profondes de l'épiderme baignent dans le liquide interstitiel.

L'hypoderme

L'*hypoderme* (*tissu sous-cutané* ou *fascia superficiel*) est une extension profonde du derme. Il contient du tissu conjonctif, surtout adipeux. (Certains histologistes ne considèrent pas cette couche comme partie intégrante de la peau, limitée alors à l'épiderme et au derme.) L'hypoderme attache la peau aux tissus sous-jacents, mais sa structure assez lâche permet le déplacement de la peau au-dessus des muscles et des os; c'est une enveloppe épaisse, graisseuse, protégeant les organes internes des chocs et des coups et aidant à conserver la chaleur du corps. Les lipides emmagasinés dans le tissu adipeux servent à produire de l'énergie lorsqu'un individu ne s'alimente plus. Les graisses se distribuent dans l'hypoderme selon un patron caractéristique du sexe des individus; la silhouette d'un homme est très différente de celle d'une femme.

LES STRUCTURES SPÉCIALISÉES DE LA PEAU

Pendant le développement embryonnaire, des milliers de petits groupes de cellules épidermiques du stratum basale s'enfoncent dans le derme où leur multiplication et leur différenciation donnent naissance aux follicules pileux et aux glandes.

Les poils

Ces phanères ont un rôle de protection et d'attrait sexuel. Seules les faces palmaires et plantaires en sont dépourvues. Certaines surfaces ne possèdent qu'un fin duvet à peine visible.

La partie exposée du poil se nomme la *tige*. La *racine* est enchassée dans la peau (figures 4-1 et 4-2). Cette dernière, constituée d'éléments épithéliaux et dermiques (conjonctifs), forme le *follicule pileux*. À la base du follicule, une dépression de tissu conjonctif contenant des capillaires, la *papille*, apporte les nutriments aux cellules du follicule. Immédiatement au-dessus de la papille et dérivant du stratum basale de l'épiderme, un groupe de cellules en division assure la croissance du poil. Comme l'épiderme, un poil contient des cellules qui prolifèrent, synthétisent la kératine pendant leur migration vers la surface, puis meurent. La tige est une structure formée de cellules mortes et de leurs produits de synthèse: c'est pourquoi une coupe de cheveux est indolore. Aussi longtemps que le follicule pileux est intact, le poil pousse, et sa destruction, par électrolyse par exemple, empêche l'apparition d'un nouveau poil. Les follicules pileux ne se forment plus après la naissance.

La pousse des poils, comme des cheveux, est cyclique, c'est-à-dire qu'un follicule pileux passe par une phase de croissance puis de repos. Un nouveau poil est alors formé dans le même follicule, repoussant le précédent. Ce phénomène n'est pas synchronisé chez l'humain; il y a toujours une partie des follicules qui sont actifs et une autre partie en repos. Lorsqu'il y a synchronisation, comme chez beaucoup de mammifères, la chute des poils se fait brusquement, en quelques jours; on dit qu'il y a *mue*. Chez l'humain, environ 90 pour 100 des cheveux croissent; il en tombe environ 90 par jour. C'est peu puisqu'un individu possède en moyenne 100 000 cheveux et ceux qui tombent sont rapidement remplacés. La vie d'un cheveu dépend de sa phase de croissance (de l'activité de son follicule) qui varie d'un individu à l'autre. La pousse est d'environ un centimètre par mois.

La kératine est une protéine qui s'étire; les cheveux, particulièrement lorsqu'ils sont mouillés, peuvent s'allonger. Les liaisons chimiques qui favorisent l'association des protéines des cheveux en faisceaux sont labiles et des agents de réduction peuvent les briser. L'utilisation subséquente d'agents d'oxydation permet de les reformer. Entre temps, les

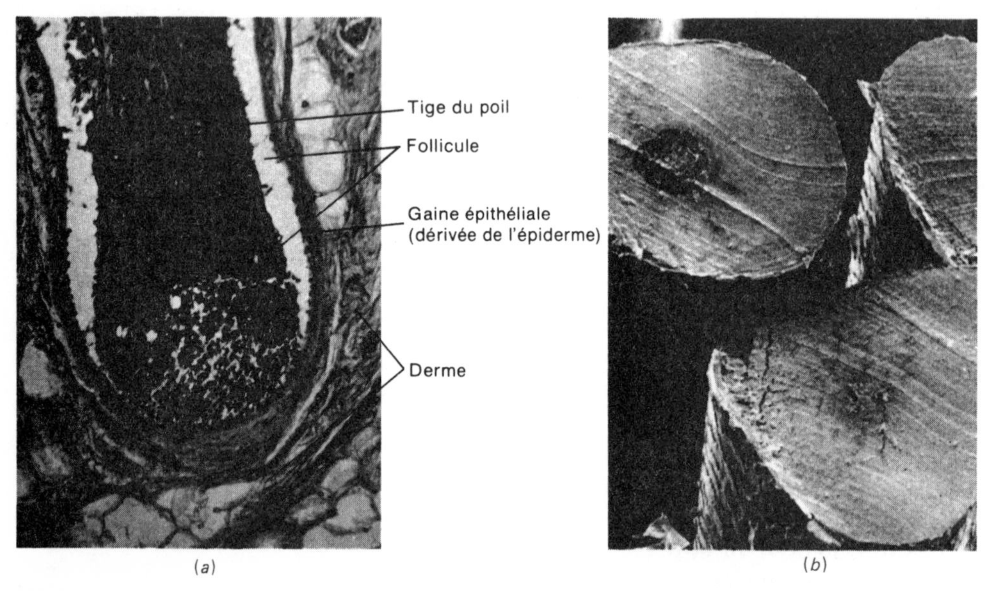

Figure 4-2 (*a*) Photomicrographie d'un poil (environ ×150). Remarquer le noyau persistant des cellules du poil. (*b*) Photomicrographie, au microscope électronique à balayage, de cheveux humains (environ ×2 000). Ils sont coupés transversalement pour exposer la structure interne. (*Emil Bernstein; couverture de Science,* **173:3993**, *1977. Reproduit avec la permission de Science. Copyright 1971 par l'AAAS.*)

cheveux peuvent être bouclés à volonté puis garder cette forme: c'est la technique utilisée dans les salons de coiffure. Certains individus possèdent des gènes qui font friser les cheveux naturellement. La couleur des cheveux est aussi déterminée génétiquement, selon la quantité et la distribution des pigments.

Associés aux follicules pileux, on trouve des faisceaux de muscle lisse, les *muscles arrecteurs*, aussi appelés *muscles horripilateurs* ou *pilomoteurs*. Leur contraction, en réponse au froid ou à la peur, provoque le redressement du poil et la peau autour de la tige se soulève: c'est la «chair de poule».

Les glandes

Les glandes sébacées et sudorifères, à l'instar des follicules pileux, se développent à partir de cellules épidermiques qui s'enfoncent dans le derme.

Les glandes sébacées Des canaux très fins relient deux ou plusieurs *glandes sébacées* aux follicules pileux. Leur densité à la surface de la peau varie énormément. On en retrouve beaucoup dans le visage et elles sont absentes de la paume des mains et des deux faces du pied.

Les cellules des glandes sébacées prolifèrent, deviennent progressivement plus grandes par l'accumulation de gouttelettes lipidiques, puis se décomposent en masse oléagineuse et en débris cellulaires, le *sébum*, mélange de cholestérol, de glycérides et d'autres substances. C'est une sécrétion du type *holocrine* puisque les cellules de la glande font partie de la sécrétion. Le sébum sert à huiler les cheveux et les poils, à lubrifier la surface de la peau et peut-être aussi à diminuer l'évaporation d'eau; il a probablement aussi des propriétés antibactériennes et antifongiques. Pendant l'enfance, les glandes sébacées sont peu actives. À la puberté, l'augmentation des sécrétions hormonales sexuelles mâles chez les deux sexes les active. Cette recrudescence d'activité amène souvent des problèmes cutanés connus sous le nom d'*acné* (changements anormaux de la forme ou de la fonction de ces glandes).

Le développement rapide de certains follicules pileux peut causer une obstruction mécanique du canal sécréteur de la glande sébacée; il y a alors accumulation de sébum et formation de *comédons*. On parle de points blancs ou noirs selon la quantité de mélanine présente. Si le canal se brise, du sébum, de la kératine et souvent des bactéries se répandent dans le derme; il y a alors production des lésions cutanées caractéristiques de l'acné: les *papules* et les *pustules*. Les premières correspondent à un oedème du derme superficiel; les secondes constituent une véritable lésion purulente de la peau. Le pincement de ces lésions peut augmenter l'inflammation, provoquer une destruction tissulaire locale et résulter en une cicatrice permanente.

Les glandes sudorifères La régulation thermique de l'organisme est assurée en bonne partie par les quelque 2,5 millions de glandes sudorifères de la peau. Par la même occasion, elles excrètent des surplus d'eau et de faibles quantités de déchets azotés. Il y en a environ 300 par centimètre carré sur le front et la paume des mains. Sur la plante des pieds, elles fournissent l'humidité qui assure une plus grande adhérence.

Les grandes sudorifères sont formées d'un tube simple pelotonné dans le derme ou l'hypoderme et d'un canal venant s'ouvrir à la surface de la peau par un *pore cutané* (figure 4-1). L'eau et les solutés du liquide interstitiel passent dans la glande soit par diffusion soit par transport actif. Une certaine quantité de NaCl est alors retournée au liquide interstitiel par *réabsorption*, processus par lequel les cellules bordantes d'un tube récupèrent dans ce dernier des substances préalablement déposées par filtration ou sécrétion. La sueur contient de l'eau en grande quantité, quelques sels et des traces d'urée, un produit d'excrétion de l'azote métabolique. Une sudation abondante provoque une plus grande perte de sels, la réabsorption ne pouvant compenser l'augmentation de sécrétion. Ces sels doivent être remplacés d'autant plus rapidement que la perte est grande.

L'activité musculaire et le métabolisme libèrent de l'énergie sous forme de chaleur. Par contre, l'évaporation de l'eau qui permet de refroidir la surface requiert une grande quantité d'énergie. Le couplage de ces deux phénomènes est à la base de la régulation thermique. La sudation permet d'excréter jusqu'à un litre d'eau par jour, d'une façon imperceptible. Lorsque la production d'eau est plus abondante que son évaporation, par exemple dans un environnement chaud et humide, la peau se mouille; en effet l'air contient alors une grande quantité de vapeur d'eau, réduisant d'autant l'évaporation et produisant une sensation désagréable.

On retrouve certaines glandes sudorifères particulières (dites *glandes apocrines*) associées à des poils dans l'aisselle, l'aréole du mamelon, les grandes lèvres de la vulve et la région péri-anale. Elles ont une sécrétion plus épaisse, collante et inodore. La présence à la surface de la peau de certaines bactéries qui décomposent cette sécrétion la rend odorante. Les désodorisants détruisent ces bactéries et dégagent un parfum; les antisudorifiques assèchent la peau, réduisant de ce fait la croissance bactérienne. Les émotions et les stimulations sexuelles augmentent la sécrétion de ces glandes.

Les ongles

À l'instar des poils, les ongles sont des phanères, des lames cornées surtout composées de kératine compacte et dure. Ils ont une teinte rosâtre par transparence à cause des nombreux capillaires présents dans le *lit de l'ongle* (épiderme situé juste au-dessous du limbe corné). La zone de croissance est un liseré en forme de croissant, la *lunule*. Elle est de couleur blanche et en partie visible à la base de l'ongle. La croissance est continuelle (environ 0,1 mm par jour). Les ongles s'usent à leur extrémité mais doivent aussi être coupés. Un ongle qui tombe peut se régénérer; le processus dure alors plusieurs mois.

LA PIGMENTATION

Dispersés dans les couches profondes de l'épiderme, les *mélanocytes* sont des cellules qui fabriquent des granules pigmentaires constitués de *mélanine*, une protéine. Les mélanocytes viennent du tissu nerveux embryonnaire. Possédant de longues ramifications cytoplasmiques comme les dendrites des cellules nerveuses (figure 4-3), ils s'en servent pour injecter des granules de pigment dans d'autres cellules. Ces dernières conservent plus ou moins cette coloration pendant leur migration vers le stratum corneum, donnant ainsi une pigmentation caractéristique à la peau de chaque individu. Les mélanocytes

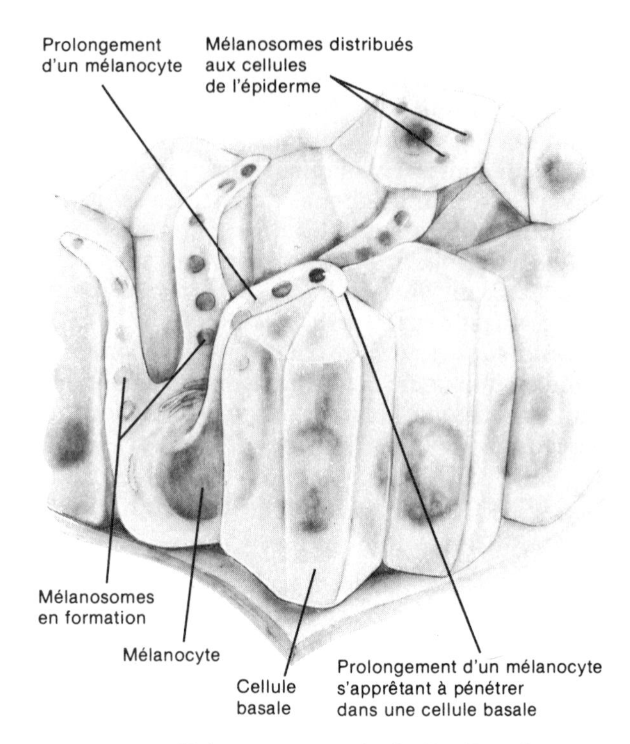

Figure 4-3 Mélanocyte en train de distribuer le pigment aux cellules épidermiques à partir de ses prolongements cytoplasmiques.

situés à la base des follicules pileux colorent les cellules des poils; ces derniers sont ainsi pigmentés comme la peau.

La couleur de la peau est un caractère héréditaire. Chez les Noirs, les mélanocytes sont plus actifs et produisent en plus grand nombre des granules de mélanine plus volumineux. Chez les peuples asiatiques, la mélanine est accompagnée d'un pigment jaunâtre, le *carotène*. La teinte rosée d'une peau pâle est due à la présence des vaisseaux sanguins dans le derme. Un *albinos* est un individu incapable de synthétiser la mélanine, déficience à caractère héréditaire.

La mélanine a un rôle de protection; elle fait écran aux dangereux rayons ultraviolets du soleil en les absorbant. L'exposition au soleil stimule la production de mélanine, et la peau devient plus foncée. Prendre un bain de soleil provoque donc une réponse de défense de la peau, le bronzage. Recherché par la plupart des gens, le bronzage est le signe d'une trop grande exposition aux radiations ultraviolettes. Lorsque la mélanine ne peut absorber la totalité de cette radiation, il y a inflammation ou «coup de soleil». L'exposition à un soleil trop intense, pendant plusieurs années, provoque chez les individus (particulièrement les individus à peau claire) des rides et même des cancers. Les Noirs possèdent beaucoup plus de mélanine dans leur épiderme; ils sont ainsi moins exposés aux «coups de soleil», aux rides et aux cancers de la peau.

LES RÉACTIONS CUTANÉES

La peau forme le revêtement extérieur d'un organisme. Elle le protège contre les agressions mécaniques, physiques ou chimiques, et reflète son état physiologique normal ou pathologique. Ainsi, la pâleur anormale de la peau peut être le symptôme d'une anémie; si elle est jaunâtre, il peut y avoir un problème de fonctionnement au niveau du foie, et une teinte bleutée peut être le signe d'un désordre circulatoire ou respiratoire.

La guérison des blessures

Lorsque la peau (ou un autre tissu) est blessée, la réaction habituelle du tissu est de restaurer la situation originale. Cette réaction d'homéostasie protège le tissu ou l'organisme des agents nocifs et permet la guérison de la blessure. Les mécanismes alors impliqués vont détruire les bactéries qui auraient pu pénétrer dans la plaie, diluer les produits chimiques nuisibles, faire disparaître les débris cellulaires et les cellules blessées et même éventuellement isoler la région traumatisée du tissu normal. Ces réactions sont stéréotypées et accompagnées de rougeur, oedème, chaleur et douleur: le terme *inflammation* sert à les caractériser. C'est une réponse physiologique fondamentale qui protège le tissu et favorise la guérison.

Un regard plus attentif à la réaction inflammatoire permet de constater qu'après une coupure à un doigt, par exemple, il y a saignement jusqu'à la formation d'un caillot par coagulation du sang (figure 4-4). Les cellules de la région blessée libèrent des produits chimiques comme l'histamine, affectant les vaisseaux sanguins adjacents de deux façons: augmentation du calibre (vasodilatation) et de la perméabilité des parois. Une grande quantité de liquide quitte le système circulatoire et envahit la zone enflammée, causant un gonflement ou un *oedème* local. Le surplus de liquide exerce une pression sur les terminaisons nerveuses et les tissus environnants; il y a douleur. Le liquide dilue les substances irritantes et draine vers la blessure de grandes quantités d'oxygène et de nutriments nécessaires au processus de guérison. L'augmentation de la circulation sanguine réchauffe la peau et lui donne une teinte rouge. Des caillots se forment dans le liquide interstitiel, ralentissant l'invasion des bactéries et des substances toxiques en les maintenant autant que possible au niveau de la région meurtrie; celle-ci se trouve alors isolée du reste de l'organisme.

On pense que les tissus atteints produisent une substance chimique qui déclenche la libération accélérée de globules blancs formés dans la moelle osseuse. Ces cellules migrent facilement hors des vaisseaux sanguins rendus plus perméables (*diapédèse*), et phagocytent les bactéries, les cellules mortes, et les divers débris de la plaie. S'il y a infection bactérienne, cette dernière peut produire du *pus*, liquide opaque et visqueux contenant des bactéries et des globules blancs morts.

Peu après sa formation, le caillot se rétracte et se déshydrate; il devient une gale, un revêtement temporaire qui scelle la région endommagée. Les cellules basales de l'épiderme se multiplient rapidement alors que les cellules épithéliales qui entourent la blessure migrent sous la gale et éventuellement recouvrent la plaie. Lorsque la gale tombe, la nouvelle peau est déjà formée. Des fibroblastes de l'hypoderme et du derme se multiplient, produisent du collagène qui s'accumule et emplit progressivement la blessure sous l'épiderme.

Lors d'une blessure assez grave, le processus de guérison comprend la formation de *tissu de granulation* dans les premières étapes. C'est un tissu conjonctif très vascularisé et temporaire, résistant à l'infection. Il doit son apparence granuleuse aux capillaires qui y font de nombreuses boucles. Ce tissu est progressivement remplacé par du tissu cicatriciel, différent du derme normal; ce dernier contient une plus grande densité de collagène et les fibres sont disposées de façon quelque peu différente. Il contient moins de cellules et de vaisseaux sanguins. Il est en général dépourvu de poils, de glandes sudorifères et de récepteurs sensitifs.

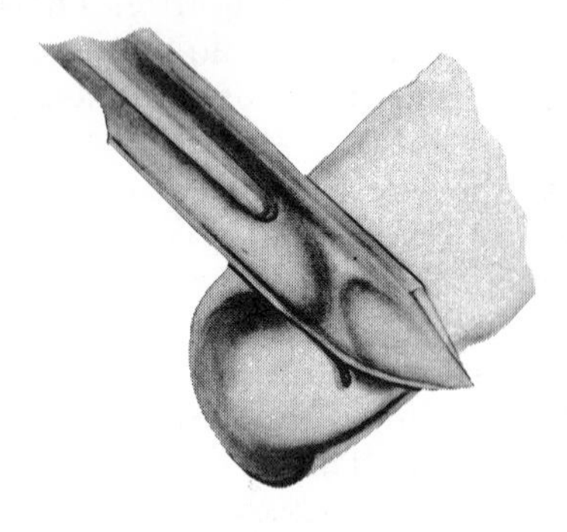

La réparation d'une plaie correspond à une suite d'événements bien définis.

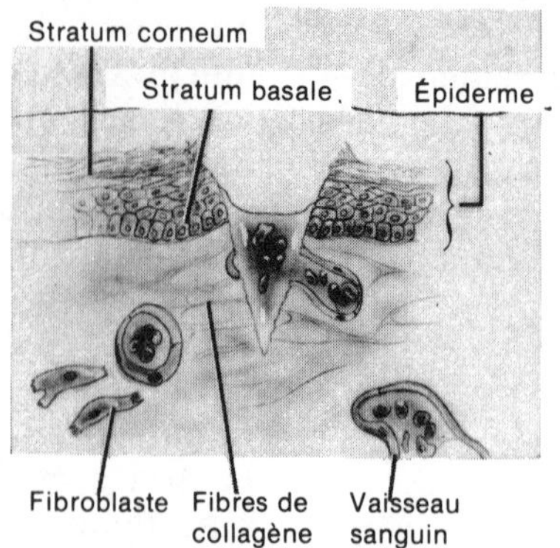

Une blessure provoque la rupture de vaisseaux sanguins et un écoulement de sang. En quelques secondes, le sang commence à coaguler.

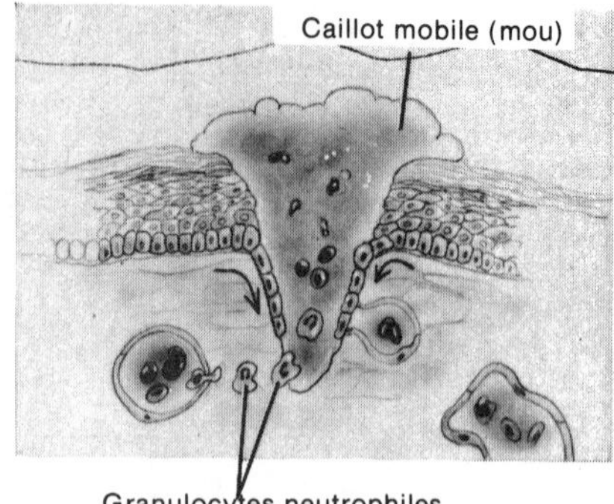

Après quelques heures, un caillot mobile (mou) est formé. Les vaisseaux sanguins environnants se dilatent et un grand nombre de granulocytes neutrophiles en sortent par diapédèse. Attirés par les substances chimiques sécrétées par les cellules et les bactéries de la région traumatisée (*chimiotactisme*), les granulocytes neutrophiles migrent dans le caillot et le tissu avoisinant. Les cellules de l'épiderme ont commencé à se diviser. Elles migrent vers le bas, recouvrant ainsi la surface du tissu traumatisé.

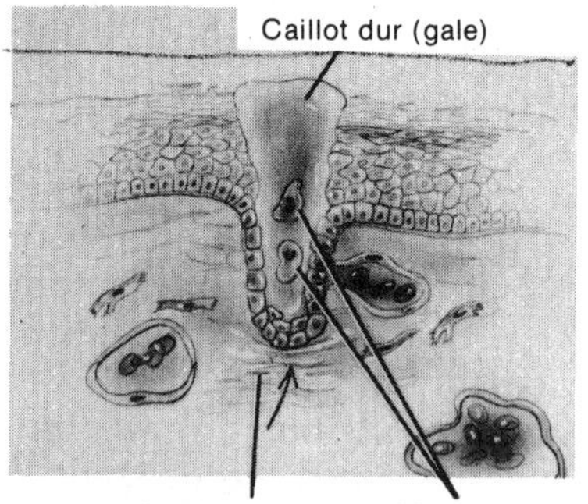

En deux jours, les cellules de l'épiderme ont complètement recouvert le tissu traumatisé. Des fibroblastes ont migré vers la région blessée et commencent la synthèse de fibres de collagène nécessaires pour solidifier la réparation. Des macrophages ont aussi migré et débarrassent la région des déchets et des bactéries. L'accumulation de collagène tend à déplacer le fond de la plaie vers le haut. Le caillot a durci, formant une gale.

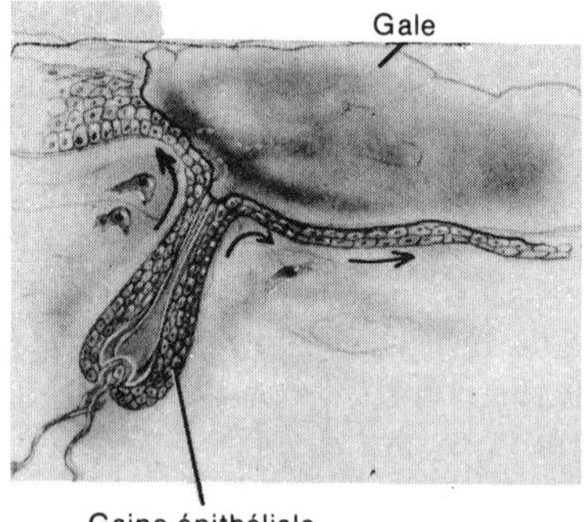

Si la plaie est large et peu profonde, la réparation peut être légèrement différente. Les cellules épithéliales venant du revêtement des follicules pileux et des glandes sudorifères peuvent s'étendre et recouvrir la région blessée plus rapidement que les cellules épidermiques du rebord de la plaie pourraient le faire.

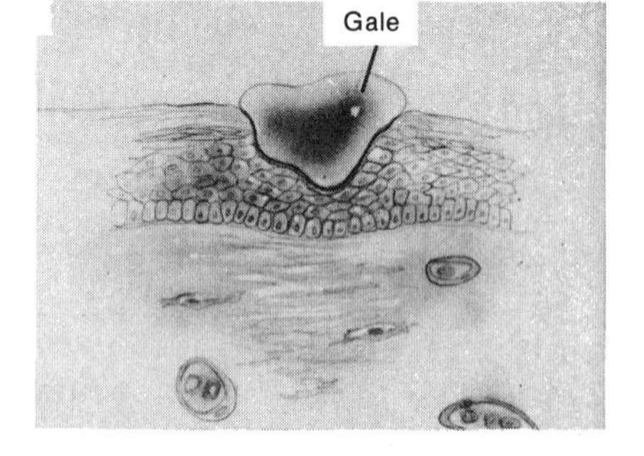

Une semaine après la blessure, la gale s'est durcie et s'est contractée, rapprochant les lèvres de la plaie. La multiplication des cellules de l'épiderme et l'épaississement de la masse de fibres de collagène rendent la plaie moins profonde. La gale se détache mais la réparation n'est pas encore complète. Pour redonner aux tissus leur force maximale, il faudra que le derme se reforme et que l'épiderme s'épaississe encore.

Figure 4-4 La réparation d'une plaie.

La formation du tissu cicatriciel est un processus de synthèse et de dégradation du collagène qui se poursuit pendant des mois, voire des années après la guérison apparente d'une blessure. Le tissu cicatriciel est remanié, c'est-à-dire que les fibres de collagène prennent une disposition qui assure un maximum de force au tissu.

Il peut arriver que l'équilibre entre la synthèse et la dégradation du collagène se rompe, conduisant à la formation de cicatrices anormales (figure 4-5). Les *cicatrices hypertrophiques* contiennent des quantités excessives de collagène mais restent fidèles aux dimensions et à la forme originale de la blessure; les *kéloïdes* sont des cicatrices protubérantes dépassant les limites de la blessure.

La plupart des organes internes peuvent réparer des dommages subis mais le tissu de remplacement ne possède pas les propriétés fonctionnelles du tissu original. Ce dernier est généralement remplacé par du tissu conjonctif fibreux (fibrose) incapable de remplir le rôle et les fonctions du tissu intact (par exemple la cicatrisation ou fibrose du tissu cardiaque après un infarctus).

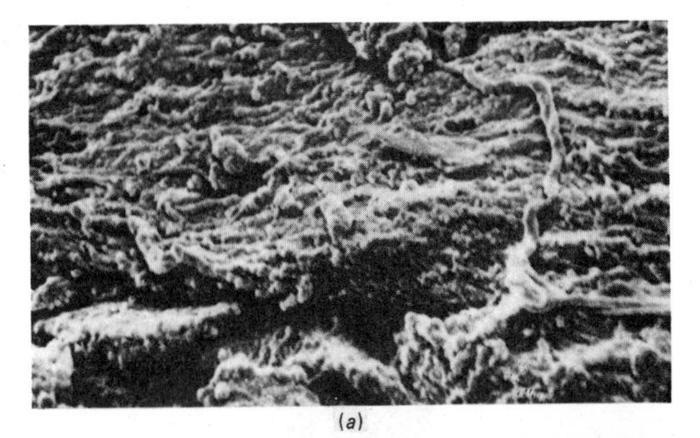

(*a*)

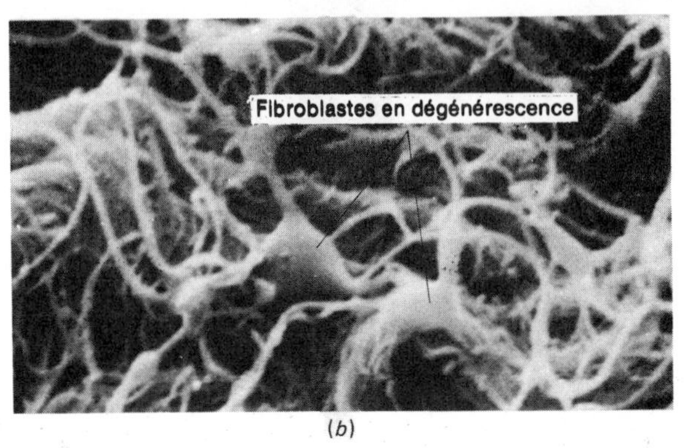

(*b*)

Figure 4-5 (*a*) Photomicrographie, au microscope électronique à balayage, du derme d'une cicatrice hypertrophique. Le collagène est réparti en larges feuillets laissant peu d'espace interstitiel (environ ×8 000). (*b*) Ici, le collagène apparaît plus normal. Le derme de cette cicatrice hypertrophique, vu au microscope à balayage, a été soumis à la pression pendant 3 mois. On peut maintenant distinguer les fibres individuelles, beaucoup mieux séparées. Quelques fibroblastes dégénèrent (voir la légende) et la production de collagène est diminuée (environ ×8 000). (*Dr C. Ward Kischer; tiré de «Archives of Dermatology»,* **111:1**, *60, 1975.)*

Les brûlures

Les brûlures peuvent être causées par un contact direct avec un objet chaud, par certains produits chimiques, par un courant électrique ou par radiation. Lorsque la chaleur est trop élevée, les protéines cellulaires se dénaturent, provoquant la dégénérescence des cellules correspondantes. Il peut y avoir mort cellulaire.

Les brûlures du premier degré sont les plus superficielles; l'épiderme demeure intact. Il se produit une inflammation dermique qui régresse normalement en quelques jours sans laisser de trace. Ces brûlures ne nécessitent pas de traitement et la douleur peut être soulagée par l'application de glace ou par l'immersion de la région brûlée dans l'eau froide.

Les brûlures du deuxième degré se caractérisent par une destruction protéique et la mort de plusieurs cellules épidermiques. Le stratum basale demeure intact cependant et permet la régénérescence de l'épiderme. Il y a inflammation avec formation de cloques caractéristiques ou *phlyctènes* (ampoules), accumulation de sérosité dans l'épiderme. Le traitement initial se fait à l'eau froide, et ces brûlures sont quelquefois traitées par immersion dans l'eau salée. La guérison peut prendre quelques semaines mais il n'y a généralement pas de cicatrice.

Les brûlures du troisième degré (brûlures profondes) correspondent à la destruction de parties de l'épiderme, du derme et de l'hypoderme. Les terminaisons nerveuses de la région brûlée peuvent être détruites; la victime ne ressentira alors que peu ou pas de douleur. Le corps est en grand danger sans son enveloppe protectrice et l'organisme en entier réagit violemment. Les parties brûlées ne peuvent plus retenir les liquides corporels dont la perte excessive peut amener un état de choc. Le liquide ainsi perdu (avec ses sels et ses protéines) doit être rapidement remplacé pour éviter la mort de l'organisme. L'autre danger qui guette le grand brûlé est l'infection puisque les organismes pathogènes ont accès directement aux tissus exposés. Les brûlures du troisième degré nécessitent un traitement médical d'urgence: injections intraveineuses pour remplacer les liquides perdus, administration

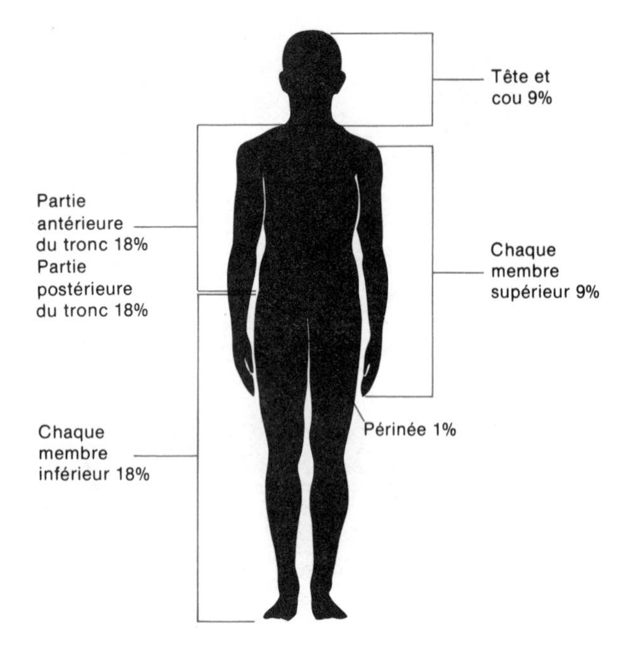

Figure 4-6 La règle des neuf utilisée pour apprécier l'étendue des brûlures.

d'antibiotiques et greffes de peau. Cette dernière opération est rendue nécessaire puisque les tissus ne peuvent plus être régénérés. Si ses brûlures sont étendues, souvent la victime meurt malgré des soins intensifs. Le risque de décès est à peu près proportionnel à la surface brûlée. Lorsque plus de 20 pour 100 de la surface corporelle est brûlée, les chances de survie sont presque nulles quoique la profondeur des plaies puisse modifier sensiblement le pronostic. La figure 4-6 illustre la règle des neuf, utilisée en clinique pour évaluer le pourcentage de la surface corporelle endommagée.

Les néoplasmes

Un *néoplasme* (littéralement un tissu nouveau) est une *tumeur*, une masse cellulaire qui se développe à l'encontre des règles normales de croissance du tissu environnant. Une tumeur *bénigne* a une croissance lente et les cellules adhèrent les unes aux autres; pour cette raison elles forment des masses bien circonscrites (discrètes), souvent entourées d'une capsule conjonctive, et facilement enlevées par chirurgie. À moins qu'elle se développe à un endroit où elle interfère avec le fonctionnement d'un organe vital, une tumeur bénigne n'est pas mortelle.

Une tumeur *maligne* (*cancer*), par contre, se développe beaucoup plus vite qu'une tumeur bénigne. Les cellules cancéreuses se répandent un peu partout, envahissant les tissus voisins et les détruisant souvent. La mort est due en général aux *métastases*, produites lors de la migration des cellules cancéreuses par les vaisseaux sanguins et lymphatiques en divers endroits du corps. Elles s'y multiplient et forment de nouvelles tumeurs malignes qui peuvent alors interférer avec le fonctionnement normal des tissus envahis. Un cancer se répand souvent si rapidement et à tellement d'endroits qu'il est impossible de localiser toutes les masses malignes: la chirurgie est alors inutile.

On pense que le cancer est déclenché par une mutation (ou une altération) de l'ADN d'une cellule, causée par des radiations, certains produits chimiques ou irritants, et même dans certains cas par des virus. La division d'une cellule anormale transmet la mutation à toute sa descendance. Si la mutation interfère avec les mécanismes normaux de contrôle de la cellule, le comportement de cette dernière devient erratique.

Le comportement collectif des cellules est fondé sur les communications intercellulaires, sous la forme de messages de diverses natures. La malignité d'une cellule serait attribuable à un défaut d'interprétation de ces messages qui se traduit dans les faits par une multiplication rapide, incontrôlée, et un manque de cohésion avec les cellules avoisinantes. Les cellules normales respectent leurs frontières réciproques et forment des tissus selon un schéma ordonné et bien organisé. Les cellules cancéreuses, par contre, croissent pêle-mêle, en désordre, et s'infiltrent souvent dans les tissus normaux, exactement comme si elles ne pouvaient plus communiquer avec les autres cellules et en comprendre les signaux.

Des études récentes ont montré que plusieurs néoplasmes se développent pendant un certain temps, atteignant un diamètre de quelques millimètres, puis tombent en léthargie. Cet arrêt de croissance peut durer des mois, même des années. Puis, à un moment donné, les cellules néoplasiques libèrent une substance chimique favorisant le développement de nouveaux capillaires à partir des vaisseaux sanguins voisins. Ces derniers envahissent le néoplasme, lui assurant un apport sanguin[1]. La tumeur se développe alors rapidement et devient une menace de mort.

Certains individus sont plus sensibles au cancer que d'autres. C'est encore un mystère bien que certains chercheurs croient qu'il se forme continuellement des cellules cancéreuses dans un organisme mais que ces dernières, dans la plupart des cas, sont détruites par le système immunitaire. Ce système assure la protection de l'individu contre les organismes pathogènes et les substances étrangères. Selon cette théorie, le cancer serait dû à une défaillance du système immunitaire. Une autre suggestion veut que les individus tolèrent plus ou moins bien les irritants du milieu. On croit en effet que les cancers sont déclenchés par des facteurs de l'environnement dans des proportions pouvant atteindre 90 pour 100 des cas.

Aux États-Unis, par exemple, le cancer est la seconde cause de mortalité après les maladies cardio-vasculaires. C'est aussi vrai pour les habitants de la majorité des pays industrialisés. Il n'y a encore aucun traitement miracle à l'horizon. L'espérance de vie d'un individu chez qui un diagnostic de cancer est posé pour la première fois est d'environ 5 ans. En général, la survie d'un individu dépend d'un diagnostic précoce et d'un ensemble de traitements comprenant la chirurgie, la radiothérapie et la chimiothérapie (utilisation de médicaments «antimitotiques», qui bloquent la mitose). Aujourd'hui on connaît plus de 100 variétés distinctes de cancers et il existe probablement plus d'un traitement. La plupart des chercheurs dans ce domaine s'accordent à dire que la mise au point d'un traitement efficace ne pourra se faire que lorsque nous connaîtrons mieux les mécanismes de contrôle et les systèmes de communication des cellules.

Le cancer de la peau est généralement causé par une exposition excessive, chronique, à la radiation solaire ultraviolette. Il peut aussi être engendré par l'exposition à des composés arséniés, des rayons-x et des substances radioactives comme le radium. Les diverses formes de cancer de la peau se développent lentement et un traitement adéquat permet un taux élevé de guérison.

[1] Judah Folkman. "The Vascularization of Tumors", *Scientific American*, **234:5**, 59, 1976.

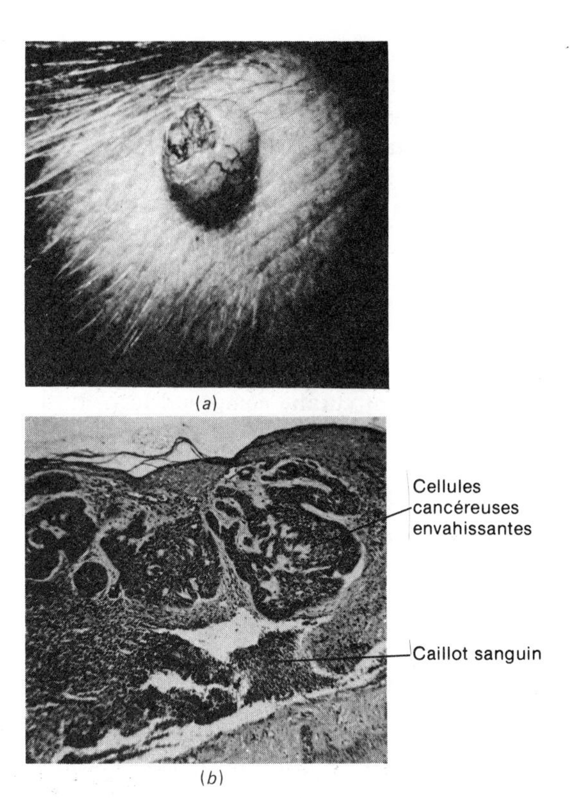

Figure 4-7 (*a*) Photographie d'un carcinome baso-cellulaire qui s'est développé pendant 5 ans sur le front d'un sujet. (*Dr Wilfred D. Little.*) (*b*) Photomicrographie d'un carcinome baso-cellulaire (environ ×25). Comparer avec la figure 4-1 b illustrant une peau normale.

Le *carcinome* ou *épithélioma baso-cellulaire* est le type le plus commun de cancer de la peau. Les cellules du stratum basale de l'épiderme sont modifiées et leur fonctionnement est perturbé (figure 4-7*a* et *b*). Elles ne tiennent plus compte de la séparation entre l'épiderme et le derme. Leur migration dans le derme, l'épiderme et l'hypoderme, ronge le tissu normal, provoquant des ulcères cutanés. Les cellules basales malignes semblent avoir perdu la capacité de former la kératine et de se développer normalement. Les métastases sont très rares dans ce type de cancer et la guérison est de règle après exérèse adéquate.

Le *carcinome* ou *épithélioma épidermoïde* et le *mélanome* sont deux autres types de cancer de la peau. Le premier est constitué de cellules épineuses du stratum spinosum (il peut aussi se développer dans d'autres régions où il y a un épithélium pavimenteux). Les cellules cancéreuses peuvent former de la kératine et se différencier à des degrés variables. Sans traitement, il y a métastase et mort de l'organisme. Le mélanome est un cancer des mélanocytes (les cellules pigmentaires). Il peut y avoir métastase et les chances de survie dépendent d'un diagnostic précoce et d'un traitement adéquat.

RÉSUMÉ

1 Le revêtement cutané comprend la peau, les poils, les ongles et les glandes.

2 Le revêtement cutané a plusieurs rôles:

- **a)** Prévention des pertes et des entrées d'eau dans ou à partir du milieu ambiant.
- **b)** Protection contre l'invasion d'agents pathogènes et de produits chimiques nocifs.
- **c)** Maintien de l'homéothermie.
- **d)** Transduction de l'information reçue du milieu ambiant (stimulus) grâce aux récepteurs sensitifs disséminés dans la peau pour acheminement vers le système nerveux central.
- **e)** Excrétion des surplus d'eau et de certaines substances de rebut de l'organisme.
- **f)** Production de vitamine D.

3 Pendant sa migration vers la surface de l'épiderme, une cellule basale prend d'abord une forme polygonale puis s'aplatit en synthétisant la kératine dont elle s'emplit progressivement. Elle meurt, prend la forme d'une squame et tombe éventuellement.

4 Le derme est un tissu conjonctif riche en collagène. Il donne de la solidité à la peau, contient les vaisseaux sanguins qui assurent l'approvisionnement des cellules épidermiques, renferme des récepteurs sensitifs et des structures épidermiques comme les follicules pileux et des glandes.

5 L'hypoderme est un tissu conjonctif de nature adipeuse. Il amortit les chocs mécaniques et protège ainsi les structures sous-jacentes, relie la peau aux tissus profonds et emmagasine l'énergie sous forme de graisses.

6 Les follicules pileux et les glandes sébacées se développent à partir de bourgeons de cellules épidermiques qui s'enfoncent dans le derme lors du développement embryonnaire.

7 Les glandes sudorifères sécrètent à la surface de la peau une solution saline diluée qui refroidit le corps en s'évaporant. Elles ont un rôle important dans le maintien de la température corporelle normale.

8 Les mélanocytes sont des cellules situées dans le stratum basale. Ils produisent des granules pigmentaires et les transfèrent aux autres cellules épidermiques basales dont celles qui sont à l'origine des poils. La mélanine absorbe les rayons ultraviolets qui atteignent la peau, sauvegardant ainsi l'intégrité du derme et des vaisseaux sanguins.

9 L'inflammation est une réaction tissulaire de protection. Elle empêche le prolongement des effets nocifs d'une blessure ou d'une irritation. Les symtômes sont la rougeur, l'oedème, la chaleur et la douleur.

10 Une brûlure du premier degré provoque l'inflammation mais l'épiderme est intact; une brûlure du deuxième degré détruit des cellules épidermiques et il s'ensuit une inflammation accompagnée de la formation de phlyctènes. Les brûlures profondes (du troisième degré) peuvent altérer les couches dermique et hypodermique, exposant le blessé à une perte liquidienne et à l'infection.

11 Les cellules cancéreuses diffèrent des cellules normales sous deux aspects:

- **a)** Elles se multiplient rapidement, d'une manière anarchique et sans arrêt.
- **b)** Elles ne reconnaissent plus les frontières des autres cellules et envahissent les tissus voisins.

12 Le cancer de la peau est déclenché par une exposition excessive aux rayons ultraviolets, à des composés arséniés, aux rayons-x et aux substances radioactives.

QUESTIONS DE RÉVISION

1 Comment la peau préserve-t-elle l'homéostasie?

2 Comparer la structure de l'épiderme et du derme.

3 Quelles cellules se divisent dans l'épiderme? Lesquelles se différencient?

4 Quelles sont les fonctions du derme? De l'hypoderme?

5 Quels sont les rôles des glandes sébacées? Que se passe-t-il si elles fonctionnent mal?

6 Comment les glandes sudorifères aident-elles au maintien de l'homéothermie?

7 Quelle est l'importance de la mélanine? Comment parvient-elle dans les cellules de la peau?

8 Quelles sont les principales caractéristiques de l'inflammation?

9 Vous marchez sur un clou. Quelle est la réponse de l'organisme à cette blessure? Décrire le processus de guérison.

10 Expliquer pourquoi les traitements varient avec la gravité des brûlures.

11 Comparer une tumeur bénigne et une tumeur maligne. Qu'est-ce qui caractérise les cellules cancéreuses?

12 Quels sont les types les plus communs de cancers de la peau? Quelles sont les causes du cancer de la peau?

5 LE SQUELETTE

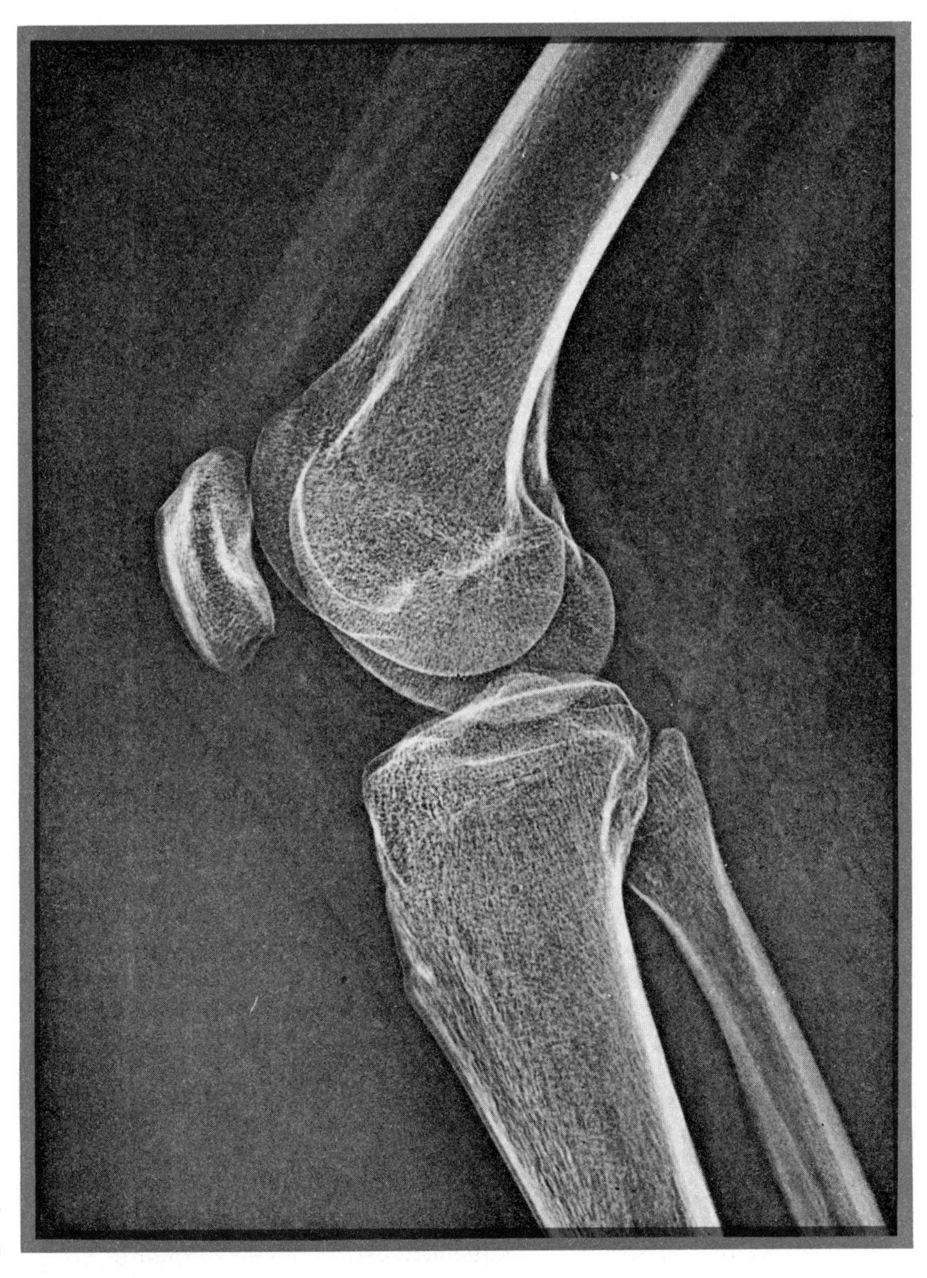

Radiographie d'un genou.
(Compagnie Xérox, Pasadena, Californie.)

OBJECTIFS

L'étude de ce chapitre devrait vous permettre de:

1 Connaître les fonctions des os.
2 Connaître les fonctions des muscles squelettiques.
3 Décrire les caractères généraux d'un os long typique.
4 Énumérer et décrire les principaux points de vue selon lesquels on classe les os, soit la forme, la texture, l'organisation tissulaire et l'origine embryonnaire.
5 Décrire le développement d'un os selon les modes d'ossification, soit endomembraneux et endochondral.
6 Décrire les cellules osseuses (ostéoblastes, ostéoclastes et ostéocytes) et leurs fonctions respectives.
7 Décrire le mode de croissance des os et leur remaniement.
8 Décrire la structure d'un ostéon (système haversien) et la relier à sa fonction.
9 Décrire le processus de guérison d'une fracture.
10 Nommer et décrire quatre maladies osseuses typiques.
11 Décrire la structure et résumer les fonctions des tendons et du cartilage, en vous référant aux chapitres 1 et 2 si nécessaire.
12 Énumérer les différents types d'articulations et décrire leur structure et leurs fonctions.
13 Énumérer et décrire les principales affections articulaires.

Les os, les muscles et les articulations, ont des rôles complémentaires dans la mécanique animale et constituent «l'appareil moteur» du corps humain. Pour des raisons didactiques, cependant, les systèmes osseux et musculaire sont traités séparément aux chapitres 5 et 6 respectivement. Le chapitre 7 présente la nomenclature et la description des os et des muscles du corps. Dans les trois chapitres, cependant, l'étude des muscles et des os a été intégrée là où ce type de présentation pouvait favoriser une meilleure compréhension de l'interaction de ces systèmes dans l'organisme.

LES FONCTIONS DES OS

Le système osseux a des fonctions structurales et organiques. (1) Il offre un soutien aux tissus mous et aux organes. Les os des jambes, par exemple, sont les piliers qui supportent le corps; les côtes, par ailleurs, permettent à la cage thoracique de conserver sa forme, comme les colombages et les solives qui constituent l'armature des murs et du plafond d'une pièce. (2) Le squelette protège plusieurs organes: la cage thoracique et le sternum abritent le coeur, le crâne protège le cerveau. (3) Les os servent aussi de leviers permettant d'utiliser la force développée par les muscles squelettiques. (4) Sur un autre plan, la moelle rouge de certains os est un organe hématopoïétique qui produit, chez l'adulte, les globules sanguins (rouges et blancs) et les plaquettes. (5) Le squelette est aussi un organe de stockage de plusieurs minéraux dont le calcium, le phosphore, le magnésium et le sodium. Ce rôle très important est souvent méconnu; selon ses besoins, l'organisme dépose et prélève constamment ces substances dans les os.

Les os et les muscles constituent un ensemble fonctionnel où les premiers sont des leviers passifs, mobiles grâce aux articulations, et mis en mouvement par les muscles, les organes actifs de ce système mécanique que l'on nomme l'appareil moteur. Nous nous servirons encore du pouce pour introduire ce concept fondamental.

Le squelette du pouce

Au point de vue mécanique, le pouce est un levier segmenté, constitué de trois os reliés par

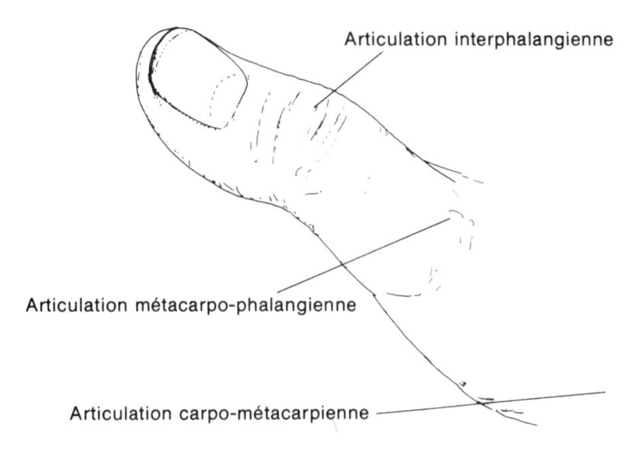

Figure 5-1 Les articulations du pouce.

des articulations et attachés à des muscles. Ces os sont le *premier métacarpien*, une *phalange proximale* et une *phalange distale* (*phalangette*). Au point de vue anatomique, cependant, le pouce ne possède que deux os, la phalange proximale et la phalange distale. Le premier métacarpien fait partie de la main; il se situe dans l'*éminence thénar* et s'articule avec le carpe (les os du poignet) par son extrémité proximale.

Les articulations tirent généralement leur nom des os qu'elles relient. À l'aide de la figure 5-1, identifiez les trois articulations du pouce. L'articulation proximale, *carpo-métacarpienne*, joint le premier métacarpien au carpe. Plus distale, l'articulation *métacarpo-phalangienne* se situe à la base du pouce, là où il émerge de la main. La troisième, l'articulation *interphalangienne*, relie les deux phalanges. En bougeant votre pouce, vous constaterez que ces articulations permettent des mouvements bien particuliers puisque leur conformation oriente le déplacement et en limite l'ampleur. Ainsi la mobilité du pouce est principalement due à la façon selon laquelle il se rattache au poignet par l'intermédiaire du premier métacarpien. Si vous immobilisez cet os, les seuls mouvements que le pouce peut effectuer sont la flexion et l'extension. Les deux articulations distales sont, en effet, du type *à charnière* alors que l'articulation carpo-métacarpienne est du type *en selle* et permet des mouvements dans plusieurs directions.

Les articulations du pouce sont des exemples d'*articulations synoviales* ou *diarthroses*, c'est-à-dire des articulations mobiles possédant en général une cavité sous forme de fente entre les deux os. Les surfaces articulaires sont recouvertes de cartilage hyalin souple et lisse qui facilite les mouvements et constitue la surface portante. L'articulation est enfermée dans un manchon attaché au pourtour des surfaces articulaires et rempli de liquide synovial, la *synovie*, qui lubrifie l'articulation. Les caractères spécifiques du cartilage et de la synovie permettent d'avoir un coefficient de friction très faible au niveau de l'articulation.

Toutes les articulations de la main sont des diarthroses mais le corps possède d'autres types d'articulations.

Les muscles du pouce

Il vous serait impossible de bouger le pouce si les muscles et les os ne formaient un ensemble

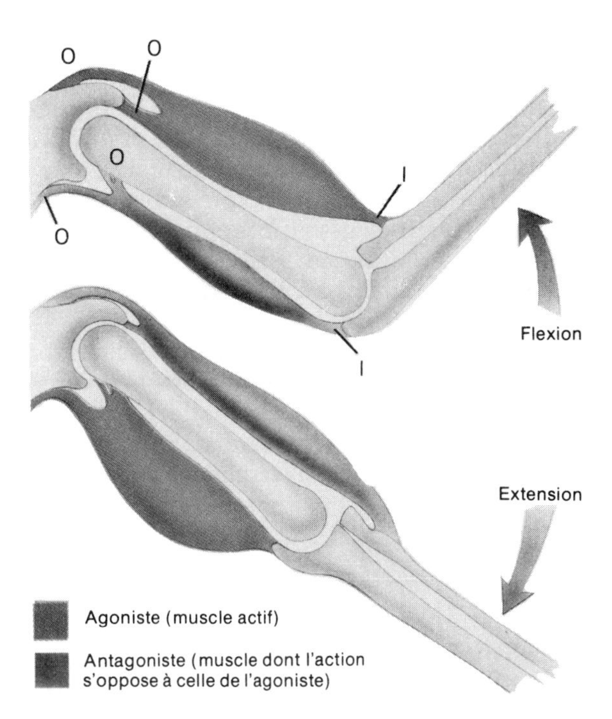

Figure 5-2 Quelques concepts fondamentaux de l'action musculaire. Ce dessin d'un membre supérieur démontre l'action des muscles sur l'avant-bras. Remarquer qu'un seul muscle agit pour produire le mouvement désiré: c'est l'agoniste. Le muscle qui s'oppose à ce mouvement est l'antagoniste. Le même muscle peut être agoniste ou antagoniste selon la direction du mouvement soit, ici, la flexion ou l'extension. Les agonistes sont représentés en couleur. O, origine; I, insertion.

mécanique fonctionnel. Les muscles tirent sur des leviers, les os, et la direction du déplacement dépend de plusieurs facteurs: la configuration des articulations, la spécificité des muscles qui se contractent, leur point d'insertion sur les os et la force qu'ils développent. Si vous prenez un crayon, comme pour écrire, vous pouvez identifier la position de plusieurs muscles. Tout en surveillant votre avant-bras, appuyez fermement le pouce sur le crayon. Plusieurs muscles font alors saillie dont l'un du côté latéral (côté du pouce) de l'avant-bras[1]. On peut suivre sa course jusqu'à la base du pouce lorsqu'il se contracte. L'éminence thénar, à la base du pouce, devient ferme au même moment et de nouveau souple lorsque vous relâchez la pression sur le crayon. Il y a donc aussi un muscle actif à cet endroit.

En se contractant, un muscle raccourcit et tire sur des os. Puisque les muscles ne peuvent pousser, pas plus dans le pouce qu'ailleurs dans le corps, ils doivent être disposés de telle sorte qu'à un muscle (ou à un groupe musculaire) dont la contraction produit un mouvement donné, soit l'*agoniste*, doit toujours s'opposer un muscle (ou un groupe musculaire) qualifié d'*antagoniste* et qui détermine le mouvement contraire (figure 5-2). Les os jouent ainsi un rôle important en agissant comme un système de leviers, mus par la force exercée par les muscles, et permettant à ces derniers de s'opposer les uns aux autres.

On peut dire que tous les muscles s'ancrent en deux endroits, soit un point d'origine (sur le segment d'attache le moins mobile) et un point d'insertion (sur le segment d'attache le plus mobile)[2]. Les points d'insertion des muscles du pouce doivent être sur celui-ci afin de le mouvoir, mais leurs origines diffèrent. Les *muscles intrinsèques* sont situés dans le pouce (figure 5-3). Ils originent, cependant, de structures diverses comme, par exemple, un os du poignet. Par opposition, les *muscles extrinsèques* sont situés en dehors du segment qu'ils actionnent. Le muscle de l'avant-bras dont nous venons de parler appartient à ce groupe. Sa traction sur le pouce s'exerce alors par l'intermédiaire d'un long cordon de tissu conjonctif fibreux non élastique, un *tendon*. Si vous serrez le poing, plusieurs tendons saillent sous la peau du poignet (figure 5-4). Le mouvement contraire, l'extension complète des doigts, découvre d'autres tendons sur la face dorsale de la main. C'est la démonstration de l'action de deux groupes musculaires antagonistes, agissant à distance sur la main par l'intermédiaire de leurs tendons. Il est facile d'imaginer combien la main serait lourde et maladroite si elle devait contenir, en plus des muscles intrinsèques, tous les muscles extrinsèques gros et puissants qui la meuvent.

Tous les muscles dont nous venons de parler sont directement ou indirectement attachés à des os; c'est pourquoi on les nomme des *muscles squelettiques*. Et puisque ces derniers

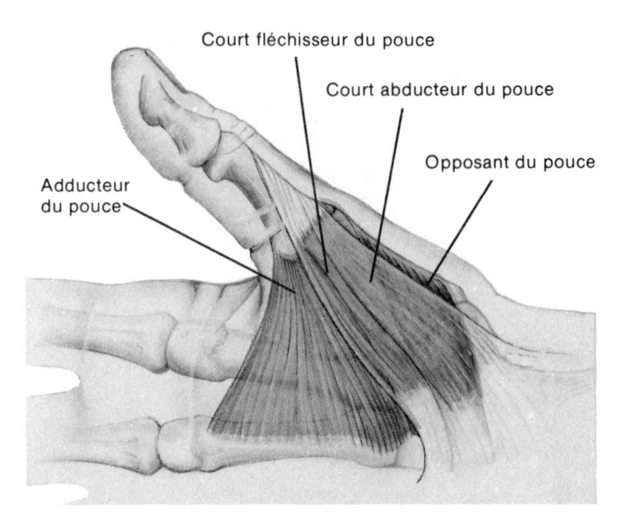

Figure 5-3 Les muscles intrinsèques du pouce. Les muscles extrinsèques, situés dans l'avant-bras et non illustrés ici, sont particulièrement responsables des mouvements de flexion et d'extension.

[1] Toute description de position se fait en regardant le sujet de face, celui-ci ayant les paumes tournées vers l'avant.

[2] Plusieurs exemples d'origines et d'insertions musculaires seront présentés tout au long de l'étude des muscles et des os. Quoique tous les muscles aient au moins deux attaches, il n'est pas toujours facile de déterminer laquelle est la plus mobile. Par convention, on a défini que «l'origine» d'un muscle est son point d'attache proximal et «l'insertion», son point d'attache distal. Cette règle comporte beaucoup d'exceptions. Au point de vue terminologique, l'attache (l'origine ou l'insertion) d'un muscle désigne la structure (osseuse, ligamentaire, etc.) sur laquelle se trouve le point d'attache, l'endroit précis où se fixe le muscle.

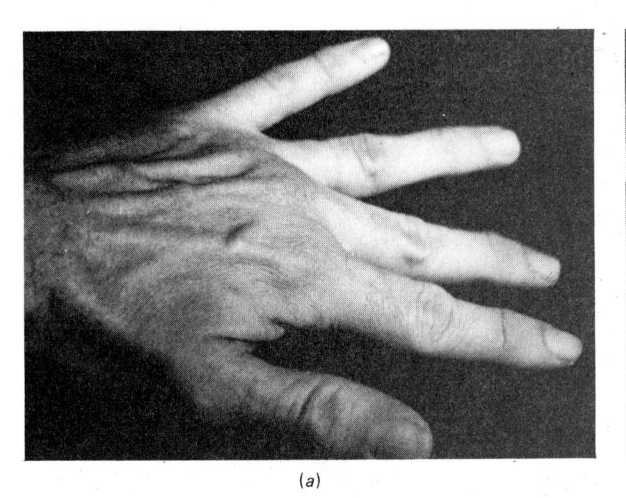
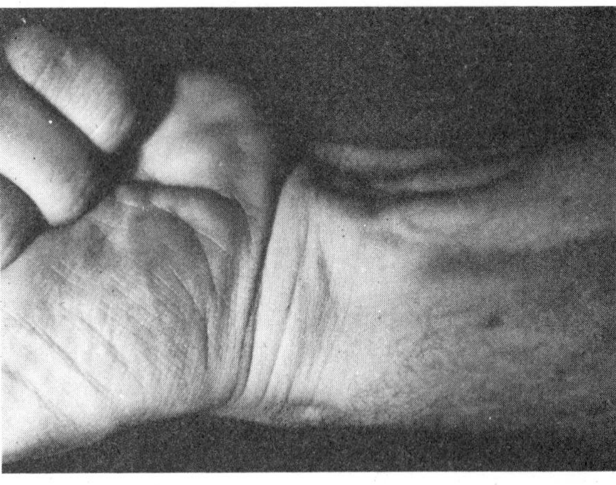

(a) (b)

Figure 5-4 (*a*) Tendons de la face dorsale de la main. (*b*) Tendons de la face palmaire du poignet.

sont sous le contrôle de la volonté, on les appelle aussi des *muscles volontaires.* Avant d'approfondir l'étude du pouce, il est nécessaire de préciser ou de définir les termes décrivant les différents mouvements articulaires (voir aussi la figure 5-5).

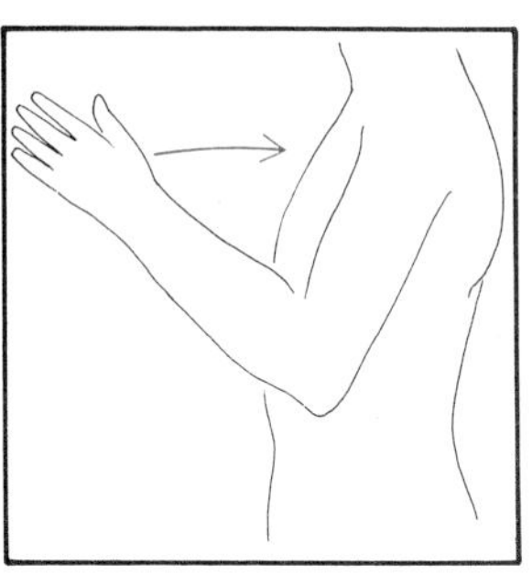

Flexion Mouvement qui réduit l'angle formé par deux os articulés l'un avec l'autre. «Qui s'accroupit fléchit les genoux.»

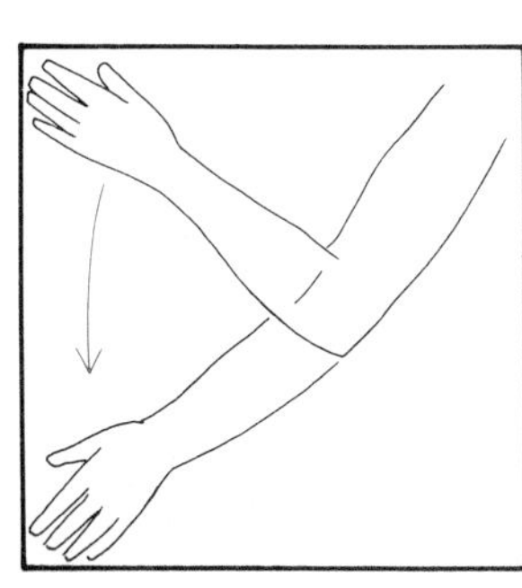

Extension Mouvement opposé à la flexion. Il augmente l'angle entre deux os unis par une articulation mobile. Lors de l'extension, si l'angle dépasse l'angle plat (par exemple, quand la tête est rejetée vers l'arrière), le mouvement est une *hyperextension.*

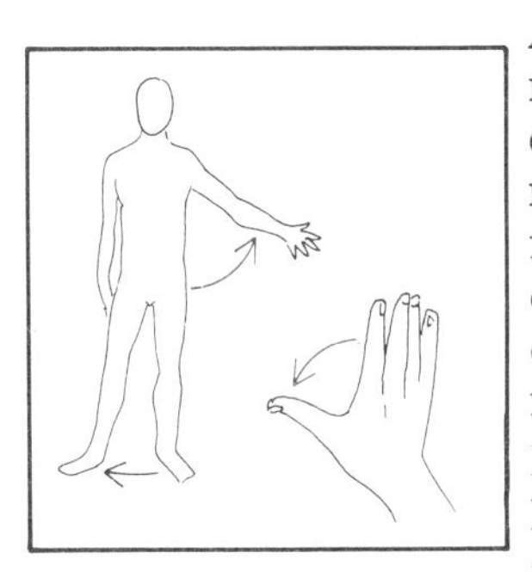

Abduction Mouvement d'un membre ou d'un segment de membre qui a pour résultat de l'écarter du plan médian du corps ou du membre, respectivement. Un pas de côté correspond à l'abduction d'une jambe. L'action d'écarter les doigts est une abduction puisqu'elle les éloigne de l'axe médian du membre.

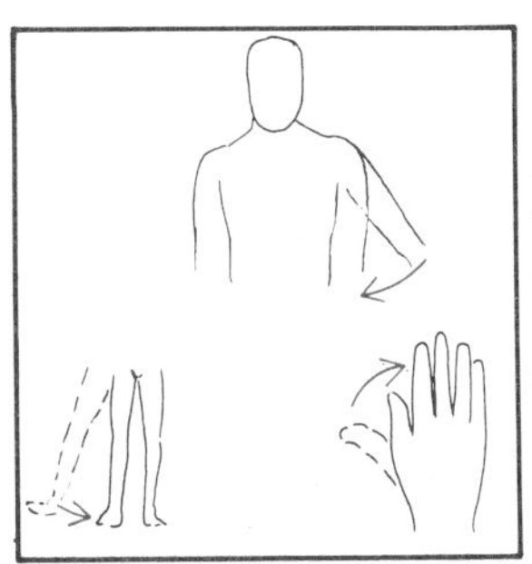

Adduction Le contraire de l'abduction, c'est-à-dire le rapprochement d'un os du plan médian du corps ou d'un membre.

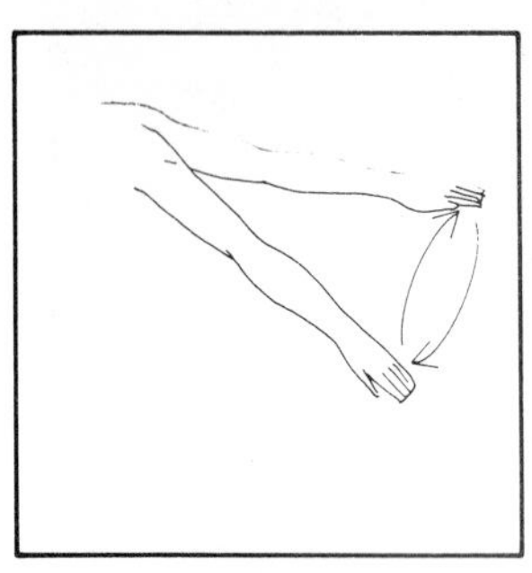

Circumduction Association des quatre types de mouvements précédents faisant décrire à un membre ou à un segment de membre un cône dont l'articulation proximale forme le sommet. Le mouvement des bras dans le *crawl*, par exemple, est en partie assuré par un mouvement de circumduction.

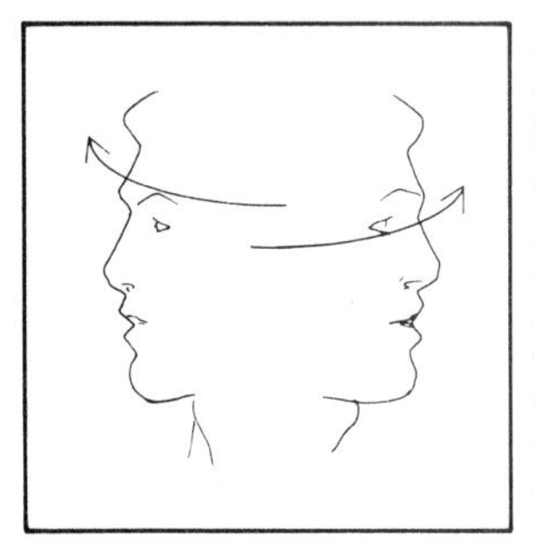

Rotation Mouvement d'une partie du corps autour de son axe, comme le mouvent de dénégation de la tête. Aucune partie du corps ne peut effectuer une rotation complète (360°).

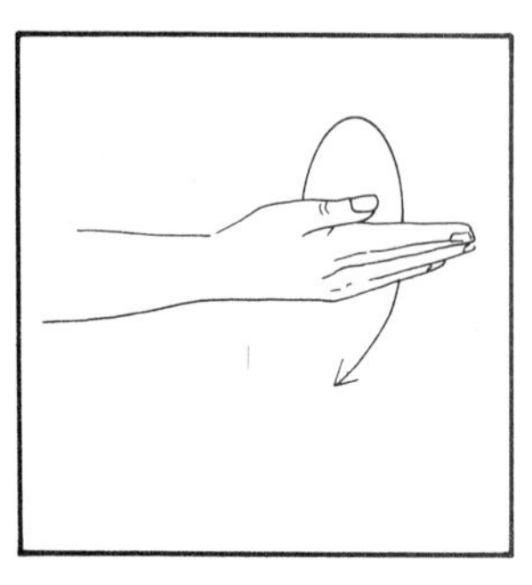

Pronation Mouvement de l'avant-bras qui a pour effet de faire exécuter à la main une rotation de dehors en dedans, tournant la face palmaire vers le bas ou vers la surface postérieure du corps. Le terme ne s'applique qu'au membre supérieur (figure 5-6*b*).

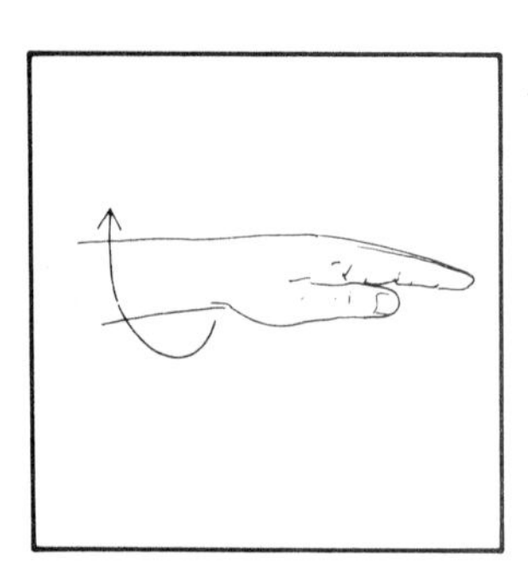

Supination Mouvement opposé à la pronation et qui a pour effet de faire exécuter à la main une rotation de dedans en dehors, tournant la face palmaire vers le haut ou vers la surface antérieure du corps (figure 5-6*a*).

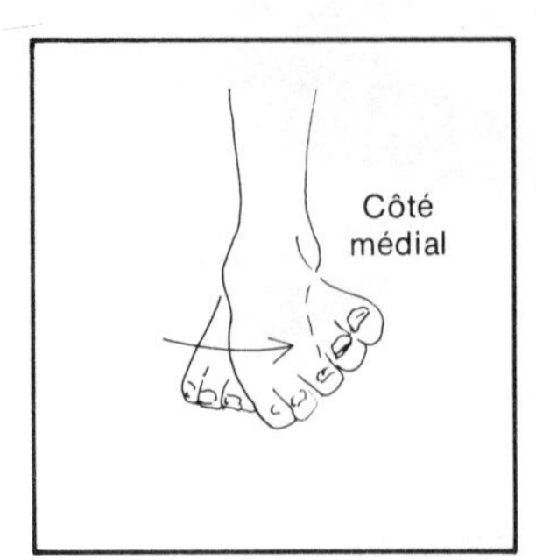

Inversion Mouvement de rotation, action de tourner la plante du pied vers l'intérieur, en relation avec la jambe. Le terme ne s'applique qu'au pied.

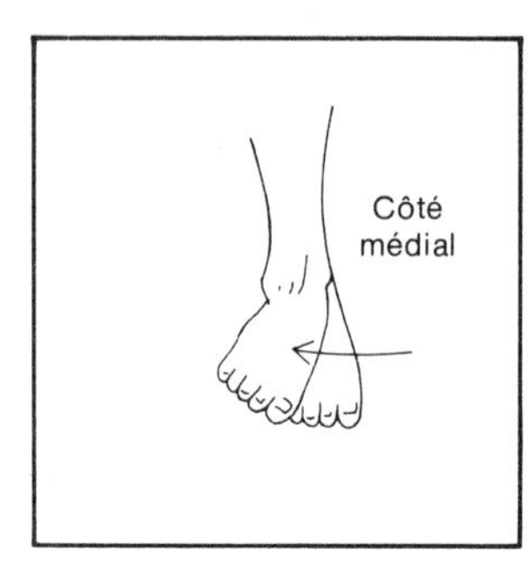

Éversion Mouvement opposé à l'inversion. Action de tourner la plante du pied vers l'extérieur, en relation avec la jambe. Le terme ne s'applique qu'au pied.

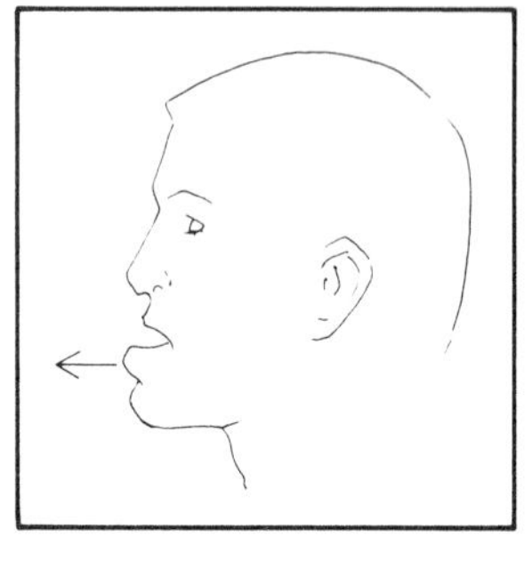

Antépulsion Action de projeter en avant une partie du corps comme, par exemple, la mandibule (mâchoire inférieure).

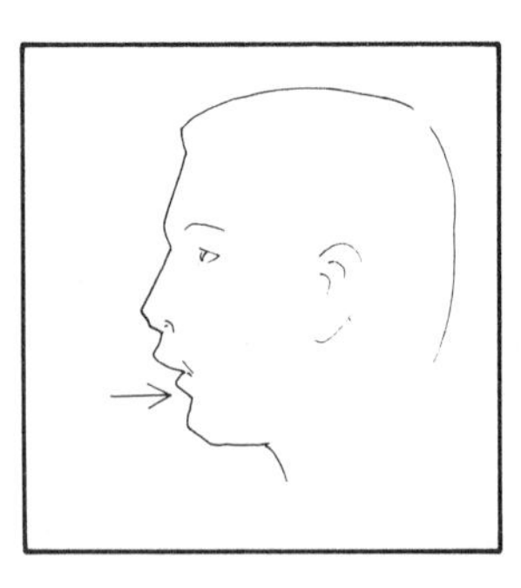

Rétropulsion Mouvement contraire à l'antépulsion.

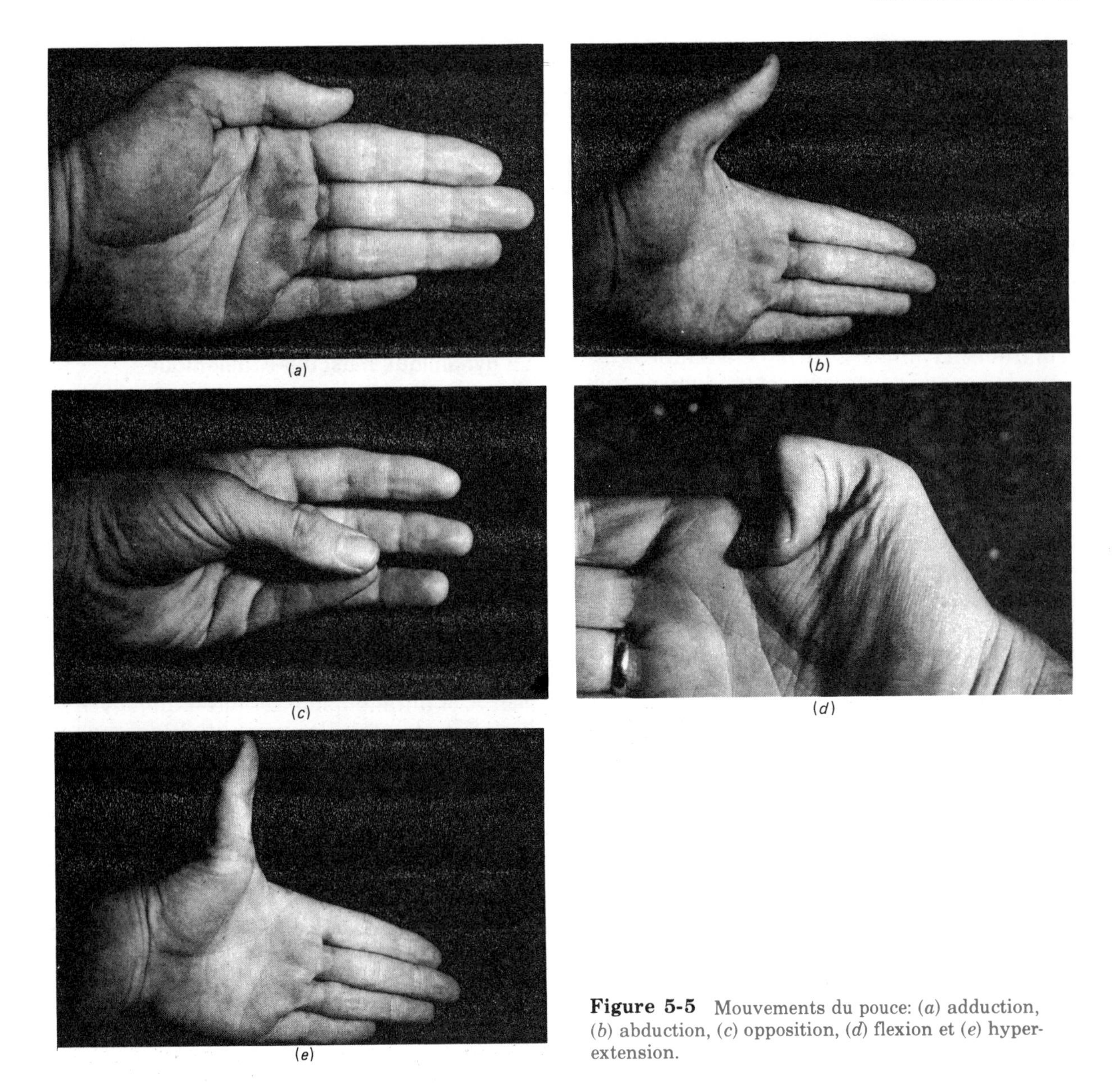

Figure 5-5 Mouvements du pouce: (*a*) adduction, (*b*) abduction, (*c*) opposition, (*d*) flexion et (*e*) hyperextension.

Voici quelques exemples d'emploi de ces termes. Essayez de toucher les deux plis palmaires de votre main avec l'extrémité du pouce: c'est une *flexion* (figure 5-5*d*). Étendez maintenant votre pouce aussi loin que possible: ce mouvement est une *extension*. (Quelques individus peuvent produire des hyperextensions du pouce grâce à une capsule articulaire métacarpo-phalangienne assez étirée pour permettre sa luxation partielle.) Placez la main sur une table, la face palmaire vers le haut et les doigts étendus. L'action d'amener le pouce le long de l'index est une *adduction*. Celle de l'écarter est une *abduction*. Saisissez maintenant un objet entre le pouce et l'index: c'est une *opposition*, un mouvement légèrement différent de l'adduction. Chacun de ces mouvements simples est assuré par un groupe musculaire spécifique alors que les mouvements plus complexes, comme de se tourner les pouces, sont possibles grâce à l'action combinée de plusieurs muscles ou grâce à leur activation selon un ordre précis.

Le pouce est mû par quatre muscles intrinsèques et quatre muscles extrinsèques. On peut identifier la plupart d'entre eux soit visuellement, soit par palpation de la main et de l'avant-bras alors que le pouce bouge. Quelques exemples serviront à illustrer les caractères qui les différencient.

Examinez la face palmaire de votre main et remarquez l'*éminence thénar*, la saillie charnue à la base du pouce. Elle est produite par des muscles puissants et plutôt gros pour la main, les muscles thénariens. Après avoir écarté le pouce et l'index, placez un objet assez volumineux entre les deux et essayez de réaliser l'adduction du pouce. Sous la résistance de l'objet, les muscles intrinsèques du pouce gonflent et durcissent. Vous pouvez alors identifier l'*adducteur du pouce* en profondeur, grâce à sa forme en éventail. Le *court abducteur du pouce*, le plus superficiel du groupe, peut être identifié encore plus facilement, soit par examen visuel ou par palpation, lorsque le pouce est amené en abduction contre une résistance.

Les points d'origine de ces deux muscles sont assez voisins mais non identiques. Ils s'attachent aux os du poignet (l'adducteur du pouce origine en plus du troisième métacarpien). Leurs points d'insertion sont aussi très voisins, sur la phalange proximale du pouce, mais sur des côtés opposés de cette phalange. Leurs actions sont donc contraires, un bel exemple d'*antagonisme* musculaire. C'est aussi une excellente illustration de l'organisation générale des muscles squelettiques disposés de part et d'autre d'une articulation et agissant en opposition.

Nous n'allons examiner qu'un des muscles extrinsèques du pouce. Pour ce faire, faites l'abduction du pouce et étendez-le avec force. Regardez la face dorsale de votre main et remarquez la saillie que fait le tendon du *long extenseur du pouce* (figure 5-4). Ce muscle est trop gros pour trouver place dans la main; il ne s'insère donc pas directement sur la phalange distale du pouce. Sa force se transmet plutôt par l'intermédiaire d'un tendon, enveloppé dans une gaine résistante tendineuse, qui glisse jusqu'à la main, un peu à la manière du câble de changement de vitesse d'une bicyclette qui part du levier de changement de vitesse et rejoint, dans un manchon protecteur, les engrenages du moyeu de la roue arrière.

Le tendon du long extenseur du pouce s'insère sur la phalange distale de ce dernier. La contraction du muscle permet de suivre la course du tendon vers l'avant-bras et de palper le muscle lui-même à la surface postérieure de l'avant-bras. Il origine de la partie moyenne de l'ulna (cubitus), le plus gros des deux os de l'avant-bras.

La dynamique musculo-squelettique

Si les muscles ne peuvent que se contracter et donc exercer une traction, le corps, comme organisme, peut pousser et tirer sur un objet, ou faire des mouvements si complexes qu'on ne peut les décrire que par une terminologie spécialisée. Le squelette permet cette mobilité par une ingénieuse canalisation des forces mécaniques. Grâce à lui, les muscles peuvent s'opposer, agir en antagonisme, ce qui assure la réversibilité des mouvements. Un fléchisseur, par exemple, sera toujours couplé à un extenseur. Cet antagonisme est aussi un moyen de limiter et de contrôler l'amplitude des mouvements, en particulier lorsque des groupes de muscles agissent en synergie. Sans cette disposition, maints mouvements usuels dépasseraient l'objet visé, comme ceux d'un bébé qui commence à manger seul et qui s'éclabousse le visage. La précision potentielle du contrôle nerveux de groupes musculaires est extraordinaire mais elle doit être développée par l'habitude. Un golfeur peut réussir un trou d'un coup, un joueur de tennis peut passer des services puissants, un joueur de quilles peut réussir des abats: ce contrôle exceptionnel n'est pas spontané mais à l'état latent. Il en est de même de la dextérité manuelle d'un musicien ou d'un sculpteur. Une aptitude naturelle et un apprentissage rigoureux sont les principales raisons de leur réussite: l'antagonisme musculaire cependant en est le prérequis.

D'autre part, plusieurs muscles agissent comme partie de la charpente squelettique elle-même. Les muscles de la paroi abdominale sont en état de tension permanente. Cette propriété, la *tonicité* ou *tonus musculaire*, leur permet de maintenir en place le contenu abdominal. Ces muscles sont disposés de telle façon qu'ils se croisent presque à angle droit, comme les couches superposées du contre-plaqué.

Lorsqu'ils s'atrophient ou perdent leur tonus, comme cela peut arriver chez les individus qui mènent une vie sédentaire, les viscères intra-abdominaux, mal retenus, poussent sur la paroi abdominale qui s'étire et devient proéminente: on dira qu'ils «font du ventre». Certains muscles, enfin, particulièrement au niveau des ceintures des membres supérieurs et inférieurs, ont comme rôle principal de soutenir et de stabiliser les articulations adjacentes, permettant aux muscles moteurs d'avoir une action efficace. En effet, beaucoup d'articulations sont trop mobiles et instables pour maintenir seules leur assemblage sous les multiples contraintes de la vie courante.

Un os type

Le *radius* est le plus latéral[3] des deux os de l'avant-bras. Il servira d'exemple pour étudier la structure, la configuration et les rapports d'un os long type. Il est proximal au pouce et au poignet et sert d'attache (d'origine) à certains muscles extrinsèques du pouce et des doigts.

Afin d'identifier le radius, fléchissez votre avant-bras droit et placez votre main sur une table en position de supination (face palmaire vers le haut). Votre avant-bras sera dans la position illustrée à la figure 5-6*a*. Le coude est l'articulation entre l'*humérus*, l'os unique du bras, et les deux os de l'avant-bras. En palpant le bord médial de l'avant-bras vous pouvez suivre l'*ulna* depuis le coude jusqu'au bord médial du poignet. Maintenant, faites tourner l'avant-bras sur son axe (pronation), amenant la face palmaire vers le bas. Notez qu'à partir de la base du pouce vous pouvez palper un autre os long faisant une rotation d'à peu près un quart de cercle en rapport avec l'axe de l'humérus. C'est le radius, l'os long type que nous allons décrire.

Le radius est un os très différent des os plats du crâne ou des vertèbres de la colonne. Il est cependant similaire, par exemple, aux os de la jambe et aux phalanges de la main et du pied; c'est un os cylindrique mais irrégulier, plus ou moins sculpté par les forces biologiques. Les deux extrémités de la pièce osseuse forment des excroissances renflées et recouvertes de cartilage lisse servant au glissement des os dans les articulations. Pour le radius, l'extrémité distale est plus grosse que l'extrémité proximale. Le radius et l'ulna possèdent des courbures les éloignant l'un de l'autre vers le milieu de l'avant-bras, ce qui permet de loger certains muscles, dont le long abducteur du pouce. Cette double courbure est essentielle au mouvement du radius autour de l'ulna lors de la pronation ou de la supination (figure 5-6).

Le radius est hérissé d'excroissances (apophyses) et porte des crêtes, des sillons (gout-

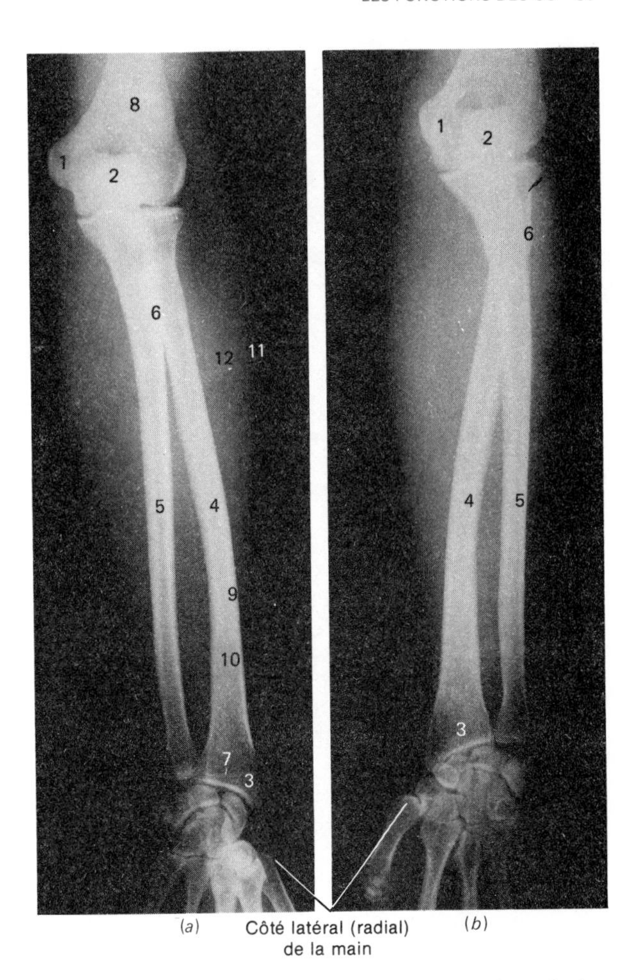

Figure 5-6 Radiographie des os de l'avant-bras droit: (*a*) en position de supination (face palmaire vers le haut); (*b*) en position de pronation (face palmaire vers le bas). Remarquer le mouvement de rotation que fait le radius autour de l'ulna jusqu'à le croiser en pronation complète. 1, épincondyle médial de l'humérus; 2, olécrâne (ulna); 3, processus styloïde du radius; 4, radius; 5, ulna; 6, tubérosité du radius; 7, ligne épiphysaire; 8, humérus; 9, os compact; 10, os spongieux; 11, peau et hypoderme; 12, muscle.

[3] Toute description de position se fait en regardant le sujet de face, celui-ci ayant les paumes tournées vers l'avant.

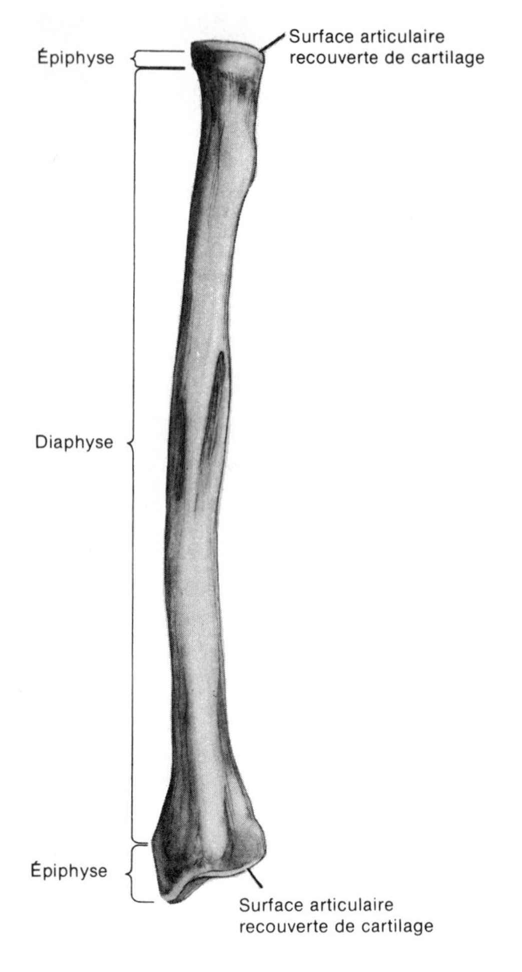

Figure 5-7 Les parties d'un os long typique.

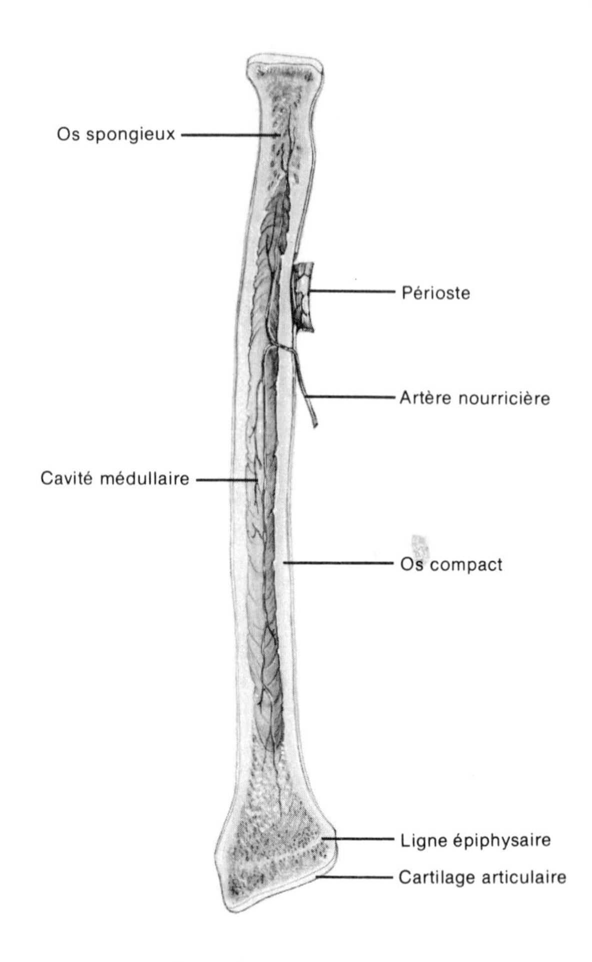

Figure 5-8 Coupe longitudinale du radius. Les travées internes de l'os spongieux situé près des extrémités sont orientées précisément dans le plan des lignes de force auxquelles l'os est soumis durant la vie. Surveiller cette disposition dans les radiographies subséquentes.

tières et coulisses) et des zones rugueuses. Presque toutes ces structures sont associées aux points d'attache des muscles ou des tendons dont l'origine se situe au niveau de l'avant-bras, mais dont les points d'insertion distaux sont dans la main. Examinez quelques illustrations du chapitre 7, particulièrement les figures 7-31 à 7-42. Le radius possède une saillie proximale caractéristique, la tubérosité du radius, sur laquelle s'insère le tendon du biceps brachial. Imaginez toute la puissance que ce gros muscle concentre sur cette petite surface d'insertion. Il n'est pas surprenant que structurellement l'os soit plus épais, fortifié et renforcé à cet endroit. De proximal en distal nous retrouvons ensuite les points d'attache de trois des muscles extrinsèques du pouce qui originent en partie du radius et dont les tendons glissent dans des coulisses, à l'extrémité distale de l'os, comme des câbles dans un palan.

Le *périoste* (figure 5-8) est une membrane fibreuse qui recouvre tout l'os sauf au niveau des surfaces articulaires. Situées aux extrémités des os longs, ces dernières sont recouvertes de cartilage hyalin. L'inspection attentive du périoste révèle une myriade de pores très fins (les *trous nourriciers*), situés à la surface des os, et qui livrent passage à leurs vaisseaux nourriciers et à leurs nerfs. L'os dépend donc du périoste pour son apport sanguin et une infection de cette membrane, ne permettant plus au sang d'atteindre la cavité médullaire de l'os, menacerait directement sa survie. Le périoste est fixé à l'os par de forts faisceaux de collagène, les *fibres de Sharpey*. Les fibres de Sharpey du périoste sont en continuation directe avec les fibres de collagène du tissu osseux compact.

Les os longs sont des cylindres dont la cavité centrale médullaire (figure 5-8) est remplie de moelle adipeuse jaune sauf près des extrémités où il persiste une minime quantité de moelle rouge. La cavité médullaire est recouverte d'une fine membrane, l'*endoste*, et est aussi partiellement remplie par du *tissu osseux spongieux*. Les extrémités sont formées d'une écorce périphérique très mince de *tissu osseux compact* qui enveloppe une masse de tissu spongieux. Le corps osseux, ou partie centrale, contient un plus fort pourcentage d'os compact que les extrémités. L'examen d'une coupe longitudinale d'un radius chez un jeune enfant montre qu'il est constitué de trois parties: la partie cylindrique centrale s'appelle la *diaphyse* (figure 5-7), les extrémités se nomment les *épiphyses*. Tant que l'os croît, les épiphyses sont séparées de la diaphyse par un *disque épiphysaire* cartilagineux (*cartilage de conjugaison*) (figure 5-9) responsable de la croissance en longueur de l'os. À la fin de la croissance, ce cartilage se laisse envahir complètement par l'ossification jusqu'à ne plus pouvoir être identifié que par une *ligne épiphysaire* chez l'adulte. L'accroissement en longueur de l'os, à partir de ce moment, a cessé.

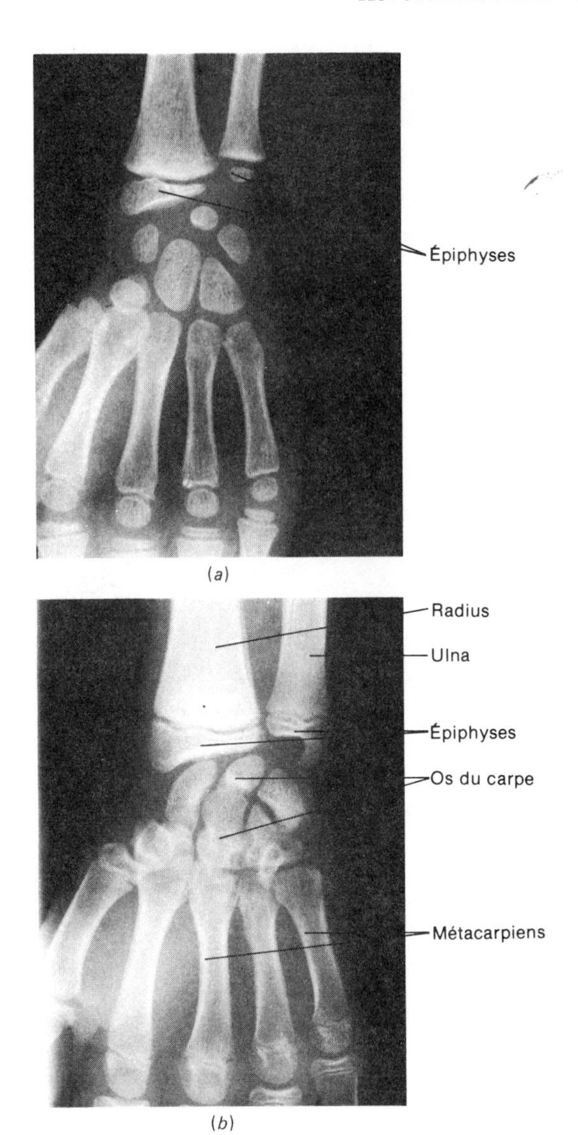

Figure 5-9 Radiographies montrant les épiphyses distales des deux os longs de l'avant-bras et celles de la main. Comme il s'agit d'os en croissance, les épiphyses sont encore séparées de la diaphyse par des disques épiphysaires cartilagineux. La comparaison des deux radiographies permet de constater que les disques sont plus minces en (*b*) qu'en (*a*); la main en (*b*) est donc plus âgée que celle en (*a*).

Le développement des os

On peut classifier les os selon différents points de vue: d'après leur forme on distingue les os longs, plats et courts; ils peuvent être constitués de tissus osseux compact, spongieux ou fibreux, différents quant à leur aspect histologique; ils peuvent aussi être immatures ou matures selon leur organisation tissulaire; on les distingue finalement selon leur mode de développement ou d'ostéogénèse, soit ceux dont l'*ossification* est *endomembraneuse* (*endoconjonctive*) et ceux dont l'*ossification* est *endochondrale*. Chez l'adulte, la forme seule distingue ces deux types d'os, même s'ils sont d'origine embryonnaire différente: l'ossification endochondrale se fait par remplacement d'un modèle cartilagineux par de l'os alors que l'ossification endoconjonctive est la transformation du tissu membraneux (un tissu conjonctif dense) en tissu osseux. Les os longs appartiennent au premier type alors que les os du crâne appartiennent au second.

L'ossification endoconjonctive (endomembraneuse) commence par l'apparition, dans la membrane conjonctive, d'un ou de plusieurs

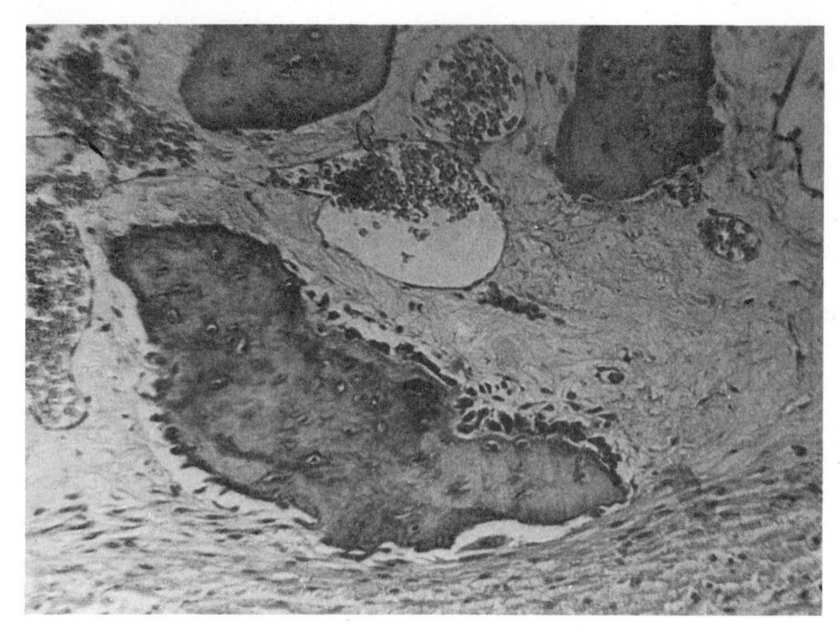

Figure 5-10 Photomicrographie d'un os de membrane en développement (environ ×500). Remarquer les îlots osseux en croissance, plus foncés, dispersés dans du tissu conjonctif beaucoup plus pâle.

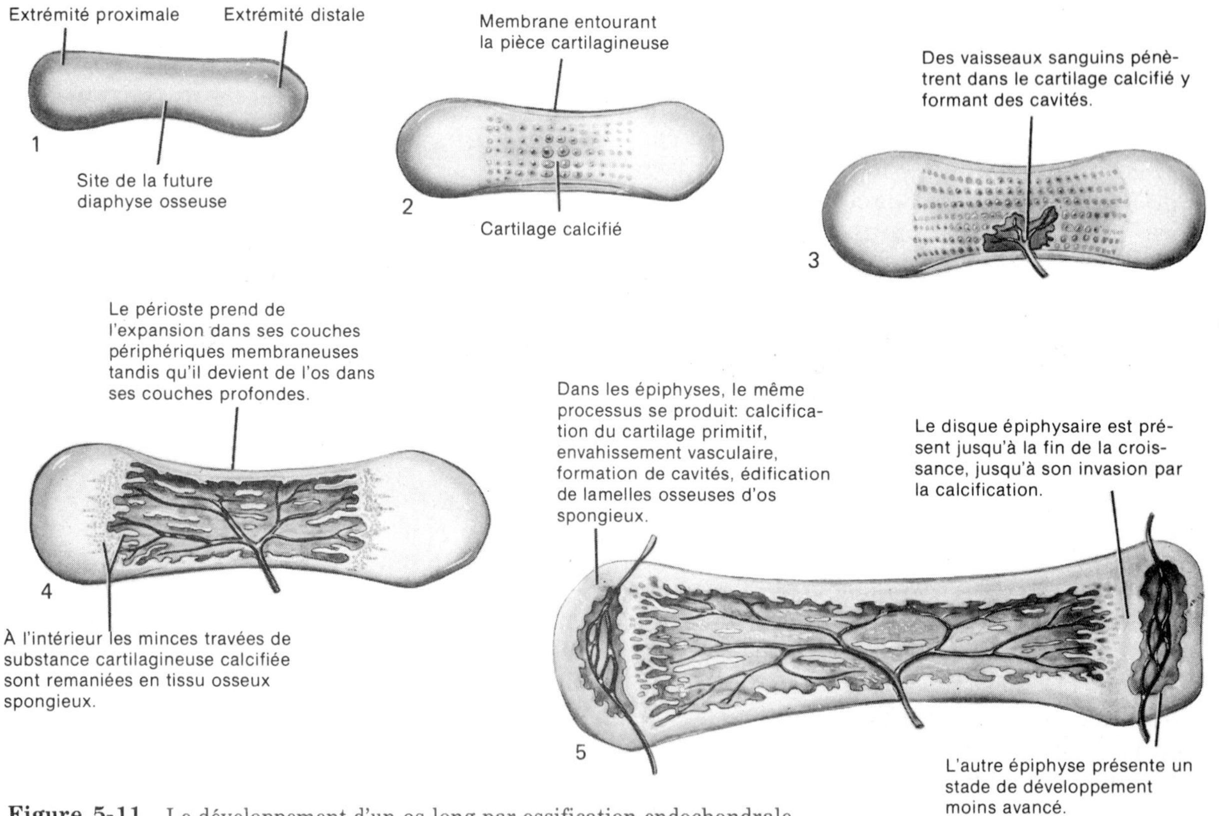

Figure 5-11 Le développement d'un os long par ossification endochondrale.

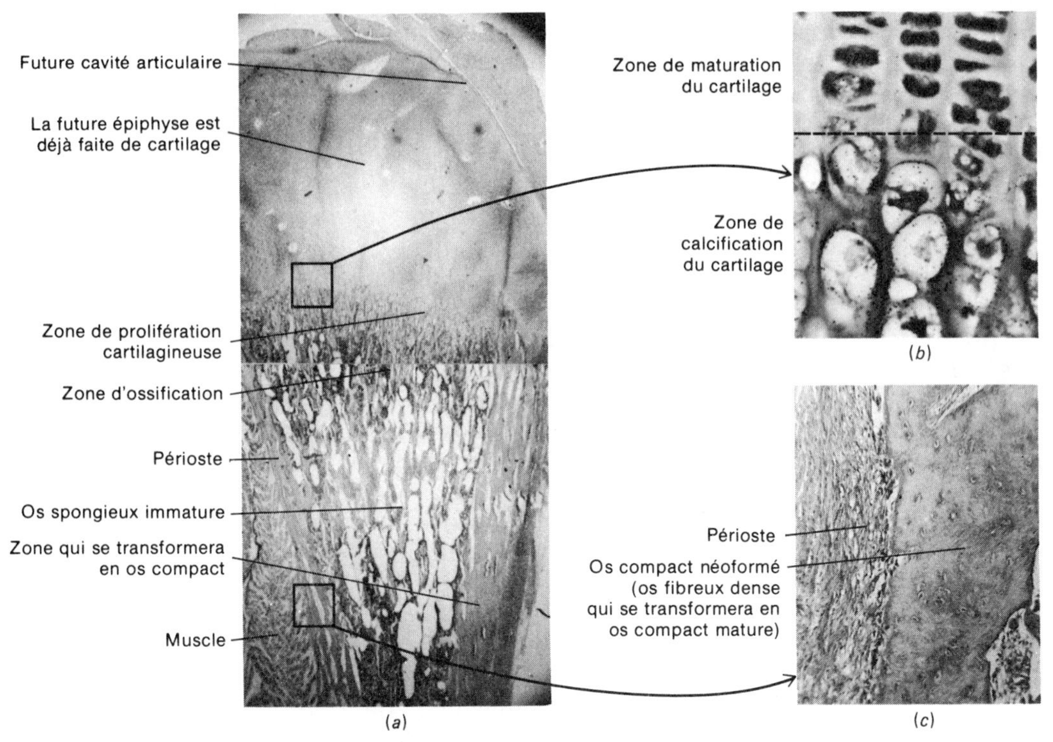

Figure 5-12 Le développement et la croissance d'un os long. (*a*) Photomicrographies juxtaposées représentant un os long embryonnaire (probablement une phalange d'un doigt) (environ ×40). Remarquer la localisation des photographies à plus fort grossissement. (*b*) Le cartilage épiphysaire se calcifie avant d'être transformé en os. Remarquer aussi les petits points noirs dans la zone de calcification du cartilage; chacun de ces points représente une molécule de vitamine D radioactive dont on a nourri le rat à qui appartenait cet os. La vitamine D est révélée par les émissions radioactives qui s'en dégagent et qui laissent leur empreinte sur l'émulsion photographique recouvrant la coupe histologique; les taches sont situées là où le calcium s'est déposé (technique d'autoradiographie) (×200). (*Dr Frederick H. Wezeman; de Science, vol. 194, pages 1069-1071. Avec la permission de Science. Copyright 1976 par l'AAAS.*) (*c*) Os compact formé à partir du périoste par ossification endoconjonctive (×100). Remarquer l'absence de systèmes haversiens.

points d'ossification (figure 5-10). Les cellules conjonctives englobées dans la zone de calcification deviennent des cellules osseuses, des *ostéoblastes*. Ces derniers déposent des spicules osseux qui s'édifient en travées qui s'accroissent et convergent les unes vers les autres mais sans se toucher. Ceci permet par exemple à la tête du bébé de demeurer plastique afin de pouvoir traverser un canal étroit à la naissance. De plus, l'ossification incomplète des os du crâne confère à la boîte crânienne une grande flexibilité; comme conséquence, la tête d'un nouveau-né est souvent déformée pendant les premiers jours de la vie (plagiocéphalie) mais elle reprend cependant assez vite une forme normale. Il persiste cependant entre les os du crâne un point de réunion commun, un espace appelé *fontanelle*, où l'on peut palper la faible pulsation des artères périphériques du cerveau et qui ne s'ossifiera qu'entre l'âge de 5 à 24 mois.

Le radius est un exemple de la transformation d'un modèle cartilagineux en tissu osseux par ossification endochondrale (figure 5-11). Cette pièce cartilagineuse est entourée d'une membrane conjonctive, le *périchondre*. Celui-ci devient le périoste en se transformant d'abord dans la région de la future diaphyse puis vers les extrémités. Le périoste s'épaissit et se transforme en os dans ses couches profondes par ossification périostique (semblable à l'ossification endoconjonctive) et produit ainsi un tube d'os fibreux dense autour du noyau cartilagineux originel, assurant la croissance en diamètre de l'os. Pendant ce temps le processus d'ossification endochondrale se poursuit. Des sels de calcium se déposent dans le cartilage de la future diaphyse, ce qui provoque sa dégénérescence et permet aux vaisseaux sanguins de l'envahir (figure 5-12*b*). À partir de ces bourgeons conjonctivo-vasculaires, des cellules conjonctives deviendront des ostéoblastes qui formeront de l'os en suivant de près la destruction du cartilage vers les deux extrémités de l'os. Peu après, au niveau des épiphyses proximale et distale, des bourgeons conjonctivo-vasculaires pénètrent dans le cartilage et des foyers, ou points d'ossification, apparaissent et commencent à croître. Ainsi la diaphyse et les deux épiphyses se transforment en tissu osseux et ne sont plus séparées éventuellement que par un disque de cartilage de croissance qui résiste à l'ossification, le disque épiphysaire, qui conserve la capacité de se développer et permet l'élongation des os longs pendant l'enfance et l'adolescence. L'*ossification* des diverses épiphyses se fait à des périodes différentes. Celles des membres s'ossifient pendant l'enfance. Durant l'adolescence, l'ossification atteint les parties cartilagineuses des vertèbres et des côtes (sauf les cartilages costaux permanents), de la clavicule, de la scapula (omoplate) et de la majeure partie du pelvis. Chez le jeune adulte, l'ossification gagne l'épiphyse proximale de l'humérus, de la crête iliaque, et de la commissure des os crâniens sphénoïde et occipital. (Référer au chapitre 7 pour une étude plus complète de ces os.) Les longues sutures entre les os du crâne s'ossifient au début de l'âge adulte. Chez une personne âgée, il peut être difficile de les localiser. Grâce à la connaissance de ce processus de fermeture des sutures, un expert peut déterminer l'âge approximatif d'un squelette immature.

La croissance osseuse et les cellules de l'os

Le squelette est une structure vivante recevant en tout temps environ 10 pour 100 du débit sanguin total. Il se remanie, se transforme et s'adapte continuellement. C'est facile à comprendre puisque s'il était formé d'une substance inerte comme l'acier, sa forme serait immuable et il ne pourrait s'adapter aux demandes changeantes et variées de l'organisme. Que lui arriverait-il s'il était blessé ou brisé? Le squelette humain n'est pas constitué de pièces démontables et jetables; on ne peut s'en débarrasser comme le font les crustacés (homard, langouste) lorsqu'ils changent leur vieux squelette, devenu trop petit, pour un neuf. Il doit donc pouvoir s'adapter et se réparer par lui-même.

L'accroissement en diamètre des os dépend de l'activité du périoste, plus précisément de la formation progressive de lamelles osseuses concentriques se développant dans la partie interne du périoste, en même temps que celui-ci se développe vers l'extérieur. Cette ossification se fait grâce aux *ostéoblastes*, les cellules osseuses formatrices d'os. Les ostéoblastes produisent principalement le collagène (figure 5-13); ils produisent aussi une autre catégorie de protéines, des glycoprotéines (associations covalentes de polysaccharides complexes et de protéines), dites substance préosseuse ou osséomucoïde, qui vient enrober les fibrilles de collagène. On ne connaît pas encore précisément le rôle de la substance fondamentale préosseuse, mais on sait que le collagène a au moins deux rôles spécifiques: (1) il forme la charpente (l'armature) de l'os, le rendant résistant et résilient (de sorte qu'il ne puisse casser

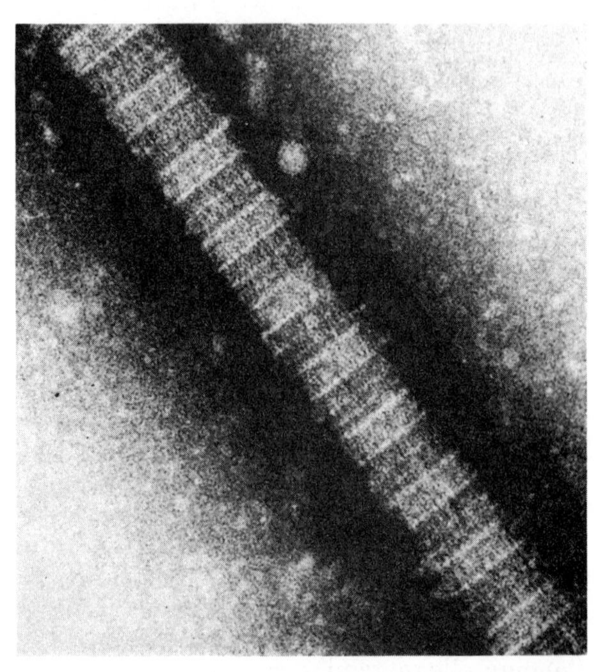

Figure 5-13 Fibrille de collagène (environ ×200 000). (*Dr David Hukins.*)

comme du verre) et (2) il sert de noyau inducteur au processus de cristallisation des sels calcaires de l'os, responsables de sa dureté particulière.

Deux expériences simples démontrent la présence et l'importance du collagène dans l'os. D'abord, prenez un petit os, comme la fourchette d'un poulet, et laissez-le tremper dans du vinaigre ou du jus de citron pendant quelques jours. Les sels calcaires seront dissous, laissant le collagène: vous obtiendrez une pièce qui a gardé sa forme mais perdu sa dureté. L'os sera si souple que vous pourrez y faire un noeud. Dans un deuxième temps, faites cuire un autre os dans un four à haute température jusqu'à calcination complète de la matière organique. L'os deviendra blanc et aura perdu son élasticité. Il sera si friable qu'il se brisera au simple toucher. Par leur sécrétion de collagène, les ostéoblastes assurent la formation automatique d'os; les sels calcaires, sous forme de complexe phospho-calcique (l'*apatite*), cristallisent spontanément au contact des fibres de collagène. Celles-ci sont en quelque sorte les germes de la cristallisation ostéogène. Il est possible, de plus, que les ostéoblastes prennent une part active dans la précipitation des sels d'apatite puisqu'ils contiennent de grandes quantités de *phosphatase alcaline*, une enzyme qui agit sur certains complexes organiques phosphorés et entraîne la libération de phosphate inorganique. Celui-ci réagit avec le calcium pour donner de l'apatite. On peut comparer la substance osseuse finale à du béton armé où les fibres de collagène représentent l'armature et la substance protéino-calcaire représente le ciment.

En microscopie électronique, les fibres de collagène, quelle que soit leur disposition dans un tissu, sont formées d'un grand nombre de fibrilles d'apparence striée (figure 5-13). Chaque fibrille contient trois chaînes polypeptidiques, torsadées en spirale autour d'un axe commun, et retenues par des liaisons covalentes. Comme les fibrilles sont de dimension de beaucoup supérieure à l'ostéoblaste, celui-ci sécrète un précurseur soluble, le *tropocollagène,* qui se polymérise aussitôt libéré dans l'espace intercellulaire et devient du collagène.

Nul ne sait pourquoi, ailleurs dans l'organisme, le collagène n'amorce pas la formation d'os selon le processus ci-haut décrit. Le collagène des tendons et du cartilage, par exemple, ne se calcifie pas normalement (sauf parfois lors de processus pathologiques). Il semblerait que ces tissus contiendraient un inhibiteur de la calcification qui empêcherait le collagène de se transformer en os, en *ostéocollagène.*

Pendant la croissance de l'os, les ostéoblastes sécrètent le collagène et la substance osséomucoïde dont ils s'entourent, s'isolant ainsi dans de petites cavités appelées *lacunes* ou *logettes*, décrites au premier chapitre (figure 1-8). Cette substance fondamentale s'imprègne de sels calcaires mais ne sépare pas complètement les ostéoblastes. Ceux-ci restent en communication par de fins canalicules où passent des prolongements cytoplasmiques qui s'anastomosent. Ces cellules, généralement étoilées, sont alors appelées des *ostéocytes*, les cellules du tissu osseux mature. Leur mort ou leur destruction est toujours suivie par la désagrégation du tissu osseux. La figure 5-14 illustre la formation d'un ostéocyte. Il sera utile de s'y référer lors de la lecture des paragraphes suivants.

Le modelage et le remaniement de l'os

La destruction de l'os n'est pas toujours un processus pathologique. Durant toute la vie, le tissu osseux est le siège de remaniements importants, plus actifs pendant la croissance, mais qui se poursuivent sans interruption. S'il n'y avait pas de remaniements osseux pendant que l'os s'accroît en diamètre et en longueur, il deviendrait vite trop lourd. Pour obvier à cet état de chose, l'addition de nouvelles couches osseuses en périphérie de l'os s'accompagne d'une destruction osseuse à l'intérieur et de l'agrandissement de la cavité médullaire. On rencontre aussi un remaniement du tissu osseux qui se manifeste par une réorientation du collagène et des cristaux d'apatite, résultat direct des forces mécaniques qui s'exercent sur l'os. C'est une adaptation de l'architecture osseuse aux conditions changeantes de son fonctionnement. Mentionnons enfin que la majorité des os doivent être restructurés en tissu osseux haversien afin de remplir adéquatement leurs fonctions de soutien. Ces trois types de remaniements supposent la résorption de tissu osseux par des *ostéoclastes* (figure 5-15*a*), l'ostéoclasie.

Bien que de taille microscopique, les ostéoclastes sont des cellules énormes par rapport

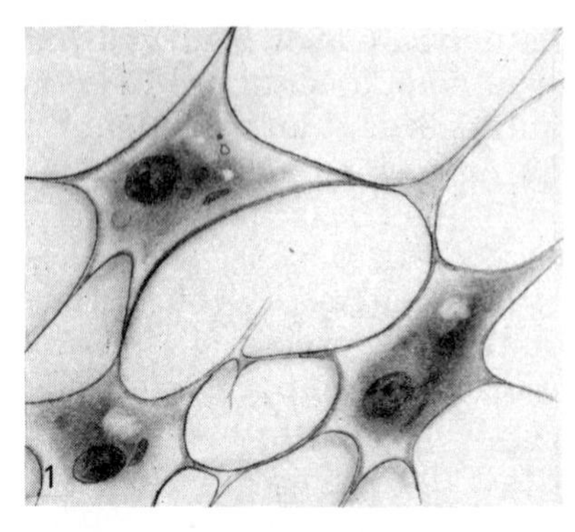

Chez l'embryon le mésenchyme fournit les cellules qui se différencient pour donner les différentes cellules osseuses. Les cellules mésenchymateuses qui deviendront des chondrocytes perdent leurs prolongements alors que celles qui deviendront des cellules osseuses les conservent; elles pourront ainsi rester en communication continuellement.

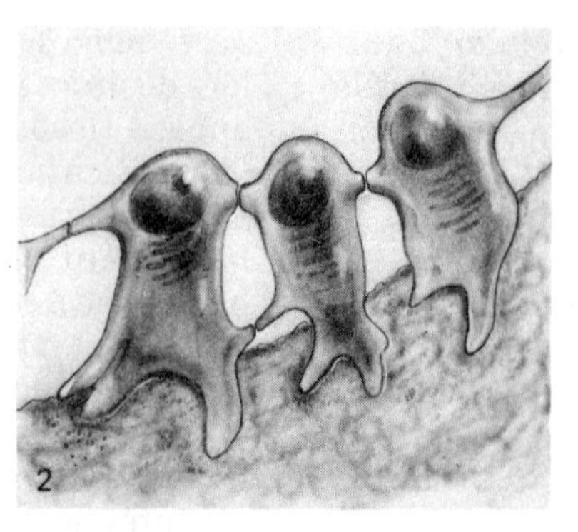

Les cellules osseuses appelées à devenir des ostéoblastes développent dans leur cytoplasme un important appareil de Golgi et un abondant réseau de RE granulaire. Les ostéoblastes sécrètent alors autour d'eux la substance fondamentale organique composée de fibres de collagène de charpente et de substance préosseuse (osséomucoïde).

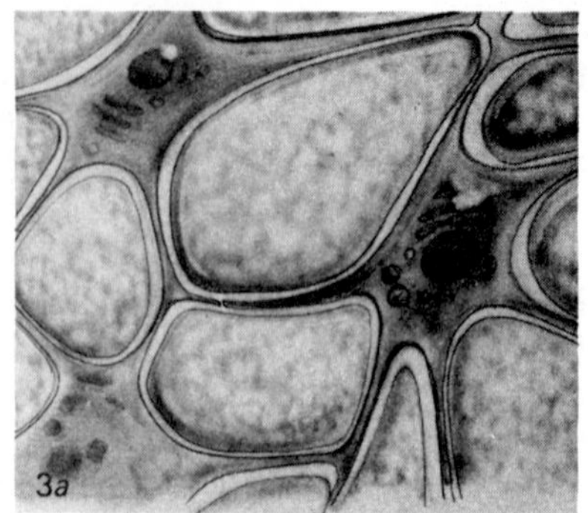

À mesure qu'il y a cristallisation de sels minéraux (apatite) dans la matrice, les ostéoblastes se retrouvent de plus en plus isolés les uns des autres dans de petites cavités appelées lacunes ou logettes, tout en restant en communication par leurs prolongements qui passent par un fin réseau de canalicules, voies de diffusion des nutriments. Des lysosomes apparaissent aussi dans le cytoplasme de cellules qu'on appelle maintenant des jeunes ostéocytes.

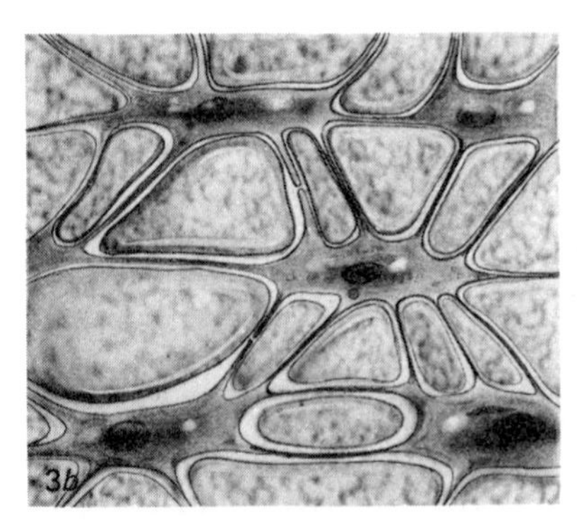

Les ostéocytes peuvent se disposer de différentes façons. Dans l'os immature, leur orientation est plus ou moins due au hasard, comme dans la figure 3*a*. Mais dans l'os mature cortical de type haversien, ils sont disposés entre les lamelles concentriques des ostéons.

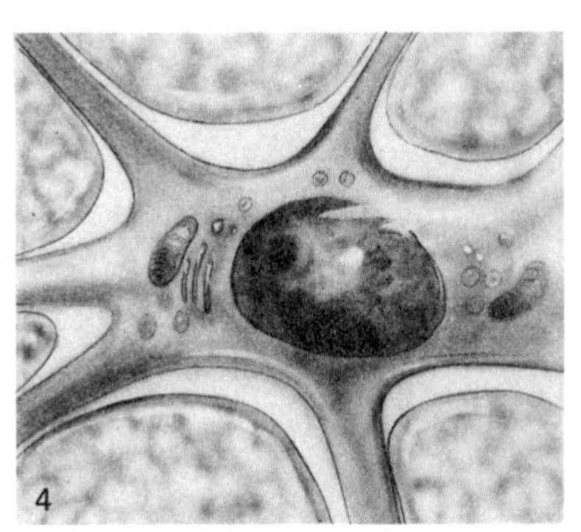

Lorsqu'un jeune ostéocyte devient mature, il perd presque tout son RE granulaire et ne conserve qu'un vestige de son appareil de Golgi. Le cytoplasme se rétracte, découvrant un espace entre la cellule et les parois de la lacune. Le noyau semble relativement plus gros.

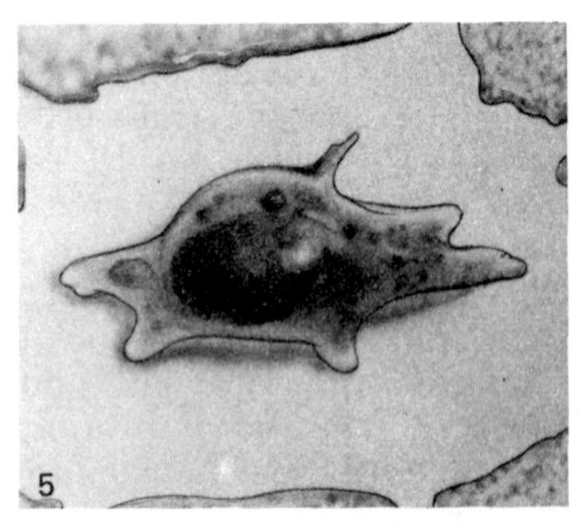

Normalement l'histoire se termine ainsi mais parfois il y a une postface. Elle s'actualise lorsque le taux sanguin de calcium baisse à une valeur inférieure au taux normal. Une hormone stimule alors un certain nombre d'ostéocytes de l'os mature qui libèrent leur contenu lysosomial. Les enzymes protéolytiques relâchées dégradent la matrice collagénique, libérant ainsi des sels de calcium. Le sort de l'ostéocyte dont la lacune s'agrandit s'entoure de mystère. Pourra-t-il redevenir un ostéocyte normal? Deviendra-t-il la proie d'un ostéoclaste? Personne ne le sait.

Figure 5-14 Le développement d'une cellule osseuse.

aux autres cellules de l'organisme. Ils se développent, semble-t-il, grâce à la fusion de plusieurs petites cellules, un ostéoclaste pouvant contenir jusqu'à 300 noyaux. Cellules polymorphes, les ostéoclastes se déplacent par des mouvements amiboïdes et ressemblent aux leucocytes dont ils pourraient fort bien dériver. Par la cinématographie microscopique, on peut suivre leur activité et les voir se glisser çà et là en détruisant l'os, ne laissant que des

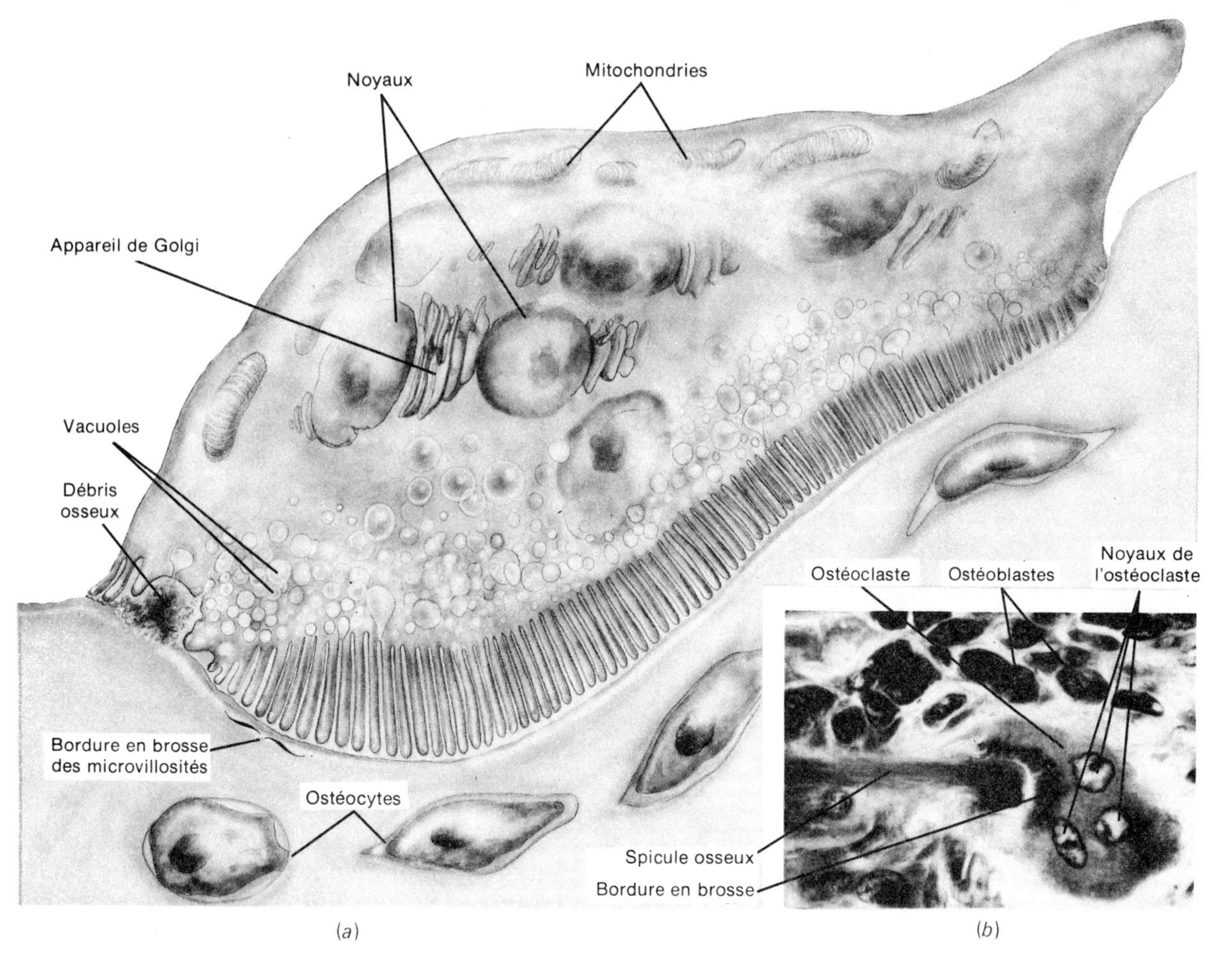

Figure 5-15 (*a*) Dessin d'un ostéoclaste en activité (environ ×10 000). (*b*) Photomicrographie d'un ostéoclaste entourant un spicule osseux et s'apprêtant à le dégrader et à phagocyter les résidus (environ ×800). Pendant ce temps, tout autour, il y a néoformation d'os par les ostéoblastes. (*Dr. N.M. Hancox, avec la permission de Cambridge University Press.*)

ruines dans leur sillage. La figure 5-15*b* illustre cette phagocytose: l'ostéoclaste s'approche d'un spicule osseux, l'entoure et l'enveloppe, puis commence à le digérer en sécrétant des enzymes hydrolytiques. Les fragments de collagène et d'apatite détachés du spicule sont phagocytés entre les microvillosités de la membrane de l'ostéoclaste et dissous dans le liquide intracellulaire.

Les ostéoblastes travaillent souvent de pair avec les ostéoclastes; ils reconstruisent l'os au fur et à mesure et orientent les nouvelles fibres de collagène selon les lignes de force propres aux contraintes mécaniques subies par l'os à ce moment. Celui-ci acquiert donc ainsi une structure interne qui lui confère des propriétés mécaniques comparables à celles du bois. Sans être menuisier, il est facile de comprendre pourquoi le bois est débité dans le sens de la longueur et non dans le sens de la largeur. En effet, une planche taillée à contre-fil offre une faible résistance à la contrainte et casse au moindre effort; au contraire, si elle est taillée dans le sens du fil, elle offre une grande résistance aux contraintes qui s'appliquent parallèlement à l'orientation générale des fibres, soit aux pressions et aux tensions. Les fibres d'un arbre, par exemple, sont disposées verticalement afin de mieux supporter le poids des branches et du feuillage.

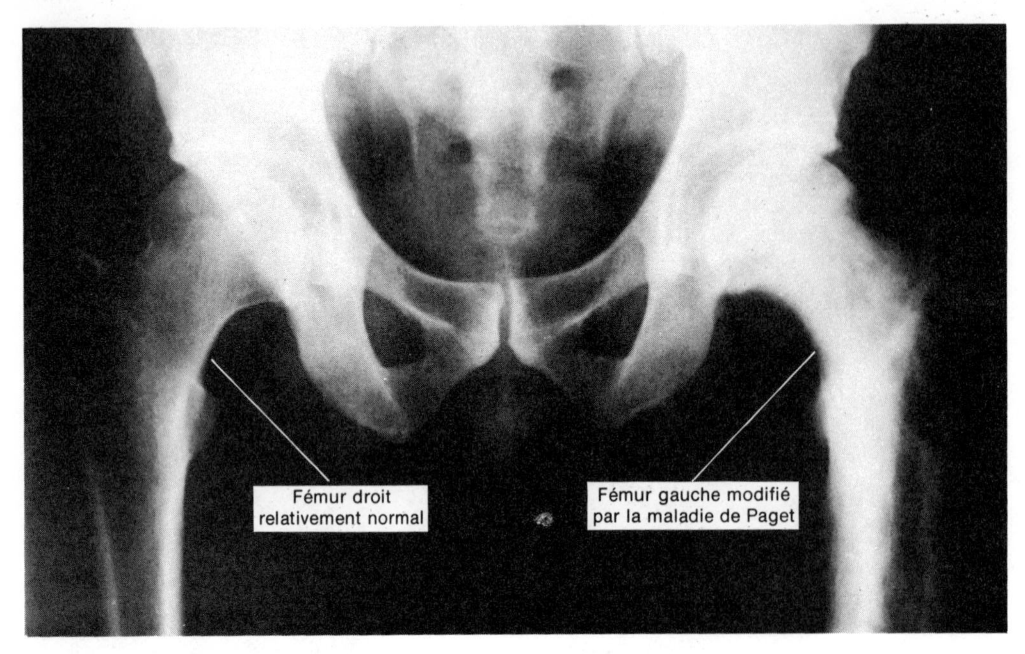

Figure 5-16 Dans la maladie de Paget, l'os mature est remplacé par de l'os immature par résorption ostéoclastique. Cet os est faible et enclin aux fractures spontanées et aux déformations.

L'os immature et l'os mature On peut comprendre comment apparaît la structure orientée d'un os en observant ce qui se passe dans le radius au cours des remaniements constants permettant à cet os de s'adapter à ses fonctions. Le processus d'ossification endochondrale du modèle cartilagineux aboutit à la formation d'un os primitif, grossièrement spongieux, l'*os immature*. Il est constitué de fines lamelles osseuses déposées sur les travées cartilagineuses calcifiées qui restent du cartilage détruit. C'est un tissu osseux dont les lamelles ne sont pas orientées (figure 5-14, 3*a*) et qui se trouve être mal adapté aux conditions de la vie adulte. La *maladie de Paget* (figure 5-16) est une affection d'origine inconnue qui s'exprime par une reconversion du tissu osseux mature d'un squelette adulte en tissu osseux immature. Il en résulte des déformations multiples car l'os résiste peu à la contrainte et se déforme exagérément. Il s'ensuit une grande faiblesse osseuse et une destruction des articulations qui deviennent douloureuses.

Nous savons maintenant que l'os primitif joue un rôle très important: ses travées irrégulières servent d'échafaudage aux lamelles orientées mécaniquement de l'*os mature* qui le remplacera (figure 5-14, 3*b*). On peut se demander à quels impératifs répondent les cellules osseuses pour ainsi remanier le tissu et orienter ses éléments (fibres et travées) selon des lois qui leur sont propres (adapter la structure de l'os à sa fonction de soutien)? On pense que cette adaptation est en grande partie le résultat des contraintes mécaniques exercées sur le squelette par le poids du corps, l'action des forces musculaires, etc., qui y produisent des phénomènes électriques en déformant les cristaux d'apatite (effet piézo-électrique) de la même façon que le cristal de la tête de lecture d'un tourne-disque convertit les vibrations mécaniques de l'aiguille en signaux électriques. Les champs électriques produits par les cristaux d'apatite, en réponse aux déformations, peuvent servir de repères, de lignes directrices selon lesquelles les cellules osseuses orientent les fibres de collagène. Il est possible d'influencer directement le remaniement osseux ou le processus de réparation par l'application contrôlée de champs électriques sur et dans l'os. (Cette technique fait maintenant partie du champ clinique dans le traitement des pseudarthroses ou des retards de cristallisation osseuse.)

L'os primitif ou immature ne tarde pas à disparaître et à être remplacé par une structure composée d'une multitude de colonnettes, les *ostéons (systèmes haversiens)*, formées de tubes osseux emboîtés les uns dans les autres et dans lesquelles les cellules osseuses sont interconnectées (figure 5-17). Ces colonnettes sont unies les unes aux autres par des groupes de lamelles dirigées en tous sens, vestiges du tissu osseux présent avant le remaniement. Les ostéons prennent naissance des vaisseaux sanguins ou de l'endoste qui tapisse les nombreuses cavités de l'os immature. Autour du futur canal haversien, longeant de fins vaisseaux sanguins et des filets nerveux, les ostéoblastes déposent le nouveau tissu osseux compact, sous forme de lamelles concentriques. Des ostéoblastes sont emmurés entre des lamelles et deviennent des ostéocytes, des cellules osseuses matures. Au même moment, en divers endroits, les ostéoclastes creusent et agrandissent les cavités où se développent les nouveaux ostéons. Ceux-ci cessent de croître lorsque le canal haversien est rempli de lamelles concentriques, fermant de plus en plus l'espace de la périphérie vers le centre pour n'y laisser qu'un fin canal central. L'ensemble des ostéons ainsi formés est responsable de l'aspect orienté et lamellaire du nouvel *os cortical mature*. Chaque ostéon est constitué d'un canal central, de lamelles concentriques qui l'entourent, et d'une ligne cimentante périphérique que les anastomoses intercanaliculaires ne traversent pas. Les ostéoblastes ont déposé les fibrilles de collagène dans la substance fondamentale de façon serrée et parallèles entre elles dans une même lamelle; mais elles sont orientées différemment dans deux lamelles successives. C'est un arrangement qui confère à l'os une grande solidité.

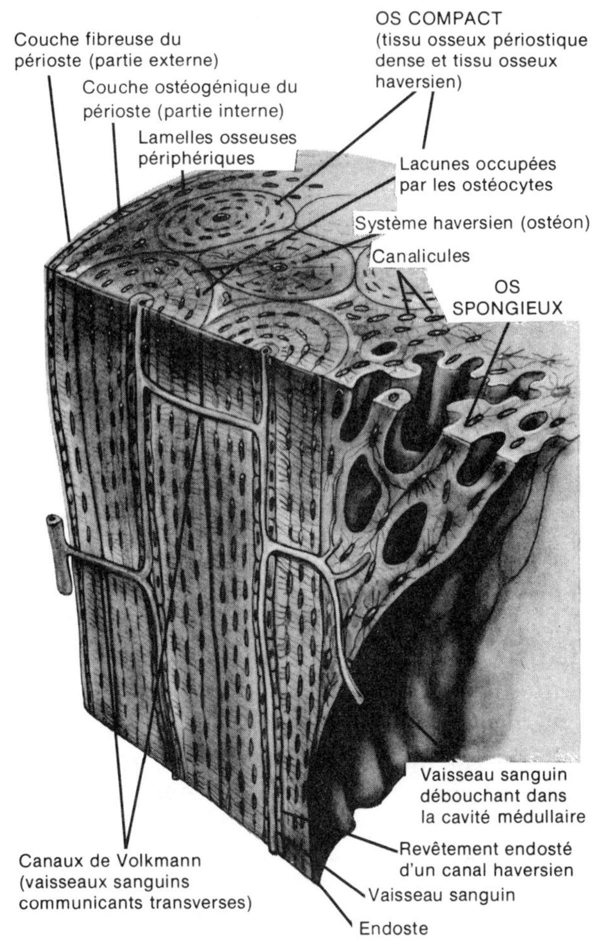

Figure 5-17 Dessin en trois dimensions montrant en coupe transversale et longitudinale les différents composants de l'os cortical mature. (*Tiré de Histology, par Arthur W. Ham, avec la permission de la compagnie J.B. Lippincott.*)

Le tissu osseux cortical, à la périphérie de l'os, se forme suivant le même processus de déposition de lamelles osseuses successives, mais sans former de systèmes haversiens. Toutefois, pendant la croissance en diamètre, cet os périostique sera l'objet d'une destruction et d'une réorganisation, dans la partie profonde, de la même façon que les autres tissus osseux. Ainsi donc l'os immature formant la structure de départ des os est progressivement remplacé par de l'os lamellaire mature, cortical ou spongieux.

La croissance des os s'arrête quelques années (2 à 3) après la maturité sexuelle de l'organisme. Les os de membrane (os plats, os courts et couche superficielle de la diaphyse des os longs) croissent par l'activité du périoste et, tandis que l'os prend de l'expansion en périphérie, sa cavité médullaire se creuse et s'agrandit à peu près au même rythme. Ce processus de compensation permet à l'os de croître sans trop s'alourdir.

L'accroissement en longueur des os longs dépend surtout de l'activité des disques épiphysaires (figure 5-19). Il est utile de se rappeler que les disques épiphysaires sont des disques de cartilage primitif, ayant résisté en quelque

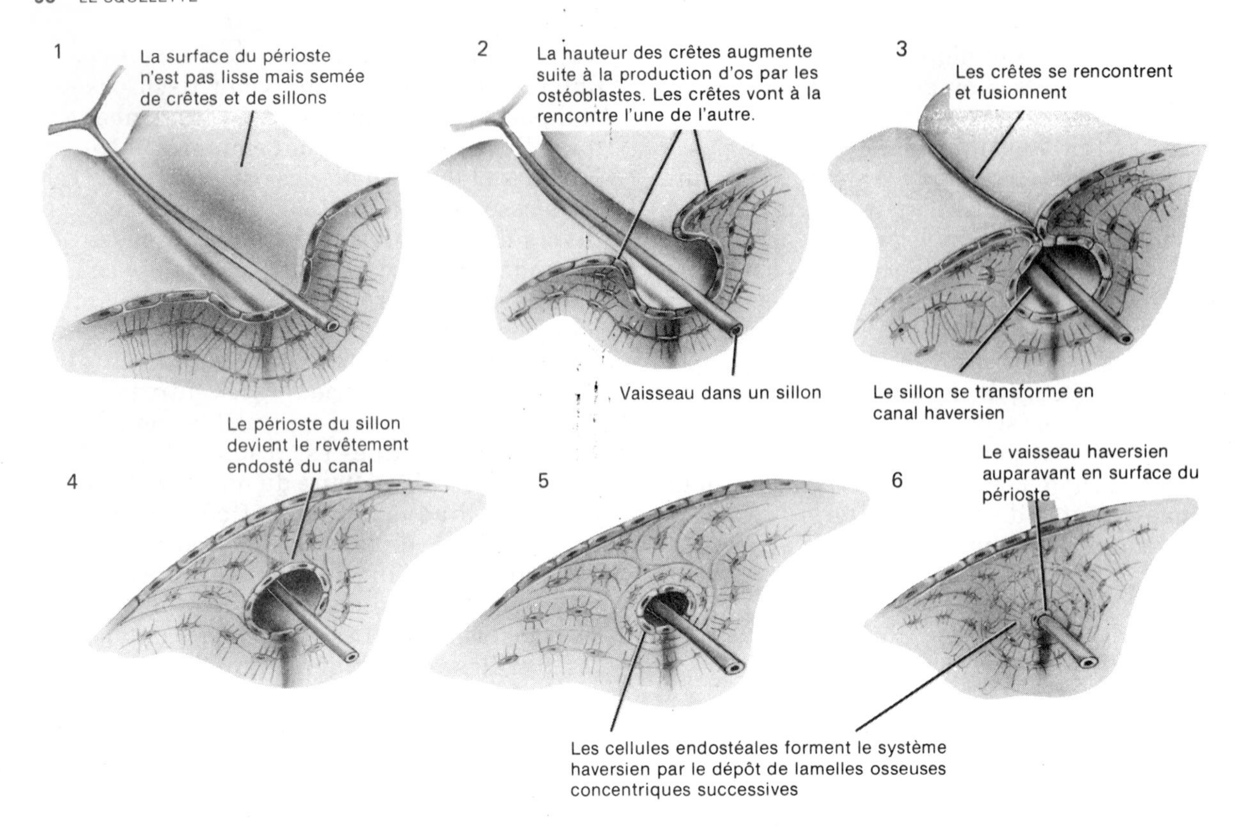

Figure 5-18 Formation de tissu osseux haversien par le périoste (os jeune en croissance). (*Tiré de Histology, par Arthur W. Ham, avec la permission de la compagnie J.B. Lippincott.*)

sorte à l'ossification endochondrale des modèles cartilagineux des os longs. Les cellules de ces disques cartilagineux ont conservé leur potentiel embryonnaire de multiplication et de différenciation. Leur prolifération du côté épiphysaire épaissit[4] le disque de croissance et éloigne l'épiphyse de la diaphyse. Le disque s'élargit très peu puisque les cellules cartilagineuses se divisent selon une orientation longitudinale pour former des colonnes de cellules. Ainsi le cartilage le plus jeune est le plus éloigné de la diaphyse et le plus ancien y est adjacent. Ce cartilage évolue, vieillit et meurt, pour être envahi par des bourgeons conjonctivo-vasculaires issus de la cavité médullaire. Le cartilage est transformé en os immature par le processus d'ossification endochondrale et cet os sera remanié ultérieurement en os mature lamellaire. L'os cesse de s'allonger lorsque s'arrête la multiplication des cellules cartilagineuses et que le disque est envahi par l'ossification.

[4] Normalement la formation de nouvelle substance cartilagineuse du côté épiphysaire se fait à un taux égal à l'ossification du côté diaphysaire, de telle sorte que l'os s'allonge mais le disque épiphysaire conserve la même épaisseur.

Le remaniement modelant des os Les os sont des structures rigides qui ne changent pas seulement de taille mais aussi de forme. Ce qui est aujourd'hui la diaphyse d'un os adulte bien développé a déjà été la *métaphyse* (partie d'un os long immature comprenant la zone de croissance et l'os nouvellement formé) d'un radius d'enfant. La forme a énormément changé pendant la croissance. On peut encore considérer, par exemple, le développement des os du crâne: à mesure que la boîte crânienne prend du volume, les os grossissent mais s'aplatissent en même temps. Ce phénomène implique une destruction et une reconstruction continuelles au niveau des deux surfaces (concave et convexe) de chaque os. De tels changements nécessitent des *remaniements modelants,*

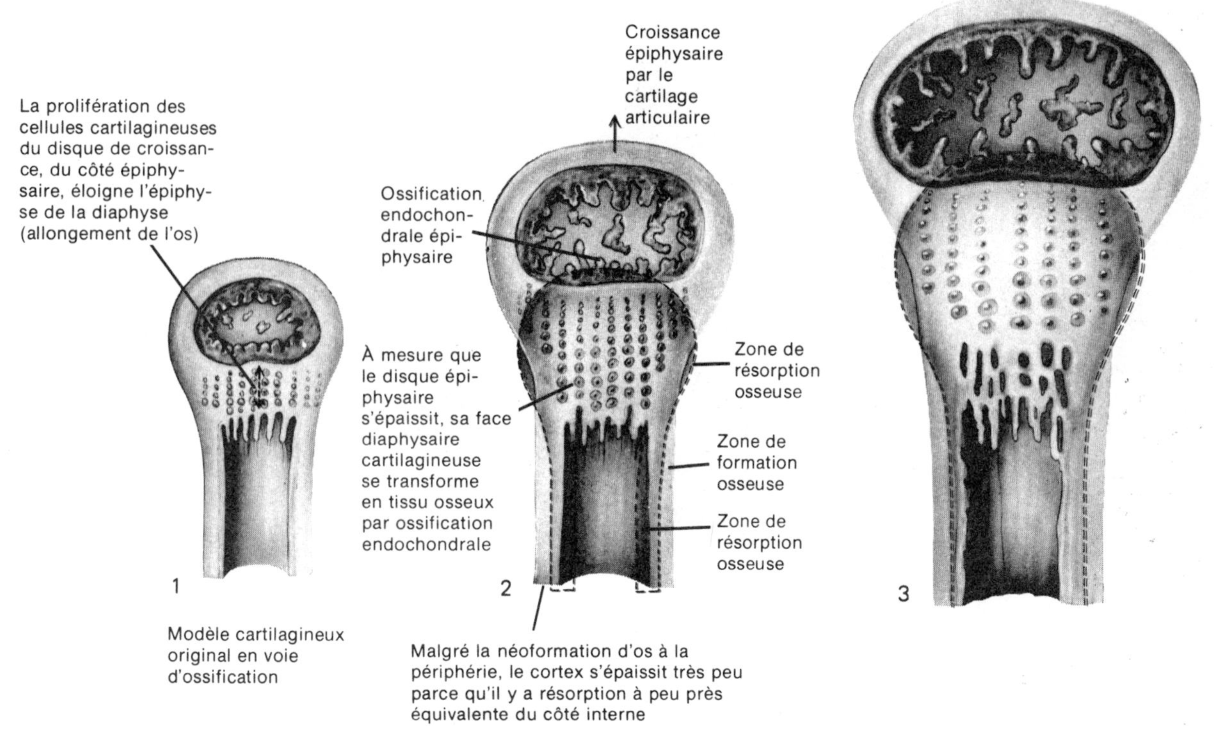

Figure 5-19 Remaniements modelants successifs lors de la croissance d'un os long.

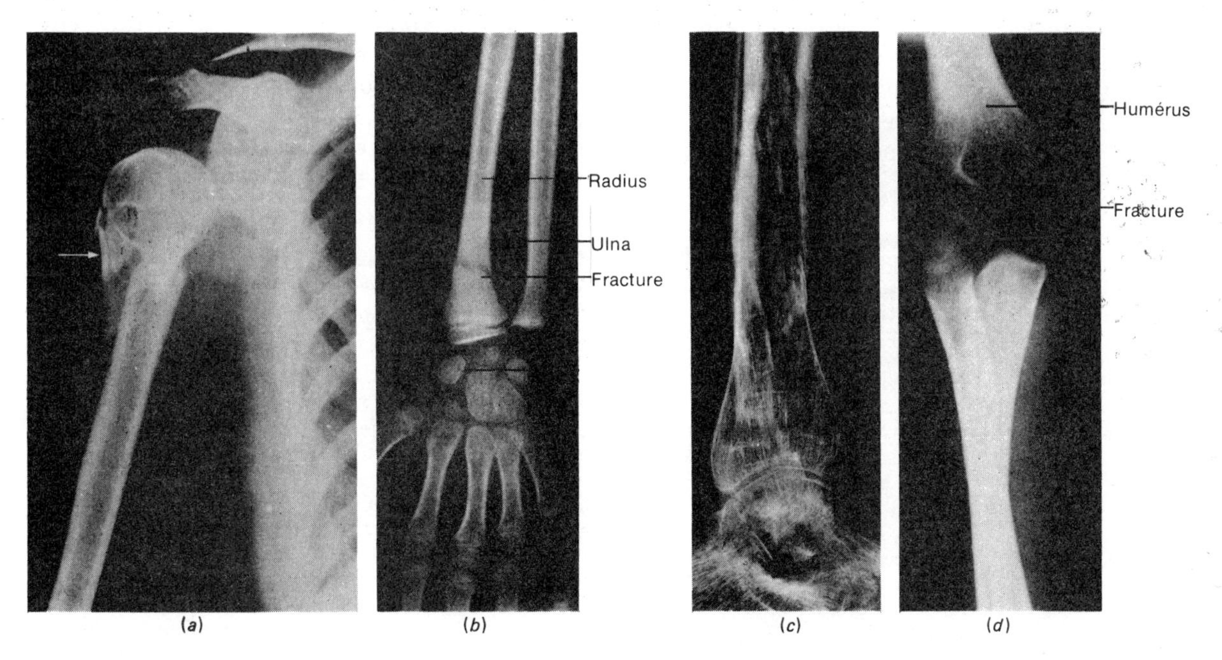

Figure 5-20 Radiographies de quelques fractures typiques. (*a*) Fracture du col chirurgical de l'humérus; la flèche indique la fracture (*Dr. Sarah L. Pappas*). (*b*) Fracture en bois vert du radius (fêlure). (*c*) Fracture spiroïdale du tibia (partie inférieure de la jambe). (*d*) Fracture par avulsion de l'humérus. Dans ce type de fracture, une partie d'un os est arrachée du corps osseux par la tension des tendons et des ligaments qui s'y attachent.

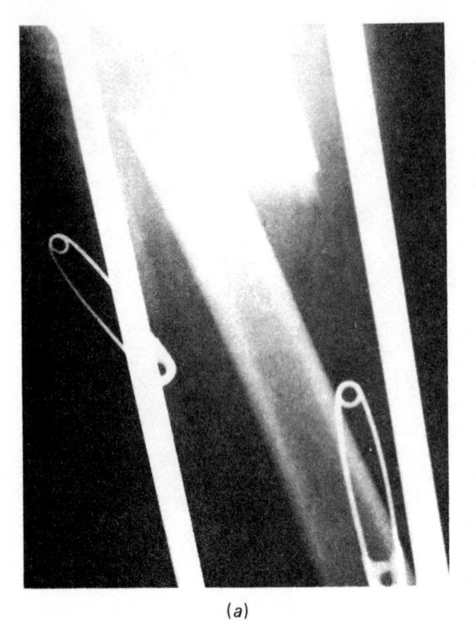

(a)

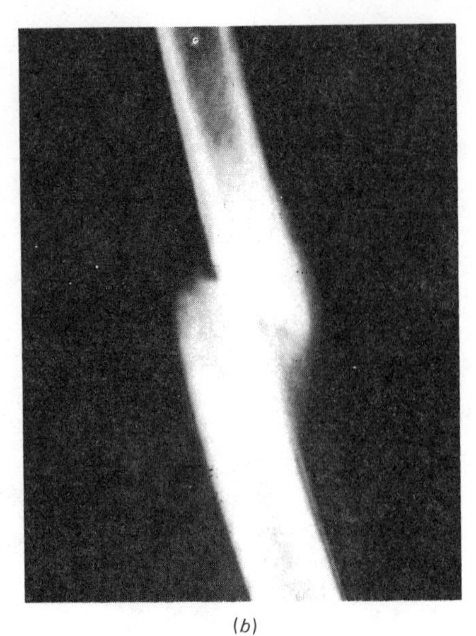

(b)

Figure 5-21 (*a*) Fémur fraîchement fracturé. La radiographie nous montre les tiges et les épingles de sûreté de l'attelle temporaire faite au niveau de la fracture. (*b*) Réparation par formation d'un cal osseux. L'image radiologique montre que la guérison et l'union des extrémités fracturées ne dépendent pas nécessairement de leur alignement bout à bout.

c'est-à-dire la destruction et le remplacement des premiers systèmes haversiens par de nouveaux, mieux adaptés aux exigences du moment. De plus, l'os mature est soumis à des contraintes variables qui dépendent des habitudes et des modes de vie. L'os doit continuellement adapter son architecture à ces nouvelles conditions de telle sorte que l'orientation de ses éléments puisse fournir une résistance maximale aux forces qui s'exercent sur lui. Par exemple, un jeune cadet de l'armée, soumis brusquement à des exercices intensifs de para-

Tableau 5-1 Quelques maladies osseuses

Nom de la maladie	Description	Cause	Traitement
Ostéomyélite	Infection simultanée de l'os et de la moelle osseuse médullaire qui affaiblit et détruit l'os	Bactéries	Antibiothérapie adéquate et souvent drainage chirurgical
Rachitisme	Ramollissement et courbure avec voussure des os longs, diminution de l'absorption intestinale de calcium	Déficience en vitamine D [parfois secondaire à d'autres facteurs comme un adénome (tumeur) des glandes parathyroïdes]	Vitamine D
Maladie de Paget	Remplacement de l'os lamellaire par de l'os immature, avec production secondaire de déformations osseuses	Inconnue: possiblement virale ou reliée au cancer	Aucun connu
Ostéoporose	Affaiblissement du squelette par dissolution des sels minéraux (ostéolyse); activité ostéoclastique (ostéoclasie) excessive	Variable. Probablement hormonale. Il en existe plusieurs sortes.	Peu efficace; remplacement hormonal (chez certains patients)
Ostéosarcome	Cancer primitif de l'os, avec envahissement périosté, plus fréquent chez les jeunes	Inconnue	Peu efficace; amputation chirurgicale associée à la chimiothérapie

de, peut subir des fractures spontanées aux os des pieds à moins que par remaniement, les os se soient adaptés aux nouvelles conditions de fonctionnement. Ainsi l'os haversien mature est remanié toute la vie, à un taux moyen de 10 pour 100 par année, soit un renouvellement complet en une dizaine d'années.

Les fractures et leur guérison Tout le monde sait que parfois les os peuvent se casser (figures 5-20 et 5-21). Normalement il y a guérison si on apporte les soins appropriés, ce qui est encore plus important dans les cas de fracture des os longs. La condition principale pour qu'il y ait guérison est que les extrémités cassées soient le plus proche possible l'une de l'autre. Aussitôt, le périoste produit des ostéoblastes responsables de la formation d'un manchon d'os immature (le *cal*) entourant la cassure et qui se développe à l'intérieur du caillot sanguin péri-fracturaire apparu au moment de l'accident. Le cal remplace progressivement le caillot et joue le rôle d'une attelle biologique, maintenant les extrémités des os fracturés ensemble, l'une contre l'autre, tant que la reconstruction en continuité des systèmes haversiens (l'os cortical) n'est pas complète au niveau de la cassure (figure 5-21*b*). Graduellement le cal est remanié et se transforme en os lamellaire. Quelques mois ou quelques années plus tard, il a presque complètement disparu (principalement chez les enfants) et seul un spécialiste des os pourra encore y déceler les indices d'une ancienne fracture.

Jusqu'à ces dernières années, il avait été impossible d'unir de l'os à des matériaux synthétiques, ce qui rendait un remplacement prothétique difficile. Un nouveau matériau biocompatible ouvre aujourd'hui des perspectives intéressantes dans ce domaine: c'est une céramique poreuse qui permet à l'os nouveau de s'y incruster et d'y croître d'une façon analogue au processus de reconstruction de l'os lui-même. Ainsi les ostéoblastes unissent l'os à ce matériau synthétique un peu de la même façon qu'ils le feraient avec un os naturel.

Les maladies osseuses

Il y a un grand nombre d'affections du tissu osseux, dont les tumeurs, les infections et les troubles de la croissance. Le tableau 5-1 résume les principaux traits de quelques maladies représentatives.

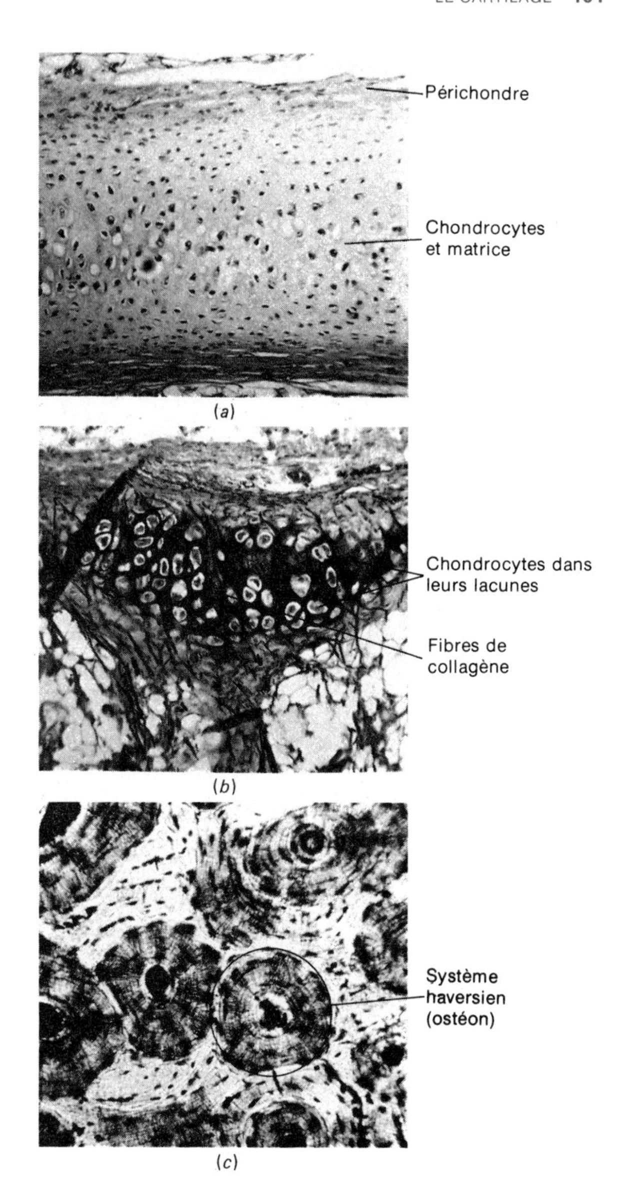

Figure 5-22 Quelques tissus squelettiques: (*a*) cartilage hyalin, (*b*) cartilage fibreux, (*c*) os. (Environ ×150)

LE CARTILAGE

Plusieurs structures de soutien associées au squelette n'ont pas encore été présentées: ce sont les tissus cartilagineux, les tendons et les ligaments. Il existe plusieurs variétés de cartilage tel que mentionné au chapitre 1 (tableau 1-2 et figure 1-8). Chaque pièce ou structure cartilagineuse dans l'organisme est entourée d'un *périchondre*, aux fonctions analogues à celles du périoste, sauf au niveau des surfaces

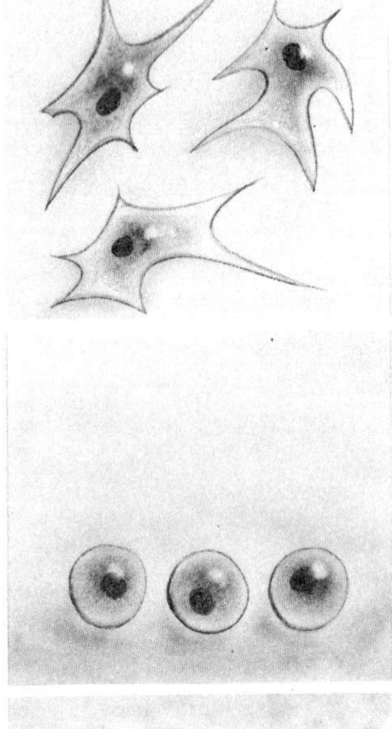

Le cartilage embryonnaire provient de cellules spécifiques du mésenchyme primitif

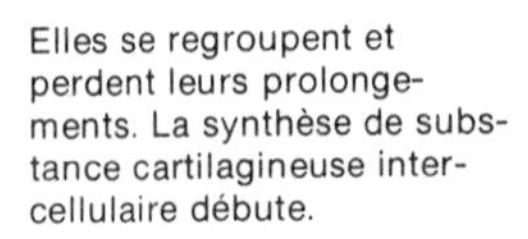

Elles se regroupent et perdent leurs prolongements. La synthèse de substance cartilagineuse intercellulaire débute.

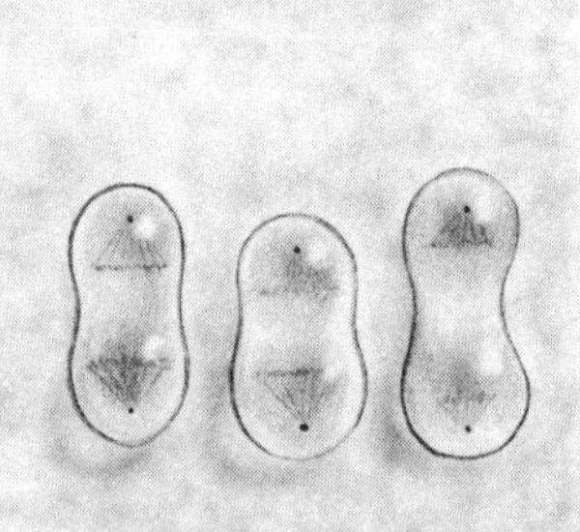

Les cellules commencent à se diviser

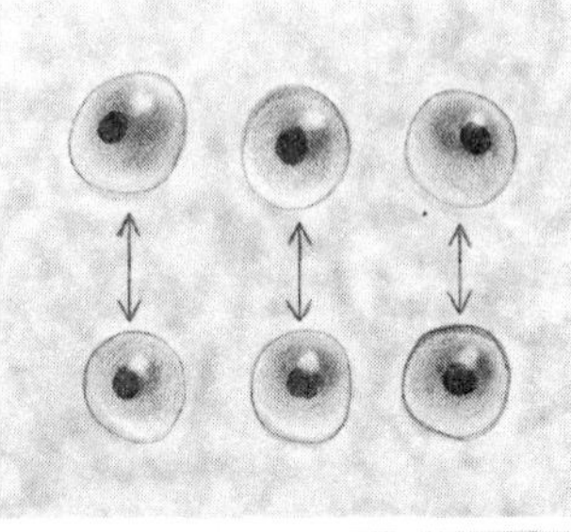

Les cellules nouvellement formées s'éloignent puisque la quantité de substance cartilagineuse intercellulaire qui se dépose augmente. Cette croissance interstitielle accroît la masse cartilagineuse.

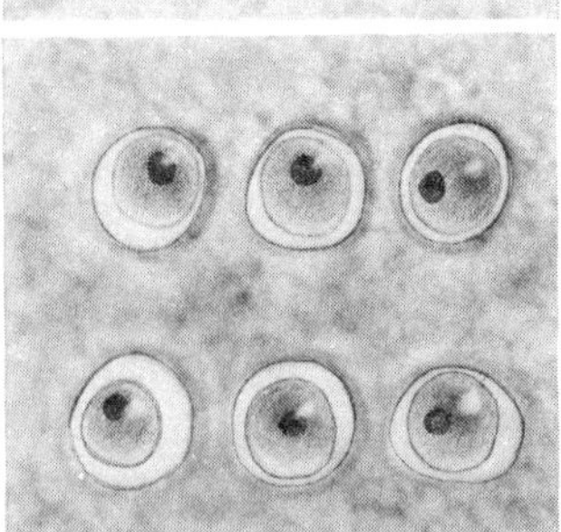

Les chondrocytes matures sont finalement isolés dans leurs lacunes (certaines peuvent contenir deux ou trois cellules). La quantité de collagène dans la matrice est alors maximale.

Figure 5-23 Le développement d'une cellule cartilagineuse.

articulaires. Les cellules cartilagineuses, les *chondrocytes*, sont isolées comme les cellules osseuses dans des lacunes de la substance fondamentale (matrice). Cette dernière n'est pas minéralisée, mais composée principalement de glycoprotéines en gel colloïdal et de mucopolysaccharides[5]; elle contient peu de fibrilles de collagène. Cette substance est perméable aux liquides et aux solutés de sorte que la diffusion y est plus rapide que dans la matrice osseuse. C'est pourquoi les chondrocytes n'ont pas à être interconnectés les uns aux autres et qu'il n'y a pas de canalicules communicants ou de systèmes haversiens dans le cartilage. Les vaisseaux ne pénètrent pas dans le cartilage normal (figure 5-22) qui se nourrit par imbibition. À cause de la plasticité de sa substance fondamentale, le cartilage peut croître par division des chondrocytes présents dans la pièce cartilagineuse elle-même et ces nouvelles cellules peuvent alors sécréter d'autre substance fondamentale. Cette *croissance* est dite *interstitielle* (figure 5-23). La croissance du cartilage peut aussi se faire comme celle de l'os, soit par l'addition de nouvelles couches périphériques par le périchondre (au niveau de la couche profonde interne), c'est-à-dire une *croissance appositionnelle.* Les cartilages du nez, de l'auricule de l'oreille, du processus (appendice) xiphoïde (la portion inférieure du sternum) et les cartilages articulaires et épiphysaires, sont des exemples de régions où il persiste du cartilage après que les autres pièces squelettiques se soient ossifiées.

LES TENDONS ET LES LIGAMENTS

Les tendons transmettent aux os la tension développée par les muscles ou, dans quelques cas, s'associent aux ligaments périarticulaires pour maintenir des os ensemble. Presque tous les muscles volontaires sont attachés directement ou indirectement aux os. Leurs tendons sont souvent si courts que les muscles semblent s'attacher directement à l'os, mais il y a généralement un tendon pour les joindre aux os et aux cartilages. Les *ligaments* ressemblent aux tendons mais n'ont pas d'attache directe sur les muscles. On les retrouve au

[5] Les mucopolysaccharides sont des polysaccharides modifiés chimiquement entre autres par la présence de groupements aminés.

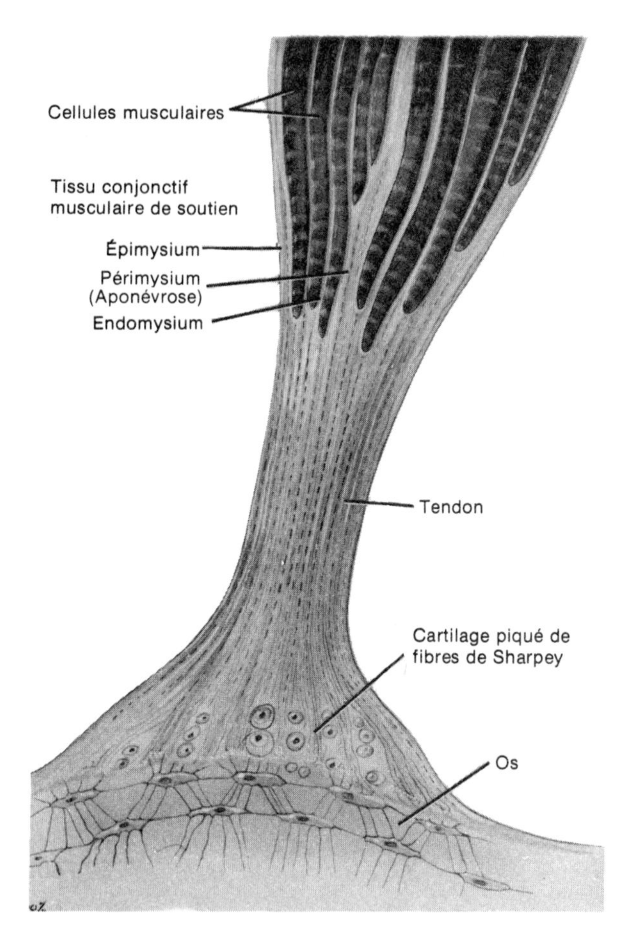

Figure 5-24 Le tendon, un lien entre un muscle et un os. (Le chapitre 6 décrit le réseau de tissu conjonctif des muscles.)

niveau intra ou périarticulaire, pour maintenir les os ensemble ou participer à la fonction articulaire. Les ligaments ont une origine identique à celle des capsules articulaires et peuvent être plus élastiques que les tendons.

Les tendons sont formés de faisceaux conjonctifs parallèles. Grâce à l'abondance des fibrilles de collagène, ils sont si résistants que, sous une forte tension, ils se détachent assez souvent de l'os plutôt que de céder. Les tendons sont formés par l'activité des fibroblastes qui sécrètent des fibrilles de collagène qui, par leur ensemble, constituent un faisceau noyé dans une substance qui les cimente. Quelques tendons possèdent une gaine analogue au périoste ou au périchondre, appelée le *péritendon*. Celui-ci, lorsqu'il est présent, est enveloppé d'un autre manchon, la *bourse (séreuse)*. L'espace entre ces deux gaines est lubrifié par un liquide qui s'apparente à la synovie articulaire et parfois communique avec les cavités articulaires. Si un tendon endommagé ou même sectionné reçoit des soins chirurgicaux appropriés, il se réparera grâce à l'activité des fibroblastes dérivés de sa gaine interne ou du tissu conjonctif voisin. Malheureusement la pauvreté de la vascularisation dans les tendons, les ligaments et les cartilages, rend leur guérison très lente.

L'extrémité d'un tendon s'insère sur l'os grâce aux fibres de Sharpey qui, comme nous l'avons vu, fixent le périoste en place. Elles sont en continuité avec le tendon et sont souvent enfouies dans le cartilage fibreux au point d'insertion (figure 5-24).

Les fibres de Sharpey sont incorporées par les ostéoblastes dans la substance fondamentale osseuse minéralisée au cours de l'ossification endoconjonctive du périoste. Lors de la croissance et du développement de l'os, il doit y avoir migration des points d'ancrage; on comprend encore mal comment cela se fait.

LES ARTICULATIONS

Les différentes pièces du squelette doivent être reliées entre elles pour former le système osseux de support de l'organisme. Mais ces unions doivent permettre le mouvement des parties du squelette. Un organisme doit aussi pouvoir contrôler à volonté la mobilité corporelle. Les articulations permettent les mouvements en même temps qu'elles les orientent et les limitent grâce à leurs conformations spécifiques et grâce à la présence de ligaments ou de muscles particuliers qui s'y attachent. Certaines des articulations, comme celles des os du crâne, ne permettent aucun mouvement; d'autres ne permettent que des mouvements limités, tandis que certaines accordent une grande liberté d'action. Même les articulations de la hanche et de l'épaule, très mobiles, sont construites de telle façon que pendant un mouvement donné, l'action combinée de plusieurs muscles garantit que ce mouvement est bien celui qui doit se réaliser. (On doit prendre garde, en déplaçant une personne inconsciente, de ne pas forcer ces articulations car la relaxation excessive des muscles peut occasionner la luxation accidentelle d'un membre.)

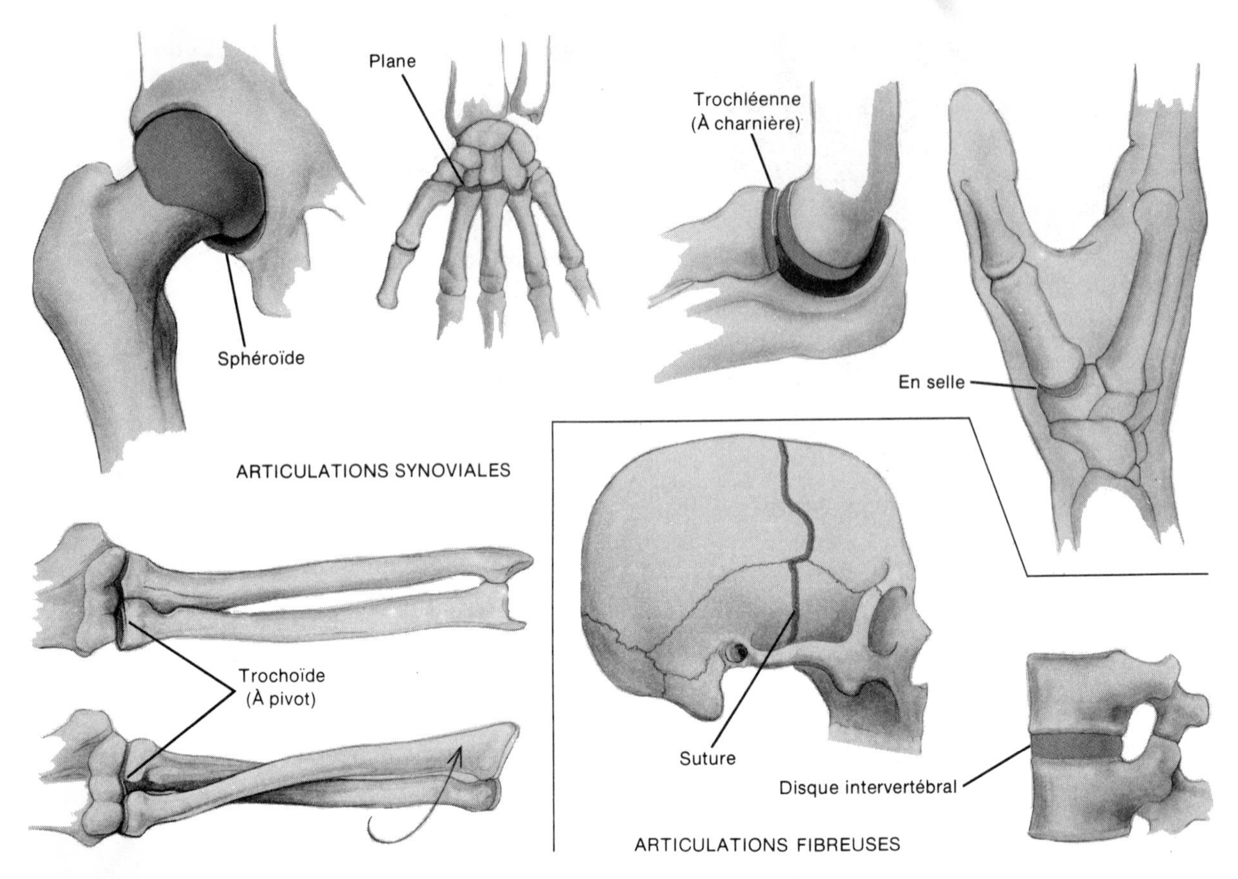

Figure 5-25 Divers types d'articulations. Seules les articulations synoviales possèdent une cavité et une capsule articulaires. Certaines fonctionnent comme une charnière: le mouvement du segment mobile est alors restreint à un seul plan. D'autres, comme les articulations en selle (par emboîtement réciproque), ont une plus grande mobilité.

Divers types d'articulations

On appelle articulation tout dispositif anatomique par lequel deux os sont unis entre eux. Pour la majorité des gens une articulation est nécessairement de type synovial, mais il existe aussi des articulations immobiles, comme les sutures des os du crâne. Ils relient des os qui ne doivent pas bouger afin de former une structure rigide. On retrouve à la figure 5-25 plusieurs exemples d'articulations immobiles et mobiles.

Les synarthroses Les *synarthroses* sont des *articulations fibreuses* peu ou pas mobiles unissant entre eux, par exemple, les os de la cage thoracique, ceux du crâne, et ceux du pelvis. On y trouve des *syndesmoses*, unies par du tissu conjonctif fibreux, des *synostoses* où il y a union osseuse ou soudure des os par du tissu osseux, des *synchondroses* où les os sont unis par du cartilage hyalin, et des *symphyses*, les synarthroses les plus mobiles, réunies par du cartilage fibreux.

Lors du développement de la voûte crânienne et de la face, les os de membrane sont d'abord unis par du tissu conjonctif; leurs articulations sont des syndesmoses. Plus tard, ils deviennent unis par des *sutures* aux dentelures compliquées, articulations spécialisées contenant peu de tissu conjonctif et dont les bords ressemblent aux contours des pièces d'un casse-tête. Chez l'adulte âgé, ces articulations peuvent perdre totalement leur lien conjonctif et former des synostoses par union osseuse. Les articulations immobiles peuvent aussi être unies avec du tissu cartilagineux, comme celles qui relient les côtes au sternum. Généralement constituées de cartilage hyalin,

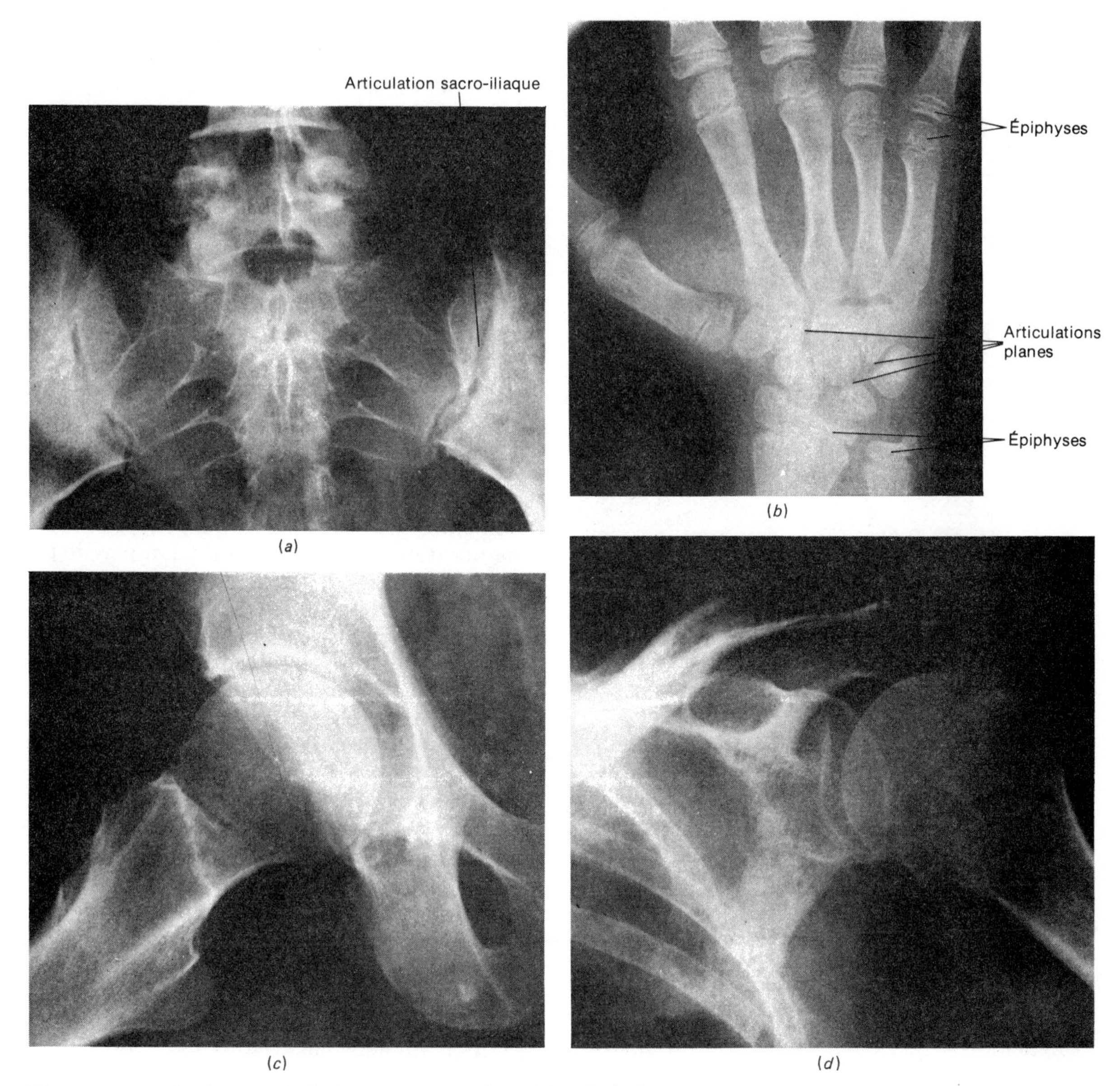

Figure 5-26 Quelques articulations représentatives: (*a*) articulation sacro-iliaque, très serrée et peu mobile, (*b*) articulations planes entre les os du poignet, (*c*) articulation de la hanche (sphéroïde), (*d*) articulation de l'humérus (sphéroïde), l'une des articulations les plus mobiles du corps et aussi la plus lâche. L'articulation de l'épaule est retenue partiellement par le tonus des muscles adjacents.

ces articulations sont flexibles, mais non réellement mobiles. La *symphyse pubienne* est formée de cartilage fibreux et sa flexibilité lui permet d'être étirée lors de l'accouchement, au moment du passage de la tête du bébé.

Les diarthroses Les articulations mobiles, au contraire des articulations fibreuses, possèdent des cavités: on les nomme *diathroses* ou *articulations synoviales*. Elles constituent la majorité des articulations de l'organisme humain et on en reconnaît cinq types principaux décrits à la figure 5-25: ce sont les articulations trochléenne, trochoïde, en selle, plane et sphéroïde. La figure 5-26 illustre des radiographies de quelques articulations synoviales. Les surfaces arti-

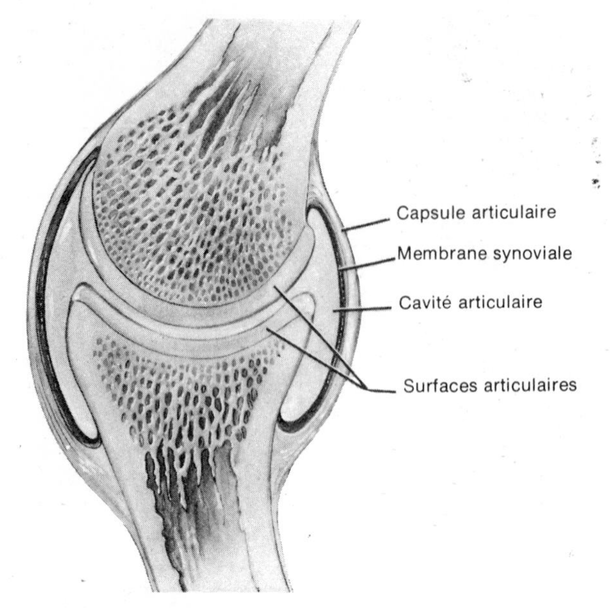

Figure 5-27 Coupe longitudinale d'une articulation synoviale.

culaires, dans une diarthrose, sont recouvertes d'un cartilage hyalin dénué de nerfs et de vaisseaux sanguins (figure 5-27) et libre de toute membrane superficielle. Les deux surfaces articulaires cartilagineuses sont séparées seulement par une mince pellicule de liquide lubrifiant, la *synovie* ou *liquide synovial*, dont la consistance est celle du blanc d'oeuf. Ce liquide visqueux, filant et incolore, doit sa qualité de lubrifiant à sa richesse en substances mucoïdes.

Dans les diarthroses les os sont maintenus en présence par un manchon fibreux, la capsule articulaire, qui s'attache au pourtour des surfaces articulaires, sans les couvrir. La capsule est en continuité avec le périoste. La cavité articulaire, au niveau de la capsule, est tapissée d'une couche séreuse, la membrane synoviale. Celle-ci sécrète la synovie dans la cavité et la réabsorbe afin de la renouveler. La membrane synoviale forme parfois des plis digitiformes de longueur variable, des *villosités*, qui se projettent à l'intérieur de la cavité.

Les affections articulaires

Les deux affections majeures des articulations sont les luxations et les inflammations. Les luxations peuvent causer des dommages à des degrés divers selon le type et l'orientation de la force mécanique en cause. En général, le traitement donne de meilleurs résultats lorsque les ligaments et les muscles périarticulaires sont peu endommagés. Dans les cas plus sévères la réduction peut être suivie d'une immobilisation plâtrée, mais alors les bons résultats sont moins constants. Les épiphyses des os longs sont les supports des articulations synoviales; chez les enfants, elles sont plus fragiles car elles sont encore composées en tout ou en partie de cartilage relativement déformable, leur ossification complète ne se produisant qu'à la fin de la croissance. Ceci les rend donc vulnérables. De plus les ligaments sont encore étirables, ce qui prédispose les articulations aux luxations. Les parents doivent donc prendre garde de ne pas tirer brusquement leurs enfants par le bras, ce qui peut provoquer une luxation de la tête radiale. Un peu de patience ou l'utilisation de méthodes persuasives moins dangereuses peut éviter une visite à l'hôpital.

L'*arthrite* est le nom générique de toutes les affections inflammatoires aiguës ou chroniques qui frappent les articulations. Selon les causes de l'inflammation, l'arthrite est *infectieuse, goutteuse, dégénérative* ou *rhumatoïde* (figure 5-28). L'arthrite infectieuse survient lorsque des microbes envahissent la cavité articulaire à la suite d'une perforation ou encore à partir du sang. Ce type d'arthrite est une urgence médicale, c'est-à-dire que si le traitement ne survient pas dans les heures qui suivent, il en résultera des séquelles permanentes pouvant aller jusqu'à une destruction complète de l'articulation.

L'arthrite goutteuse est une affection métabolique d'étiologie complexe caractérisée par une dyscrasie urique qui provoque une élévation du taux d'acide urique dans le sang. Elle peut aussi être occasionnée par l'emploi de certains médicaments. Il y a dépôt de concrétions sous forme de sels d'urate de soude dans les tissus mous qui forment et entourent les articulations (principalement au gros orteil). Ces concrétions sont des *tophus*. Le traitement de la goutte (le contrôle de l'augmentation de l'uricémie) amènera la disparition des symptômes et des signes de l'arthrite goutteuse.

L'arthrite dégénérative (ostéoarthrite) est incurable. L'incapacité n'apparaît en général que très lentement. Elle semble être la consé-

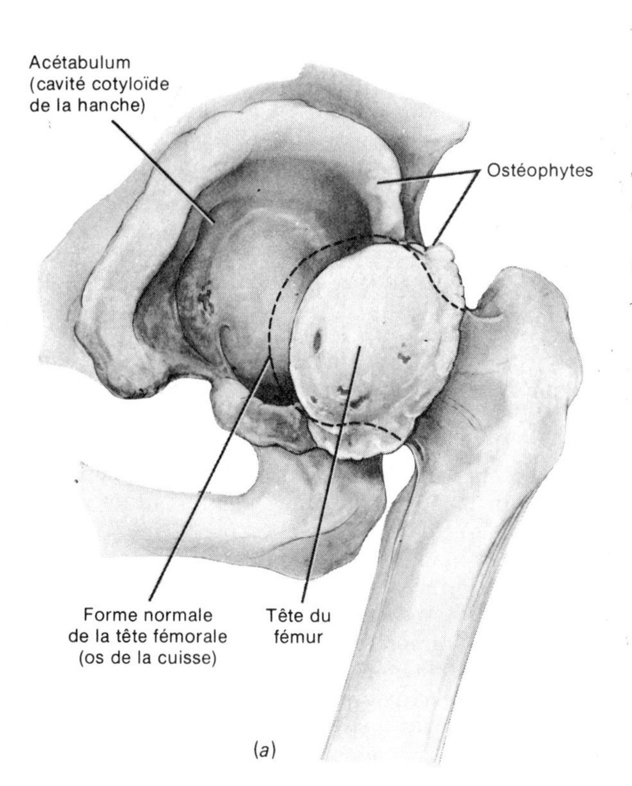

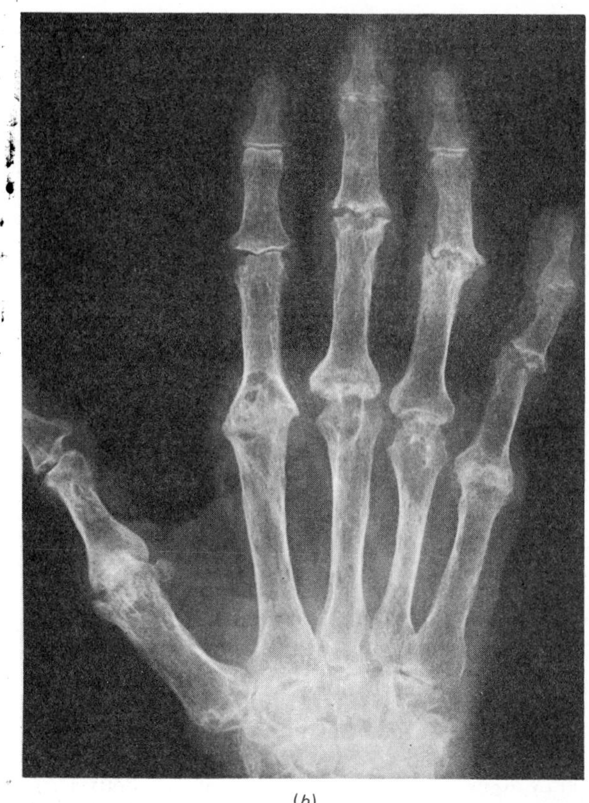

Figure 5-28 (*a*) Ostéoarthrite de la hanche. Les deux surfaces articulaires sont usées à l'os et il se développe souvent des excroissances osseuses (*ostéophytes*) sur le pourtour de l'articulation. (*b*) Arthrite rhumatoïde à la main. Noter la disparition de plusieurs cavités articulaires des doigts et la fusion des os adjacents.

quence normale de l'arthrose (vieillissement), c'est-à-dire d'une usure qui érode progressivement les cartilages articulaires.

L'arthrite rhumatoïde est la plus grave des arthrites et est caractérisée par une inflammation généralisée de plusieurs tissus de l'organisme, particulièrement des tissus articulaires et périarticulaires. D'étiologie inconnue, cette maladie implique probablement un dérèglement du système immunitaire dont la fonction normale est la destruction des organismes pathogènes. Dans l'arthrite rhumatoïde, le système immunitaire semble s'attaquer aux articulations synoviales, spécialement aux plus petites, comme celles des doigts. Les effets de cette maladie se font sentir un peu partout dans l'organisme et peuvent apparaître à n'importe quel âge, sans avertissement, puis disparaître sans raison. Les récurrences sont fréquentes et imprévisibles. On peut habituellement en contrôler les symptômes grâce à l'utilisation de stéroïdes ou d'autres médicaments anti-inflammatoires, quelquefois par la diète, mais aucun traitement ne peut arrêter ou renverser la progression de la maladie. Il est très difficile pour les personnes atteintes de cette maladie d'accepter leur sort, en particulier lorsqu'il s'agit d'une forme ankylosante à progression lente par destruction progressive des cartilages articulaires qui sont peu à peu recouverts de membranes synoviales. Il est déprimant de penser à l'appauvrissement[6], à l'amertume, et aux dépenses d'énergie inutiles de ceux qui s'accrochent à de vains espoirs de rémission, même lointaine. Ce qui complique

[6] La Fondation américaine de l'arthrite estime à 400 millions de dollars les sommes dépensées annuellement par les arthritiques pour des médicaments, traitements, instruments et appareils sans aucune valeur.

le tout, c'est que les rémissions spontanées peuvent être attribuées à tort à quelque drogue de charlatan ou à un guérisseur. L'arthrite rhumatoïde peut apparaître à tout âge, même pendant l'enfance. Les perspectives de guérison sont alors souvent meilleures que si l'attaque se produit à un âge moyen.

RÉSUMÉ

1 Le squelette constitue un système de leviers sur lesquels agissent les muscles. C'est aussi un lieu de stockage du calcium et des phosphates. Il sert enfin à soutenir et à protéger plusieurs structures internes.

2 Les muscles peuvent se contracter; ils sont donc aptes à assurer la locomotion et des fonctions mécaniques internes comme les mouvements du tractus gastro-intestinal. Ils sont disposés par paires ou par groupes opposés qu'on nomme antagonistes et sont reliés entre eux par le squelette sur lequel ils agissent.

3 Un os type est enveloppé d'une membrane périostique, recouvrant une couche d'os compact. La cavité médullaire centrale contient du tissu spongieux et de la moelle osseuse. Les deux extrémités des os longs possèdent généralement des articulations synoviales et l'os lui-même se divise en trois segments: la diaphyse, les métaphyses et les épiphyses.

4 L'os immature n'a pas d'organisation. Il est rapidement remplacé par de l'os lamellaire où la structure cristalline et les éléments de collagène prennent une orientation précise. L'os spongieux et l'os compact sont généralement formés d'os lamellaire.

5 L'os de membrane se développe dans du tissu conjonctif alors que l'os endochondral résulte de l'ossification du cartilage.

6 Les ostéoblastes sécrètent des fibres de collagène qui sont les germes de la minéralisation du tissu osseux. Lorsqu'ils sont emprisonnés dans l'os en formation, ils deviennent des ostéocytes, et ils occupent des lacunes dans l'os mature. Les ostéoclastes sont des cellules polynucléées qui résorbent la structure osseuse, en particulier pour le remaniement modelant.

7 Un ostéon est formé de plusieurs lamelles osseuses concentriques contenant des fibres de collagène orientées différemment d'une lamelle à l'autre. Les ostéocytes se situent principalement dans des lacunes, entre les couches successives, et l'unité entière est centrée sur le canal haversien contenant un vaisseau sanguin. La réunion des ostéons en une structure orientée confère aux os matures une résistance aux contraintes supérieure à celle de l'os immature à fibres enchevêtrées.

8 La fracture d'un os s'accompagne généralement de la formation d'un caillot sanguin. Les ostéoblastes du périoste l'envahissent rapidement, formant un cal d'os immature autour de la fracture. Par le remaniement, les extrémités seront définitivement unies.

9 Les ligaments sont des câbles ou des feuillets de tissu conjonctif fibreux rigide qui unissent des os ensemble au niveau des articulations. Les tendons servent à transmettre les forces musculaires aux os. Un tendon est souvent entouré d'une gaine, ellemême située à l'intérieur d'une deuxième enveloppe.

10 Le cartilage peut être composé de tissu cartilagineux hyalin, fibreux ou élastique. Normalement, il est entouré d'un périchondre et la matrice contient beaucoup plus de substance fondamentale glycoprotéique que de collagène.

11 Les principales affections articulaires sont les luxations fermées ou ouvertes de la cavité articulaire, secondaires à des traumatismes entraînant la perte de la fonction articulaire. Il y a aussi l'arthrite infectieuse, l'ostéoarthrite et l'arthrite rhumatoïde. Ces troubles arthritiques sont tous des inflammations articulaires.

QUESTIONS DE RÉVISION

1 Quels sont les rôles des os? Des muscles? Quelles sont leurs interactions?

2 Comparer la structure d'un os long et d'un os plat.

3 Quelle est la différence entre l'os endochondral et l'os de membrane?

4 Nommer les cellules spécialisées de l'os et énumérer leurs fonctions.

5 Quelle est la différence entre l'os immature et l'os mature? Décrire le processus de remaniement de l'os primitif en os lamellaire.

6 Qu'est-ce qu'un système haversien?

7 Qu'est-ce qu'un cartilage? Quelles sont les catégories de tissu cartilagineux? Comment croît-il? Quels sont ses rôles dans l'organisme?

8 Énumérer les principaux types d'articulations immobiles ou peu mobiles et donner un exemple de chacun.

9 Décrire une articulation synoviale typique.

10 Comment se fait l'accroissement en longueur des os? L'accroissement en diamètre?

11 Qu'est-ce que l'arthrite? Quelles en sont les formes principales?

6 LES MUSCLES

Photomicrographie au microscope électronique d'une fibre musculaire squelettique (environ ×60 000). La ligne noire en bas à droite indique la longueur de 1 μm. GLY, glycogène; MY,; filaments de myosine; ACT, filaments d'actine; M, mitochondrie; ST, système T; TR, triade; A, bande A; I, demi-bande I; H, bande H; Z, strie Z. (*Dr Lyle C. Dearden.*)

OBJECTIFS

L'étude de ce chapitre devrait vous permettre de:

1 Décrire la structure macroscopique et microscopique d'un muscle strié.
2 Décrire la transmission synaptique, la dépolarisation et la libération du calcium, trois étapes du contrôle de la contraction musculaire.
3 Décrire les principaux aspects mécaniques et chimiques de la contraction d'un muscle strié.
4 Énumérer les grandes catégories de maladies musculaires.
5 Décrire la structure et l'action du muscle lisse, en comparaison avec le muscle strié.

La mobilité corporelle repose sur un grand nombre de *muscles*. Chaque muscle volontaire peut être considéré comme un organe en lui-même; en plus du tissu musculaire il possède entre autres du tissu conjonctif, des fibres nerveuses, des récepteurs sensitifs et des vaisseaux sanguins. Les muscles volontaires sont appelés *muscles squelettiques* puisqu'ils sont attachés à des os et permettent habituellement leurs mouvements. Les *muscles viscéraux*, aussi appelés *muscles lisses*, montrent une organisation moins élaborée que les muscles squelettiques. En général, les muscles lisses sont des composants tissulaires d'organes. Ils permettent la mobilité de structures internes ou servent à y maintenir une tension active. Ces muscles sont involontaires et en général leur activité est insensible (sauf lors de situations pathologiques). Les muscles viscéraux assurent, par exemple, la progression des aliments le long du tube digestif, aident à maintenir la pression sanguine, entourent la vessie, contrôlent le degré d'ouverture des voies respiratoires et, à l'accouchement, expulsent le bébé hors de l'utérus. Toutes ces actions sont involontaires. Le *muscle cardiaque* est un type particulier de muscle strié et sera étudié au chapitre 13.

UN MUSCLE TYPE

Le biceps du bras est un muscle squelettique typique. Attaché en deux endroits sur la scapula, le *biceps brachial* est un muscle à double origine ou à deux «têtes» selon sa racine latine; il s'insère sur la tubérosité du radius. Comme il doit son irrigation à une artère unique il est plus vulnérable qu'un autre muscle irrigué par plusieurs artères réparties en divers endroits. L'artère est cependant localisée centralement, au niveau du ventre du muscle, réduisant ainsi les risques d'étirement ou de compression excessifs dus aux mouvements du muscle. La contraction rythmique du biceps brachial peut aider à retracer son point d'insertion sur le radius mais ne permet pas d'en trouver l'origine. On voit cependant que le muscle est fusiforme, avec un renflement au milieu, le *ventre* (la partie charnue).

La dissection du biceps ou de tout autre gros muscle squelettique permet de constater, suite à une coupe transversale au niveau du ventre, qu'il est enveloppé d'une gaine conjonctive, l'*épimysium* (figure 6-1). À travers la masse musculaire se trouve un réseau ramifié de tissu conjonctif lâche, le *périmysium*, divisant le muscle en petits *faisceaux* de cellules musculaires. Ces dernières, souvent appelées fibres musculaires, sont encore séparées les unes des autres par du tissu conjonctif, l'*endomysium*. Les trois enveloppes conjonctives sont en continuité et forment un genre de panier tressé reliant les fibres musculaires entre elles. La contraction du muscle entraîne ce harnais conjonctif qui transmet la force aux tendons insérés sur les os.

Il est évident que le fonctionnement de ce système repose sur la trame conjonctive qui doit être attachée et aux tendons et aux éléments contractiles (les fibres musculaires). Les tendons sont des prolongements de l'épimysium alors que dans le muscle, les fibres de collagène de l'endomysium sont liées à de minuscules fossettes de la membrane plasmique situées aux extrémités des cellules musculaires. Ces fossettes sont, quant à elles, liées aux terminaisons des fibrilles contractiles de la cellule.

LA CELLULE MUSCULAIRE

Les cellules musculaires sont toutes spécialisées pour développer une force susceptible d'engendrer un mouvement. Leurs caractères morphologiques et fonctionnels particuliers apparaissent très tôt au cours du développement embryonnaire. Déjà pendant la première semaine de la vie embryonnaire, plusieurs cellules, localisées dans des amas tissulaires destinés à devenir des muscles, se fusionnent et forment de longues cellules polynucléées. Leurs mouvements prennent la forme de contractions spontanées et surviennent dès qu'apparaissent les bandes transversales ou *stries* (figure 6-2). Lorsqu'elles ont établi leurs relations définitives avec les ramifications nerveuses et le tissu conjonctif, les fibres musculaires cessent de se multiplier. Elles conservent toutefois la capacité d'augmenter de volume au cours du développement de la musculature ou en réponse à l'exercice physique. On constate que le résultat final varie beaucoup d'un individu à un autre, particulièrement à cause du bagage génétique de chacun.

La cellule musculaire contient des structures cylindriques, les *myofibrilles*, elles-mêmes constituées de *myofilaments* (figure 6-3). Ces derniers sont les premiers responsables de la contraction des myofibrilles et, par conséquent, de la cellule musculaire. La membrane plasmique d'une cellule musculaire est le *sarcolemme*. Le liquide qui baigne les myofibrilles, le cytoplasme des cellules moins spéciali-

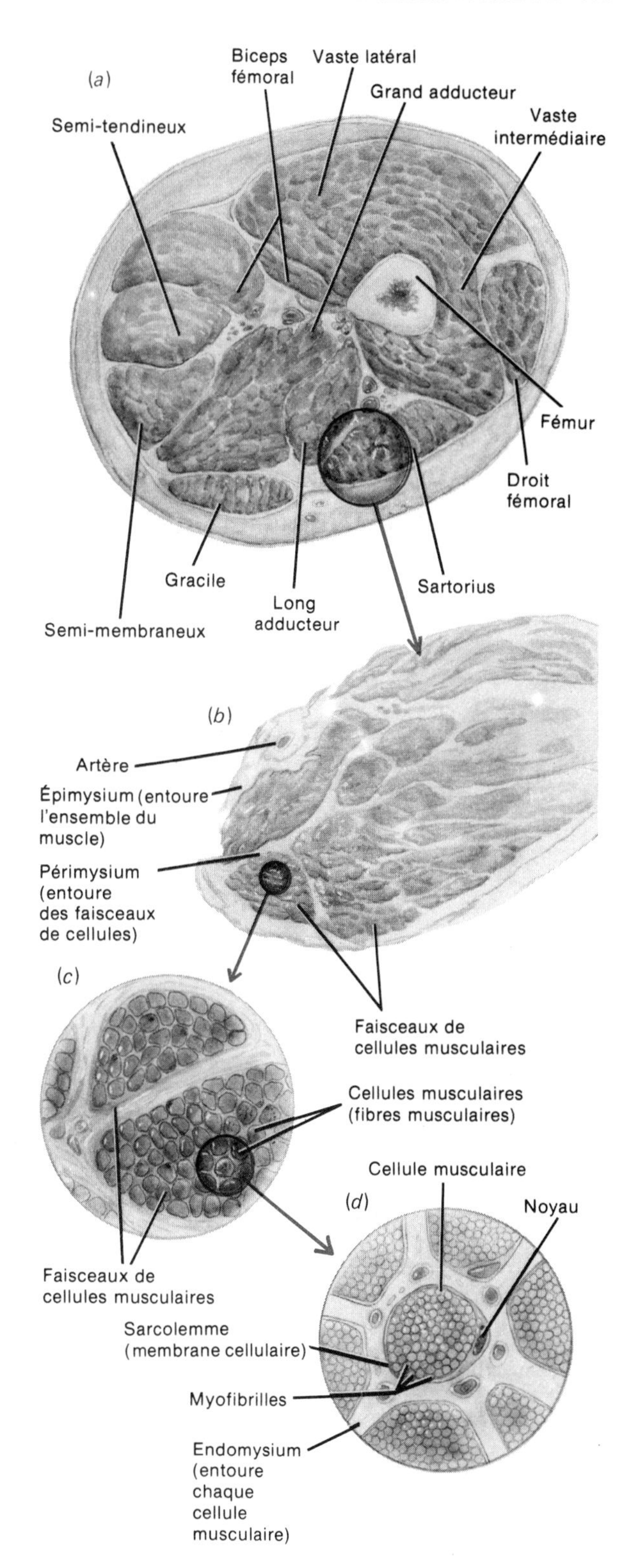

Figure 6-1 (*a*) Coupe de la cuisse. Chacune des structures nommées, à l'exception du fémur, représente un muscle; le fémur est l'os de la cuisse. (Les noms des muscles n'ont pas à être appris ici, ils seront revus au chapitre 7.) (*b*) Agrandissement d'une partie de la coupe montrant un seul muscle. (*c*) Agrandissement d'une partie de (*b*) permettant de voir les cellules musculaires formant des faisceaux. (*d*) Vue microscopique de quelques cellules musculaires.

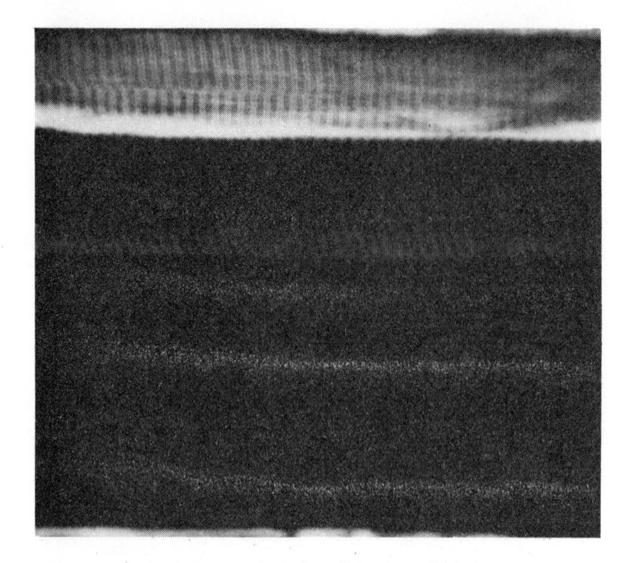

Figure 6-2 Photomicrographie de cellules d'un muscle strié squelettique (×200).

sées, est le *sarcoplasme*; il contient du *réticulum sarcoplasmique* (comparable au réticulum endoplasmique des autres cellules), un système étendu et continu de tubules et de vésicules enveloppant les myofibrilles. On y trouve aussi beaucoup d'enzymes et une multitude de mitochondries *(sarcosomes)*. Les cellules musculaires peuvent être extrêmement longues. Dans le muscle sartorius (couturier), par exemple, certaines fibres s'étendent depuis l'os coxal (iliaque) jusqu'au tibia. Beaucoup de cellules, cependant, sont plus courtes que le muscle hôte; elles sont alors attachées à un tendon par une extrémité et à une cloison conjonctive à l'intérieur du muscle. Sachant que la contraction des éléments musculaires survient à la suite d'une excitation nerveuse et que les fibres musculaires se contractent alors sur toute leur longueur, on doit conclure que celles-ci peuvent

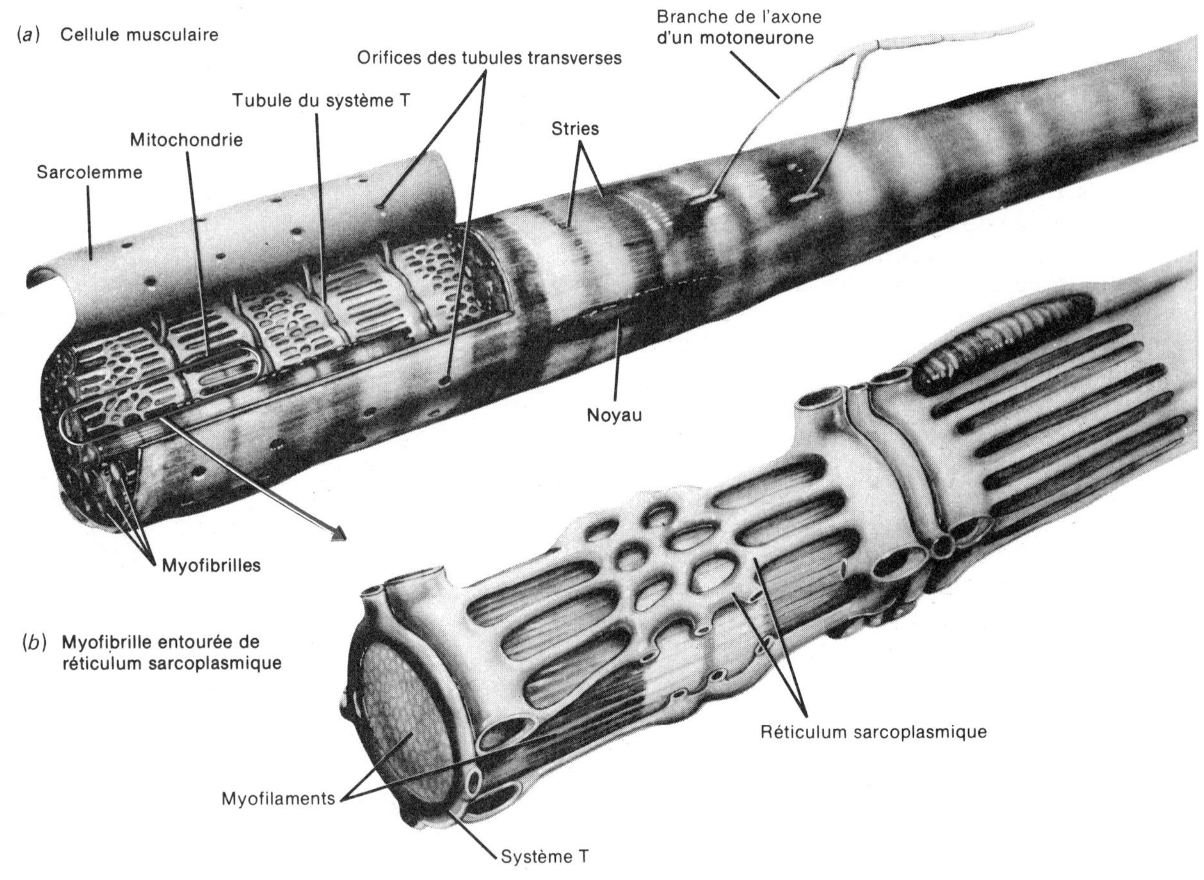

Figure 6-3 (*a*) Structure d'une cellule musculaire. (*b*) Une myofibrille entourée de ses membranes.

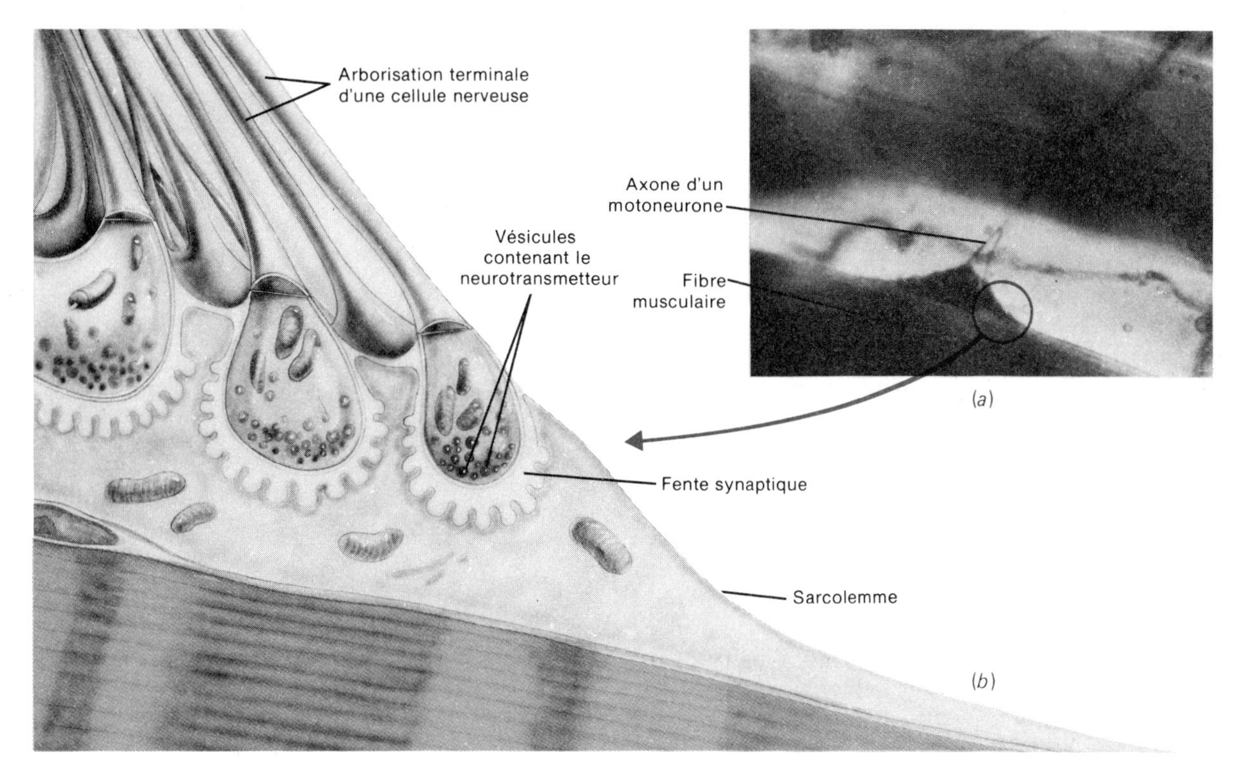

Figure 6-4 (*a*) Photomicrographie d'une plaque motrice et du renflement de la cellule musculaire à ce niveau (environ ×1 800). (*b*) Représentation très agrandie d'une partie de la photographie du haut (environ ×20 000).

conduire l'onde de dépolarisation musculaire mise en branle par cette excitation car, autrement, une cellule musculaire ne pourrait se contracter qu'aux endroits où aboutissent les terminaisons nerveuses.

Le contrôle de la contraction

Que se passerait-il si la contraction des éléments musculaires pouvait survenir spontanément, sans être subordonnée à une activité nerveuse motrice préalable? L'absence de coordination des mouvements rendrait la contraction musculaire inutile, parce qu'inefficace. Toutes les fibres musculaires sont innervées par une terminaison axonique issue de l'arborisation terminale d'un motoneurone (neurone moteur). D'autre part, chaque terminaison axonique d'un motoneurone s'articule à une fibre distincte. L'influx qui atteint le muscle par ce motoneurone provoque la contraction simultanée de toutes les cellules musculaires associées. L'*unité motrice* est l'ensemble fonctionnel constitué par un neurone et les fibres musculaires innervées par son axone. Le nombre de cellules musculaires par unité motrice est variable, de une à plusieurs centaines. Un muscle comme le biceps contient des centaines, voire des milliers d'unités motrices. Comme nous le verrons au chapitre 10, la force développée lors d'une contraction est proportionnelle au nombre d'unités motrices activées en même temps.

La *plaque motrice* ou *jonction neuro-musculaire* est le site où s'établit le contact entre une terminaison nerveuse et une fibre musculaire (figure 6-4). Les cellules des muscles striés peuvent posséder plusieurs plaques motrices distribuées à leur surface. Une fibre musculaire peut donc faire partie de plus d'une unité motrice. La plaque motrice est un emboîtement de microvillosités de la membrane de la cellule nerveuse et de celle de la cellule musculaire. Les deux membranes, cependant, restent séparées par un espace très étroit de l'ordre de 20 nm, la *fente synaptique*.

Lorsqu'un influx atteint les terminaisons axoniques d'une cellule nerveuse, il provoque la libération dans la fente synaptique d'un *transmetteur (médiateur) chimique*, emmagasiné dans de petites vésicules des terminaisons nerveuses. Dans les jonctions neuro-musculaires des muscles volontaires, le transmetteur chimique est l'acétylcholine (Ach). Cette substance diffuse rapidement à travers la fente synaptique vers la membrane sarcoplasmique où elle se lie à des sites récepteurs et induit une dépolarisation transitoire qui se propage tout au long du sarcolemme à la manière d'une onde. Le chapitre 8 expose plus en détail les étapes de ce processus appelé transmission synaptique. L'action de l'acétylcholine doit être temporaire pour que la membrane retrouve son état initial. C'est pourquoi la fente synaptique contient une enzyme, l'acétylcholinestérase, qui hydrolyse le transmetteur aussitôt qu'il a provoqué une dépolarisation membranaire. Ainsi chaque influx nerveux n'induit qu'une seule dépolarisation propagée du sarcolemme.

La dépolarisation doit atteindre les éléments contractiles pour qu'il y ait contraction, ces éléments étant situés à l'intérieur de la cellule. Pour y parvenir, la dépolarisation suit une route tracée lors de la différenciation des cellules musculaires. Pendant leur maturation, de minuscules cavités se forment au niveau de la membrane et s'enfoncent à l'intérieur de la cellule, formant des couloirs ressemblant aux galeries d'une mine. C'est le *système T*, ou système de *tubules transverses* de la figure 6-3. Les parois de ces tubules sont en continuité avec la membrane cellulaire et de même nature qu'elle. Ils plongent à l'intérieur de la cellule et permettent à la dépolarisation de se rendre au voisinage immédiat des éléments contractiles. Les tubules transverses ne sont pas en continuité avec ces derniers mais plutôt intimement associés à des vésicules du réticulum sarcoplasmique (sortes de cavités vacuolaires appelées *sacs latéraux* ou *citernes*) contenant des ions calcium en grande quantité. On sait aujourd'hui que ces ions sont essentiels à la contraction. Lorsque la dépolarisation atteint le voisinage des sacs latéraux, il y a libération de calcium à l'intérieur de la cellule musculaire qui se contracte: immédiatement, le calcium

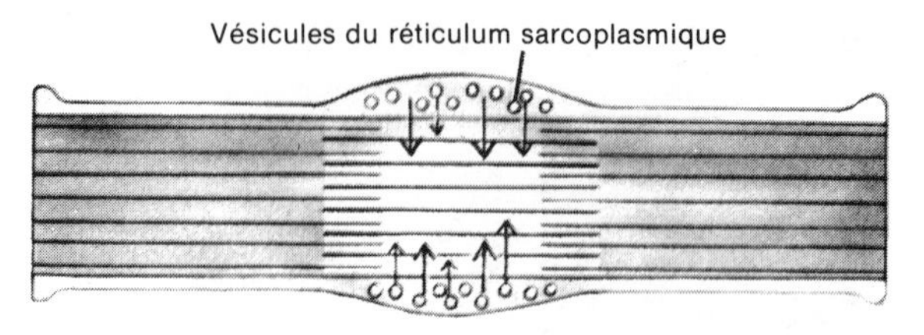

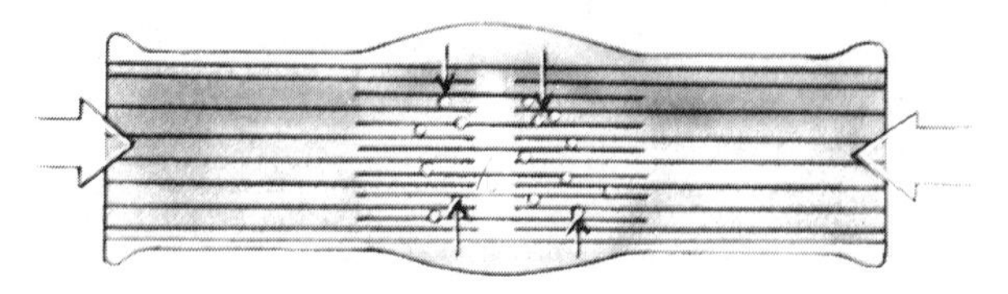

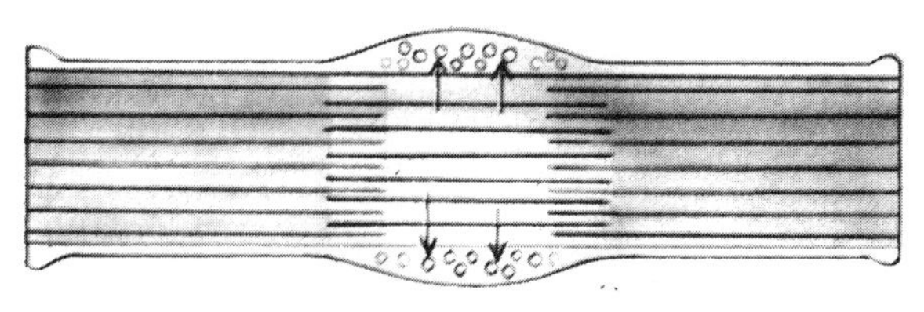

Figure 6-5 Le rôle du calcium dans la contraction des cellules musculaires. La libération du calcium correspond à la contraction; sa réabsorption, à la décontraction.

est réabsorbé à l'intérieur des vésicules par un mécanisme de transport actif et les éléments contractiles, alors relâchés, sont en mesure de se contracter de nouveau (figure 6-5).

Ces mécanismes de contrôle aboutissent à un phénomène de «tout ou rien»: la fibre se contracte ou ne se contracte pas. Une dépolarisation provoque une seule contraction qui dure une fraction de seconde. La loi du «tout ou rien» vaut pour une fibre musculaire et aussi pour une unité motrice mais ne s'applique pas au muscle dans son ensemble: en effet, la force développée par un muscle est variable. Il est possible d'appliquer sur un objet une force qui augmente progressivement. Comment est-ce possible?

Deux mécanismes sont impliqués. (1) Un muscle est formé de plusieurs unités motrices. La tension développée par une contraction dépend du nombre d'unités activées en même temps. Les muscles dont le contrôle doit être très précis comme, par exemple, ceux qui assurent les mouvements des yeux, ont une organisation fonctionnelle différente de ceux dont les mouvements sont plus grossiers, comme les muscles du dos. Dans le premier cas les unités motrices sont nombreuses mais elles possèdent peu de cellules; dans le second, au contraire, les muscles ont moins d'unités motrices mais ces dernières contiennent un plus grand nombre de cellules. (2) Pour produire une contraction soutenue au lieu d'une simple secousse, le nerf doit acheminer une série d'influx en succession rapide à la cellule musculaire. Les secousses individuelles se fusionnent et produisent une contraction *tétanique* qui dure plus longtemps qu'une secousse et développe une tension beaucoup plus grande.

Plusieurs substances interfèrent avec le déroulement normal des diverses étapes de la physiologie de la jonction neuro-musculaire. L'inactivation de la cholinestérase, obtenue par exemple au moyen de pesticides ou de gaz de combat, produit des contractions tétaniques. L'acétylcholine n'est plus détruite et son action perdure: c'est un bloc de dépolarisation. Une autre situation est illustrée par l'emploi du curare, poison utilisé par des peuplades d'Amérique du Sud pour la pêche et la chasse[1]. Il agit en se fixant au niveau des récepteurs membranaires de la cellule musculaire. L'Ach n'est plus en mesure d'induire la dépolarisation de la membrane musculaire et la cellule ne se contracte plus: c'est un bloc de compétition. Lorsque l'état de paralysie flasque atteint les muscles respiratoires, l'animal, immobilisé, meurt par asphyxie. À faible dose, cependant, il est utilisé pour amener une relaxation musculaire qui facilite les interventions chirurgicales. Un dernier exemple concerne l'action de la toxine botulique, substance chimique produite par la bactérie *Clostridium botulinum*, responsable d'intoxications alimentaires. C'est un poison extrêmement violent, l'un des plus toxiques que l'on connaisse. Il agit en bloquant la libération de l'Ach par les terminaisons nerveuses des jonctions neuro-musculaires.

Le mécanisme de la contraction

Les aspects du contrôle de la contraction musculaire décrits jusqu'ici ont fait abstraction de la mécanique contractile et du combustible utilisé. Les éléments contractiles, le «moteur» de la contraction, sont les *myofilaments*. Leur approvisionnement énergétique vient d'une substance chimique, l'ATP (adénosine triphosphate).

Les myofilaments sont de deux types: les *myofilaments épais* et les *myofilaments fins*. Les premiers sont essentiellement formés de la protéine *myosine*, les seconds de la protéine *actine*. Les filaments épais et fins ont une disposition longitudinale dans la cellule musculaire et se chevauchent (figure 6-6). Cet arrangement des filaments est responsable de l'apparence striée des cellules musculaires squelettiques. L'alternance régulière des bandes est due à l'organisation ordonnée des filaments entre deux *stries Z*, lignes de démarcation entre les *sarcomères*, les unités contractiles des muscles. Contenant deux groupes de filaments fins et un groupe de filaments épais, le sarcomère se répète de nombreuses fois le long d'une cellule musculaire. L'activité musculaire dépend de l'excitation des sarcomères. La strie Z, enchevêtrement complexe de fibrilles, attache deux sarcomères successifs.

La contraction musculaire repose sur le chevauchement des filaments épais et fins. Les molécules de myosine sont formées d'une tête globulaire et d'une longue queue. Elles s'associent en longs brins, laissant émerger les têtes latéralement. Les molécules d'actine sont globulaires. Les filaments fins sont formés de deux spirales de molécules d'actine jointes les unes aux autres. La présence d'ATP permet l'attache temporaire des têtes de la myosine aux fils d'actine, formant des *ponts d'union* entre les deux types de filaments. La formation de ces liaisons attire les filaments fins à l'intérieur des filaments épais grâce au mouvement de la tête des molécules de myosine. Répétée plusieurs fois par un grand nombre de têtes, la réaction permet le rapprochement des deux extrémités du sarcomère. Il en est de même dans tous les sarcomères de la cellule, dans toutes les cellules de l'unité motrice excitée, et dans toutes les unités motrices mises en action par la commande nerveuse.

Le métabolisme de la cellule musculaire

Les cellules musculaires consomment du carburant, transforment son énergie potentielle chimique en travail mécanique, et utilisent

[1] Le curare est extrait d'une plante tropicale, *Chondrodendron tomentosum*.

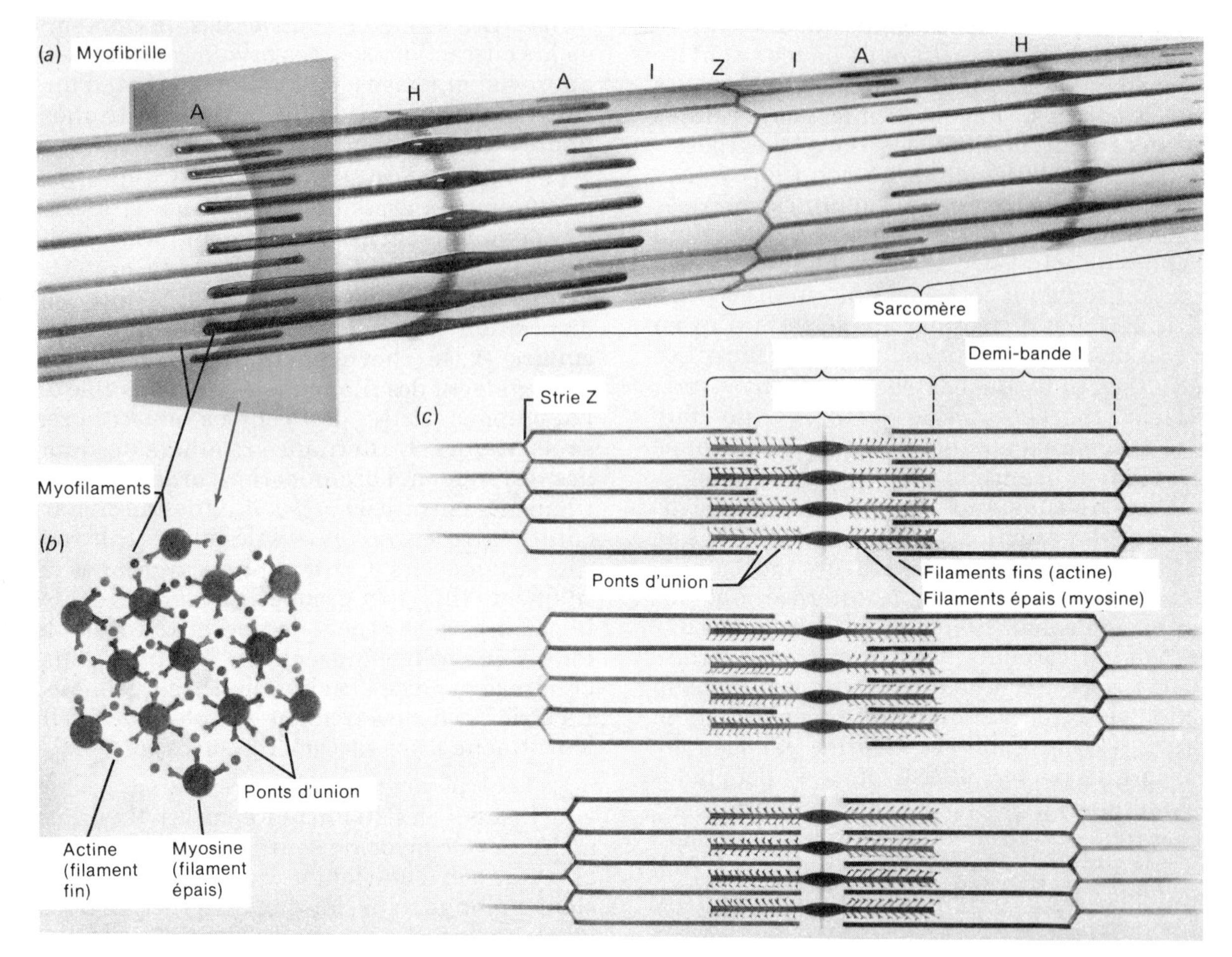

Figure 6-6 (*a*) Représentation d'une myofibrille sans son enveloppe membraneuse. Le sarcomère est l'unité structurale comprise entre deux stries Z. Chaque sarcomère comprend, d'une extrémité à l'autre: une strie Z, une demi-bande I (chaque bande I est divisée en deux par la strie Z), une bande A séparée en deux par une bande plus claire, la bande H, une demi-bande I, une strie Z. (*b*) Coupe transversale de la myofibrille en *a*. (*c*) Pendant la contraction, les filaments fins d'actine glissent entre les filaments épais de myosine et s'enfoncent ainsi dans la bande A. Il en résulte un raccourcissement des sarcomères. Sur la figure du haut, la myofibrille est au repos. Au centre, les filaments d'actine commencent à glisser entre les filaments de myosine. En bas, la contraction est maximale; les sarcomères ont considérablement raccourci.

l'oxygène, la plupart du temps, pour la combustion. Elles produisent de l'eau, du gaz carbonique, de la chaleur et une certaine quantité d'énergie utilisable. Il existe une différence importante entre tous les systèmes mécaniques humains et le muscle; elle réside au niveau des moyens utilisés pour lier la combustion du carburant au mouvement des pièces mobiles. Les fibres musculaires, comme les autres cellules, utilisent l'ATP comme intermédiaire énergétique. Il n'y a pas de mécanique humaine équivalente. L'ATP transfère l'énergie produite par le métabolisme cellulaire à tout processus qui en consomme, telle la contraction musculaire.

L'ATP est une molécule organique (l'adénosine) liée à une chaîne de trois groupements phosphate (figure 12-2). Les deux derniers sont retenus par des liens labiles et énergétiques. L'addition d'un troisième phosphate est aisée et requiert de l'énergie. Cette dernière peut être récupérée lors de l'enlèvement du groupement phosphate.

Les cellules musculaires dépensent souvent, sans préavis, une grande quantité d'énergie qui doit être emmagasinée dans la cellule sous une forme immédiatement utilisable. L'ATP n'est pas une réserve énergétique à long terme. L'énergie est plutôt stockée grâce au transfert du troisième groupement phosphate de l'ATP sur la créatine, un autre composé organique, qui acquiert ainsi la plus grande partie de l'énergie contenue préalablement dans la liaison entre les deux derniers phosphates de l'ATP. Il se forme alors de la *créatine phosphate* (CP). L'ATP devient de l'ADP (adénosine diphosphate) que le métabolisme cellulaire retransforme en ATP lorsque le muscle est au repos ou que l'activité est réduite. En cas d'utilisation plus grande de l'ATP, le surplus d'ADP produit accepte le phosphate de la CP. L'ATP est ainsi formée plus rapidement et l'effort peut se poursuivre plus longtemps. La CP est en quelque sorte une pile énergétique où s'emmagasine temporairement l'énergie de l'ATP.

La plus grande partie de l'énergie produite par un muscle au repos provient de la dégradation des acides gras, l'autre partie de celle du glucose. En action, cependant, les muscles dépendent essentiellement du glucose par des réactions *aérobies*, c'est-à-dire consommatrices d'oxygène. Toutefois, un muscle appelé à fournir un effort important pendant un temps assez prolongé ne peut obtenir du sang assez d'oxygène pour répondre à la demande énergétique par cette seule voie. Il doit donc compléter son approvisionnement énergétique par des réactions *anaérobies*, c'est-à-dire en absence d'oxygène. Ces dernières sont moins efficaces, requérant 18 fois plus de combustible pour produire une quantité équivalente d'ATP. Pour pallier cette inefficacité, les cellules musculaires possèdent d'importantes réserves d'urgence de glucose sous la forme de *glycogène*, un polysaccharide formé d'une longue chaîne de molécules de glucose. Une autre caractéristique de ces réactions anaérobies est la production d'acide lactique comme sous-produit. Un exercice très intense amène donc la transformation du glycogène en acide lactique qui, s'accumulant dans les muscles et dans l'organisme, produit une sensation de fatigue. Le sang véhicule l'acide lactique vers le foie où il est dégradé en présence d'oxygène. C'est pourquoi un coureur, après un cent mètres, est haletant pendant un certain temps, comme s'il avait encouru une *dette d'oxygène* qui doit être remise. Le surplus d'oxygène sert à dégrader une fraction de l'acide lactique produit lors de l'exercice. Ce processus libère l'énergie requise à la reconversion de l'autre fraction de l'acide lactique en glucose (figure 6-7).

La coloration rouge de plusieurs muscles est due à la présence de *myoglobine*, un pigment qui tient de l'oxygène moléculaire à la disposition de la cellule musculaire. Chimiquement proche de l'hémoglobine, on la confond parfois avec cette dernière dans des tests servant à vérifier la présence de sang dans les urines ou les fèces. La myoglobine peut être libérée des cellules musculaires endommagées par des exercices extrêmement violents ou des blessures. En certaines occasions, des troubles rénaux sérieux peuvent résulter d'une trop grande quantité de myoglobine sanguine.

La transformation de l'énergie

Il ne manque plus, maintenant, que l'explication de la théorie concernant la transformation de l'énergie chimique en mouvement mécanique. Le mécanisme est encore hypothétique sous bien des aspects mais il ressemble probablement à la description suivante.

En plus de l'actine, les filaments fins contiennent deux autres protéines: la *tropomyosine* et la *troponine*. Les brins de tropomyosine sont enroulés autour des chaînes d'actine (figure 6-8, 1). Les molécules de troponine, globulaires, sont attachées à intervalles réguliers à la tropomyosine. En présence de calcium, ces complexes troponine-tropomyosine changent de forme, s'encastrant dans les sillons de la double spirale de troponine. La figure 6-8, 2 met en évidence la libération, par ce mouvement, des sites d'attache de la tête de la myosine avec le filament d'actine, ce qui amorce la contraction. L'enlèvement du calcium permet le retour des complexes troponine-tropomyosine à leur position initiale, recouvrant les sites d'attache et provoquant la relaxation musculaire. Il est bon de rappeler que le calcium est libéré par les sacs latéraux du réti-

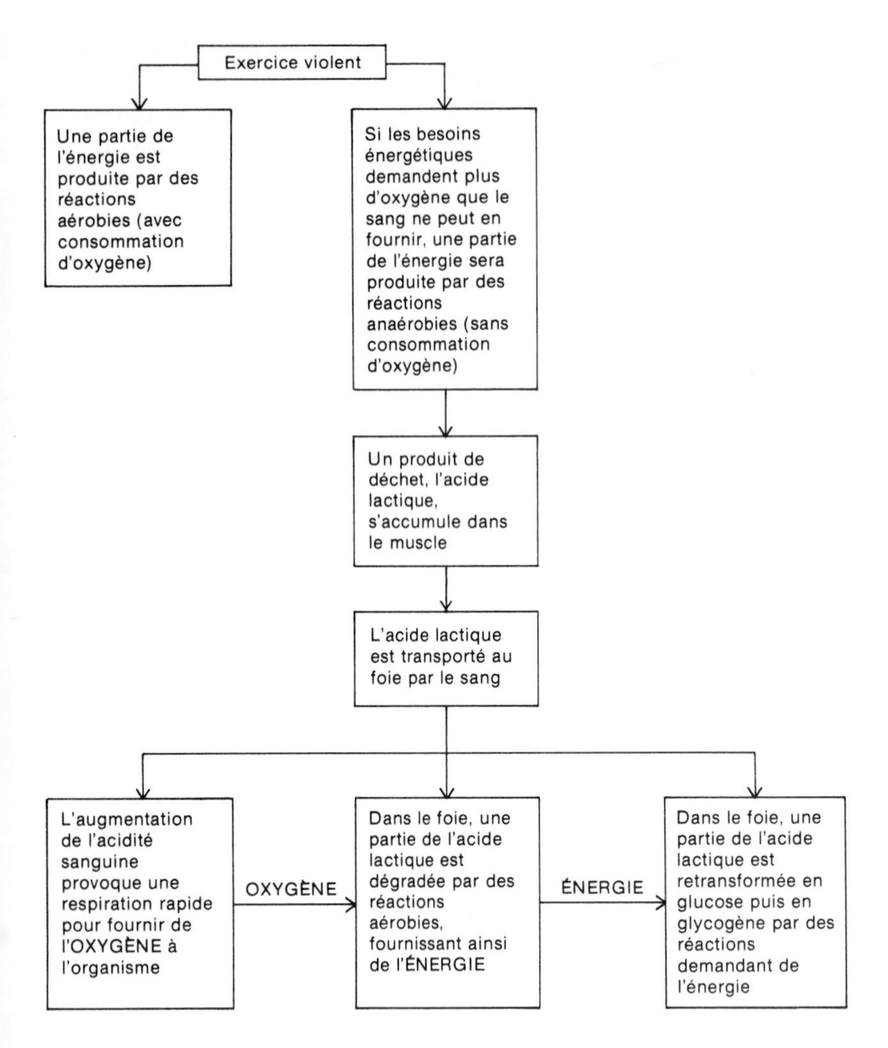

Figure 6-7 Le mécanisme de la dette d'oxygène.

culum sarcoplasmique; il déclenche la contraction et est réabsorbé activement dans ces vésicules lorsque cesse la stimulation.

Avant leur attache aux sites découverts de l'actine, les têtes de la myosine doivent être liées à l'ATP sous la forme d'un composé temporaire, la *myosine-ATP*. Cette liaison de la myosine avec l'ATP permet probablement trois choses: (1) une modification spatiale de la myosine impliquant une flexion de la tête globulaire vers un site d'attache sur l'actine (figure 6-8, 3), (2) une liaison chimique et mécanique, le pont d'union, entre la myosine et l'actine, faisant avancer le filament fin de 14,3 nm par rapport au filament épais (figure 6-8, 4) et, (3) l'hydrolyse concomitante de l'ATP en ADP qui se détache de la myosine.

La séparation subséquente du complexe actine-myosine requiert une nouvelle molécule d'ATP (figure 6-8, 5). La tête de la myosine reprend son orientation initiale, forme un autre pont d'union (figure 6-8, 6) si le calcium est toujours présent, et l'actine avance encore d'un cran (figure 6-8, 7) lors de l'hydrolyse de l'ATP.

Le processus, dans son ensemble, s'apparente à un pas et, si la description est exacte, chaque pas requiert une dépense énergétique correspondante à l'énergie utilisable d'une ou de deux molécules d'ATP. Les milliers de ponts d'union impliqués dans la secousse simple

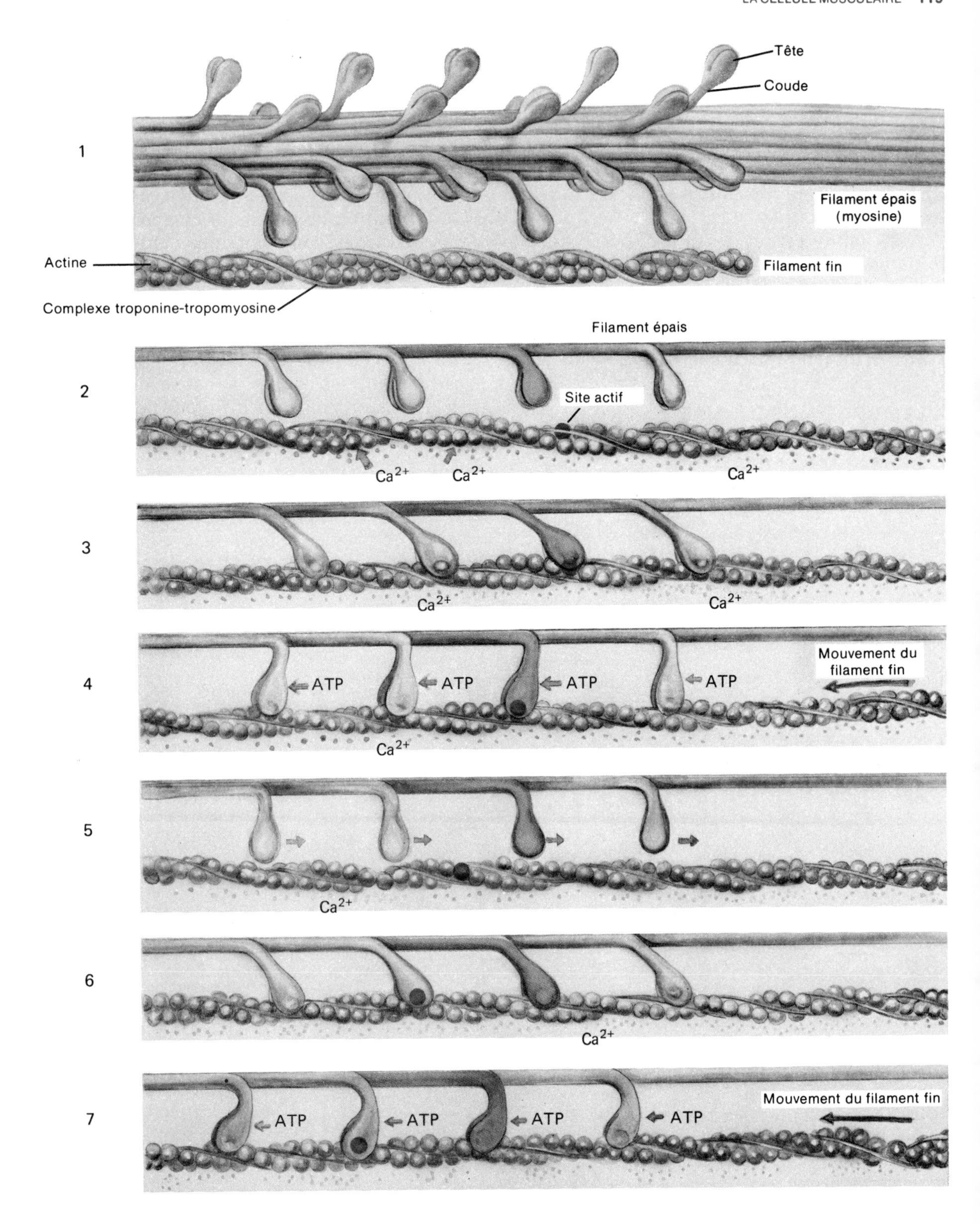

Figure 6-8 Mécanisme (possible) par lequel les ponts d'union déplacent les filaments d'actine et de myosine les uns par rapport aux autres pendant la contraction musculaire.

d'une cellule musculaire consomment une énorme quantité d'énergie, dégradant un nombre astronomique de molécules d'ATP. Il n'est donc pas surprenant de constater que la contraction musculaire dégage beaucoup de chaleur, que le métabolisme des cellules musculaires est très grand, et que la vascularisation des muscles est très développée.

À la mort, l'ATP des muscles se dégrade sans nouvelle synthèse. Les ponts d'union ne peuvent plus se défaire et les muscles prennent une consistance ferme, la *rigidité cadavérique*. La désagrégation éventuelle de tout l'appareil contractile rend aux muscles leur souplesse.

L'EXERCICE MUSCULAIRE

L'exercice musculaire modéré favorise l'augmentation du diamètre des cellules musculaires; le muscle entraîné grossit et sa puissance augmente. Les exercices impliquant un mouvement, comme l'haltérophilie, sont des exercices *isotoniques* ou *anisométriques* dans lesquels les muscles développent une tension égale à la masse de l'objet à déplacer, puis raccourcissent ou s'allongent avec ou sans modification de la tension. Dans les exercices *isométriques*, au contraire, la longueur du muscle est constante et la tension varie en fonction de la force appliquée (figure 6-9).

À l'instar des cellules nerveuses, les cellules musculaires ne sont pas remplacées à leur mort. Avec l'âge leur nombre baisse considérablement, en partie à cause des multiples lésions qui leur sont infligées pendant la vie (figure 6-10). Elles conservent cependant la capacité de grossir sous l'effet de l'entraînement.

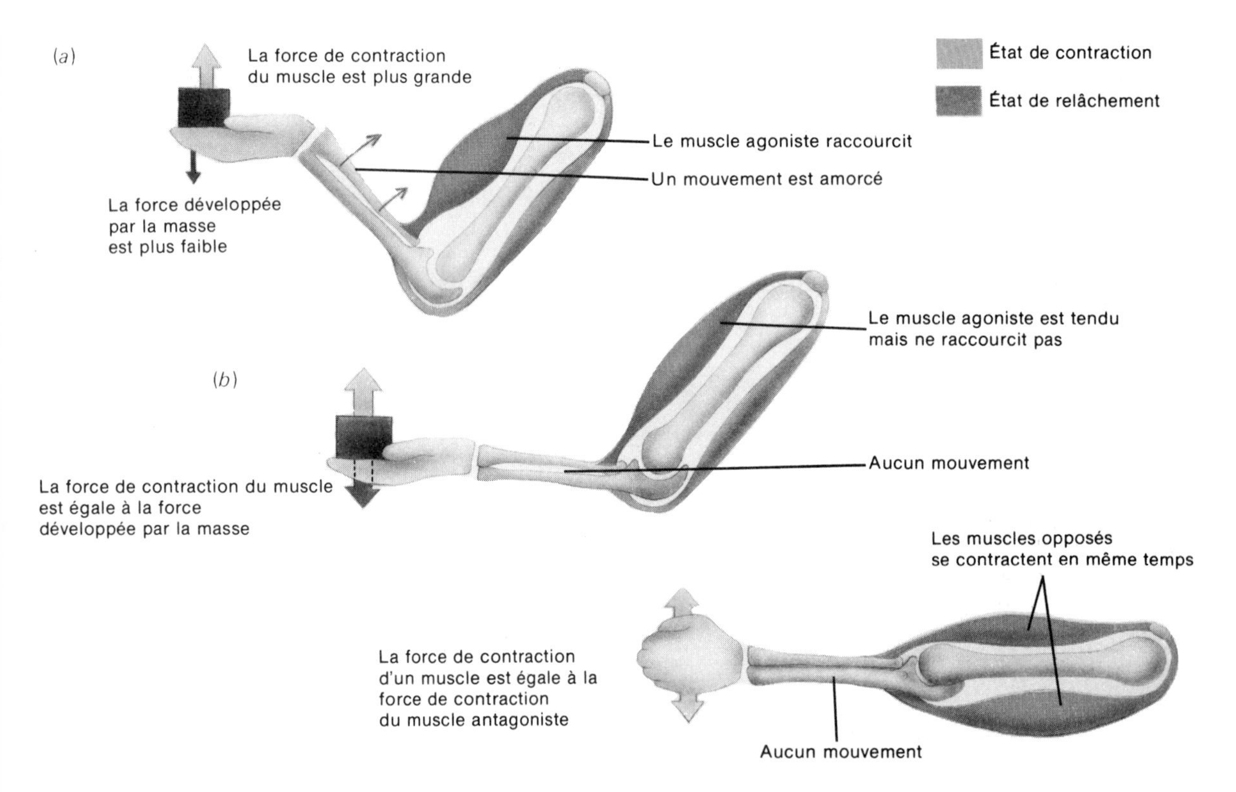

Figure 6-9 (*a*) Contraction anisométrique isotonique. La force de contraction du muscle est plus grande que celle opposée par la masse. Le muscle raccourcit, produisant un mouvement de l'avant-bras. (*b*) et (*c*) Deux formes de contraction isométrique. La force de contraction du muscle est contrecarrée par une force égale. Le muscle ne peut raccourcir et aucun mouvement n'est engendré. La tension est très grande dans le muscle.

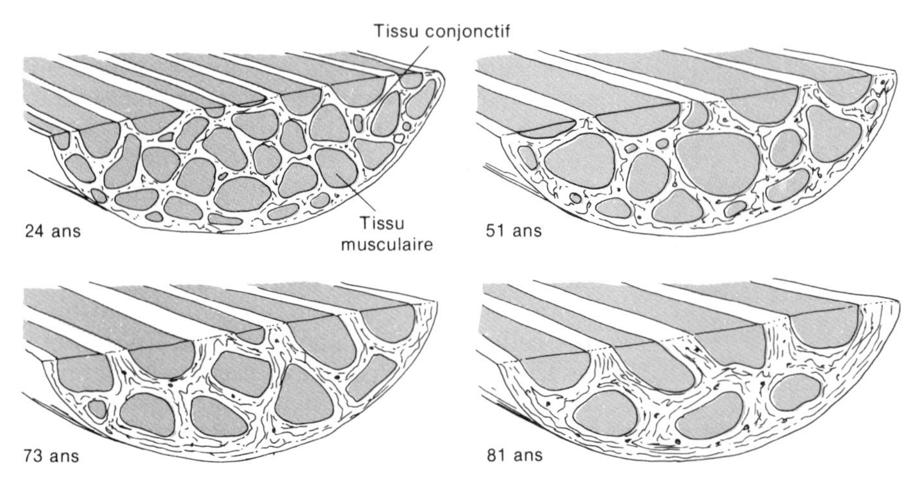

Figure 6-10 Coupes de muscles provenant d'hommes d'âges différents. Les cellules musculaires perdues ne se régénèrent pas. Avec l'âge, le tissu musculaire (coloré) diminue donc et est remplacé par du tissu conjonctif (blanc). (*Tiré de Garrett Hardin, «Biology, Its Principles and Implications», 2e éd., 1966; avec la permission des éditeurs, W.H. Freeman and Company, San Francisco.*)

LES AFFECTIONS MUSCULAIRES

Les muscles sont soumis à beaucoup de traumatismes: ils peuvent être déchirés ou leur enveloppe conjonctive peut être endommagée. Il peut s'y développer de l'inflammation, suite à une infection bactérienne ou à une infestation parasitaire. Par exemple, la *trichine* est un tout petit ver nématode qui parasite l'humain. Il pénètre dans l'organisme grâce à l'ingestion de chair contenant des trichines enkystées non détruites par la cuisson (par exemple de la viande de porc insuffisamment cuite). Dans l'intestin de l'hôte, le ver se développe rapidement (environ deux jours). La femelle incube ses oeufs, pénètre entre les villosités intestinales et rejette ses jeunes dans le liquide interstitiel. Ceux-ci aboutissent dans la circulation générale par les canaux lymphatiques et ont une nette préférence pour l'enveloppe conjonctive séparant les faisceaux musculaires où ils croissent dans un petit kyste. La trichinose est une affection grave.

Les *dystrophies musculaires* et la *myasthénie grave* sont moins fréquentes mais aussi sérieuses. Les premières correspondent à une dégénérescence progressive des cellules musculaires et leur substitution par du tissu adipeux et fibreux. Le mode de transmission de ces maladies héréditaires permet d'en distinguer plusieurs types (dominant, récessif, lié au sexe).

La myasthénie grave est d'abord une affection de la jonction neuro-musculaire, correspondant à un élargissement de la fente synaptique, à un défaut dans la libération de l'acétylcholine (Ach) ou aux deux à la fois. La contraction musculaire ne se déroule pas normalement lors d'une stimulation nerveuse. On traite cette maladie par l'administration de médicaments de type anticholinestérase. L'Ach s'accumule et son effet sur la membrane musculaire se prolonge. L'étiologie de cette maladie est inconnue et il n'y a pas de traitement curatif. L'évolution n'est pas toujours fatale et il existe quelques exemples de rémission spontanée.

Plusieurs des symptômes de la myasthénie grave semblent reliés à l'*atrophie par énervation*. Un muscle inutilisé dégénère. Si les motoneurones d'un muscle sont sectionnés, l'excitation nerveuse ne peut l'atteindre et il s'atrophie. La myasthénie est associée à une énervation spontanée et partielle affaiblissant le muscle et amenant sa destruction progressive.

Une crampe musculaire est l'expression d'une irritabilité musculaire excessive. Il y a contraction mais pas de relaxation. La cause

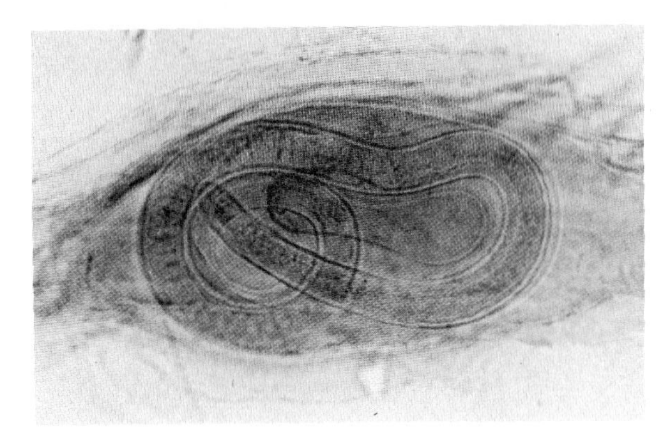

Figure 6-11 Une trichine (*Thichina spiralis*), ver nématode parasite de l'intestin de l'humain et du porc (environ ×300).

des crampes est inconnue quoiqu'elles se produisent souvent lors de déséquilibres calciques, de troubles circulatoires (retour veineux insuffisant) ou après un exercice violent. On peut soulager une crampe par un massage, un réchauffement et une élongation du muscle. Dans des conditions extrêmes on peut avoir recours à des relaxants musculaires.

LE MUSCLE LISSE

Les tissus musculaires striés et lisses diffèrent sous plusieurs aspects. Le muscle lisse ne montre pas de striations, ses cellules sont beaucoup plus petites et ne contiennent qu'un seul noyau; elles sont si bien apposées les unes contre les autres qu'il est difficile d'en identifier les contours et les limites. Une onde de dépolarisation peut envahir directement les cellules voisines sans intermédiaire nerveux. L'onde de contraction se propage donc d'une façon autonome à travers le muscle viscéral. L'innervation du muscle lisse est plus diffuse que celle du muscle strié. On peut apercevoir les fibres nerveuses, souvent encastrées dans un sillon superficiel, chevaucher plusieurs cellules musculaires. Les axones forment, au niveau de chaque cellule, un contact synaptique sous l'aspect d'un renflement contenant le transmetteur chimique (figure 6-12). L'Ach, le transmetteur chimique des muscles striés, agit aussi sur le muscle lisse avec quelques autres substances dont la noradrénaline. Les réponses des muscles lisses sont variables et dépendent de leur localisation et du transmetteur libéré. Les chapitres 8 et 9 soulignent l'importance de ce comportement. Le muscle lisse se contracte en réaction à un étirement. Dans plusieurs organes cette caractéristique fonctionnelle est importante: la vessie, par exemple, se contracte spontanément lorsque distendue par l'urine.

Il y a probablement similitude entre les mécanismes de la contraction des cellules musculaires striées et lisses, bien que ces dernières

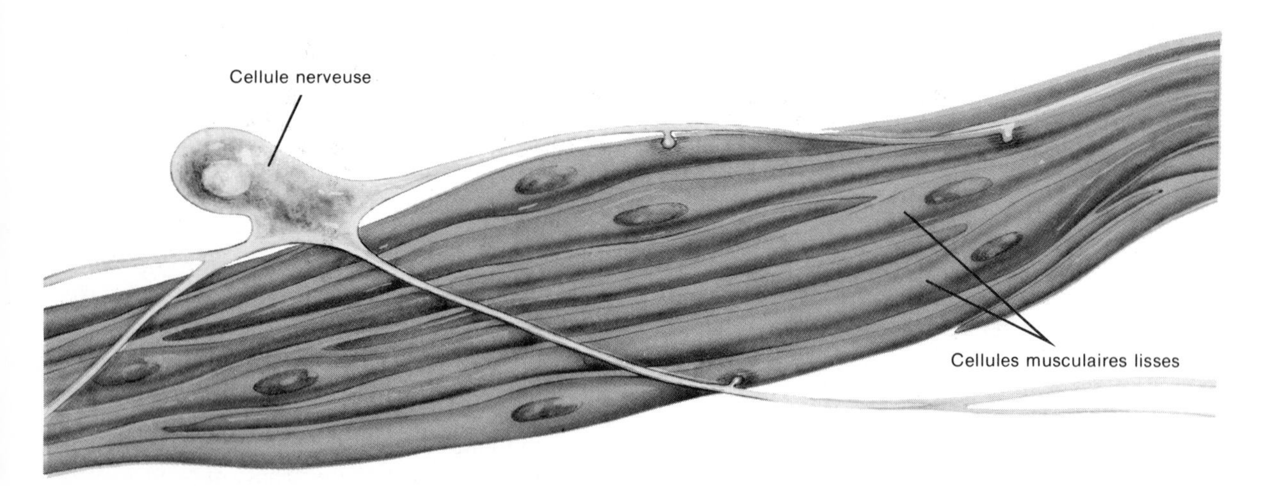

Figure 6-12 Cellules musculaires lisses. Une seule cellule nerveuse peut innerver plusieurs cellules musculaires lisses; plusieurs de ces cellules musculaires lisses n'ont aucune innervation directe.

présentent d'importantes différences de composition, de structure et de fonction avec les cellules musculaires striées. Les cellules du muscle lisse contiennent des filaments d'actine et de myosine en quantité beaucoup plus faible par unité de poids. Disposés longitudinalement selon le grand axe de la cellule, les filaments se chevauchent d'une façon aléatoire. Les filaments épais portent des projections latérales globulaires et on a tout lieu de croire que la libération de calcium sert aussi d'amorce à la contraction. D'un point de vue fonctionnel, la disposition aléatoire des filaments épais et fins permet au muscle de développer une tension active malgre un étirement important; il n'y a pas de désengagement des filaments et les ponts d'union peuvent encore se former.

Cette disposition permet aussi une plus grande amplitude de mouvement lors de la contraction. L'arrangement circulaire des fibres autour d'une structure creuse comme le tube digestif ou les artérioles permet d'en réduire le diamètre éventuellement jusqu'à occlusion. Ce type de mouvement est idéal pour faire progresser le chyme le long de l'intestin ou encore pour régulariser le débit sanguin dans les artérioles car le muscle lisse se contracte lentement et l'onde de contraction voyage au ralenti. Il est inadéquat pour la course, le saut ou le vol, et peu d'organismes actifs l'emploient pour la locomotion.

RÉSUMÉ

1 Le tissu conjonctif d'un muscle strié forme un filet très élaboré, subdivisé en un épimysium externe, un périmysium moyen et un endomysium interne. Ce dernier enveloppe chaque cellule musculaire. Les cellules musculaires sont longues, polynucléées et formées d'entités discrètes, les sarcomères. Le sarcomère est l'unité contractile et contient des filaments épais (myosine) et fins (actine) qui produisent la contraction par glissement les uns sur les autres grâce à l'établissement de ponts d'union temporaires.

2 L'arrivée d'influx nerveux à une plaque motrice déclenche la libération d'acétylcholine dans la fente synaptique, où elle diffuse vers la membrane musculaire. L'Ach dépolarise cette membrane puis est hydrolysé par la cholinestérase. L'onde de dépolarisation se propage à la surface du sarcolemme, atteint l'intérieur de la cellule par les tubules transverses et se rend dans le voisinage des sacs latéraux sarcoplasmiques. Ces derniers libèrent du calcium dans le sarcoplasme et la contraction musculaire se produit. Les sites de formation des ponts d'union se découvrent et le lien actine myosine se forme. La réabsorption du calcium dans les vésicules provoque le recouvrement des sites et le muscle se détend.

3 Le glissement actif des filaments d'actine sur les filaments de myosine d'un sarcomère est possible grâce à l'énergie fournie par l'ATP associée au pont d'union. Une réserve de créatine phosphate, dans le sarcoplasme, assure la formation rapide d'ATP pendant la contraction. Au repos, l'ATP sert à reconstituer la réserve de créatine phosphate.

4 Les muscles peuvent être blessés mécaniquement ou développer de l'inflammation. Ils peuvent être affectés d'une dégénérescence d'origine génétique (les dystrophies musculaires) ou d'une maladie neuro-musculaire d'origine inconnue (la myasthénie grave).

5 Les muscles lisses sont formés de cellules fusiformes, mononucléées, et intimement apposées les unes contre les autres. La contraction de ces muscles, beaucoup plus lente que celle des muscles striés, implique cependant un déplacement ou un changement de forme plus important.

QUESTIONS DE RÉVISION

1 Décrire la structure d'un muscle typique.
2 Comparer, le plus en détail possible, une cellule musculaire striée à une cellule musculaire lisse.
3 Comment se contracte une cellule musculaire?
4 D'où vient l'énergie nécessaire à la contraction?
5 Comment l'ATP fournit-elle la force mécanique nécessaire à la contraction?
6 Dresser la liste des protéines «contractiles» (impliquées dans la contraction) et décrire le rôle de chacune d'elles.
7 Qu'est-ce que le tétanos?
8 Qu'est-ce qu'une unité motrice? Dans lequel de ces muscles y a-t-il le plus de cellules musculaires par unité motrice: le grand fessier, les muscles rotateurs du poignet et de l'avant-bras, les muscles de l'expression faciale ou les muscles responsables du contrôle du larynx et des cordes vocales? Pourquoi?

7 L'APPAREIL LOCOMOTEUR

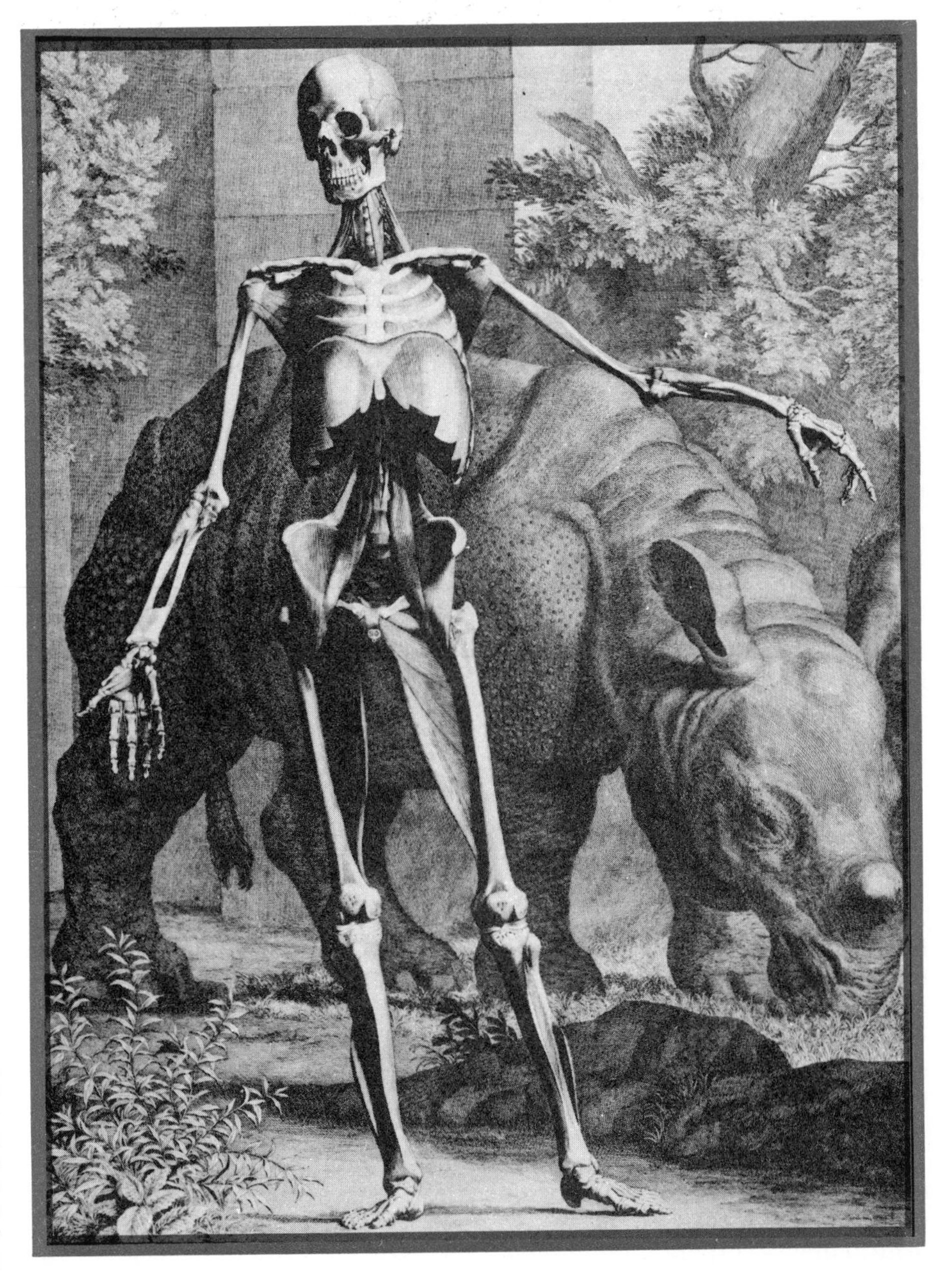

La musculature, telle que présentée au XVIIIe siècle par l'anatomiste hollandais Albinus; ce dernier a ajouté le rhinocéros à sa gravure parce qu'il était déjà très rare. (*Tiré de «The Discovery of Nature» par Albert Bettex. Avec la permission de Droemersche Verlagsanstalt et Simon & Schuster, Inc., New York.*)

OBJECTIFS

L'étude de ce chapitre devrait vous permettre de:

1 Reconnaître la valeur fonctionnelle des diverses formes sous lesquelles se présentent les muscles et associer la forme d'un muscle à sa fonction dans l'organisme.
2 Connaître la terminologie spécifique utilisée en anatomie humaine pour identifier et étudier les muscles et les os.
3 Décrire de mémoire, selon le niveau de précision requis, les os de chaque partie du corps, leurs articulations, leurs ligaments, les muscles qui les actionnent, ainsi que l'origine, l'insertion, et l'action de chacun de ces derniers.
4 Présenter un résumé des interactions locales et globales entre les muscles, les articulations et les os, impliqués dans des activités spécifiques.

Plus que les autres, ce chapitre peut permettre à chacun d'évaluer non seulement ses capacités de mémorisation mais surtout ses aptitudes à développer une méthode de travail susceptible de favoriser l'application pratique des connaissances théoriques. Sans son aspect fonctionnel, ce chapitre ressemblerait plus à un annuaire qu'à un texte d'étude. Les nombreuses figures, assorties de légendes qui peuvent sembler rébarbatives, prennent leur signification lorsqu'elles servent de référence à la description des muscles et des os responsables d'une action. Selon les exigences des différents programmes d'enseignement on pourra mettre plus ou moins d'emphase sur la mémorisation des termes; toutefois, quelque soit le niveau d'apprentissage, cette activité intellectuelle sera rarement une fin en soi.

Afin de mieux associer les gestes aux structures qui les supportent, le corps a été divisé en plusieurs parties étudiées séparément et accompagnées d'un tableau descriptif des principaux muscles qui s'y trouvent. *Pour faciliter les recherches, vous trouverez à la fin du chapitre un index alphabétique des muscles décrits dans les tableaux.*

Avant d'entreprendre la description anatomique et fonctionnelle de l'appareil locomoteur et des structures qui lui sont associées, il est important de préciser la valeur fonctionnelle des formes et des arrangements musculaires les plus caractéristiques.

FORMES ET FONCTIONS DES MUSCLES

La musculature et l'ossature sont responsables respectivement d'environ 40 et 20 pour 100 de la masse d'une personne normale. Ainsi, l'appareil locomoteur représente quelque chose comme 60 pour 100 de la masse corporelle totale. Cette proportion est toutefois variable selon les parties du corps; supérieure à 60 pour 100 dans les membres, elle est plus faible au niveau du tronc où se trouvent les viscères. Les membres représentent une fraction importante de la masse corporelle (environ 40 pour 100). Si on considère que la majeure partie des muscles du tronc est fonctionnellement reliée aux membres, on constate qu'une proportion considérable des ressources corporelles est dévolue à la marche et à la manipulation des objets. Les muscles du tronc assurent cependant plusieurs autres activités: pensons par exemple aux mouvements respiratoires, à la rotation de la tête ou à la mobilité des globes oculaires. Chaque muscle est situé à un endroit précis et a une fonction propre: c'est la raison pour laquelle les renseignements qui se trouvent dans les tableaux et les figures de ce

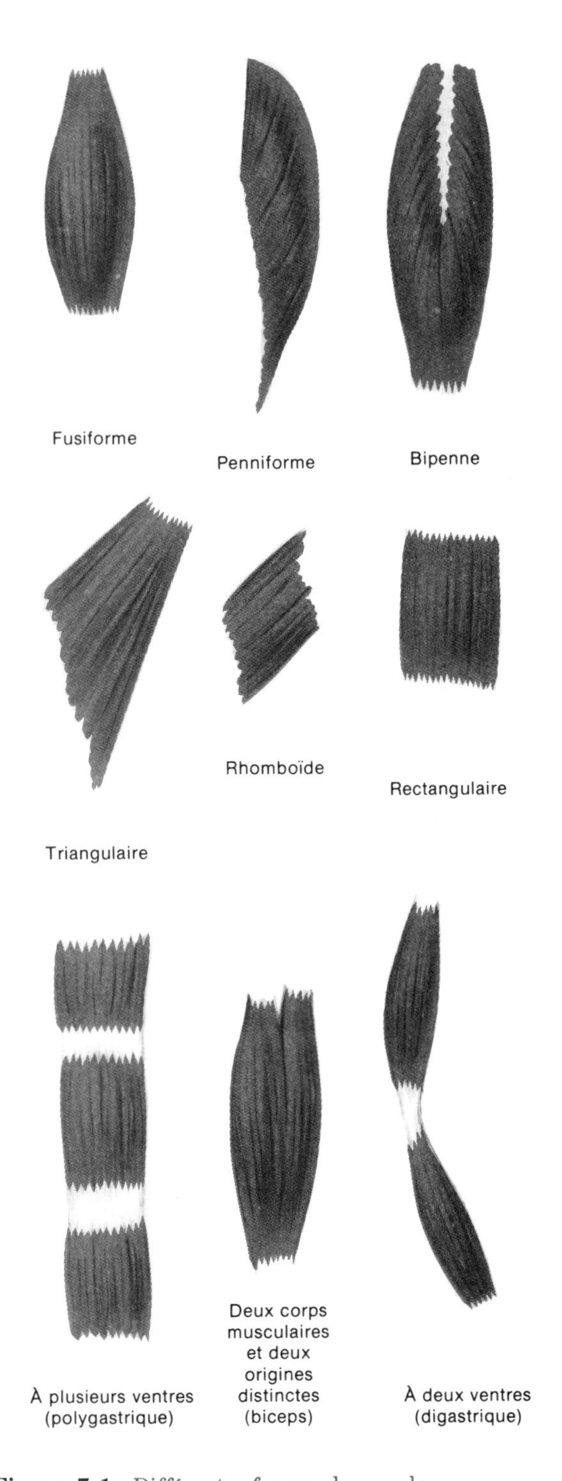

Figure 7-1 Différentes formes de muscles.

chapitre sont si nombreux; ils décrivent les origines, les insertions, les actions et les formes caractéristiques des principaux muscles.

Malgré leur très grande diversité, les muscles opèrent tous de la même façon: par contraction et raccourcissement. Grâce à un système ingénieux de poulies et de leviers, chaque mouvement peut cependant être contrecarré par l'action antagoniste d'au moins un autre muscle; cette organisation a déjà été décrite au chapitre 5.

Sachant que tous les muscles tirent sur des structures, il pourrait apparaître raisonnable de croire que la forme la plus efficace au point de vue mécanique serait celle qui permettrait à toutes les fibres de tirer en même temps dans l'axe du mouvement à effectuer. On pourrait donc toutes les ancrer à une origine relativement fixe, les disposer parallèlement en un large feuillet, et les joindre à une insertion plus mobile. Un tel arrangement pourrait-il expliquer l'écartement des deux structures? Non seulement ce serait impossible, mais comme le raccourcissement maximal d'un muscle n'est que d'environ 53 pour 100, le mouvement n'aurait d'ampleur que si les fibres musculaires étaient très longues. Ces quelques remarques soulignent donc le fait que de tels muscles ne sont utiles qu'en des endroits bien particuliers comme, par exemple, pour relier les côtes ou former la paroi abdominale; leur forme et la qualité de leurs mouvements représentent alors un grand avantage fonctionnel.

La plupart des muscles ont une forme telle que les fibres convergent plutôt que d'être disposées parallèlement les unes aux autres. Chaque fibre tire ainsi sur un tendon central, un peu comme une équipe de souque à la corde. La tension résultante peut être très grande et elle se communique à l'os sur lequel le tendon s'insère. Cet arrangement donne un muscle *fusiforme* s'il est rond ou *penniforme* s'il est plat (figure 7-1).

Un coup d'oeil aux figures 7-3 à 7-6 révèle que les muscles des membres, en général, ne reposent pas directement sur les os qu'ils actionnent. Ils sont plutôt disposés de biais et s'insèrent près des articulations; le corps musculaire est ainsi proximal à la pièce osseuse mise en mouvement. L'extrémité la moins mobile d'un muscle tend à être plus grosse que l'autre. On constate en effet que les membres sont généralement plus massifs à leur extrémité proximale et qu'ils s'effilent vers la cheville ou le poignet. Les plus grosses origines musculaires s'attachent sur des structures fortes comme le

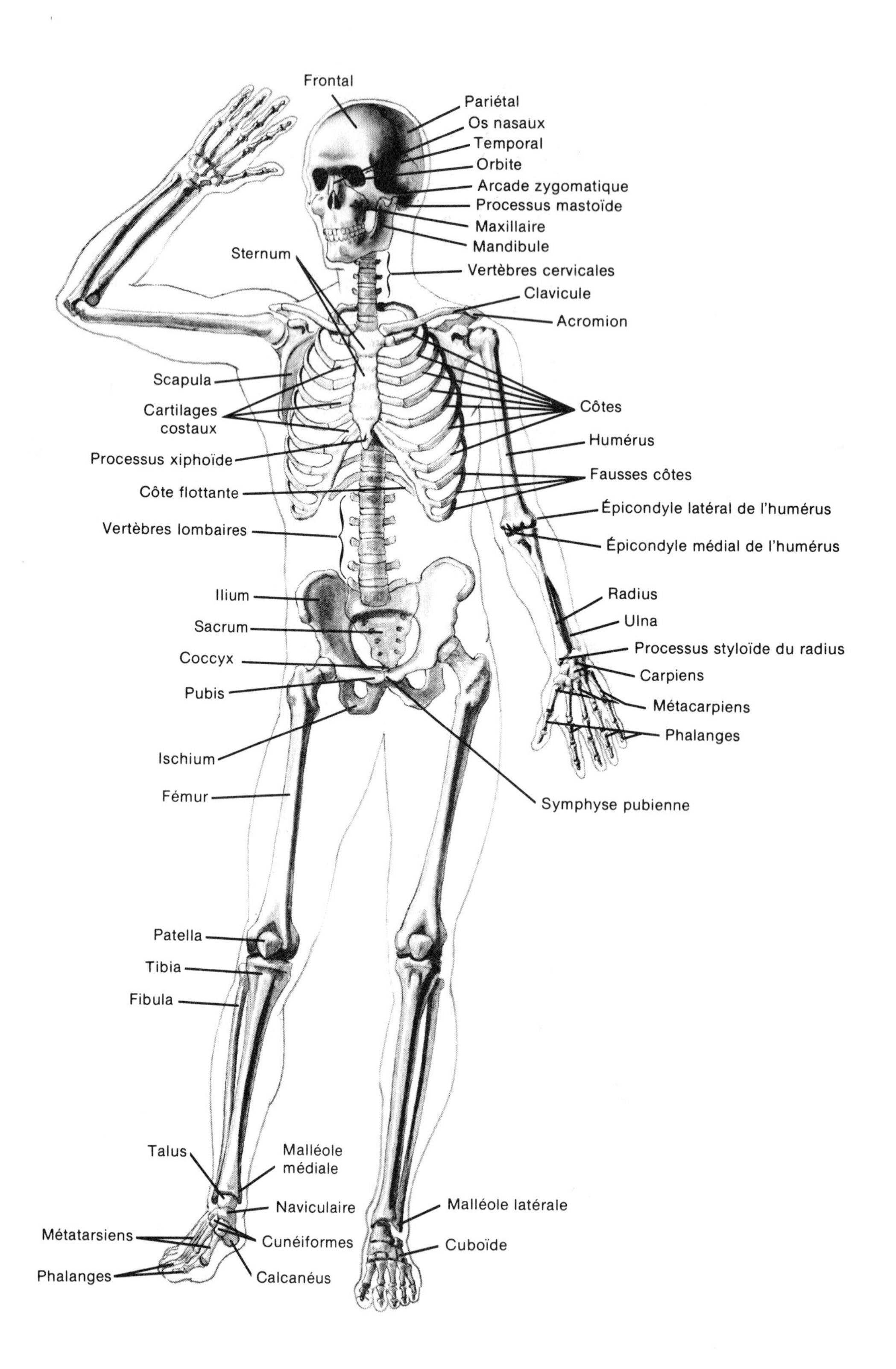

Figure 7-2 Face antérieure du squelette.

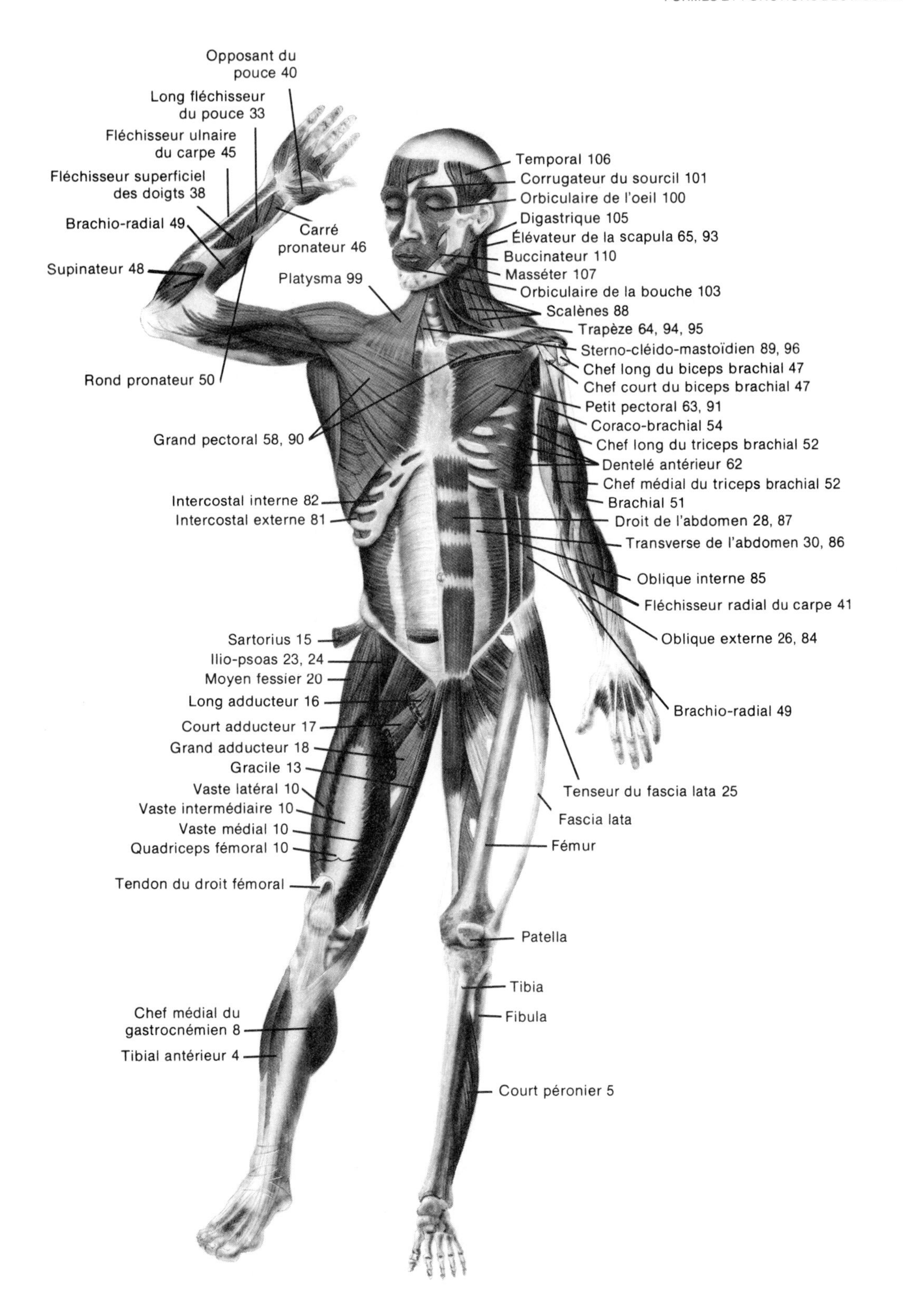

Figure 7-3 Plan musculaire profond, face antérieure.

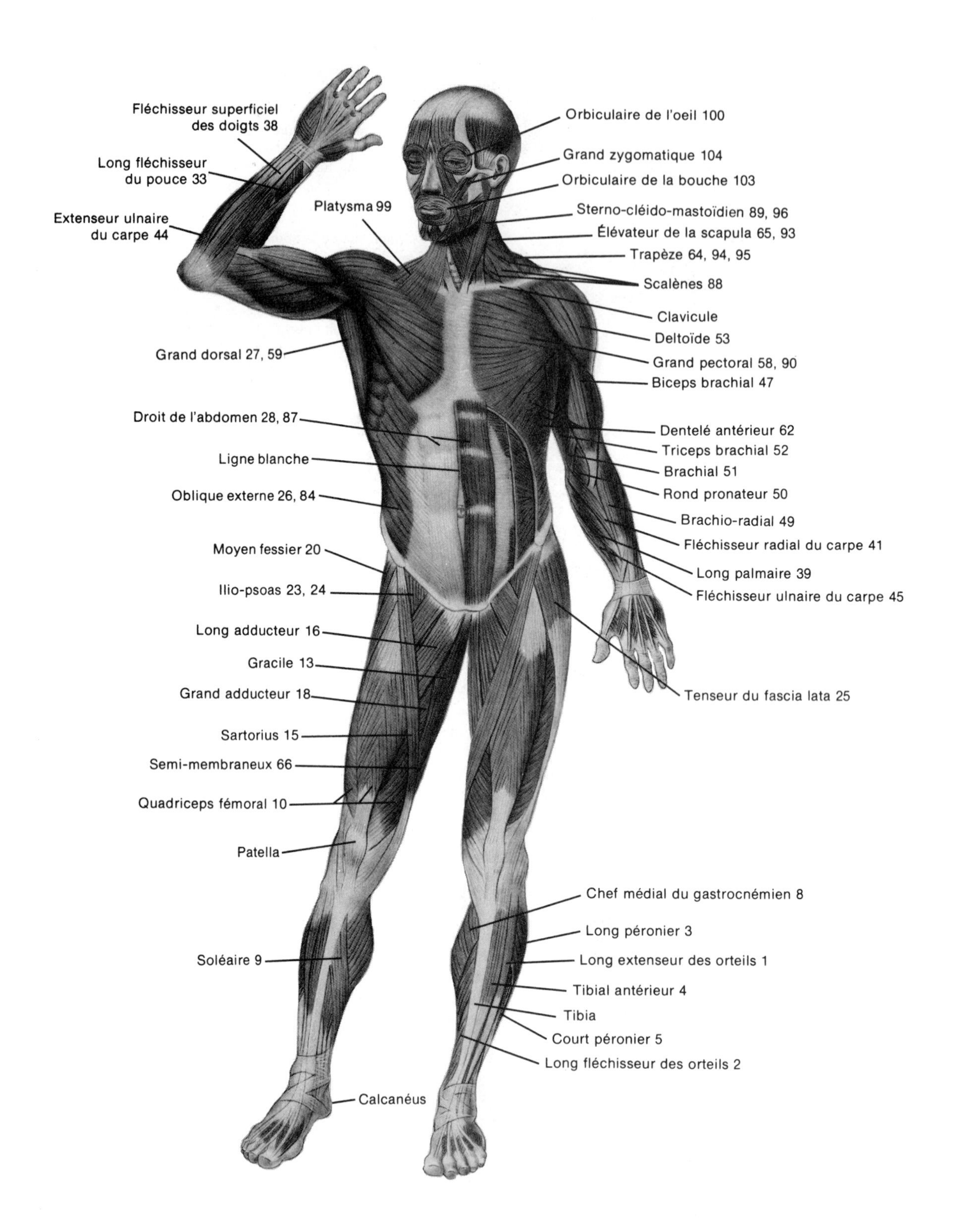

Figure 7-4 Plan musculaire superficiel, face antérieure.

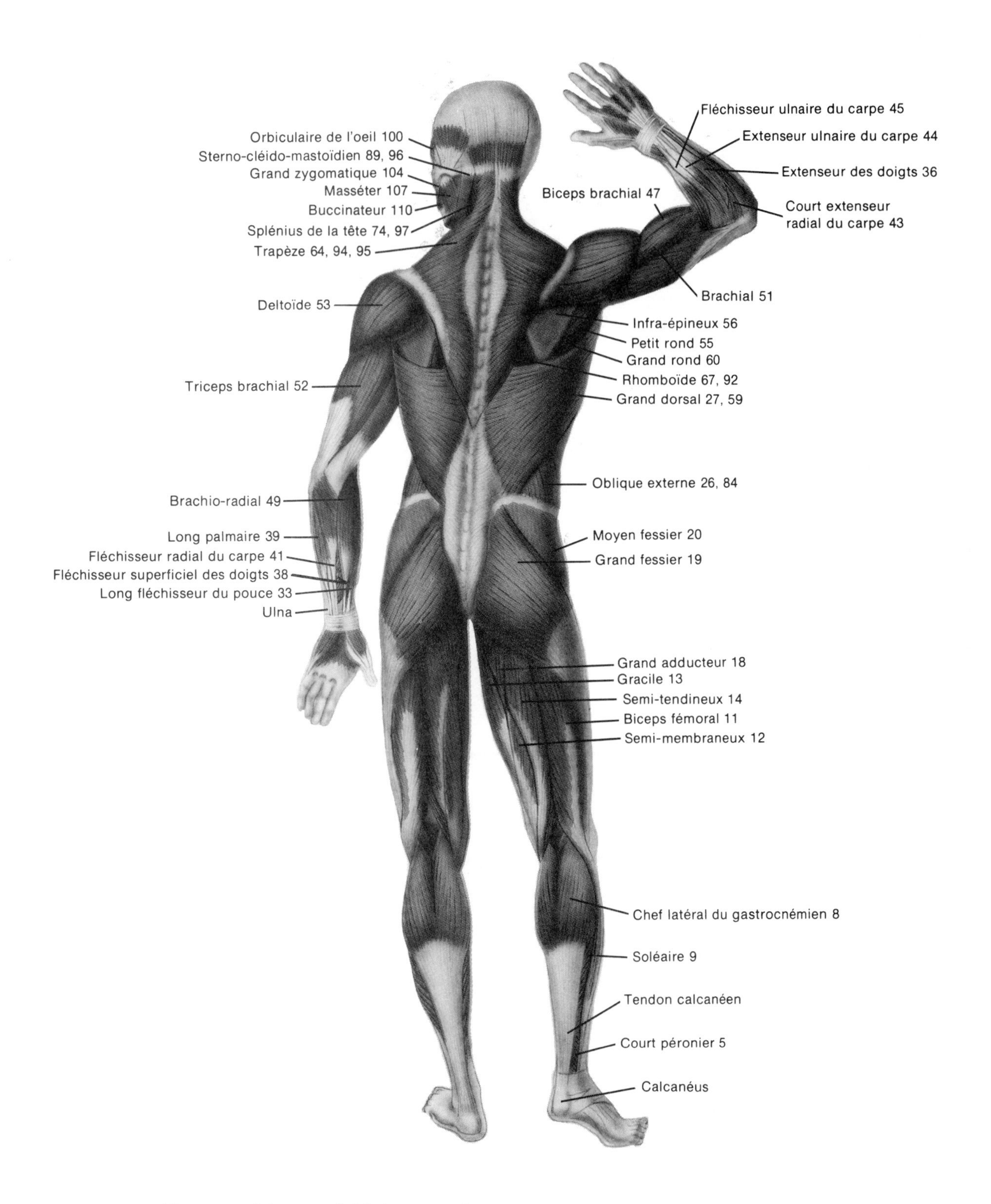

Figure 7-5 Plan musculaire superficiel, face postérieure.

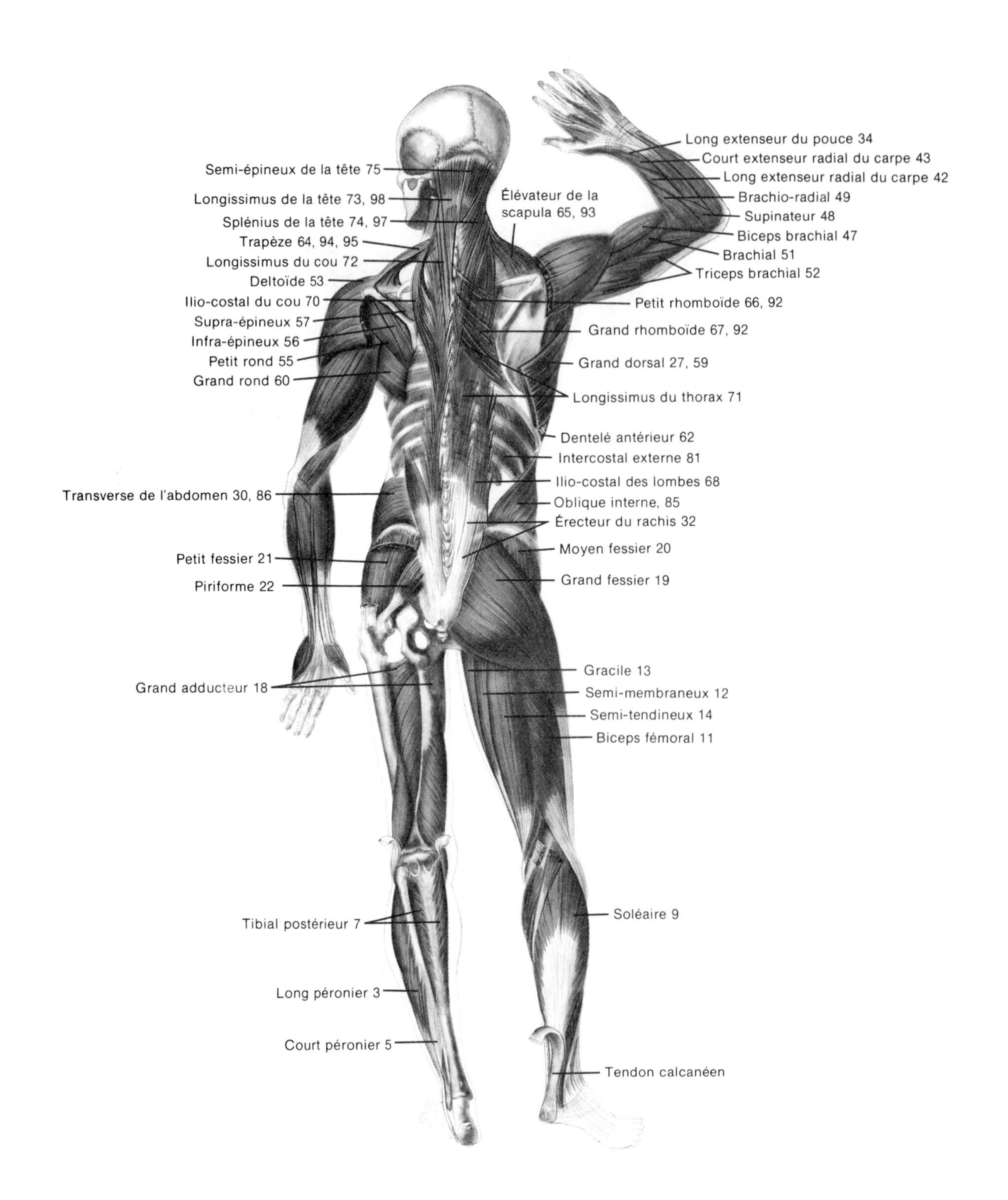

Figure 7-6 Plan musculaire profond, face postérieure.

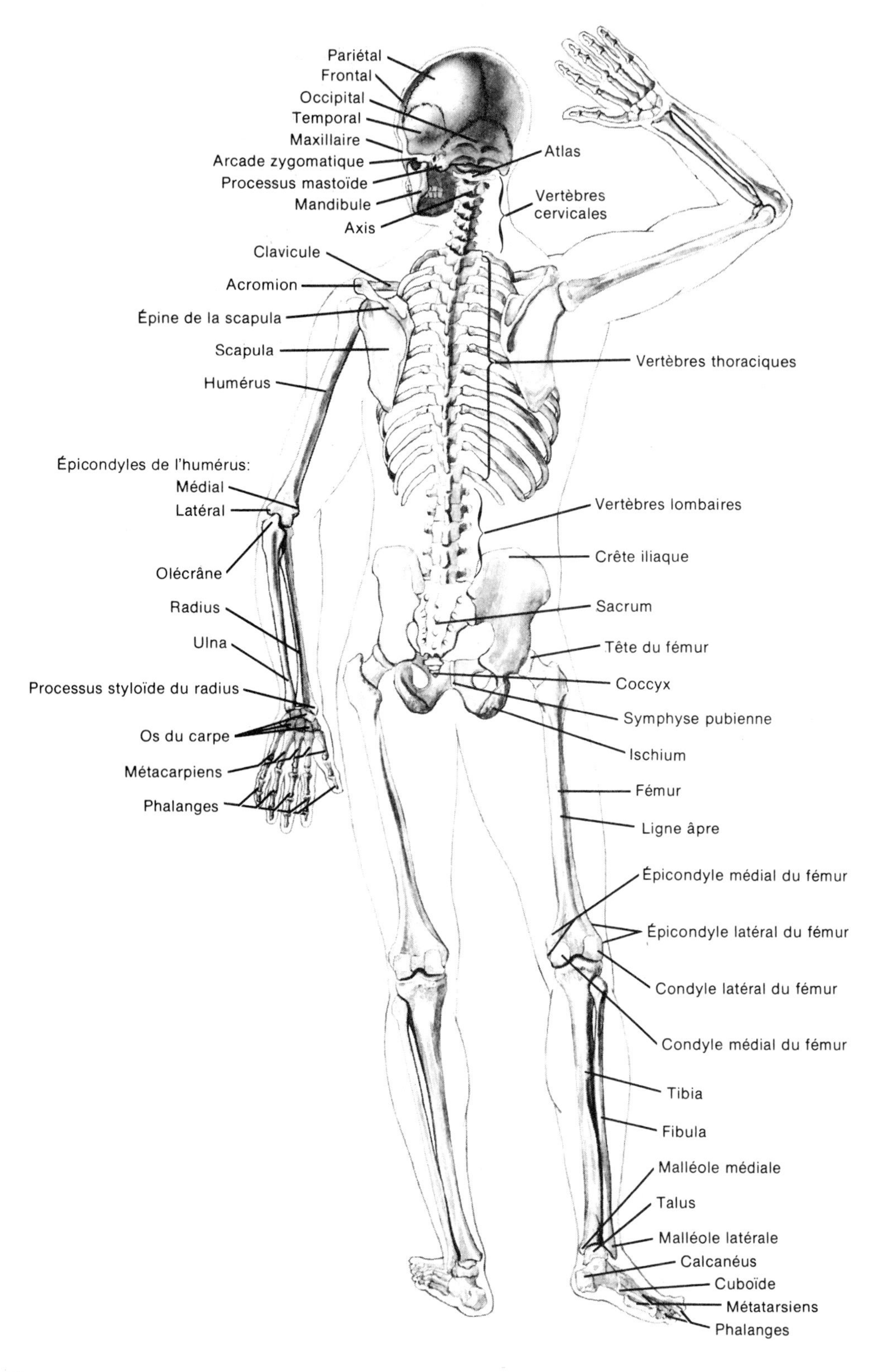

Figure 7-7 Face postérieuredu squelette.

pelvis ou la scapula (figures 7-2 et 7-7) et les insertions, souvent éloignées des corps musculaires, sont actionnées par des tendons qui peuvent mesurer plusieurs centimètres de longueur.

TERMINOLOGIE TECHNIQUE

Agoniste Muscle qui produit une action donnée.

Antagoniste Muscle s'opposant à l'action de l'agoniste.

Synergiste Muscle dont l'action combinée à celle d'autres muscles produit un mouvement impossible à réaliser par l'action individuelle de l'un d'entre eux.

Ipsilatéral Du même côté.

Controlatéral Du côté opposé.

Muscle fixateur (stabilisateur) Muscle qui tient une articulation en place ou qui limite l'amplitude d'un mouvement.

Condyle Projection arrondie et convexe d'un os faisant généralement partie d'une articulation.

Crête Ligne de faîte d'une excroissance, ou arête saillante, souvent située en regard du grand axe d'un os.

Cavité glénoïdale ou glénoïde Dépression concave de forme arrondie dans un os, faisant partie d'une articulation mobile dans plusieurs directions (selon trois axes).

Éminence Projection saillante d'un os.

Épicondyle Excroissance osseuse au-dessus d'un condyle.

Tête En général, l'extrémité supérieure ou proximale d'un os; porte souvent la partie mâle (convexe) d'une articulation par emboîtement.

Processus (apophyse) Projection osseuse constituant souvent une partie importante d'un os.

Épine Excroissance ou projection osseuse en forme de pointe. Parfois une longue arête proéminente porte une telle projection à une extrémité, comme l'épine de la scapula.

Trochanter Processus en forme de poulie généralement à l'extrémité d'un os. En anatomie humaine le terme est associé à deux éminences de la tête du fémur.

Tubercule Petit nodule arrondi à la surface d'un os.

Tubérosité Excroissance arrondie sur un os.

Canal Étroit passage tubulaire dans un os.

Gouttière Étroite crevasse ou sillon à la surface d'un os.

Foramen Trou ou passage (souvent rond) à l'intérieur ou au travers d'une structure osseuse.

Fosse Tranchée ou canal peu profond dans un os.

Sillon Identique à une fosse mais en moins profond et souvent en plus large.

Méat Ouverture d'une quelconque voie de passage à l'intérieur du corps; pas nécessairement osseuse, elle est généralement allongée, en forme de tunnel.

Sinus Cavité ou espace creux.

LE MEMBRE INFÉRIEUR

Par leur structure et leur fonction les membres inférieurs supportent le corps et permettent aux bras et aux mains de travailler librement en position debout. Ce sont de fortes colonnes articulées grâce auxquelles il est possible de se déplacer ou de demeurer immobile. Dans les deux situations les membres inférieurs maintiennent le corps en équilibre grâce à un ajustement précis et à une coordination parfaite des forces agissant sur toutes leurs articulations. L'action de donner un violent coup de pied sur un ballon sans perdre l'équilibre, par exemple, révèle jusqu'à quel point le contrôle de ces membres est bien adapté à leurs fonctions. Personne n'a besoin d'un stage en physiothérapie pour connaître les répercussions dramatiques sur la locomotion d'une perte de contrôle ou d'un trouble articulaire ou musculaire, lorsqu'on sait qu'une simple ampoule à un pied peut sérieusement handicaper la démarche. Il est en fait étonnant qu'autant de gens puissent se déplacer normalement.

Le pied

Une fois bien placé par terre, le pied fixe le membre inférieur au sol. Les muscles de la jambe, de la cuisse et du pelvis peuvent alors propulser le corps. À chaque pas, le pied se déplace en un autre point d'ancrage et ainsi de suite plusieurs milliers de fois par jour.

Les figures 7-8 et 7-9 montrent que le pied n'est pas un bloc monolithique mais un ensemble de plusieurs os joints par des articulations synoviales qui lui confèrent une grande flexibilité; le pied peut ainsi servir d'amortisseur et

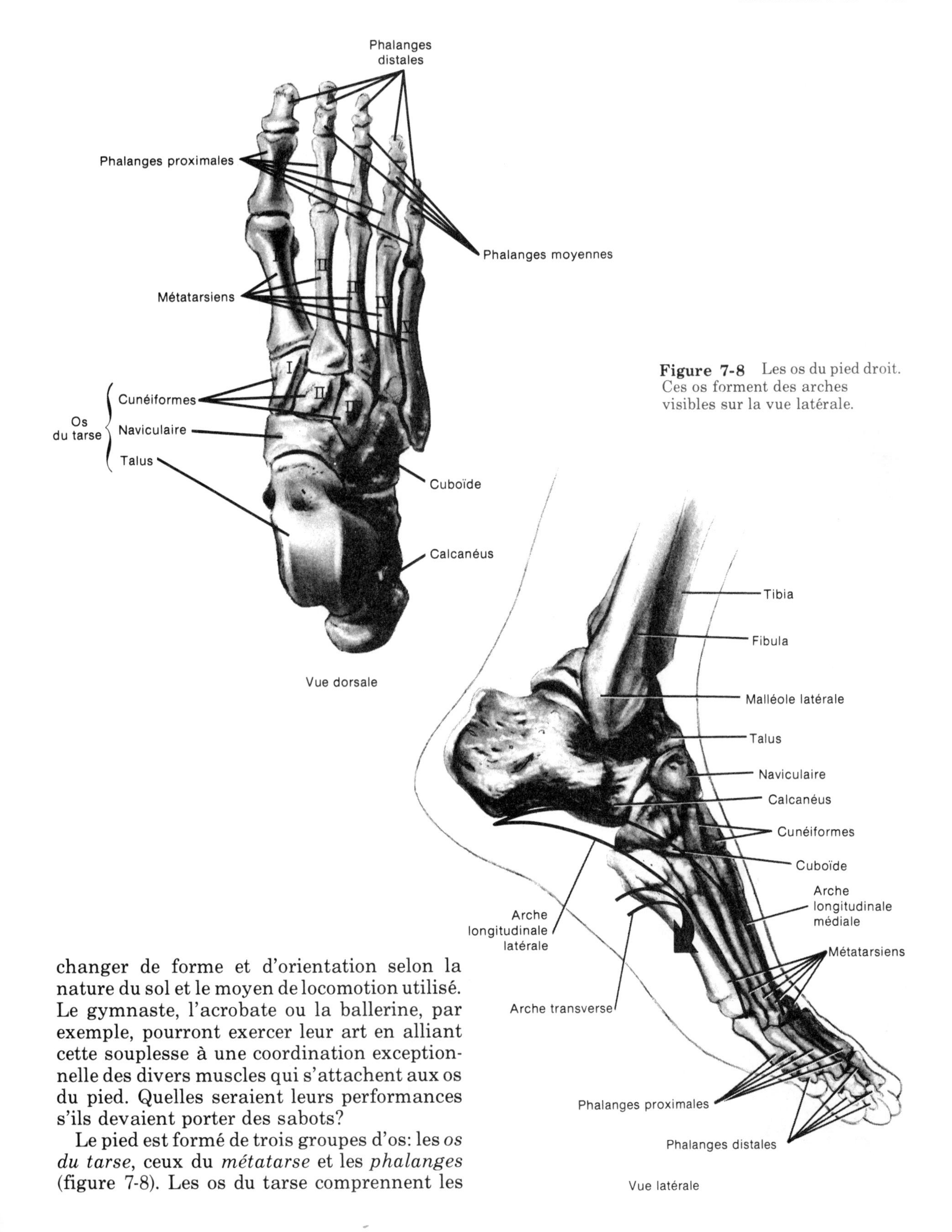

Figure 7-8 Les os du pied droit. Ces os forment des arches visibles sur la vue latérale.

changer de forme et d'orientation selon la nature du sol et le moyen de locomotion utilisé. Le gymnaste, l'acrobate ou la ballerine, par exemple, pourront exercer leur art en alliant cette souplesse à une coordination exceptionnelle des divers muscles qui s'attachent aux os du pied. Quelles seraient leurs performances s'ils devaient porter des sabots?

Le pied est formé de trois groupes d'os: les *os du tarse*, ceux du *métatarse* et les *phalanges* (figure 7-8). Les os du tarse comprennent les sept os de la cheville. Quatre d'entre eux (les trois *cunéiformes* et le *cuboïde*) s'articulent avec les métatarsiens, les os longs du pied. Le *talus* (*astragale*) s'articule, à la cheville (le cou-de-pied), avec les extrémités distales des deux os de la jambe, le tibia et la fibula (péroné). Comme on peut le voir sur la figure 7-23, le talus s'articule aussi avec l'*os naviculaire* (*scaphoïde*) et lie ainsi le pied à la jambe. Le *calcanéus* (*calcanéum*) (le talon) est un point d'appui pendant la marche et il sert d'attache aux muscles de la jambe qui permettent de se lever sur la pointe du pied pendant un pas.

Distaux aux os du tarse et encastrés dans le corps du pied, les matatarsiens sont responsables de sa forme allongée et de sa puissance intrinsèque. On peut facilement les palper sur le dessus du pied. Ils s'articulent avec les os des orteils, les *phalanges*, au nombre de 14, disposées en séries de trois sauf dans le gros orteil qui n'en possède que deux. S'il est gros c'est qu'il se trouve dans l'axe du corps pendant la marche. Placé sur le côté du pied, il fournit la poussée qui termine un pas. Cette propulsion, nécessairement déséquilibrée, est précisément compensée par les autres orteils; l'équilibre est ainsi assuré à la perfection et aucune hésitation n'est perceptible. Remarquer toutefois l'altération de la démarche par un orteil endolori.

Les os du pied forment une arche double, longitudinale et transverse (figures 7-8 et 7-9), dont le rôle semble être d'absorber les chocs grâce à des attaches ligamenteuses élastiques. Si l'arche est déformée ou aplatie, la marche s'avère quelque peu difficile et les chocs répétés sur la colonne vertébrale, à chaque pas, peuvent causer des maux de dos. La forme de l'arche est essentiellement maintenue par la tension passive des ligaments (et un peu par les muscles du pied). Chez ceux qui ont les pieds plats, par exemple, les ligaments ne remplissent pas leur tâche et la forme normale du pied doit être conservée grâce aux muscles intrinsèques.

Le pied est très mobile et peut être orienté dans toutes les directions: l'extension (flexion plantaire) est une poussée vers le bas (comme à la fin d'un pas), la flexion (flexion dorsale ou dorsiflexion) est la position préalable à un nouveau pas; les articulations du tarse permettent en plus de déterminer l'abduction (flexion latérale ou éversion) et l'adduction (flexion médiale ou inversion) du pied. La plupart des mouvements d'ensemble du pied sont produits par les muscles extrinsèques situés dans la jambe. Leur action se fait sentir grâce à de longs tendons. Les muscles intrinsèques du pied sont petits puisque l'espace disponible est réduit. Le *muscle adducteur du gros orteil* est typique de ce groupe; il origine des quatre premiers métatarsiens (et de plusieurs ligaments) et s'insère sur la phalange proximale (première) du gros orteil par des tendons sur lesquels il tire pendant la marche. Son action contribue au maintien de l'équilibre mais non à la puissance de l'enjambée.

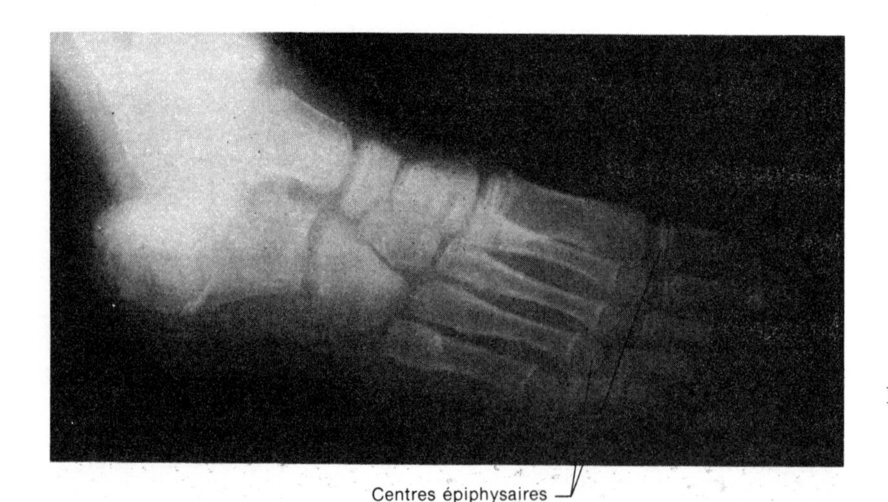

Figure 7-9 Radiographie du pied droit d'un jeune garçon de 12 ans, en vue latérale légèrement oblique. Noter les centres épiphysaires.

La jambe

La *jambe* est la partie du membre inférieur comprise entre le genou et la cheville. L'une des façons d'en apprécier l'importance est de tenter de marcher sans plier le genou. La jambe est formée de deux os longs (figure 7-10), le *tibia* et la *fibula* (*péroné*), et d'une masse musculaire qui actionne le pied et les articulations de la cheville. Les mouvements de la jambe reposent sur la contraction de plusieurs muscles de la cuisse qui originent presque tous du fémur.

Des deux os de la jambe, le tibia est le plus gros et il porte le poids du corps à chaque pas. Beaucoup plus petite, la fibula sert surtout d'ancrage aux muscles extrinsèques du pied. Chez certains animaux, comme le rat, les deux os sont fusionnés; chez l'humain, ils sont reliés par une forte cloison fibreuse, la *membrane interosseuse*, qui s'étale entre les deux corps osseux. Quelques muscles prennent leur origine directement sur cette cloison.

Il est facile de localiser anatomiquement le tibia puisqu'il n'est recouvert que d'environ 3 mm de peau et de périoste sur le devant de la jambe. Il est donc susceptible de recevoir des coups qui ne sont pas amortis et qui sont par le fait même très douloureux. Les deux extrémités de l'os s'évasent, l'extrémité proximale étant plus grosse que l'extrémité distale. Cette dernière est toutefois plus facile à identifier grâce à la *malléole médiale* du tibia qui forme une bosse du côté intérieur de la cheville. La bosse extérieure, la *malléole latérale*, appartient à la fibula.

On peut palper, au niveau du genou, la tête de la fibula et le condyle médial du tibia. Les deux os ont des articulations communes au genou et à la cheville; elles sont du type synovial et renforcées de très forts ligaments. Les deux os s'articulent avec la cheville mais seul le tibia participe à l'articulation du genou.

Il n'y a pas moins de 30 muscles dont l'origine est un os du membre inférieur. Leur nombre exact dépend de la façon de les identifier (figures 7-11 et 7-12). Même s'ils sont tous indispensables, on ne décrit que les plus gros au tableau 7-1. Les muscles de la cuisse qui s'insèrent sur le tibia sont décrits dans la section suivante. *Une fois de plus, vous pouvez consulter l'index alphabétique à la fin du chapitre.* Vous pourrez ainsi retracer tous les muscles décrits dans les tableaux.

La cuisse

Le plus gros os du corps, le *fémur*, est l'os unique de la cuisse. Là aussi se trouvent quelques-uns des plus gros muscles du corps. Une revue rapide des principes des leviers peut aider à en comprendre la raison.

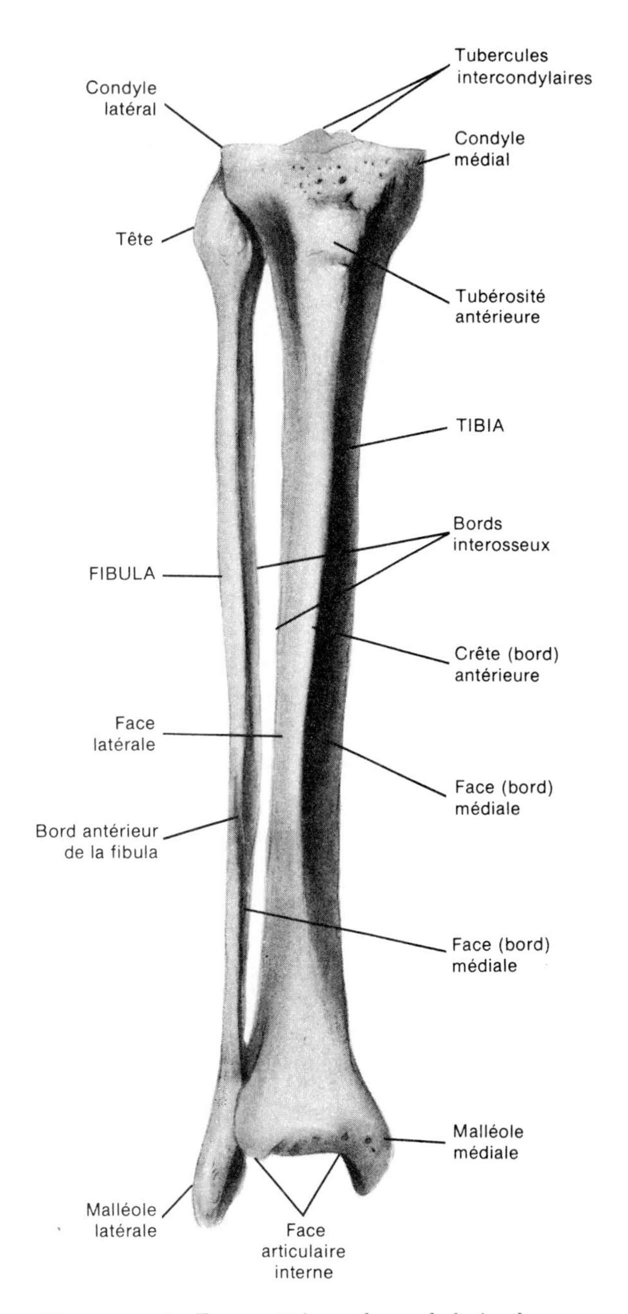

Figure 7-10 Face antérieure des os de la jambe droite.

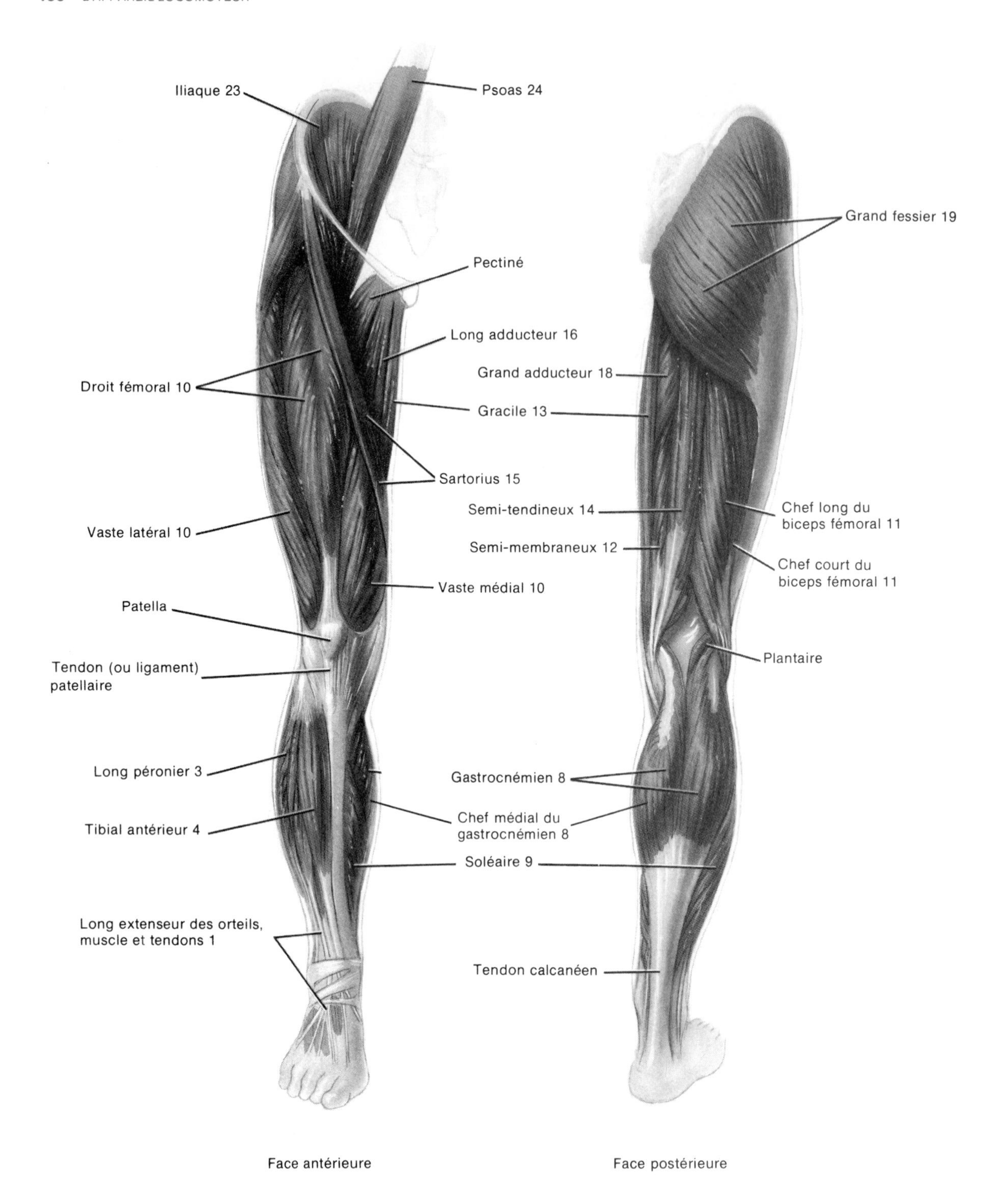

Figure 7-11 Muscles de la cuisse et de la jambe droite. Localiser le plus grand nombre possible de ces muscles dans la figure 6-1.

On classe les leviers en plusieurs groupes, tous représentés dans l'organisme (figure 7-13). Chacun comprend deux bras de levier, l'un où s'applique la *force*, l'autre où la *résistance* est offerte, et un *pivot* (ou *point d'appui*). Dans le corps la force est fournie par les muscles et la résistance vient du poids d'une partie du corps ou d'un objet à déplacer.

L'usage courant nous a habitué à manipuler des *leviers du premier genre* comme outils: le point d'appui est alors placé de manière à ce que l'un des bras de levier (celui où s'applique la force) soit long et séparé de celui qui offre la résistance par le pivot. Le travail accompli est le même aux deux extrémités de l'axe puisque le travail est défini comme le produit d'une force par la distance parcourue. En soulevant un bloc de pierre avec un levier du premier genre, le point d'application de la force légère parcourt une grande distance alors que l'autre parcourt une distance plus faible, mais la contrainte est grande. Un tel levier permet de troquer une distance pour une force dont l'augmentation résultante est l'*avantage mécanique*, défini comme le rapport des forces appliquées sur chaque bras de levier. Si l'un des bras est dix fois plus long que l'autre, le levier possède un avantage mécanique de 10 pour 1.

Dans un levier du troisième genre, le point d'appui est placé à une extrémité de l'axe, l'une des forces s'applique tout près du pivot et la résistance s'exerce plus loin. C'est donc un système qui est à l'opposé du premier puisqu'il sacrifie la puissance à la distance parcourue par le point d'application de la résistance. En conséquence la force requise pour un mouvement est plus grande que la force offerte. Le biceps brachial, par exemple, ne raccourcit que de quelques centimètres lors de sa contraction alors que la distance parcourue par la main est d'environ un mètre. Le membre inférieur contient aussi plusieurs os actionnés comme des leviers du troisième genre; il en est ainsi pour presque tous les os longs du corps. Les muscles de la cuisse, par exemple, s'insèrent près du genou, le pivot, et doivent être très forts pour que la tension appliquée se résolve en une force substantielle au niveau du pied. C'est un arrangement mécanique qui permet de faire de grands pas au détriment de l'avantage mécanique pour les muscles de la cuisse et de la hanche. Le fémur (figure 7-14) sert d'origine aux muscles qui actionnent la jambe en plus d'être la

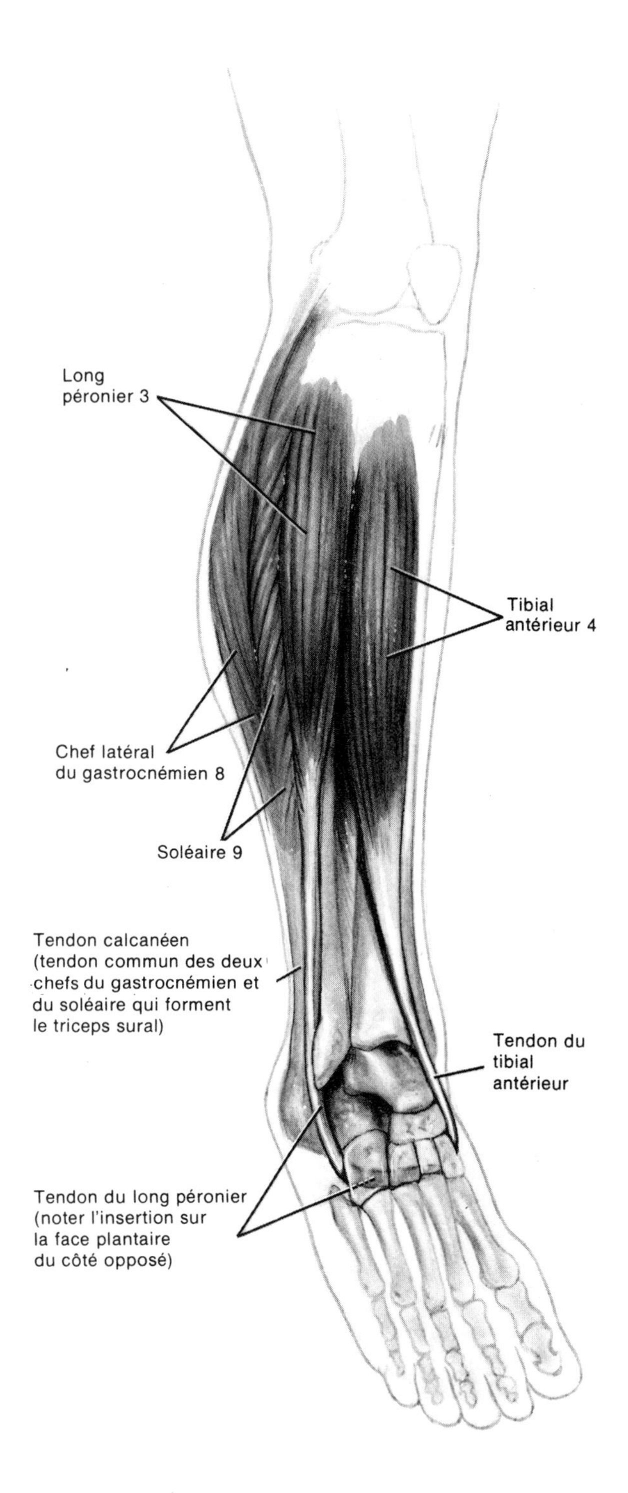

Figure 7-12 Vue latérale des muscles de la jambe. Noter de quelle façon le tendon du long péronier atteint l'autre côté de la jambe.

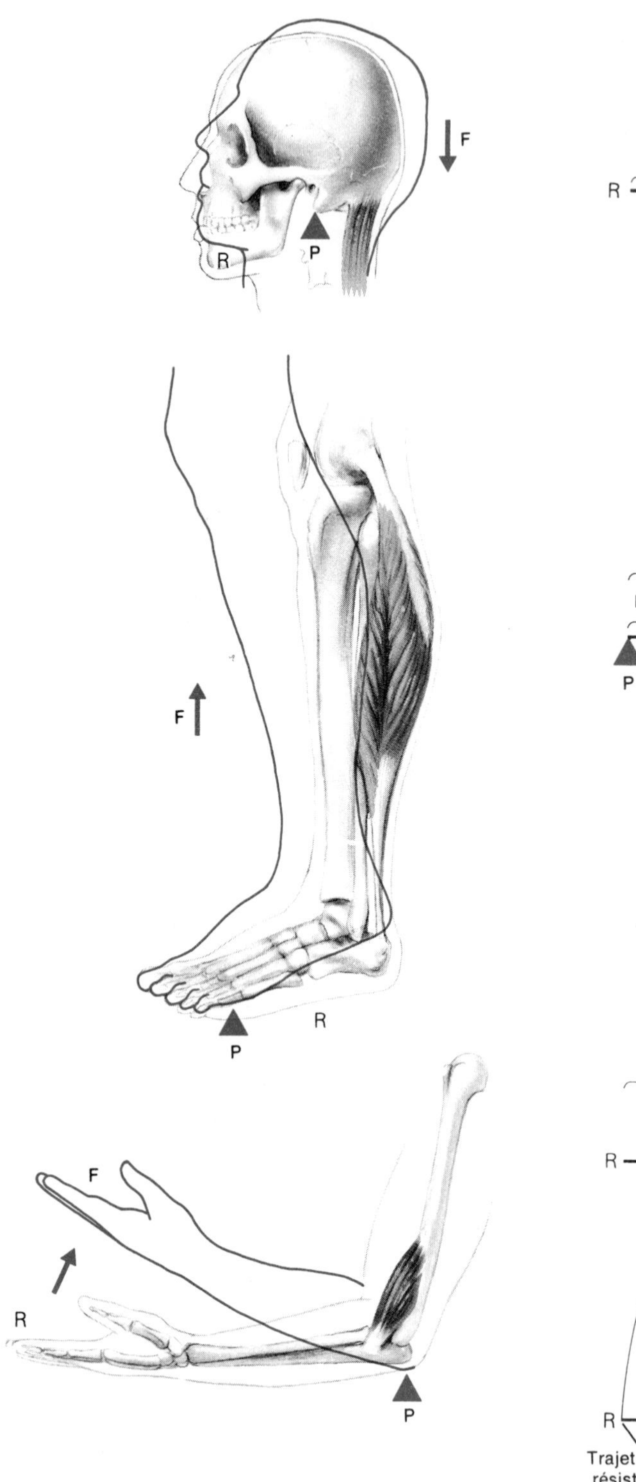

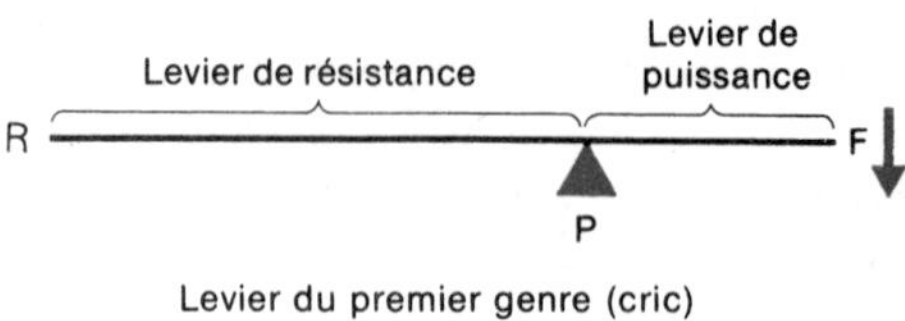

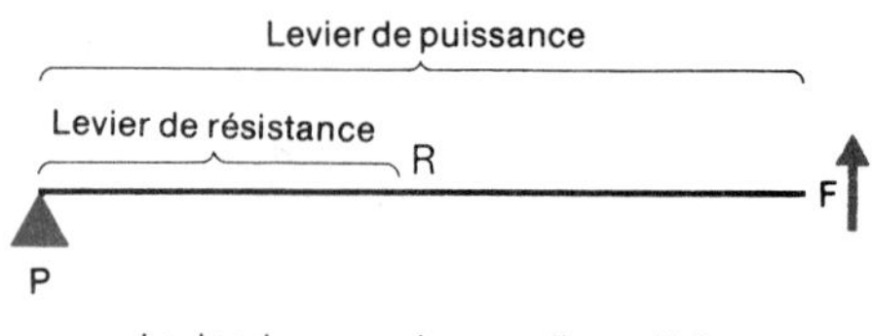

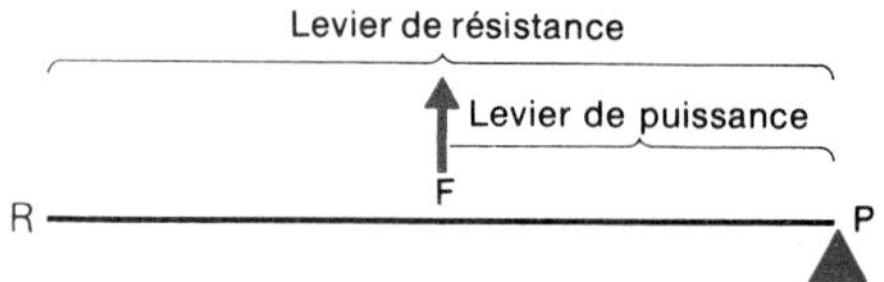

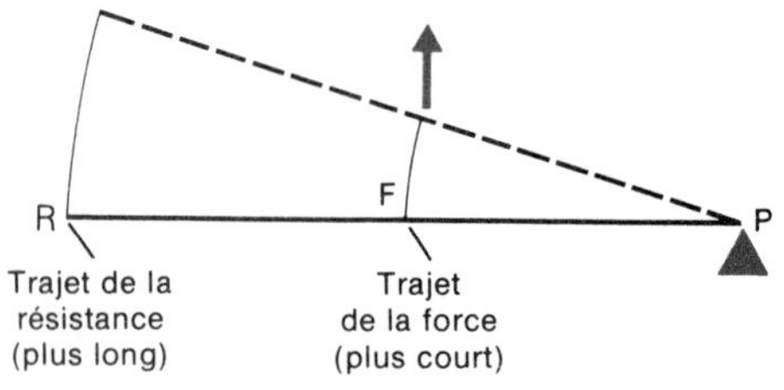

Figure 7-13 Les leviers sont classés en trois genres selon la position du pivot (P). La plupart des leviers du corps sont du troisième genre et sacrifient les avantages mécaniques à l'amplitude du déplacement. (R), résistance; (F), orientation de la force appliquée.

Tableau 7-1 Principaux muscles du membre inférieur*

Insertion	Index numérique des muscles	Muscle	Origine	Action	Innervation†	Commentaires
Phalanges	1	Long extenseur des orteils	Condyle latéral du tibia; bord antérieur de la fibula	Extension des orteils et flexion dorsale du pied	Péronier profond (br. du péronier commun)	Très long, fines attaches le long des trois quarts de la fibula
Phalanges distales	2	Long fléchisseur des orteils	Région moyenne de la face postérieure du tibia	Flexion des phalanges distales des 4 orteils latéraux; extension du pied	Tibial (br. du sciatique)	
Premier métatarsien	3	Long péronier	Condyle latéral du tibia; attaches supplémentaires sur la fibula	Extension du pied; abduction et éversion du pied	Péronier superficiel (br. du péronier commun)	Transfert du poids sur la pointe des pieds pendant la marche
	4	Tibial antérieur	Deux tiers supérieurs du tibia	Flexion complète du pied; adduction et inversion du pied par la contraction maximale	Péronier profond (br. du péronier commun)	
Cinquième métatarsien	5	Court péronier	Face latérale de la fibula	Éversion, extension du pied	Péronier superficiel (br. du péronier commun)	Balancement du pied pendant la marche
	6	Troisième péronier	Tiers inférieur de la fibula	Éversion, flexion du pied	Péronier profond (br. du péronier commun)	Ce muscle représente la partie latérale du long extenseur des orteils
Premier cunéiforme et tubérosité du naviculaire (os du tarse)	7	Tibial postérieur	Deux tiers supérieurs de la face postérieure du tibia; partie supérieure de la fibula; bord postérieur de l'articulation du genou (ligne poplitée)	Inversion et flexion du pied; support de l'arche du pied	Tibial (br. du sciatique)	Possède plusieurs insertions tendineuses sur les petits os de la cheville. Comme il origine à la fois du tibia et de la fibula, il agit comme un muscle interosseux (entre les os) et retient les deux os ensemble contre la poussée des péroniers pendant la marche.

(Suite à la page suivante)

Tableau 7-1 Principaux muscles du membre inférieur* (*suite*)

Insertion	Index numérique des muscles	Muscle	Origine	Action	Innervation†	Commentaires
Calcanéus	8	Gastrocnémien	Par deux tendons parfois visibles sous la peau: (1) condyle médial et face postérieure du fémur; (2) condyle latéral du fémur	Extension du pied; flexion du genou (noter son origine fémorale)	Tibial (br. du sciatique)	Les deux chefs musculaires du gastrocnémien et le soléaire constituent le *triceps sural*. Ces muscles travaillent ensemble pour ramener à terre le gros orteil et la pointe du pied pendant la marche; ils sont synergistes et s'insèrent tous sur le calcanéus par le tendon calcanéen.
	9	Soléaire	Tête et face postérieure de la fibula	Extension du pied	Tibial (br. du sciatique)	

* Ce tableau doit être utilisé avec les figures 7-11, 7-12, 7-15, 7-16.
† Nom des nerfs moteurs (br., branche).

structure d'insertion de ceux qui bougent le membre inférieur à partir du pelvis ou qui propulsent le corps en avant lorsque le pied est bien fixé au sol.

On aperçoit le fémur sur la figure 7-14. Il est légèrement incurvé et présente de grandes surfaces articulaires. L'extrémité qui rejoint le tibia est distale alors que l'autre, proximale, s'articule avec le pelvis grâce à un condyle qui s'épanouit à partir d'un *col*; cette dernière extrémité est la *tête*. L'incurvation des deux fémurs permet de réunir les genoux directement sous le centre de gravité du corps tandis que les têtes, décentrées par rapport au grand axe de l'os, permettent aux muscles du pelvis d'exercer une traction plus directe. L'arrangement général assure de plus une grande stabilité posturale. On peut facilement sentir les épicondyles distaux (latéral et médial) du fémur sous la peau, au-dessus du genou, et palper le grand trochanter au niveau de la hanche. Le fémur possède de nombreuses crêtes, lignes rugueuses et saillies, pour fixer divers ligaments et des muscles puissants.

La plupart des muscles de la cuisse s'insèrent sur le tibia, quoiqu'un certain nombre aient des insertions secondaires sur la fibula. Les plus gros muscles de la cuisse, les fléchisseurs et les extenseurs, sont d'une grande importance dans la marche (figures 7-15 et 7-16). L'importante masse musculaire antérieure, extenseur de la jambe, le *quadriceps fémoral* (*de la cuisse* ou *crural*), est en fait formée de quatre muscles qui s'insèrent tous sur le tibia par le tendon patellaire; ce dernier saute le devant du genou et contient un os encastré, la *patella* (*rotule*). Le quadriceps est donc un muscle composé possédant quatre origines distinctes; la signification latine de son nom est «quatre têtes». Les muscles du quadriceps

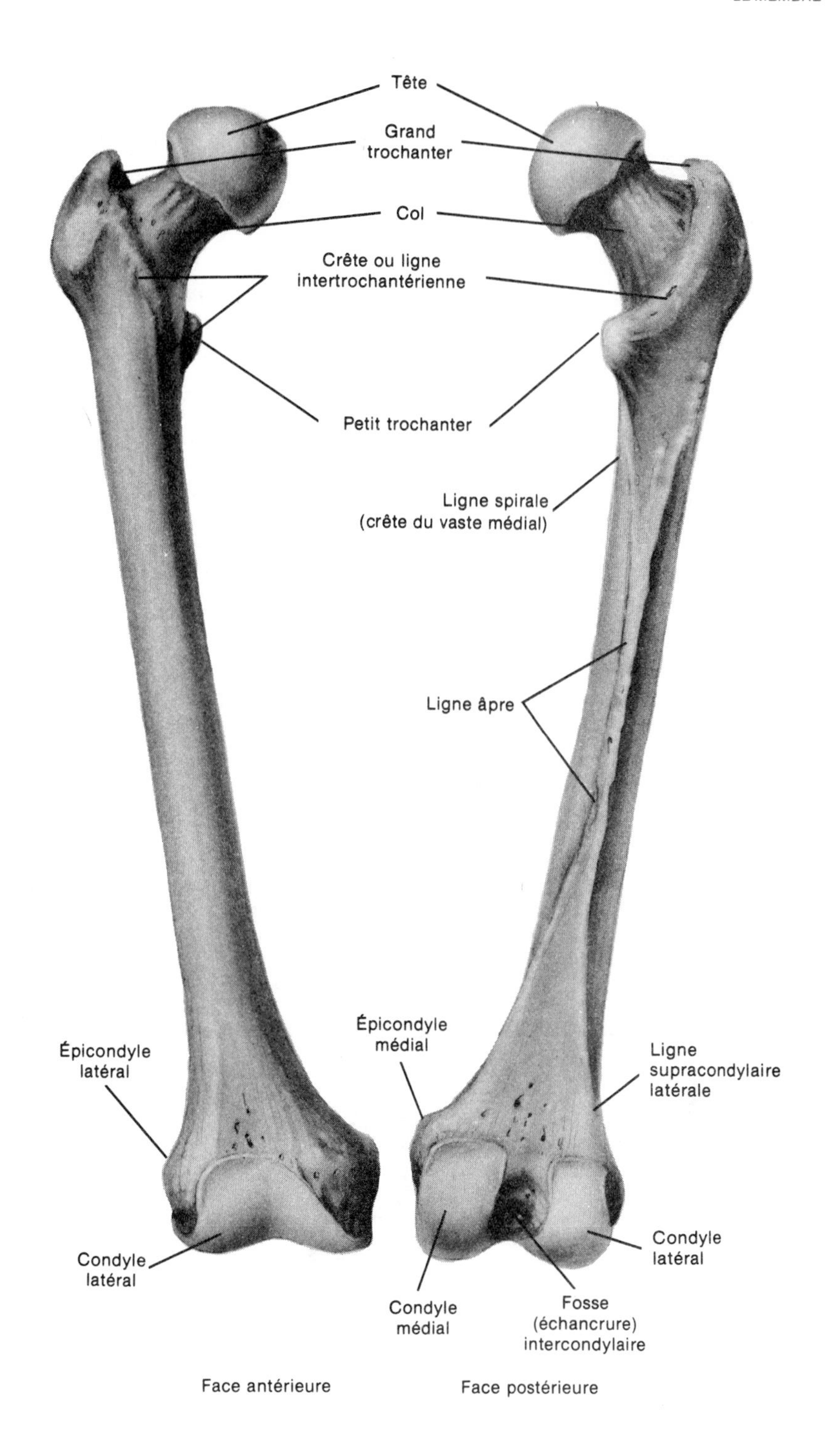

Figure 7-14 Le fémur droit.

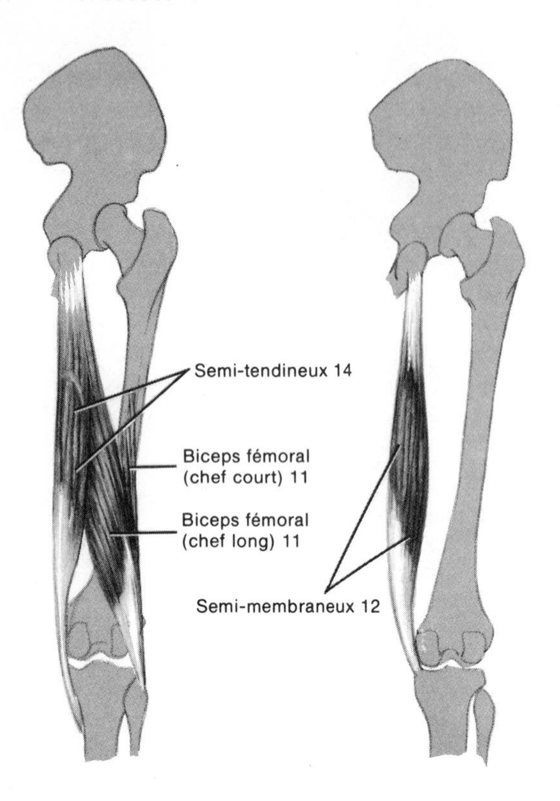

sont: *le droit fémoral* (*droit antérieur*) qui naît de l'ilium (ilion), le *vaste latéral* (*vaste externe*) qui naît de la ligne âpre du fémur, le *vaste médial* (*vaste interne*) dont l'origine est partiellement différente, et finalement le *vaste intermédiaire* (*crural*) dont l'origine se situe aussi sur le fémur. Le droit fémoral et le vaste latéral sont souvent les sites d'auto-injection de médicaments, spécialement d'insuline.

Les muscles postérieurs de la cuisse, le pendant fléchisseur du quadriceps fémoral, s'attachent à la jambe par les *tendons du jarret* grâce auxquels on suspend, par exemple, une fesse de porc entière à un crochet pour la fumer. Ils comprennent le *biceps fémoral*, le *semi (demi)-membraneux* et le *semi (demi)-tendineux* qui s'insèrent par leurs tendons de chaque côté de la partie postérieure de la jambe, créant le creux du genou.

Figure 7-15 Vue postérieure des muscles fléchisseurs de la jambe droite.

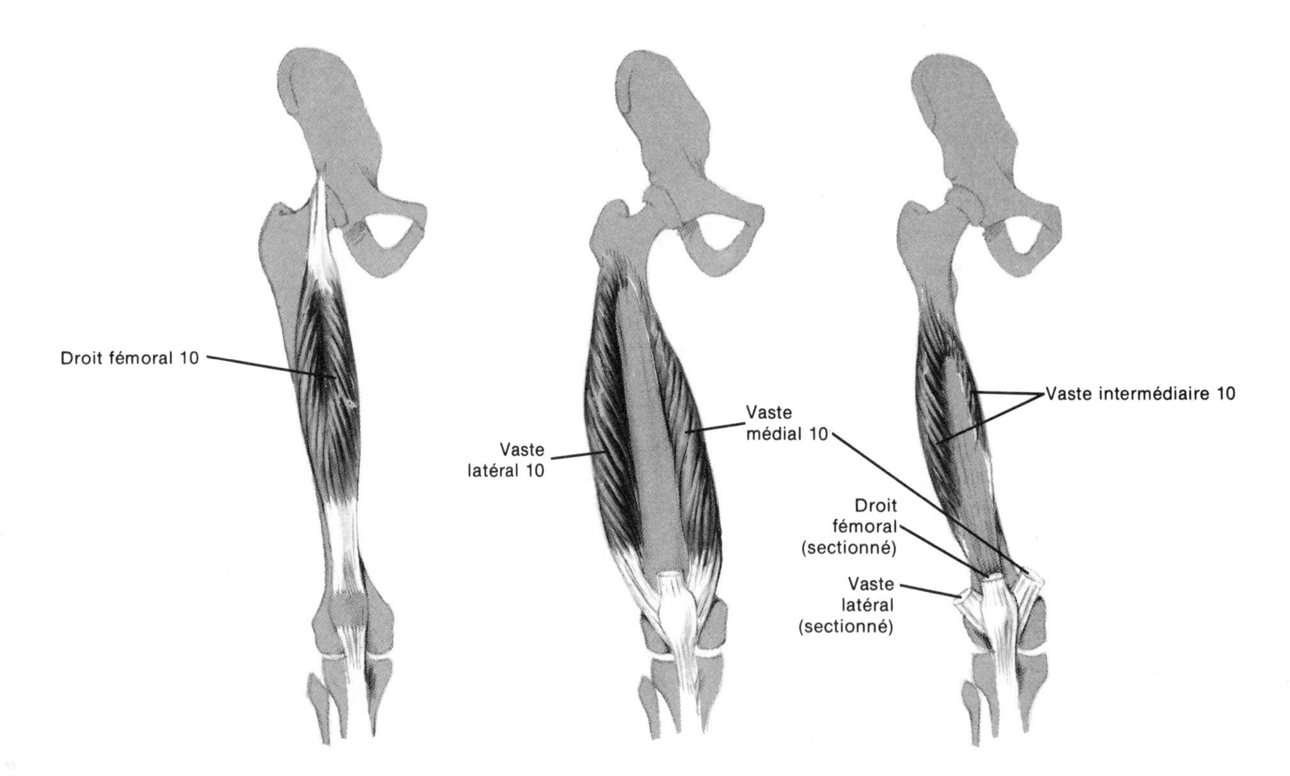

Figure 7-16 Vue antérieure des muscles extenseurs de la jambe droite. Trouver le plus grand nombre possible de ces muscles sur la figure 6-1.

Tableau 7-2 Principaux muscles de la cuisse*

Insertion	Index numérique des muscles	Muscle	Origine	Action	Innervation	Commentaires
Tibia, dans tous les cas	10	Quadriceps fémoral formé de quatre chefs musculaires: droit fémoral, vastes médial, latéral et intermédiaire	(1) Os coxal; (2) fémur	Extension de la jambe; le droit fémoral fléchit aussi la cuisse sur le pelvis	Fémoral	Le principal, sinon le seul muscle extenseur de la jambe. Chaque chef musculaire est si volumineux qu'il pourrait constituer un muscle en lui-même.
	11	Biceps fémoral (chef long et chef court)	(1) Tubérosité de l'ischium (ischiatique de l'os coxal); (2) ligne âpre du fémur	Extension et adduction de la cuisse; flexion de la jambe en dehors quand celle-ci est fléchie	Sciatique (bifurcation en tibial et péronier commun)	La principale insertion est la tête de la fibula. Une autre insertion se trouve sur le condyle latéral du tibia.
	12	Semi-membraneux	Tubérosité de l'ischium	Extension, adduction, et rotation interne de la cuisse; rotation minime de l'articulation du genou	Tibial (br. du sciatique)	Autre insertion sur le condyle médial du fémur
	13	Gracile	Portion inférieure de la symphyse pubienne et branche inférieure (descendante) du pubis	Flexion et adduction de la cuisse; rotation de la jambe mise en flexion complète	Obturateur	Très petite insertion sur la partie supérieure de la face médiale du tibia. Action plutôt à la hanche qu'au genou.
	14	Semi-tendineux	Tubérosité de l'ischium (origine commune avec le long chef du biceps)	Extension, adduction et rotation interne de la cuisse; flexion de la jambe et rotation de la jambe fléchie	Tibial	Insertion sur la partie supérieure de la face médiale du tibia. Action principale à l'articulation de la hanche.

(Suite à la page suivante)

Tableau 7-2 Principaux muscles de la cuisse* (*suite*)

Insertion	Index numérique des muscles	Muscle	Origine	Action	Innervation	Commentaires
			antéro-supérieure	tion et rotation externe de la cuisse; peut fléchir la jambe sur la cuisse		la face médiale du tibia. Ce muscle était bien développé chez les anciens *couturiers* à cause de leur position de travail (accroupie et jambes croisées). Forme une bande proéminente traversant en diagonale la face antérieure de la cuisse.

* Ce tableau doit être utilisé avec les figures 7-11 et 7-18 à 7-21.

Le pelvis

Le pelvis est une grosse pièce osseuse qui sert de contenant à plusieurs organes internes et qui sert en même temps d'origine aux muscles de la cuisse et à plusieurs muscles du tronc. De proportions variables d'un individu à un autre, il est généralement plus large et moins haut chez la femme, ce qui facilite le passage de la tête du bébé à l'accouchement (figure 7-17).

Le *pelvis* (*bassin*) est formé des deux *os coxaux* (*iliaques*), du *sacrum* et du *coccyx*. Chaque os coxal forme une moitié latérale du pelvis et contient trois parties fusionnées chez l'adulte, mais indépendantes pendant la vie embryonnaire et l'enfance, soit l'*ilium* (*ilion*), l'*ischium* (*ischion*) et le *pubis*. Les deux os pubiens sont reliés ventralement par un lien fibrocartilagineux, la *symphyse pubienne*. Avant la parturition cette articulation s'assouplit et permet l'écartement des deux os pubiens. Dorsalement, l'ilium s'articule avec le sacrum, une masse de vertèbres fusionnées qui forme la partie caudale de la colonne vertébrale. Les articulations sacro-iliaques sont très complexes: ce ne sont pas des syndesmoses mais de vraies articulations synoviales avec capsule, cartilage, et tout l'équipement standard de ce type d'articulation, y compris les problèmes arthritiques potentiels. L'articulation sacro-iliaque (retourner à la figure 5-26) est bien verrouillée et fermement maintenue par des ligaments qui ne lui laissent que peu de liberté d'action, sauf à l'accouchement, où un mouvement de charnière limité permet une certaine mobilité des os coxaux.

La majeure partie de la surface pelvienne sert d'ancrage aux très grosses origines de plusieurs muscles de la cuisse. L'ilium présente des bordures rugueuses et développées servant à la fixation des muscles du tronc. Les bords supérieurs peuvent aussi servir de tablette pour transporter une pile de livres embarrassante. L'acétabulum (la cavité cotyloïde), le socle de l'os coxal qui reçoit la tête du fémur, est formée par les trois os du pelvis.

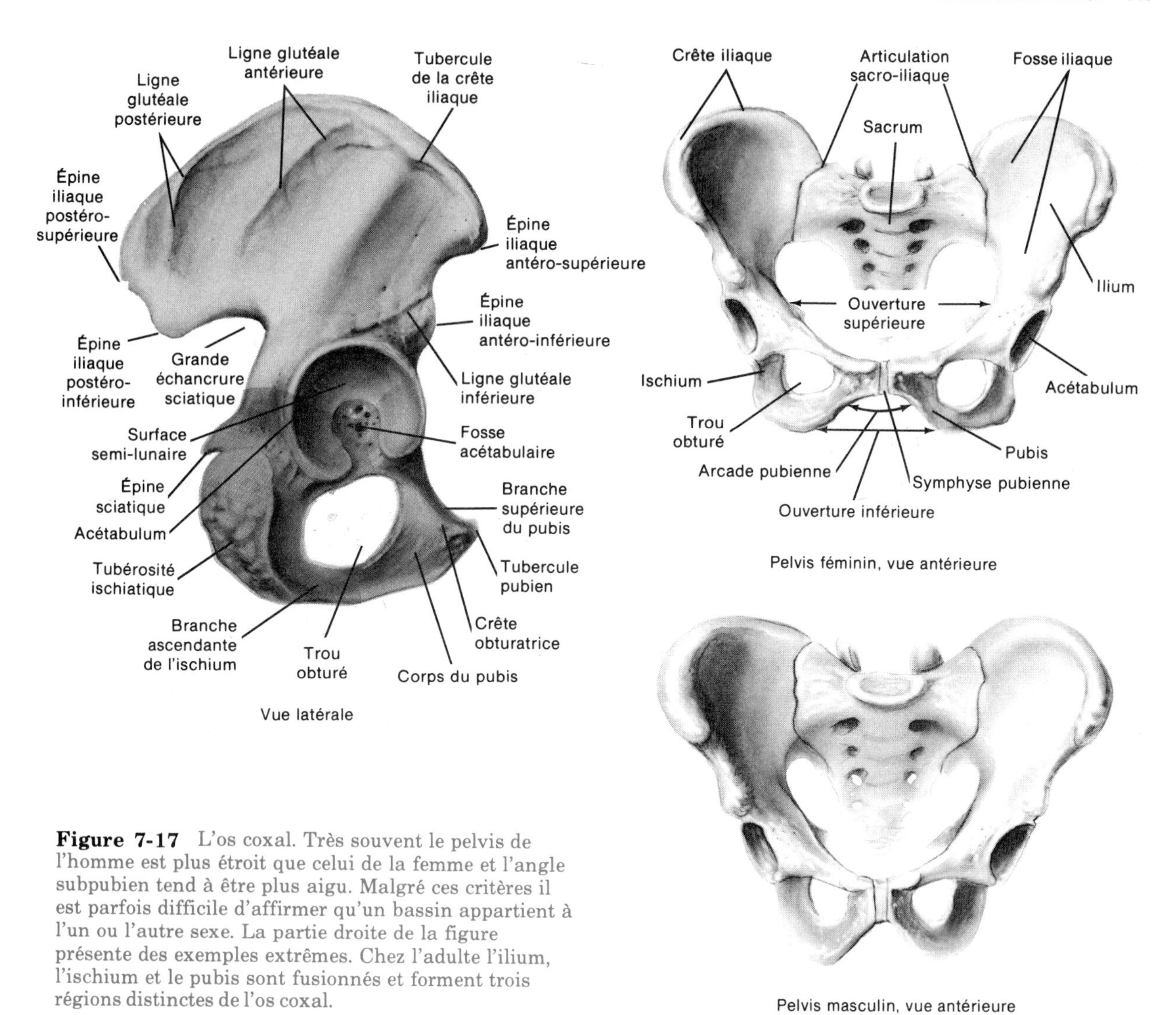

Figure 7-17 L'os coxal. Très souvent le pelvis de l'homme est plus étroit que celui de la femme et l'angle subpubien tend à être plus aigu. Malgré ces critères il est parfois difficile d'affirmer qu'un bassin appartient à l'un ou l'autre sexe. La partie droite de la figure présente des exemples extrêmes. Chez l'adulte l'ilium, l'ischium et le pubis sont fusionnés et forment trois régions distinctes de l'os coxal.

Les muscles pelviens se classent en trois catégories fonctionnelles: ceux qui s'insèrent sur le fémur, ceux du tronc, et ceux du périnée ou plancher pelvien. Ces derniers, le releveur de l'anus et le coccygien, supportent les viscères abdominaux et leur rôle est associé aux orifices inférieurs du corps. Le *muscle releveur de l'anus*, par exemple, permet le contrôle de la défécation, et certaines de ses fibres (le releveur de la prostate chez l'homme et le pubo-vaginal chez la femme) forment le *sphincter de l'urètre* et assurent le contrôle de la miction. Le muscle *coccygien* (*ischio-coccygien*) participe aussi à la fermeture du sphincter anal et certaines de ses fibres ont une fonction sexuelle importante chez la femme. Souvent endommagé à l'accouchement, le pubo-coccygien (une partie du muscle coccygien) peut ensuite mal remplir sa fonction; il en résulte souvent une perte de contrôle de la défécation et de la miction, et un soutien insuffisant des viscères pelviens. Quelques muscles du plancher pelvien ont aussi une fonction locomotrice alors que d'autres assurent, par leur contraction, la compression des organes érectiles, chassant le sang dans leur partie antérieure dans le pénis.

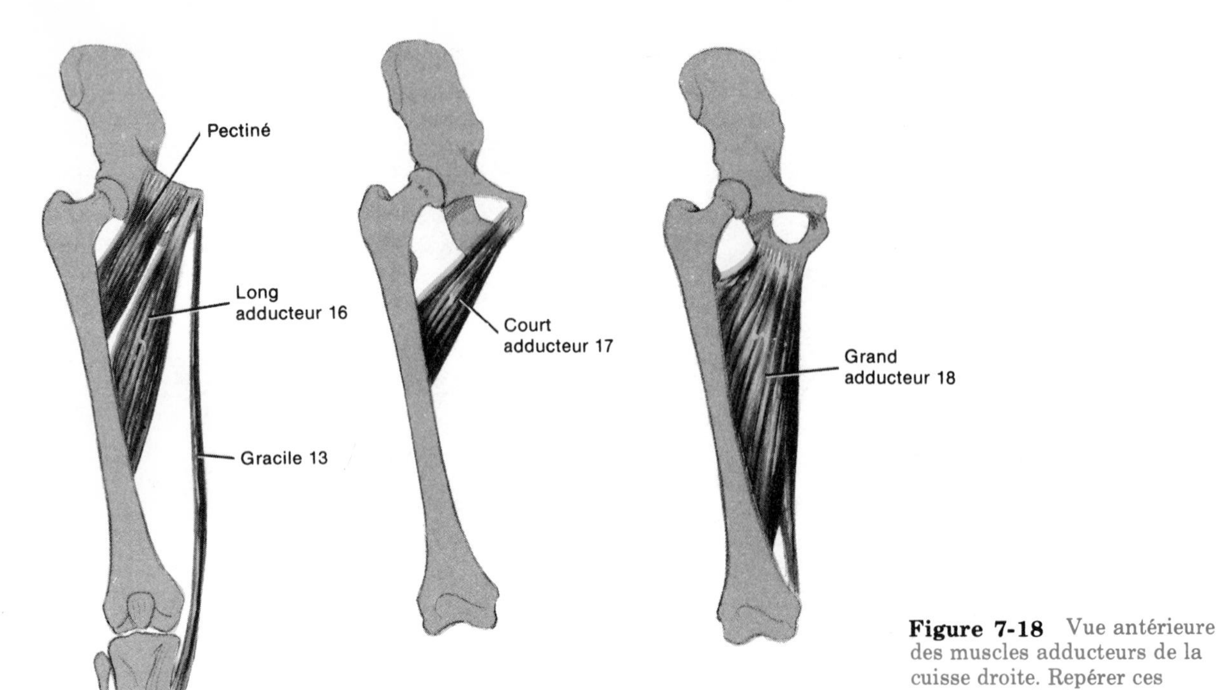

Figure 7-18 Vue antérieure des muscles adducteurs de la cuisse droite. Repérer ces muscles sur la figure 6-1.

Malgré leur petite taille, les muscles du périnée ne sont donc pas sans importance. On a cependant omis de les décrire aux tableaux 7-3 et 7-4. Le quadriceps fémoral, déjà décrit (n° 10, tableau 7-2), a aussi été omis de ces tableaux. Les muscles de la cuisse sont illustrés sur les figures 7-18 à 7-22.

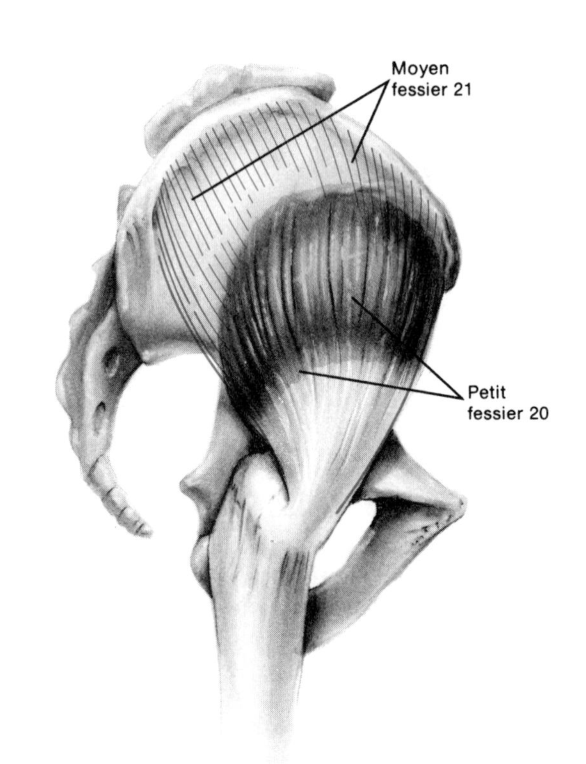

Figure 7-19 Vue antérieure des muscles abducteurs de la cuisse droite. Repérer ces muscles sur la figure 6-1.

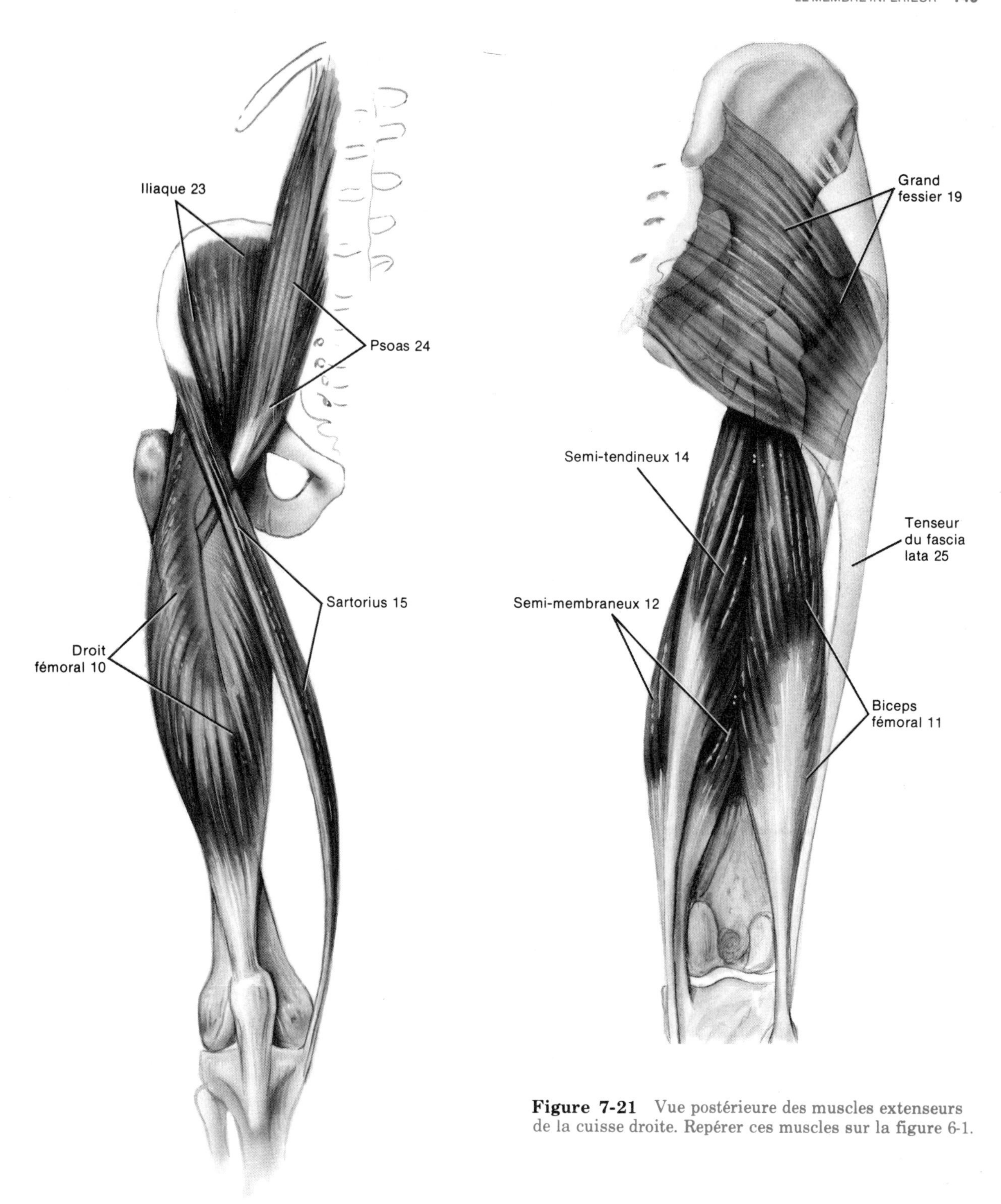

Figure 7-21 Vue postérieure des muscles extenseurs de la cuisse droite. Repérer ces muscles sur la figure 6-1.

Figure 7-20 Vue antérieure des muscles fléchisseurs de la cuisse droite dont le point d'action est l'articulation de la hanche. Repérer ces muscles sur la figure 6-1.

Tableau 7-3 Muscles pelviens de la cuisse*

Insertion	Index numérique des muscles	Muscle	Origine	Action	Innervation	Commentaires
Fémur, dans tous les cas	16	Long adducteur	Symphyse pubienne	Adduction, flexion, et rotation de la cuisse en dehors	Obturateur	Le plus superficiel des trois adducteurs; s'insère sur la partie moyenne de la ligne âpre du fémur
	17	Court adducteur	Branche inférieure du pubis	Adduction, flexion, et rotation de la cuisse en dehors	Obturateur	L'adducteur placé centralement; s'insère sur le tiers supérieur de la ligne âpre du fémur
	18	Grand adducteur	Branche ischio-pubienne et tubérosité de l'ischium (tubérosité ischiatique)	Adduction, flexion, et rotation de la cuisse en dehors; l'extension de la jambe est possible par la portion inférieure du muscle	Obturateur; tibial dans la portion inférieure	Le plus profond des trois adducteurs. Insertion tout le long de la ligne âpre du fémur. Ces trois adducteurs ont une origine commune pubienne et sont ainsi faciles à localiser sous la peau.
	19	Grand fessier	Sacrum, coccyx, et crête iliaque	Extension et rotation externe de la cuisse; stabilisation de l'articulation du genou	Glutéal inférieur (br. du sciatique, parfois issu du péronier commun)	Insertion sur la tubérosité glutéale (portion supéro-interne de la ligne âpre du fémur). Peu utile à la marche mais important pour grimper. Site de prédilection pour les injections intramusculaires.

(Suite à la page suivante)

Tableau 7-3 Muscles pelviens de la cuisse* (*suite*)

Insertion	Index numérique des muscles	Muscle	Origine	Action	Innervation	Commentaires
	20	Moyen fessier	Surface glutéale ou fosse iliaque externe (segment moyen)	La même que celle du grand fessier; rotation interne et abduction de la cuisse par les faisceaux antérieurs	Glutéal supérieur	Insertion sur la face latérale du grand trochanter. Balancement de la jambe pendant la marche.
	21	Petit fessier	Surface glutéale ou fosse iliaque externe (segment antéro-inférieur)	Abduction et rotation interne de la cuisse. Flexion de la cuisse par les faisceaux antérieurs, extension par les faisceaux postérieurs.	Glutéal supérieur	Balancement de la jambe pendant la marche. Ensemble, les points d'origine des muscles fessiers couvrent la presque totalité de la face latérale de l'os coxal, la surface glutéale.
	22	Piriforme	Face antérieure des vertèbres sacrées	Abduction, rotation externe et extension de la cuisse	Rameaux ventraux des 1er et 2e nerfs sacrés	Insertion sur le bord supérieur du grand trochanter
	23	Iliaque	Partie supérieure de la fosse iliaque (interne)	Flexion et rotation externe de la cuisse, flexion directe du tronc	Fémoral	Insertion audessous et en avant du petit trochanter du fémur, côte à côte avec le psoas. Son action varie selon la position de la jambe.
	24	Psoas	Dernière vertèbre thoracique et vertèbres lombaires	Abduction de la colonne; flexion et rotation de la cuisse; flexion directe du tronc	Plexus lombaire	Insertion sur le petit trochanter. Les muscles iliaque et psoas peuvent être considérés comme un muscle composé, l'*ilio-psoas* (le *filet mignon*).

* Ce tableau doit être utilisé avec les figures 7-11, 7-18, 7-19, 7-20 et 7-21.

Tableau 7-4 Muscles du tronc avec point d'attache pelvien*

Point d'attache osseux pelvien	Index numérique des muscles	Muscle†	Origine (ou insertion)‡	Action	Innervation	Commentaires
Partie externe de la crête iliaque	25	Tenseur du fascia lata (A)	Bandelette ilio-tibiale (de Maissat)	Abduction du fémur; rotation externe du tibia; rotation interne et flexion de la cuisse; rotation du pelvis	Glutéal supérieur	Origine en partie de la lame tendineuse du fascia lata, un tendon large et mince
Crête iliaque	26	Oblique externe (A)	Huit dernières côtes	Flexion et rotation du tronc	Thoraco-abdominaux (intercostaux) 8, 9, 10, 11; subcostal (intercostal 12)	Autre insertion sur le fascia de la paroi abdominale antérieure
	27	Grand dorsal (B)	Fond du sillon intertuberculaire de l'humérus	(1) Adduction et rotation interne du bras; (2) abaissement de la scapula par la portion inférieure	Grand dorsal (collatérale postérieure du plexus brachial)	Autre insertion sur les trois ou quatre dernières côtes, les processus épineux des six dernières vertèbres thoraciques et le fascia thoraco-lombaire
Pubis et symphyse pubienne	28	Droit de l'abdomen (A)	Processus xiphoïde du sternum, cartilage des cinquième, sixième et septième côtes	Flexion de la colonne vertébrale	Thoraco-abdominaux (intercostaux) 8, 9, 10, 11; subcostal	Flexion latérale du tronc; production du tonus abdominal qui retient les viscères internes par l'action combinée des deux droits de l'abdomen
Fascia iliaca, éminence ilio-pectinée	29	Petit psoas (B)	Dernière vertèbre thoracique et première lombaire	Flexion du bassin sur la colonne lombaire	Collatérales (1, 2, 3, 4) du plexus lombaire	L'ilio-psoas n'a pas de point d'attache pelvien. Le petit psoas est parfois absent.
Fascia iliaca, crête iliaque et tubercule pubien	30	Transverse de l'abdomen (A)	Ligne blanche; cartilage des six dernières côtes	Support des viscères abdominaux	Thoraco-abdominaux 7 à 11; subcostal; ilio-hypogastrique et ilio-inguinal; génito-fémoral	

(Suite à la page suivante)

Tableau 7-4 Muscles du tronc avec point d'attache pelvien* (*suite*)

Point d'attache osseux pelvien	Index numérique des muscles	Muscle†	Origine (ou insertion)‡	Action	Innervation	Commentaires
Crête iliaque	31	Carré des lombes (B)	Quatre premières vertèbres lombaires, douzième côte	Flexion de la colonne lombaire; abaissement de la douzième côte	Subcostal; collatérales 1 et 2 du plexus lombaire	Autres attaches sur les vertèbres lombaires. Rôle dans les mouvements respiratoires.
Crête iliaque et aussi le sacrum	32	Érecteur du rachis (B) (épineux, longissimus, ilio-costal)	Vertèbres; face postérieure des côtes; crâne	Complexe. Extension et flexion latérale de la colonne vertébrale; abaissement des côtes.	Branche postérieure motrice des nerfs spinaux	Muscles complexes et allongés, aux origines multiples, formant un groupe longitudinal qui s'étend du sacrum au crâne. Sera revu avec la description des muscles du tronc (tableau 7-8).

* Ce tableau doit être employé avec les figures 7-3 à 7-6 et 7-50.

† (A) indique les muscles abdominaux, (B) les muscles dorsaux.

‡ Il est difficile de déterminer l'origine ou l'insertion des muscles du tronc, car il n'est pas aisé de savoir lequel des points d'attache est le plus mobile.

LA MARCHE ET LES ARTICULATIONS DU MEMBRE INFÉRIEUR

On a déjà dit que la marche était un défi puisque le corps est en déséquilibre à chaque pas. La marche est une chute continuelle vers l'avant, un mouvement de bascule sur le pied qui sert d'appui, et une réception du corps sur l'autre pied lorsque l'équilibre devient précaire.

Le talon frappe d'abord le sol, un peu avant la base des orteils. Le gastrocnémien (jumeaux interne et externe) et le soléaire (ces trois muscles forment le triceps sural) se contractent et lèvent le talon avec tout le corps. Les muscles péroniers portent ensuite le poids du corps sur la tête des métatarsiens par une poussée latérale décentrée qui est équilibrée par l'abduction et la flexion du petit orteil. Finalement, un bon nombre de fléchisseurs du gros orteil lancent le pied vers le haut pendant que se produit l'extension du membre au genou et à la hanche grâce à une action musculaire appropriée. Le pied est maintenant en l'air et le membre inférieur doit plier et balancer vers l'avant en un mouvement oscillant. Au même moment les petit et moyen fessiers se contractent pour amener le pelvis et le centre de gravité du corps au-dessus de la jambe d'appui tout en soulevant encore plus la jambe oscillante. Simultanément, le pelvis pivote autour de l'articulation de la hanche de la jambe d'appui, facilitant la projection en avant et l'amplitude du mouvement de balancier de la jambe oscillante. Ces mouvements sont assistés par des muscles du tronc qu'on nomme souvent les fléchisseurs latéraux de la colonne. La jambe s'étend, le pelvis s'incline sur elle, déplaçant le centre de gravité du corps; au contact du talon avec le sol un autre pas s'amorce. Il ne faudrait pas croire que cette description est complète; la démarche humaine se décompose au moins en six mouvements compliqués qui tiendraient dans plusieurs pages de texte même si on ne décrivait que ce qu'on en sait.

La figure 7-22 est une synthèse et une revue de la fonction musculaire du membre inférieur. La légende est délibérément longue pour vous permettre de bien associer le texte au dessin et aux mouvements musculaires.

Il n'est pas seulement nécessaire de marcher; on doit parfois demeurer debout, action pour laquelle le membre inférieur est moins bien adapté. Il a été conçu pour la marche car les articulations ne se bloquent pas à l'arrêt. La stabilité acquise est le résultat de contractions isométriques intermittentes ou continues dans presque tous les muscles du membre inférieur puisque le corps a toujours tendance à tomber dans une direction ou une autre. Aussitôt que les récepteurs de l'équilibre perçoivent une inclinaison, aussi faible soit-elle, les signaux envoyés au système nerveux central permettent de rectifier la position. Même un soldat

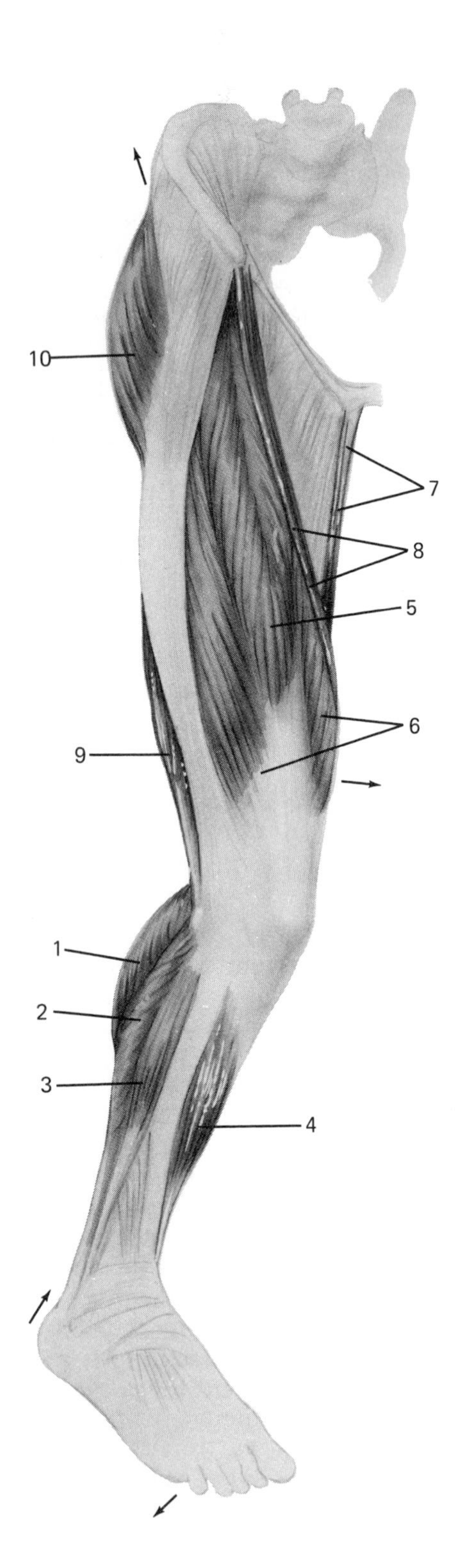

Figure 7-22 La fin d'un pas, lorsqu'on pousse avec le gros orteil pour assurer fermement la demi-pointe du pied sur le sol, est possible grâce à la contraction des muscles de la jambe qui sont colorés sur le dessin, soit le gastrocnémien (1), le soléaire (2) et le long péronier (3). Les deux premiers tirent sur le calcanéus par le tendon calcanéen; la pointe du pied s'applique sur le sol et tout le corps est soulevé vers l'avant. Au même moment ou un peu avant, le long péronier tire sur son tendon. Celui-ci passe le long du calcanéus au travers d'une attache ligamenteuse puis traverse en oblique de l'autre côté de la plante du pied. La contraction du long péronier assure donc la flexion plantaire et le transfert du poids du corps sur la face médiale du pied, celle du gros orteil. Ce dernier fléchit grâce à la contraction de ses muscles intrinsèques.

Lorsque ces mouvements sont complétés, l'antagoniste des fléchisseurs plantaires, le tibial antérieur (4), prépare le pas suivant en tirant le pied vers le haut (flexion dorsale).

Pendant que le pied pousse le corps vers le haut, la jambe entre en extension grâce au droit fémoral et aux vastes latéral et médial (5 et 6). La jambe, maintenant suspendue en l'air, fléchit de nouveau sous la traction des fléchisseurs antagonistes du droit fémoral et des vastes latéral et médial, soit le sartorius (8), le gracile (7), le biceps fémoral (9) et les tendons du jarret, non apparents sur la figure. Si le pas se fait en montant un escalier, alors le grand fessier (10) se contracte pour garder le corps droit. En terrain plat son action est peu importante.

Pouvez-vous expliquer pourquoi les agonistes sont situés sur les faces opposées de la cuisse et de la jambe?

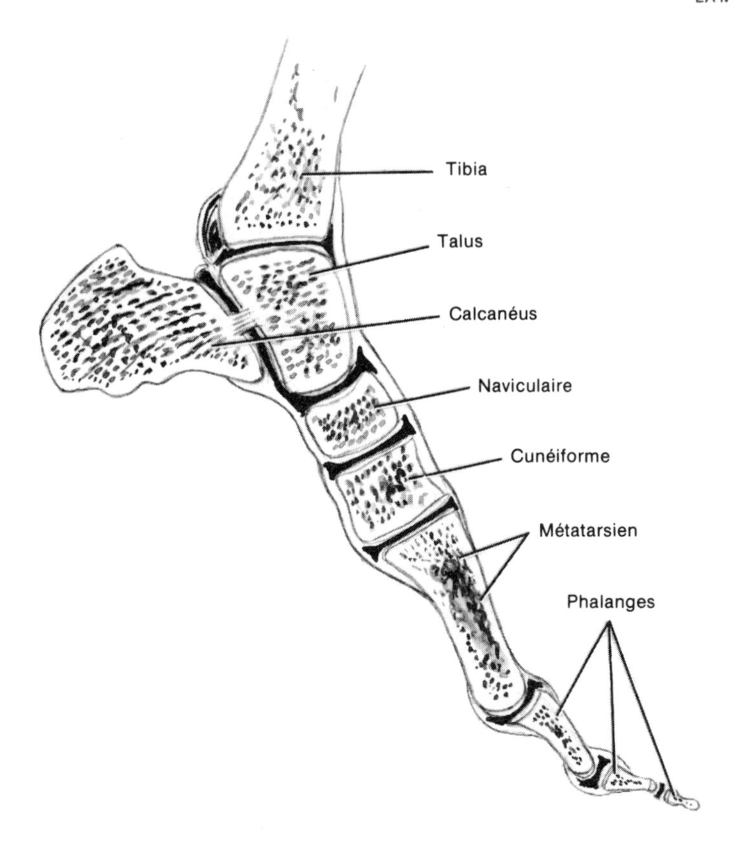

Figure 7-23 Les articulations du pied droit.

entraîné qui se met au garde-à-vous ne peut demeurer immobile devant des instruments de mesure précis, mais il est fort possible que son adjudant ne le remarque pas.

Les articulations du membre inférieur lui permettent une grande variété de mouvements, quoique chacune ait une liberté d'action qui corresponde à ses caractéristiques mécaniques propres; celles-ci dépendent à leur tour du rôle et de la situation de l'articulation. Seulement dans le pied, il y a quelque 25 articulations synoviales dont on explique encore mal les actions. Nous insisterons plutôt sur les articulations les plus en évidence, soit celles de la cheville, du genou et de la hanche.

La cheville

L'articulation de la cheville (du cou-de-pied), ou *tibio-tarsienne*, n'exécute que des mouvements de flexion et d'extension autour de la trochlée du talus. Les muscles impliqués sont cependant nombreux, en particulier les muscles péroniers, les deux muscles tibiaux, et le gastrocnémien. Leur action s'exerce par l'intermédiaire de tendons souvent très longs. L'articulation est maintenue en place par de forts ligaments qui ne permettent qu'un mouvement de penture; tout pivotement forcé dans une direction contraire est très douloureux. Sans aller jusqu'à une entorse, il est possible d'inverser ou d'éverser le pied grâce aux articulations des os du tarse, relativement peu mobiles, qui ne font pas partie de l'articulation tibio-tarsienne.

Le tendon calcanéen (tendon d'Achille), à l'arrière du talon, est le plus gros tendon du corps. Son nom lui vient d'un héros homérique, Achille, qui aurait été finalement vaincu par un coup d'épée sur le tendon en question, son seul point faible. Lorsqu'il se rompt, souvent à la suite de la tentative plus ou moins judicieuse de réaliser un exploit, l'extension du pied devient impossible. Heureusement la chirurgie peut d'ordinaire réparer le mal. Les problèmes les plus courants de la cheville, les foulures et les entorses, sont causés par des mouvements où l'articulation est forcée; les ligaments sont alors soit étirés, soit déchirés, ou encore arrachés de leur fixation osseuse. À la limite, l'articulation peut même être complètement disloquée.

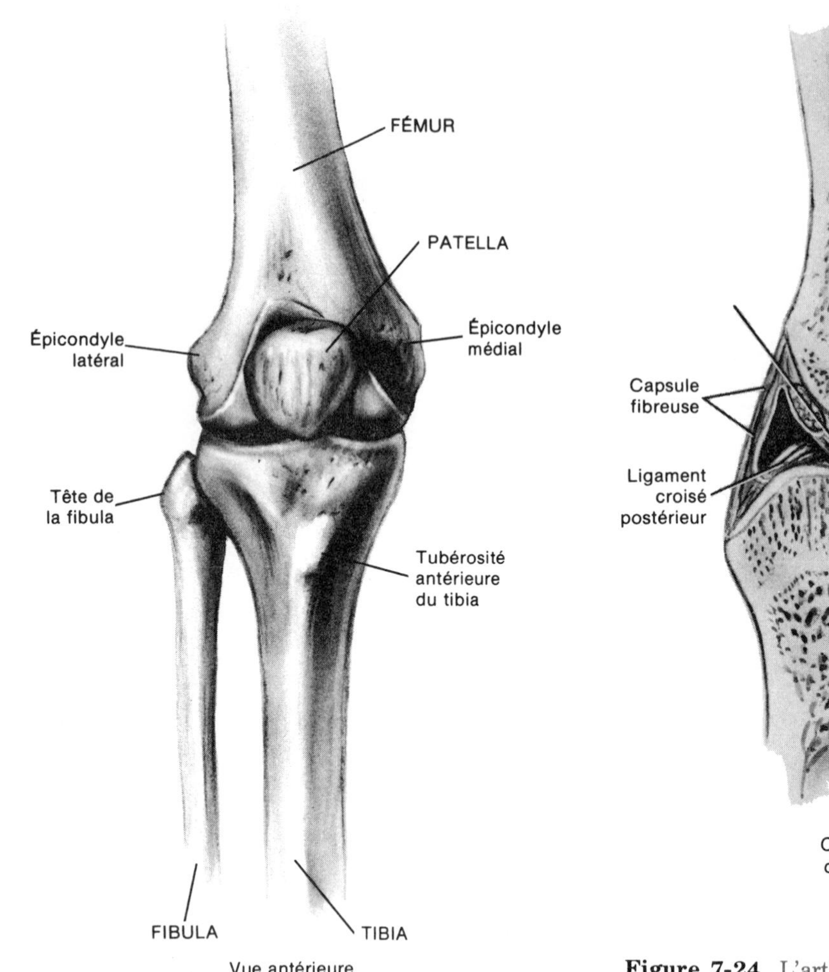

Figure 7-24 L'articulation du genou droit.

Le genou

Pour que la course soit efficace, la jambe doit balancer seulement dans le sens antéro-postérieur; un mouvement latéral serait avantageux, par exemple, au singe qui grimpe à un arbre ou au joueur de soccer qui tente de déjouer un adversaire. Ceux qui pratiquent des sports de contact sont probablement les plus exposés à subir des blessures aux genoux. Que ce soit lors d'un plaquage au football américain ou d'une solide mise en échec au hockey, toute contrainte latérale brusque force le genou dans une direction incompatible avec l'arrangement ligamentaire et méniscal qui retient normalement l'articulation et restreint sa mobilité. L'étirement ou la déchirure qui en résulte pourra ainsi fournir du matériel à la plume du journaliste, au scalpel de l'orthopédiste, et aux commentaires de l'amateur.

Dans la position de demi-flexion le genou peut permettre une faible rotation de la jambe; lorsqu'il est étendu et supporte un poids il ne bouge que dans une seule direction, antéropostérieure. Sa flexion est assurée entre autres par le biceps fémoral, le semi-tendineux, le sartorius (couturier), le gracile (droit interne), le gastrocnémien et le muscle plantaire. Les extenseurs sont les muscles du quadriceps de la cuisse.

Le genou est une articulation complexe qui implique non seulement le fémur, le tibia et accessoirement la fibula, mais encore la patella, un os logé dans le tendon du quadriceps (figure 7-24). La patella est un os *sésamoïde*, c'est-à-dire un os qui se développe dans un tendon ou un autre tissu mou et qui ne s'articule directement avec aucune pièce osseuse. C'est le plus gros os sésamoïde du corps. Les

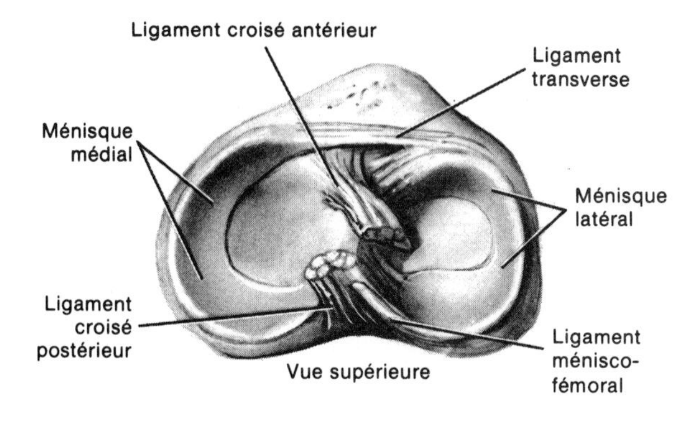

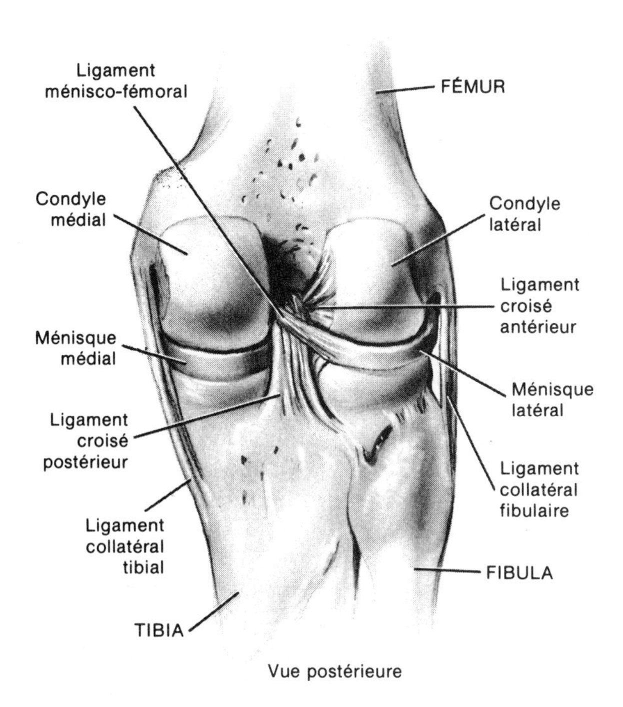

Figure 7-25 Les cartilages et les ligaments de l'articulation du genou droit. (Vue supérieure de l'articulation et des cartilages; vue postérieure de l'articulation.)

autres sont minuscules et ressemblent, comme leur nom l'indique, à des grains de sésame. L'articulation du genou dépend plus que toutes les autres de ses attaches ligamentaires; c'est la raison pour laquelle elle peut être si facilement endommagée. En plus des ligaments et des surfaces cartilagineuses qu'on retrouve dans toutes les articulations synoviales (figure 7-25), le genou contient des cartilages supplémentaires, les *ménisques*, qui assurent la concordance des extrémités tibio-fémorales. Les ménisques représentent donc un handicap supplémentaire puisqu'ils peuvent se déchirer ou se déplacer dans la cavité articulaire. On constate avec surprise que leur excision n'a que peu d'impact sur la fonction du genou quoiqu'il puisse alors s'y développer de l'arthrite. La patella protège les ménisques, mais elle peut aussi être endommagée ou luxée, soit par un puissant choc frontal ou encore par un usage intensif comme, par exemple, dans des métiers qui nécessitent de longues stations à genou. Disons finalement qu'une torsion violente du genou est souvent une cause de déchirures ligamentaires.

Le genou est donc d'une grande instabilité, mais on doit convenir qu'il est sans pareil pour la marche ou la course. Si les blessures sont fréquentes, on doit les imputer bien plus à un usage inadéquat qu'à une mauvaise conception structurale de l'articulation.

La hanche

Le lien synovial entre la tête du fémur et l'acétabulum, l'articulation coxo-fémorale (la hanche), implique les trois os coxaux (figure 7-26). La fracture du col du fémur est fréquente et sérieuse. Chez les gens âgés souffrant d'ostéoporose, le squelette est affaibli et le col du fémur peut fracturer spontanément. Puisqu'il fait partie d'une articulation synoviale, il ne possède pas de périoste donc pas d'ostéoblastes superficiels pouvant former un cal. Néanmoins on peut fixer la tête du fémur avec des vis, ce qui s'avère le plus souvent inutile chez les gens âgés; on doit alors remplacer la tête du fémur par un condyle artificiel.

Il vous serait utile ici de faire un petit exercice qui consiste à énumérer les muscles qui agissent au niveau de la hanche en les regroupant selon le mouvement produit, soit la flexion, l'extension, l'abduction, l'adduction et la rotation. Servez-vous des tableaux 7-2, 7-3 et 7-4.

Cette énumération étonne par le nombre de muscles impliqués mais la versatilité des mouvements produits dépend directement de la structure de l'articulation de la hanche (figure 5-26). L'articulation est assurée par un grand nombre de ligaments (figure 7-26) mais sa conception présente un inconvénient majeur, soit de dépendre fonctionnellement d'un contrôle musculaire précis. Tout mouvement du membre inférieur est non seulement dû à

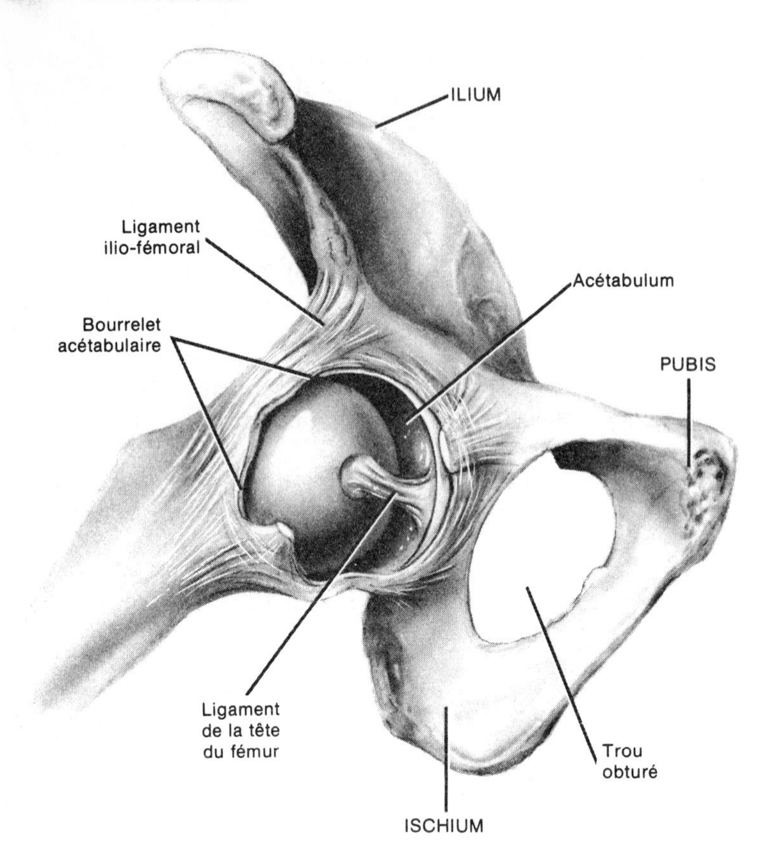

Figure 7-26 L'articulation de la hanche droite. Le ligament de la tête fémorale s'appelle aussi le ligament rond.

l'action des agonistes, mais aussi à celle de plusieurs synergistes qui, par leur contraction isométrique, empêchent le membre inférieur de dévier dans une direction quelconque.

LE MEMBRE SUPÉRIEUR

Bien que très différents du point de vue fonctionnel, les membres supérieurs et inférieurs présentent de grandes analogies structurales: trois segments principaux, plusieurs muscles correspondants, et une grande liberté de mouvement de l'articulation proximale. Leur fixation au tronc est cependant très différente, le membre supérieur jouissant de plus de mobilité que le membre inférieur.

À l'encontre du pelvis, la ceinture scapulaire (du membre thoracique) est un complexe osseux non fusionné (figure 5-26). La tête de l'*humérus*, l'os du bras, s'articule très librement avec la *scapula* (l'*omoplate*), l'os principal de l'épaule. Celui-ci est presque indépendant puisqu'il ne possède qu'une seule attache, proximale, avec la clavicule (figures 7-2, 7-7 et 7-38); la taille de cette articulation est comparable à celles du gros orteil! La scapula est surtout maintenue en place par des fixations musculaires sur le tronc.

On peut presque considérer la scapula comme le quatrième segment du membre supérieur puisque son élévation, par rotation, ou son glissement latéral vers l'avant augmentent la portée de quelques centimètres. L'action de hausser les épaules implique aussi un mouvement des scapulas. Cette grande mobilité, associée à une complexité structurale équivalente, rend l'articulation susceptible à la contrainte; sa luxation est fréquente (figures 7-37 et 7-38).

La main

La plupart des structures de la main ont un équivalent dans le pied. La similitude est suffisante pour que le gros orteil puisse être chirurgicalement substitué au pouce si ce dernier est perdu accidentellement. Les différences entre les deux extrémités viennent de leur assemblage; le pied est structuré pour la marche et la main pour la manipulation. Celle-ci possède donc plus de versatilité et de flexibilité que le pied (figures 7-28 et 7-29).

Si on place un objet rond (une balle de tennis, par exemple) dans la main et qu'on la serre, on constate que l'opposition du pouce aux autres doigts est essentielle: c'est la *prise de puissance* (figure 7-30). Si on remplace la balle par un crayon tenu en position d'écriture, il apparaît clairement que la *prise de précision* est très différente; l'opposition du pouce, cependant, est ici aussi indispensable. Cette action du pouce cadre mal dans la terminologie courante des actions musculaires et dépend de l'activité de l'*opposant du pouce* (figure 5-3).

Les muscles de la main Tous les mouvements de la main sont assurés par des articulations, des tendons et des muscles, dont le nombre est proportionnel à la diversité des actions manuelles. Les doigts s'articulent avec la paume de la main par les articulations métacarpo-phalangiennes. Elles sont très flexibles, autant que les premières articulations interphalangiennes. On peut aussi plier les articulations interphalangiennes distales, mais ce n'est pas facile d'empêcher tout le doigt de suivre le mouvement car les muscles fléchisseurs actionnent chaque doigt globalement. Ramenons maintenant les doigts les uns contre les autres (adduction) puis écartons-les (abduction). Peut-on déterminer la circumduction de chacun d'eux? Lequel peut l'accomplir le plus facilement? Peut-on les opposer les uns aux autres sans l'aide du pouce? Quelle habileté aurait la main sans ce dernier? (Référer aux figures 1-5, 5-3, 7-33, 7-34.)

Certains mouvements sont propres à la main. Si on agrippe fermement le poignet droit avec la main gauche, on peut déterminer la circumduction de la main droite, c'est-à-dire la flexion, l'extension, l'abduction et l'adduction; la rotation, cependant, s'avère impossible puisque la pronation et la supination sont des mouvements qui dépendent de l'avant-bras. Les fléchisseurs des doigts et du poignet (et à un moindre degré les extenseurs) sont des muscles gros et puissants qui n'ont pas de place dans la main. Ils se trouvent presque tous dans l'avant-bras et s'insèrent sur les os des doigts par de longs tendons (figure 7-27). Les seuls gros muscles intrinsèques de la main sont les opposants et les abducteurs du pouce et du petit doigt (l'auriculaire).

Le squelette de la main Le squelette de la main est formé des trois rangées de phalanges, des métacarpiens avec lesquels les premières phalanges s'articulent, et des deux rangées des os du carpe: l'*hamatum* (*os crochu*), le *capitatum* (*grand os*), le *trapèze*, le *trapézoïde*, le *pisiforme*, le *triquetrum* (*pyramidal*), le *lunatum* (*semi-lunaire*) et le *scaphoïde* (figures 7-28 et 7-29). Les articulations carpo-métacarpiennes sont ovoïdes et leurs surfaces articulaires, comme celles des articulations par emboîtement réciproque, permettent des mouvements dans toutes les directions. Les articulations interphalangiennes, au contraire, sont de simples pentures. Structuralement les articulations carpo-métacarpiennes sont des articulations en selle; en pratique elles ne sont pas beaucoup plus mobiles que des articulations à charnière, exception faite de celle du pouce qui est très mobile. Les articulations des os du carpe sont de type synovial mais n'offrent que peu de liberté de mouvement; par glissement elles contribuent à la circumduction de la main (ainsi qu'à chacun des mouvements individuels de la circumduction). Les os de la main forment une arche concave, l'*arcade palmaire*, qui contient plusieurs nerfs et des tendons fléchisseurs des doigts.

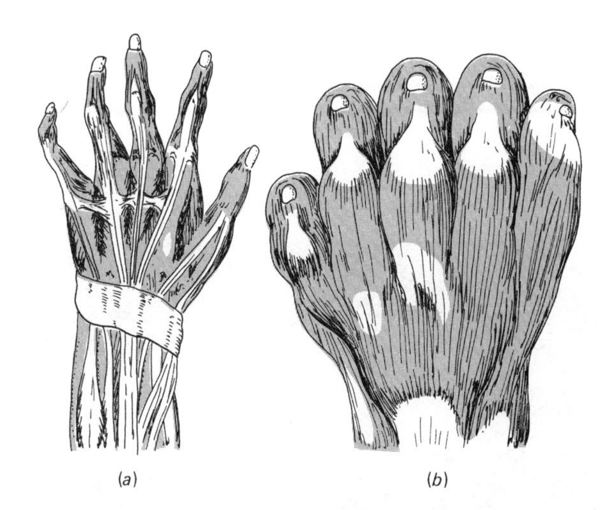

Figure 7-27 (*a*) Main normale où les tendons permettent aux muscles d'agir à distance sur les os. (*b*) Représentation imaginative de l'aspect d'une main humaine si les muscles devaient être attachés directement sur les os qu'ils actionnent. (*Garrett Hardin, «Biology, Its Principles and Implications», 2d ed., 1966. Redessiné avec la permission de la maison W.H. Freeman and Company.*)

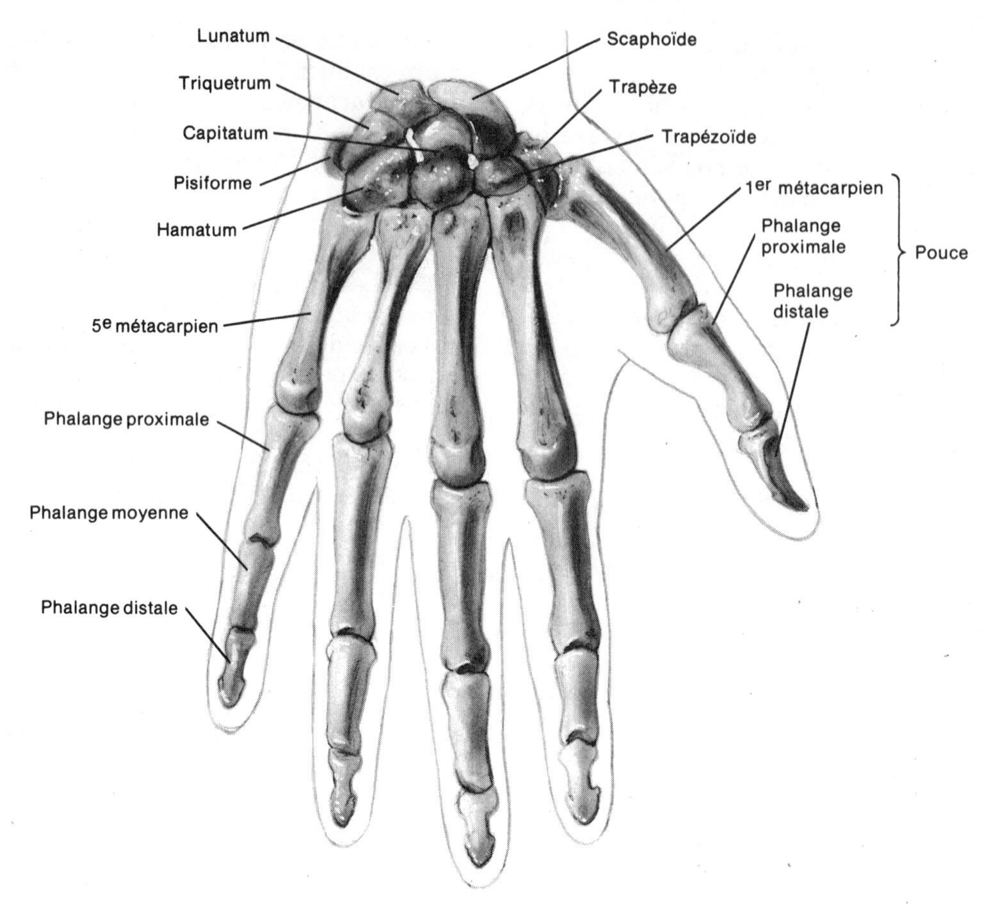

Figure 7-28 Le squelette de la main.

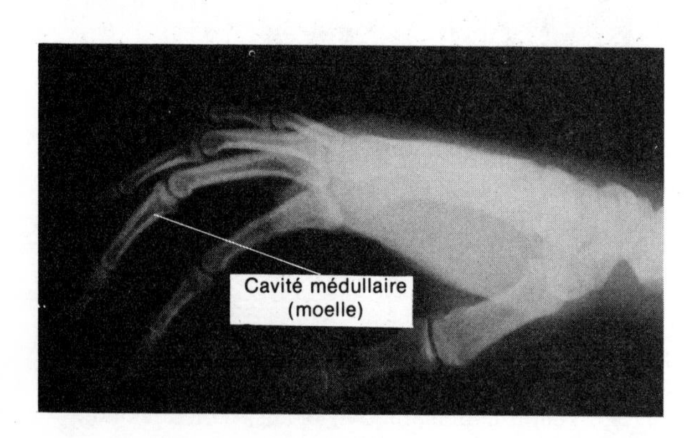

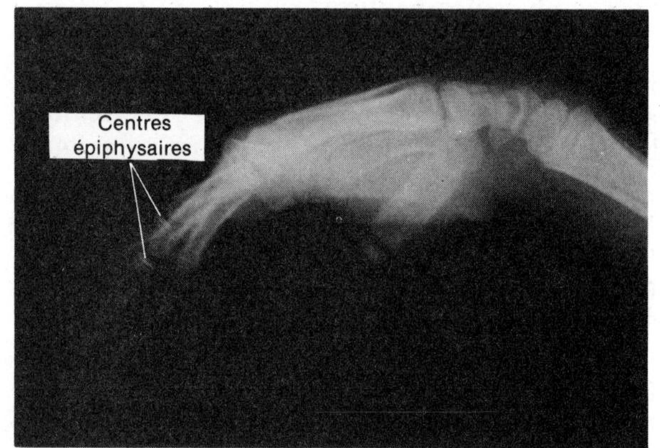

Figure 7-29 Radiographies de la main droite en deux positions. Noter de quelle façon les os du carpe permettent la flexion de la main. Dans les deux cas, les doigts sont partiellement fléchis à l'exception du petit doigt. Combien d'os pouvez-vous identifier?

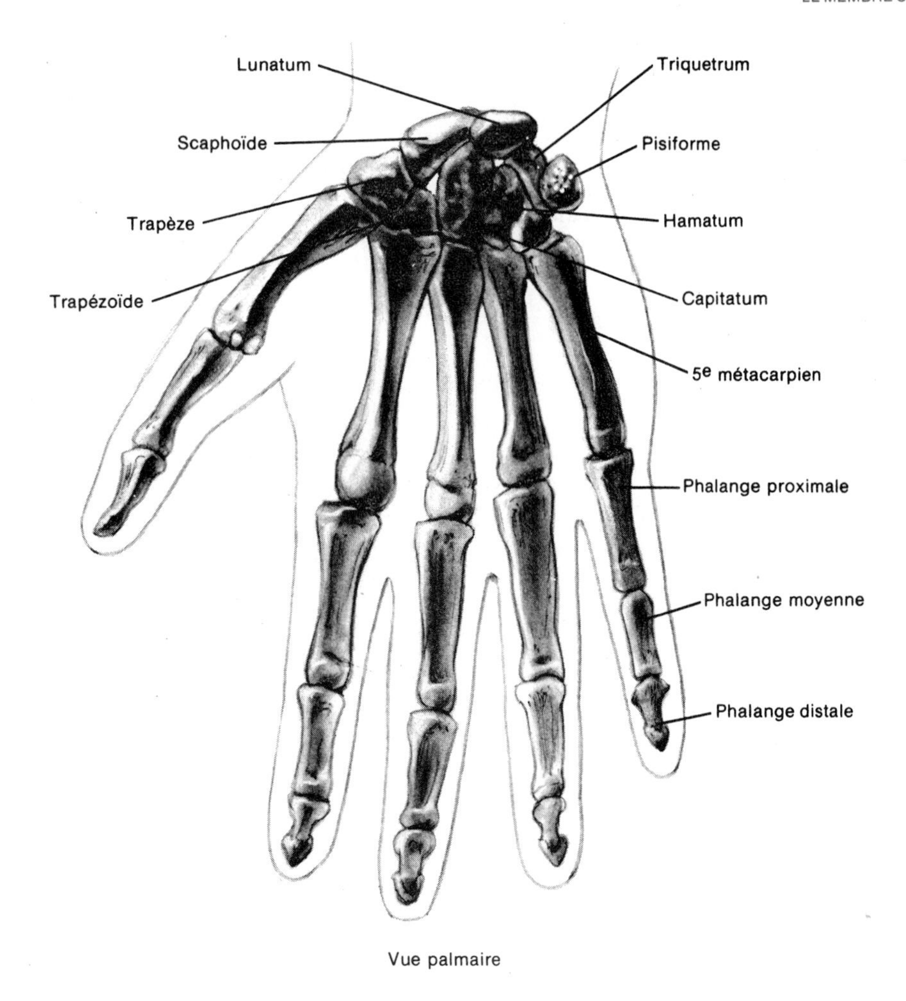

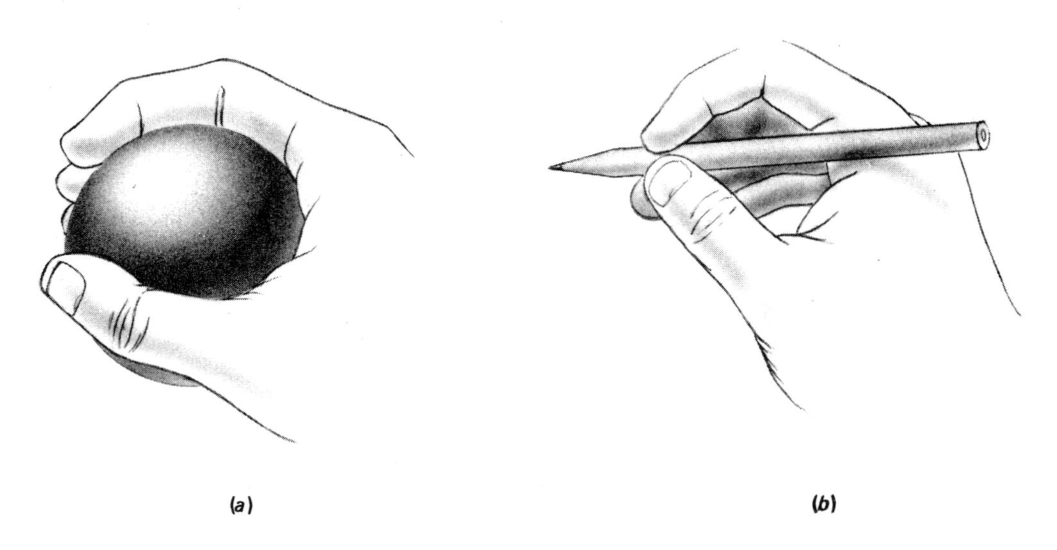

Figure 7-30 (*a*) Prise grossière de la main droite. (*b*) Prise de précision.

Tableau 7-5 **Principaux muscles de la main et de l'avant-bras***

Insertion	Index numérique des muscles	Muscle	Origine	Action	Innervation	Commentaires
Phalange distale du pouce	33	Long fléchisseur du pouce	Face antérieure du radius et de l'ulna	Flexion du pouce; adduction du pouce vers la paume de la main; flexion de la main sur le poignet	Interosseux antérieur (br. du médian)	Agit habituellement de concert avec les muscles adducteurs
	34	Long extenseur du pouce	Partie moyenne de la face postérieure de l'ulna; membrane interosseuse	Extension et abduction du pouce; abduction radiale de toute la main	Interosseux postérieur (br. du radial)	
Phalange distale des quatre doigts médiaux	35	Fléchisseur profond des doigts	Les deux tiers supérieurs de la face interne et antérieure de l'ulna	Flexion des phalanges et flexion de la main sur l'avant-bras	Interosseux antérieur (br. du médian); ulnaire	**Très important dans la flexion forcée comme pour fermer le poing. Travaille de concert avec le fléchisseur superficiel des doigts.**
	36	Extenseur des doigts	Face postérieure de l'épicondyle latéral de l'humérus	Extension des doigts à l'articulation métacarpo-phalangienne, individuellement ou en groupe†; écartement des doigts	Radial	L'épicondyle latéral de l'humérus est le point d'origine de plusieurs muscles extenseurs de la main
Phalange distale de l'index	37	Extenseur de l'index	Partie distale de la face postérieure de l'ulna	Extension indépendante et adduction de l'index	Radial	Insertion conjointe avec l'extenseur des doigts
Phalanges moyennes	38	Fléchisseur superficiel des doigts	Épicondyle médial de l'humérus; partie supérieure de la crête médiale de l'ulna; courtes fibres aponévrotiques du bord antérieur du radius	Flexion des doigts et de la main sur l'avant-bras	Médian	
Deuxième et troisième métacarpiens	39	Long palmaire	Épicondyle médial de l'humérus	Flexion de la main sur l'avant-bras	Médian	**Insertion sur les deuxième, troisième et quatrième métacarpiens par l'intermédiaire des structures avoisinantes (aponévrose palmaire et ligaments)**

(Suite à la page suivante)

Tableau 7-5 Principaux muscles de la main et de l'avant-bras* (*suite*)

Insertion	Index numérique des muscles	Muscle	Origine	Action	Innervation	Commentaires
Premier métacarpien	40	Opposant du pouce	Trapèze	Abduction, flexion, et rotation médiale du premier métacarpien	Médian	Comme son nom l'indique, il oppose le pouce aux autres doigts. Il y a d'autres muscles intrinsèques du pouce non décrits dans ce tableau, dont le court abducteur, le court fléchisseur, l'adducteur du pouce.
Deuxième et troisième métacarpiens	41	Fléchisseur radial du carpe	Épicondyle médial de l'humérus	Flexion de la main sur l'avant-bras; pronation et adduction de la main	Médian	Fixe le poignet pendant l'extension des doigts
Deuxième métacarpien	42	Long extenseur radial du carpe	Épicondyle latéral et bords latéraux de l'humérus	Extenseur de la main et abduction; flexion de l'avant-bras	Radial	Fixe le poignet pendant la flexion des doigts
Deuxième et troisième métacarpiens	43	Court extenseur radial du carpe	Épicondyle latéral de l'humérus	Extension et abduction de la main	Radial	
Cinquième métacarpien	44	Extenseur ulnaire du carpe	Deux origines: (1) épicondyle latéral de l'humérus (2) les trois quarts supérieurs de la face postérieure de l'ulna	Extension et adduction de la main; extension et abduction du cinquième métacarpien	Radial	Fixe le poignet pendant la flexion des doigts
	45	Fléchisseur ulnaire du carpe	Deux origines: (1) épicondyle médial de l'humérus (2) deux tiers supérieurs du bord postérieur de l'ulna	Flexion et adduction de la main; flexion du coude	Ulnaire	Autres insertions sur les os du carpe de sorte qu'il fixe le poignet pendant l'extension des doigts

* Ce tableau doit être utilisé avec les figures 7-33, 7-35 et 5-3.

† La plupart des muscles extenseurs ou fléchisseurs des doigts peuvent agir sur un seul ou tous les doigts à la fois.

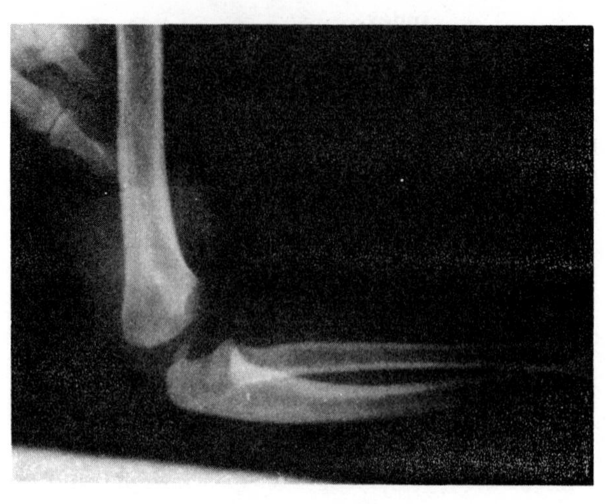

Figure 7-32 Radiographie du coude gauche d'un enfant de trois ans. Identifier l'humérus, le radius et l'ulna. L'espace important au niveau de l'articulation des trois os n'est pas vide, mais occupé par du tissu cartilagineux transparent aux rayons-x qui révèlent un minuscule point d'ossification épiphysaire dans l'articulation. Comparer cette figure à la figure 5-9.

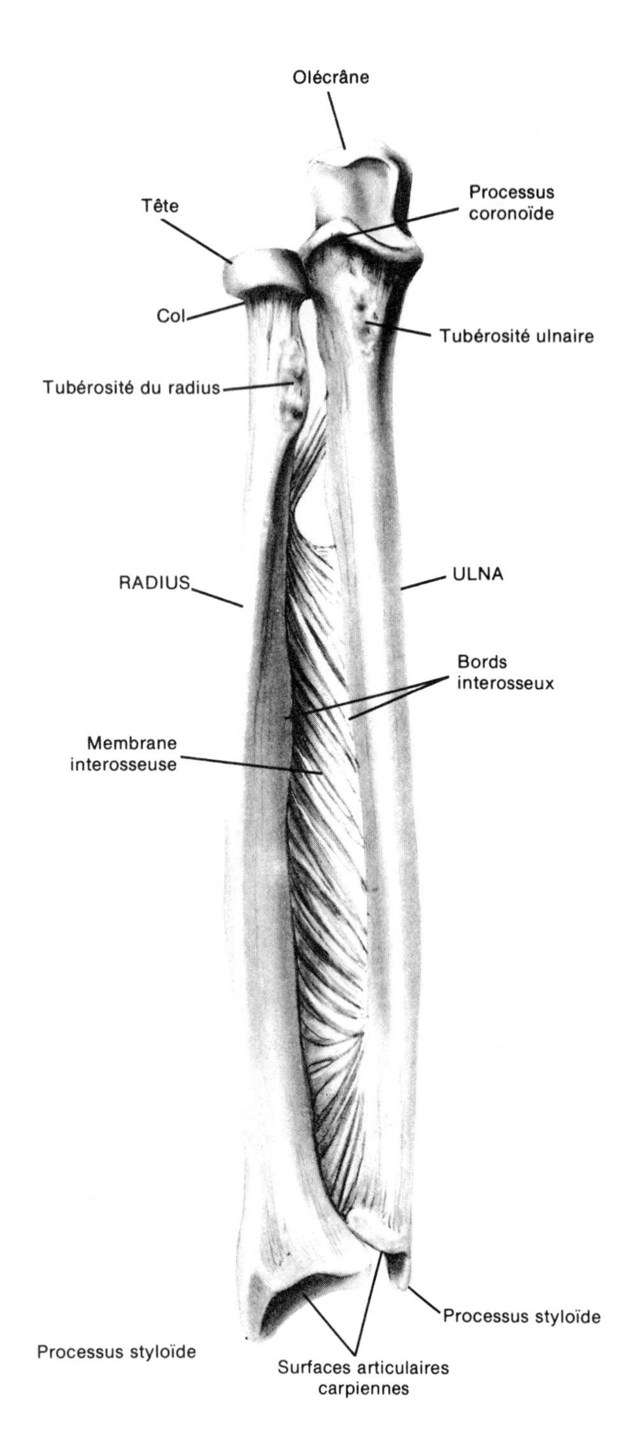

Figure 7-31 Vue antérieure des os de l'avant-bras droit. La membrane interosseuse, à laquelle nous référons dans ce chapitre, forme un feuillet tendu entre les bords opposés ou interosseux du radius et de l'ulna. C'est un ligament large et très mince qui unit les deux os de l'avant-bras.

L'avant-bras

L'avant-bras sert d'origine aux muscles extrinsèques de la main et les loge. Sa grande mobilité contribue beaucoup à l'utilité réelle de la main (figure 7-27). Le tableau 7-5 décrit les principaux muscles de l'avant-bras. Si la jambe peut accomplir des mouvements qui s'apparentent à la pronation et à la supination, l'amplitude est très faible. Ces deux actions sont typiques de l'avant-bras et dépendent de sa conception fonctionnelle (figures 7-31 et 5-6).

Cette dernière repose sur les relations entre les deux os de l'avant-bras. L'ulna est droit, le radius est incurvé. L'ulna est l'os principal de l'articulation du coude même si le radius y participe lâchement. La main *n'est pas* articulée à l'ulna mais au radius, de sorte que la rotation de ce dernier autour de l'ulna entraîne la main. Les articulations du poignet et du coude sont du type à charnière; il leur serait donc impossible, sans rotation radio-ulnaire, de réaliser la pronation ou la supination.

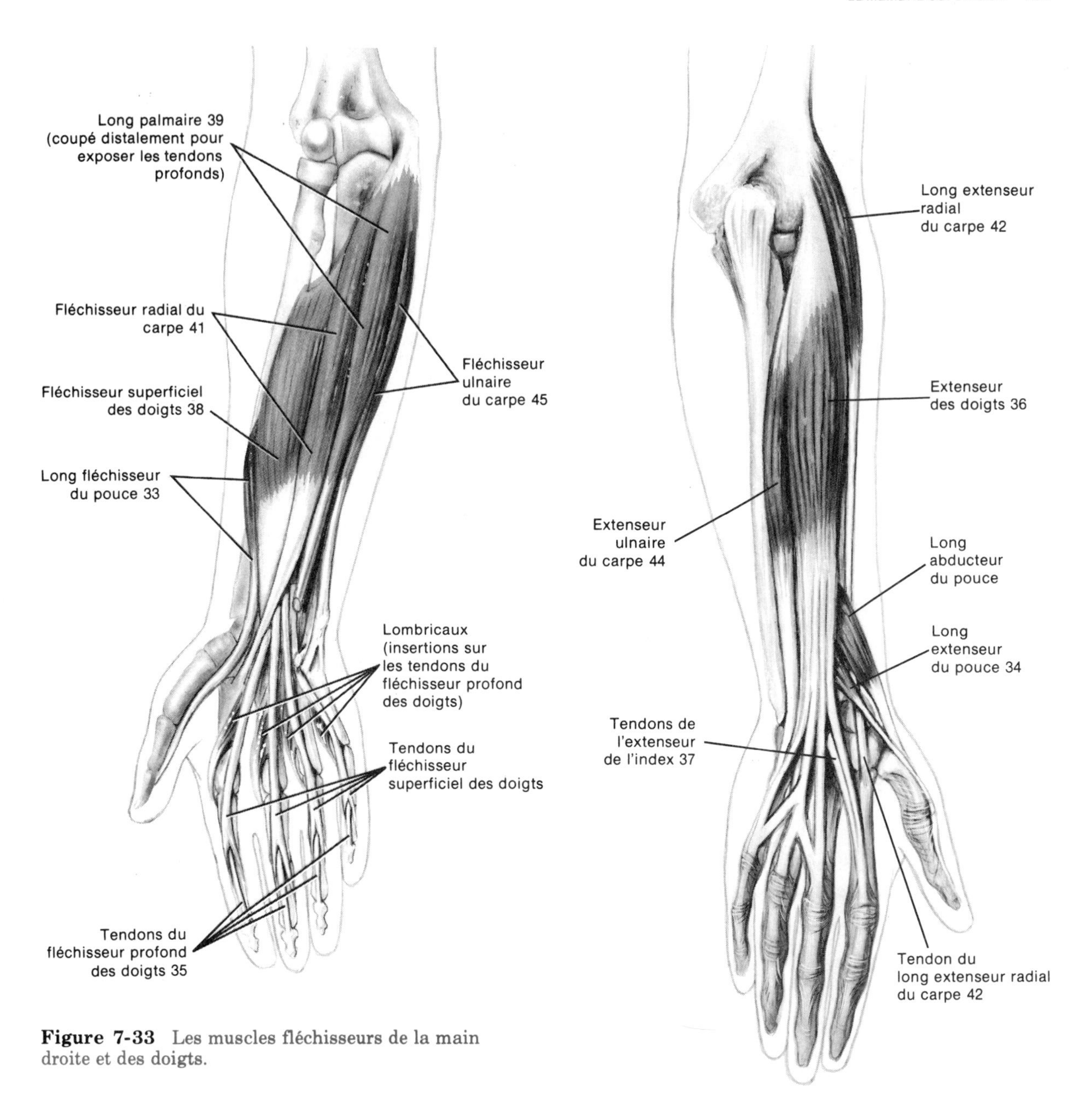

Figure 7-33 Les muscles fléchisseurs de la main droite et des doigts.

Figure 7-34 Les muscles extenseurs de la main droite et des doigts.

En coupe transversale, le radius et l'ulna sont à peu près triangulaires à cause de leurs longues arêtes longitudinales sur lesquelles s'attache une *membrane interosseuse*, un feuillet de tissu conjonctif résistant semblable à celui qui unit le tibia à la fibula. Cette membrane tient les deux os ensemble et sert d'origine à plusieurs muscles (figures 7-31, 7-33 et 7-34).

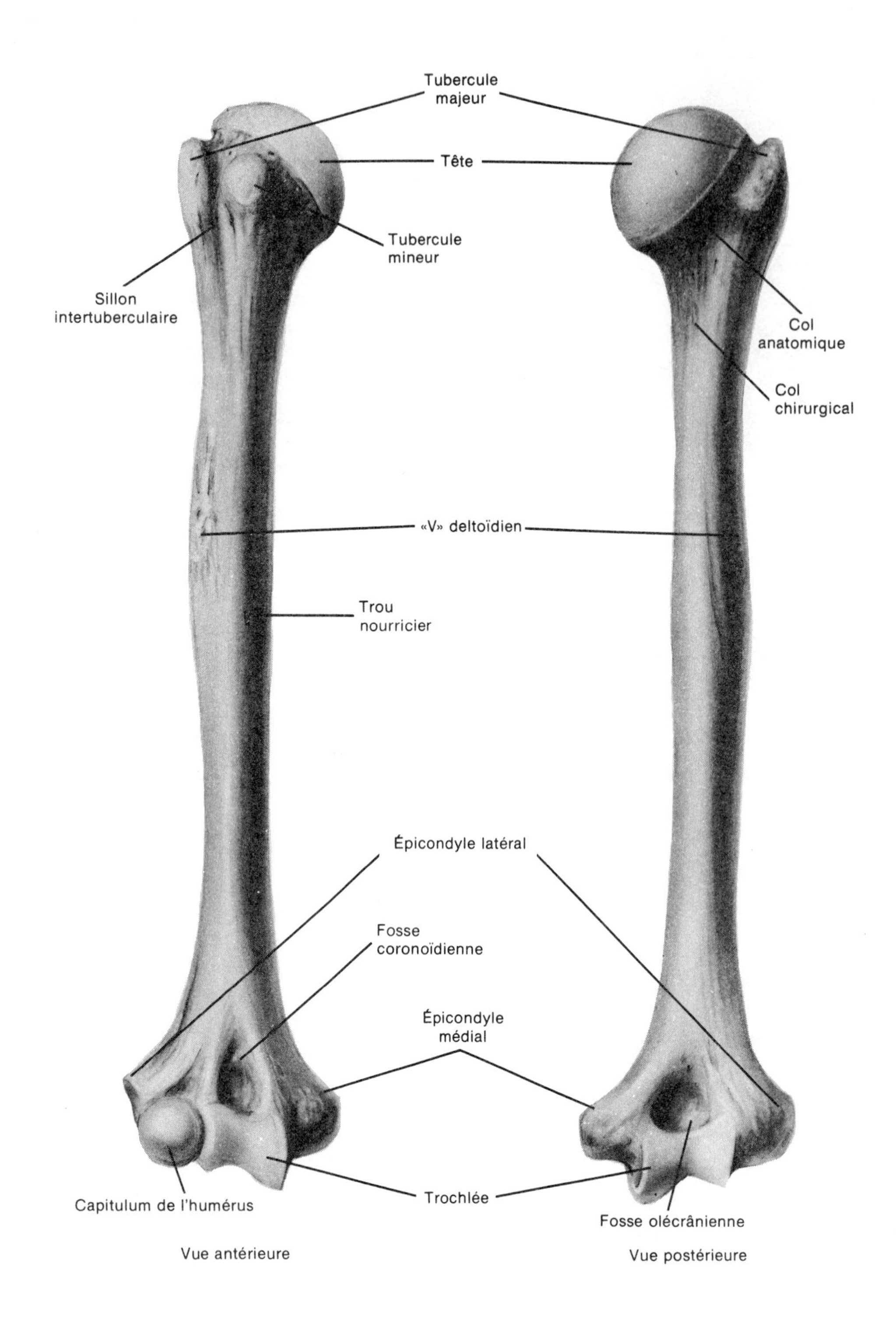

Figure 7-35 L'humérus droit.

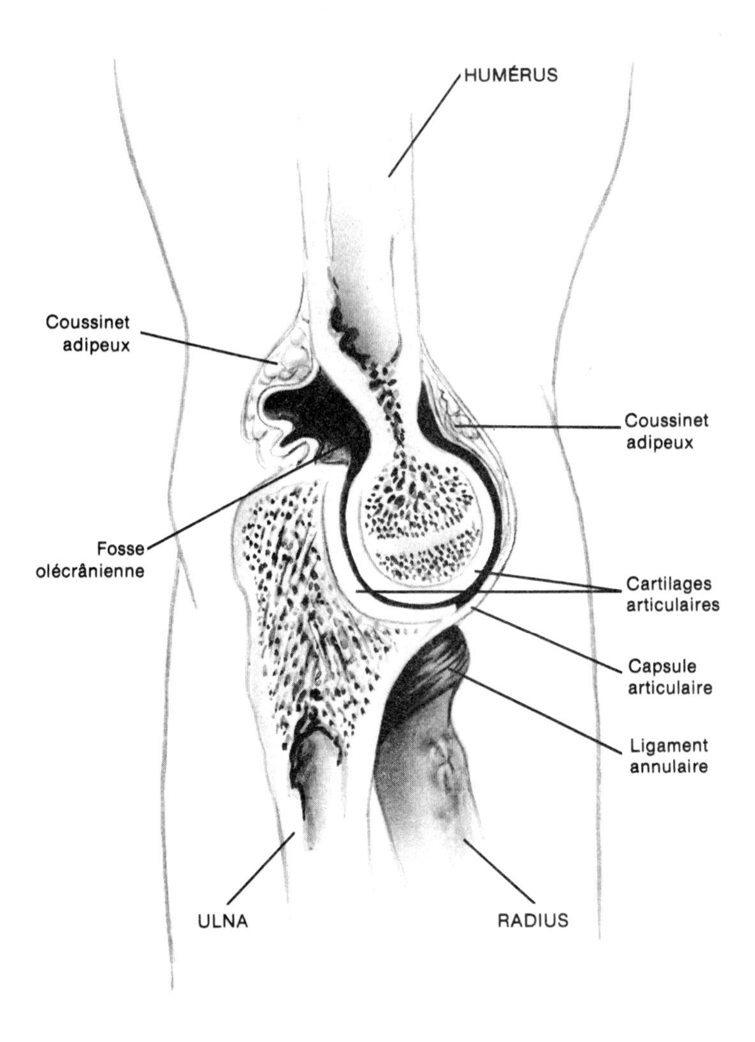

Figure 7-36 Coupe sagittale de l'articulation du coude droit.

Le bras et l'épaule

Le bras et l'épaule forment une masse complexe d'os et de muscles dont la mobilité est remarquable: flexion, extension, adduction, abduction, circumduction, rotation, et glissement vers l'avant, l'arrière, le haut et le bas. L'articulation de l'épaule est entourée d'une capsule bien développée et de forts ligaments. Ils ne peuvent cependant suffire à la maintenir en place. C'est grâce aux contractions réflexes toniques des muscles de l'épaule que la tête de l'humérus demeure dans la cavité glénoïdale de la scapula. Cette interaction musculaire est aussi responsable de la limitation des mouvements de l'épaule qui assure l'orientation précise des gestes posés.

L'*humérus* (figure 7-35), l'os le plus gros et le plus long du membre supérieur, s'articule au coude avec le radius et l'ulna. À l'épaule il repose dans la *cavité glénoïdale*, une dépression concave dans la scapula. Son extrémité distale présente une *trochlée* en forme de bobine de fil à son articulation avec l'ulna (figure 7-36). L'articulation huméro-ulnaire, la principale articulation du coude, est donc du type à charnière. Voisin de la trochlée se trouve le *capitulum* (*condyle*) *de l'humérus* responsable de l'articulation lâche de l'humérus avec le

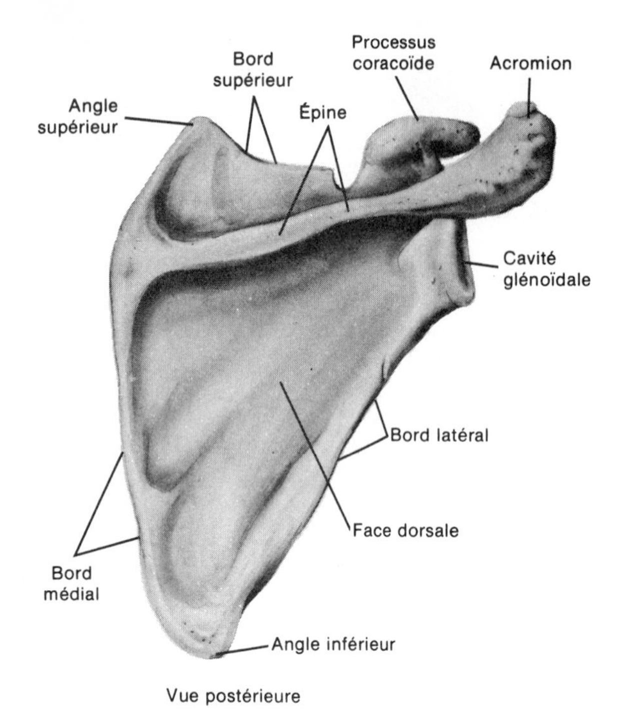

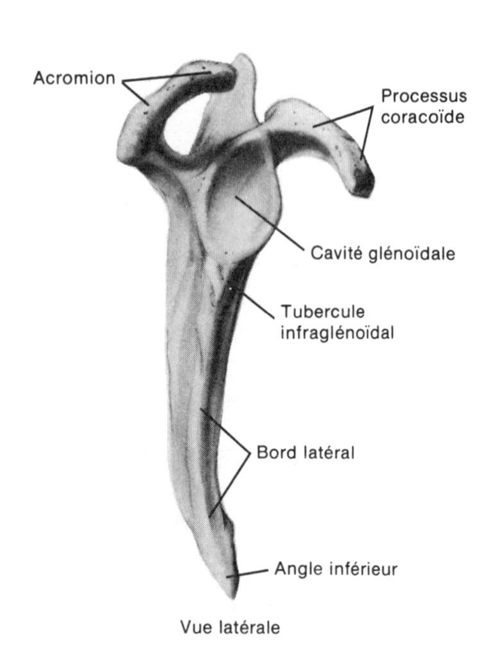

Figure 7-37 La scapula droite.

radius. On peut considérer l'humérus comme un os à deux «cols». À l'extrémité proximale, à peu près sous la ligne épiphysaire, se trouve le *col chirurgical*, la partie la plus vulnérable de l'humérus. La *tête* de l'os est de plus déportée du côté médial sur un *col anatomique* très court, disposition qui permet aux bras de pendre de chaque côté du tronc. Quoique assez régulier de forme l'humérus présente une tubérosité, une attache musculaire, le «V» deltoïdien.

La *scapula* est un os à peu près plat et triangulaire qui s'articule avec l'humérus et la clavicule (figure 7-37). La disposition de ces trois os est présentée à la figure 7-38. Les grandes plages aplaties de la scapula non seulement servent d'origine à plusieurs muscles mais encore permettent l'insertion de ceux (résumé au tableau 7-6) qui la maintiennent en place (figure 7-43). Si ce n'était, par exemple, du subscapulaire, la scapula jaillirait sous la peau du dos au moindre mouvement du bras.

La face antérieure de la scapula est légèrement concave et présente peu de relief; quelques crêtes peu prononcées servent de points d'attache aux tendons intramusculaires du muscle subscapulaire. La face postérieure possède un relief plus accidenté; sa surface aplatie est divisée par l'*épine de la scapula*, grosse et saillante, qui forme une crête transversale accentuée se terminant par l'*acromion*. Bien que ne faisant pas partie intégrante de l'articulation de l'épaule, cette projection sert à maintenir la tête de l'humérus en place avec l'aide du *processus* (*apophyse*) *coracoïde* adjacent. L'acromion s'articule aussi avec la clavicule.

La *clavicule* est un os plutôt grêle en forme de S sur lequel s'attachent plusieurs muscles. Sa fonction principale est de relier la scapula au *sternum*. La clavicule s'adapte aux exercices physiques répétés et est beaucoup plus lourde chez les individus qui exercent des métiers manuels durs. Elle est vulnérable; sa fracture est fréquente et souvent multiple.

Le regroupement fonctionnel des muscles du membre supérieur

L'espace nous manque ici pour décrire les mouvements d'ensemble du membre supérieur. Le tableau 7-7, en conjonction avec les figures 7-39 à 7-44, convient mieux à une telle entreprise.

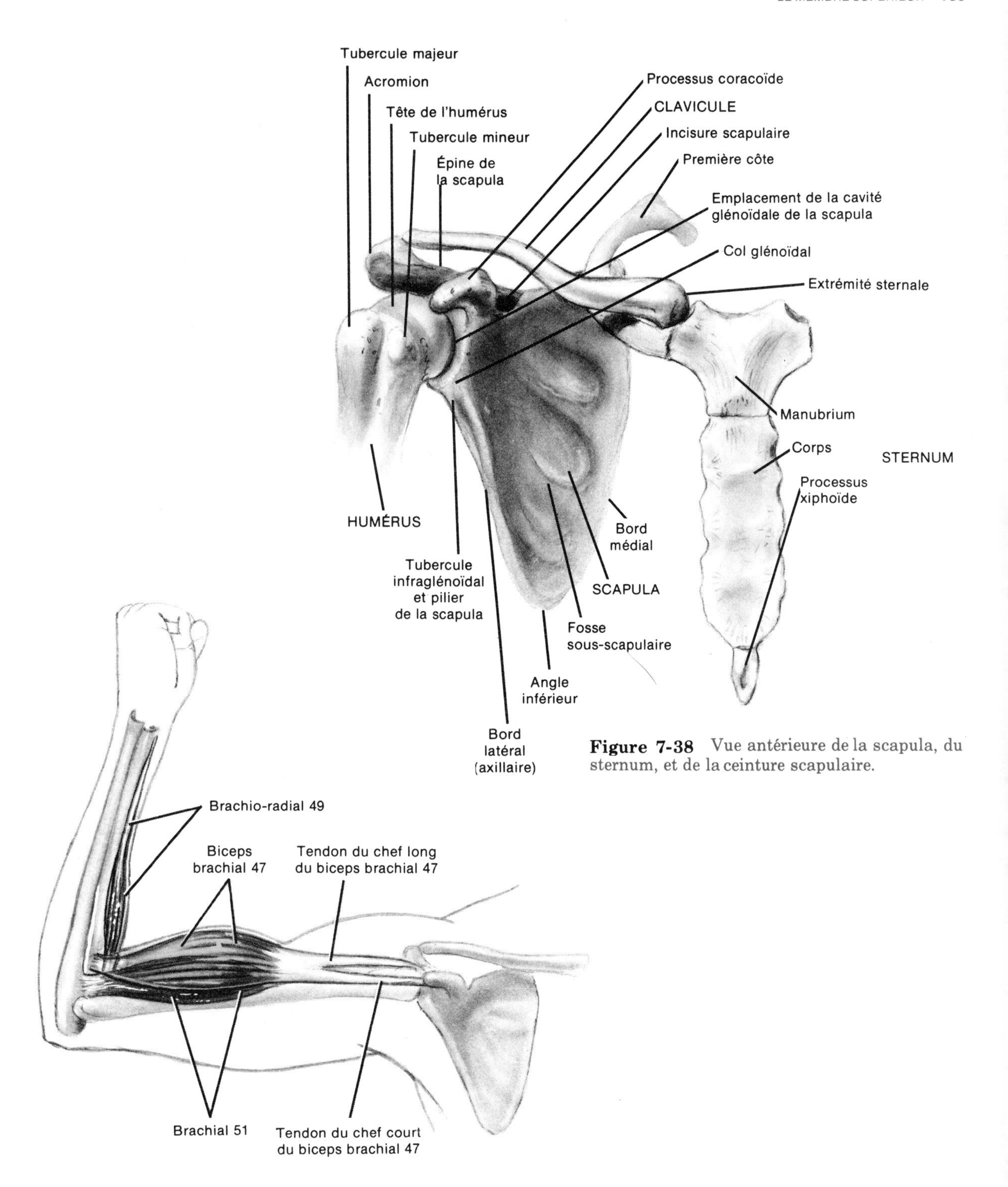

Figure 7-38 Vue antérieure de la scapula, du sternum, et de la ceinture scapulaire.

Figure 7-39 Les principaux muscles fléchisseurs de l'avant-bras droit. Le biceps brachial est illustré en couleur.

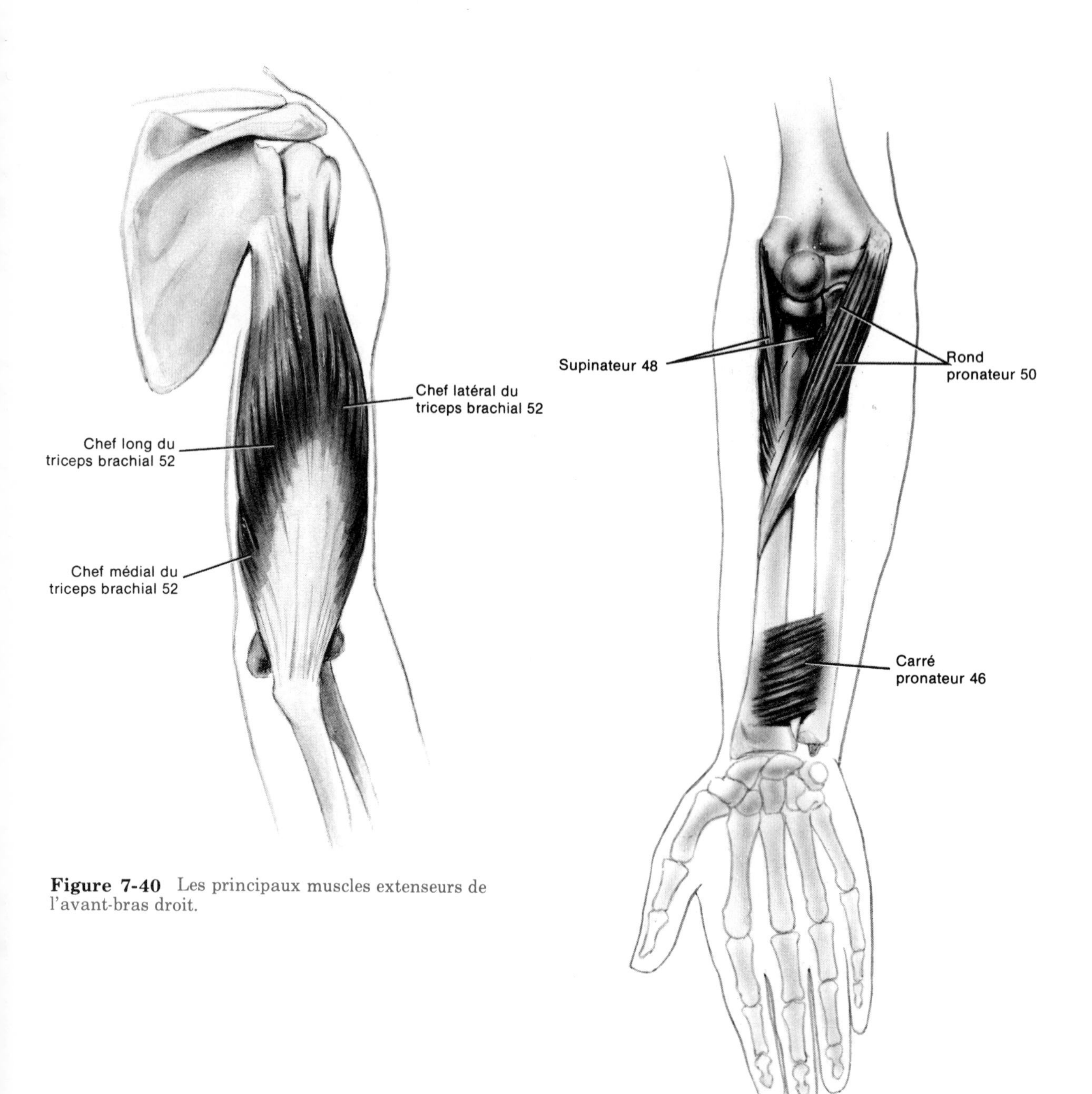

Figure 7-40 Les principaux muscles extenseurs de l'avant-bras droit.

Figure 7-41 Les principaux muscles rotateurs de l'avant-bras, responsables des mouvements de pronation et de supination de la main.

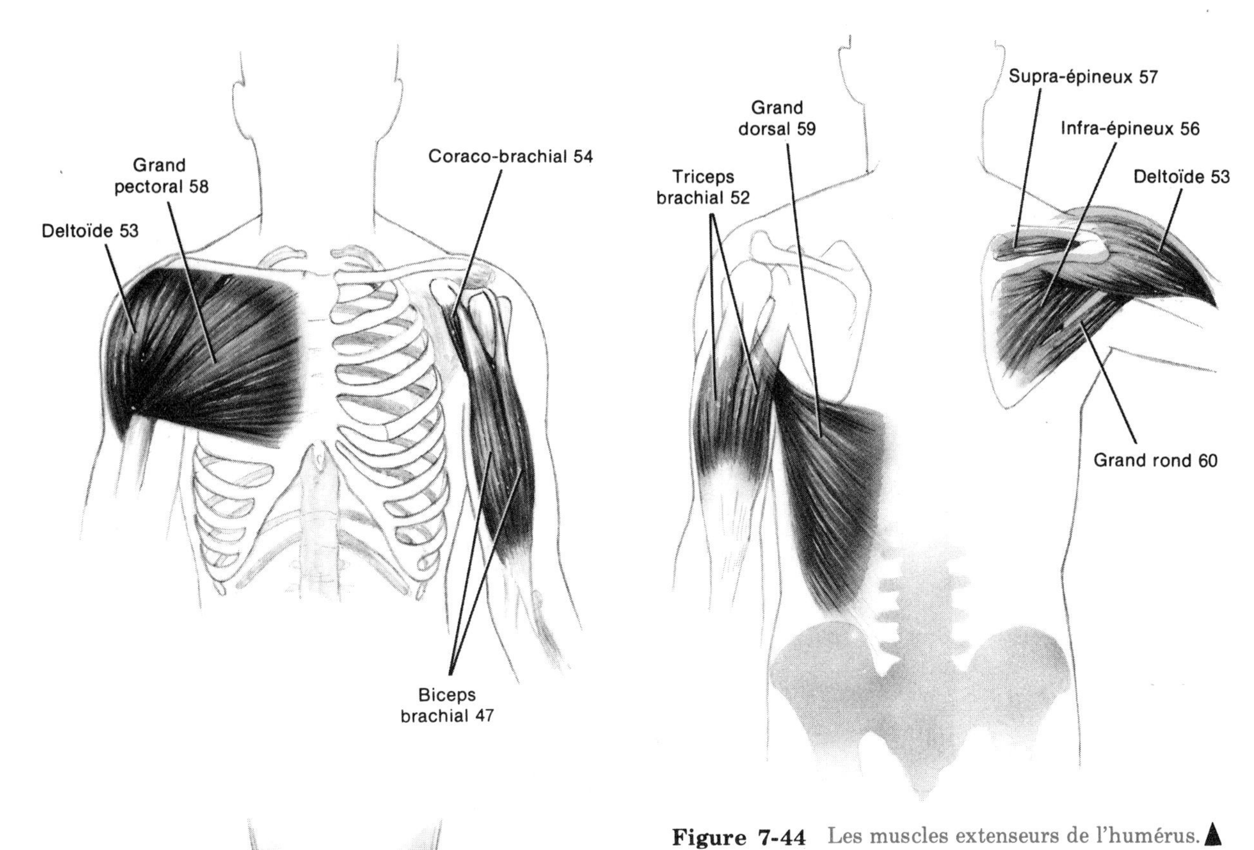

Figure 7-44 Les muscles extenseurs de l'humérus. ▲

▶ **Figure 7-42** Les muscles fléchisseurs de l'humérus (coin supérieur gauche).

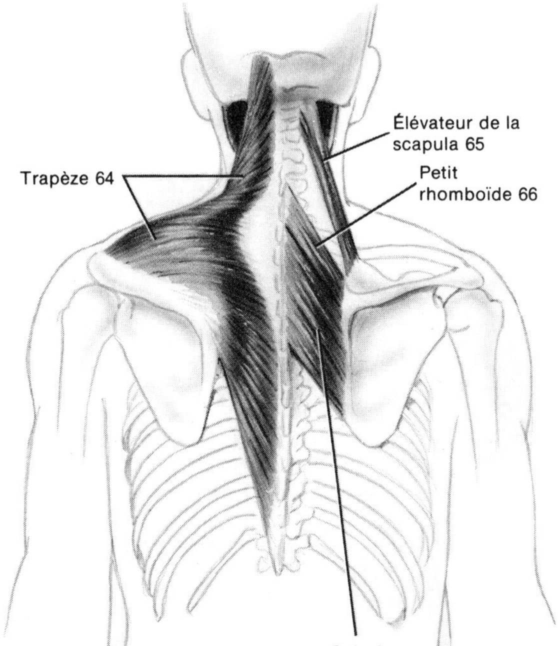

◀ **Figure 7-43** Quelques muscles postérieurs de l'épaule.

Tableau 7-6 Muscles du bras*

Insertion	Index numérique des muscles	Muscle	Origine	Action	Innervation	Commentaires
Radius	46	Carré pronateur	Face antérieure de l'extrémité inférieure de l'ulna	Pronation de la main et de l'avant-bras	Interosseux antérieur (br. du médian)	Bien que situé dans l'avant-bras, ce muscle est décrit ici à cause de son action
	47	Biceps brachial	Deux origines: (1) processus coracoïde de la scapula; (2) rebord de la cavité glénoïdale de la scapula	Flexion de l'épaule et de l'avant-bras; supination de l'avant-bras	Musculo-cutané	
	48	Supinateur	Épicondyle latéral de l'humérus; ulna	Supination de l'avant-bras	Radial	
	49	Brachio-radial	Humérus (les deux tiers inférieurs du bord latéral)	Flexion de l'avant-bras; supination et pronation selon la position initiale de l'avant-bras	Radial	
	50	Rond pronateur	Deux origines: (1) humérus (épicondyle médial); (2) processus coronoïde de l'ulna	Pronation et flexion de l'avant-bras	Médian	
Ulna	51	Brachial	Extrémité supérieure de l'humérus	Flexion de l'avant-bras	Musculo-cutané; radial	
	52	Triceps brachial	Trois origines: (1) tubercule infraglénoïdal de la scapula; (2) face postérieure de l'humérus; (3) au-dessous de (2)	Extension de l'avant-bras et adduction du bras (long chef seulement)	Radial	
Humérus	53	Deltoïde	Deux faisceaux: (1) antérieur, tiers latéral de la clavicule; (2) postérieur, épine de la scapula et acromion	Abduction, flexion, extension, et rotation du bras dans certaines circonstances	Axillaire	L'abduction du bras nécessite l'action combinée du supra-épineux et du deltoïde

(Suite à la page suivante)

Tableau 7-6 Muscles du bras* (*suite*)

Insertion	Index numérique des muscles	Muscle	Origine	Action	Innervation	Commentaires
	54	Coraco-brachial	Processus coracoïde de la scapula	Adduction et flexion du bras	Musculo-cutané	
	55	Petit rond	Bord latéral de la scapula	Abduction et rotation latérale du bras. Extension de l'humérus.	Axillaire	Un des «ligaments actifs» de l'articulation de l'épaule (voir la note du tableau 7-7)
	56	Infra-épineux	Fosse infra-épineuse et bord inférieur de l'épine de la scapula	Abduction du bras par les faisceaux supérieurs. Rotation latérale et adduction du bras par les faisceaux inférieurs.	Supra-scapulaire	Un des «ligaments actifs» de l'articulation de l'épaule (voir la note du tableau 7-7)
	57	Supra-épineux	Deux-tiers médiaux de la fosse supra-épineuse de la scapula	Abduction du bras et fixation de la tête de l'humérus pendant l'abduction; rotation latérale de l'humérus	Supra-scapulaire	Un des «ligaments actifs» de l'articulation de l'épaule (voir la note du tableau 7-7)
	58	Grand pectoral	Trois origines: (1) bord antérieur de la clavicule; (2) cartilages sternal et costal; (3) fascia de l'oblique externe de l'abdomen	Adduction et rotation médiale du bras; élévation des côtes pendant l'inspiration forcée; flexion du bras par les faisceaux supérieurs	Nerfs pectoraux médial et latéral	Ce muscle a des fonctions diverses. Voir les figures 7-3, 7-4, et 7-42.
	59	Grand dorsal	Processus épineux des vertèbres thoraciques et lombaires; crête iliaque; les trois ou quatre dernières côtes; angle inférieur de la scapula	Extension de l'humérus; adducteur et rétropulseur puissant du bras	Nerf du grand dorsal	Muscle thoracique important. Plusieurs fonctions. Voir muscle n° 27, tableau 7-4.
	60	Grand rond	Fosse infra-épineuse (face postérieure) de la scapula	Adduction, rotation médiale, extension du bras	Subscapulaire inférieur	

(Suite à la page suivante)

Tableau 7-6 Muscles du bras* (*suite*)

Insertion	Index numérique des muscles	Muscle	Origine	Action	Innervation	Commentaires
	61	Subscapulaire	Face antérieure de la scapula	Adduction, rotation interne du bras; fixation de la tête de l'humérus dans la cavité glénoïdale	Nerfs subscapulaires du faisceau postérieur du plexus brachial	Un des «ligaments actifs» de l'articulation de l'épaule (voir la note du tableau 7-7)
Scapula (face antérieure ou costale)	62	Dentelé antérieur	Huit premières côtes	Bascule de la scapula en avant et en dehors; élévation des côtes en inspiration forcée	Nerf thoracique long	Muscle accessoire de la respiration
	63	Petit pectoral	Les deuxième, troisième, quatrième et cinquième côtes	Abaissement de la scapula en dehors; rotation de la scapula; élévation des côtes	Nerfs pectoraux médial et latéral	Muscle accessoire de la respiration
Scapula (face postérieure ou dorsale)	64	Trapèze	Os occipital; vertèbres thoraciques; clavicule	Adduction et rotation vers le haut de la scapula; extension du cou	Nerf accessoire (11e paire crânienne); 3e et 4e nerfs cervicaux du plexus cervical	Insertion sur l'acromion de la scapula et sur une partie de la clavicule
	65	Élévateur de la scapula	Quatre premières vertèbres cervicales	Élévation de l'angle de la scapula; flexion latérale du cou	Petites branches des nerfs cervicaux C3 et C4; parfois aussi le nerf dorsal de la scapula	
	66	Petit rhomboïde	Sixième et septième vertèbres cervicales; première, deuxième et troisième vertèbres thoraciques; ligament nuchal	Élévation de la scapula en dedans; rotation de la scapula, l'angle inférieur étant attiré vers le haut	Dorsal de la scapula	
	67	Grand rhomboïde	Les trois ou quatre premières vertèbres thoraciques	La même que le muscle 66	Dorsal de la scapula	

* Ce tableau doit être utilisé avec les figures 7-39 à 7-44.

Tableau 7-7 Actions des principaux muscles du membre supérieur*

Articulation	Fléchisseurs (antépulseurs de l'épaule)	Extenseurs (rétropulseurs de l'épaule)	Abducteurs	Adducteurs	Rotateurs, fixateurs
Poignet	Fléchisseur radial du carpe; long palmaire; fléchisseur ulnaire du carpe; longs fléchisseurs de la main	Long extenseur radial du carpe; court extenseur radial du carpe; extenseur ulnaire du carpe; longs extenseurs de la main	Fléchisseur radial du carpe; long extenseur radial du carpe; court extenseur radial du carpe; muscles extrinsèques du pouce	Fléchisseur ulnaire du carpe; extenseur ulnaire du carpe	
Coude	Biceps brachial; brachio radial; fléchisseur radial du carpe; rond pronateur; long extenseur radial du carpe; long palmaire; fléchisseur ulnaire du carpe; fléchisseur superficiel des doigts	Triceps brachial; court extenseur radial du carpe; supinateur; extenseur ulnaire du carpe; extenseur des doigts			Rotateurs médiaux (pronateurs): rond pronateur; carré pronateur; long palmaire; fléchisseur radial du carpe; brachioradial. Supinateurs: biceps brachial; supinateur; brachioradial; long extenseur radial du carpe.
Épaule	Biceps brachial; coraco-brachial; grand pectoral; deltoïde (faisceaux supérieurs)	Grand dorsal; long chef du triceps brachial, faisceaux postérieurs du deltoïde; faisceaux sternaux du grand pectoral	Deltoïde; supra-épineux; long chef du biceps	Grand pectoral; grand dorsal; grand rond; subscapulaire; coraco-brachial; long chef du triceps brachial	Rotateurs médiaux: subscapulaire; grand dorsal; grand rond; grand pectoral; faisceaux antérieurs du deltoïde. Rotateurs latéraux: infra-épineux; petit rond; faisceaux postérieurs du deltoïde.

* Ce tableau doit être utilisé avec les figures appropriées à partir de la figure 7-33.

Note: L'articulation de l'épaule est sujette à la dislocation (ou luxation) inférieure s'il existe une certaine laxité des quatre ligaments actifs de cette articulation (tendons des muscles supra-épineux, infra-épineux, petit rond et subscapulaire); ces muscles encerclent fermement la tête de l'humérus et l'empêchent de glisser vers le bas en la retenant en contact étroit avec la cavité glénoïdale de la scapula.

LE TRONC

Le tronc contient les viscères et sert d'attache aux muscles et aux os des membres et du cou. On y trouve de nombreux muscles qui servent entre autres à la locomotion et aux mouvements respiratoires.

Le squelette du tronc

Aussi connu sous le nom de *squelette axial*, le squelette du tronc s'articule autour d'un axe, la colonne vertébrale, et comprend en plus de cette dernière les côtes, le sternum et le crâne. La tête et le cou, de structure com-

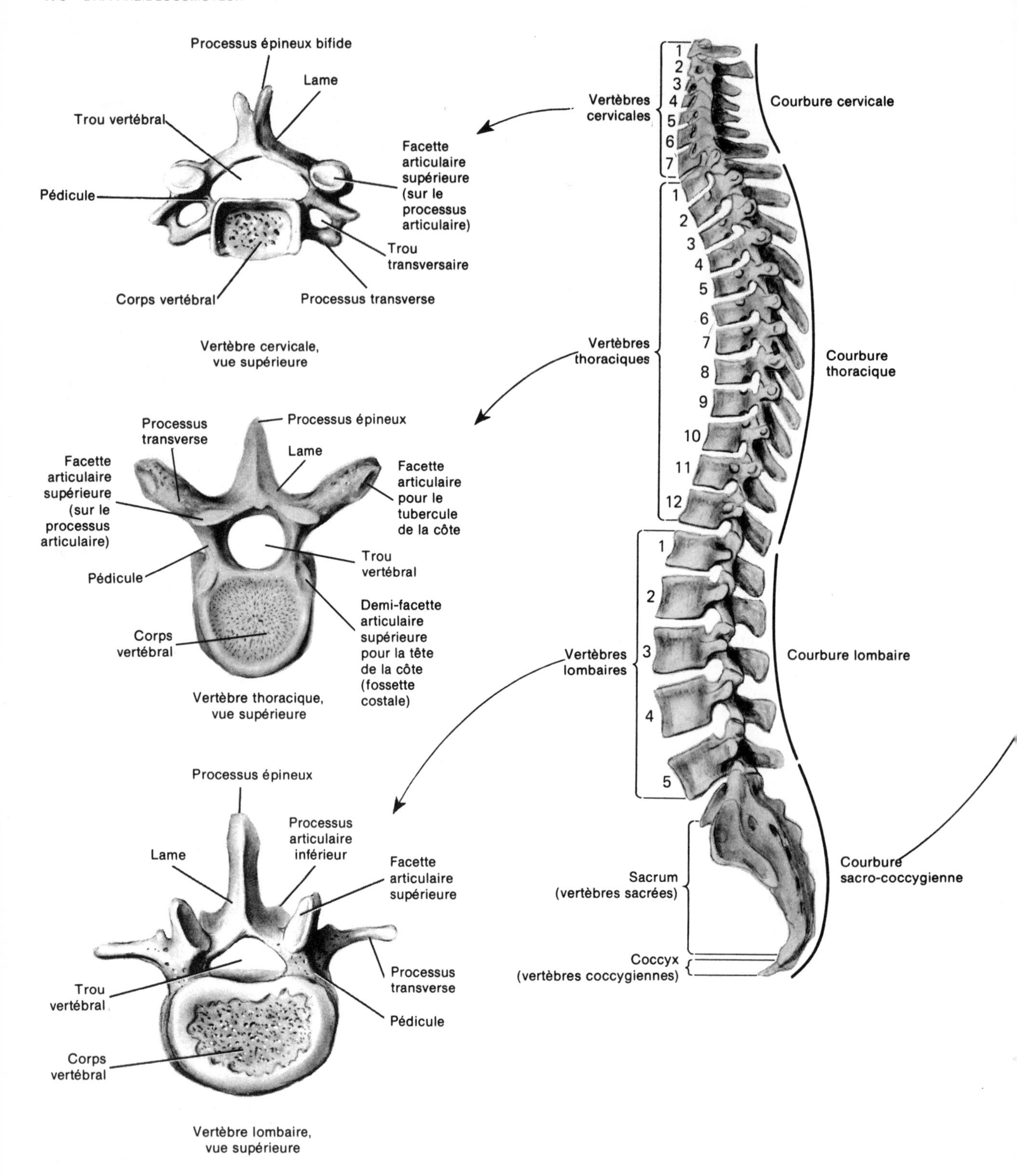

Figure 7-45 La colonne vertébrale, les vertèbres, le sacrum et le coccyx. (Vues supérieures d'une vertèbre cervicale, thoracique et lombaire.)

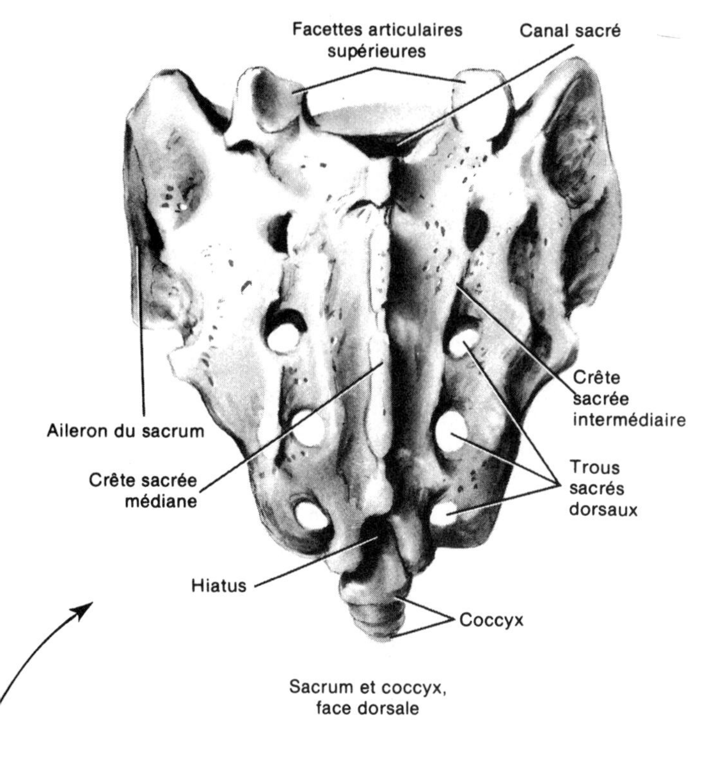

Sacrum et coccyx, face dorsale

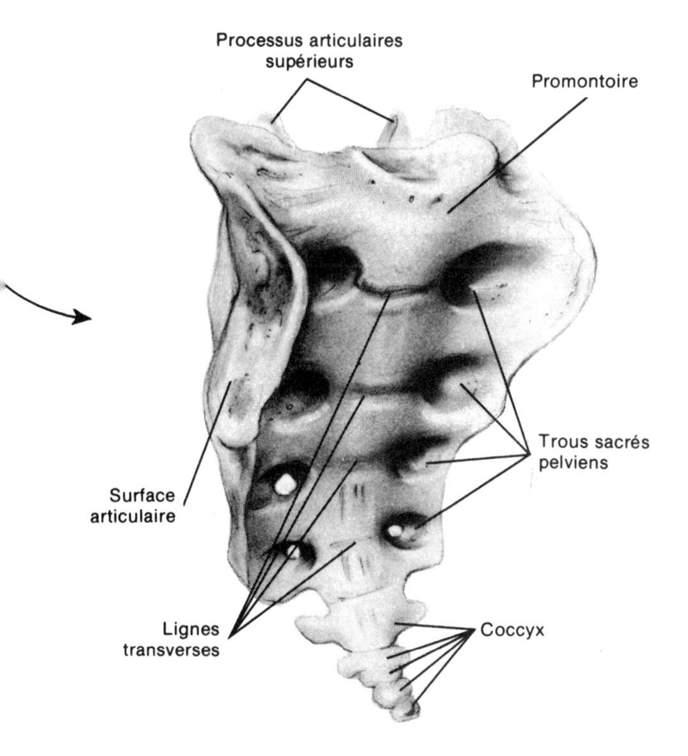

Sacrum et coccyx, face pelvienne

plexe, sont étudiés séparément à la section suivante.

La colonne vertébrale Pour apprécier l'importance de la colonne vertébrale il faut bien étudier les fonctions qu'elle doit remplir: (1) supporter un demi-cylindre creux et élastique, l'abdomen, rempli de structures visqueuses et flasques, et lui permettre de conserver sa forme; (2) être mobile dans toutes les directions; (3) supporter le poids de la tête, située à l'extrémité supérieure et en mouvement constant; (4) résister à l'action de plusieurs muscles puissants qui s'y attachent; (5) amortir des chocs de tous genres; (6) protéger la moelle épinière, un long cordon si délicat qu'il se brise ou se déchire au toucher. Peu d'ingénieurs en mécanique s'attaqueraient à un tel problème, et pourtant la colonne vertébrale remplit à merveille toutes ces fonctions et plusieurs autres.

La colonne supporte le poids du corps et le tient en position verticale: la partie inférieure de la colonne porte environ 80 pour 100 du poids d'un individu sur des surfaces articulaires de l'ordre du centimètre carré. Ces surfaces séparent les vertèbres au centre desquelles se trouve la moelle épinière, structure extrêmement fragile qui est ainsi supportée et protégée. Les vertèbres sont reliées les unes aux autres par un système compliqué de ligaments et d'articulations. Les 31 paires de nerfs spinaux (rachidiens) tributaires et effluents émergent par des orifices aménagés entre les vertèbres.

Une vertèbre typique (figure 7-45) est une structure osseuse de forme complexe qui présente un *corps* volumineux sur lequel s'appuie la masse corporelle et tous les fardeaux transportés. Des *lames* en forme d'arche entourent dorsalement le *trou vertébral* où passe la moelle épinière. Les trous vertébraux superposés forment le canal vertébral. Les lames vertébrales se fusionnent dorsalement en un *processus (apophyse) épineux* où s'attachent les muscles du dos. De chaque côté du processus épineux se projettent les *processus (apophyses) transverses* dont la base et le corps présentent des facettes articulaires, les points de contact avec les côtes et les autres vertèbres.

Les vertèbres s'articulent entre elles de deux façons, soit par des *processus (apophyses) articulaires* et des *disques intervertébraux*. Les

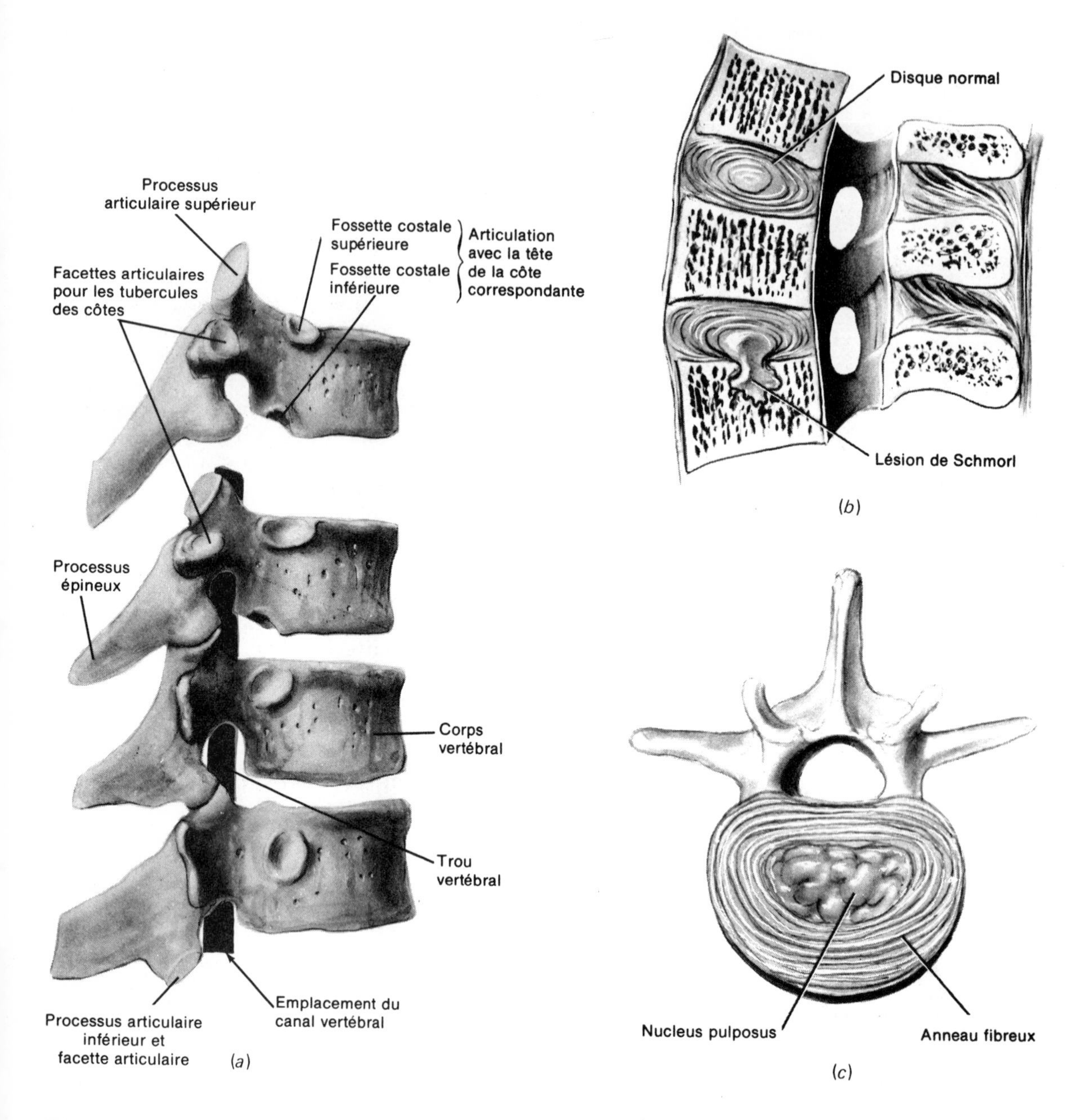

Figure 7-46 (*a*) Vue latérale de deux articulations intervertébrales. (*b*) Coupe sagittale de la colonne montrant un disque normal et une lésion de Schmorl au niveau d'un disque. (*c*) Vue supérieure d'un disque intervertébral normal. (*d*) Compression d'une racine d'un nerf spinal (rachidien) par une hernie discale.

processus articulaires supérieurs et inférieurs d'une vertèbre sont situés de chaque côté, à la base des processus transverses, et ils portent respectivement des *facettes articulaires* supérieure et inférieure. Les facettes des vertèbres superposées se correspondent, la facette inférieure étant convexe et la facette supérieure étant concave. Elles forment des articulations synoviales qui guident et limitent les mouvements des vertèbres mais sans subir les char-

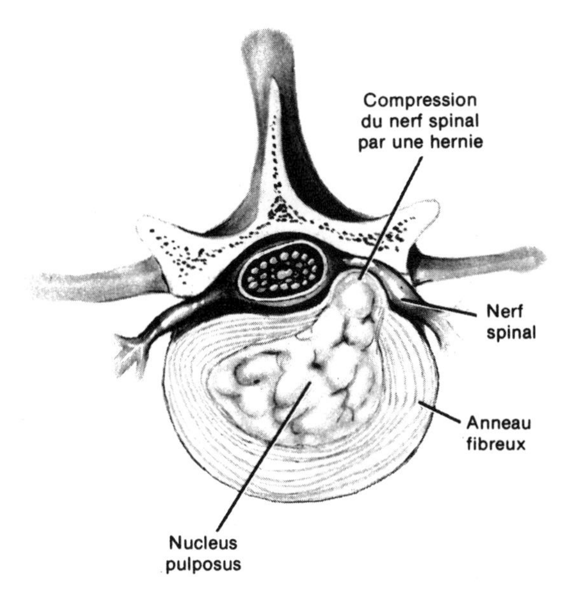

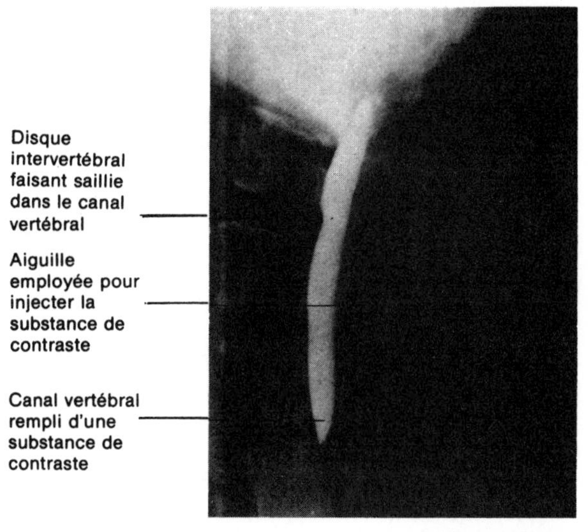

Figure 7-47 Radiographie (myélographie) montrant une encoche faite par un disque intervertébral hernié dans le canal vertébral.

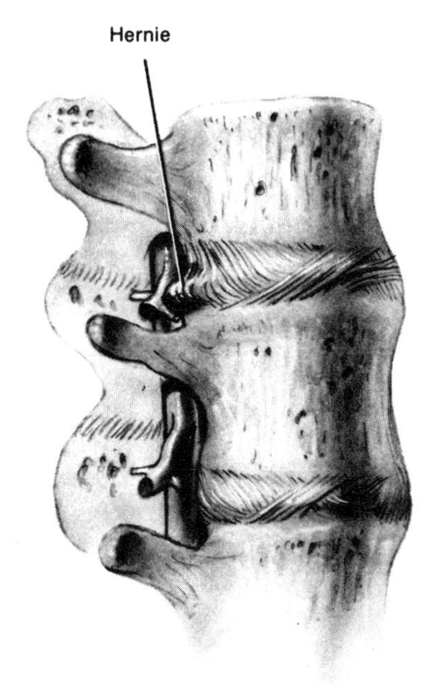

(*d*)

ges que la colonne doit porter. Cette dernière fonction relève des disques intervertébraux, des coussins cartilagineux qui séparent les corps vertébraux de toutes les vertèbres, sauf ceux de l'atlas et de l'axis et ceux des vertèbres du pelvis (toutes fusionnées entre elles).

Un disque est formé surtout de cartilage fibreux entouré d'une capsule rigide de tissu conjonctif. Le cartilage présente deux zones concentriques bien différenciées: l'une, externe et résistante, est l'*anneau fibreux*; l'autre, centrale et molle, est le *nucleus pulposus* (*noyau gélatineux*). Devant supporter tout le poids du haut du corps et les innombrables chocs qui se produisent au cours d'une vie, les disques intervertébraux se brisent parfois par rupture de la capsule conjonctive. Dans les cas graves, la *hernie discale* consécutive appuie sur la racine d'un nerf spinal (figures 7-46 et 7-47), provoquant une douleur intense et même une paralysie[1]. Le disque déformé peut ordinairement être enlevé chirurgicalement.

[1] On parle souvent en langage populaire d'un «disque déplacé»; les ligaments intervertébraux empêchent une telle éventualité en maintenant fermement les structures en place. Le «disque déplacé» est une appellation imagée et trompeuse pour désigner une hernie discale.

La colonne vertébrale humaine présente quatre courbures caractéristiques de la position debout des bipèdes. Elles se développent avant la naissance et pendant l'enfance, et sont maintenues par l'action combinée de contractions musculaires toniques et de tensions ligamentaires. Chaque arc compense la courbure du précédent de sorte que le corps est équilibré comme si la colonne était droite. Cette forme toutefois correspond à un état pathologique qui se développe, par exemple, dans des cas aigus de déformations rhumatoïdes. Alors pourquoi ces courbures? On ne peut pas répondre adéquatement à cette question, bien qu'on sache qu'elles améliorent la flexibilité de la colonne et l'amortissement des chocs verticaux. Il se peut aussi que les courbures de la colonne permettent de diminuer la fréquence des déformations spinales (figure 7-48).

On ne peut passer sous silence l'importance des vertèbres dans les mouvements du corps. Flexible ou rigide (selon le degré de contraction des muscles associés), la colonne vertébrale permet un grand éventail de mouvements. Elle plie de partout, sauf dans la région pelvienne.

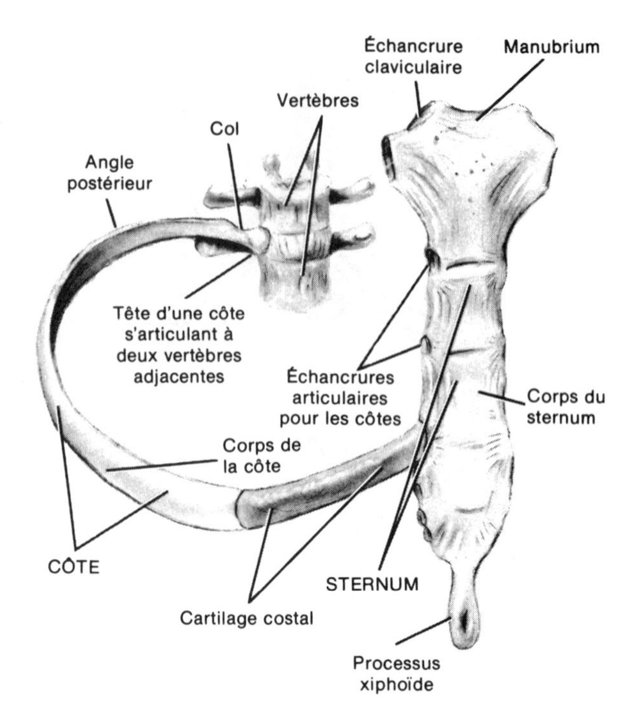

Figure 7-49 Une côte et ses articulations avec la colonne vertébrale et le sternum.

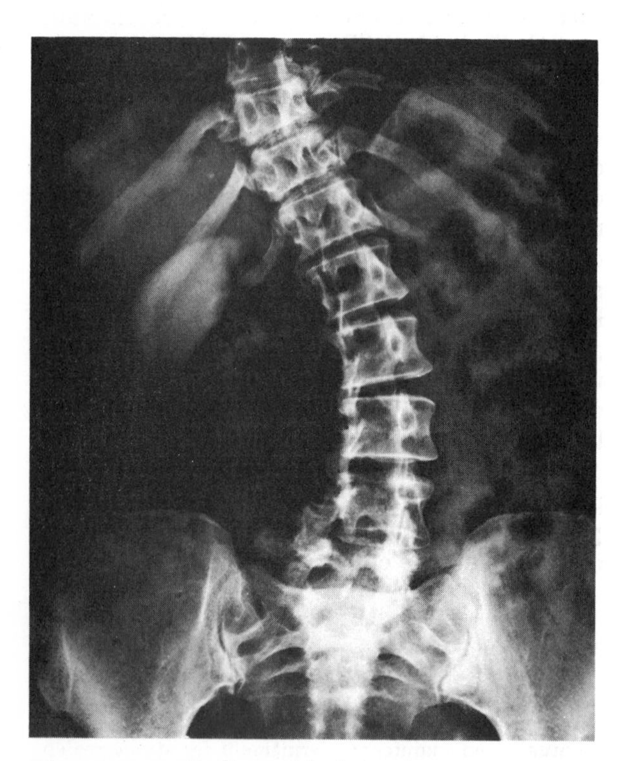

Figure 7-48 Radiographie de la colonne avec courbure anormale.

Chaque étage est formé de vertèbres distinctes: les sept vertèbres *cervicales* forment l'étage supérieur; les douze vertèbres *thoraciques* (*dorsales*) s'articulent individuellement avec une paire de côtes; les cinq vertèbres *lombaires* précèdent les vertèbres *sacrées* qui sont fusionnées et qui s'articulent avec l'os coxal; finalement les petites vertèbres *coccygiennes*, elles aussi fusionnées, permettent l'attache de certains muscles du plancher pelvien.

Les côtes Les côtes sont des os longs et courbes; elles forment la cage thoracique. Elles en protègent le contenu, servent d'attache à plusieurs muscles et, grâce à leur mobilité, assurent partiellement les mouvements respiratoires. Il y a douze paires de côtes et les sept paires supérieures sont de *vraies côtes* qui s'unissent individuellement au sternum par un *cartilage costal* (figure 7-49). Les trois paires suivantes sont les *fausses côtes* qui rejoignent le sternum par une longue tige cartilagineuse commune. Les deux dernières paires sont les *côtes flottantes* parce qu'elles se perdent dans les parois abdominales sans rejoindre le sternum.

Une côte est un arc osseux possédant une tête et un col. La tête présente deux demi-facettes acticulaires qui s'appuient en partie sur chaque corps vertébral correspondant alors qu'une petite tubérosité située à un ou deux centimètres de la tête forme une troisième articulation vertébrale en s'appuyant sur le processus transverse de la vertèbre inférieure.

Le sternum Le sternum protège le coeur et est attaché aux extrémités antérieures des côtes. Chez l'adulte, il se compare à un glaive en trois parties: le *manubrium* (*poignée*), le *corps*, et une pointe cartilagineuse, le *processus* (*appendice*) *xiphoïde*. Il conserve une moelle osseuse rouge active et constitue un site convenable pour le prélèvement d'échantillons de moelle chez des patients qu'on suspecte d'être atteints de maladies sanguines comme la leucémie. Ses attaches sont assez flexibles pour que des pressions manuelles rythmiques (le massage cardiaque) se transmettent au coeur et maintiennent une faible circulation pendant un arrêt cardiaque (voir aussi au chapitre 15).

Les muscles du tronc

Le tableau 7-8 décrit les muscles du tronc. Nous en reparlerons dans la fonction respiratoire.

La fonction des muscles abdominaux

Les muscles abdominaux (figure 7-50), le *transverse de l'abdomen*, l'*oblique externe* (*grand oblique*), l'*oblique interne* (*petit oblique*) et centralement le *droit de l'abdomen* (*grand droit*) ont un rôle particulier. Ils sont disposés en couches superposées sur le même principe que les lits successifs d'une feuille de contreplaqué. Leurs fibres, orientées dans des directions différentes d'un muscle à l'autre, permettent de comprimer et de contenir les viscères dans la cavité abdominale. Ils ont donc un rôle de soutien qui s'apparente à celui du squelette. Lorsqu'ils perdent leur tonus, le contenu abdominal presse sur la paroi et les

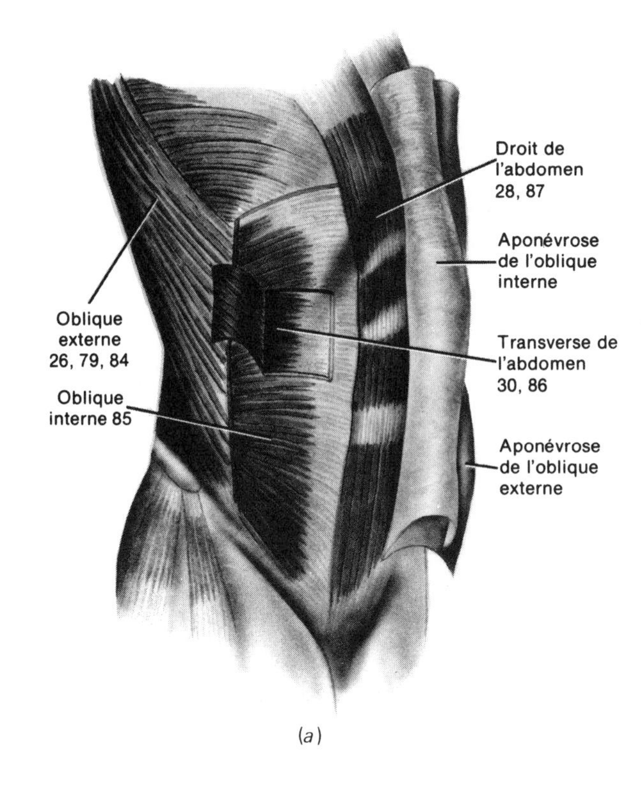

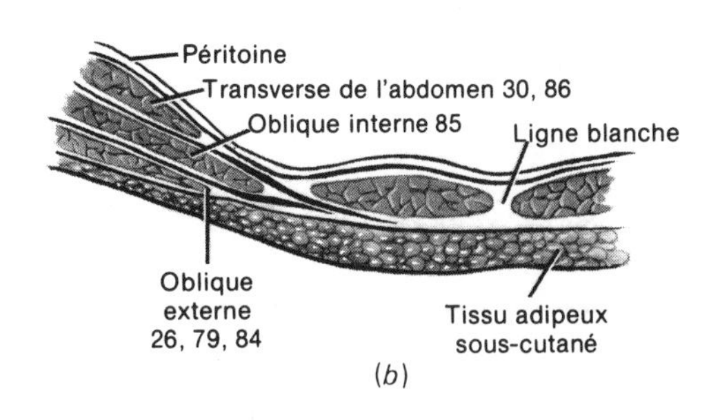

Figure 7-50 Les muscles abdominaux. (*a*) Vue antérieure. (*b*) Coupe horizontale de la paroi antérolatérale de l'abdomen au-dessus de l'ombilic.

étire, amorçant un cercle vicieux qui se développe au détriment de la silhouette. On peut éviter cette situation par des exercices réguliers des muscles abdominaux, surtout chez les hommes d'un certain âge et chez les femmes qui viennent d'accoucher. Chaque muscle de l'abdomen a aussi un rôle précis dans la flexion de la colonne, la rotation du pelvis, etc.

Tableau 7-8 Muscles du tronc (I = inspiration, E = expiration; voir note au bas du tableau)

Index numérique des muscles	Muscle	Origine	Insertion	Action	Innervation	I ou E	Commentaires
Muscles du dos (muscles postérieurs) (voir les figures 7-5, 7-6, et 7-60)							
	I L'érecteur du rachis			Tous les longs muscles de l'érecteur du rachis sont virtuellement extenseurs de la colonne vertébrale lors de leur contraction bilatérale; s'ils se contractent d'un seul côté, ils produisent un mouvement d'inclinaison latérale et de rotation comme dans la danse du ventre (qui est essentiellement une danse du dos). Leur contraction tonique continuelle empêche la colonne vertébrale de s'affaisser. Ils maintiennent ses courbures normales et peuvent même contrôler sa croissance.	Rameaux dorsaux (branches postérieures) des nerfs spinaux		L'érecteur du rachis est formé de muscles mal individualisés et assez superficiels de la région postérieure du dos. Les muscles du plan profond sont plutôt rotateurs de la tête et du cou du côté opposé (controlatéralement) lorsqu'ils se contractent unilatéralement. La contraction de l'érecteur du rachis et du splénius amène une rotation du même côté (ipsilatéralement).
68	1 Ilio-costal des lombes	Crête iliaque	Angle postérieur des six dernières côtes				
69	2 Ilio-costal du thorax	Bord supérieur des six dernières côtes	Angle postérieur des six premières côtes				
70	3 Ilio-costal du cou	Six premières côtes	Tubercules postérieurs des processus transverses des vertèbres cervicales				
71	4 Longissimus du thorax	Ilium; vertèbres lombaires	Toutes les côtes près de leur articulation				
72	5 Longissimus du cou	Six premières vertèbres thoraciques	Deuxième à sixième vertèbres cervicales				
73	6 Longissimus de la tête	Processus transverses des vertèbres cervicales inférieures et thoraciques supérieures	Processus mastoïde du crâne (par un tendon)				
74	II Le splénius 1 Splénius de la tête	Moitié inférieure du ligament nuchal postérieur; processus épineux des vertèbres cervicales inférieures et thoraciques supérieures	Processus mastoïde et os occipital	Voir plus haut; aussi extension de la tête	Rameaux dorsaux des nerfs spinaux		Ce groupe musculaire comprend aussi le splénius du cou, non présenté ici

	III Le transversaire épineux (semi-épineux et multifide)						Le semi-épineux possède trois faisceaux qui s'entrecroisent: l'un s'insère là où l'autre a son point d'origine. Leur action est cependant synchrone. Le *multifide*, dont les faisceaux profonds sont rotateurs, est situé en dessous du semi-épineux.
75	1 Semi-épineux de la tête, du cou et du thorax	Processus transverses des vertèbres cervicales; thoraciques supérieures; thoraciques inférieures	Os occipital; processus épineux des vertèbres cervicales; thoraciques supérieures	Extension du cou et du dos; flexion latérale du cou et du dos	Rameaux dorsaux des nerfs spinaux		
	IV Muscles sub-occipitaux						Les muscles subocci-pitaux font partie du groupe des muscles profonds du cou auquel appartiennent le multifide (les transversaires épineux) et d'autres muscles non décrits ici (comme une série de petits muscles attachés à l'occipital dans la région de la nuque)
76	1 Grand droit postérieur de la tête	Épine de l'axis	Ligne nuchale inférieure de l'occipital	Extension et rotation de la tête du même côté	Nerf suboccipital		
77	2 Petit droit postérieur de la tête	Tubercule postérieur de l'atlas	Ligne nuchale inférieure	Extension de la tête	Nerf suboccipital		
78	3 Oblique supérieur de la tête	Processus transverse de l'atlas	Tiers latéral de la ligne nuchale inférieure	Extension et flexion latérale de la tête	Nerf suboccipital		
79	4 Oblique inférieur de la tête	Épine de l'axis	Processus transverse de l'atlas	Rotation de l'atlas	Nerf suboccipital		
80	Carré des lombes†	Partie postérieure de la lèvre interne de la crête iliaque	Ligament ilio-lombaire; vertèbres lombaires	Flexion latérale de la colonne vertébrale	Nerf subcostal et plexus lombaire	E	
Muscles antérieurs du tronc (voir les figures 7-3, 7-4, 7-50 et 7-59)							
81	Intercostaux externes*	S'étendent de la lèvre externe de la côte supérieure de l'espace intercostal à la côte sous-jacente		Élévation des côtes	Thoraco-abdominaux	I	
82	Intercostaux internes*	S'étendent obliquement entre les bords des côtes adjacentes (portions costales) et entre les cartilages costaux des côtes adjacentes (portions chondrales)		Élévation des côtes par les faisceaux chondraux; dépression des côtes par les faisceaux costaux	Thoraco-abdominaux	I, E	

(Suite à la page suivante)

Tableau 7-8 Muscles du tronc (*suite*)

Index numérique des muscles	Muscle	Origine	Insertion	Action	Innervation	I ou E	Commentaires
83	Diaphragme*	Processus xiphoïde du sternum face interne des six dernières côtes, et corps des vertèbres lombaires		Augmentation du volume de la cage thoracique	Phrénique	I	Il peut y avoir hernie au niveau de l'hiatus oesophagien; on l'appelle une hernie hiatale
84	Oblique externe†	Face externe des huit dernières côtes	Ligne blanche; lèvre externe de la crête iliaque	Les muscles plats abdominaux maintiennent les viscères abdominaux, augmentent la pression intra-abdominale (défécation et accouchement); ils jouent un rôle dans la flexion antérieure et latérale de l'abdomen et la rotation du tronc autour de l'axe spinal	Thoraco-abdominaux; subcostal	E	Ces muscles ont un certain rôle à jouer dans l'expiration forcée en comprimant les organes abdominaux qui, à leur tour, appuient sur le diaphragme. L'oblique externe est en continuité avec les intercostaux externes, leurs fibres étant orientées dans la même direction. Il en est de même de l'oblique interne et des intercostaux internes.
85	Oblique interne†	Fascia thoraco-lombaire; structures pelviennes	Ligne blanche; quatre derniers cartilages costaux		2 ou 3 derniers thoraco-abdominaux; subcostal; ilio-hypogastrique; ilio-inguinal	E	
86	Transverse de l'abdomen†	Fascia thoraco-lombaire; cartilage des six dernières côtes; crête iliaque	Ligne blanche avec l'oblique interne		Thoraco-abdominaux; subcostal; peut-être ilio-hypogastrique et ilio-inguinal	E	
87	Droit de l'abdomen†	Bord supérieur du pubis	Processus xiphoïde du sternum et cinquième à septième cartilages costaux		Thoraco-abdominaux et subcostal	E	

88	Scalènes† 1 Antérieur 2 Moyen 3 Postérieur	(1) Tubercules antérieurs des processus transverses des vertèbres C3 à C6; (2) rebord externe des lames vertébrales C2 à C6 (3) processus transverses des vertèbres cervicales 5 à 7	(1) Face supérieure de la première côte [tubercule scalène (de Lisfranc)]; (2) face supérieure de la première côte; (3) face externe de la deuxième côte	Élévation des côtes; flexion de la colonne vertébrale	Branches des rameaux ventraux des nerfs cervicaux	I	Le rôle exact des scalènes dans la respiration est imprécis. Des études récentes indiquent que leur fonction se situe tant dans la respiration normale que forcée.
89	Sterno-cléido-mastoïdien†	Deux origines: (1) manubrium du sternum; (2) tiers médial de la clavicule	Processus mastoïde et portion latérale de la ligne nuchale supérieure de l'occipital	Flexion de la tête et du cou; rotation de la tête; élévation du sternum si l'action des extenseurs fixe la tête	Nerf accessoire (onzième paire crânienne); rameaux ventraux des nerfs cervicaux C2 et C3	I	Utilisation de ce muscle dans l'inspiration forcée
90	Grand pectoral†	Trois origines: (1) bord antérieur de la clavicule; (2) face antérieure du sternum et des côtes adjacentes; (3) fascia de l'oblique externe	Tubercule majeur de l'humérus	Flexion et adduction des bras; rotation interne du bras; élévation des côtes	Nerfs pectoraux médial et latéral	I	Pour que les muscles des groupes scapulo-huméral et huméro-thoracique soient utilisés dans l'inspiration forcée, les bras doivent être fixes. L'humérus alors immobilisé devient l'origine de ces muscles et la cage thoracique leur insertion. L'action de certains d'entre eux dans la respiration est controversée et indiquée par le symbole (?).
91	Petit pectoral†	Côtes 2 à 5	Bord médial et face supérieure du processus coracoïde de la scapula	Abaissement de la scapula en dehors; rotation de la scapula; élévation des côtes dans la respiration forcée si la scapula est fixe	Nerfs pectoraux médial et latéral	I (?)	

(Suite à la page suivante)

Tableau 7-8 Muscles du tronc (*suite*)

Index numérique des muscles	Muscle	Origine	Insertion	Action	Innervation	I ou E	Commentaires
92	Rhomboïdes† 1 Grand 2 Petit	(1) Processus épineux des quatre à cinq vertèbres thoraciques supérieures; (2) processus épineux des dernières vertèbres cervicales et premières thoraciques	Bord médial de la scapula	Élévation de la scapula en dedans. Dans la respiration, fixateurs de la tête et du cou.	Petites branches de C3 et C4; nerf dorsal de la scapula	I (?)	
93	Élévateur de la scapula†	Processus transverses des quatre vertèbres cervicales supérieures	Bord médial de la scapula, près de l'épine	Élévation de la scapula; fixation du cou en inspiration forcée	La même que le précédent (92)	I	
94	Trapèze†	Ligne nuchale supérieure; ligaments interépineux des vertèbres thoraciques et leurs processus épineux	Tiers latéral de la clavicule; acromion; bord postérieur de l'épine de la scapula	Mouvement de la scapula qui la porte en dedans et en bas; élévation de l'épaule; extension et flexion latérale du cou; fixation du cou en inspiration forcée	3e et 4e nerfs cervicaux du plexus cervical	I	

Note: Ce tableau décrit les principaux muscles intrinsèques du tronc avec ou sans fonction respiratoire, l'emphase étant mise cependant sur la respiration. Les muscles respiratoires sont identifiés avec un astérisque; la croix identifie ceux qui ne servent que dans la respiration forcée. (I) Muscles inspiratoires; (E) muscles expiratoires.

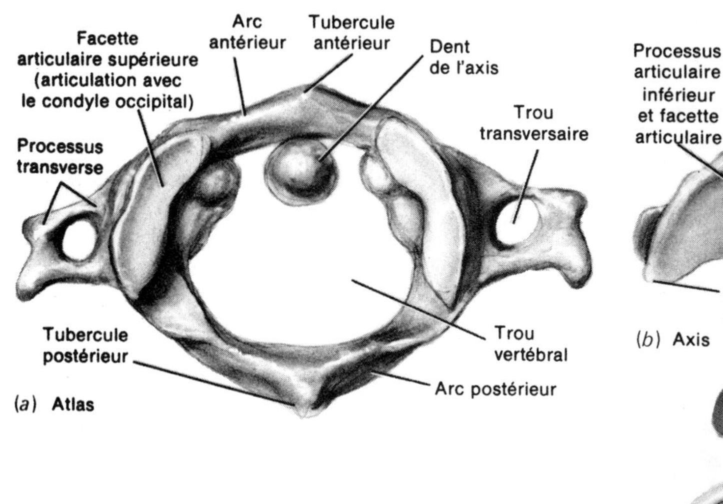

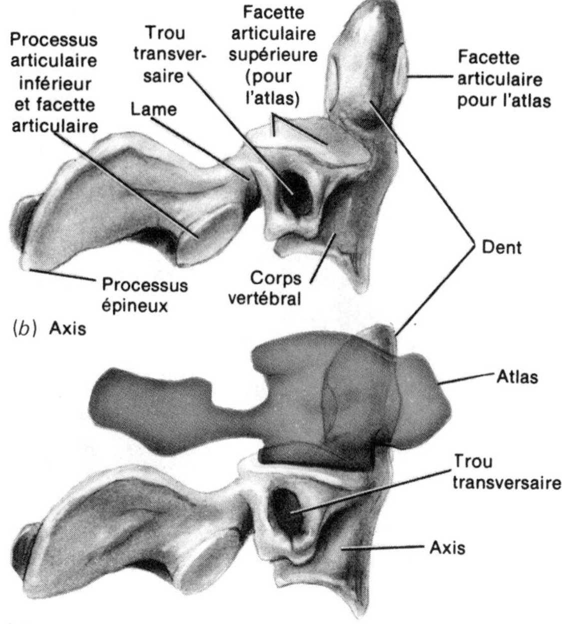

Figure 7-51 (*a*) Vue supérieure de l'atlas. (*b*) Vue latérale de l'axis. (*c*) Articulation de l'atlas avec l'axis.

LA TÊTE ET LE COU

La tête tourne en décrivant un arc de plus de 180°. On peut la projeter vers l'arrière, vers l'avant, sur le côté, ou déterminer sa circumduction (mouvement qui provoque un étourdissement rapide). Elle tient facilement en position verticale car elle repose sur l'extrémité de la colonne vertébrale. Les muscles du cou lui assurent une stabilité et une mobilité aussi aisées que précises.

Le squelette du cou

Le crâne est perché sur le dessus des sept vertèbres cervicales. Elles sont retenues en place, comme toutes les autres, par des ligaments vertébraux et l'activité des muscles adjacents. Les vertèbres de la région cervicale possèdent trois trous au lieu d'un seul. Les deux *trous transversaires* permettent le passage des artères vertébrales vers le cerveau. Les deux vertèbres supérieures, l'*atlas* et l'*axis*, ont une morphologie particulière (figure 7-51).

L'atlas, la première vertèbre cervicale, ne possède pas de corps osseux et présente deux cavités articulaires qui s'emboîtent dans les condyles correspondants de l'os occipital du crâne; ce sont des articulations à charnière qui permettent le mouvement affirmatif de la tête. L'axis s'articule avec l'atlas grâce à un pivot unique, la *dent* (*apophyse odontoïde*) (figure 7-52), responsable du mouvement de dénégation. Ce dernier est limité en amplitude par des ligaments et les muscles du cou (figure 7-61).

Le plancher de la boîte crânienne est formé de l'*os occipital.* Il est percé d'une grande ouverture, le *foramen magnum* (*trou occipital*), en continuité avec le canal vertébral. Les *condyles occipitaux* sont situés de part et d'autre de cette ouverture et reposent dans les cavités articulaires de l'atlas.

Le foramen magnum et les condyles occipitaux sont situés exactement sous le centre de gravité de la tête de sorte que le crâne dodeline

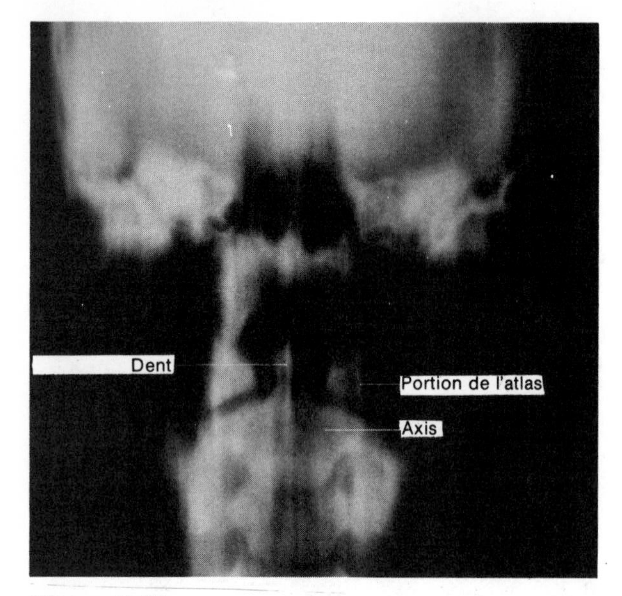

Figure 7-52 Coupe tomographique de la dent de l'axis. Cette image permet de visualiser le rôle de pivot de ce processus.

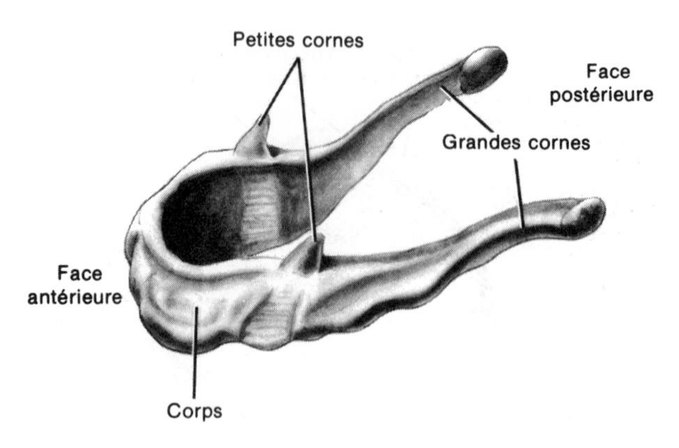

Figure 7-53 Vue oblique et latérale de l'os hyoïde du cou.

aisément sur le cou un peu à la manière d'une balle sur un bâton. Les extenseurs de la tête, situés dans la région postérieure du cou, peuvent ainsi tenir la tête droite sans trop d'effort et l'empêcher de tomber en avant. Si l'activité musculaire se relâche, la tête tombe; chacun le sait pour avoir somnolé en diverses occasions. Si alors on s'assoit bien droit pour pouvoir continuer à roupiller, la force de gravité entraîne la tête vers l'arrière dans un mouvement d'hyperextension.

La très grande mobilité du cou est due en partie aux articulations atlanto-axoïdiennes, entièrement synoviales, ainsi qu'à la relative laxité des attaches ligamentaires entre ces deux vertèbres. Cette flexibilité, qui pourrait représenter un danger pour la moelle épinière, est généralement restreinte à l'intérieur de limites sûres par des ligaments. La dislocation des vertèbres cervicales, ou même seulement l'étirement des ligaments, représentent des situations très graves qui peuvent causer un traumatisme de la moelle épinière et entraîner la paralysie ou la mort. Lorsque quelqu'un était «pendu par le cou jusqu'à ce que mort s'ensuive», la cause immédiate du décès était la dislocation des vertèbres cervicales.

Le squelette de la tête

Le squelette de la tête forme une boîte qui enveloppe l'encéphale et forme la face. La mandibule (mâchoire inférieure) est suspendue à la boîte crânienne avec laquelle elle s'articule grâce à l'articulation temporo-mandibulaire. L'*os hyoïde* (figure 7-53), situé à la base de la langue, présente une caractéristique presque unique: il ne s'articule avec aucun autre os. Suspendu par des ligaments à l'os temporal, il contribue à la mobilité de la langue. Il sert de support au larynx et plusieurs muscles du cou et de la langue s'y attachent.

Les os et les muscles de la tête (figures 7-54 à 7-63) sont très complexes. Leurs principaux traits sont décrits dans les tableaux 7-9 et 7-10.

Tableau 7-9 Les os du crâne*

Nom de l'os†	Description	Fonction
Os de la face		
Mandibule (U) (mâchoire inférieure)	Os de la mâchoire inférieure en forme de fer à cheval. Il possède une portion horizontale ou corps et deux portions verticales ou branches montantes. On décrit deux ouvertures situées de part et d'autre de cet os, le trou mentonnier sur la face externe et l'orifice du canal mandibulaire sur la face interne. Les saillies de cet os sont la protubérance mentonnière, le processus coronoïde, et le condyle qui s'articule avec l'os temporal.	C'est le seul os mobile du crâne, mis à part l'os hyoïde et les osselets de l'oreille. Il a un grand rôle à jouer dans les mouvements de la bouche, surtout pendant la mastication.
Maxillaire (P) (mâchoire supérieure)	Cet os dont la configuration extérieure est très irrégulière forme la mâchoire supérieure. Le corps possède une face orbitaire qui forme une partie du plancher de l'orbite et un processus zygomatique partiellement responsable de la «saillie de la joue». Le nerf facial émerge du trou infraorbitaire. Le processus alvéolaire est creusé de cavités ou alvéoles où s'implante la racine des dents. Tous les os du visage, sauf la mandibule, sont en contact avec le maxillaire.	Forme la mâchoire supérieure, une partie du palais dur, des cavités nasales et du visage (la région de la lèvre supérieure)
Palatin (P)	Cet os irrégulier est composé d'une lame horizontale et d'une lame verticale qui se réunissent presque à angle droit	La lame horizontale forme la partie postérieure du palais dur. Les deux lames entrent dans la formation des cavités nasales.
Zygomatique (P)	Os irrégulier, un peu courbe, formant en grande partie la «saillie de la joue» ou pommette	Forme la paroi externe et le plancher de l'orbite; entre dans la formation de la face. Avec le processus zygomatique du maxillaire et du temporal, il forme la saillie de la joue, l'arcade zygomatique.
Os nasaux (P)	Os minces, petits et triangulaires	Forment la racine du nez
Cornets nasaux (P)	Lames osseuses courbes, fixées à la paroi des cavités nasales et y faisant saillie. On distingue les cornets supérieurs, moyens et inférieurs.	Réchauffent et humidifient l'air qui entre dans les cavités nasales
Os lacrymal (P) (unguis)	Petit os aplati, creusé d'une gouttière pour le sac lacrymal. À peu près de la grosseur et de la forme d'un ongle.	En grande partie situé dans l'orbite dont il forme une portion du bord médial. Il sert aussi au drainage des larmes dans les cavités nasales.
Vomer (U)	Petit os aplati en forme de quadrilatère (trapèze)	Forme la partie postéro inférieure du septum nasal. On ne peut le voir dans les cavités nasales.
Os du crâne		
Frontal (U)	Os volumineux, légèrement bombé et formant la paroi antérieure de la voûte crânienne. Il contient deux sinus aériens et forme une grande partie du front.	Forme la partie antérieure et le plafond de l'orbite; on retrouve parfois deux os frontaux
Ethmoïde (U)	Os complexe sans forme précise. Sur la face endocrânienne, on voit facilement la lame criblée et la *crista-galli*. Le labyrinthe renferme les cellules ethmoïdales qui forment le sinus ethmoïdal. Les cornets supérieurs et moyens augmentent la surface des cavités nasales.	Forme la paroi supérieure des cavités nasales. Les nerfs olfactifs pénètrent dans le crâne par la lame criblée. Participe aussi à la formation des parois de l'orbite.

(Suite à la page suivante)

Tableau 7-9 Les os du crâne* (*suite*)

Nom de l'os†	Description	Fonction
Sphénoïde (U)	Ressemble à un oiseau aux ailes déployées. La selle turcique, qui loge l'hypophyse, fait partie de cet os. Sur les figures, on peut y voir un grand nombre d'ouvertures ou de trous.	Forme une partie de la base du crâne, participe à la formation des orbites; les grandes ailes du sphénoïde forment les fosses sphéno-temporales
Temporal (P)	Os plus ou moins rond, possédant plusieurs saillies. Le processus styloïde sert d'insertion à certains muscles du cou. Le processus mastoïde contient les cavités mastoïdes reliées à l'oreille moyenne et sujettes à de fréquentes infections.	Forme en partie la base et la paroi latérale de la boîte crânienne. Contient le méat acoustique externe, la caisse du tympan avec ses osselets, et le labyrinthe osseux. L'articulation temporo-mandibulaire en fait partie et le processus zygomatique contribue à la formation de la pommette.
Occipital (U)	Os vaguement polygonal, percé par le foramen magnum qui livre le passage à la moelle épinière. De part et d'autre de cet orifice, on retrouve les condyles occipitaux qui s'articulent avec l'atlas. De nombreux muscles du cou et du tronc s'insèrent sur les lignes nuchales supérieures et inférieures de l'occipital.	Forme en grande partie la base postérieure du crâne. Sert à articuler et fixer le cou à la tête.
Pariétal (P)	Os plat, à quatre côtés, de part et d'autre de la ligne médiane, et en arrière du frontal	Forme une grande partie des parois et de la voûte crâniennes. Parfois, comme curiosité, on retrouve un os surnuméraire, ou os sutural, dans la suture lambdoïde.

* Ce tableau doit être utilisé avec les figures 7-53 à 7-57.

† Certains des os du crâne sont uniques (habituellement en position centrale); d'autres existent en paires.

Les os à double exemplaire sont identifiés avec le symbole P; ceux à simple exemplaire, avec le symbole U.

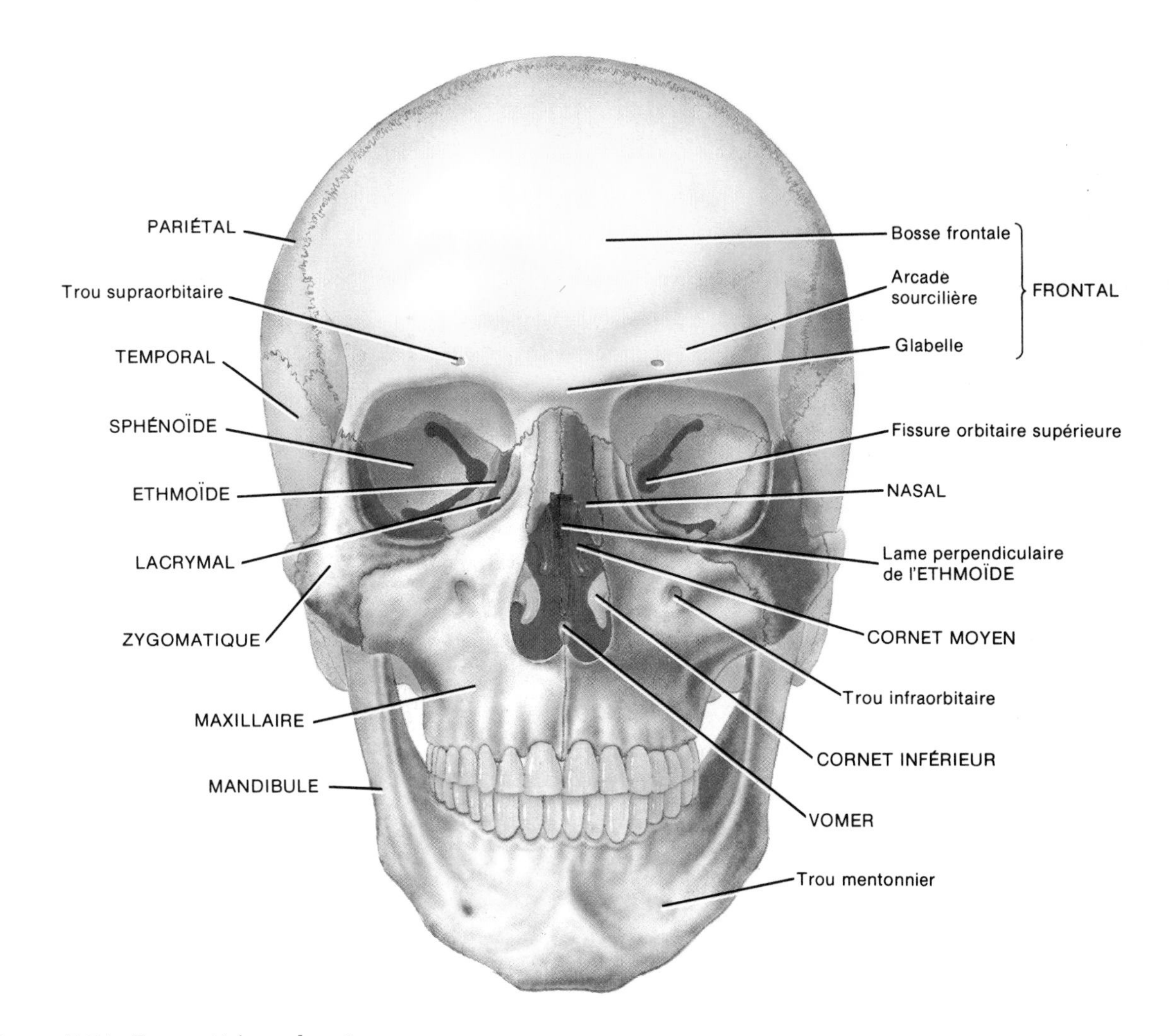

Figure 7-54 Face antérieure du crâne.

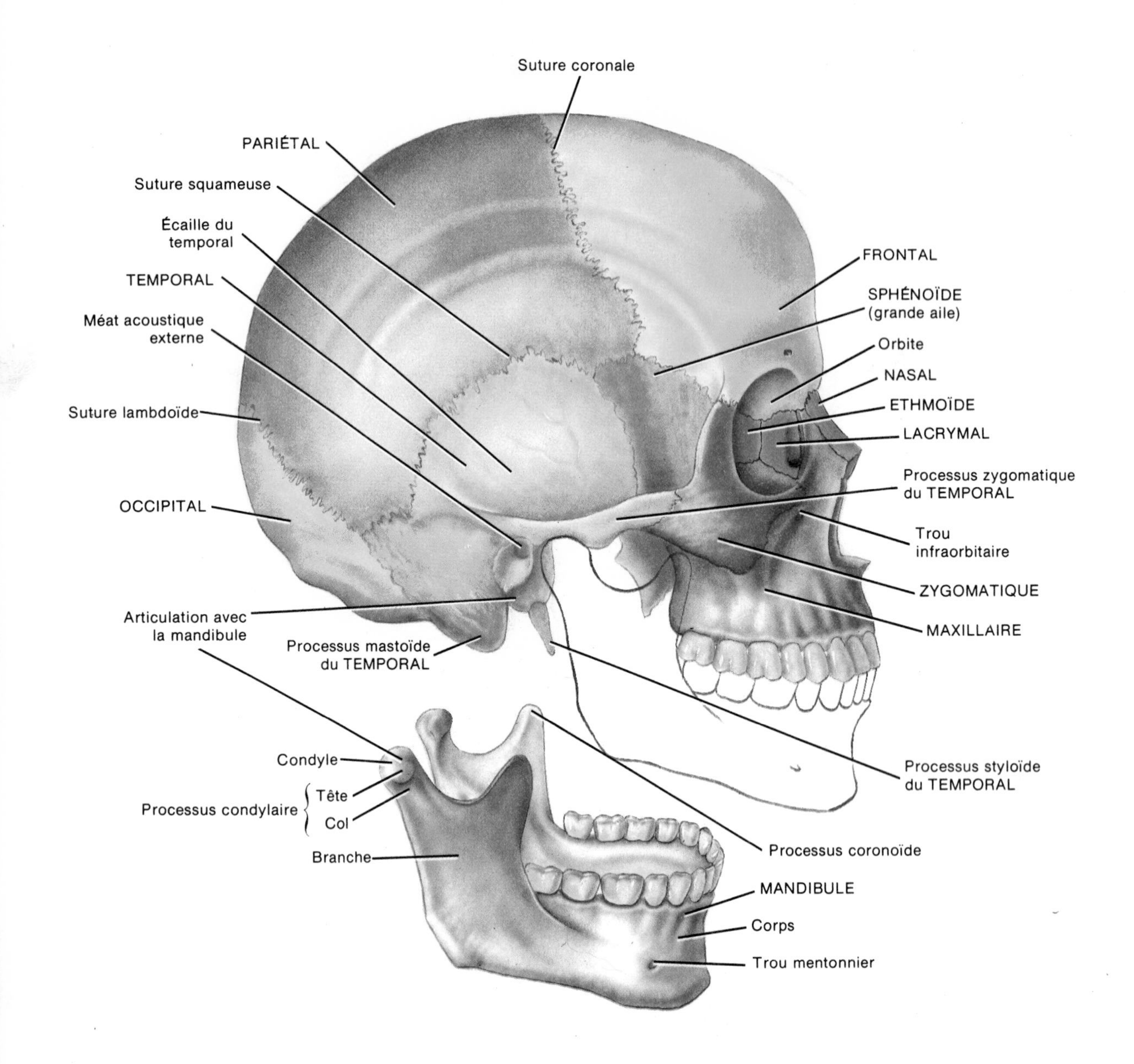

Figure 7-55 Face latérale du crâne; la mandibule désarticulée a été légèrement inclinée. Cette illustration ne permet de voir qu'une partie de la face latérale de l'os temporal et de l'os lacrymal, présentés séparément en vues latérales complètes.

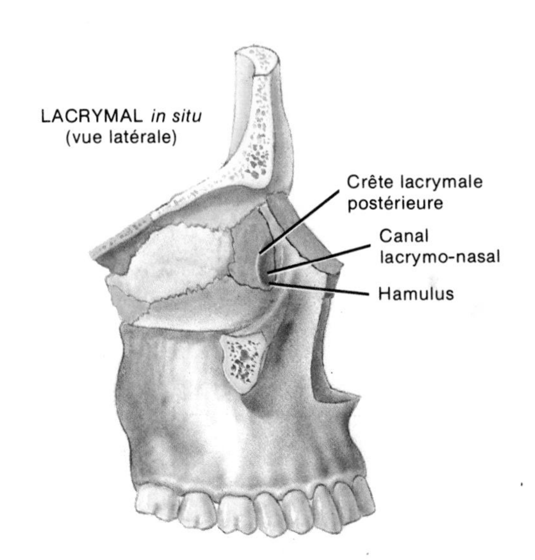
LACRYMAL *in situ*
(vue latérale)
Crête lacrymale postérieure
Canal lacrymo-nasal
Hamulus

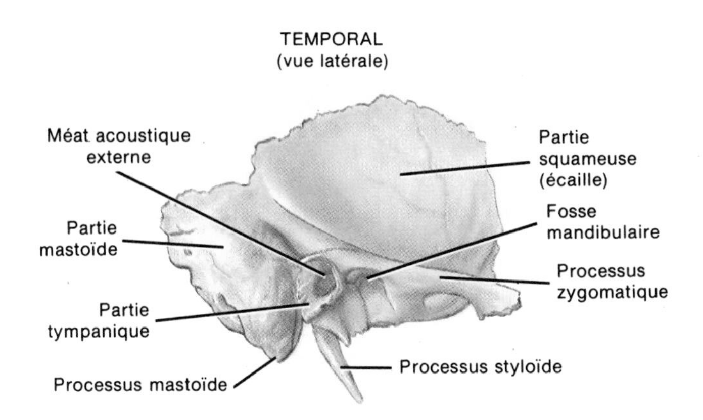
TEMPORAL
(vue latérale)
Méat acoustique externe
Partie mastoïde
Partie tympanique
Processus mastoïde
Partie squameuse (écaille)
Fosse mandibulaire
Processus zygomatique
Processus styloïde

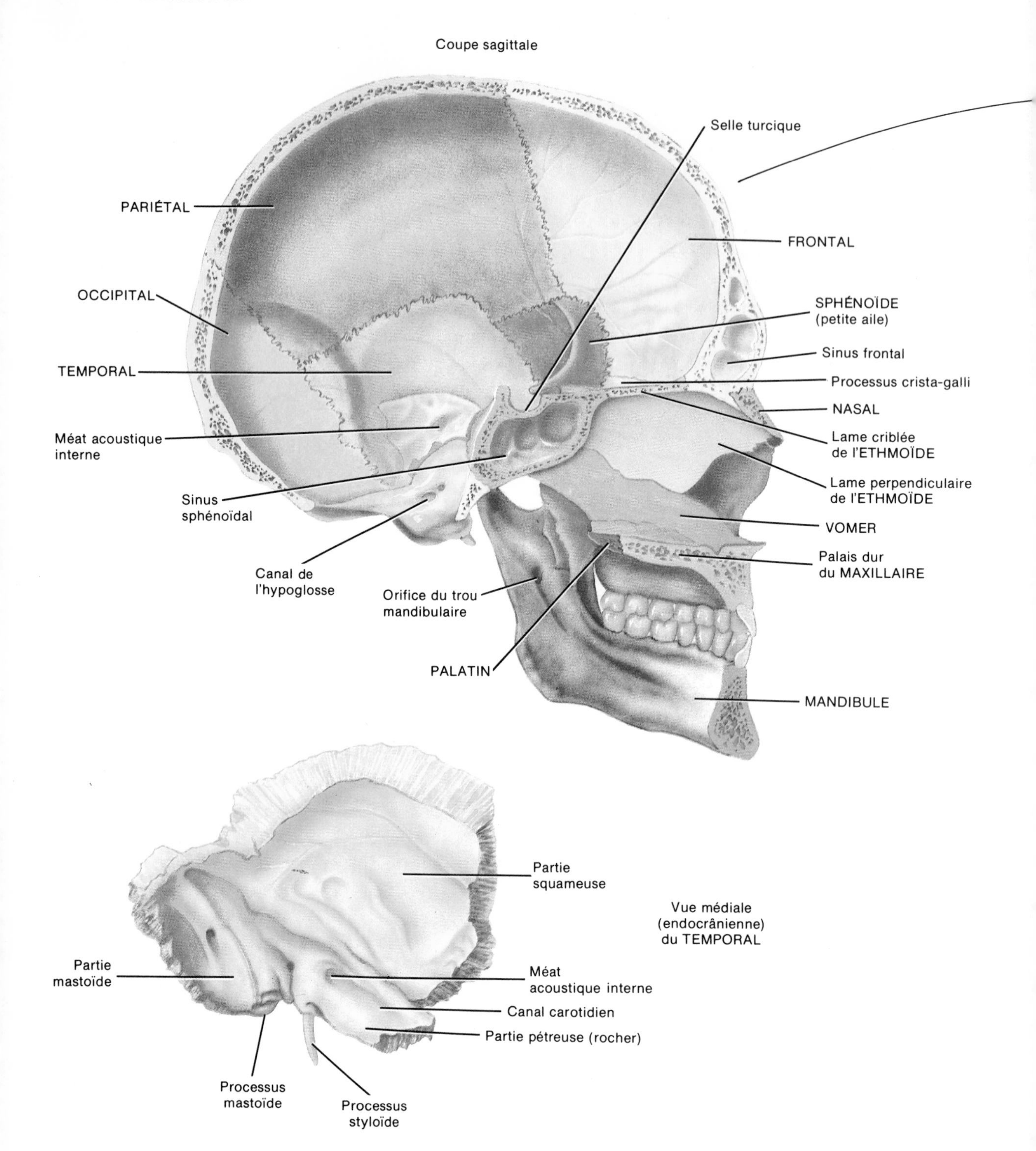
Coupe sagittale
Selle turcique
PARIÉTAL
FRONTAL
OCCIPITAL
SPHÉNOÏDE
(petite aile)
Sinus frontal
TEMPORAL
Processus crista-galli
NASAL
Méat acoustique
interne
Lame criblée
de l'ETHMOÏDE
Lame perpendiculaire
de l'ETHMOÏDE
Sinus
sphénoïdal
VOMER
Palais dur
du MAXILLAIRE
Canal de
l'hypoglosse
Orifice du trou
mandibulaire
PALATIN
MANDIBULE
Partie
squameuse
Vue médiale
(endocrânienne)
du TEMPORAL
Partie
mastoïde
Méat
acoustique interne
Canal carotidien
Partie pétreuse (rocher)
Processus
mastoïde
Processus
styloïde

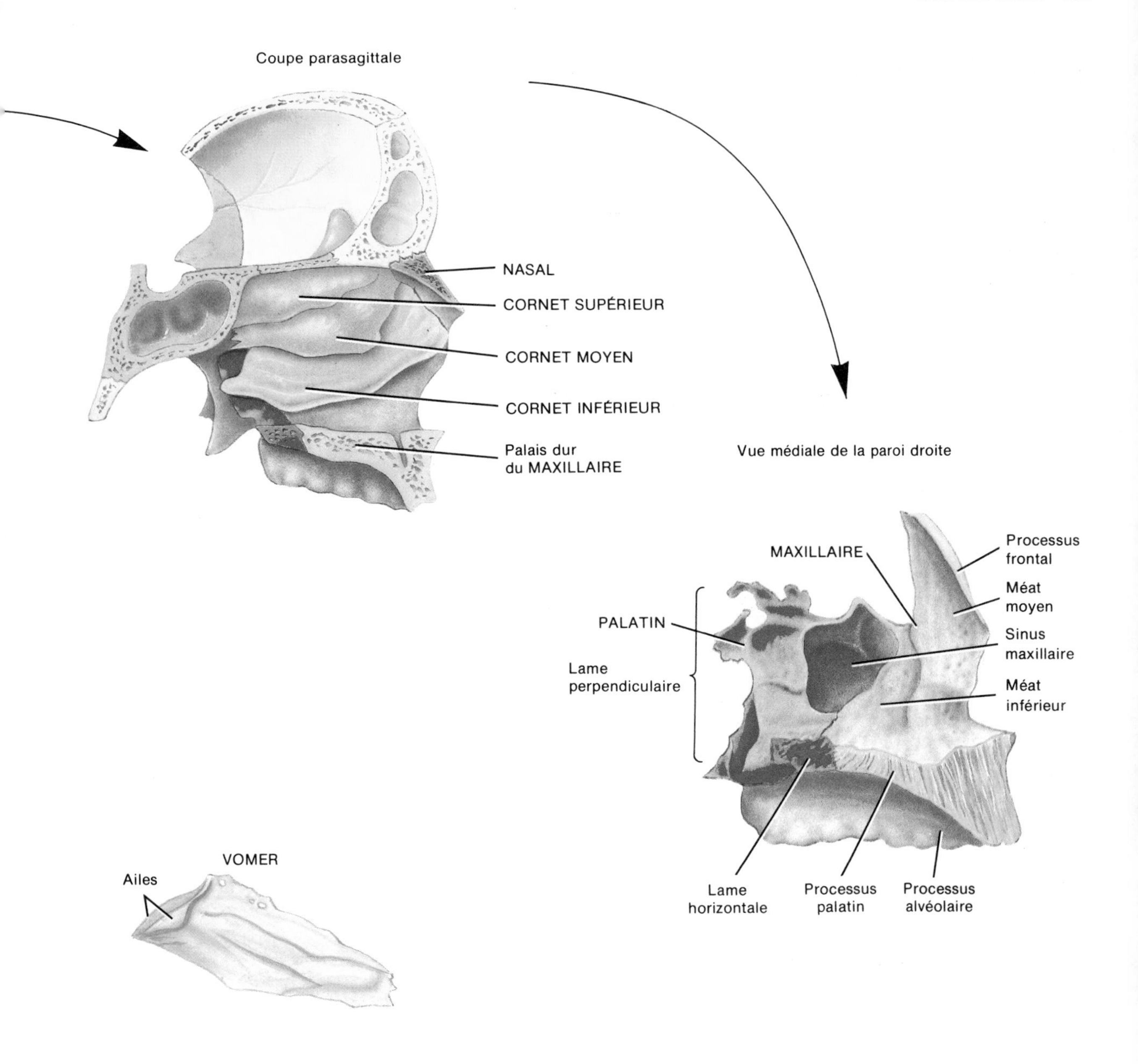

Figure 7-56 À partir d'une coupe sagittale, l'enlèvement successif des os internes révèle le relief de la face endocrânienne gauche.

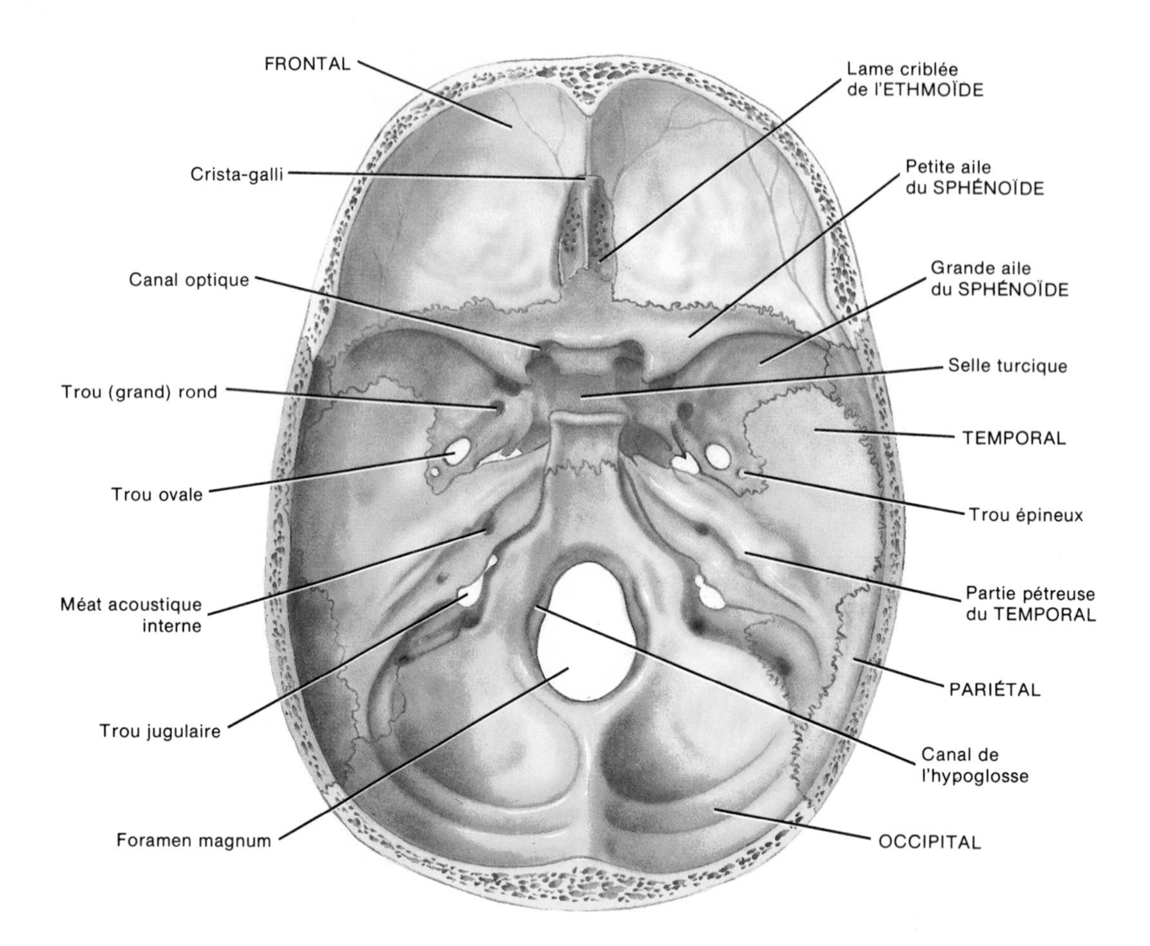

Base du crâne, face endocrânienne

Figure 7-57 On ne peut voir qu'une partie des faces endocrâniennes de l'ethmoïde et du sphénoïde sur une vue supérieure de la base du crâne.

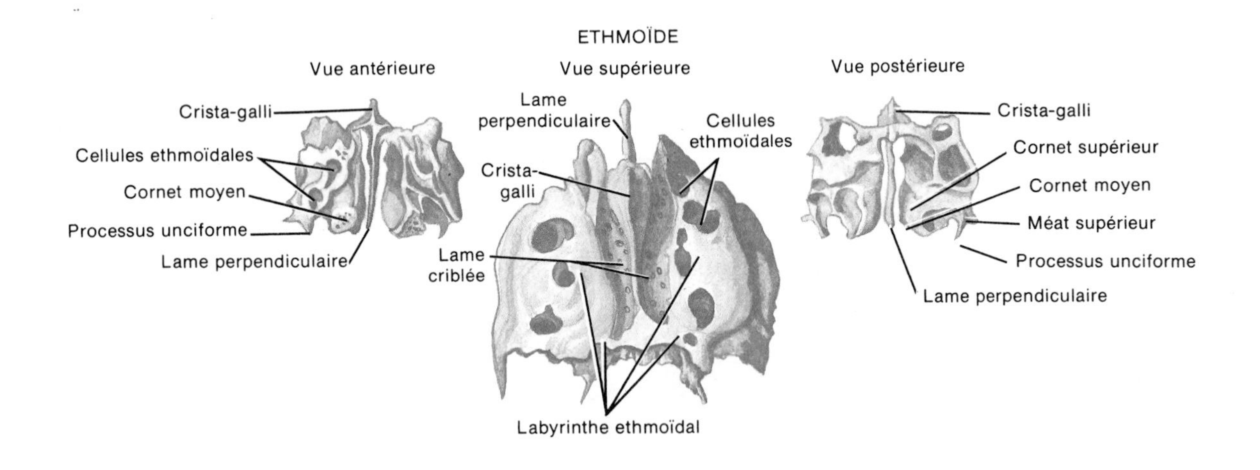
ETHMOÏDE
Vue antérieure
Vue supérieure
Vue postérieure
Crista-galli
Cellules ethmoïdales
Cornet moyen
Processus unciforme
Lame perpendiculaire
Lame perpendiculaire
Crista-galli
Lame criblée
Cellules ethmoïdales
Labyrinthe ethmoïdal
Crista-galli
Cornet supérieur
Cornet moyen
Méat supérieur
Processus unciforme
Lame perpendiculaire

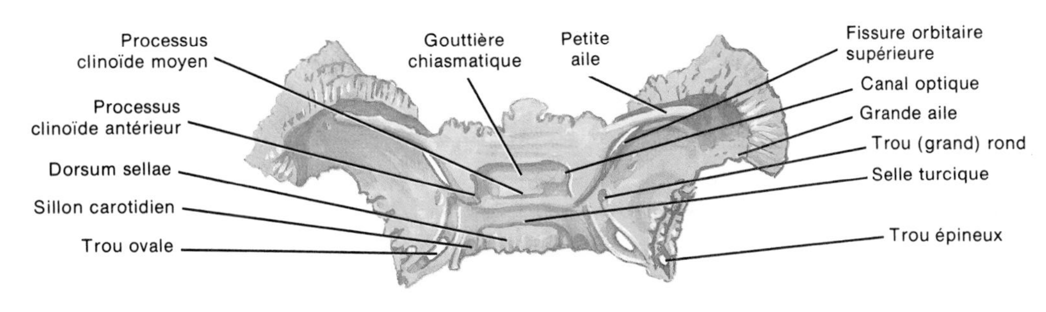
SPHÉNOÏDE
Vue supérieure
Processus clinoïde moyen
Processus clinoïde antérieur
Dorsum sellae
Sillon carotidien
Trou ovale
Gouttière chiasmatique
Petite aile
Fissure orbitaire supérieure
Canal optique
Grande aile
Trou (grand) rond
Selle turcique
Trou épineux

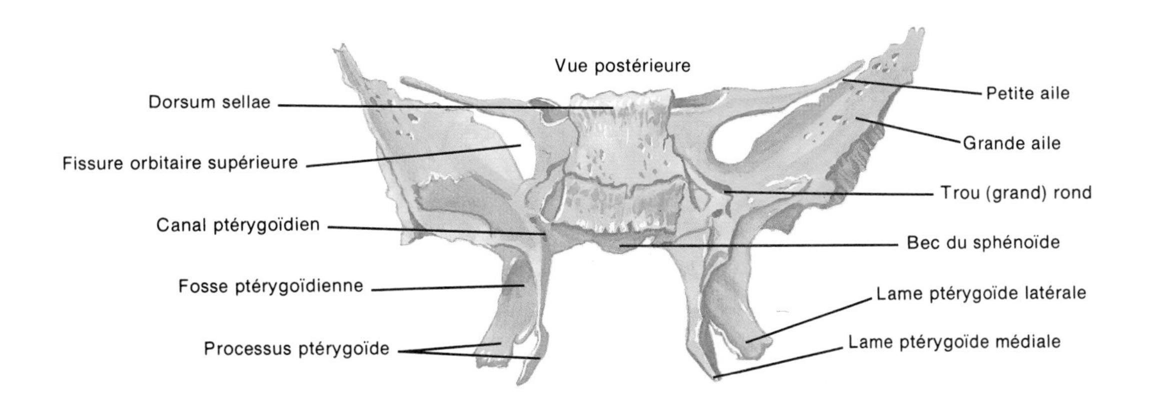
Vue postérieure
Dorsum sellae
Fissure orbitaire supérieure
Canal ptérygoïdien
Fosse ptérygoïdienne
Processus ptérygoïde
Petite aile
Grande aile
Trou (grand) rond
Bec du sphénoïde
Lame ptérygoïde latérale
Lame ptérygoïde médiale

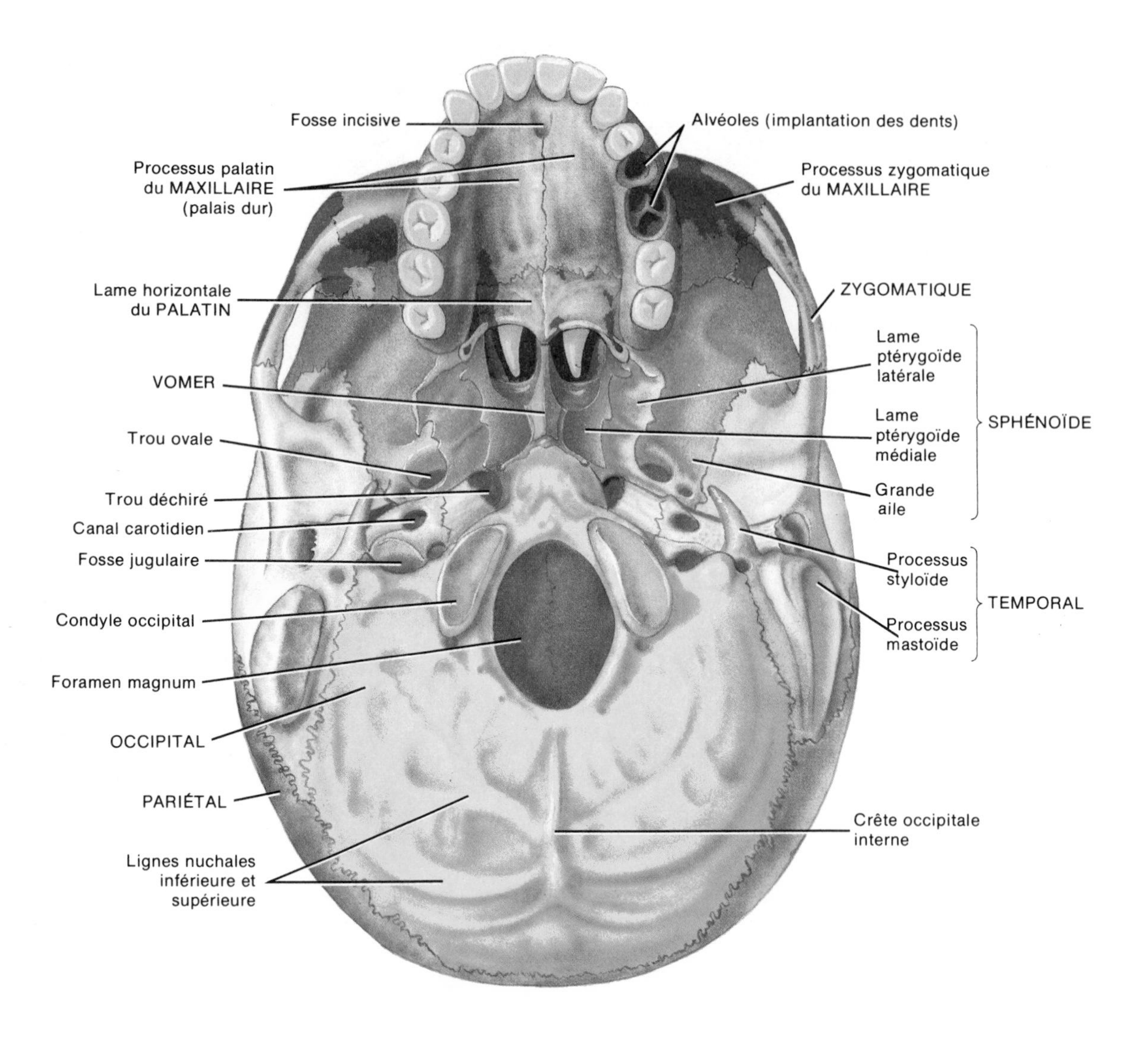

Figure 7-58 Face inférieure du crâne.

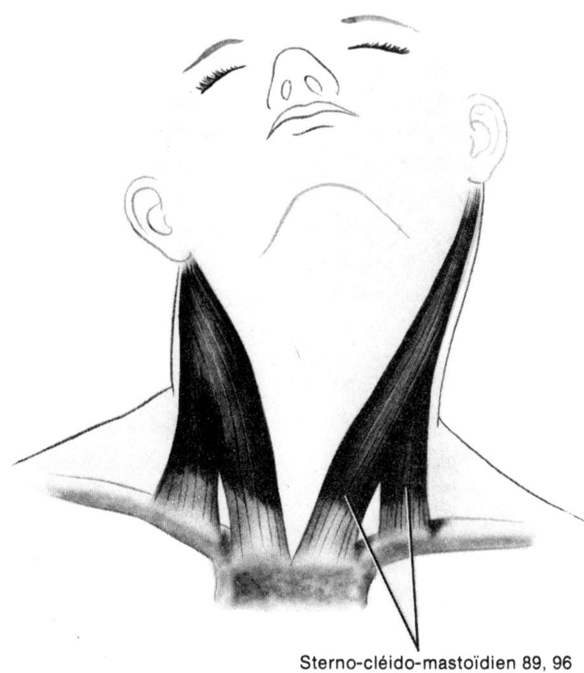

Figure 7-59 Les principaux muscles antérieurs du cou.

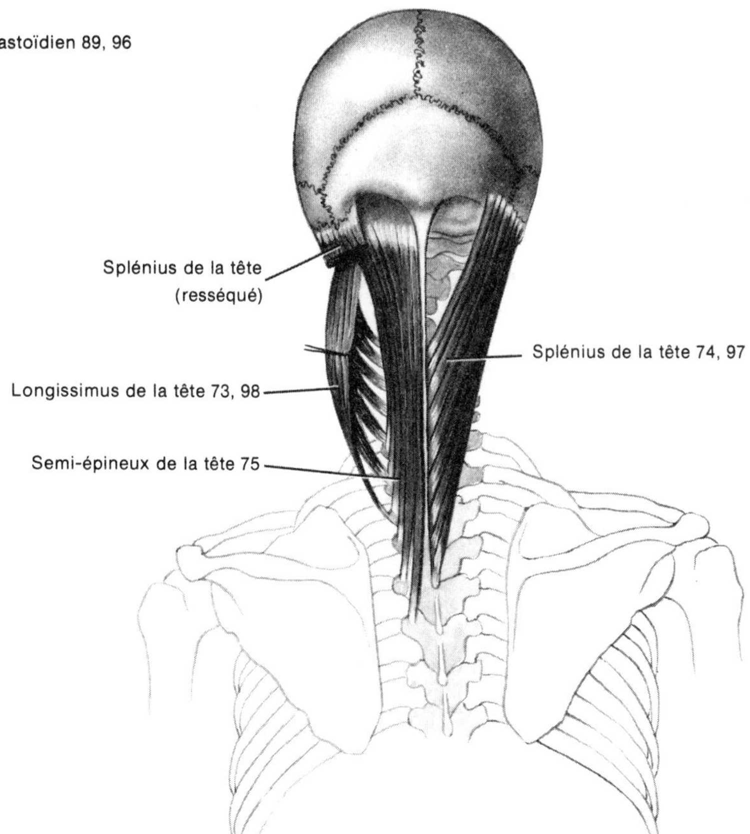

Figure 7-60 Quelques muscles postérieurs du cou.

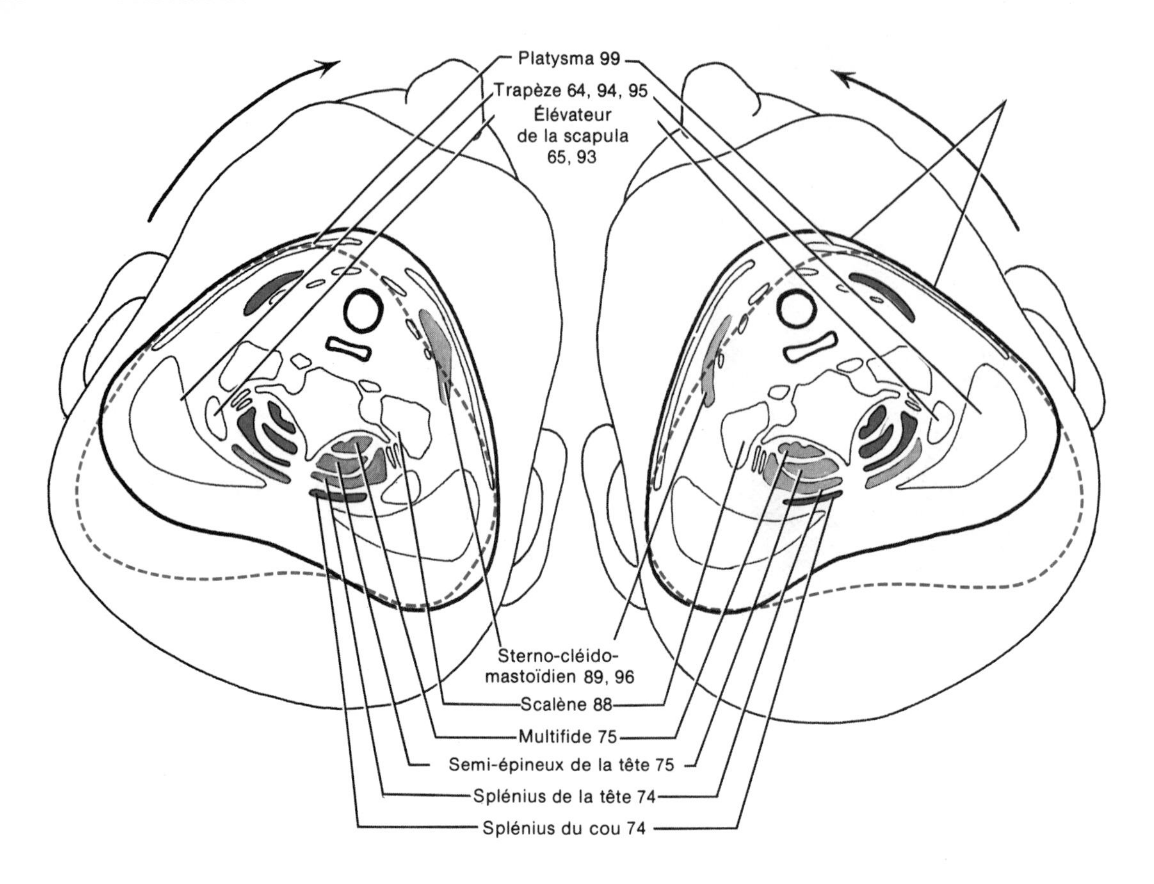

Figure 7-61 L'action des muscles rotateurs de la tête. Les agonistes sont en couleur, les antagonistes en gris. Remarquer que si les muscles correspondants de chaque côté se contractaient en même temps, il y aurait flexion et extension du cou au lieu d'une rotation de la tête.

Tableau 7-10 Muscles de la tête et du cou, groupés selon leur fonction*

Insertion	Index numérique des muscles	Muscle	Origine	Action	Innervation†	Commentaires
Muscles du cou						
Tiers latéral de la clavicule; acromion; épine de la scapula	95	Trapèze (paire)	Occipital; vertèbres thoraciques et dernière cervicale	Mouvement de la scapula qui la porte en dedans et en bas; élévation de l'épaule; flexion latérale du cou et extension de la tête	Nerf accessoire; rameaux ventraux des nerfs cervicaux C3 et C4	

(Suite à la page suivante)

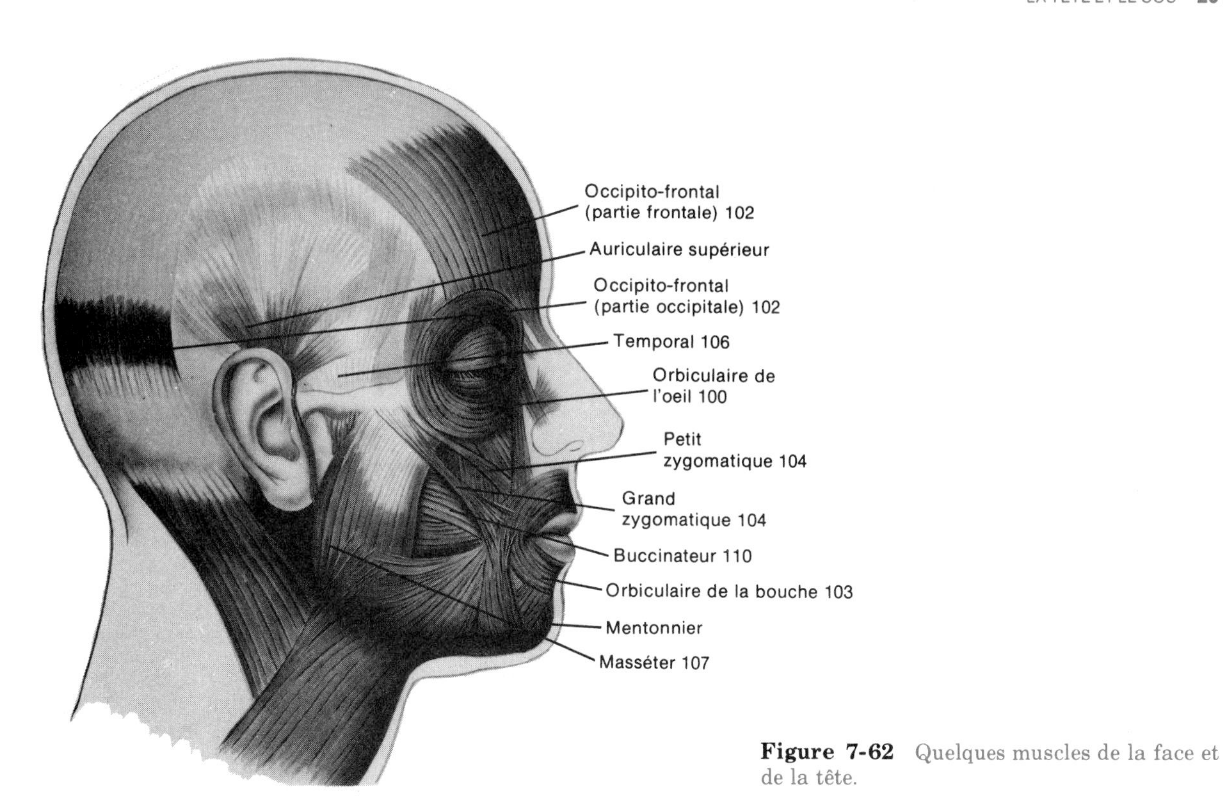

Figure 7-62 Quelques muscles de la face et de la tête.

Tableau 7-10 Muscles de la tête et du cou, groupés selon leur fonction* (*suite*)

Insertion	Index numérique des muscles	Muscle	Origine	Action	Innervation†	Commentaires
Occipital et processus mastoïde du temporal	96	Sterno-cléido-mastoïdien (paire)	Deux origines: (1) manubrium du sternum; (2) tiers médial de la clavicule	Flexion latérale de la tête et du cou; élévation du sternum; rotation de la tête du côté *opposé* et extension	Nerf accessoire (onzième paire crânienne)	Insertion sur la ligne nuchale supérieure de l'occipital; autres insertions sur le corps de l'os temporal et sur le processus mastoïde
Processus mastoïde du temporal	97	Splénius de la tête (paire)	Processus épineux des vertèbres cervicales inférieures et thoraciques supérieures	Extension du cou; rotation du cou; flexion latérale de la tête avec rotation latérale	Rameaux dorsaux des nerfs spinaux	Autre insertion sur l'os occipital (ligne nuchale supérieure)

(Suite à la page suivante)

Tableau 7-10 Muscles de la tête et du cou, groupés selon leur fonction* (*suite*)

Insertion	Index numérique des muscles	Muscle	Origine	Action	Innervation†	Commentaires
Processus mastoïde	98	Longissimus de la tête (paire)	Processus transverses des vertèbres cervicales inférieures et thoraciques supérieures	Extension et rotation de la tête	Rameaux dorsaux des nerfs spinaux	
Bord inférieur de la mandibule	99	Platysma	Face profonde de la peau au niveau de la ceinture scapulaire	Abaissement de la commissure labiale inférieure; abaissement de la mandibule	Branche cervicale du nerf facial	Large et mince feuillet musculaire
Muscles de la face						
Paupières	100	Orbiculaire de l'oeil	Os frontal et maxillaire	Fermeture des yeux; occlusion de l'orifice palpébral en agissant comme un sphincter	Facial	Les muscles des paupières sont complexes. Pour de plus amples renseignements, la consultation d'un ouvrage anatomique complet est nécessaire.
Peau de la région intersourcillière	101	Corrugateur du sourcil et procérus	Os frontaux	Plissement vertical de la peau du front; froncement des sourcils	Facial	
Peau du cuir chevelu et de la face	102	Occipito-frontal	Ligne nuchale supérieure; processus mastoïde	Élévation des sourcils; mouvement en arrière de tout le cuir chevelu	Facial	Ce muscle recouvre la voûte crânienne; du point de vue fonctionnel, il peut être subdivisé en portions frontale et occipitale
Lèvre	103	Orbiculaire de la bouche	Indirectement, du maxillaire et de la mandibule	Occlusion de la bouche; propulsion des lèvres	Facial	Sphincter musculaire complexe à fibres concentriques autour de l'orifice buccal
Commissure des lèvres	104	Grand zygomatique	Os zygomatique	Élévation de la commissure des lèvres	Facial	

(Suite à la page suivante)

Tableau 7-10 Muscles de la tête et du cou, groupés selon leur fonction* (*suite*)

Insertion	Index numérique des muscles	Muscle	Origine	Action	Innervation†	Commentaires
Muscles des mâchoires, de la langue et du pharynx						
Os hyoïde; mandibule	105	Digastrique (muscle suprahyoïdien)	Processus mastoïde du temporal	Ouverture de la bouche; élévation de l'os hyoïde	Nerf alvéolaire inférieur; facial	Muscle allongé, formé de deux ventres réunis par un tendon intermédiaire attaché à l'os hyoïde
Processus coronoïde de la mandibule	106	Temporal	Fosse temporale	Fermeture de la bouche par élévation de la mandibule	Nerf mandibulaire, branche du trijumeau (V)	Les muscles temporal et masséter sont composés de plusieurs faisceaux aux actions diverses
Face latérale de la branche montante de la mandibule	107	Masséter	Arcade zygomatique; maxillaire	Élévation de la mandibule	Nerf mandibulaire, branche du trijumeau (V)	
Col du condyle de la mandibule; ménisque de l'articulation temporo-mandibulaire	108	Ptérygoïdien latéral	Sphénoïde; palatin	Diduction et propulsion de la mâchoire inférieure	Nerf mandibulaire, branche du trijumeau (V)	
Branche montante de la mandibule	109	Ptérygoïdien médial	Palatin; sphénoïde; maxillaire	Élévation et propulsion de la mâchoire inférieure; diduction	Nerf mandibulaire, branche du trijumeau (V)	
Diffuse dans le muscle orbiculaire de la bouche et dans les lèvres	110	Buccinateur	Processus alvéolaires du maxillaire et de la mandibule	Apposition des lèvres et des joues contre les dents	Facial (VII)	Principal muscle des joues; il les tend afin qu'elles ne soient pas blessées par les dents

* Ce tableau doit être étudié avec les figures 7-59, 7-60, 7-62, et 7-63.

† Tous les muscles de la mimique sont innervés par le nerf facial, ceux de la mastication par le trijumeau.

Note: Certains muscles qui s'insèrent sur l'os hyoïde et les cartilages pharyngiens ont été décrits au tableau 7-8.

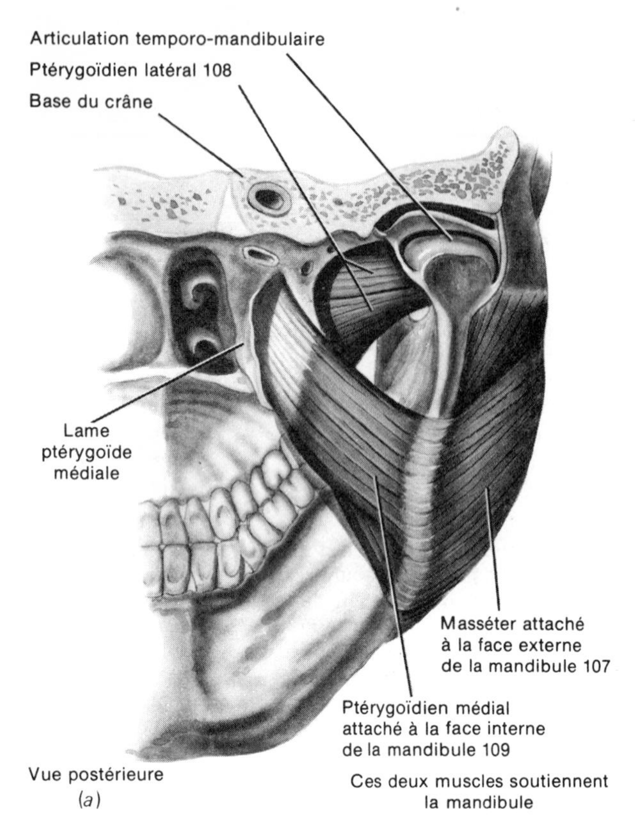

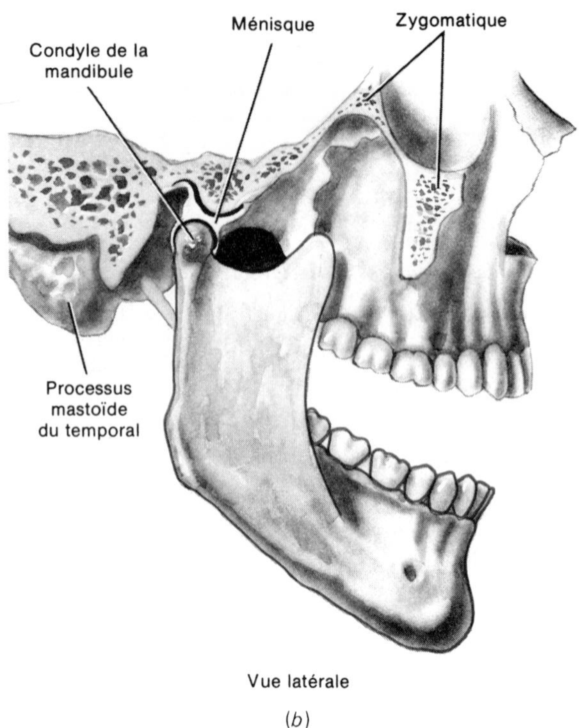

Figure 7-63 (*a*) Les muscles de la mastication. (*b*) Mouvement de l'articulation temporo-mandibulaire.

Le développement du crâne

Les os du crâne, sauf ceux de la portion inférieure, sont d'origine membraneuse. Par exemple, les os frontal et pariétaux sont membraneux mais le sphénoïde est d'origine endochondrale. La face se forme à partir d'éléments osseux variés dont la croissance vers l'avant permet la fusion centrale. Lors du développement normal, par exemple, les cavités nasale et pharyngienne se confondent à l'origine en une seule. La croissance médiale des palatins et des maxillaires gauches et droits divise progressivement la cavité en deux et forme la voûte du palais. On peut facilement sentir la ligne d'union avec le bout de la langue puisqu'elle forme une crête longitudinale au haut de la cavité buccale. Si la fusion des éléments osseux correspondants se fait mal, il peut rester une fente ou une crevasse entre les composants latéraux des os des maxillaires et des palatins. On obtient alors un *bec-de-lièvre* (une *fente palatine*), une anomalie assez fréquente du développement; à l'occasion, elle est apparente au niveau de la lèvre supérieure.

Le bec-de-lièvre n'est pas seulement un défaut esthétique potentiel mais encore une source de sérieux problèmes alimentaires et respiratoires chez les bébés et les jeunes enfants. Heureusement, aujourd'hui, la chirurgie plastique peut souvent corriger ce défaut. Le bec-de-lièvre est une anomalie anatomique d'origine génétique et environnementale. Son incidence varie géographiquement et selon l'origine ethnique.

La mastication

La mandibule est retenue au crâne comme un hamac par des muscles puissants, dont le masséter et le ptérygoïdien médial, disposés de telle façon que leur contraction peut déplacer la mandibule aussi bien verticalement que latéralement. Ces élévateurs de la mâchoire sont assistés par le muscle temporal. La contraction des trois muscles ipsilatéraux permet de projeter la mâchoire de côté (*diduction*). Le digastrique et le ptérygoïdien latéral sont les abaisseurs de la mandibule, beaucoup plus faibles que les élévateurs. Plusieurs muscles accessoires, comme le buccinateur et le platysma (peaucier du cou), par leur action sur les lèvres, participent à la mastication; ils permettent, avec la langue, de maintenir les aliments entre les dents.

La contraction simultanée des deux ptérygoïdiens latéraux porte la mâchoire en avant (propulsion), mouvement auquel participe la partie antérieure des temporaux. La rétropulsion implique la participation de tous les muscles de la mâchoire, des fibres postérieures des temporaux, du digastrique et de quelques autres.

Les mouvements complexes de la mastication s'actualisent grâce à la mobilité remarquable de l'articulation temporo-mandibulaire (ATM) (figure 7-63), la seule articulation du corps qui permette à un os de se mouvoir dans trois directions différentes (de haut en bas, de gauche à droite, d'en avant en arrière). Cette mobilité est rendue possible grâce à la laxité des ligaments qui l'attachent à la mâchoire supérieure et à sa construction en *double* articulation synoviale (possédant deux cavités glénoïdes). Le condyle de la mandibule et celui de l'os temporal reposent sur un disque fibrocartilagineux biconcave, un *ménisque*. La capsule articulaire est ainsi divisée en deux compartiments, mandibulo-méniscal et temporo-méniscal. A l'ouverture de la bouche, le condyle de la mandibule et le ménisque sortent de la cavité glénoïde de l'os temporal et glissent vers l'avant sur la synoviale du condyle temporal, déplacement qui correspond de fait à la dislocation fonctionnelle de l'articulation. Sans ce mouvement méniscal, la bouche ne pourrait ouvrir autant. On constate que la cavité glénoïde de l'os temporal est le logement du condyle mandibulaire qui en sort pour faire son travail. Cette cavité possède en effet des parois assez faibles qui ne pourraient probablement pas résister aux forces engendrées par une mastication vigoureuse.

L'ouverture de la bouche actionne des petits fascicules tendineux du ptérygoïdien latéral qui tirent le ménisque vers l'avant afin qu'il demeure constamment entre les surfaces articulaires osseuses. Un coup d'oeil aux schémas de la figure 7-63 rend manifeste leurs surfaces non congruentes; le rôle du ménisque est de les faire correspondre dans toutes les positions.

La diduction de la mandibule est un mouvement important de la mastication. Il est assuré par la dislocation fonctionnelle de l'une des deux articulations temporo-mandibulaires (ATM) alors que le condyle controlatéral demeure plus ou moins dans sa cavité glénoïde.

La modification des habitudes de mastication, due, par exemple, à une maladie dentaire ou à la pose d'une prothèse, modifie les surfaces de l'ATM qui s'adaptent, pendant une certaine période de temps, aux nouveaux stress fonctionnels auxquels elles sont soumises. Malheureusement des stress importants, dus entre autres à l'arthrite, développent des tensions ligamentaires qui dépassent le seuil d'adaptation de l'articulation et provoquent des troubles de la mastication connus sous le nom de *syndrome de l'ATM.*

Une petite note pour terminer: par une curieuse coïncidence, on peut ouvrir la bouche juste assez pour y introduire une boule de billard. Ne le faites surtout pas car les muscles qui abaissent la mâchoire seraient alors étirés à un point tel qu'il serait impossible de réouvrir la bouche pour faire sortir la boule.

INDEX DES MUSCLES TABULAIRES

NOTE: les nombres correspondent au numéro du muscle, non à la pagination.

QUESTIONS DE RÉVISION

1 Pourquoi le corps d'un muscle est-il généralement situé hors de la structure qu'il actionne?

2 Faire la liste des agonistes et des antagonistes impliqués dans les mouvements suivants:

a) La poussée de la jambe sur une pédale de bicyclette.

b) La projection latérale de la jambe (comme, par exemple, dans un mouvement de brasse).

c) Le soulèvement du corps par l'épaule, le bras et l'avant-bras, dans un appui facial manuel et pédestre avec extension des bras (push-up).

d) Le soulèvement du corps par l'épaule, le bras et l'avant-bras, dans une suspension par les mains à la barre, avec flexion des bras et menton contre barre (chin-up).

3 Quelle est la différence entre la prise grossière et la prise de précision de la main? Quelles actions musculaires particulières les différencient?

4 Quelles particularités musculaires et articulaires permettent la rotation de la tête? Sa circumduction?

5 Quels muscles sont actifs lorsque quelqu'un:

a) Mord dans un sandwich?

b) Ouvre la bouche chez le dentiste?

c) Mâche de la gomme? (Énumérer les muscles en fonction d'un cycle complet de mastication.)

6 Construire un tableau similaire au tableau 7-7 pour les muscles de la cuisse, de la jambe, du pied.

7 Combien de muscles actifs pouvez-vous énumérer dans le balancement latéral de la tête? Dans l'action d'acquiescer de la tête?

8 Quels muscles du bras et de l'épaule travaillent lorsque quelqu'un soulève un poids jusqu'à la taille en pliant les bras au niveau du coude? Lorsqu'il laisse retomber lentement les bras le long du corps?

9 Faire la liste des os du crâne et indiquer vis-à-vis de chacun les noms de ceux avec lesquels il s'articule.

10 **a**) Quelles sont les différences articulaires responsables de la mobilité caractéristique de l'avant-bras par rapport à la jambe?

b) En quoi l'atlas et l'axis diffèrent-elles des autres vertèbres?

8 LE SYSTÈME NERVEUX: organisation générale et neurophysiologie

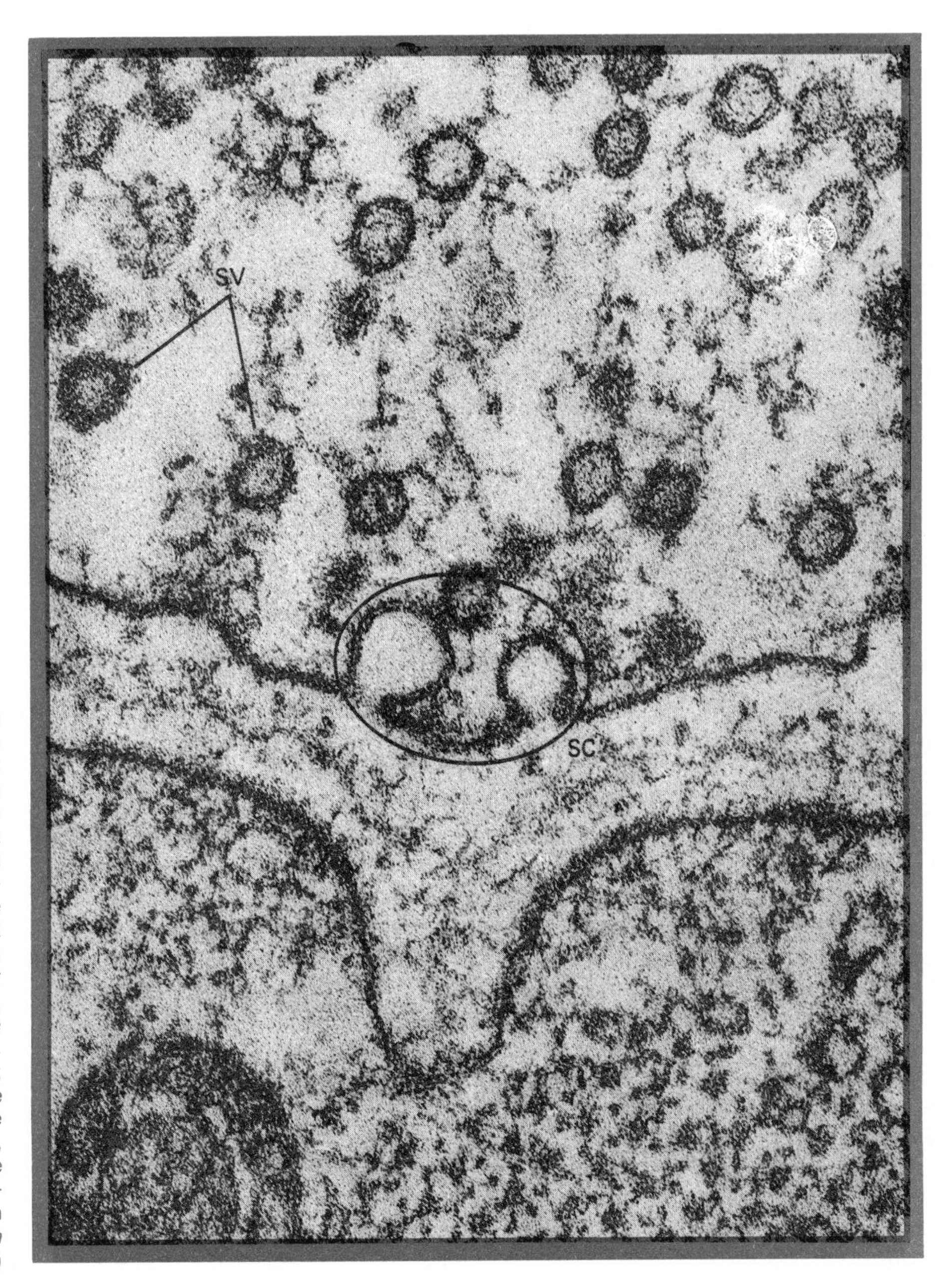

Photomicrographie au microscope électronique d'un bouton terminal et de la fente synaptique au niveau d'une jonction neuro-musculaire. La zone encerclée contient deux vésicules synaptiques en train de fusionner avec la membrane du bouton terminal et de s'ouvrir sur la fente synaptique, libérant ainsi le neurotransmetteur. VS, vésicule synaptique; FS, fente synaptique; le neurone occupe la partie supérieure de la figure, la cellule musculaire se trouve à la partie inférieure (environ ×125 000). (*Dr John Heuser.*)

OBJECTIFS

L'étude de ce chapitre devrait vous permettre de:

1 Faire la liste des divisions du système nerveux.
2 Décrire les fonctions des cellules gliales.
3 Dessiner un neurone (ou légender un dessin), identifier les éléments constituants et décrire leurs fonctions, y compris celles des gaines qui entourent l'axone.
4 Décrire le processus de régénération d'un axone.
5 Classer les neurones en trois catégories fonctionnelles.
6 Faire la distinction entre les nerfs et les faisceaux nerveux; les ganglions et les noyaux.
7 Décrire brièvement les quatre événements dont dépendent toutes les réactions nerveuses: la réception, la transmission, l'intégration et la commande.
8 Dessiner (ou légender sur un schéma) une voie réflexe monosynaptique et plurisynaptique. Identifier les composantes essentielles et indiquer la direction des influx.
9 Décrire une expérience qui montre une activité réflexe indépendante du cerveau.
10 Décrire le fonctionnement des récepteurs.
11 Préciser les fondements ioniques du potentiel de repos membranaire.
12 Décrire la propagation d'un potentiel d'action.
13 Identifier deux facteurs qui influencent l'intensité d'une sensation.
14 Comparer la conduction de proche en proche et la conduction saltatoire.
15 Décrire les effets d'un manque ou d'un excès de calcium sur la fonction nerveuse.
16 Énumérer et décrire les étapes de la transmission synaptique; étayer de dessins.
17 Identifier les substances de transmission décrites dans le chapitre et expliquer leur inactivation.
18 Connaître les facteurs qui influencent la vitesse de transmission des influx.
19 Décrire l'intégration des influx afférents par un neurone postsynaptique et connaître les causes de son comportement subséquent.
20 Distinguer la convergence de la divergence et comprendre l'importance de ces dispositions anatomiques.
21 Décrire un circuit en boucle.

Le système nerveux dirige le fonctionnement interne d'un organisme et lui sert de lien avec le monde extérieur. Sans ce système, qui lui permet de réagir aux conditions du milieu, l'organisme humain ne peut maintenir son intégrité et celle de l'espèce. Il doit voir, entendre, goûter, sentir et toucher, pour s'adapter le mieux possible à son environnement afin de se protéger, se nourrir et se reproduire.

Le système nerveux coordonne aussi toutes les fonctions internes de l'organisme. Un organe, pour avoir une activité efficace, doit fonctionner en harmonie avec les autres organes et systèmes du corps; la supervision nerveuse assure cette harmonie. Elle assure aussi le bon fonctionnement du système endocrinien, le deuxième grand système de contrôle de l'organisme. Sans cette supervision, il ne pourrait y avoir, par exemple, de régulation thermique, d'ajustement du débit urinaire, de contrôle de la pression artérielle, de répartition du débit sanguin, de sécrétions exocrines, d'actions musculaires et d'émotions.

Le système nerveux, de concert avec le système endocrinien, préserve l'intégrité physique d'un individu et supporte l'homéostasie corporelle. Il est de loin le système organique le plus complexe et, probablement pour cela, le moins bien connu.

L'ORGANISATION GÉNÉRALE

Le système nerveux comprend deux grandes divisions: le *système nerveux central* (SNC) et le *système nerveux périphérique* (SNP). Le SNC contient les structures de l'encéphale (communément appelé cerveau) et de la moelle épinière qui intègrent les informations afférentes et décident des réponses appropriées. Le SNP contient les récepteurs des sens (par exemple les mécanorécepteurs du toucher et de l'ouïe, les photorécepteurs de la vue) et les nerfs, les voies de communication situées hors du cerveau et de la moelle épinière. Les différentes parties du corps sont en contact continuel avec le cerveau par 12 paires de nerfs crâniens et avec la moelle épinière par 31 paires de nerfs spinaux (rachidiens). Ces nerfs périphériques informent en permanence le SNC des modifications du milieu (interne ou externe) et transmettent aux muscles et aux glandes les commandes d'ajustement requises pour le maintien de l'homéostasie.

On subdivise généralement le SNP en deux parties: *somatique* et *autonome*. La partie somatique comprend les récepteurs affectés à la transduction des stimulus provenant du monde extérieur et les voies impliquées dans la réaction; la partie autonome contient les récepteurs et les voies responsables du contrôle du milieu intérieur. Les deux systèmes, somatique et autonome, possèdent des *fibres sensitives* (*afférentes*)[1], responsables de la transmission des informations à partir des récepteurs vers le SNC, et des *fibres motrices* (*efférentes*) qui transmettent les commandes centrales aux structures effectrices. Le système nerveux autonome possède deux types de voies efférentes: les voies *sympathique* et *parasympathique*.

Les grandes divisions du système nerveux sont présentées dans le résumé suivant:

- I Système nerveux central (SNC)
  - *A* Encéphale
  - *B* Moelle épinière
- II Système nerveux périphérique (SNP)
  - *A* Partie somatique
    - 1 Récepteurs
    - 2 Fibres sensitives (afférentes) — transmission des informations des récepteurs vers le SNC
    - 3 Motoneurones (efférents) — transmission des informations du SNC vers les muscles squelettiques
  - *B* Partie autonome (SNA)
    - 1 Récepteurs
    - 2 Fibres afférentes — transmission des informations sensitives des récepteurs, situés dans les organes, vers le SNC
    - 3 Fibres efférentes — transmission des informations du SNC aux glandes et aux muscles involontaires des organes
      - *a* Voies sympathiques — stimulent en général les activités qui mobilisent de l'énergie (ex.: augmentation de la fréquence cardiaque)
      - *b* Voies parasympathiques — dont l'activité est associée à la conservation de l'énergie ou à son accumulation (ex.: diminution de la fréquence cardiaque)

En règle générale l'activité des voies sympathiques stimule des organes et mobilise de l'énergie en réponse à un stress, alors que l'activité des voies parasympathiques tend à favoriser la conservation et la reconstitution des réserves énergétiques. Beaucoup d'organes ont une double innervation complémentaire et antagoniste, sympathique et parasympathique. Le ralentissement des contractions cardiaques, par exemple, est dû à la prédominance de l'activité parasympathique alors que leur accélération relève de l'augmentation de l'activité sympathique.

LES CELLULES DU SYSTÈME NERVEUX

Les cellules caractéristiques du système nerveux sont les neurones et les cellules gliales. Le rôle des neurones est de recevoir et de transmettre des influx; celui des cellules gliales est probablement de servir de soutien.

[1] Il n'est pas habituel de classer les fibres afférentes dans le système nerveux autonome. Certains neurobiologistes ont élargi la définition traditionnelle pour y inclure les composantes afférentes, fonctionnellement très importantes dans le système. Voir Charles R. Noback et Robert J. Demarest, «The Human Nervous System», 2d ed., p. 191, McGraw-Hill Book Company, New York, 1975; Charles Kayser, «La physiologie», 3e éd., vol. II, p. 806, Flammarion, Paris, 1976.

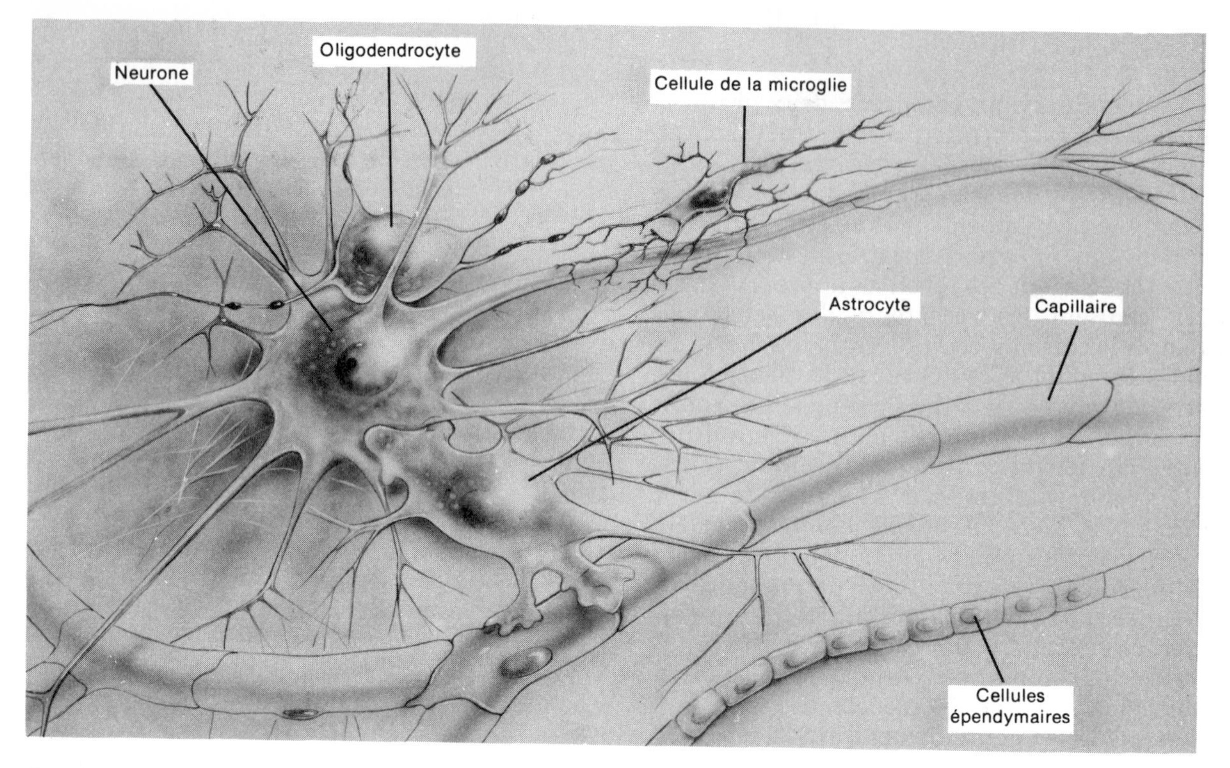

Figure 8-1 Les cellules gliales ou la névroglie, c'est-à-dire le tissu qui entoure les neurones, comprend les astrocytes, les oligodendrocytes, les cellules de la microglie et les cellules épendymaires. Remarquer les prolongements de l'astrocyte à la surface du capillaire (les pieds vasculaires).

Les cellules gliales

Bien qu'il y ait peut-être dix fois plus de cellules gliales que de neurones dans le corps humain, on connaît très peu leurs fonctions. Il y en a plusieurs types; on les qualifie collectivement de *névroglie*, ce qui signifie littéralement «glu nerveuse». Dans certaines conditions elles subissent des changements biochimiques et certains chercheurs croient, pour cette raison, qu'elles peuvent avoir un rôle dans la mise en réserve de l'information (la mémoire). D'un point de vue clinique les cellules gliales sont importantes puisqu'elles donnent naissance à la majorité des tumeurs du SNC.

On retrouve quatre types de cellules gliales dans le SNC: les oligodendrocytes, la microglie, les cellules épendymaires et les astrocytes (figure 8-1). Les *oligodendrocytes* entourent les neurones et les aident probablement à obtenir leurs nutriments. La *microglie* est formée de cellules phagocytaires, parentes des macrophages. Elles migrent hors des vaisseaux sanguins vers le système nerveux pour y enlever les débris. Les *cellules épendymaires* tapissent les cavités (ventricules) du cerveau et le canal central de la moelle épinière (le canal épendymaire). On ne sait pas exactement ce que font les *astrocytes*, mais certains scientifiques croient qu'ils assurent un support structural et forment du tissu cicatriciel après une blessure. Les astrocytes ont des projections qui rejoignent les parois des vaisseaux sanguins (des *pieds vasculaires*); leur rôle pourrait être d'empêcher ou encore de retarder la diffusion de certaines substances étrangères dans le tissu nerveux. Elles seraient ainsi un composant essentiel de la barrière hémato-encéphalique dont nous parlerons au chapitre 9.

Plusieurs neurones hors du SNC possèdent des axones recouverts de myéline issue des *cellules de Schwann*. Ces dernières sont parfois classées parmi les cellules gliales.

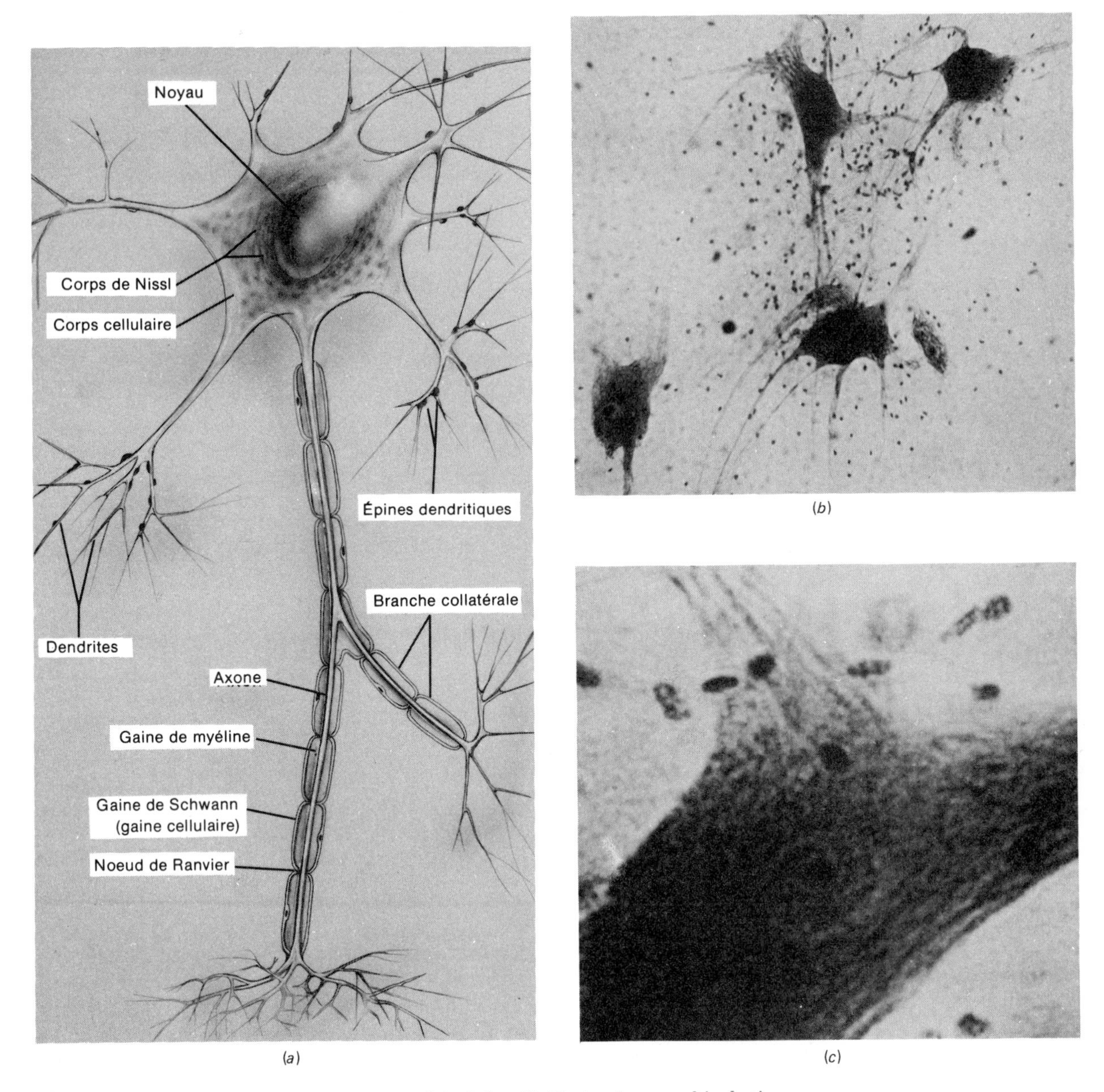

Figure 8-2 (*a*) Structure d'un neurone multipolaire. (*b*) Photomicrographie de tissu nerveux montrant plusieurs neurones. (*c*) Photomicrographie du corps cellulaire d'une cellule nerveuse montrant les corps de Nissl.

Les neurones

Le *neurone*, cellule spécialisée dans la réception et la transmission des messages nerveux (influx), se distingue des autres cellules par ses longs prolongements cytoplasmiques. La figure 8-2 présente la structure d'un neurone multipolaire, l'un des plus communs du système nerveux.

La structure des neurones La structure la plus massive du neurone, le *corps cellulaire* (parfois appelé *péricaryon*), contient la

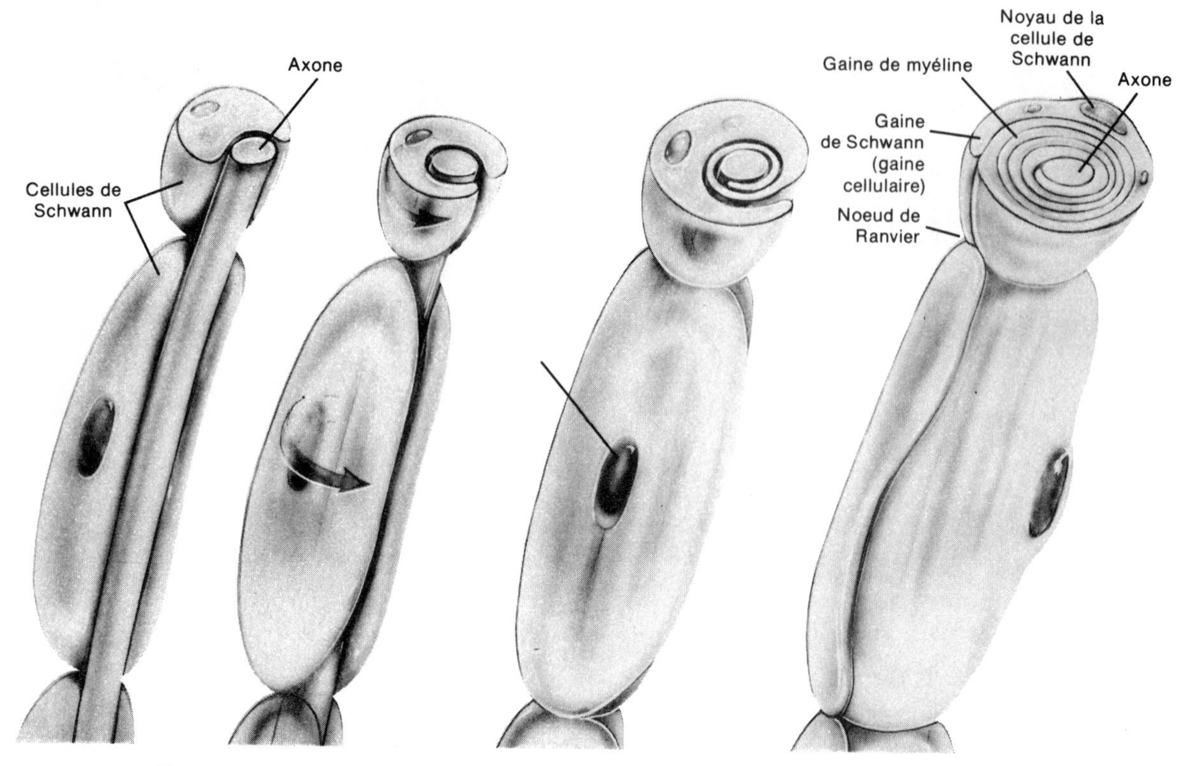

Figure 8-3 Formation de la gaine de myéline. La membrane plasmique d'une cellule de Schwann tourne autour de l'axone plusieurs fois de manière à former une spirale (une juxtaposition de membranes) qui devient la gaine de myéline. La plus grande partie de la cellule de Schwann (cytoplasme, noyau, autres organites) demeure à l'extérieur de la gaine de myéline, formant ainsi une enveloppe cellulaire, la gaine de Schwann.

majeure partie du cytoplasme, le noyau et les autres organites. Deux sortes de projections cytoplasmiques irradient autour du corps cellulaire: les *dendrites* et l'*axone*, unique et souvent très long. Les dendrites sont généralement courtes, ramifiées, et spécialisées dans la réception d'influx nerveux. Elles sont parfois parsemées à leur surface de milliers d'*épines dendritiques*, sites spécialisés de contacts synaptiques avec d'autres neurones. Les *corps de Nissl* sont des agrégats de réticulum endoplasmique et de ribosomes, actifs dans la synthèse des protéines et caractéristiques du corps cellulaire. Le microscope électronique a permis de mettre en évidence des *neurofilaments* dans le cytoplasme des neurones; ils sont probablement formés de protéines filamenteuses. On peut voir, au microscope optique, des *neurofibrilles*; on a émis l'hypothèse qu'elles se forment à partir des neurofilaments (par association) lors de la préparation du tissu nerveux pour l'observation microscopique.

L'axone prend naissance au niveau d'une élévation conique du corps cellulaire, le *cône d'implantation* (ou *segment initial*). D'une longueur pouvant atteindre plus d'un mètre, l'axone a un diamètre microscopique de l'ordre du micromètre. Par exemple, les axones qui émergent de la partie inférieure du canal vertébral et innervent les muscles du pied, peuvent mesurer plus d'un mètre. Si le corps cellulaire d'un de ces neurones avait la taille d'une balle de tennis, alors l'axone mesurerait 1,6 km de longueur, 1,3 cm de diamètre, et les dendrites se ramifieraient au point de remplir un salon de bonnes dimensions.

L'axone, à son extrémité, possède une *arborisation terminale* formée de multiples ramifications parsemées de *boutons synap-*

tiques ou terminaux. Ces derniers, responsables de la libération des substances de transmission (transmetteurs chimiques), permettent le passage des influx nerveux d'un neurone à un autre. Plusieurs axones émettent sur leur parcours des *collatérales*, des ramifications primaires.

Les axones de plusieurs neurones du SNP sont enveloppés d'une gaine double: l'une interne, la *gaine de myéline*, et l'autre externe, la couche cytoplasmique des *cellules de Schwann*, la *gaine de Schwann* ou *gaine cellulaire*. Les deux sont formées par les cellules de Schwann qui s'alignent le long de l'axone et l'enveloppent. La gaine de myéline apparaît grâce à des enroulements multiples de la membrane des cellules de Schwann autour de l'axone (figures 8-3 et 8-4). La myéline est donc formée des protéines et des lipides qui constituent la membrane de la cellule de Schwann. Excellent isolant, sa présence modifie considérablement les propriétés de transmission de l'axone. Entre les cellules de Schwann, la gaine de myéline présente des discontinuités, les *noeuds de Ranvier*. Ces régions, distantes de 50 à 1 500 μm, ne sont pas isolées électriquement; la membrane de l'axone y est en contact direct avec le milieu extracellulaire. On utilise fréquemment le terme *fibre nerveuse* pour désigner l'axone entouré de sa gaine.

La *sclérose en plaques*, maladie nerveuse qui affecte environ 500 000 personnes aux États-Unis seulement, correspond à la détérioration, à intervalles irréguliers, de la gaine de myéline, remplacée par du tissu cicatriciel. Ce dernier modifie les caractéristiques de conduction de l'axone et l'individu atteint présente une mauvaise coordination, des troubles visuels, des tremblements, et des paralysies partielles ou totales de parties du corps. On ne connaît pas encore la cause exacte de cette maladie mais on a de bonnes raisons de penser qu'elle peut être due à un virus semblable à celui de la rougeole.

Les enveloppes cellulaires ne se retrouvent qu'autour des cellules nerveuses périphériques où elles servent aussi à la régénération d'axones endommagés ou coupés. Dans ce dernier cas, la partie de l'axone distale à la section dégénère. Quant aux cellules de Schwann, non seulement demeurent-elles, mais encore se divisent-elles par mitose afin de réunir les deux extrémités de la région sectionnée. Quelques semaines plus tard, de fins bourgeons émergent de l'extrémité coupée de l'axone et s'engagent dans le canal formé par les cellules de Schwann. Les bourgeons

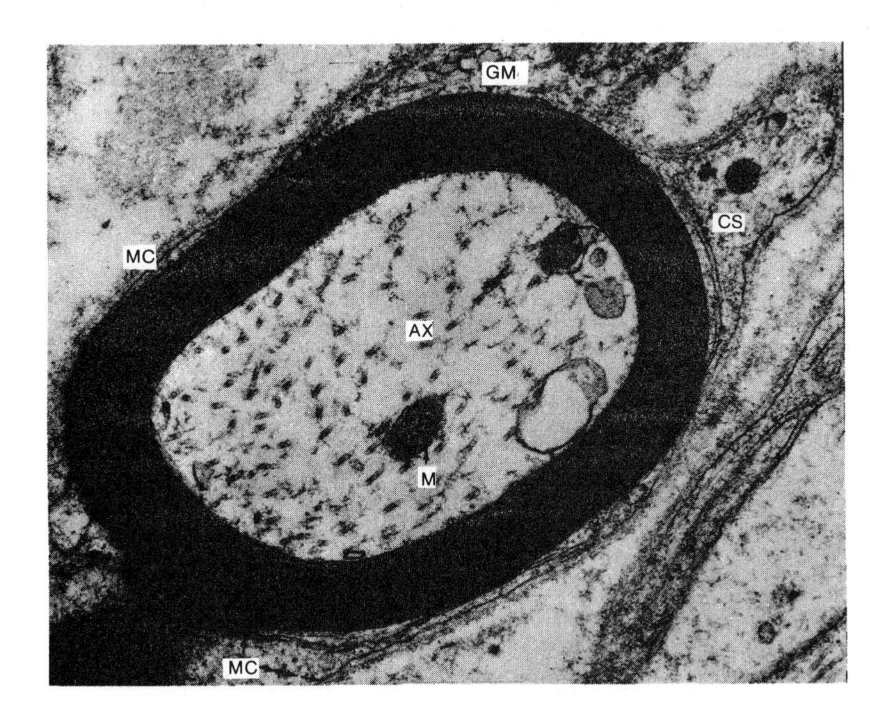

Figure 8-4 Photomicrographie au microscope électronique d'une coupe transversale d'un axone myélinisé (environ ×30 000). AX, axone; MC, membrane cellulaire d'une cellule de Schwann; M, mitochondrie; GM, gaine de myéline; CS, cellule de Schwann. (*Dr Lyle C. Dearden.*)

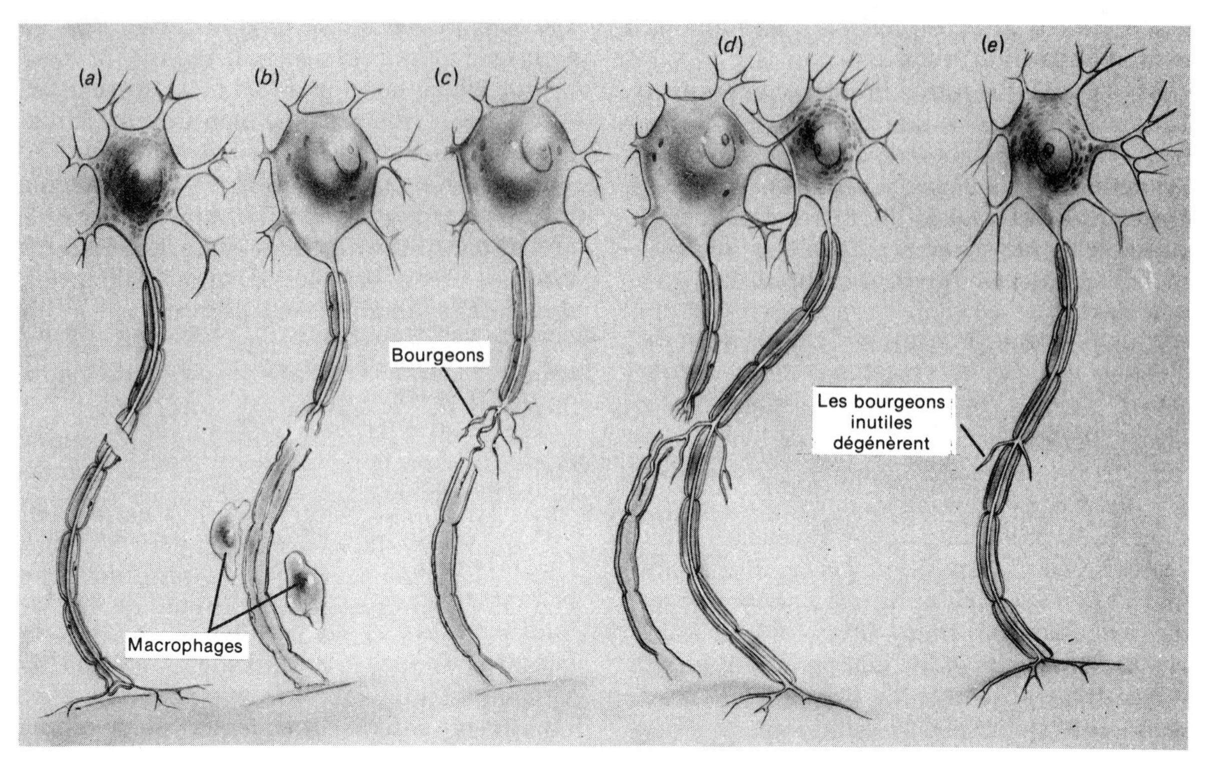

Figure 8-5 Régénération d'un axone périphérique. (*a*) Une fibre nerveuse est coupée. (*b*) La partie de l'axone distale à la lésion dégénère avec sa gaine de myéline et les débris sont phagocytés par des macrophages. La gaine cellulaire reste intacte. Le corps cellulaire du neurone augmente de volume et les corps de Nissl se fragmentent, signifiant une augmentation de la synthèse protéique. (*c*) La partie proximale de l'axone se met à bourgeonner. Un ou plusieurs bourgeons peuvent ainsi progresser dans le canal formé par la gaine cellulaire distale. Ces bourgeons croissent lentement et deviennent myélinisés. (*d*) Un neurone adjacent intact peut aussi fournir un bourgeon qui progressera de la même façon dans la gaine cellulaire distale du neurone endommagé. (*e*) Le neurone peut ainsi être régénéré complètement et reprendre sa fonction. Les bourgeons qui n'ont pas été utilisés dégénèrent.

axoniques sont ainsi guidés pendant leur croissance qui est lente, de l'ordre environ de 4 mm par jour au maximum. Il est possible que l'extrémité de l'axone atteigne le muscle (ou la structure péalablement innervée) et qu'un contact fonctionnel se reforme. Les bourgeonnements supplémentaires, qui auraient pénétré dans d'autres gaines cellulaires, dégènèrent. Il en est de même de l'axone qui aurait emprunté une gaine de myéline voisine, aboutissant au mauvais endroit. Pendant longtemps on a pensé que cette régénération ne concernait pas les cellules du SNC, dépourvues de gaines cellulaires. On sait aujourd'hui que les neurones du SNC tentent de se régénérer, mais en sont empêchés par du tissu cicatriciel formé par les cellules de la névroglie au site de la lésion.

La régénération nerveuse peut aussi se faire grâce à des collatérales d'axones adjacents qui émergent et s'engagent dans le canal formé par les cellules de Schwann. Ce type de régénération semble se produire dans le SNP aussi bien que dans le SNC. Puisque les neurones sont incapables de se diviser par mitose, les corps cellulaires doivent être intacts pour que la régénération ait lieu.

Les catégories de neurones Le neurone que l'on vient de décire, un *neurone multipolaire*, possède plusieurs dendrites assez courtes et un long axone unique. Les motoneurones et plusieurs neurones du SNC font partie de cette catégorie. Les *neurones bipolaires* n'ont qu'un seul tronc dendritique et un axone. On en retrouve dans la rétine de l'oeil, l'oreille interne, la muqueuse olfactive. D'autres enfin sont *unipolaires*, ne possédant qu'un seul prolongement qui, non loin du corps cellulaire, se divise en deux branches; l'une fait office de dendrite et l'autre d'axone. C'est le cas de la majorité des neurones des ganglions spinaux (souvent appelés neurones «en T» ou «pseudo-unipolaires»).

On classifie aussi les neurones selon leur fonction. Les neurones sensitifs (afférents) transmettent des influx à partir des récepteurs vers le SNC. Les neurones efférents relaient l'information du SNC vers les muscles et les glandes qui assurent la réponse. Entre ces neurones, il y a des *interneurones* (*neurones d'association*) localisés dans le SNC. Leur rôle est de recevoir les informations sensitives et de les relayer vers les neurones appropriés qui véhiculent les commandes effectrices.

LES NERFS ET LES GANGLIONS

Un *nerf* est une structure blanche, en forme de câble, contenant un grand nombre d'axones (et de dendrites[2]) soigneusement enveloppés dans du tissu conjonctif. Les axones et les dendrites sont groupés en faisceaux appelés *funicules* ou *fascicules*. Un nerf contient plusieurs fascicules (figure 8-6). L'*épinèvre*, un tissu conjonctif fibreux, enveloppe le nerf et maintient les fascicules ensemble. Chacun des faisceaux est entouré d'une enveloppe périfasciculaire ou *périnèvre*. Chaque axone est enveloppé d'*endonèvre*, formé de délicates travées conjonctives intrafasciculaires issues du périnèvre. On peut comparer un nerf à un câble téléphonique, où les axones sont les lignes individuelles enveloppées de leur gaine isolante.

[2] Physiologiquement, les termes d'axone et de dendrite sont utilisés par référence au sens de la conduction par rapport au corps cellulaire.

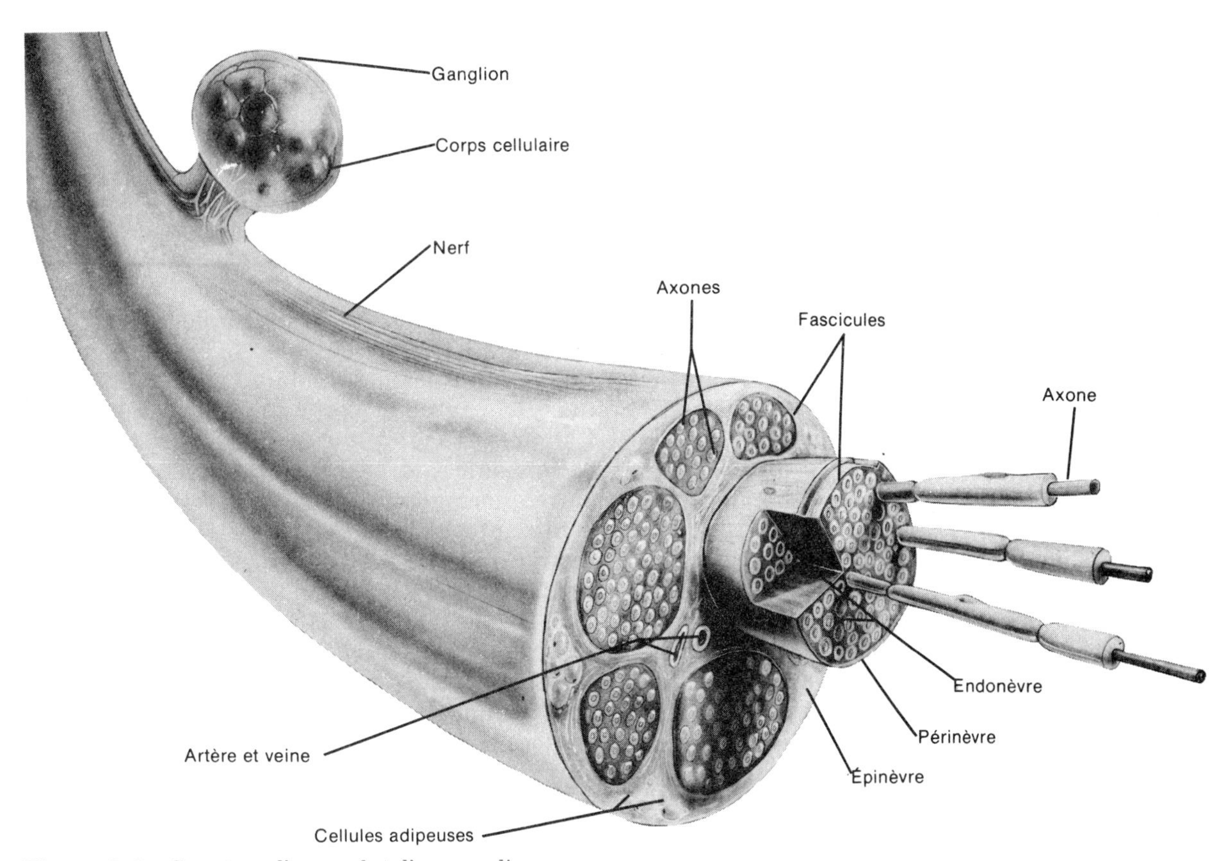

Figure 8-6 Structure d'un nerf et d'un ganglion.

Les nerfs étant formés de groupes d'axones, on peut se demander où se trouvent les corps cellulaires qui leur correspondent. Ils sont souvent regroupés dans des structures compactes, des *ganglions* et des *noyaux*, selon qu'ils se trouvent respectivement hors du SNC ou à l'intérieur de ce dernier. Les groupes d'axones, l'équivalent des nerfs du SNP, portent souvent le nom de *faisceaux* dans le SNC.

LE FONCTIONNEMENT DU SYSTÈME NERVEUX

Imaginons un individu conduisant une automobile. À une intersection, les feux de circulation passent au rouge. Automatiquement il appuie sur le frein et immobilise son véhicule en douceur. Chaque jour un organisme exécute ainsi des centaines de gestes sans même y penser, d'une façon mécanique. Les étapes d'une réaction aussi simple sont à la base du fonctionnement du système nerveux.

En premier lieu, il y a la constatation que le feu de circulation est passé au rouge, processus appelé *réception*. Ici l'information a été perçue par les récepteurs de l'oeil; elle doit maintenant être acheminée vers le SNC par l'intermédiaire de fibres sensorielles: c'est la *conduction* ou la *transmission*. Dans le SNC, l'information est classée et interprétée grâce à l'*intégration*. Les motoneurones appropriés sont ensuite excités et transmettent à des muscles choisis les influx qui permettent d'enlever le pied de l'accélérateur et d'appuyer sur la pédale de frein: c'est l'*effection*. Les principaux effecteurs du corps sont les muscles et les glandes. Toute réponse nerveuse repose sur ces quatre étapes, soit la réception, la transmission, l'intégration et l'effection.

Cet exemple rend manifeste la disposition séquentielle des neurones qui véhiculent le message nerveux. Les récepteurs sensitifs acheminent l'information à des interneurones situés dans le SNC. Là, un message est fourni aux motoneurones appropriés qui excitent les muscles requis pour effectuer la réponse. Il existe des millions de ces suites d'éléments neuroniques dans le système nerveux; on les nomme des *circuits nerveux*, des *chaînes neuroniques* ou des *voies nerveuses*. Les neurones sont disposés, dans ces circuits, de manière à ce que l'axone d'un neurone précédent fasse contact avec les dendrites ou le corps cellulaire du suivant. Le contact entre deux neurones est une *synapse*. Les deux neurones ne se touchent pas; ils sont séparés par une discontinuité, large de 2 à plus de 20 nm selon les endroits: c'est la *fente synaptique*. Le neurone dont une terminaison axonique aboutit à une synapse précise est le *neurone présynaptique*; la surface membranaire située de l'autre côté de la fente appartient au *neurone postsynaptique*. Dans la chaîne neuronique que l'on vient de décrire, l'interneurone peut être qualifié de postsynaptique ou de présynaptique selon que l'on considère la synapse respectivement avec le neurone sensitif ou avec le motoneurone. De fait, pour éviter toute ambiguïté, on utilise préférablement la notion de membrane pré- et postsynaptique.

L'acte réflexe

L'action nerveuse la plus simple est le *réflexe*, réponse prévisible et automatique à un stimulus spécifique. La plupart des mécanismes internes de l'organisme sont contrôlés par des actes réflexes. Par exemple, une variation de la température corporelle agira comme stimulus et obligera le centre hypothalamique de la régulation thermique à mobiliser les mécanismes homéostatiques qui restaureront la température normale. Bien des réactions à des stimulus extérieurs sont réflexes. Mettre la main sur un plat qui sort du four, par exemple, provoque un retrait automatique de celle-ci avant même que ne soit perçue la sensation de brûlure.

Certains réflexes sont acquis comme, par exemple, les mouvements de la marche, de l'alimentation solide ou liquide, ou encore de la dactylographie et de la conduite automobile. L'apprentissage permet d'atteindre une exécution réflexe de tels gestes. Il n'est pas nécessaire, normalement, de diriger d'une façon consciente les mouvements de la main pour emplir une cuillère de soupe et la porter sans hésitation vers la bouche. À deux ans, cependant, ce geste simple est un défi qui demande un grand effort de concentration. Au fil des ans, les voies nerveuses responsables de l'action de manger de la soupe sont si bien développées que tous les gestes impliqués se font automatiquement.

Un réflexe, même le plus simple, suppose la succession des quatre phénomènes déjà décrits: la réception, la transmission, l'intégration et l'effection. Le *réflexe patellaire* (*rotulien*) (un réflexe d'étirement) est l'un des plus simples que l'on connaisse. C'est un réflexe à deux neurones (figure 8-7). La percussion du tendon relâché du quadriceps fémoral (groupe musculaire extenseur de la jambe) étire le muscle. Les *fuseaux neuro-musculaires*, récepteurs spécialisés du muscle, émettent des influx vers la moelle par des neurones sensitifs qui y font synapse avec des motoneurones. Ceux-ci sont excités, les influx se dirigent vers le quadriceps et provoquent sa contraction: la jambe se soulève. La voie principale de ce réflexe n'implique que deux groupes de neurones (sensitifs et moteurs) reliés par une seule synapse: c'est un *réflexe monosynaptique*. Comme dans toutes les voies réflexes (*arcs réflexes*), le réflexe patellaire suppose la présence fonctionnelle (1) d'un *récepteur*, les terminaisons fusoriales sensibles à l'étirement, (2) d'une *voie afférente*, les neurones sensitifs qui acheminent les influx à la moelle, (3) du SNC, où se fait l'intégration (ici, au niveau des synapses sensorimotrices de la moelle), (4) d'une *voie efférente*, c'est-à-dire les motoneurones qui transmettent la «décision» aux effecteurs, et (5) d'un organe effecteur, le muscle[3].

Les réflexes de retrait sont plurisynaptiques, requérant l'action combinée d'au moins trois groupes de neurones (figure 8-8). Le contact accidentel de la main avec un objet chaud et son retrait instantané impliquent des récepteurs sensibles à la douleur (*nocicepteurs*), les dendrites de neurones sensitifs qui émettent des influx vers la moelle épinière. Chaque neurone y fait synapse avec des interneurones; l'intégration se fait et les motoneurones appropriés provoquent la contraction des muscles de la main et du bras responsables du retrait du membre. Il y a en même temps *inhibition réciproque* des neurones innervant les muscles antagonistes du mouvement désiré.

Ces réflexes ont un rôle de protection en aidant à maintenir l'intégrité du corps. En même temps qu'ils excitent les motoneurones, les interneurones peuvent aussi exciter des

[3] La voie principale de ce réflexe est monosynaptique et démontre une partie seulement de l'action intégratrice de la moelle. Les mêmes afférences sensitives excitent des interneurones dont l'action est d'inhiber les motoneurones des muscles antagonistes à l'acte réflexe décrit. C'est l'INHIBITION RÉCIPROQUE, concept essentiel à tout acte réflexe, et assurée par des voies plurisynaptiques.

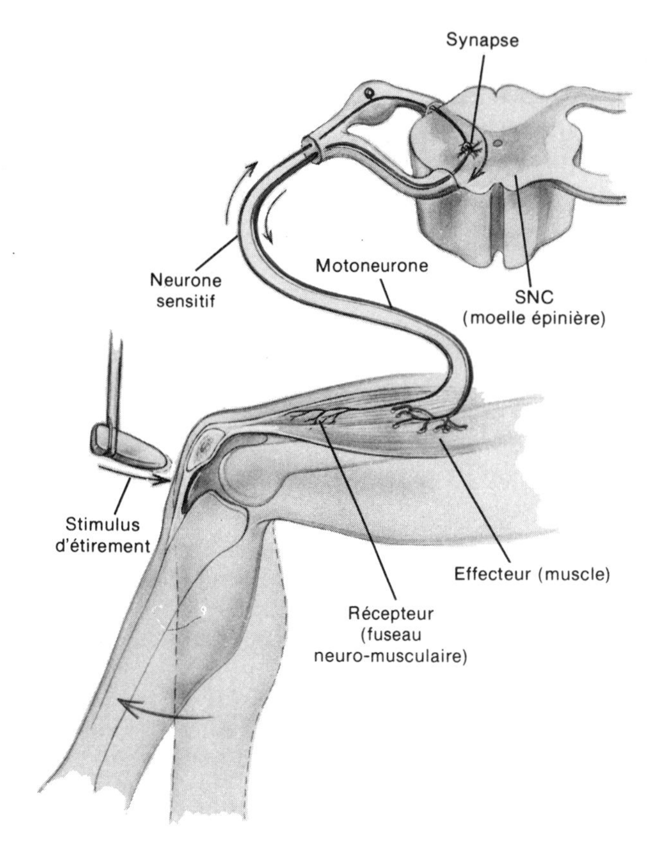

Figure 8-7 Le réflexe patellaire est monosynaptique. Il n'implique que deux neurones: un neurone sensitif qui transmet à la moelle le message évoqué par la stimulation et un motoneurone qui véhicule la réponse réflexe vers l'effecteur approprié (le muscle).

neurones dont les axones remontent la moelle en direction des aires corticales conscientes. La sensation de douleur naît presque en même temps que se fait le retrait de la main. Ainsi un individu pourra volontairement tenir la main sous l'eau froide après l'accident. Cette dernière action n'a cependant plus rien d'un réflexe.

On peut facilement démontrer qu'un réflexe simple peut se produire sans l'intervention du cerveau. En laboratoire, décapitons une grenouille, éliminant physiquement son cerveau. On la suspend à un support et on trempe le bout d'une patte dans une solution acide; immédiatement la patte se soulève et sort de la solution nocive.

Quelques actes réflexes, comme le réflexe pupillaire, mettent en jeu certaines parties du cerveau; mais ce sont des parties basses dont le fonctionnement peut être associé à celui de la

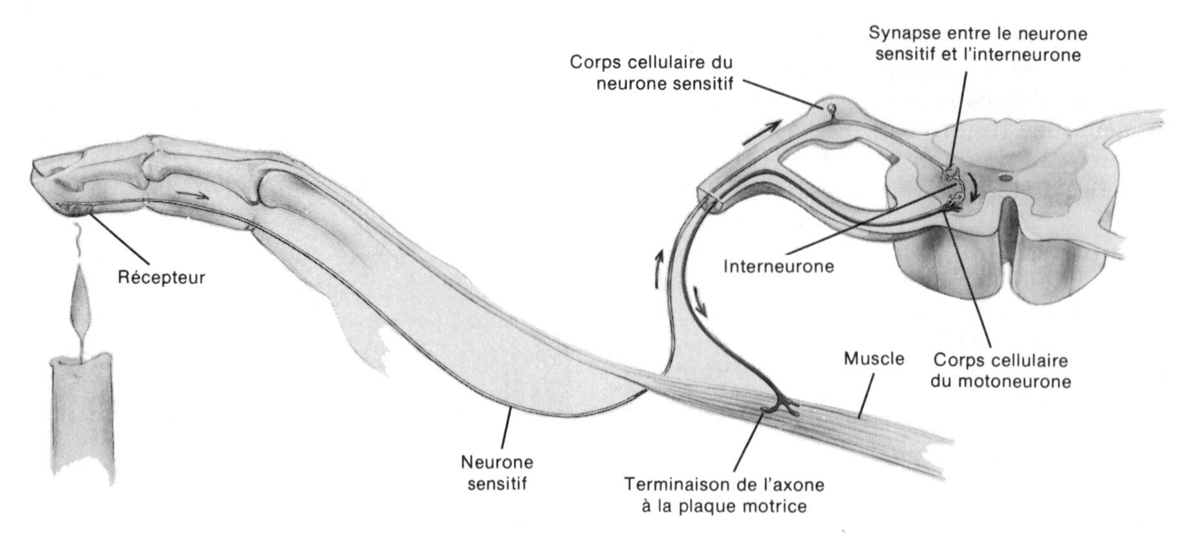

Figure 8-8 Le réflexe de retrait présenté ici est plurisynaptique. Il comprend une chaîne de trois neurones. Un neurone sensitif transmet le message sensitif à la moelle où il fait synapse avec un interneurone. L'influx nerveux gagne ensuite le motoneurone et est transmis au muscle qui effectue la réponse.

moelle épinière et qui n'ont rien à voir avec la pensée consciente. Dans certaines situations, les actes réflexes peuvent subir une inhibition ou une facilitation consciente. Le réflexe de vidange de la vessie est un bon exemple de la facilitation. Chez un bébé, la miction est réflexe: lorsque la vessie est pleine, elle se vide. Pendant l'enfance, il se fait un apprentissage qui consiste en une facilitation du réflexe, soit sa stimulation avant que la pression urinaire n'atteigne un seuil critique. On développe même une inhibition consciente du réflexe de la miction s'il tend à se déclencher à un moment inopportun. Signalons finalement qu'un réflexe de retrait peut subir une inhibition consciente. L'adulte qui se brûle en transportant un bol de soupe pourra s'empêcher de l'échapper sur un enfant qui joue par terre.

La réception

Les récepteurs les plus familiers ne sont pas les plus simples; les yeux, les oreilles et le nez sont des organes des sens complexes. Il ne faut pas oublier les milliers de minuscules récepteurs sensitifs de la peau, responsables des sensations relatives à la pression, au toucher, à la chaleur, au froid et à la douleur. D'autres récepteurs, moins familiers, sont situés dans les muscles et les tendons, soit les fuseaux neuro-musculaires et les propriocepteurs des tendons. Ils réagissent à l'étirement d'un muscle, donc à la tension développée. Ils informent constamment le SNC et sont responsables du tonus musculaire. Grâce à eux, les mouvements peuvent être réfléchis et coordonnés. Le SNC est aussi informé de la grandeur de plusieurs autres paramètres internes: la pression sanguine, la quantité d'oxygène dans le sang, le pH du sang, etc.

Les récepteurs sont spécialisés. Ils réagissent à des modifications spécifiques de leur milieu. Ce sont des *transducteurs*: ils codent certaines formes d'énergie incidente en message nerveux (potentiel générateur déterminant la genèse d'un train de potentiels d'action). Habituellement, un récepteur ne réagit qu'à une forme d'énergie incidente, le *stimulus adéquat*. Ainsi la lumière excite les photorécepteurs de la rétine mais non les récepteurs de la peau. De même, l'épithélium olfactif est sensible à des produits chimiques, mais insensible aux ondes sonores. Par contre, pour autant que le récepteur soit stimulé, la réponse présente des caractéristiques communes (les messages nerveux issus des récepteurs sont des trains de potentiels d'action dont la fréquence et la durée spécifient la qualité du stimulus). Le SNC identifie la modalité sensorielle ou sensitive et la composante spatiale de la réception grâce à l'organisation somatotrope des projections corticales. Les caractéristiques du stimulus, telles que son intensité, sa durée et sa vitesse d'application, sont codées dans le message nerveux et transmises sur des voies spécifiques vers les aires corticales correspondantes. C'est ainsi que l'intensité d'une sensation éprouvée est affectée à la modalité spécifique du récepteur et sera ressentie à l'endroit où il se trouve. Nous discuterons plus en détail des organes des sens au chapitre 10.

La conduction des influx

Le rôle d'un récepteur est d'informer le SNC; celui-ci, selon l'information reçue, agira sur des effecteurs. Or le récepteur n'influe pas directement sur l'effecteur; nous l'avons constaté lors de la description de l'acte réflexe, où les messages sont conduits le long d'une chaîne de neurones. Comment donc se fait la conduction de l'influx au niveau d'un neurone et de quelle façon l'influx passe-t-il d'un neurone à un autre?

La propagation le long d'un neurone La face interne de la membrane de toute cellule possède une charge électrique négative par rapport à la face externe (figure 8-9). Lorsque des charges électriques sont ainsi séparées, elles ont la possibilité d'effectuer un travail si elles peuvent se rejoindre. La grandeur du travail potentiel se mesure en volts dans le cas d'une prise murale domestique, ou en millivolts en ce qui concerne les membranes des cellules excitables (cellules nerveuses et musculaires). Le *potentiel transmembranaire* (Em) d'un neurone au repos vaut environ 80 millivolts (mV). Puisque la face interne est négative par rapport à la face externe, Em vaut -80 mV. La membrane d'un neurone est donc une pile biologique, analogue à la pile sèche d'une lampe de poche. Si les pôles sont mis en contact, les charges électriques voyagent et peuvent effectuer un travail.

Le potentiel de repos de la membrane dépend de la distribution relative des ions positifs et négatifs des solutions qui baignent ses deux surfaces (les liquides interstitiel et intracellulaire). La membrane cellulaire d'un neurone au repos est environ 100 fois plus perméable aux ions potassium (K^+) qu'aux ions sodium (Na^+). Les premiers peuvent donc facilement diffuser dans le sens du gradient de concentration alors que très peu d'ions sodium le peuvent. La membrane d'un neurone (comme celle de toutes les cellules de l'organisme) possède une pompe Na-K qui transporte activement du sodium hors de la cellule et du potassium à l'intérieur. Normalement, trois à cinq Na^+ sont expulsés pour chaque K^+ qui pénètre. On est donc en présence d'une pompe électrogène qui sépare des charges. En effet, il sort plus de charges positives qu'il en entre. Puisque le sodium ne peut facilement diffuser dans le neurone au repos, il s'accumule sur la face externe de la membrane. Il s'établit donc un équilibre dynamique dans lequel plus d'ions sodium s'accumulent à l'extérieur de la cellule et plus d'ions potassium se retrouvent dans la cellule.

Le liquide intracellulaire contient de plus un grand nombre de molécules non diffusibles, chargées négativement: des protéines, des phosphates organiques et quelques autres anions. Ils contribuent eux aussi à la charge négative globale du milieu intracellulaire. Un certain nombre d'ions potassium, dans la cellule, neutralisent ces charges négatives, mais il en manque pour que la neutralisation soit complète. Le milieu intracellulaire devient donc chargé négativement par rapport au liquide interstitiel et le neurone au repos est *polarisé* électriquement (les deux faces de la membrane

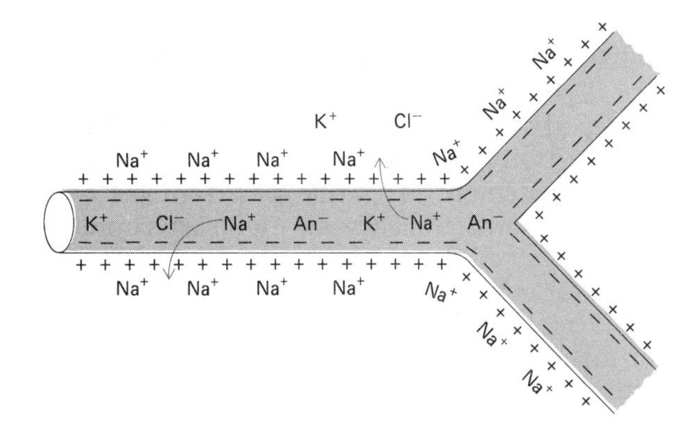

Figure 8-9 Segment d'un neurone au repos. La face interne de la membrane cellulaire est négative par rapport au liquide interstitiel. Le sodium est pompé activement vers l'extérieur de la cellule, ce qui contribue à entretenir la différence de potentiel. An^- représente des molécules organiques intracellulaires chargées négativement (anions).

ont des charges globales de signe contraire, positif en dehors et négatif en dedans).

Tout stimulus (électrique, chimique, mécanique) qui augmente suffisamment la perméabilité membranaire au sodium peut déclencher un *potentiel d'action*, un *influx nerveux propagé*. On a supposé qu'une membrane excitable contient des pores spécifiques, des voies de passage, fermées lorsque la membrane est au repos mais qui s'ouvrent et laissent passer le sodium lorsque la membrane est excitée ou stimulée. D'autres voies de passage permettent le mouvement du potassium. Lors d'une stimulation, les premières s'ouvrent. Le sodium pénètre dans la cellule, à l'endroit de la stimulation, modifiant localement la charge électrique de la membrane qui devient plus positive à l'intérieur.

Cette modification de la valeur du potentiel transmembranaire, plus positive que celle du potentiel de repos et due à l'entrée des charges positives, est une *dépolarisation*. Le neurone est dépolarisé. Ce phénomène est fondamentalement une incapacité momentanée de la membrane cellulaire à maintenir le sodium à l'extérieur. Lorsque la dépolarisation est amorcée, il peut apparaître un courant local d'intensité suffisante pour diminuer la polarisation des régions adjacentes de la membrane qui laisseront à leur tour entrer du sodium; ainsi la zone de dépolarisation pourra s'étendre de proche en proche le long de la membrane du neurone par une sorte de réaction en chaîne. Un influx nerveux est donc transmis sous la forme d'une *onde de dépolarisation* qui va s'étendre à toute la surface de la membrane.

La dépolarisation de la membrane, causée par l'ouverture des voies de passage du sodium, est transitoire. Les canaux au sodium se referment rapidement alors que s'ouvrent les canaux au potassium. Ce dernier sort rapidement de la cellule et restaure la charge négative intérieure à sa valeur originale. C'est la repolarisation de la membrane, caractérisée par une distribution des ions sodium et potassium différente de celle qui prévalait avant la dépolarisation. Le phénomène de la dépolarisation et de la repolarisation est très court. Il dure moins d'une milliseconde (1 ms). La répartition ionique est restaurée par la pompe Na–K qui rejette à l'extérieur les ions sodium en excès à l'intérieur. Il doit être très clair que la zone de dépolarisation voyage le long de la membrane cellulaire et que la repolarisation se fait rapidement en arrière de cette zone. Le long d'un axone, on peut se représenter le phénomène comme une zone en forme d'anneau qui passe d'une extrémité à l'autre de la cellule (figure 8-10).

La conduction d'un influx est un mécanisme actif, autopropagateur, qui repose sur une dépense énergétique de la cellule. L'influx progresse le long de l'axone à une vitesse et avec une amplitude constantes, caractéristiques du type de cellule et de sa géométrie, comme le feu qui avance le long d'une traînée de poudre. À l'encontre de la traînée de poudre, qui ne peut servir qu'une fois, l'axone régénère sa potentialité de conduction après le passage de l'influx.

La membrane d'un neurone peut se dépolariser d'une trentaine de mV (passer d'un potentiel de -80 mV à -50 mV) sans se *décharger*, c'est-à-dire sans produire d'influx. Lorsque la dépolarisation atteint environ -40 mV, la membrane arrive à un potentiel critique, le *potentiel seuil* ou le *seuil de potentiel*. Il se produit alors une réaction en chaîne, explosive, et un potentiel d'action est produit. Le potentiel de membrane atteint rapidement 0 mV, inverse sa polarité jusqu'à une valeur approximative de +35 mV puis retourne à sa valeur de repos.

Si un stimulus est faible et ne permet pas au potentiel d'atteindre le seuil, il n'y a pas de potentiel d'action. La dépolarisation membranaire, la réponse à ce stimulus, demeure localisée au lieu de la stimulation et est imperceptible à quelques millimètres de là. Si le stimulus est assez intense pour que le potentiel de membrane atteigne la valeur critique, caractéristique de chaque espèce neuronique, alors il y a apparition et propagation d'un influx. Une stimulation encore plus intense produit un potentiel d'action identique, ni plus grand ni plus petit. Un neurone donné produira donc toujours des potentiels d'action de même grandeur s'il se décharge (si le seuil de potentiel est atteint) ou aucun potentiel d'action (si le seuil de potentiel n'est pas atteint). Ce comportement est caractéristique de la *loi du tout ou rien*.

Le signal nerveux est donc unique et normalisé: c'est le potentiel d'action. Comment alors le SNC peut-il juger de l'intensité des stimulations perçues, ressentir une douleur légère ou intolérable? L'intensité de la sensation dépend

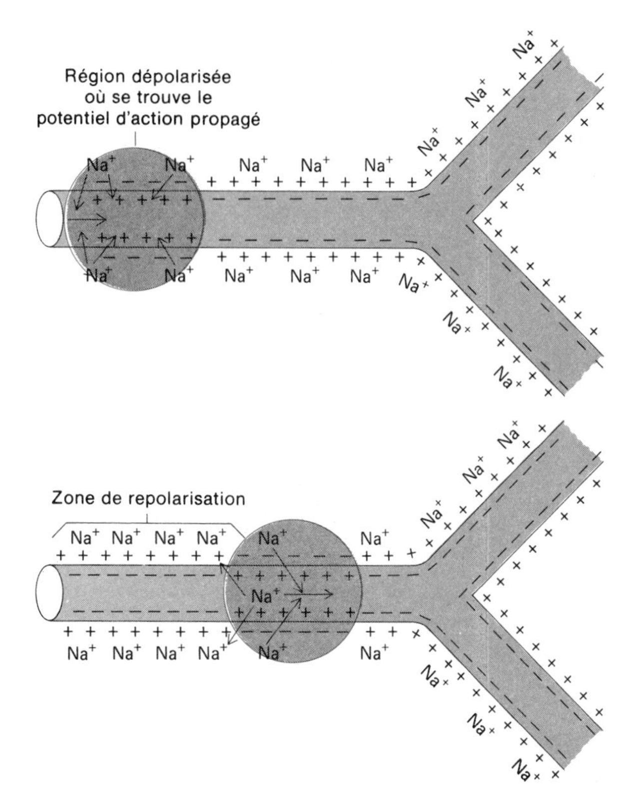

Figure 8-10 Un influx nerveux est conduit comme une onde de dépolarisation qui se propage le long de l'axone. Après qu'un segment de l'axone se soit dépolarisé, il se repolarise rapidement et revient à l'état de repos.

du *nombre* de neurones stimulés et de leur *fréquence de décharge*. Une brûlure à une main, par exemple, atteint une surface plus ou moins grande, stimulant un nombre proportionnel de récepteurs à la douleur. De plus, chaque récepteur émet des influx à une fréquence variable selon l'intensité de la stimulation, donc en fonction du degré de la brûlure. Ainsi ces deux types de réponses, selon le cas, pourront être interprétées par le SNC comme une brûlure légère mais étendue ou encore profonde mais ponctuelle.

Après le passage d'un influx en un point donné de l'axone, cette région entre dans un état d'inexcitabilité, la *période réfractaire*. Pendant la dépolarisation, le neurone ne peut être stimulé une deuxième fois. Pendant les quelques millisecondes que dure la repolarisation, il ne peut être excité que par une stimulation d'intensité supérieure à celle requise pour la stimulation du neurone au repos. Malgré tout, la plupart des neurones possèdent une capacité de décharge pouvant atteindre une fréquence de plusieurs centaines d'influx par seconde.

La propagation régulière et continue qui vient d'être décrite s'applique aux neurones sans gaine de myéline. Le long des axones myélinisés, la conduction est différente puisque la myéline, une enveloppe isolante, empêche le passage des ions du milieu externe au milieu interne, sauf au niveau des noeuds de Ranvier où la gaine est absente. L'influx saute donc d'un noeud à un autre: c'est la *conduction saltatoire*, plus rapide que la conduction continue (figure 8-11) et moins coûteuse sur le plan énergétique. Si la dépolarisation n'a lieu qu'aux noeuds, elle n'implique qu'une fraction de la surface membranaire et la translocation d'ions est réduite en proportion. La pompe Na–K devra fonctionner moins longtemps pour restaurer les concentrations originales à la suite d'un influx.

L'équilibre calcique est essentiel pour assurer un fonctionnement nerveux normal. Une diminution de la concentration extracellulaire des ions calcium empêcherait la fermeture complète des voies au sodium entre les potentiels d'action. La diffusion continuelle du sodium dans les cellules diminue la polarisation membranaire et les neurones sont plus susceptibles d'être excités; leur décharge est facilitée et ils peuvent même acquérir une activité spontanée. Si ces neurones innervent des muscles, ces derniers peuvent présenter des contractures ou des spasmes. D'un autre côté, l'augmentation de la concentration extracellulaire diminue l'excitabilité des neurones et leur décharge s'avère plus difficile.

Les anesthésiques locaux, tels la procaïne et la cocaïne, agissent probablement à ce niveau, c'est-à-dire en diminuant la perméabilité membranaire au sodium. Les neurones deviennent si peu excitables que les influx nerveux ne peuvent plus passer à travers la région anesthésiée. Le DDT et autres «pesticides» comme les dérivés chlorés d'hydrocarbures agissent au niveau de la pompe Na–K. Les nerfs mis en présence de ces poisons sont incapables de transmettre des influx. Le système nerveux humain est sensible à ces substances mais celui des insectes l'est encore plus.

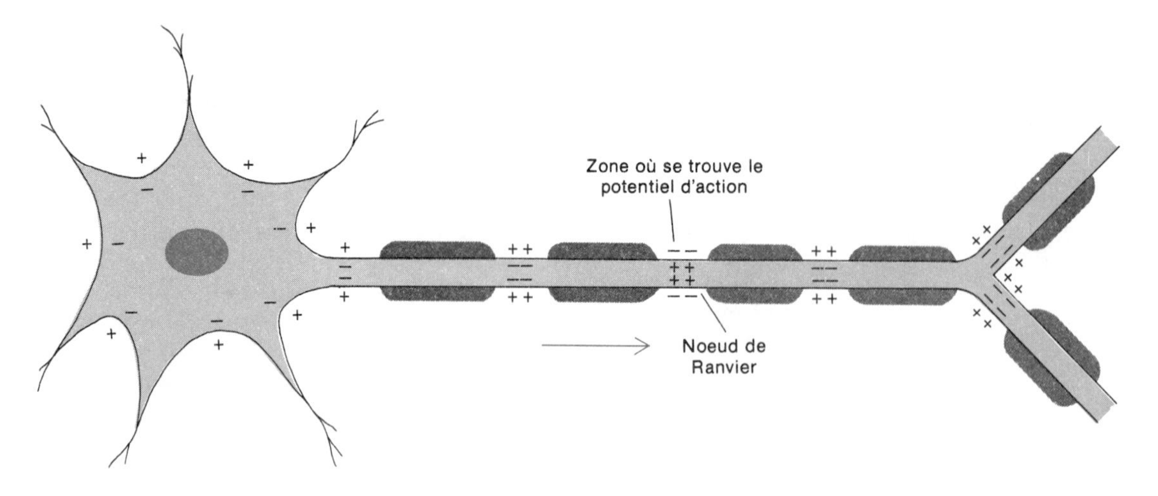

Figure 8-11 La conduction saltatoire. Dans les fibres myélinisées, le potentiel d'action se propage d'un noeud de Ranvier à l'autre, «sautant» par-dessus les gaines isolantes. La conduction de l'influx nerveux est ainsi plus rapide que dans les fibres amyéliniques.

La transmission entre deux neurones Dans certaines voies nerveuses, l'apposition des membranes pré- et postsynaptiques permet le passage électrique direct de l'influx d'un neurone à l'autre. Ces *éphapses* sont cependant très rares, la fente synaptique étant en général trop large pour un passage direct du potentiel d'action. Un autre mécanisme, entièrement différent, entre donc en jeu pour permettre aux messages de traverser la fente synaptique.

L'arrivée d'un influx à un bouton terminal (membrane présynaptique) favorise la libération d'une *substance* chimique *de transmission* dans la fente. Ce *transmetteur* (*médiateur*) chimique diffuse très rapidement à travers la fente et dépolarise la membrane neuronique adjacente (postsynaptique) où pourra prendre naissance un potentiel d'action.

Les mitochondries des boutons terminaux fournissent l'ATP requis pour la synthèse continuelle du neurotransmetteur dans le cytoplasme. Les enzymes nécessaires sont produites dans le corps cellulaire et acheminées vers les boutons terminaux tout au long de l'axone par *transport axonique*. Après sa production, le transmetteur est mis en réserve dans des *vésicules synaptiques* libres dans le cytoplasme (figures 8-12, 8-13).

Chaque potentiel d'action qui atteint le bouton terminal permet le passage d'ions calcium dans la terminaison. Ces derniers favorisent la fusion des vésicules avec la membrane (jusqu'à plusieurs centaines à chaque influx) et leur contenu est déversé dans la fente synaptique (figure 8-12*b*; illustration de la page titre du chapitre 8). La membrane postsynaptique possède à sa surface des récepteurs spécifiques qui se lient au transmetteur. Les molécules excédentaires sont soit réabsorbées dans les vésicules synaptiques soit inactivées par des enzymes.

Le passage d'un influx entre un neurone et un effecteur se fait aussi grâce à la libération d'un neurotransmetteur. Rappelons-nous en effet qu'au chapitre 6, nous avons vu que les motoneurones libéraient de l'acétylcholine.

La direction et la vitesse de conduction Les neurotransmetteurs sont libérés par les boutons synaptiques et ceux-ci se trouvent aux terminaisons axoniques seulement. Normalement les influx ne peuvent passer d'une dendrite vers un autre neurone. La conduction, dans une chaîne de neurones, est à sens unique, c'est-à-dire à partir des axones présynaptiques vers les dendrites ou les corps cellulaires (parfois vers d'autres axones) postsynaptiques. On peut montrer en laboratoire qu'un influx voyage dans les deux directions dans un neurone isolé; à son arrivée aux dendrites, cependant, il

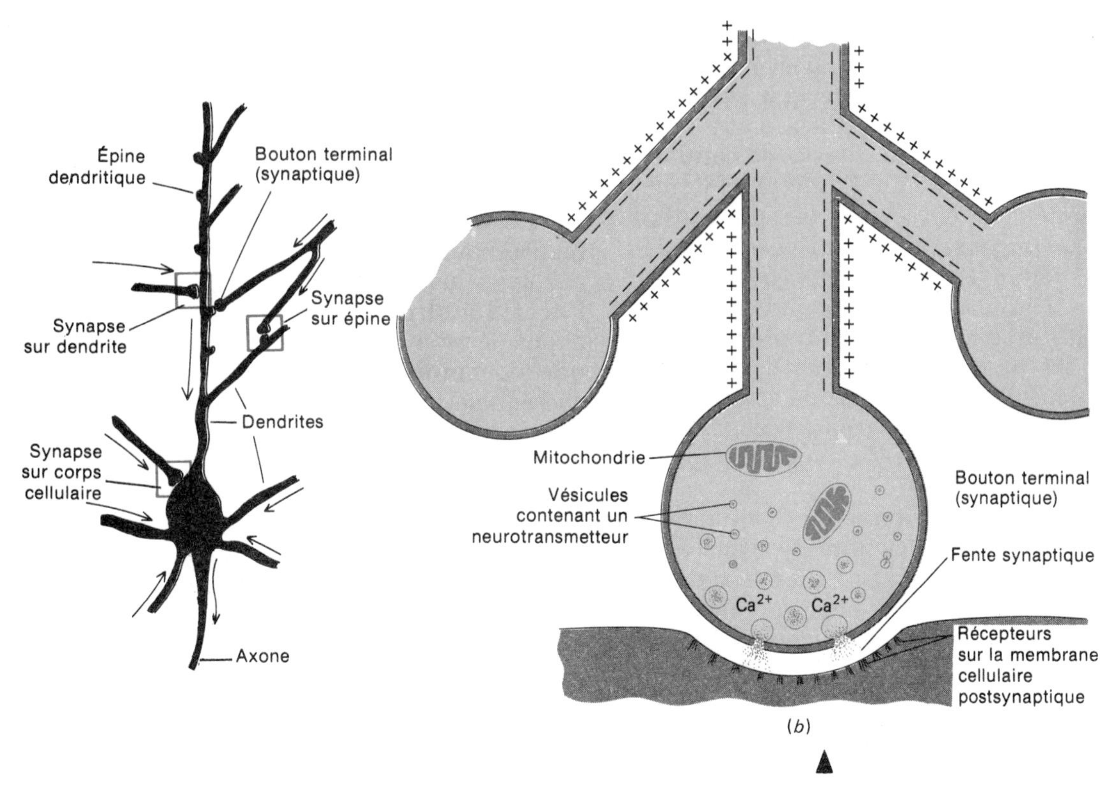

Figure 8-12 Transmission d'un influx nerveux d'un neurone à un autre neurone ou à un effecteur. (*a*) Trois sites synaptiques: sur épine dendritique, sur dendrite, sur corps cellulaire. L'onde de dépolarisation ne peut sauter la fente synaptique. (*b*) Lorsque la dépolarisation atteint un bouton terminal, les vésicules qui s'y trouvent libèrent un neurotransmetteur qui diffuse à travers la fente synaptique, se fixe sur les récepteurs de la membrane postsynaptique et y déclenche un influx.

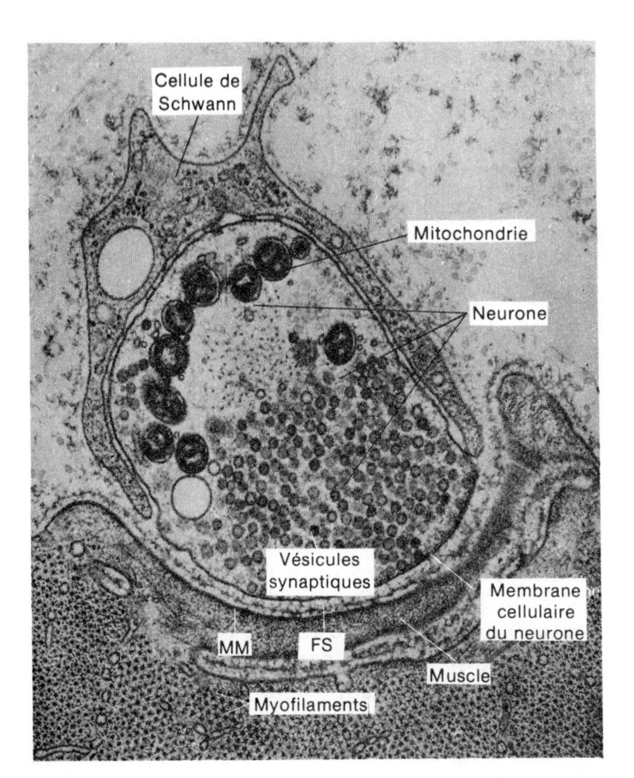

Figure 8-13 Photomicrographie au microscope électronique d'un motoneurone faisant synapse avec une fibre musculaire. Le bouton terminal du neurone contient plusieurs vésicules synaptiques (environ ×20 000). FS, fente synaptique; MM, membrane de la fibre musculaire. (*Dr John Heuser.*)

disparaît puisqu'il ne peut «remonter» à travers les synapses. Le sens de la propagation des influx dans une synapse est donc le même que celui de la libération du transmetteur.

Un influx nerveux voyage lentement si on compare sa vitesse à celle d'un courant électrique, soit la vitesse de la lumière (300 000 km/s).

Très différente selon le type de neurone considéré, la vitesse d'un influx nerveux varie de 1 mètre à plus de 120 mètres par seconde. Quels facteurs sont responsables d'une telle variabilité? En général la vitesse de conduction est proportionnelle au diamètre de l'axone[4]. Il semble en outre que les plus gros neurones soient aussi ceux qui possèdent le plus de myéline et, qu'en conséquence, la conduction nerveuse soit plus rapide dans les neurones les plus myélinisés. Finalement l'écart entre les noeuds de Ranvier d'une fibre myélinisée influence la vitesse de conduction de la même manière que la grosseur des fibres: plus il est grand, plus l'influx voyage rapidement.

Le diamètre et la vitesse de conduction permettent de classifier les fibres nerveuses en trois groupes principaux. Les *fibres du type A*, les plus grosses, sont les plus rapides. On retrouve dans ce groupe les neurones somatiques myélinisés afférents et efférents spécialisés dans le relais vers le SNC des sensations issues de la peau et des muscles squelettiques, ainsi que du retour vers ces derniers des commandes motrices. Les *fibres du type B* sont de grosseur moyenne et appartiennent au SNA. Les plus petites, les *fibres du type C*, sont les plus lentes et ne sont pas myélinisées. Font partie de ce groupe des fibres du système nerveux sympathique et des fibres afférentes de nerfs périphériques, dont certaines sont responsables des sensations douloureuses.

La vitesse de conduction à travers une chaîne neuronique dépend du nombre de synapses. Lors du passage d'un influx d'un neurone au suivant, on remarque un retard d'environ 0,5 ms dans la conduction, le *délai synaptique*. Il correspond au temps nécessaire à la libération du transmetteur, à sa diffusion vers la membrane postsynaptique et à sa liaison avec les récepteurs qui s'y trouvent.

Les substances de transmission Un neurone ne produit qu'une seule substance de transmission libérée à toutes ses terminaisons synaptiques. Par contre, la membrane postsynaptique d'un neurone possède souvent plusieurs types de sites récepteurs, chaque type étant spécifique d'un transmetteur donné. En effet certains sites récepteurs sont excitateurs alors que d'autres, sur le même neurone, sont inhibiteurs.

Plusieurs produits chimiques différents ont été identifiés, tout au moins expérimentalement, comme des neurotransmetteurs. Les études les plus poussées ont été effectuées sur l'acétylcholine et la noradrénaline. Nous avons décrit au chapitre 6 la libération de l'Ach par les motoneurones qui innervent les muscles squelettiques et son rôle dans le déclenchement de la contraction. On se souviendra qu'une enzyme, la cholinestérase, détruit l'Ach. Certains neurones du cerveau et ceux du SNA parasympathique libèrent aussi de l'Ach. Tous les neurones qui libèrent ce transmetteur sont dits *cholinergiques*. L'Ach stimule les cellules des muscles squelettiques en augmentant leur perméabilité membranaire au sodium. Les cellules du muscle cardiaque, toutefois, sont inhibées par l'Ach qui produit un ralentissement de la fréquence des contractions. Il semble acquis que l'effet excitateur ou inhibiteur d'un transmetteur dépend des récepteurs postsynaptiques auxquels il s'associe.

D'autres neurones du cerveau, de la moelle, et ceux du SNA sympathique sont dits *adrénergiques* puisqu'ils libèrent de la noradrénaline. Deux types de récepteurs correspondent à ces fibres: les récepteurs alpha et bêta. Les premiers présentent une grande affinité pour la noradrénaline alors que les seconds préfèrent l'adrénaline, une substance parente. Bien qu'on ait démontré que l'adrénaline puisse agir comme un transmetteur, la preuve n'est pas encore faite à la satisfaction de tous. La stimulation des récepteurs alpha produit souvent une réponse excitatrice (par exemple la contraction du muscle lisse) alors que la stimulation des récepteurs bêta donne une réponse inhibitrice (par exemple la relaxation des muscles artériolaires et l'augmentation consécutive du calibre des vaisseaux). Le coeur est une exception de taille; il est stimulé par des récepteurs bêta. La distinction entre les deux types de récepteurs est d'une grande importance pharmacologique. Les récepteurs alpha, par exemple, sont sensibles à la phényléphrine, un composant usuel des décongestionnants. La stimulation des récepteurs alpha provoque la constriction des petits vaisseaux

[4] Pour les axones amyéliniques, la vitesse est proportionnelle à la racine carrée du diamètre alors qu'elle est directement proportionnelle au diamètre (environ 6 m/s par μm) pour les axones myélinisés.

Tableau 8-1 Substances de transmission

Neurotransmetteur	Lieu de sécrétion	Commentaires
Acétylcholine (Ach)	Synapses neuro-musculaires; terminaisons préganglionnaires du S.N. autonome*, terminaisons post-ganglionnaires parasympathiques; régions du cerveau	Inactivation par la cholinestérase
Noradrénaline	Terminaisons sympathiques post-ganglionnaires; formation réticulée activatrice; régions du cortex cérébral, moelle épinière	Lente inactivation par la MAO (monoamine oxydase). Réabsorption par les fibres adrénergiques et mise en réserve dans les vésicules synaptiques.
Dopamine	Système limbique, cortex cérébral, hypothalamus, noyaux gris centraux	Modulateur de la fonction motrice; possiblement impliquée dans la pathogénie de la schizophrénie†; en quantité réduite chez les sujets porteurs de la maladie de Parkinson
Sérotine (5-HT, 5-hydroxytryptamine)	Système limbique, hypothalamus, cervelet, moelle épinière	Implication probable dans le sommeil; effet antagoniste du LSD; probablement un inhibiteur
Adrénaline	Possiblement dans l'hypothalamus	Identique à l'hormone sécrétée par la médulla surrénale
GABA (Acide -amino-butyrique)	Probablement au niveau de la moelle épinière et du cerveau; cellules de Purkinje du cervelet	
Glycine	Probablement par les neurones inhibiteurs de la moelle	
Acide glutamique	Possiblement dans la moelle épinière et le cerveau	Fonction d'abord excitatrice
Endorphines (ex. encéphalines)	Cerveau	Groupe de composés (glucosides azotés) de découverte récente affectant la perception de la douleur et certains aspects du comportement

* Les diverses structures énumérées dans ce tableau sont présentées au chapitre 9.

† Il semblerait, à la suite de découvertes récentes, que le cerveau des schizophrènes contient un plus grand nombre de récepteurs affectés par la dopamine que celui des individus non schizophrènes.

des membranes muqueuses, soulageant, par exemple, la congestion nasale. La libération d'adrénaline dans le sang par les glandes surrénales, sous l'effet de la colère, de la peur, ou de la tension, a aussi un effet décongestionnant (l'adrénaline a une activité alpha et bêta).

La noradrénaline et l'adrénaline sont des *catécholamines*, classe de substances dont fait aussi partie la *dopamine*, libérée par des neurones du cerveau. Après leur libération, les catécholamines en surplus sont inactivées, soit par une reprise dans les vésicules synaptiques, soit par une dégradation enzymatique par la monoamine oxidase (MAO), régularisant ainsi leur concentration au niveau des boutons terminaux. On croit que les catécholamines ont une influence sur l'humeur. En effet, plusieurs médicaments affectent le comportement en agissant sur les niveaux de ces substances dans le cerveau. On discutera à nouveau de la dopamine et d'un autre transmetteur, la sérotonine, au chapitre 9.

L'intégration

L'*intégration* nerveuse est le processus par lequel un neurone postsynaptique répond à l'ensemble des influences, excitatrices et inhibitrices, auxquelles il est soumis. Un neurone fait synapse avec des centaines d'autres neurones. D'autre part, jusqu'à 40 pour 100 de la surface membranaire des dendrites et du corps cellulaire d'un neurone postsynaptique peut être couverte de boutons terminaux. Plusieurs centaines de ces derniers peuvent donc exciter un seul neurone postsynaptique (figure 8-14). Les dendrites et le corps cellulaire de tout neurone devront faire l'intégration des centaines d'influx qui leur parviennent en permanence.

Losqu'un transmetteur se lie à un récepteur membranaire, il induit des modifications qui rendent la membrane postsynaptique plus ou moins susceptible de produire un potentiel d'action. Si l'influence postsynaptique produite est une dépolarisation, la stimulation est dite excitatrice: c'est un *potentiel postsynaptique d'excitation* (PPSE); la perméabilité ionique de la membrane postsynaptique est augmentée et les ions diffusent plus librement. Par contre, si l'influence produite est une hyperpolarisation, la stimulation est dite inhibitrice: elle induit un *potentiel postsynaptique d'inhibition* (PPSI); la perméabilité de la membrane postsynaptique est augmentée pour tous les ions sauf les ions Na^+.

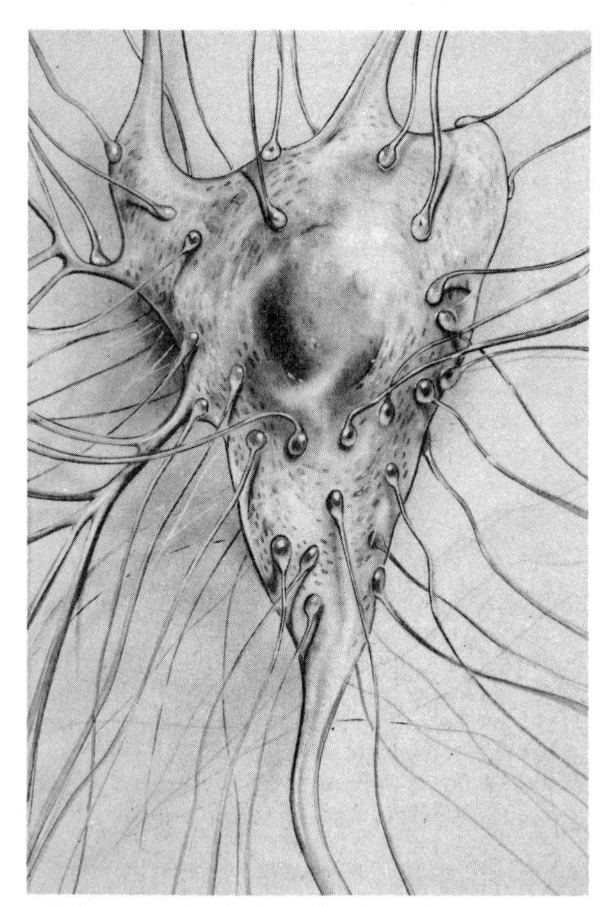

Figure 8-14 Les boutons terminaux des neurones présynaptiques couvrent jusqu'à 40 pour 100 de la surface du corps cellulaire et des dendrites d'un neurone postsynaptique.

Les PPSE et PPSI se produisent constamment sur les neurones postsynaptiques. En général, un seul PPSE ne suffit pas à déclencher l'apparition d'un potentiel d'action. La dépolarisation est *infraliminaire*, c'est-à-dire sous le seuil de stimulation. Un PPSE est une réponse locale de la membrane neuronique, un *potentiel électrotonique*, dont l'amplitude décroît au fur et à mesure qu'on s'écarte de la région sous-synaptique.

Les effets des PPSE peuvent s'additionner les uns aux autres; ce phénomène est la *sommation*. Si un second PPSE parvient à une synapse (ou à une synapse voisine sur le même neurone) avant la disparition du premier, alors leurs effets s'additionnent. Par la sommation de plusieurs PPSE, le neurone peut être amené à se décharger. On constate de plus que les PPSE sont d'autant plus efficaces qu'ils se produisent près du segment initial de l'axone.

Les transmetteurs synaptiques peuvent aussi produire un effet inhibiteur qui réduit l'importance des effets excitateurs. Le neurone postsynaptique compile toutes les modifications du potentiel transmembranaire des dendrites et du corps cellulaire. Si l'action des transmetteurs excitateurs prédomine et qu'une partie de la membrane est dépolarisée jusqu'au seuil, il y a alors apparition d'un potentiel d'action. On doit se rappeler qu'un transmetteur synaptique peut avoir un effet excitateur sur un neurone et un effet inhibiteur sur un autre neurone.

Les PPSE et PPSI ne sont pas des réponses du genre tout ou rien. Ce sont des réactions locales (qui ne se propagent pas), progressives, qui peuvent s'additionner ou se soustraire à d'autres PPSE ou PPSI. Le neurone répondra par un ou plusieurs potentiels d'action ou demeurera silencieux, selon le résultat de la compilation des effets à chaque instant. Si la sommation instantanée de plusieurs PPSE permet d'atteindre le seuil de stimulation d'un neurone, un potentiel d'action apparaît et se propage tout au long de l'axone. Ce mécanisme permet l'intégration de centaines de messages (PPSE et PPSI) avant l'envoi d'un influx vers un neurone postsynaptique. Grâce à cet arrangement, le neurone et tout le système nerveux ont une plus grande latitude de réaction que si chaque PPSE provoquait l'apparition d'un potentiel d'action.

La convergence et la divergence Nous avons déjà vu que tous les neurones postsynaptiques reçoivent des influx nerveux de centaines de neurones présynaptiques, disposition anatomique appelée *convergence* (figure 8-15). Un interneurone de la moelle, par exemple, peut recevoir des informations convergentes de neurones sensitifs qui pénètrent dans le canal vertébral, de neurones centraux acheminant des informations de plusieurs parties du cerveau et de neurones rachidiens (spinaux) localisés dans différents segments de la moelle. Il y a sommation de toutes ces informations avant qu'un influx ne soit déclenché pour stimuler un motoneurone. La convergence représente donc un mécanisme important qui permet au SNC d'intégrer les stimulations afférentes d'origines diverses qui le bombardent.

La *divergence* est une autre configuration importante. Elle représente la ramification d'un neurone présynaptique et les contacts qu'il établit avec plusieurs neurones postsynaptiques (jusqu'à 25 000 et plus). Par exemple, un seul neurone du cortex moteur du cerveau peut faire synapse avec des centaines d'interneurones de la moelle. La divergence subséquente de ces derniers peut permettre la stimulation simultanée de plusieurs milliers de fibres musculaires.

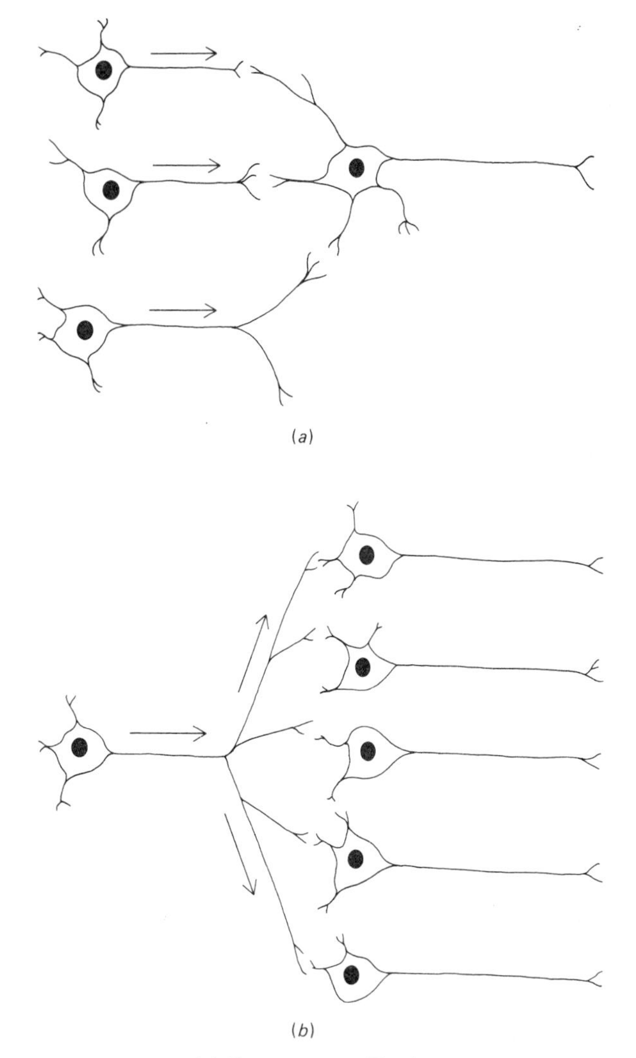

Figure 8-15 (*a*) Convergence. Plusieurs neurones présynaptiques font synapse avec un neurone postsynaptique. (*b*) Divergence. Un seul neurone présynaptique fait synapse avec plusieurs neurones postsynaptiques.

La facilitation Le mécanisme de la facilitation est illustré à la figure 8-16. Observons cette figure. Ni le neurone A, ni le neurone B ne peuvent activer séparément les neurones 2 et 3. L'activité simultanée des neurones A et B, cependant, permet de libérer assez de transmetteur synaptique pour amener la décharge des neurones 2 et 3. Ce type de sommation s'appelle la *facilitation*; beaucoup d'interactions nerveuses à l'intérieur du SNC en dépendent.

Les circuits en boucle et les retards de conduction La disposition des fibres nerveuses de certains circuits permet de produire des patrons de réponses caractéristiques. Si, par exemple, une branche collatérale du second neurone d'une chaîne fait synapse avec un interneurone qui fait synapse avec le premier neurone de la chaîne (figure 8-17*a*), on obtient un *circuit en boucle*. À l'arrivée d'un potentiel d'action, ces circuits engendrent une réponse

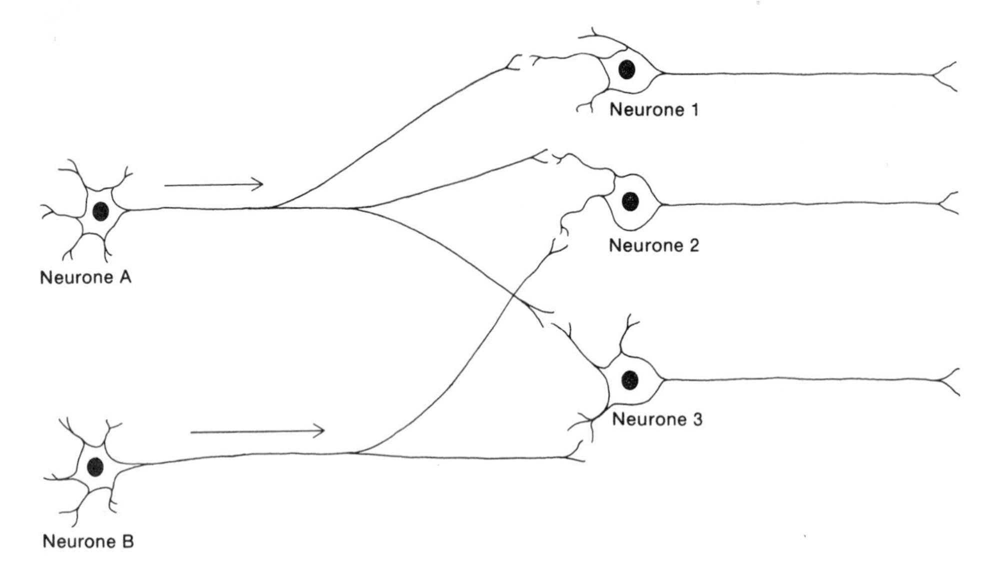

Figure 8-16 La facilitation. Dans cette chaîne, ni le neurone A, ni le neurone B ne peuvent activer seuls les neurones 2 ou 3. Cependant, si A et B agissent simultanément sur les neurones 2 ou 3, le seuil d'activation peut être atteint.

caractéristique sous la forme d'un train d'influx. Le nombre d'influx dépendra de la résistance à la fatigue des neurones de la boucle ou encore d'une quelconque inhibition, alors que la longeur de la boucle déterminera la fréquence des influx. De tels circuits sont communs dans le cerveau et la moelle.

On retrouve souvent des neurones inhibiteurs intercalés dans ces circuits. Il semblerait que certains d'entre eux exercent une rétroaction négative sur les neurones avec lesquels ils font synapse. Leur fonction serait alors d'amortir la réverbération des influx.

Le circuit de la figure 8-17*b* montre un exemple d'un *retard de conduction* amenant une *décharge retardée.* Deux voies nerveuses mènent au même neurone, et y produisent la même réponse, soit une décharge. L'une des deux voies, cependant, contient une synapse de moins. L'influx qui a emprunté cette voie atteint donc le neurone commun le premier et l'excite. La stimulation de l'autre voie arrive peu après et cause une seconde décharge. S'il existe plus de deux voies, comme on l'observe dans certains cas, la réponse du neurone commun pourra prendre la forme d'un train d'influx.

L'activité spontanée L'activité du système nerveux est permanente. Les intrants périphériques rendent compte d'une bonne partie de cette activité. On croit cependant qu'une autre partie est due à des cellules entraîneuses, dans le système nerveux, dont le fonctionnement serait semblable à celui des cellules de l'entraîneur du coeur (pacemaker), le noeud sinuatrial. Ces cellules ont une activité rythmique autonome qu'on ne peut expliquer autrement.

Où se fait l'intégration? Chaque neurone est un minuscule poste d'intégration, compilant à un niveau moléculaire les effets de centaines, voire de milliers d'informations ponctuelles qui lui parviennent continuellement. Puisque plus de 90 pour 100 des neurones du corps sont situés dans le SNC, la plus grande partie de l'intégration se fait dans le cerveau et la moelle. Ces neurones sont responsables de la plupart des «décisions». Au prochain chapitre, l'étude de ces deux structures devrait permettre une meilleure compréhension du fonctionnement global du système nerveux.

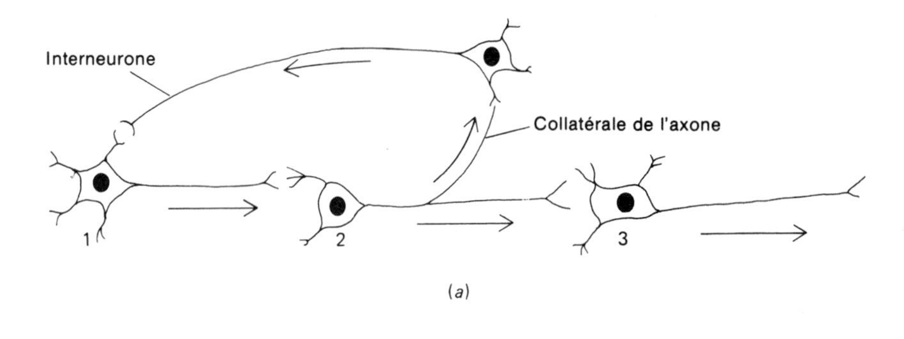

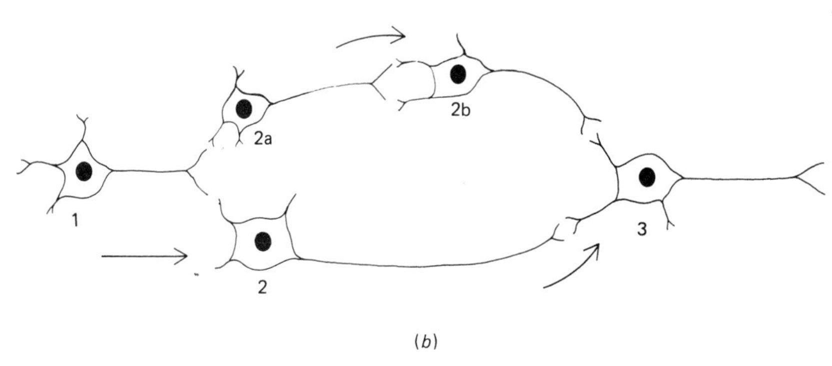

Figure 8-17 (*a*) Circuit en boucle ou rétroactif. Une collatérale de l'axone du deuxième neurone de cette chaîne fait synapse avec un interneurone qui fait lui-même synapse avec le premier neurone de la chaîne. De nouvelles impulsions peuvent donc être déclenchées plusieurs fois dans le premier neurone.
(*b*) Retard de conduction. Le premier neurone active deux chaînes de conduction. L'impulsion passant par le neurone 2 arrive au neurone 3 plus tôt que celle qui passe par les neurones 2a et 2b parce qu'elle a moins de synapses à traverser.

PERSPECTIVES D'AVENIR

Il se fait aujourd'hui beaucoup de recherche en neurophysiologie, éclairant sous un nouveau jour certaines fonctions nerveuses et levant des doutes sur certains concepts ou principes bien établis. La loi du tout ou rien, par exemple, est une règle qui devrait demeurer vraie pour caractériser les potentiels d'action qui se propagent sur de longues distances le long des nerfs périphériques. Cette loi ne tient peut-être plus dans le cas des plus petits neurones massés dans le SNC où des variations progressives du potentiel de membrane d'un neurone peuvent influencer, grâce à des contacts synaptiques, l'activité électrique de d'autres neurones.

Des études récentes montrent aussi que dans le SNC, le déroulement traditionnel de la transmission d'un influx, d'une membrane axonique présynaptique aux dendrites postsynaptiques, n'est qu'une façon de faire. Il y a aussi communication directe entre les dendrites de deux neurones. On a aussi suggéré plusieurs autres arrangements, d'axone à axone, ou de corps cellulaire à dendrites.

Les recherches en neurophysiologie apporteront, d'ici quelques années, de nouveaux concepts et permettront d'en rejeter un certain nombre d'anciens. Les informations présentées dans ce chapitre et les suivants devraient permettre toutefois d'établir une base facilitant l'étude des concepts nouveaux.

RÉSUMÉ

1 Le système nerveux comprend deux grandes divisions: le système nerveux central et périphérique. Le SNC contient le cerveau et la moelle; le SNP, formé des ganglions et des nerfs, a une partie somatique et une partie autonome.

2 Les oligodendrocytes forment des feuillets autour des neurones du SNC et peuvent avoir un rôle dans leur nutrition. La microglie est formée de cellules phagocytaires, et les cellules épendymaires tapissent les cavités du cerveau et de la moelle. Les astrocytes ont probablement un rôle de soutien, assorti d'une fonction dans la formation de la barrière hémato-encéphalique.

3 Les dendrites et le corps cellulaire d'un neurone typique acceptent et intègrent les messages nerveux alors que l'axone assure la propagation des influx et la libération du transmetteur synaptique. La gaine de myéline isole l'axone et l'enveloppe cellulaire qu'elle forme joue un rôle important dans le processus de régénération axonique.

4 Les neurones sensitifs véhiculent les influx des récepteurs vers le SNC. Les interneurones les mettent en contact avec les motoneurones, qui transmettent les influx d'origine centrale vers les effecteurs.

5 Une action nerveuse repose sur quatre étapes distinctes: la réception, la propagation, l'intégration et la commande effectrice (effection).

6 Dans une voie réflexe, un récepteur déclenche des influx dans des neurones sensitifs qui les propagent vers le SNC. Le réflexe monosynaptique est caractérisé par une synapse directe sensorimotrice alors que dans le réflexe plurisynaptique, un ou des interneurones s'insèrent entre les neurones sensitifs et moteurs.

7 Le potentiel transmembranaire de repos d'un axone est dû à l'action de la pompe Na-K qui accumule le Na^+ sur la face externe de la membrane et au grand nombre de charges négatives portées par les protéines et autres molécules à l'intérieur de l'axone.

8 Un potentiel d'action se déclenche lorsqu'une quantité suffisante de sodium pénètre dans le neurone et dépolarise la membrane à un niveau critique, le seuil de potentiel.

9 Les axones présynaptiques libèrent des substances de transmission à leurs terminaisons. Ces molécules se lient à des récepteurs de la membrane postsynaptique, causant des PPSE et PPSI.

10 Plusieurs produits chimiques peuvent agir comme neurotransmetteurs: l'Ach, la noradrénaline, la dopamine, la sérotonine, et plusieurs autres. Après leur libération, ces substances peuvent disparaître soit par un transport à rebours dans les vésicules synaptiques, soit par une destruction enzymatique.

11 La membrane d'un neurone postsynaptique est continuellement soumise à des PPSE et PPSI. Lorsque l'effet excitateur est suffisant pour dépolariser la membrane à un niveau supraliminaire, le neurone se décharge, produisant un potentiel d'action.

12 La convergence et la divergence sont des dispositions anatomiques qui favorisent les interactions nerveuses aux synapses, en particulier la facilitation et l'intégration.

13 Un circuit en boucle se caractérise par une activité neuronique soutenue, après le passage d'un influx initial, grâce à l'interconnection de plusieurs chaînes neuroniques par des interneurones.

QUESTIONS DE RÉVISION

1 Identifier des différences entre les neurones centraux et périphériques et entre leurs cellules de soutien.

2 Comment se fait la régénération nerveuse? Dessiner un schéma qui illustre votre réponse.

3 Décrire les phénomènes consécutifs à une brûlure, par exemple à un doigt. Dessiner un schéma représentatif d'une voie réflexe plurisynaptique, le légender, et le relier à votre description.

4 Donner des exemples de réception, de conduction, d'intégration, de commandes effectrices.

5 Quels sont les principaux effecteurs du corps?

6 Décrire la propagation d'un influx le long d'une fibre non myélinisée et d'une fibre myélinisée.

7 Comment le système nerveux permet-il la discrimination entre une douleur intense et légère?

8 Quel est l'effet d'un surplus (et d'une déficience) d'ions calcium sur la fonction nerveuse?

9 Opposer la conduction continue, de proche en proche, à la conduction saltatoire.

10 Comment, en général, les influx nerveux passent-ils d'un neurone à un autre?

11 Qu'est-ce qui peut affecter la vitesse de la transmission synaptique?

12 En supposant qu'un neurone postsynaptique reçoit en même temps des influx excitateurs et inhibiteurs, comment va-t-il «décider» de se décharger ou non?

13 Quelle est l'importance de la convergence? De la divergence?

14 Qu'est-ce qu'un circuit en boucle?

9 LE SYSTÈME NERVEUX: divisions et fonctions

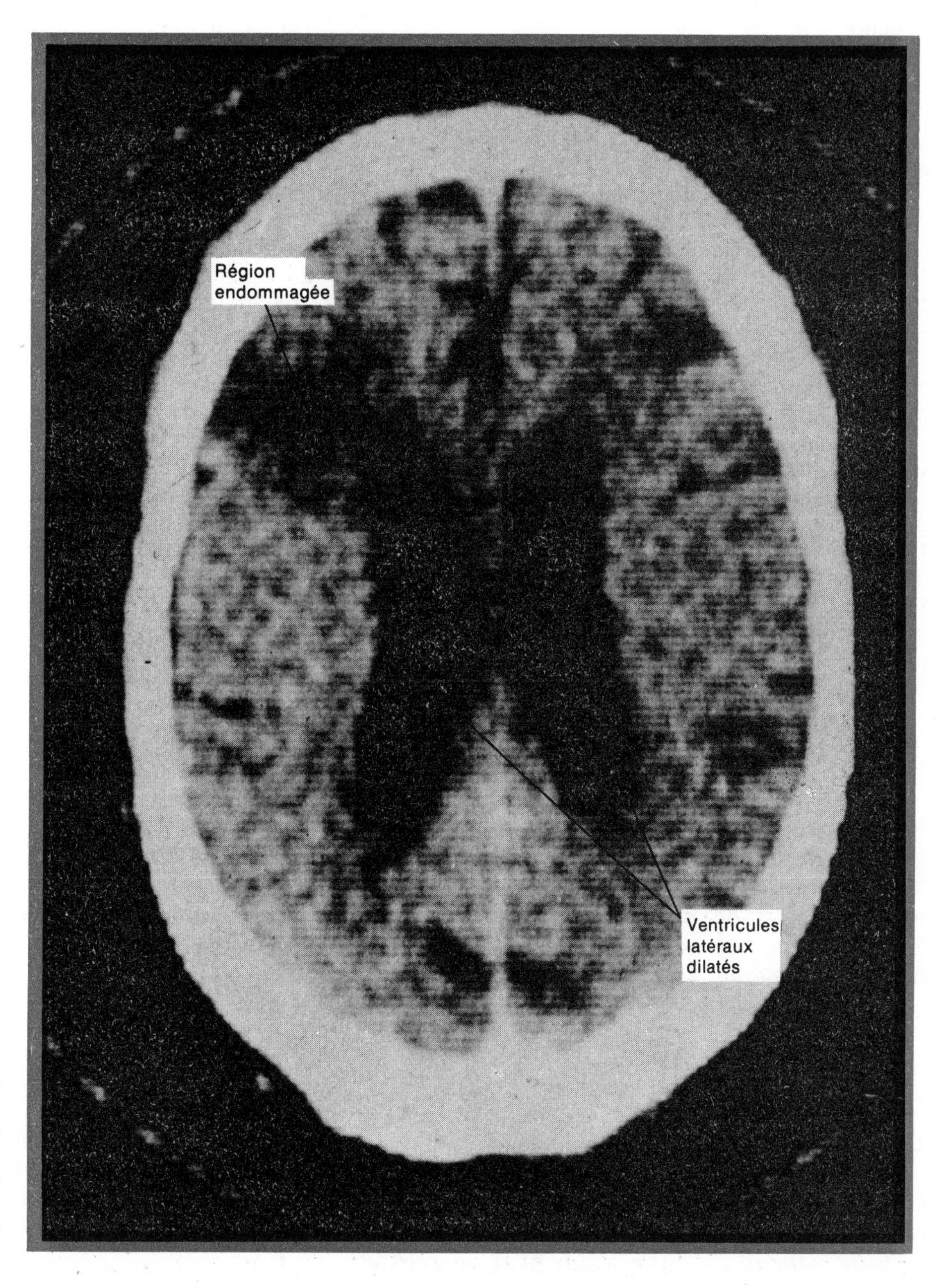

Tomographie du cerveau. (Un ordinateur mesure la capacité des différents tissus à absorber les rayons-x et se sert de ces informations pour construire une image.)

OBJECTIFS

L'étude de ce chapitre devrait vous permettre de:

1 Faire la liste des structures de protection du cerveau et de la moelle épinière.
2 Localiser anatomiquement la moelle épinière et en faire la description macroscopique. (Légender un schéma de la moelle épinière.)
3 Décrire et légender un schéma des structures visibles, sur une coupe transversale de la moelle épinière.
4 Connaître deux fonctions de la moelle épinière.
5 Décrire le développement des principales parties du cerveau depuis leur origine embryonnaire dans le tube neural. Localiser les ventricules.
6 Énumérer les fonctions du liquide cérébro-spinal.
7 Énumérer les fonctions de la moelle allongée.
8 Faire la liste des fonctions du pont.
9 Identifier les fonctions du mésencéphale.
10 Décrire les fonctions du thalamus.
11 Décrire les fonctions de l'hypothalamus.
12 Énumérer les fonctions du cervelet.
13 Légender un schéma des grandes divisions du cerveau et des structures cérébrales décrites dans ce chapitre.
14 Faire une description générale des hémisphères cérébraux.
15 Identifier les lobes du cerveau et leurs principaux rôles.
16 Reconnaître les noyaux gris centraux et décrire leurs fonctions.
17 Décrire les mécanismes de contrôle des mouvements et de la posture par le cortex moteur, par les autres parties du cerveau et de la moelle épinière, et par les voies pyramidales et extrapyramidales.
18 Décrire les modalités de perception des sensations, y compris la douleur.
19 Identifier le système limbique et ses fonctions.
20 Faire une revue des théories modernes de l'apprentissage et de la mémorisation.
21 Citer une expérience permettant de relier des modifications physiques du cerveau et la qualité de l'apprentissage à des stimulus du milieu.
22 Caractériser le fonctionnement des deux hémisphères cérébraux.
23 Identifier quatre grands patrons d'ondes cérébrales.
24 Décrire le fonctionnement de la formation réticulée activatrice (FRA).
25 Résumer les vues actuelles sur le sommeil lent et le sommeil paradoxal.
26 Distinguer les systèmes nerveux autonome et somatique. Comparer leurs voies efférentes.
27 Faire la liste et identifier les rôles des 12 paires de nerfs crâniens.
28 Décrire la structure d'un nerf spinal (légender un schéma).
29 Opposer les systèmes sympathique et parasympathique.
30 Énumérer plusieurs organes à double innervation, sympathique et parasympathique; préciser leurs réponses aux deux types de stimulations autonomes.
31 Identifier les classes de médicaments du tableau 9-8 et préciser leur mode d'action et leurs effets sur le comportement.

Il n'y a en fait qu'un seul système nerveux dont les différentes parties sont intimement liées, que ce soit au point de vue structural ou fonctionnel. C'est le système le plus compliqué de l'organisme. Pour structurer sa description et en faciliter l'étude, on divise normalement le système nerveux en deux parties: le système nerveux central (SNC) et périphérique (SNP). Les grandes divisions du système nerveux ont été énumérées au début du chapitre 8.

LE SYSTÈME NERVEUX CENTRAL

Chez l'embryon, le cerveau et la moelle épinière se différencient à partir d'un cylindre creux, le *tube neural.* Le tube s'élargit à sa partie antérieure et donne les structures du cerveau; à sa partie postérieure, il forme la moelle épinière. Le cerveau et la moelle épinière sont en continuité et leurs cavités centrales communiquent.

Parce qu'ils sont fragiles et vitaux, le cerveau et la moelle épinière sont les organes les mieux protégés du corps. Encastrés dans des cavités osseuses, ils sont enveloppés de trois couches de tissu conjonctif, les *méninges*. De l'extérieur vers l'intérieur, elles se nomment respectivement la dure-mère, l'arachnoïde et la pie-mère (figure 9-1). La *dure-mère* est une membrane résistante et épaisse; elle forme le périoste interne des os de la boîte crânienne. Au niveau de la moelle épinière, l'espace libre entre la dure-mère et le périoste des vertèbres est l'*espace épidural*. Les gros vaisseaux qui drainent le sang du cerveau vers les veines jugulaires au niveau du cou sont formés par la dure-mère et portent le nom de sinus veineux.[1] L'*arachnoïde* est une membrane délicate, très mince, située sous la dure-mère dont elle est séparée par un *espace subdural* (*sous-dural*) virtuel. Ce dernier contient un liquide analogue à la lymphe qui humidifie les deux membranes. L'arachnoïde est lâche, contrairement à la *pie-mère* qui recouvre directement le cerveau et la moelle épinière. Le pie-mère est une enveloppe vascularisée, extrêmement mince, qui épouse les moindres contours du tissu cérébral. Entre la pie-mère et l'arachnoïde, l'*espace subarachnoïdien* (*sous-arachnoïdien*) contient le *liquide cérébro-spinal* (*céphalo-rachidien*) (LCS).

La moelle épinière

La *moelle épinière* est un cylindre creux légèrement aplati qui émerge du foramen magnum, à la base du cerveau, et qui s'étend vers le bas jusqu'à la deuxième vertèbre lombaire. L'extrémité caudale de la moelle se nomme le *cône médullaire* (*terminal*). Du diamètre du petit doigt et d'une longueur d'environ 45 cm, la moelle épinière présente deux renflements, l'un cervical, l'autre lombaire, correspondant aux zones d'émergence des nerfs des membres supérieurs et inférieurs.

La moelle épinière est située à l'intérieur du canal vertébral. Le *filum terminale*, une extension de la pie-mère, poursuit sa course dans le canal vertébral jusqu'à l'extrémité coccygienne de la colonne, où il s'attache. La dure-mère et l'arachnoïde ne vont pas aussi loin vers le bas mais dépassent toutes deux l'extrémité de la moelle épinière. L'espace subarachnoïdien s'étend ainsi jusqu'au niveau de la deuxième vertèbre sacrée; cette disposition anatomique est d'une grande importance clinique puisqu'on peut y faire une ponction de LCS en toute sécurité en introduisant une aiguille hypodermique entre les arcs postérieurs des troisième et quatrième vertèbres lombaires. La *ponction lombaire* est généralement utilisée pour le diagnostic de certains troubles du système nerveux central. L'anesthésie spinale consiste à injecter un anesthésique local dans l'espace subarachnoïdien. Quant à l'injection d'un anesthésique dans l'espace épidural, technique utilisée parfois à l'accouchement, on l'appelle *anesthésie caudale* (*épidurale*).

Trente et une paires de nerfs spinaux émergent de la moelle épinière, à tous les niveaux. Ceux de la région la plus basse de la moelle épinière s'étendent caudalement au cône médullaire d'où ils quittent le canal vertébral. Ils portent collectivement le nom de *queue de cheval* à cause de leur disposition anatomique (figure 9-2).

Plusieurs fissures longitudinales, des *sillons*, partagent la moelle en régions. Le *sillon médian antérieur* de la moelle, le plus profond, divise la face ventrale de la moelle en deux parties. Sur la face dorsale, opposé au premier et moins profond, se trouve le *sillon médian postérieur*. Les fissures latérales sont moins bien identifiées.

On aperçoit, sur une coupe transversale de la moelle, un petit *canal central* entouré d'une zone en forme d'ailes de papillon, la *substance grise* (figures 9-3 et 9-4). Autour de la substance grise, on retrouve la *substance blanche*. La première correspond aux corps cellulaires et aux dendrites des interneurones et des neurones efférents (sensitifs et moteurs) ainsi qu'à des axones peu ou pas myélinisés orientés à angle droit par rapport à l'axe de la moelle. Riche en vaisseaux sanguins et en cellules gliales, la substance grise est divisée en sections, les *cornes antérieures* et *postérieures*. La seconde, la substance blanche, est essentiellement formée d'axones myélinisés, regroupés en *voies nerveuses* ascendantes et descendantes.

La substance blanche de chaque moitié de la moelle est divisée en trois *cordons*: *antérieur*,

[1] Les sinus veineux du cerveau sont des espaces situés entre la couche externe et la couche interne de la dure-mère qui en forme les parois.

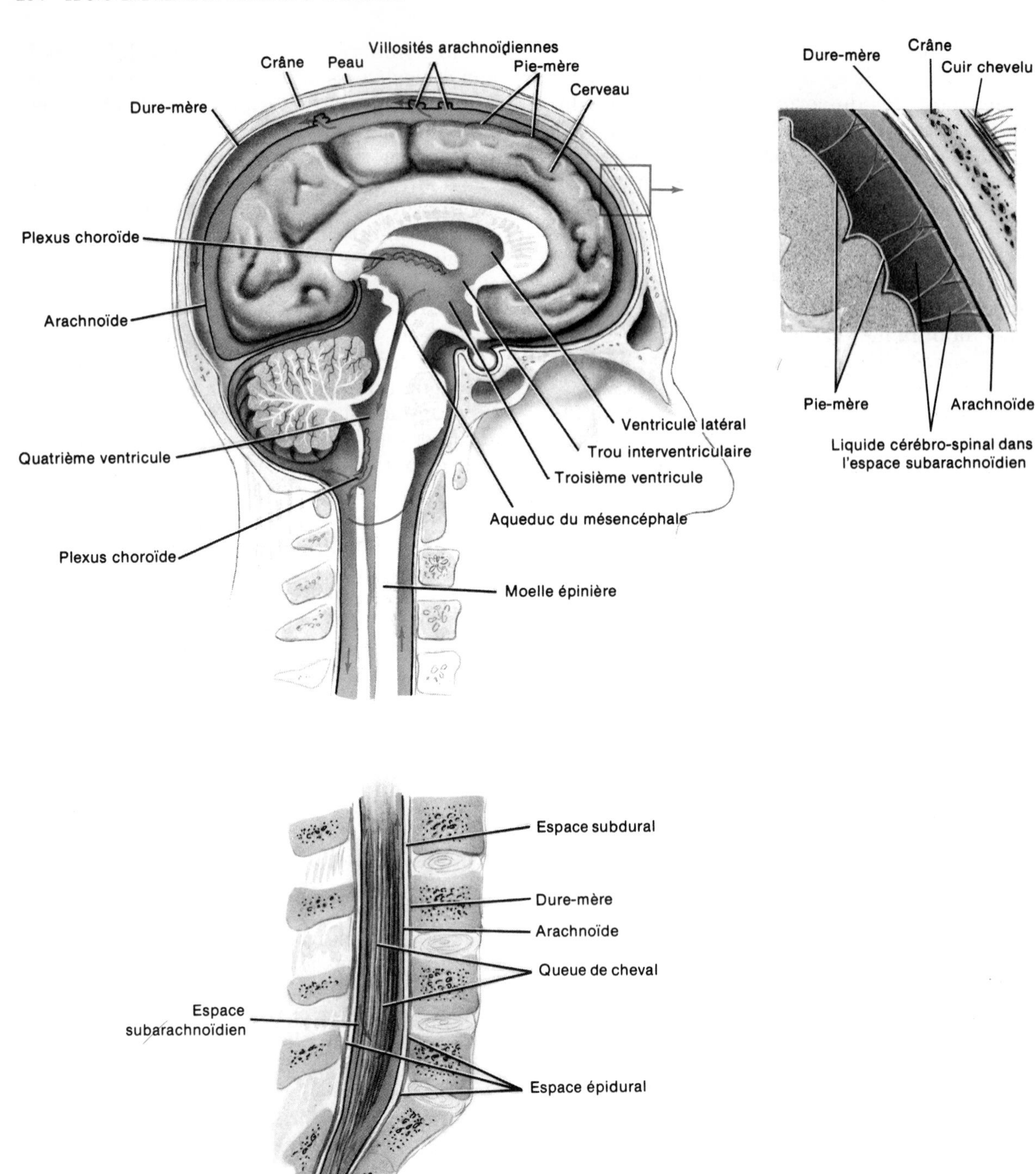

Figure 9-1 Les méninges et la circulation du liquide cérébro-spinal.

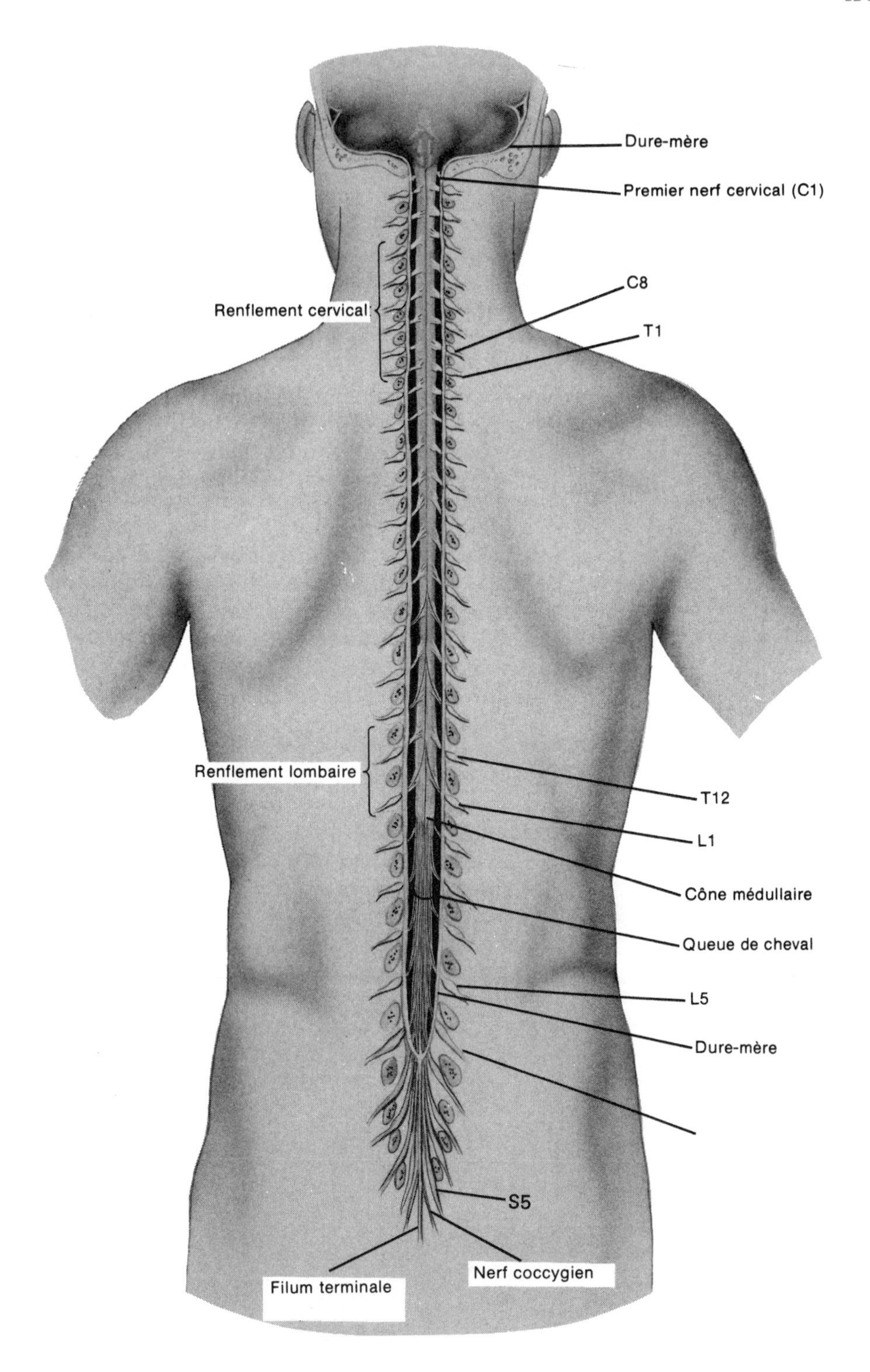

Figure 9-2 Vue postérieure de la moelle épinière.

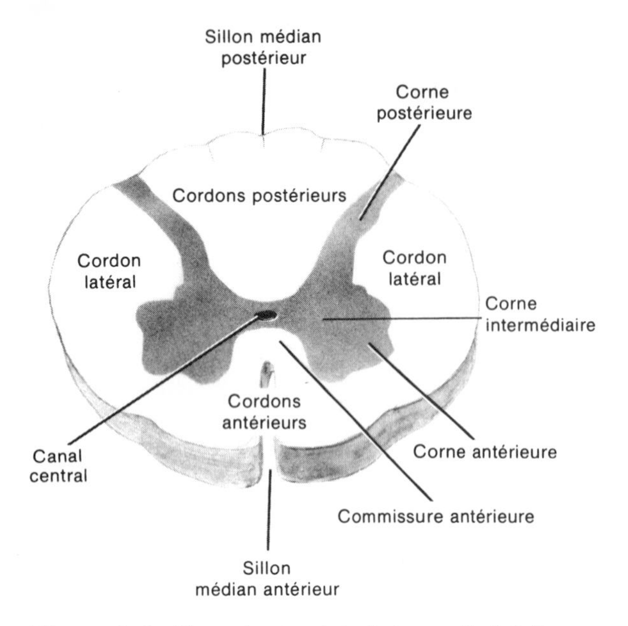

Figure 9-3 Coupe horizontale de la moelle épinière.

postérieur et *latéral.* Chaque cordon est divisé en groupes de fibres nerveuses ou faisceaux. Les *faisceaux ascendants* transmettent des informations sensitives au cerveau et les *faisceaux descendants* conduisent les «décisions» du cerveau qui retournent vers les neurones efférents de la moelle. Ces longs faisceaux se distinguent des *voies d'association,* groupes de fibres nerveuses plus courtes reliant entre eux les différents étages de la substance grise. Souvent, de ces voies, naissent quelques fibres nerveuses qui se dirigent de l'autre côté de la moelle. Elles sont partiellement responsables de la commande croisée des deux hémisphères cérébraux sur le côté opposé du corps, l'hémisphère droit contrôlant le côté gauche et vice versa.

Les fonctions de la moelle épinière Elles sont de deux sortes: le contrôle des actes réflexes et la transmission d'informations de haut en bas vers la périphérie et de bas en haut vers le cerveau. Nous avons déjà vu que les réflexes patellaire et de retrait étaient intégrés dans la

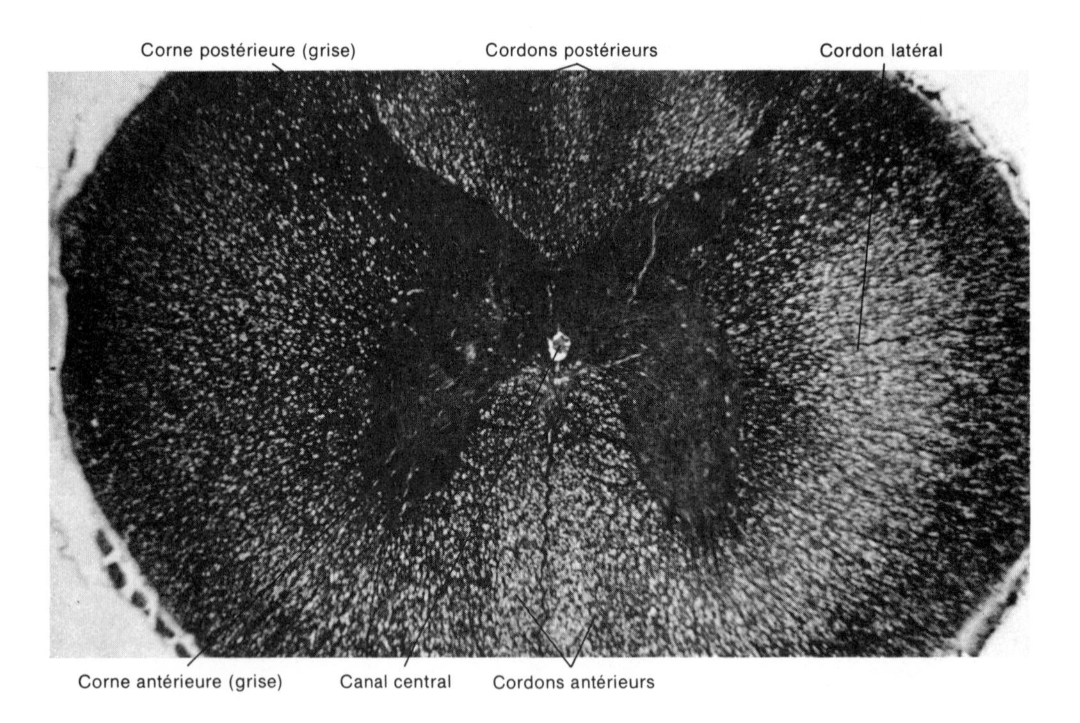

Figure 9-4 Photomicrographie d'une coupe horizontale de la moelle épinière (environ ×25).

moelle grâce aux interneurones qui font synapse avec les neurones sensitifs et moteurs de la substance grise. Grâce aux voies d'association, les réponses peuvent être plus complexes. Supposons qu'un individu marche sur un clou. Si la seule réponse était une violente secousse de la jambe vers le haut, on imagine facilement la position dans laquelle l'individu se retrouverait. Heureusement, le réflexe comporte un grand nombre de commandes supplémentaires aux bras, aux mains, et même à l'autre jambe. L'individu pourra ainsi garder son équilibre sur un pied. Une centaine de muscles, contenant chacun des milliers d'unités motrices innervées par autant de motoneurones différents, participent à l'exécution de cette réponse. La stimulation douloureuse au pied a mis en branle, grâce aux capacités d'intégration des interneurones de la moelle, l'ensemble des motoneurones requis pour la réponse, à l'exclusion de tous les autres.

Le second rôle important de la moelle est de véhiculer les informations vers et hors du cerveau par les faisceaux ascendants et descendants. Grâce à eux, l'action de marcher sur un clou devient une information consciente, une douleur qui commandera une série d'actes

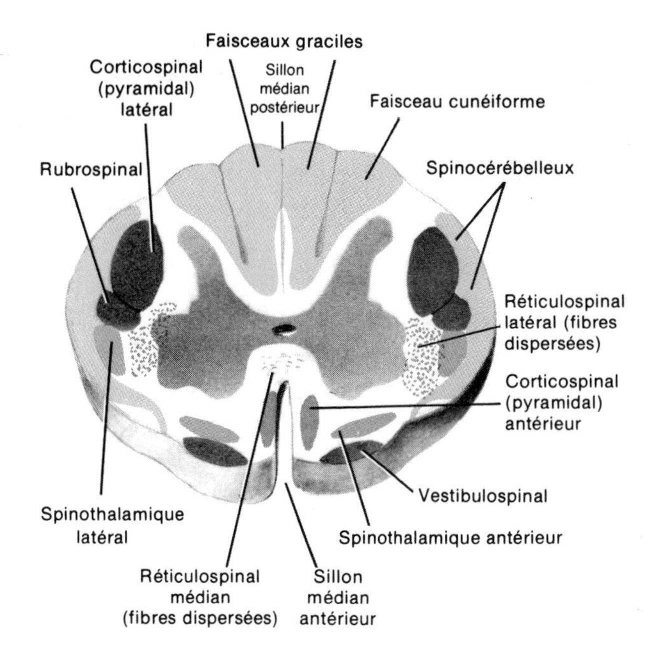

Figure 9-5 Coupe horizontale de la moelle épinière montrant les positions respectives des principales voies ascendantes et descendantes. Les voies ascendantes sont illustrées en rouge, les voies descendantes en gris.

Tableau 9-1 Principaux faisceaux spinaux

Nom du faisceau	Localisation	Origine	Terminaison	Rôle
Faisceaux ascendants				
Spinothalamique antérieur	Cordon antérieur	Substance grise intermédiaire de la moelle du côté opposé	Thalamus surtout (relais vers le cortex cérébral)	Transmission au cerveau des messages tactiles venant de la peau
Spinothalamique latéral	Cordon latéral	Corne postérieure de la moelle du côté opposé	Thalamus (relais vers le cortex cérébral)	Transmission des messages douloureux et thermiques venant de la peau
Faisceaux gracile et cunéiforme	Cordon postérieur	Ganglions spinaux du même côté de la moelle	Moelle allongée (relais vers le cortex cérébral)	Réception des messages tactiles et de pression; réception et transmission des messages concernant le toucher, la pression et la position des muscles, tendons et articulations
Spinocérébelleux	Cordon latéral	Cornes postérieures de la moelle	Cervelet	Transmission des messages concernant le tonus musculaire

(Suite à la page suivante)

Tableau 9-1 Principaux faisceaux spinaux (*suite*)

Nom du faisceau	Localisation	Origine	Terminaison	Rôle
Faisceaux descendants				
Corticospinal latéral (pyramidal)	Cordon latéral	Cortex cérébral	Neurones de la corne antérieure de la moelle (décussation des fibres dans la moelle allongée)	Transmission des commandes motrices volontaires du cortex cérébral vers les nerfs spinaux desservant les muscles squelettiques *controlatéraux*
Corticospinal antérieur (pyramidal)	Cordon antérieur	Cortex cérébral	Décussation des fibres dans la moelle avant de faire synapse dans la corne antérieure	
Rubrospinal	Cordon latéral	Noyau rouge du mésencéphale	Neurones de la corne antérieure de la moelle	Facilitation de la contraction des muscles fléchisseurs
Réticulospinal	Cordons antérieur et latéral	Formation réticulée du tronc cérébral	Neurones de la corne antérieure de la moelle	Contrôle des réflexes spinaux
Vestibulospinal	Cordon antérieur	Noyau vestibulaire latéral de la moelle allongée	Neurones de la corne antérieure de la moelle	Facilitation de la contraction des muscles extenseurs

volontaires conséquents: examen de la plaie, désinfection, pansement. Tous les axones d'un même faisceau, ascendant ou descendant, transmettent le même type de message. Par exemple, le faisceau spinothalamique relaie au cerveau des messages relatifs à la douleur et à la température alors que les faisceaux spinocérébelleux se chargent de transmettre des informations des récepteurs kinesthésiques (concernant la position ou le mouvement des membres) des muscles et des tendons. Le tableau 9-1 décrit les principaux faisceaux qui sont illustrés à la figure 9-5.

Le cerveau

Le *cerveau*[2] humain, masse de tissu plissé et mou d'environ 1,4 kg, est la mécanique la plus compliquée que l'on connaisse. Malgré la mise au point d'ordinateurs dessinés selon des principes de fonctionnement similaires à ceux du cerveau, et souvent même comparés à ce dernier, aucun d'entre eux n'approche la complexité du cerveau humain. Chacun des quelque cents milliards (10^{11}) de neurones du cerveau peut être articulé en moyenne à cent mille autres neurones; un total possible de 10^{16} synapses! Il n'est donc pas surprenant que les scientifiques ne fassent que commencer à déchiffrer les schémas de câblage des structures cérébrales. On est encore loin de pouvoir expliquer le contrôle des mécanismes physiologiques, les causes d'un comportement, ou les raisons d'une émotion.

L'apport sanguin et le liquide cérébro-spinal

Les cellules cervicales requièrent un apport constant d'oxygène et de glucose. Malgré le fait qu'il ne représente qu'environ 2 pour 100 de la masse corporelle, le cerveau draine à peu près 20 pour 100 du débit cardiaque et consomme plus ou moins le même pourcentage de l'oxygène utilisé par l'organisme. La dépendance du cerveau envers un débit sanguin adéquat est si grande qu'un arrêt circulatoire de 5 secondes suffit à faire perdre connaissance et, en quelques minutes, il se produit des dommages irréversibles. La cause la plus fréquente des traumatismes cérébraux est un *ictus* (un accident cérébro-vasculaire) à la suite duquel une partie du cerveau n'est plus

[2] Voir *Pour la Science*, n° 25, nov. 1979, numéro spécial sur le cerveau.

irriguée (souvent à cause de la formation d'un caillot qui obstrue un vaisseau sanguin). Nous verrons au chapitre 13 les noms et la localisation des vaisseaux sanguins qui irriguent le cerveau.

En plus de drainer un important volume de sang, le SNC baigne dans un autre milieu aqueux, le liquide cérébro-spinal (LCS). La plus grande partie de ce liquide est sécrétée par les *plexus choroïdes*, réseaux de fins capillaires formés de pie-mère, de cellules épendymaires et de vaisseaux, qui font saillie dans les cavités ventriculaires (les cavités du cerveau). Les *ventricules* et les espaces subarachnoïdiens entourant le cerveau et la moelle épinière contiennent environ 135 ml de LCS fluide et incolore.

Le LCS se renouvelle constamment. La sécrétion des plexus choroïdes ajoute du LCS dans les ventricules d'où il s'écoule dans l'espace subarachnoïdien par trois trous dans le toit du quatrième ventricule. Une fraction du liquide descend le long de la moelle épinière, l'autre fraction s'écoule autour du cerveau. L'absorption du LCS a lieu principalement dans les grands sinus veineux intracrâniens où l'arachnoïde fait saillie sous la forme de projections en doigts de gant, les *villosités archnoïdiennes*.

Le LCS sert d'abord à amortir les chocs que le cerveau et la moelle épinière subissent. Le cerveau en particulier flotte dans le LCS, ce dernier lui assurant une grande protection contre les traumatismes mécaniques. Grâce à son écoulement continuel, le LCS est aussi un vecteur de substances dissoutes, nutriments et résidus cataboliques, qu'il transporte du sang vers les structures nerveuses et vice versa.

Le passage des substances dissoutes entre le LCS, le liquide extracellulaire cérébral, et le sang est contrôlé rigoureusement par des *barrières hémato-encéphaliques* sélectives qui ralentissent la translocation de certaines substances ou encore les empêchent complètement de passer. L'arsenic et l'or, par exemple, sont exclus totalement de l'espace interstitiel cérébral; certains médicaments, comme la pénicilline, ne peuvent pénétrer que très lentement; d'autres, comme l'érythromycine, voyagent librement. La localisation privilégiée des astrocytes entre les capillaires et les neurones fait de ces cellules gliales des responsables potentiels de ces mécanismes de contrôle. Plusieurs chercheurs s'accordent à dire que les astrocytes empêchent ou retardent probablement le passage de substances étrangères vers les tissus cérébraux.

Il est essentiel que le volume de LCS soit maintenu à peu près constant. Une surproduction de LCS ou un arrêt de son écoulement peuvent entraîner une *hydrocéphalie*, littéralement une «tête d'eau». L'accumulation de liquide crée une pression pouvant endommager plusieurs parties du cerveau. Dans des cas graves, l'hydrocéphalie provoque des retards mentaux permanents. Lorsqu'on doit faire une ponction de LCS pour établir un diagnostic, il est nécessaire de maintenir le patient plusieurs heures en position couchée, jusqu'à ce que le volume enlevé ait été remplacé par synthèse. Tout mouvement de la tête alors que le volume de LCS est anormalement bas, comme l'action de s'asseoir ou de tourner la tête de côté, imprime une secousse au cerveau et peut provoquer une douleur aiguë ou des maux de tête (céphalées).

Quelles sont les informations qu'un médecin peut tirer d'une ponction de LCS? La présence de sang, par exemple, est un indice d'une hémorragie cérébrale. L'incubation de LCS permet d'autre part de révéler une invasion bactérienne, soit à cause d'une inflammation des méninges (*méningite*) ou d'une infection quelconque du tissu nerveux. Le remplacement d'une faible quantité de LCS par de l'air permet de photographier le système ventriculaire et d'obtenir des ventriculogrammes (images obtenues par ventriculographie) ou des images de l'espace subarachnoïdien (pneumoencéphalographie). En bougeant la tête du patient, il est possible de changer la position des bulles et de photographier une région particulière.

Le développement du système nerveux Le système nerveux est l'un des premiers systèmes à se différencier et à devenir fonctionnel chez le jeune embryon. Les neurones doivent tous être formés avant la naissance; on a estimé que pour atteindre ce but, les mitoses devaient produire en moyenne 45 000 nouveaux neurones différenciés à chaque minute de la vie intra-utérine[3].

[3] Charles R. Noback and Robert J. Demarest, "The Human Nervous System", 2d ed., McGraw-Hill, New York, 1975.

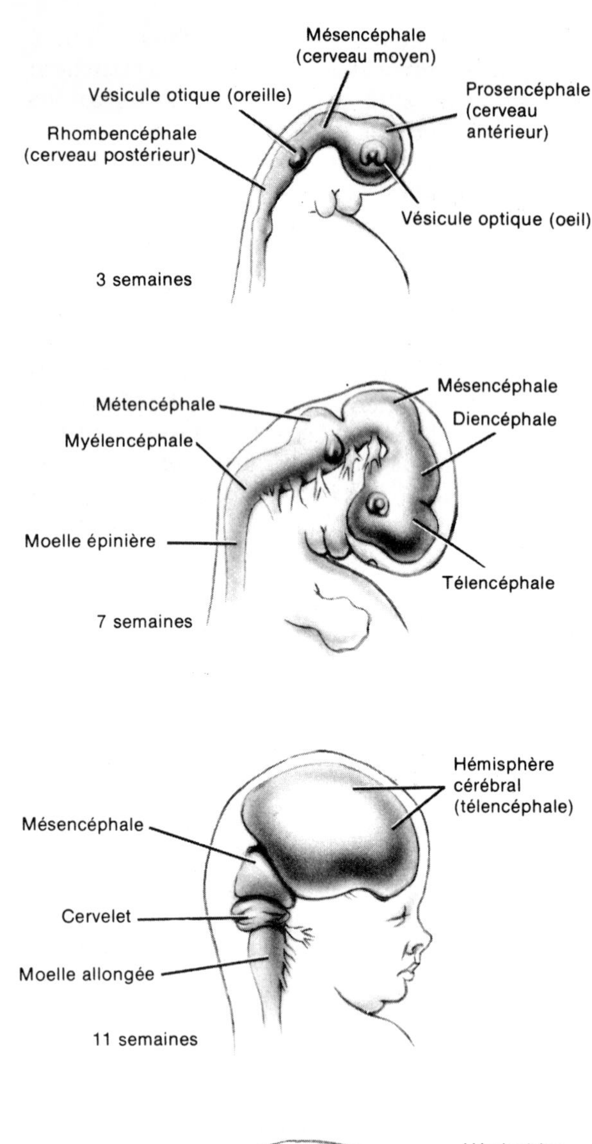

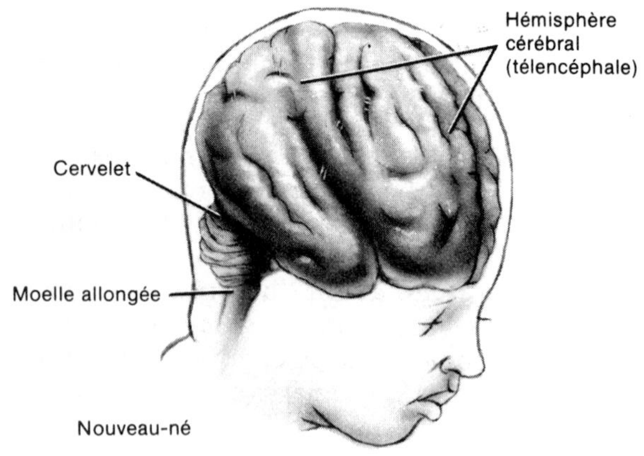

Figure 9-6 Le développement du cerveau (*d'après Demarest*).

Une grande part de l'information génétique d'un organisme humain sert à diriger le développement embryonnaire du cerveau. Quatre semaines après la conception, la portion céphalique du tube neural s'est différenciée et s'est élargie pour former une série de trois renflements: le *prosencéphale* (*cerveau antérieur*), le *mésencéphale* (*cerveau moyen*) et le *rhombencéphale* (*cerveau postérieur*) (figure 9-6). Le tableau 9-2 énumère les structures terminales qui dérivent de ces trois grandes divisions précoces. Il est important de bien posséder les informations contenues dans ce tableau pour mieux comprendre la suite du texte.

Les parties du cerveau Les grandes parties du cerveau adulte sont respectivement la moelle allongée, le pont, le mésencéphale, le thalamus, l'hypothalamus, le cervelet et le télencéphale (figure 9-7). La moelle allongée, le pont et le mésencéphale forment le *tronc cérébral*, nom leur convenant bien puisque le cerveau y est allongé et ressemble à une tige soutenant les hémisphères cérébraux et le cervelet.

La moelle allongée La *moelle allongée (bulbe rachidien)*, la partie caudale du tronc cérébral, est en continuité avec la moelle épinière. On y trouve le *quatrième ventricule* (figure 9-1) qui est lui-même en continuité avec le canal central. La moelle allongée mesure environ 2,5 cm de long et est formée de noyaux (groupes de corps cellulaires) et de faisceaux nerveux qui relient la moelle aux parties antérieures du cerveau. Deux renflements latéraux de la partie postérieure de la moelle allongée forment deux cordons de fibres ascendantes, les faisceaux gracile et cunéiforme. Dans la moelle allongée, les fibres de ces faisceaux font synapse avec les neurones des noyaux du même nom, lesquels, à leur tour, forment un faisceau qui monte vers le thalamus et le cervelet, le *lemnisque médian*. Des neurones thalamiques transmettent alors les informations au cortex cérébral.

On retrouve sur la face antérieure de la moelle allongée deux autres renflements de substance blanche, les *pyramides*; elles indiquent l'endroit où la majorité (environ 80 pour 100) des fibres des *faisceaux pyramidaux* se croisent (la *décussation* des pyramides). Les faisceaux pyramidaux sont les principales voies motrices volontaires qu'empruntent les

Tableau 9-2 Différenciation des structures du SNC

	Divisions embryonnaires	Subdivisions	Structures dérivées chez l'adulte	Cavités
Cerveau	Prosencéphale (cerveau antérieur)	Télencéphale	Hémisphères cérébraux	Ventricules latéraux
		Diencéphale	Thalamus, hypothalamus, corps pinéal (épiphyse)	Troisième ventricule
	Mésencéphale (cerveau moyen)	Mésencéphale	Collicules, pédoncules cérébraux	Aqueduc du mésencéphale
	Rhombencéphale (cerveau postérieur)	Métencéphale	Cervelet, pont	
		Myélencéphale	Moelle allongée	Quatrième ventricule
Moelle épinière			Moelle épinière	Canal central

fibres nerveuses corticales pour atteindre la moelle et la musculature striée squelettique. La décussation des fibres pyramidales permet le réarrangement des axones moteurs de telle façon que l'hémisphère droit contrôle les mouvements corporels du côté gauche et vice versa.

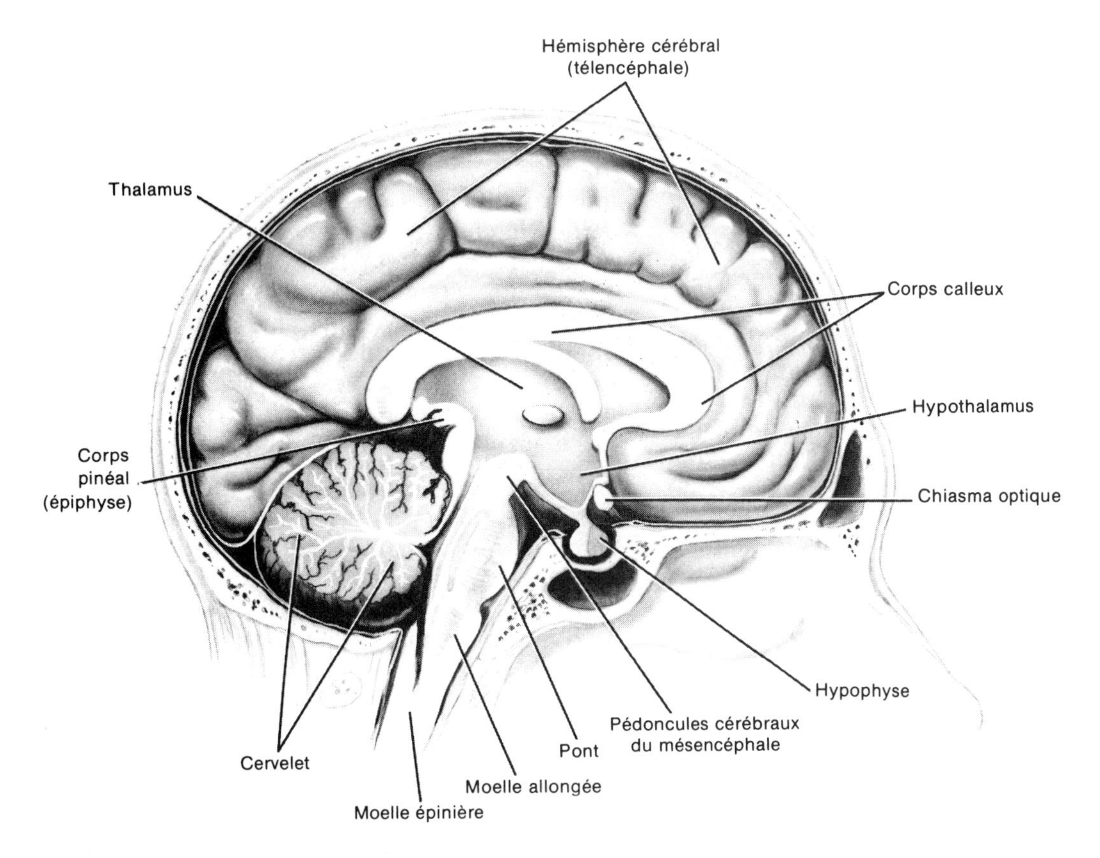

Figure 9-7 Coupe sagittale médiane du cerveau (comparer avec la figure 9-10).

À la partie supérieure de la moelle allongée, au-dessus de la décussation, on retrouve une masse ovale et aplatie, l'*olive*. Des neurones du cortex cérébral se terminent dans cette structure et une voie nerveuse importante, issue de l'olive, se dirige vers le cervelet.

La moelle allongée contient aussi les noyaux des nerfs crâniens IX à XII (le VIII est aussi partiellement localisé dans la moelle allongée) ainsi qu'une formation complexe de petits neurones, la *formation réticulée*[4], qui s'étend à travers la moelle allongée et le reste du cerveau. Plusieurs *centres vitaux* sont situés dans la partie bulbaire de la formation réticulée. On les nomme centres vitaux puisqu'ils sont responsables d'activités fondamentales: centres cardiaques contrôlant la fréquence cardiaque, centres de la vasomotricité ajustant le diamètre des vaisseaux sanguins, donc la pression artérielle, et deux des trois centres respiratoires, soit ceux qui amorcent et régularisent les mouvements respiratoires (le troisième se trouve dans le pont). La moelle allongée a donc une grande importance stratégique et tout traumatisme au niveau des centres vitaux met la vie de l'organisme en danger, comme il arrive parfois lorsque quelqu'un reçoit un coup violent sur la tête. La moelle allongée contient aussi des centres responsables d'actes réflexes tels que le vomissement, le reniflement, la toux et la déglutition.

Le pont Le *pont* (*protubérance annulaire*) forme un bourrelet transversal sur la face ventrale du tronc cérébral. Il contient surtout des fibres nerveuses qui vont de la moelle allongée vers les autres parties du cerveau. Certaines fibres, orientées transversalement, aboutissent dans les pédoncules cérébelleux moyens et disparaissent dans le cervelet. (Un *pédoncule* est un gros faisceau de fibres nerveuses.) Le pont contient le centre pneumotaxique, impliqué dans le contrôle de la respiration, ainsi que les centres responsables des voies réflexes sous la gouverne des nerfs crâniens V à VIII.

Le mésencéphale Immédiatement au-dessus du pont se trouve le *mésencéphale*. Il contient une cavité, l'*aqueduc du mésencéphale* (*aqueduc cérébral* ou *de Sylvius*), qui relie les troisième et quatrième ventricules. Ventralement, le mésencéphale est formé des *pédoncules cérébraux*, faisceaux d'axones issus de neurones du cortex qui se projettent dans des structures situées à l'intérieur du tronc cérébral et de la moelle. Les *colliculus* (ou *collicules*), quatre corps arrondis et saillants, forment la face dorsale du mésencéphale. La paire la plus près du thalamus se nomme le *colliculus supérieur*. L'un des deux trajets des influx visuels qui naissent au niveau de la rétine emprunte le colliculus supérieur pour se rendre à un relais thalamique, puis à une aire corticale proche du cortex visuel. Accolé au pont, le *colliculus inférieur* représente un relais où les neurones de la voie auditive font synapse avant d'atteindre l'aire auditive du cortex.

Le mésencéphale est la plus grosse partie du cerveau de beaucoup de vertébrés; chez l'humain, cependant, la plus grande partie de ses fonctions est assumée par les hémisphères. Il n'en reste pas moins que de nombreux actes réflexes y sont intégrés: la constriction de la pupille suite à un stimulus lumineux, l'orientation de la tête pour mieux entendre un bruit (chez beaucoup d'animaux, dont le chien, l'orientation des oreilles permet aussi de canaliser les sons) et les *réflexes de la posture*. Ces derniers sont nécessaires au maintien de la position debout et au maintien de la tête droite. (Chez le chat, ces réflexes permettent à l'animal de retomber sur ses pattes lorsqu'il tombe ou qu'on l'échappe.) Les noyaux des nerfs crâniens III et IV, qui contrôlent les mouvements volontaires des yeux, se trouvent dans le mésencéphale. Près des pédoncules cérébraux, et faisant partie de la formation réticulée mésencéphalique, se trouve le noyau rouge.

Le thalamus Dans la partie haute du diencéphale, le *thalamus* forme les parois latérales supérieures du *troisième ventricule*. En relation directe avec le cortex cérébral, le thalamus est un relais important pour les signaux qui arrivent au cortex cérébral (la substance grise des hémisphères) ou qui en partent. Nous verrons plus loin le rôle du thalamus dans le maintien de la conscience.

Les influx sensitifs qui atteignent le thalamus provoquent une vague perception des stimulus initiateurs. La destruction des zones sensitives du cortex n'abolit pas toute sensation: un individu peut être encore conscient de

[4] On emploie plusieurs termes pour désigner cette région du tronc cérébral: système réticulaire activateur ascendant, formation réticulée (ascendante), formation réticulaire activatrice (FRA).

quelques sensations, comme par exemple la douleur. Le thalamus joue aussi un rôle d'association entre les influx sensitifs et les sentiments de plaisir et de déplaisir. Les mouvements impliqués dans l'expression des émotions telles que la fureur ou la peur subissent aussi l'influence de cette partie du cerveau. C'est toutefois l'hypothalamus qui est le principal responsable des manifestations extérieures de ces émotions.

L'hypothalamus La partie basse du diencéphale est occupée par l'*hypothalamus*, petite structure extrêmement importante dans le contrôle de plusieurs mécanismes homéostatiques:

1 L'hypothalamus est la voie de sortie et le relais central le plus important entre le cortex cérébral et les centres autonomes inférieurs. Il fournit par exemple des informations aux centres de contrôle cardio-vasculaires de la moelle allongée; c'est alors un relais entre la «pensée» (le cortex) et le «corps» (les mécanismes physiologiques). Ceux qui peuvent contrôler consciemment certaines activités autonomes (le rythme cardiaque, par exemple) le font probablement via des voies hypothalamiques qu'ils ont appris à soumettre au contrôle volontaire.

2 L'hypothalamus est le lien structural entre les systèmes nerveux et endocrinien. Son association anatomique et physiologique avec l'hypophyse actualise l'action stimulante de facteurs de sécrétion produits par l'hypothalamus. Ces facteurs influencent la libération d'hormones spécifiques dans l'adénohypophyse. Les cellules des noyaux supra-optiques de l'hypothalamus produisent l'hormone antidiurétique (ADH) responsable de la régulation des volumes plasmatique et urinaire. Les cellules des noyaux paraventriculaires produisent l'ocytocine, hormone en grande partie responsable des contractions utérines à l'accouchement et de la lactation. Ces deux hormones sont transportées vers la neurohypophyse où elles sont mises en réserve pour une éventuelle libération dans le sang (voir au chapitre 17).

3 L'hypothalamus participe au maintien de l'équilibre hydrique puisque l'ADH qu'il produit aide à régulariser l'excrétion rénale de l'eau. On retrouve aussi dans l'hypothalamus un centre de la soif dont les neurones sont sensibles à la concentration des électrolytes du plasma. L'augmentation de leur concentration provoque la soif.

4 Le contrôle de la thermorégulation se fait dans l'hypothalamus. L'élévation de la température corporelle provoque une réponse hypothalamique compensatrice: les vaisseaux sanguins cutanés se dilatent et les glandes sudorifères accélèrent leur activité sécrétoire. Ces mécanismes homéostatiques refroidissent le corps, ramenant la température vers sa valeur normale. Lors d'un refroidissement, la commande hypothalamique provoque une vasoconstriction au niveau de la peau, un ralentissement de l'activité sudorifère, et le grelottement. En plus d'améliorer la conservation de la chaleur corporelle, ces mécanismes en augmentent la production.

5 Nous verrons au chapitre 12 que les centres hypothalamiques de la faim et de la satiété contrôlent l'appétit.

6 L'hypothalamus influence le comportement sexuel et les aspects affectifs ou émotionnels des stimulus sensitifs, en ce sens qu'il permet la discrimination entre ce qui est agréable et douloureux.

Le cervelet Seconde partie du cerveau quant à la taille, le *cervelet* est formé de deux masses latérales, les *hémisphères*, reliées par le *vermis* (figure 9-8). Les liaisons nerveuses entre le cervelet et le cerveau sont assurées par trois paires de pédoncules. La couche externe du cervelet, le cortex cérébelleux, est formée de

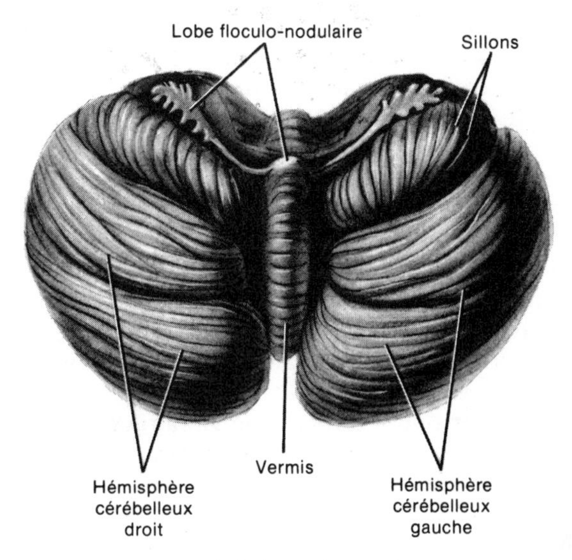

Figure 9-8 Face inférieure du cervelet.

substance grise sous laquelle se trouve surtout de la substance blanche. Les rainures superficielles sont des *sulcus* ou *sillons*. Le cortex contient environ 30 millions de gros neurones, les *cellules de Purkinje*, dont les axones, les seules voies de sortie du cortex cérébelleux, vont faire synapse dans les noyaux du tronc cérébral. Le rôle du cervelet est la coordination fine des mouvements que l'on peut détailler ainsi:

1 Le cervelet assure des mouvements musculaires réguliers et progressifs plutôt que saccadés et hésitants. Toute atteinte à l'intégrité du cervelet débouche sur l'incoordination de plusieurs activités dont les mouvements essentiels de la marche, de la course, de l'écriture et de la parole.
2 Le cervelet participe au maintien de la posture.
3 Le cervelet reçoit en permanence des informations nerveuses de l'organe de l'équilibre de l'oreille interne, qui se projettent sur le lobe floculo-nodulaire, permettant au cervelet de participer au maintien de l'équilibre.

Il existe aujourd'hui une controverse en ce qui concerne le rôle du cervelet. Selon la pensée traditionnelle, le cervelet n'amorce aucun mouvement musculaire. Il joue un rôle complémentaire en canalisant les commandes motrices issues des autres parties du SNC afin que les actions produites soient régulières et efficaces. Son fonctionnement serait basé sur des arrangements neuroniques rétroactifs; les informations qui lui parviennent des récepteurs des muscles, des tendons et des articulations, seraient comparées aux commandes du télencéphale. Le cervelet émettrait des signaux de correction permettant de modifier les commandes supérieures, de les raffiner. À leur sortie du cervelet, ces dernières imprimeraient aux muscles des mouvements précis et uniformes. Sans banque de données, le cervelet reçoit continuellement les intrants des muscles, des tendons, de l'oreille interne et des autres parties du cerveau, interprète toutes ces données et les ajuste.

Ces dernières années, on a suggéré que le cervelet pouvait provoquer des mouvements rapides, contredisant ainsi le schéma traditionnel. Il faudra des recherches plus poussées pour éclaircir cette apparente confusion. Une détérioration du cervelet n'abolit pas les mouvements; ils deviennent *ataxiques*, c'est-à-dire incoordonnés à cause d'erreurs flagrantes dans leur orientation, leur portée et leur rapidité. L'allure est chancelante, la démarche titubante, le langage indistinct. Lorsqu'un individu atteint d'ataxie tente de toucher un objet, il passe tout droit d'un côté et de l'autre (tremblement intentionnel). Le test clinique utilisé afin de déceler une lésion cérébelleuse consiste à demander au patient de mettre un doigt sur son nez. Le diagnostic risque d'être positif si le sujet manque son coup plusieurs fois avant de trouver la cible. Le mouvement est imprécis puisque le cervelet ne peut émettre les signaux de correction requis vers le télencéphale.

Le télencéphale Contenant plus de 15 milliards de neurones et 50 milliards de cellules gliales, le *télencéphale* est la partie la plus grosse et la plus remarquable du cerveau humain. Site des processus mentaux supérieurs, le télencéphale contrôle les activités motrices, interprète les sensations; il est le centre de l'intelligence, de la mémoire, du langage et de la conscience.

Recouvert en surface d'une mince couche de 2 à 5 mm de substance grise, le *cortex cérébral*, le télencéphale contient aussi de la substance blanche sous-jacente contenant des noyaux. Ces derniers, des amas de corps cellulaires, sont par conséquent de la substance grise. Les cavités du télencéphale sont les *ventricules latéraux*.

Le cortex cérébral d'un jeune embryon grossit rapidement, atteignant une taille disproportionnée par rapport au reste du cerveau. Recouvrant le tronc cérébral vers l'arrière, il se ride et se creuse de sillons séparant des bourrelets, les *gyrus* ou *circonvolutions*. Les reliefs ainsi formés semblent spécifiques à chaque individu en plus d'être différents entre les deux hémisphères.

Une fente profonde, la *fissure longitudinale* (*scissure interhémisphérique*), partage le cortex en un *hémisphère cérébral* droit et gauche (figure 9-9). Des replis profonds, des *sillons* ou *sulcus* (*scissures*), divisent chaque hémisphère en cinq lobes: *frontal*, *pariétal*, *occipital*, *temporal* et *central* (*insula*). Les quatre premiers portent le nom des os qui les protègent. Ils sont en surface et la figure 9-10 les identifie avec le lobe central, vu par transparence. Chaque lobe frontal est séparé du lobe pariétal par le *sillon*

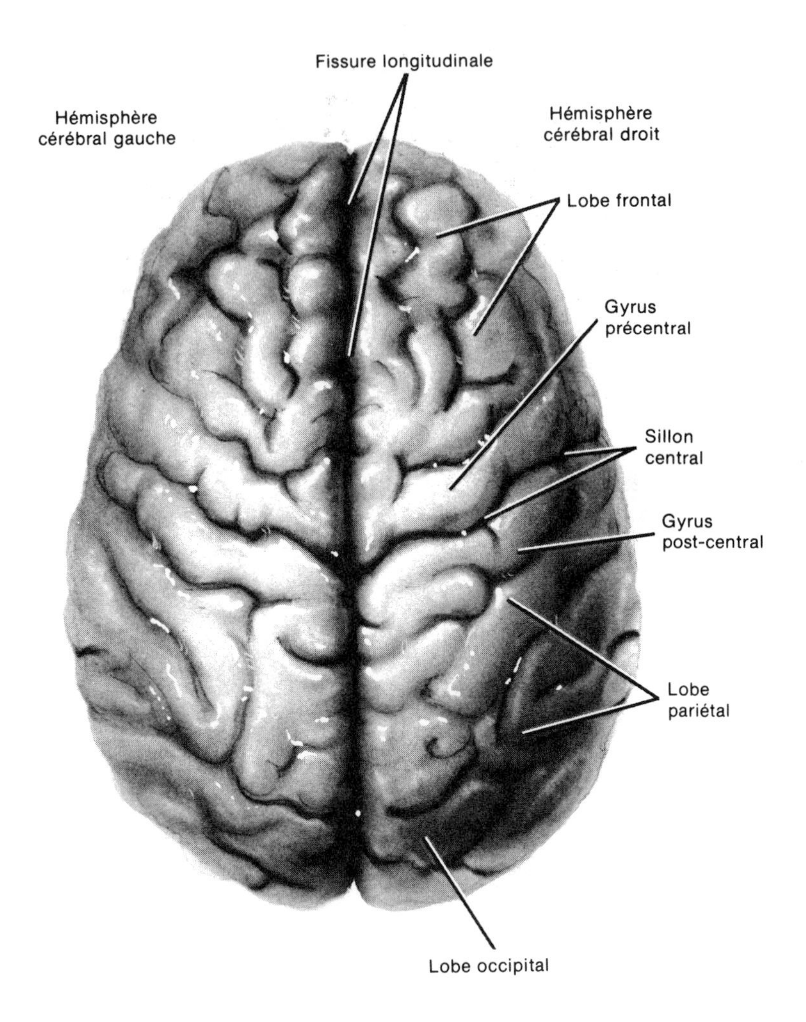

Figure 9-9 Face supérieure des hémisphères cérébraux.

central (*scissure centrale* ou *de Rolando*), et du lobe temporal par le *sillon latéral* (*scissure latérale* ou *de Sylvius*). Chaque lobe pariétal est séparé du lobe occipital adjacent par le *sillon pariéto-occipital.* La *tente du cervelet* forme la ligne de démarcation entre les hémisphères et le cervelet. Le lobe central, caché sous la surface, est enfoui dans le télencéphale. De plus, un anneau de substance corticale et de structures associées qui entourent les ventricules latéraux est appelé *lobe limbique.* Ce n'est cependant pas un vrai lobe neuro-anatomique.

On reconnaît deux régions du cortex cérébral: le cortex limbique forme le cortex le plus ancien (le *paléocortex*) puisqu'on le trouve chez tous les vertébrés; chez les humains, il sert à interpréter les odeurs et est associé aux mécanismes nerveux du comportement émotionnel. Le reste (environ 90 pour 100) du cortex humain est le *néocortex* qui est apparu plus tardivement au cours de l'évolution. On le retrouve seulement chez les mammifères et il atteint son développement maximal chez l'humain. On distingue, sur une coupe histologique du néocortex, six rangées de cellules nerveuses comprenant cinq grands types de neurones. Les plus nombreuses, les *cellules pyramidales*, sont ainsi nommées à cause de leur forme caractéristique en pyramide et de leur vaste réseau dendritique touffu. De leurs axones émergent une ou plusieurs collatérales qui peuvent soit retourner en direction des dendrites, soit faire synapse avec d'autres types de neurones qui se projettent dans toutes les directions. L'axone principal des cellules pyramidales plonge dans la substance blanche du cortex.

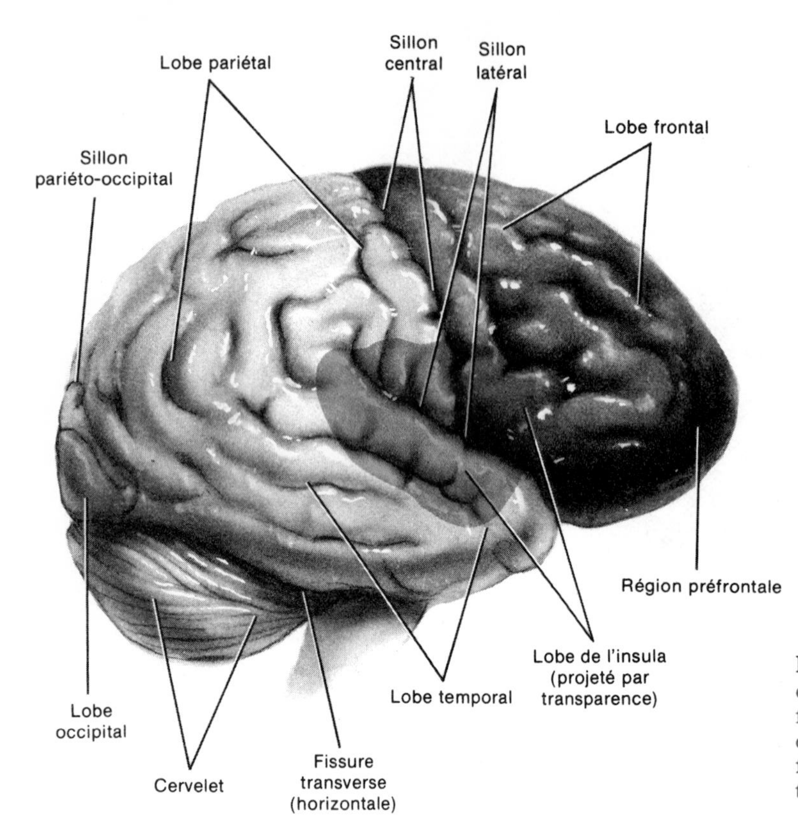

Figure 9-10 Face latérale droite du cerveau. Le lobe de l'insula, situé dans le fond du sillon latéral, n'est visible que si on écarte les lèvres de ce sillon. Sur cette figure, ce lobe est donc représenté par transparence.

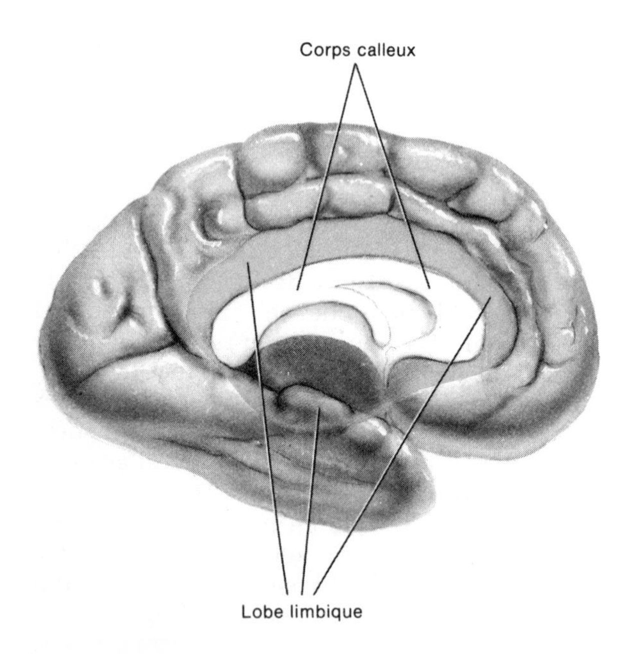

Figure 9-11 Face médiale de l'hémisphère cérébral gauche. Il est possible de voir le «lobe» limbique sur cette figure.

Cette dernière contient trois types de fibres: (1) des fibres d'association reliant des neurones d'un même hémisphère, (2) des fibres commissurales reliant des régions corticales correspondantes des deux hémisphères, et (3) des fibres de projection reliant le cortex aux centres nerveux subcorticaux tels le thalamus, le tronc cérébral et la moelle.

La commissure la plus volumineuse, le *corps calleux*, relie la majeure partie du néocortex des deux hémisphères (figure 9-11). Le *fornix* relie le paléocortex au thalamus et à l'hypothalamus (principalement), alors que la *commissure antérieure* joint les régions néocorticales non reliées par les fibres du corps calleux, en plus d'articuler certaines zones du paléocortex avec le néocortex.

Considérations fonctionnelles La régionalisation topographique des fonctions assurées par chaque partie du cerveau est une tâche énorme. Comme il serait agréable de pouvoir assigner un rôle précis à chaque gyrus, à chaque lobe. Hélas! Des années de recherches ont permis de constater que chaque action dépend de l'activité de plusieurs régions du cerveau. Certaines zones sont néanmoins spécialisées.

Il serait d'abord intéressant de savoir *comment* les chercheurs ont identifié ces zones. L'une des méthodes est chirurgicale: il s'agit de pratiquer des lésions ou des ablations de régions spécifiques du cerveau chez des animaux expérimentaux et d'observer attentivement leur comportement après qu'ils se soient remis de l'opération. Beaucoup d'informations ont été ainsi acquises sur les effets de la destruction totale ou partielle de certaines régions du cerveau.

Une autre contribution importante à notre connaissance du fonctionnement cérébral vient d'humains qui ont subi une lésion crânienne suite à un accident ou à l'excision chirurgicale d'une tumeur cérébrale. La stimulation électrique de régions spécifiques du cerveau, chez des patients consentants devant subir une trépanation, a aussi apporté beaucoup d'informations. Le cerveau ne contenant pas de récepteurs à la douleur, les chirurgiens peuvent n'utiliser qu'un anesthésique local pour couper la peau et les autres structures qui le protègent; le patient est conscient alors qu'on stimule diverses parties du cerveau. Le chercheur et le patient peuvent ainsi coopérer et analyser les réponses. On peut, par exemple, stimuler une zone motrice déterminée et constater la flexion du gros orteil; la stimulation d'une zone d'association particulière peut provoquer chez le patient l'audition d'une berceuse qu'on lui chantait pour l'endormir lorsqu'il était enfant.

Sur la base de telles études et suite à des observations histologiques, des chercheurs ont tenté d'attribuer des fonctions à diverses aires cérébrales. La figure 9-12 présente la classification de Brodmann, l'une des plus utilisées. Nous tenterons, dans les paragraphes qui suivent, de relier les structures cérébrales à leurs fonctions, en présentant d'abord l'organisation des lobes et de la substance blanche des hémisphères, puis en associant diverses activités à l'ensemble des structures cérébrales.

Les lobes des hémisphères La portion antérieure des deux lobes frontaux est le *lobe* (*cortex*) *préfrontal*. Pendant longtemps on a pratiqué des *lobotomies préfrontales* (section des fibres nerveuses reliant la région préfrontale au thalamus), chirurgie alors en vogue

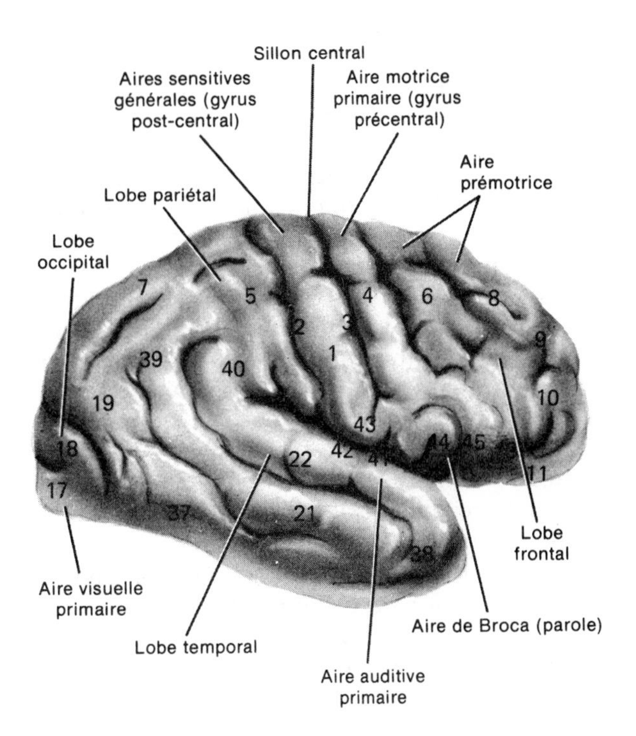

Figure 9-12 Représentation de la face latérale du cortex cérébral montrant quelques-unes des aires de Brodmann. Les régions 4, 6 et 8 sont des aires motrices. Les régions 1, 2, 3, 17, 41, 42 et 43 sont des aires sensitives primaires. Enfin les régions 9, 10, 11, 18, 19, 22, 37, 39 et 40 sont des aires d'association.

pour traiter certaines formes de maladies mentales. Encore aujourd'hui, on les pratique dans le but de soulager une douleur persistante. Le patient perçoit toujours la douleur mais ne semble plus en faire de cas. Les individus qui ont subi ce type d'intervention sont moins émotifs, plus calmes, mais présentent des changements caractéristiques de la personnalité comme, par exemple, une relative indifférence des conventions sociales ou de leur apparence extérieure.

Le gyrus précentral (circonvolution frontale ascendante), localisé en avant du sillon central, est l'aire 4 de Brodmann; il contrôle les mouvements volontaires des muscles squelettiques et porte pour cette raison le nom de *cortex moteur* ou *aire motrice primaire*. L'aire prémotrice ou aire 6 de Brodmann, est située à l'avant du gyrus précentral et est aussi impliquée dans la motricité. Une partie de l'aire prémotrice est responsable de l'articulation de la parole; on la nomme l'*aire de Broca*.

Le lobe pariétal contient une région réceptrice primaire où se projettent, via le thalamus, les informations des récepteurs de la peau et des articulations. Ce sont les aires 1, 2 et 3 de Brodmann (*aires corticales de la sensibilité somatique*). On retrouve aussi dans le lobe pariétal des aires d'association qui intègrent les intrants de l'aire de la *somesthésie* (sensibilité somatique) en plus de recevoir et d'intégrer des sensations visuelles, auditives et gustatives, lui parvenant d'autres régions du cortex et du thalamus. Cette intégration permet à un individu de prendre conscience de lui-même en relation avec son environnement. Il peut interpréter les caractéristiques des objets pour les reconnaître (la *gnosie*) et comprendre le langage écrit et parlé.

Le lobe occipital est le siège du cortex visuel. Les informations rétiniennes transitent par le thalamus et leur intégration permet d'élaborer l'image. L'*aire visuelle primaire* reçoit les projections visuelles et l'intégration se fait dans l'*aire visuelle associative* ou *gnosique*.

Le lobe temporal est formé de néocortex et de paléocortex. Le néocortex capte et intègre les messages auditifs. Une partie du lobe temporal est le siège des émotions, de la personnalité et du comportement, à cause de ses relations avec les lobes «limbique» et frontal. Souvent qualifié de cortex «psychique», le lobe temporal semble impliqué dans les souvenirs d'expériences vécues. La stimulation électrique du cortex psychique peut susciter une représentation visuelle d'objets familiers, de personnes, ou encore une représentation auditive de mélodies connues. Ces hallucinations sont des portraits actifs et réels de souvenirs. Le réalisme est tel qu'un sujet éveillé, conscient et rationnel, est angoissé par une expérience où il entend et voit des choses qu'il sait ne pas être là.

Le «lobe» limbique semble être le lien entre les mécanismes émotionnels et cognitifs. En relation avec l'hypothalamus, il est probablement impliqué dans le comportement sexuel, les biorythmes, la motivation et les réponses émotives. L'implantation d'électrodes dans certaines régions limbiques d'un rat, par exemple, provoque une réaction typique. L'animal va s'autostimuler plusieurs milliers de fois à l'heure grâce à un levier dans la cage. L'excitation de ce qu'on appelle le centre du plaisir semble si agréable que l'animal en oublie la faim, la soif et l'épuisement. Il appuie sur le levier jusqu'à perte de conscience.

Les voies nerveuses de l'insula sont inconnues. On croit que ce lobe est impliqué dans des activités somatiques et autonomes.

Le contrôle du mouvement et de la posture

Nous avons vu jusqu'ici le rôle moteur de plusieurs structures hémisphériques. Nous allons maintenant compléter cette présentation en analysant de quelle façon l'interdépendance des structures motrices permet le contrôle du mouvement.

La stimulation électrique des aires motrices corticales produit des actions musculaires. L'étude systématique de ces réactions a permis de déterminer la topographie précise du cortex moteur. Les neurones de la partie supérieure du gyrus précentral contrôlent les mouvements du tronc; ceux de la base de cette circonvolution contrôlent les muscles du visage. Plus les mouvements produits par un groupe de muscles sont adroits et précis, plus la surface corticale d'incitation est grande. Beaucoup plus de neurones sont donc voués aux mouvements de la main et du visage qu'à ceux du tronc. On représente cette topographie grâce à un «homoncule» (répartition corticale de la motilité) tel que présenté à la figure 9-13.

D'autres aires motrices, adjacentes à l'aire primaire, sont impliquées dans le contrôle des mouvements volontaires. La stimulation des aires motrices secondaires (situées au pied des gyrus précentral et post-central voisins du sillon latéral) s'accompagne des *sensations* relatives à un geste sans qu'il soit nécessairement posé. La stimulation de l'aire prémotrice (les aires 6 et 8, rostrales au gyrus précentral) engendre des réponses motrices semblables à celles obtenues lors de la stimulation de l'aire primaire. Ces deux régions ont probablement des liaisons nerveuses. La stimulation de certaines zones de l'aire prémotrice est à l'origine de mouvements d'orientation que l'on croit être l'amorce de l'attention, comme le fait de tourner la tête ou le tronc pour mieux voir ou entendre. De tels mouvements sont entièrement différents de ceux qui sont engendrés par la stimulation de l'aire motrice primaire.

Profondément à l'intérieur de la substance blanche des hémisphères cérébraux se trouvent les *ganglions de la base* ou *noyaux gris centraux*, paire de noyaux de matière grise qui

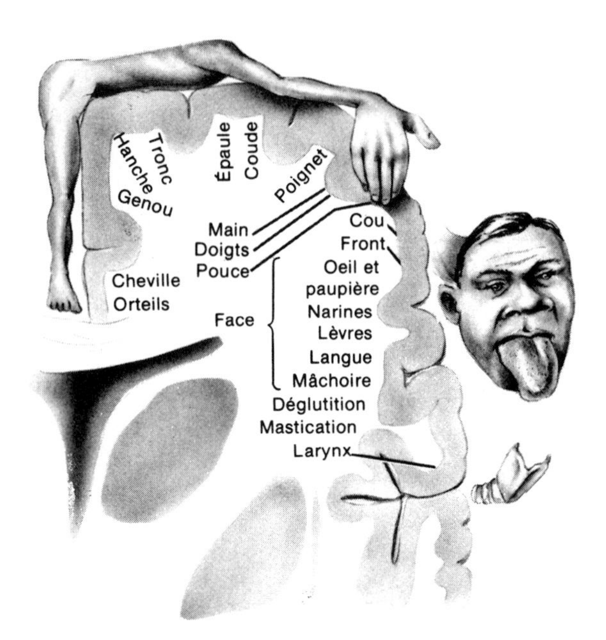

Figure 9-13 Illustration d'un homoncule moteur. La grosseur relative des parties du corps est proportionnelle à la surface corticale qui lui correspond. Les parties du corps capables d'exécuter des mouvements complexes (par exemple, les mains et la langue) sont reliées à une plus grande quantité de tissu nerveux que celles qui n'exécutent que des mouvements grossiers.

jouent un rôle important dans le mouvement. Les deux noyaux gris les plus en évidence sont le *noyau caudé* et le *noyau lenticulaire* (figure 9-14). (Chaque noyau lenticulaire comprend deux parties, le *putamen* et le *globus pallidus.*) On ne connaît pas très bien le fonctionnement des ganglions de la base. Chez les organismes où le cortex moteur est rudimentaire ou absent, comme chez les oiseaux, les reptiles, et plusieurs autres vertébrés, les ganglions de la base sont gros et semblent remplacer le cortex moteur humain. Chez les humains, les ganglions de la base sont possiblement impliqués dans la planification et la programmation des gestes. Le câblage nerveux entre ces ganglions et le cortex est complexe et comprend des circuits de rétroaction. Selon une hypothèse, les ganglions utilisent l'information sensitive afférente dans le but d'aider les aires corticales d'association à prendre des décisions compatibles avec cette dernière.

La *dopamine* est un neurotransmetteur qui joue un rôle important dans la fonction motrice. En 1959, des chercheurs observèrent que la réserpine, un médicament, diminuait grandement la quantité de dopamine présente dans le noyau caudé, provoquant des tremblements semblables à ceux observés dans des cas de *maladie de Parkinson*, désordre caractérisé par des gestes saccadés et hésitants. On entreprit donc des recherches qui révélèrent que chez les gens atteints de cette maladie, la dopamine était presque absente du noyau caudé. Or on ne peut injecter de dopamine à ces malades puisqu'elle ne traverse pas la barrière hémato-encéphalique. On a toutefois trouvé un précurseur de la dopamine, la L-dopa, qui peut adéquatement servir à traiter la maladie de Parkinson.

Les décisions du cortex moteur sont véhiculées aux motoneurones de la moelle par les voies pyramidales et extrapyramidales. Les *faisceaux pyramidaux* (*faisceaux corticospinaux*) sont responsables de l'exécution de mouvements fins et adroits, de gestes appris. Ces voies nerveuses, issues du cortex moteur, passent entre le thalamus et le noyau caudé et se dirigent vers la moelle allongée (figure 9-15). Environ 80 pour 100 des fibres pyramidales se croisent au niveau de la moelle allongée, se dirigeant du côté opposé du corps, et forment les faisceaux pyramidaux latéraux de la moelle. Les autres fibres pyramidales descendent dans la moelle par les faisceaux pyramidaux antérieurs; ces fibres se croisent juste avant de faire synapse dans la corne antérieure. Les faisceaux pyramidaux sont les seules voies directes, c'est-à-dire sans relais synaptique, entre le cortex cérébral et la moelle. Environ 10 pour 100 des axones pyramidaux font synapse directement avec les motoneurones; les autres font synapse avec des interneurones de la moelle, lesquels s'articulent avec les motoneurones. Toute altération des fibres pyramidales produit une *parésie* (faiblesse) des muscles concernés.

Tous les autres neurones acheminant des commandes motrices vers la moelle forment les *faisceaux extrapyramidaux*, impliqués surtout dans les mouvements grossiers et la posture (la position du corps).

La posture dépend essentiellement de réactions automatiques à l'effet de la gravité. Le CNS intègre continuellement les informations posturales lui venant particulièrement des muscles, des yeux et du labyrinthe. Les com-

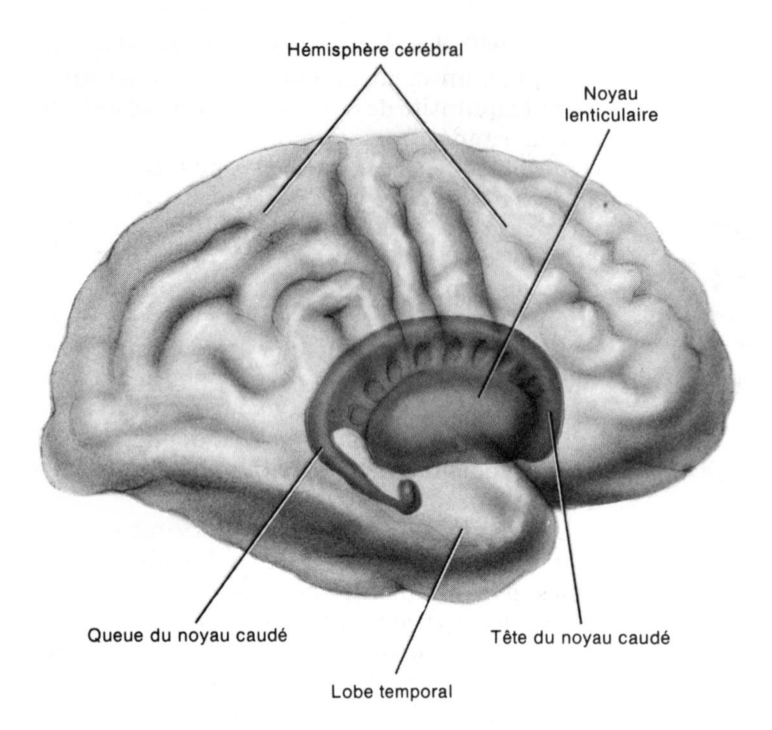

Figure 9-14 Localisation des principaux ganglions de la base.

mandes correctrices pour le maintien de la posture sont transmises par les voies extrapyramidales. L'exécution de mouvements volontaires complexes nécessite le maintien d'une posture stable.

Les voies extrapyramidales ont des tracés complexes impliquant les hémisphères, les ganglions de la base, plusieurs régions du tronc cérébral et la moelle. Certaines informations extrapyramidales originent même de collatérales de neurones pyramidaux.

Selon la théorie traditionnelle, le cortex moteur déclenche la mobilité et le cervelet, par des voies de rétroaction, confère aux mouvements leur régularité et leur précision. On explique mal l'influence des ganglions de la base sur l'activité motrice. On a suggéré récemment que le cervelet déclencherait des mouvements rapides et que les ganglions de la base amorceraient des mouvements lents et réguliers. Ces commandes, dirigées vers le cortex moteur, y seraient modulées en fonction des intrants permanents provenant des organes des sens.

La perception des sensations L'information venant des récepteurs doit atteindre le cerveau pour qu'il y ait perception d'une sensation: le cerveau est le siège de la perception. Les aires sensitives primaires du cortex font une première analyse des messages qui lui viennent continuellement des zones subcorticales. Elles sont cependant incapables d'en faire l'analyse complète; celle-ci requiert la collaboration d'aires associatives adjacentes. Alors seulement peut se faire l'interprétation globale des sensations. Lorsque, par exemple, le cortex visuel primaire des lobes occipitaux est stimulé, il peut apparaître des couleurs brillantes, des éclairs lumineux, ou même des lignes. La participation d'aires associatives adjacentes au cortex occipital est absolument nécessaire pour interpréter l'image d'un enfant, d'une automobile, etc. Toutefois la destruction du cortex visuel primaire des deux hémisphères provoque la cécité.

De la même façon, la destruction bilatérale du cortex auditif primaire (situé dans le cortex temporal) peut provoquer la surdité. Toutefois ces tissus, laissés à eux-mêmes, permettent l'audition de sons confus. L'interprétation des sons qui forment des mots ou des mélodies se fait grâce à la participation d'aires auditives d'association adjacentes. Si ces dernières sont endommagées, il peut s'ensuivre une surdité

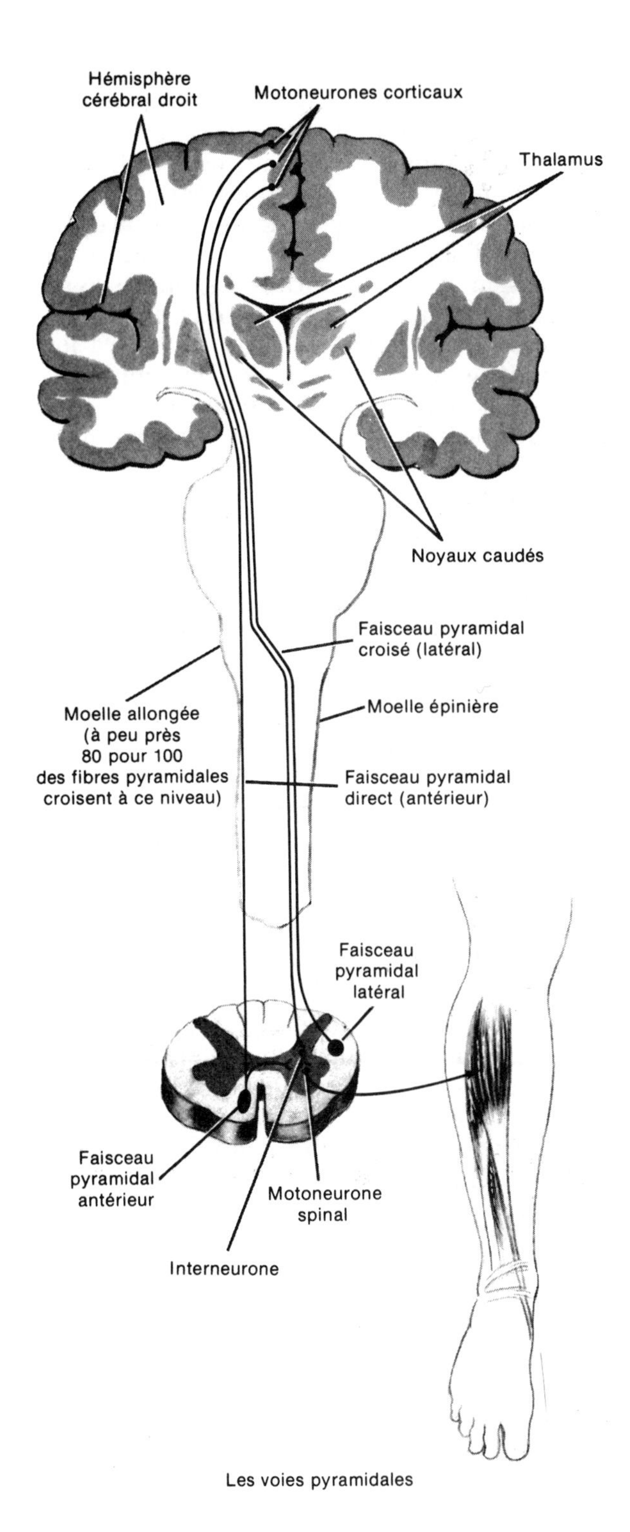

Figure 9-15 Représentation du système pyramidal. Ce système contrôle l'exécution des mouvements fins et de ceux qui résultent d'un apprentissage. Il est formé de neurones qui descendent directement du cortex à la moelle épinière, sans faire synapse.

verbale, c'est-à-dire l'incapacité de comprendre la signification des mots prononcés.

La douleur La stimulation de terminaisons nerveuses libres, un peu partout dans le corps, signale une douleur au SNC par des neurones sensitifs. Les neurones de la voie spinothalamique latérale livrent leurs influx au thalamus où l'on croit que naît la perception de la douleur. De là, les influx douloureux se projettent sur les aires somesthésiques (gyrus postcentral). La douleur cutanée subit une rétroprojection au lieu d'origine: par exemple, une piqûre à un pied provoque une douleur perçue par le cerveau puis reprojetée au pied endolori où la douleur est ressentie exactement à l'endroit de la blessure.

Les douleurs viscérales ont une localisation diffuse et sont référées à une région superficielle proche de l'organe impliqué. Les afférences sensitives de cette région atteignent généralement la moelle au même niveau que celles du viscère touché. Un angineux qui ressent une douleur cardiaque au niveau du bras gauche fait l'expérience d'une douleur référée. Celle-ci origine d'une ischémie cardiaque (un manque d'oxygène) mais est ressentie au bras. On pourrait expliquer cette situation par la convergence des neurones du coeur et du bras sur les mêmes neurones centraux. L'interprétation cérébrale des influx afférents serait une douleur cutanée parce que ce type de douleur est beaucoup plus fréquent. Les agissements du cerveau, en effet, sont basés sur l'expérience. Lorsqu'une douleur viscérale est ressentie, et au site atteint (douleur localisée) et à un niveau superficiel voisin (douleur référée), elle peut sembler s'étendre, *irradier* de l'organe à la région superficielle.

Une *douleur fantôme* est une douleur ressentie par un sujet dans un membre amputé; elle est due à l'excitation de filets nerveux afférents dont la partie distale est sectionnée mais dont la partie proximale, intacte, peut acheminer des influx au SNC; celui-ci «se souvient» de la localisation des récepteurs qui donnaient naissance à ces influx et assigne la douleur au territoire correspondant soit, par exemple, le membre amputé.

Les influx nerveux que le cerveau associe à une douleur peuvent être inhibés ou facilités à plusieurs niveaux selon les individus. Ainsi, l'intensité de la douleur ressentie est un attribut personnel qui dépend de l'état d'esprit et de l'apprentissage individuel. La douleur d'une meurtrissure au genou, chez un enfant, peut être émotivement amplifiée alors qu'un boxeur professionnel peut presque ignorer toute une série de coups au corps. On a même rapporté que des soldats gravement blessés ne ressentaient que peu de douleur parce que leur blessure était leur passeport de retour à la maison.

On a récemment découvert que le cerveau (et même tout le système nerveux) pouvait libérer des peptides appelés des *endorphines* (substances endogènes du genre morphine), qui modifient la perception de la douleur. Beaucoup de recherches sont actuellement en cours pour utiliser comme médication leur effet analgésique, plus puissant que celui de la morphine.

Quelques neurobiologistes pensent que les endorphines pourraient expliquer les effets de l'acupuncture. Utilisée depuis plusieurs milliers d'années, cette technique «mystérieuse» soulage la douleur. Il semblerait que les aiguilles, en stimulant des nerfs enfouis dans les muscles, activent l'hypophyse et certaines parties du cerveau qui libèrent des endorphines, inhibitrices des neurones cérébraux normalement responsables des sensations douloureuses.

Apprentissage et mémoire Les mécanismes grâce auxquels le cerveau pense, apprend et mémorise, ont fait l'objet de recherches intensives; les secrets du cerveau sont cependant bien gardés et on comprend encore très mal ces activités. Les aires d'association où s'interprètent les informations visuelles, auditives et somatiques, se rencontrent toutes dans la partie arrière du lobe temporal supérieur et dans la partie antérieure du *gyrus angulaire* (bordure postérieure du sillon latéral, point de rencontre des lobes pariétal, temporal et occipital). Certains chercheurs croient que cette région est l'aire la plus importante dans les processus de la pensée. Si elle est endommagée, l'individu peut, par exemple, perdre la faculté de la pensée logique tout en conservant l'ouïe ou même la capacité de lire.

Le cerveau humain est profondément différent de celui des autres animaux, en particulier à cause de l'importance des trois aires associatives majeures: l'aire frontale (antérieure au cortex moteur), l'aire temporale (entre le gyrus temporal supérieur et le «lobe» limbique) et l'aire pariéto-occipitale (entre les cortex visuel et somesthésique). Le câblage de ces aires est très complexe. Des collatérales émergent des axones des cellules pyramidales et, grâce aux neurones d'association, forment des boucles de rétroaction vers les dendrites des cellules pyramidales d'origine. Ce feutrage de fibres entrecroisées est le support d'une réverbération compliquée où les collatérales font aussi synapse avec d'autres neurones, certaines même avec des neurones d'inhibition qui remontent à la cellule initiatrice, ce qui permet une inhibition par rétroaction négative.

L'étude est une activité cérébrale comprenant plusieurs étapes: (1) la concentration sur des stimulus spécifiques, comme des écritures, un nid de guêpes ou une mélodie; (2) la comparaison des intrants sensoriels (ou sensitifs) avec des informations préalablement rencontrées; (3) l'emmagasinage de l'information. La mémoire est l'aptitude à retrouver des informations mises en réserve.

Certains apprentissages peuvent se faire dans des aires d'association plus basses, comme le thalamus. Les animaux les plus simples (les vers, par exemple), sans cortex cérébral, sont capables d'un certain apprentissage, mais de rien d'élaboré. La résolution d'équations algébriques ou l'étude des langues étrangères est l'apanage de l'humain.

Le conditionnement est une forme simple d'apprentissage. Déjà en 1927, le physiologiste russe Pavlov faisait des expériences désormais classiques où il conditionnait des chiens à saliver en réponse à un stimulus auditif (le son d'une cloche). Pendant plusieurs jours, avant ses repas, le chien entendait tinter une cloche. L'animal apprenait à associer la cloche (l'*excitant conditionnel*) à la nourriture (l'*excitant absolu*). Rapidement la sécrétion salivaire, qui est un réflexe inné mis en branle en particulier par la présence de nourriture dans la bouche, était déclenchée uniquement par l'excitant sonore, sans qu'il y ait présentation de nourriture; un lien fonctionnel était apparu entre les voies auditives et les centres autonomes déclenchant la salivation, un *réflexe conditionné*. Les nouvelles voies nerveuses sont probablement établies à des niveaux subcorticaux, bien que le cortex auditif soit essentiel pour l'interprétation des intrants sonores.

Soumis à un *conditionnement actif*, un sujet apprend une opération (une manipulation de son environnement) pour obtenir une récompense ou éviter une punition. On a pu apprendre à des pigeons à appuyer sur des tiges ou à danser pour obtenir de la nourriture; pour éviter un choc électrique, des rats ont aussi appris des gestes divers, et les humains eux-mêmes peuvent apprendre à contrôler certaines activités autonomes grâce à ce type de conditionnement.

Ces apprentissages simples, aussi bien que d'autres plus compliqués, sont dus à la motivation, soit en vue d'une récompense, soit pour éviter une punition. Un enfant apprend ses tables de multiplication pour gagner des combats en classe ou pour obtenir la considération de ses parents et de son professeur. Quelques chercheurs vont même jusqu'à croire que tout apprentissage dépend de la recherche d'une récompense ou de l'évitement d'une punition. La gratification, à la suite d'un acte, favorise la répétition de cet acte chez un individu alors que la punition a l'effet contraire, l'évitement de l'acte. La plupart des gens apprennent à travailler longtemps avant de recevoir leur gratification, tout comme les étudiants pour obtenir un diplôme.

Le sujet sur lequel il y a eu le plus de spéculations est l'emmagasinage de l'information et son rappel sur demande. Selon la théorie actuelle, on distingue plusieurs niveaux de mémoire. La mémoire à court terme est le souvenir d'une information pendant quelques secondes ou quelques minutes. Par exemple, la vue d'un numéro de téléphone est suffisante en général pour le composer une fois. Le lendemain, il faudra chercher le numéro de nouveau pour se le rappeler. On explique aujourd'hui ce phénomène par la mise en branle de circuits en boucle qui fonctionnent pendant quelques minutes; ces circuits peuvent emmagasiner une information, soit jusqu'à ce qu'il y ait fatigue, soit jusqu'à l'arrivée de nouveaux signaux qui brouilleront les précédents.

Dans la mémoire à long terme, on pense que le cerveau répète plusieurs fois la matière à mémoriser et la classe en l'associant à des sujets similaires. Selon une première théorie, il y aurait des modifications physiques ou chimiques dans des boutons synaptiques ou dans des neurones postsynaptiques qui faciliteraient en permanence la transmission dans un nouveau circuit. Certains neurones pourraient, par exemple, devenir plus sensibles à un neurotransmetteur; à chaque souvenir correspondrait donc la facilitation d'un nouveau circuit nerveux.

Une deuxième théorie propose que des modifications de cellules gliales puissent faciliter la transmission à travers les nouveaux circuits. Quelques chercheurs pensent que des ARN ou des protéines serviraient de «molécules souvenir». Plus récemment, on a suggéré que ce ne serait ni la localisation des neurones ni l'apparition de nouveaux circuits qui expliquerait le phénomène de la mémorisation, mais la fréquence de décharge des neurones. Ainsi, à chaque apprentissage, des cellules de diverses parties du cerveau apprendraient à se décharger à une nouvelle fréquence. L'avantage de ce point de vue est de délaisser l'idée de localisation de la mémoire dans une partie du cerveau, ce que d'ailleurs personne n'a pu faire jusqu'ici.

Des chercheurs ont méthodiquement taillé en pièces le cerveau d'animaux expérimentaux sans trouver de régions où les informations pouvaient être stockées. Plus on détruit de tissu, cependant, plus la proportion d'informations perdues est grande. En fait, aucune région du cerveau ne mérite le nom de «banque de données» ou de «classeur».

L'impression des données dans la mémoire à long terme prend plusieurs minutes. Si, par exemple, un individu reçoit un coup sur la tête ou subit un électrochoc, il peut perdre le souvenir de ce qui s'est passé immédiatement avant, phénomène qui se nomme l'*amnésie rétrograde* ou l'*amnésie de choc*.

La manipulation des souvenirs requiert la participation du système limbique. L'ablation du gyrus de l'hippocampe (qui, avec le gyrus du corps calleux, forme le «lobe» limbique) fait disparaître la capacité de mémoriser à long terme les faits récents, quoique l'information déjà stockée puisse être rappelée. La mémoire à court terme est aussi passablement perturbée par cette chirurgie.

Le rappel des informations de la mémoire à long terme est un sujet d'intérêt considérable (surtout pour les étudiants). Quelques chercheurs croient qu'un fait, lorsque mémorisé dans la banque à long terme, y demeure en permanence. Le truc est donc de retrouver la fiche, le moment venu. L'oubli serait donc, selon cette explication, une mauvaise technique de recherche des souvenirs.

Les effets de l'environnement On a montré récemment que les contacts avec l'environnement pouvaient provoquer des modifications physiques et chimiques du tissu cérébral. Ces expériences sont basées sur l'étude comparée de groupes de rats, les uns dans un milieu stimulant favorisant l'apprentissage, les autres privés de stimulations et/ou de contacts sociaux. Après quelques mois ou quelques années dans ces conditions, les animaux étaient sacrifiés pour comparer leurs structures cérébrales. Les premiers présentaient une augmentation de la taille des corps cellulaires et des noyaux des neurones cérébraux. Le nombre des cellules gliales était plus grand ainsi que celui des contacts synaptiques. On a même rapporté que le cortex était plus épais et plus lourd. On a remarqué aussi des modifications biochimiques. D'autres expériences ont montré que les animaux élevés dans un milieu diversifié pouvaient manipuler et mémoriser les informations plus rapidement que les autres.

Il semble y avoir, pendant l'enfance, des périodes critiques pendant lesquelles le développement du système nerveux est plus sensible aux stimulus du milieu. Par exemple, après qu'une jeune souris eut ouvert les yeux, on constatait la présence d'un grand nombre d'épines dendritiques sur les neurones du cortex visuel. Quand les souris étaient gardées à la noirceur, il s'en formait moins et même si plus tard on exposait une de ces souris à la lumière, il se développait un certain nombre d'épines dendritiques, mais jamais autant que chez la souris élevée dans un milieu normal[5].

De telles études semblent étayer l'importance que l'on accorde aujourd'hui à l'influence des stimulus du milieu sur le développement nerveux et intellectuel des enfants. On peut ainsi mieux comprendre pourquoi le marché du jouet dit éducatif s'est autant développé depuis quelques années et les raisons pour lesquelles les programmes d'éducation prématernelle sont tellement en vogue.

La dominance cérébrale L'humain possède-t-il deux cerveaux? Chez la majorité des gens, l'hémisphère gauche est plus développé que le droit en ce qui a trait au langage (écoute et parole) et à l'incitation des manipulations manuelles. Quatre-vingt-dix pour cent des individus sont droitiers; l'écorce cérébrale de l'hémisphère gauche est donc plus développée pour les fonctions motrices puisqu'ils sont droitiers. Les autres sont ambidextres ou gauchers. Indépendamment de cela, l'hémisphère gauche est dominant, pour la parole, chez 98 pour 100 des adultes. Des études récentes ont montré que l'hémisphère droit d'un adulte moyen possède l'habileté syntaxique d'un enfant de cinq ans et le vocabulaire d'un enfant de quatorze ans[6].

Jusqu'à récemment, on pensait que l'hémisphère gauche était dominant à tous les points de vue chez la majorité des individus. On sait maintenant que les deux hémisphères se complètent, l'hémisphère droit se spécialisant dans des fonctions qui lui sont propres, soit entre autres les aspects spatio-temporels de la reconnaissance des visages, l'identification des objets par la forme, l'appréciation et la reconnaissance musicales, etc. On a même avancé que là se trouvent les habiletés créatrices!

Comment se fait cette spécialisation cérébrale? On croit actuellement qu'à la naissance les deux hémisphères ont le même potentiel. Leur spécialisation viendrait du fait que chez la majorité des gens, la région du gyrus angulaire gauche serait utilisée préférentiellement et deviendrait dominante pour la parole. Pourquoi? Là est le mystère. Lorsqu'on doit enlever l'hémisphère gauche chez des jeunes enfants à cause de la présence d'une tumeur, l'hémisphère droit peut prendre la relève. Après l'âge de 12 ou 13 ans, l'entraînement de l'hémisphère droit devient très difficile.

Des lésions de l'hémisphère dominant, chez un adulte, causent l'*aphasie*, une altération de la réception, de la manipulation, ou de l'expression du langage. Une lésion du lobe pariétal ou temporal gauche, par exemple, peut provoquer une *aphasie d'expression*, c'est-à-dire une extrême difficulté à articuler les mots, ou encore une *aphasie de compréhension*, c'est-à-dire un langage déformé doublé d'une mauvaise com-

[5] William T. Greenough, "Experimental Modification of the Developing Brain", *American Scientist*, **63**, 37, 1975.

[6] "Talking to the Quiet Brain", *Science News*, **108**, 1975.

préhension de ce qui est dit. On recherche actuellement des techniques qui faciliteraient la mobilisation de l'hémisphère droit pour suppléer au gauche. Ces recherches sont d'un énorme intérêt pour les victimes d'ictus, un accident cérébro-vasculaire qui interrompt le torrent circulatoire dans une partie du cerveau, causant des lésions tissulaires par anoxie.

Normalement les informations sensitives, et probablement les souvenirs, passent d'un hémisphère à l'autre par le corps calleux et sont emmagasinés dans les deux. La destruction totale ou partielle d'un hémisphère permet donc de conserver une partie des informations acquises.

Des expériences intéressantes ont été faites chez des animaux ayant subi une section de toutes les connexions interhémisphériques. Si on conditionne un tel animal à un stimulus visuel capté par son oeil gauche (le droit étant couvert), il ne répondra pas lorsque le même stimulus sera capté seulement par l'oeil droit. L'information n'aura pu être analysée que par un hémisphère.

L'activité électrique On peut enregistrer une activité électrique corticale en plaçant des électrodes sur le cuir chevelu. Les neurones corticaux sont doués, d'une façon permanente, d'une activité rythmique; la traduction graphique des variations du potentiel électrique du cortex, les *ondes cérébrales*, s'appelle un *électro-encéphalogramme* (EEG) (figure 9-16). Les ondes cérébrales sont issues surtout du cortex et sont secondaires à des intrants thalamiques. L'EEG est aussi caractéristique que les empreintes digitales mais il change selon l'état d'éveil ou d'émotion du sujet.

Souvent irrégulières, les ondes forment parfois des patrons distincts qui proviennent de l'activité cyclique et synchrone de groupes de neurones. On reconnait quatre types principaux d'ondes:

1 Les ondes alpha, à basse fréquence[7], sont caractéristiques d'une personne détendue, au repos, les yeux fermés. Ce rythme est particulièrement évident dans la région occipitale.
2 Les ondes bêta correspondent à une augmentation de l'activité mentale: traitement d'informations, résolution de problèmes, etc. Les patrons d'ondes bêta, localisées principalement dans les lobes frontal et pariétal, sont à haute fréquence et sont désynchronisés.
3 Les ondes delta sont lentes, amples, et associées au sommeil.
4 Les ondes thêta, surtout enregistrées dans les lobes pariétal et temporal des jeunes enfants, peuvent aussi être enregistrées chez un adulte soumis à un stress émotionnel.

En clinique, l'EEG est utilisé entre autres pour localiser des tumeurs cérébrales et diagnostiquer plusieurs déséquilibres mentaux. L'*épilepsie*, par exemple, se caractérise par une décharge excessive et incontrôlée des neurones. L'EEG est parfois utile pour localiser des lésions ponctuelles provoquant un début de crise localisé, comme dans l'épilepsie motrice pure; l'attaque débute à un foyer précis, un doigt par exemple, pour s'étendre ensuite par un effet d'entraînement. L'EEG présente aussi des patrons caractéristiques lors de crises d'épilepsie-coma où le sujet est en proie à des convulsions et est insensible.

Il n'y a pas très longtemps, l'arrêt cardiaque (ou du pouls) était le signe de la mort. Aujourd'hui, grâce aux techniques de réanimation, on peut «ressusciter» des patients qui autrefois étaient considérés comme morts. Le coeur-poumon artificiel, par exemple, peut maintenir les processus vitaux chez un individu incapable de le faire par lui-même. Les critères de décès ont donc changé et maintenant la mort est reconnue après l'arrêt de l'activité électrique corticale.

Peut-on contrôler les ondes cérébrales? Quelques chercheurs croient que oui puisque des anxieux, qui manifestent sans raison des rythmes bêta, peuvent apprendre à induire les ondes alpha de la détente. L'utilisation de l'EEG, permettant à un sujet de voir et d'entendre son activité cérébrale, lui fournit la possibilité d'agir par rétroaction consciente continue sur son état mental et de se calmer. Peut-être qu'un jour les malades atteints de déséquilibres psychosomatiques pourront apprendre à relaxer, allégeant en partie leur médication tranquillisante. Beaucoup de gens tentent, par introspection, de se conditionner à la relaxation. La méditation transcendentale, par exemple, est une approche prisée par plusieurs adeptes. Des études récentes ont montré que la méditation, plutôt que de provoquer un état

[7] La fréquence est le nombre d'oscillations par seconde.

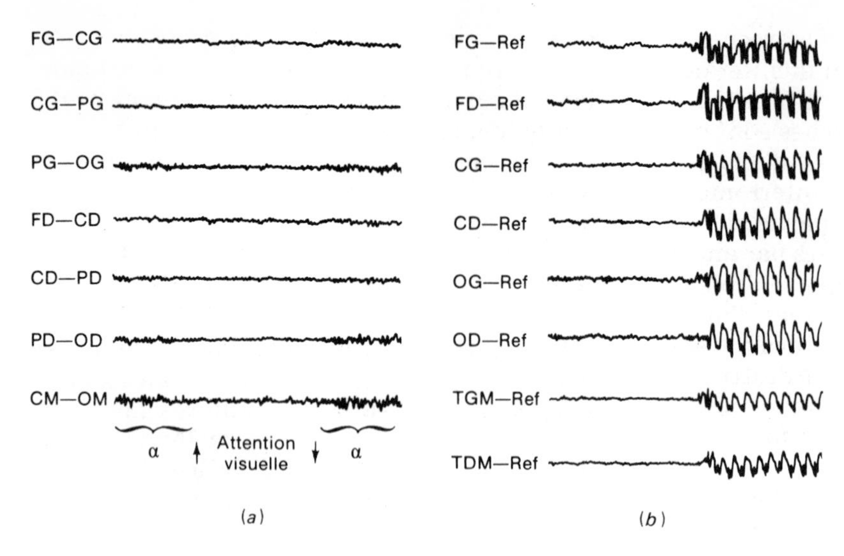

Figure 9-16 Quelques électro-encéphalogrammes (EEG). (*a*) Les neurones corticaux sont doués d'une activité électrique rythmique surtout évidente dans la région postérieure du cerveau (OG, OD, OC). On peut l'enregistrer grâce à des électrodes appliquées directement sur le cuir chevelu. On remarque une *activité* α d'une dizaine d'oscillations par seconde lorsque le sujet, au repos et les yeux fermés, ne concentre pas son attention. À la première flèche, il ouvre les yeux à la lumière ou fait un calcul mental. Les ondes α sont immédiatement remplacées par des ondes β, d'intensité plus faible et de plus grande fréquence, qui disparaissent lorsque le sujet reprend son attitude première. (*b*) Chez ce patient en crise d'épilepsie petit mal, l'hyperventilation a induit une activité corticale généralisée de grande amplitude et de basse fréquence (3/s). *Index des abréviations*: région frontale (F), centrale correspondant aux gyrus précentral et post-central (C), pariétale (P), temporale (T), et occipitale (O); droite (D), gauche (G), moyenne (M). (Ref), mise à la terre de l'électrode de référence.

particulier de conscience ou un état métabolique spécial, produit une détente semblable à celle de n'importe quelle autre situation relaxante[8]. Des expériences ont montré que des individus en méditation pouvaient dormir pendant 40 pour 100 du temps de méditation[9].

La formation réticulée activatrice La *formation réticulée activatrice* (FRA), un système d'éveil et d'attention, est un réseau multisynaptique complexe des formations réticulées du tronc et du thalamus (figure 9-17). Ses intrants originent de la moelle et de divers endroits du système nerveux et ses extrants communiquent avec le cortex. La FRA est responsable de l'éveil, et son rythme de décharge détermine le degré d'attention ou de concentration. Le bombardement intense du cortex par les neurones de la FRA tient celui-ci alerte et éveillé: si son activité ralentit, «l'endormitoire» apparaît. Pendant un cours, par exemple, la FRA s'habitue à la voix du professeur, surtout si elle est monotone et monocorde; son activité ralentit et le télencéphale peut s'endormir.

Les efforts de l'étudiant pour se tenir éveillé peuvent lui permettre de lutter contre cette baisse d'activité réticulaire. Le cortex envoie alors des influx d'excitation vers la FRA qui les retourne vers le cortex. Il peut arriver aussi que quelqu'un ne puisse s'endormir, à cause de l'anxiété provoquée par un événement récent ou prochain. Les aires d'association du cortex

[8] R.R. Michaels, J.J. Huber, and D.S. McCann, "Evaluation of Transcendental Meditation as a Method of Reducing Stress", *Science*, **192**, 1242, 1976.

[9] Robert R. Pagano, Richard M. Rose, *et al.*, "Sleep during Transcendental Meditation", *Science*, **191**, 308, 1976.

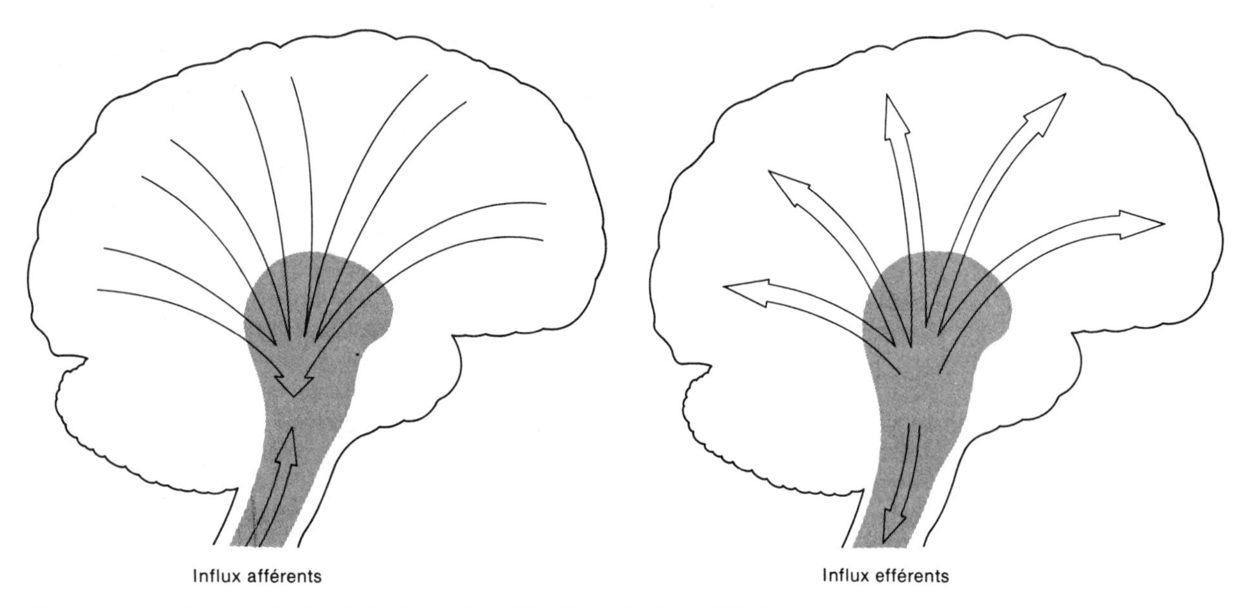

Figure 9-17 **Représentation de la formation réticulée activatrice (FRA).**

peuvent alors émettre des signaux vers la FRA qui les retourne au cortex. L'individu est ainsi tenu éveillé. Le cadran qui vous tire d'un profond sommeil provoque ce qu'on appelle la réaction d'éveil; la FRA reçoit ici des intrants auditifs et les canalise vers le cortex.

Les messages nerveux peuvent être inhibés, amplifiés, ou modifiés de plusieurs façons à leur passage dans la FRA. L'altération réticulaire des influx sensitifs exerce un effet important sur le comportement réactionnel d'un individu à différents stimulus. L'activité nerveuse engendrée par la FRA s'étend à tout le cerveau et même à la moelle épinière. La stimulation électrique de la partie basse de la FRA, par exemple, augmente le niveau d'activité de tout le système nerveux pendant près de trente secondes. Une lésion importante de la FRA peut provoquer un coma profond et permanent.

Le sommeil Deux théories sur le sommeil sont actuellement en vogue. La première, comme nous venons de le voir, préconise un ralentissement de l'activité réticulaire, une baisse du nombre d'influx sensitifs vers le cortex qui sombre dans le sommeil. La seconde suggère la présence de centres du sommeil dans le tronc cérébral. La stimulation des neurones de ces centres provoque la libération de *sérotonine* (la 5-hydroxy-tryptamine, 5-HT) qui inhibe les messages dans la FRA. Les deux théories sont étayées par un certain nombre de données expérimentales et peuvent être vraies.

Ce n'est pas par hasard qu'un bébé s'endort quand on le berce; un passager (ou même le conducteur) d'une automobile peut en faire autant lorsqu'il est soumis au roulis régulier du véhicule. Les récepteurs du labyrinthe de l'oreille, stimulés périodiquement par ces mouvements, envoient vers les centres du sommeil des influx à basse fréquence. On pense que ces influx sont capables de stimuler ces centres et d'engendrer ainsi le sommeil.

On reconnaît deux états de sommeil: le sommeil lent et le sommeil paradoxal. En ce qui concerne l'activité cérébrale, ils sont aussi différents l'un de l'autre qu'ils le sont de l'éveil. Le *sommeil lent* possède quatre stades caractérisés par un ralentissement progressif de l'activité cérébrale. Pendant le sommeil lent le rythme de la respiration diminue, le métabolisme ralentit et la pression artérielle baisse; il subsiste toutefois un certain tonus postural. Les phases de sommeil lent, qui ne s'accompagnent pas de mouvements oculaires, sont entrecoupées à toutes les 90 minutes environ par l'émergence d'une autre phase, de durée variable, où l'activité corticale est rapide et où il y a des mouvements oculaires; c'est le *sommeil paradoxal*[10], accompagné d'une disparition totale du tonus musculaire, et du remplacement des ondes delta du sommeil lent par des ondes bêta semblables à celles de l'état de veille. On suppose que le sommeil paradoxal correspond aux périodes de rêve et que les mouvements oculaires traduisent l'exploration de l'imagerie onirique; c'est l'hypothèse du balayage de l'image. On associe le sommeil paradoxal à la libération d'Ach dans la FRA, stimulant l'envoi d'influx vers le cortex.

L'activité mentale se poursuit pendant le sommeil et la FRA conserve une capacité de discrimination étonnante. Malgré les bruits de la rue, de la ventilation, ou du passage d'un avion à basse altitude, les parents (spécialement la mère) s'éveilleront au son des pleurs d'un enfant. La majorité des gens seront tirés de leur sommeil par un cambrioleur maladroit.

«Si nous ressentons subjectivement les bienfaits d'une bonne nuit de sommeil par la qualité de notre éveil (acuité de l'attention et de la mémoire), nous ne connaissons pas encore le substratum biologique de la fatigue cérébrale, de son apparition au cours de l'éveil prolongé et de sa disparition. Nous savons, grâce aux enregistrements de leur activité électrique, que les neurones ne se reposent pas *stricto sensu* mais ont une activité de type différent pendant le sommeil et pendant l'éveil[11]».

Un individu privé de sommeil pendant plusieurs jours devient désorienté et peut même présenter des symptômes psychotiques; de la même façon, le sommeil paradoxal et le rêve semblent essentiels puisque des sujets privés de sommeil paradoxal (éveillés aussitôt qu'ils entrent dans cette phase) deviennent anxieux et irritables. Aussitôt que l'occasion leur est donnée de dormir sans interruption, on constate une récupération du sommeil paradoxal qui occupe plus de temps que normalement.

[10] La terminologie anglaise parle ici de *REM sleep*, de sommeil avec *Rapid-Eye-Movement*.

[11] Extrait de Michel Jouvet, «Le comportement onirique», *Pour la science*, **25**, 136, 1979.

LE SYSTÈME NERVEUX PÉRIPHÉRIQUE

Le *système nerveux périphérique* (SNP) contient tous les récepteurs, les nerfs qui les relient au SNC, et ceux qui relient le SNC aux effecteurs. La partie du SNP qui maintient l'organisme en équilibre avec le milieu extérieur est le système somatique, alors que celle qui maintient l'homéostasie interne est le système nerveux autonome.

Le système nerveux somatique

Le *système nerveux somatique* contient les récepteurs sensibles aux modifications de l'environnement, les voies sensitives qui tiennent le SNC au courant de ces modifications, et les motoneurones qui ajustent la position des muscles squelettiques pour maintenir l'intégrité et le bien-être du corps. Les récepteurs seront étudiés au chapitre 10. Nous décrirons ici les voies de communication, les nerfs crâniens et spinaux, qui véhiculent les informations sensitives et motrices des systèmes somatique et autonome.

Les nerfs crâniens Douze paires de nerfs émergent du cerveau: dix paires du tronc cérébral, une paire du télencéphale, et une autre du thalamus (figure 9-18). Ces *nerfs crâniens* acheminent vers le cerveau les informations olfactives, visuelles, auditives et gustatives (issues des organes de la sensibilité spéciale) et aussi celles de la sensibilité générale issues particulièrement de la région céphalique. Ils véhiculent aussi les ordres du SNC aux muscles volontaires des yeux, du visage, de la bouche, de la langue, du pharynx et du larynx, tout en assurant la communication entre le SNC et certains organes internes.

On les désigne soit par des chiffres romains soit par leur nom. Le tableau 9-3 énumère leurs noms, leur distribution et leurs fonctions. Certains nerfs crâniens ne contiennent que des fibres sensitives (afférentes), d'autres sont strictement moteurs (fibres efférentes), d'autres enfin sont mixtes, sensitifs et moteurs. Les corps cellulaires des fibres motrices sont localisés dans les noyaux du tronc cérébral; ceux des fibres sensitives sont situés dans des ganglions hors du cerveau.

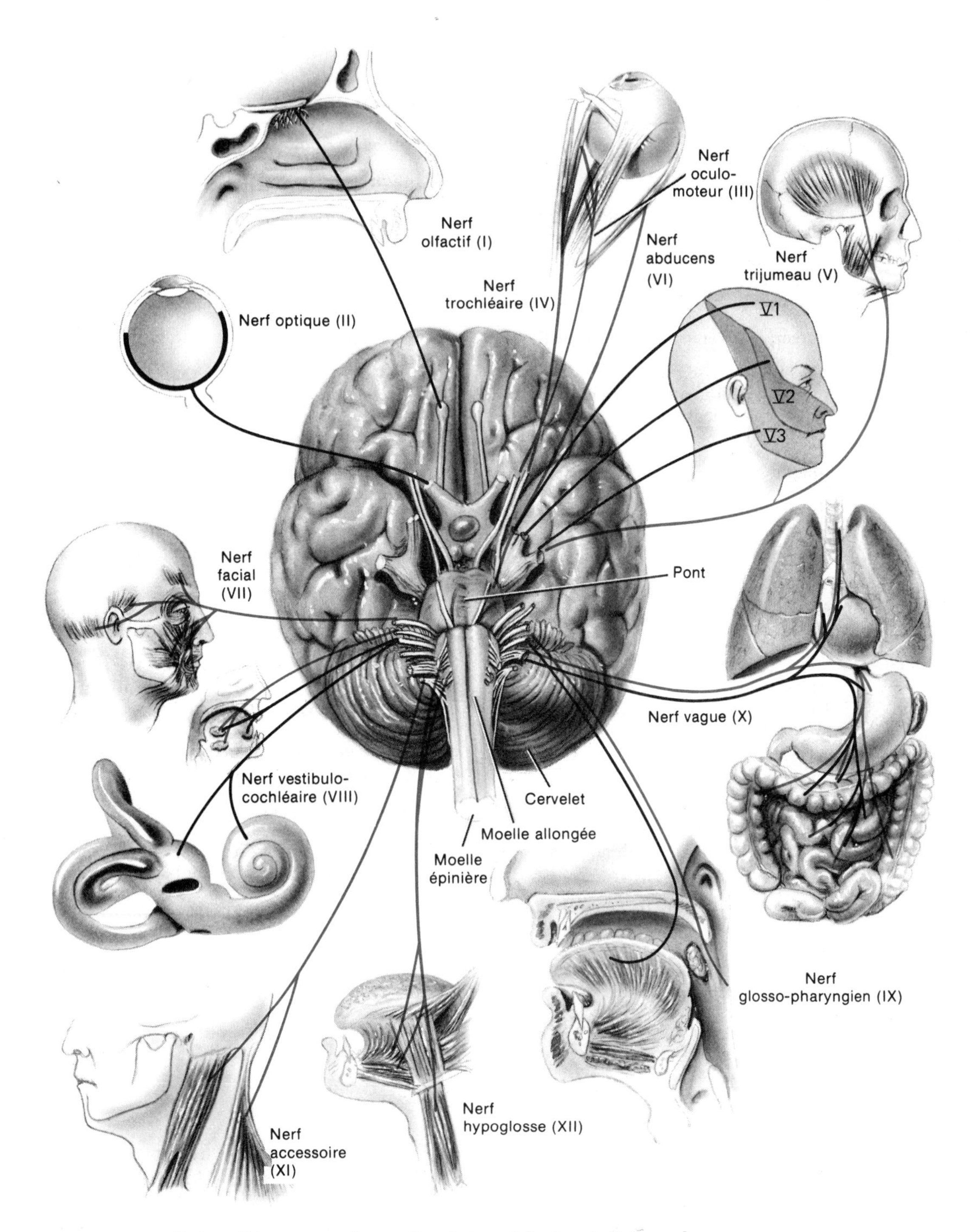

Figure 9-18 Points d'émergence des nerfs crâniens à la face inférieure du cerveau.

Tableau 9-3 Les nerfs crâniens

Nom		Rôle	*Origines* et distribution
I	Olfactif	Sensoriel; olfaction	De la *muqueuse olfactive* vers les bulbes olfactifs
II	Optique	Sensoriel; vision	De la *rétine* vers le thalamus et le mésencéphale
III	Oculomoteur	Moteur; mouvements du globe oculaire et de la paupière supérieure; constriction de la pupille; ajustement de la forme du cristallin pour la vision rapprochée	Du *mésencéphale* aux muscles extrinsèques de l'oeil, à l'iris et au cristallin
IV	Trochléaire (pathétique)	Moteur; mouvements du globe oculaire	Du *mésencéphale* au muscle oblique supérieur de l'oeil
V	Trijumeau	Mixte; sensibilité de la face et du cuir chevelu; mastication	De la *peau* et des *muqueuses de la face*, du *cuir chevelu* vers le pont; du *pont* aux muscles masticateurs
VI	Abducens	Moteur; mouvements du globe oculaire	Du *pont* vers le muscle droit latéral de l'oeil
VII	Facial	Mixte; goût; mimique de la face; sécrétions lacrymales, nasales et salivaires	Des *bourgeons du goût* vers la moelle allongée; du sillon *bulbo-pontique* vers les muscles peauciers de la face, les glandes lacrymales, salivaires et nasales
VIII	Vestibulo-cochléaire	Sensoriel; audition et équilibre	Du *vestibule*, de la *cochlée* et des *canaux semi-circulaires* de l'oreille interne vers le sillon bulbo-pontique
IX	Glosso-pharyngien	Mixte; goût; régulation de la pression artérielle; déglutition; sécrétion salivaire	Des *bourgeons du goût* vers la moelle allongée; des *corps aortiques* et *carotidiens* vers la moelle allongée; de la *moelle allongée* vers les muscles du pharynx et la glande parotide
X	Vague	Mixte; sensitif et moteur pour les organes innervés	Du *pharynx, larynx, viscères abdominaux* et *thoraciques* vers la moelle allongée; de la *moelle allongée* vers les muscles du pharynx, du larynx, les viscères abdominaux et thoraciques
XI	Accessoire	Moteur; mouvements de l'épaule et de la tête	De la *moelle allongée* et de la *moelle épinière* vers les muscles sterno-cléido-mastoïdien et trapèze
XII	Hypoglosse	Moteur; mouvements de la langue	De la *moelle allongée* vers les muscles de la langue

Les nerfs spinaux Trente et une paires de *nerfs spinaux* (*rachidiens*) émergent de la moelle épinière. Leur nomenclature est basée sur leur origine au niveau de la colonne vertébrale: il y a huit paires cervicales, douze thoraciques (dorsales), cinq lombaires, cinq sacrées et une coccygienne.

Chaque nerf spinal possède une *racine dorsale* et une *racine ventrale* (figure 9-19). La racine dorsale, sensitive, achemine les influx afférents des récepteurs vers la moelle. Juste avant de rejoindre la moelle, la racine dorsale présente un renflement, le *ganglion spinal* (*rachidien*) qui contient les corps cellulaires des neurones sensitifs. La racine ventrale contient des fibres efférentes qui quittent la moelle vers les muscles et les glandes. Les corps cellulaires des motoneurones sont situés dans la substance grise de la moelle.

Les deux racines s'unissent pour former un nerf spinal (rachidien) au niveau du trou intervertébral par lequel il émerge de la colonne et il

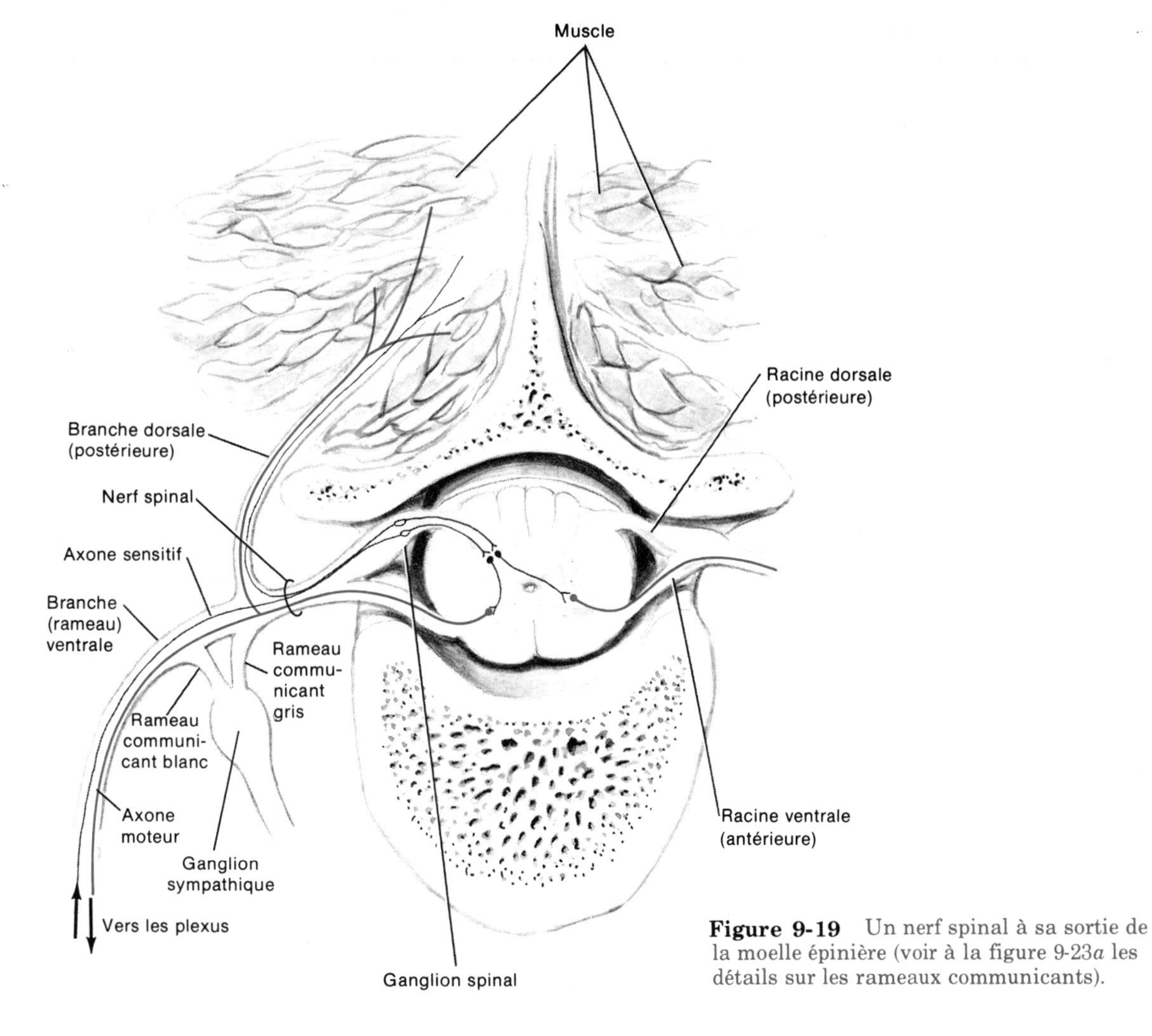

Figure 9-19 Un nerf spinal à sa sortie de la moelle épinière (voir à la figure 9-23*a* les détails sur les rameaux communicants).

Tableau 9-4 Les nerfs spinaux et leurs branches principales*

Nerfs spinaux†	Plexus formés	Principales branches	Distribution
C1–C4	Plexus cervical	Petit occipital	Peau des régions mastoïdienne et occipitale
		Grand auriculaire	Peau des régions parotidienne, mastoïdienne et de la face interne et externe de l'auricule de l'oreille
		Transverse du cou	Peau de la région antérieure du cou
		Supraclaviculaire	Peau de l'épaule et de la région supérieure du thorax
		Anse cervicale	Muscles du cou
		Phrénique	Diaphragme

(Suite à la page suivante)

Tableau 9-4 Les nerfs spinaux et leurs branches principales* (*suite*)

Nerfs spinaux†	Plexus formés	Principales branches	Distribution
C5, C6, C7, C8, T1	Plexus brachial	Axillaire	Peau et muscles de l'épaule
		Musculo-cutané	Peau et muscles du bras, région antérieure
		Médian	Peau et muscles de l'avant-bras et de la main, région antérieure
		Ulnaire	Peau et muscles de l'avant-bras et de la main, région antérieure
		Radial	Peau et muscles du bras, de l'avant-bras et de la main, région postérieure
T2-T12, branches antérieures	Aucun	Nerfs thoraco-abdominaux	Muscles intercostaux et abdominaux; peau de la paroi antérieure du tronc
T2-T12, branches postérieures	Aucun		Muscles et peau de la paroi postérieure du tronc
L1, L2, L3, L4	Plexus lombaire	Ilio-hypogastrique	Muscles et peau de la paroi abdominale; peau des fesses, du pubis et du scrotum ou des grandes lèvres
		Ilio-inguinal	Muscles de la paroi abdominale; peau du pubis et du scrotum ou des grandes lèvres
		Génito-fémoral	Peau de la région inguinale et du scrotum ou des grandes lèvres
		Fémoral	Peau et muscles de la cuisse (région antérieure)
		Obturateur	Peau et muscles de la cuisse (région interne)
L5, S1, S2, S3	Plexus sacré	Sciatique	Peau et muscles de la jambe, du pied et de la région postérieure de la cuisse
S4	Plexus honteux	Honteux	Région périnéale
S5, Co1	Plexus coccygien	Coccygien	Peau de la région coccygienne

* Voir figure 9-20.

† C = cervical, T = thoracique, L = lombaire, S = sacré, Co = coccygien

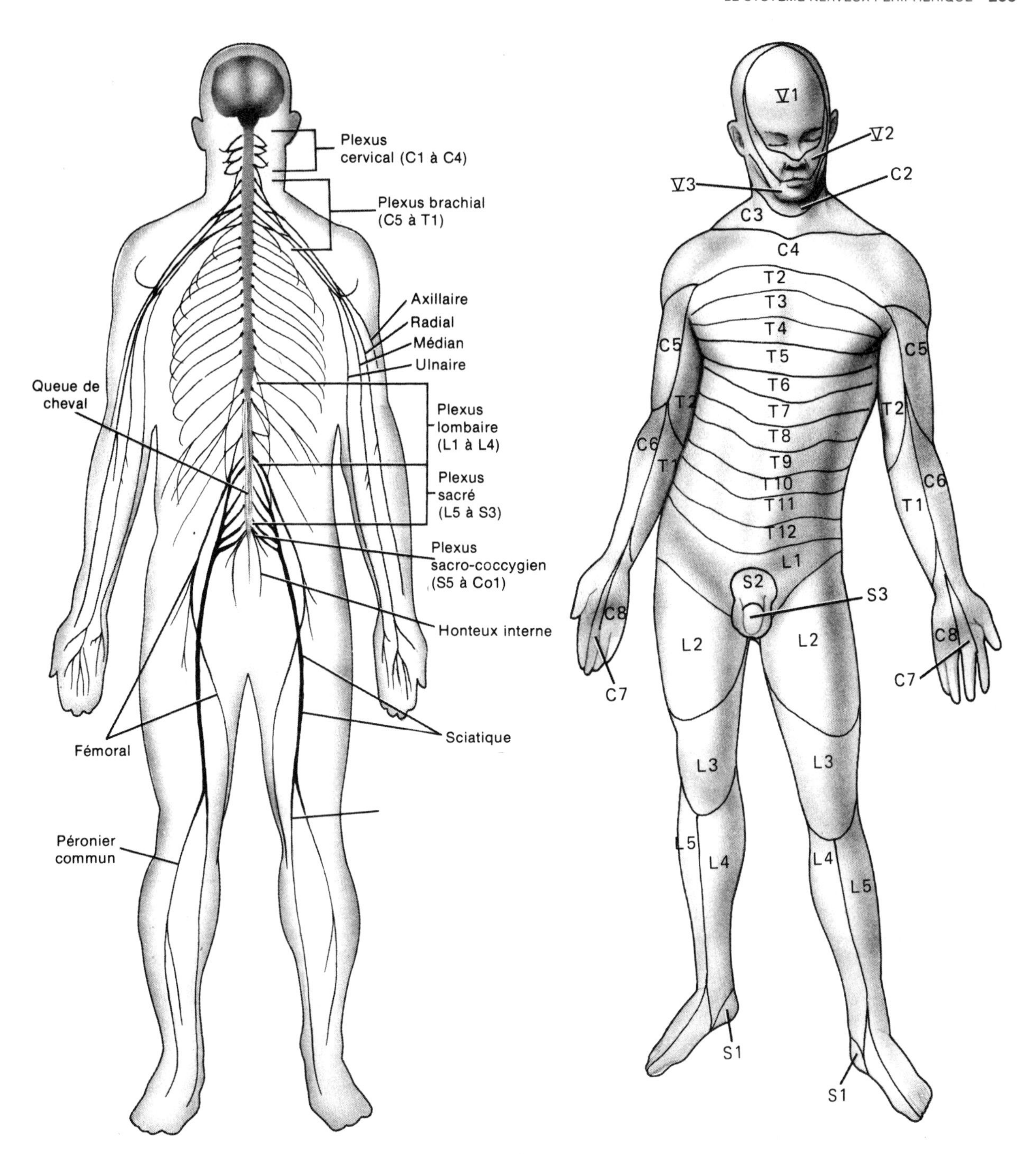

Figure 9-20 Les nerfs spinaux et leurs branches.

Figure 9-21 Représentation des dermatomes (plages cutanées) des nerfs spinaux et des trois branches (ophtalmique, maxillaire et mandibulaire) du trijumeau. Chaque dermatome est nommé d'après l'innervation qu'il reçoit (C2: second nerf cervical, V2: 2e branche du trijumeau, le 5e nerf crânien). (Les anatomistes ne sont pas d'accord quant à l'attribution de limites précises aux dermatomes. Ceci est dû au chevauchement des neurones desservant ces différents territoires.)

porte le nom de la vertèbre inférieure. Le quatrième nerf cervical passe donc par le trou intervertébral sis entre les troisième et quatrième vertèbres cervicales.

Distal à son lieu d'émergence de la colonne, chaque nerf spinal se ramifie en quatre *branches*. (1) La branche dorsale contient des fibres qui innervent les muscles et la peau de la partie dorsale du corps à ce niveau. Les ramifications sont nombreuses et forment plusieurs nerfs. (2) La branche ventrale contient surtout des fibres qui innervent la partie ventrale du corps au même niveau et les membres. Les branches ventrales forment des *plexus* (des réseaux) d'où émergent les nerfs périphériques. (3) De fines branches méningées innervent les méninges et les vaisseaux sanguins de la moelle. (4) Les dernières, les rameaux communicants, seront décrites avec le système nerveux sympathique.

Les plexus sont des zones d'anastomose de plusieurs branches ventrales. Le *plexus cervical*, par exemple, est formé par les branches antérieures des quatre premiers nerfs cervicaux qui s'y résolvent en un feutrage de fibres nerveuses. Les nerfs issus des plexus contiennent des fibres de plusieurs nerfs convergents. Les informations sur les nerfs spinaux et les plexus sont présentées à la figure 9-20 et au tableau 9-4. (Voir aussi les tableaux des muscles, au chapitre 7.)

La surface du corps est subdivisée en plusieurs plages, des *dermatomes*, dont l'innervation relève d'un nerf spinal particulier (figure 9-21). Le chevauchement des aires est cependant suffisant pour assurer une innervation adéquate d'une partie privée de son support nerveux spécifique.

Le système nerveux autonome

Si le système nerveux somatique règle les rapports d'un organisme avec son milieu (la vie de relation), le *système nerveux autonome* (SNA) est celui qui règle l'homéostasie du milieu intérieur: homéothermie, rythme cardiaque, etc. (tableau 9-5).

Comme son nom l'indique le SNA agit automatiquement, sans contingences volontaires, sur ses effecteurs, soit les muscles lisse et cardiaque, et les glandes. À l'instar du système somatique, son fonctionnement est basé sur une organisation réflexe avec des récepteurs dans les viscères, des communications avec le SNC (les nerfs afférents), une intégration à de multiples niveaux, et une transmission des ordres (nerfs efférents) vers les effecteurs.

Tableau 9-5 Caractéristiques comparées des efférences nerveuses somatiques et autonomes

	Système somatique	Système autonome
Structures innervées	Muscle squelettique (volontaire)	Muscles lisse et cardiaque (involontaires), glandes
Action principale	Excitation	Excitation ou inhibition
Rôle	Adaptation au milieu extérieur	Régulation du milieu intérieur (homéostasie)
Nombre de neurones entre le SNC et l'effecteur	Un	Deux
Ganglions hors du SNC	Aucun	Chaînes ganglionnaires paravertébrales, ganglions périphériques
Neurotransmetteur	Acétylcholine	Acétylcholine; noradrénaline (fibres sympathiques post-ganglionnaires)
Conséquences pour l'effecteur d'une destruction nerveuse	Paralysie et atrophie	Maintien de la fonction mais incapacité de réagir à un changement des besoins de l'organisme

Les neurones afférents[12] L'information sensitive viscérale est acheminée au SNC par des fibres afférentes contenues dans des nerfs somatiques et dans des nerfs et des plexus viscéraux. Les corps cellulaires des fibres qui font synapse dans la moelle se trouvent dans les ganglions spinaux, alors que les corps cellulaires de celles qui empruntent les nerfs crâniens se situent dans les ganglions respectifs de chaque nerf.

On pense que les fibres afférentes font synapse avec des interneurones dans le SNC, y acheminant des informations relatives aux activités viscérales (comme le péristaltisme), aux sensations viscérales (comme la douleur, la satiété), à la pression sanguine, aux battements cardiaques et à la respiration.

Les neurones efférents — les systèmes sympathique et parasympathique La partie efférente du SNA est divisée en deux systèmes, sympathique et parasympathique, innervant tous les deux la plupart des organes (figure 9-22). Le sympathique est associé à la mobilisation de l'énergie en période de stress: augmentation de la pression sanguine, de la fréquence et de la force des contractions cardiaques, de la concentration sanguine de glucose, et de la dérivation d'une fraction importante du débit sanguin vers les muscles squelettiques (support indispensable à une activité forcée). L'action du sympathique est permanente, mais intense et primordiale en situation d'urgence.

En général, le parasympathique est responsable des effets contraires, soit la conservation et le rétablissement de l'inventaire énergétique: baisse de la pression sanguine, de la fréquence et de la force des contractions cardiaques, et stimulation de l'activité digestive.

La plupart des organes sont innervés par des fibres des deux systèmes dont l'activité conjuguée assure l'orchestration harmonieuse de la multitude d'activités qui se déroulent en permanence dans l'organisme. Toutefois chaque organe est sous l'influence prédominante de l'un des deux.

Le système sympathique Les neurones du *système nerveux sympathique* émergent de la moelle par les racines motrices des douze nerfs spinaux thoraciques et des deux premiers nerfs lombaires. Les fibres empruntent ensuite les *rameaux communicants blancs* (à fibres myélinisées) vers la *chaîne ganglionnaire paravertébrale* (*latéro-vertébrale*) (figure 9-23), série de ganglions reliés entre eux de façon à former une chaîne continue de chaque côté de

Nerf vague (parasympathique)
Ganglion paravertébral (sympathique)
Ralentit
Accélère
Stimule
Coeur
Détend
Ganglion coeliaque du plexus solaire
Estomac

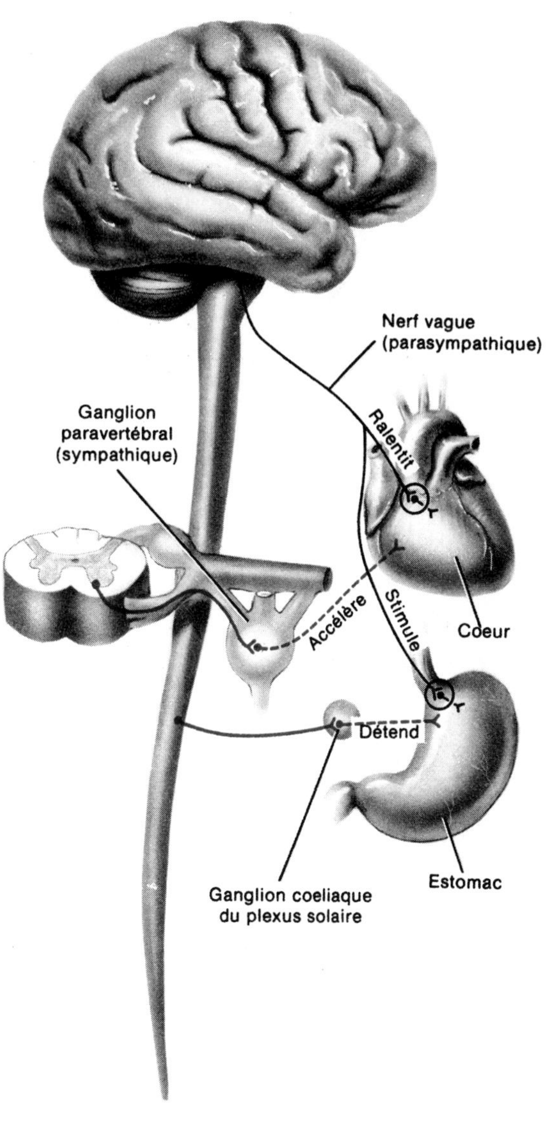

Figure 9-22 Le coeur et l'estomac reçoivent une double innervation: l'une vient du système sympathique, l'autre du système parasympathique. Les fibres sympathiques sont colorées en rouge. Les fibres post-ganglionnaires sont en pointillés.

[12] Cf. note au bas de la page 209.

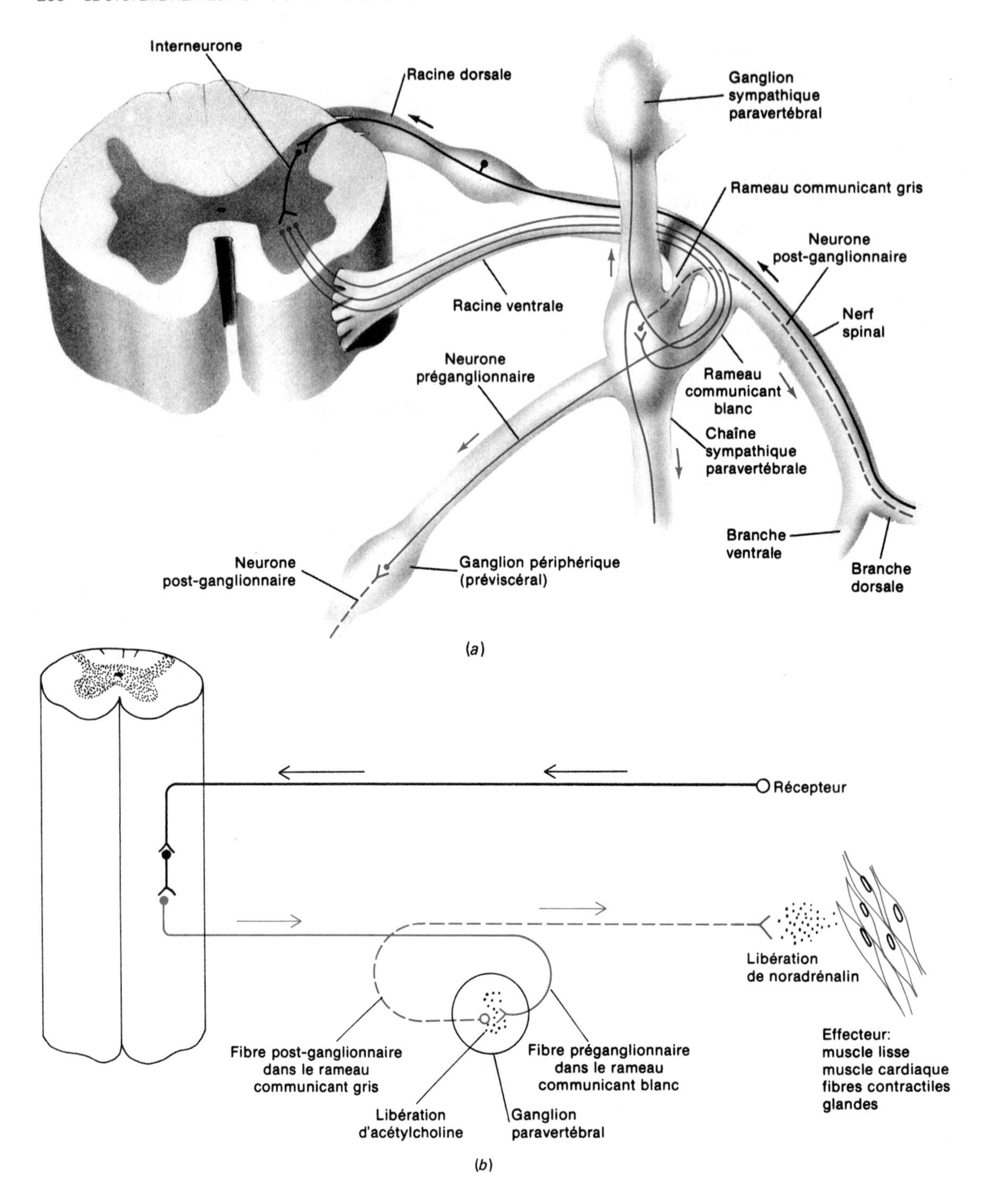

Figure 9-23 (*a*) Illustration d'un arc réflexe du système nerveux sympathique. (*b*) Représentation schématique de la voie réflexe sympathique. La ligne foncée représente la composante afférente; la ligne rouge, la composante efférente préganglionnaire, et la ligne pointillée, la composante efférente post-ganglionnaire.

la colonne vertébrale, depuis le haut du cou jusqu'au coccyx. La plupart des neurones y font synapse avec un second neurone sympathique efférent.

Le premier neurone à émerger de la moelle est le *neurone préganglionnaire*, l'autre est le *neurone post-ganglionnaire*. Soulignons ici que le système somatique, au contraire du système autonome, relie la moelle à l'effecteur grâce à un seul neurone efférent au lieu de deux.

Les axones de certains neurones post-ganglionnaires quittent le ganglion par des nerfs sympathiques ou vont former des plexus autour des principaux vaisseaux sanguins. Ils innervent ces vaisseaux sanguins et les organes de la tête, du cou et de la région thoracique. D'autres axones post-ganglionnaires retournent dans des nerfs spinaux via les *rameaux communicants gris* (les axones post-ganglionnaires sont amyéliniques, donc gris) où ils se mêlent aux autres fibres du nerf. Ces axones se ramifient éventuellement avant d'innerver les muscles lisses et les glandes sudorifères.

Un certain nombre de neurones préganglionnaires ne se terminent pas dans la chaîne latéro-vertébrale; ils poursuivent leur route vers des ganglions abdominaux adjacents à l'aorte et à ses principales collatérales, les *ganglions périviscéraux* ou *préviscéraux* (le plexus solaire est formé des ganglions périviscéraux coeliaques, mésentériques supérieurs et aortico-rénaux, ainsi que des nerfs qui leur sont associés). La zone d'émergence des fibres préganglionnaires qui se terminent dans les ganglions périviscéraux s'étend de la sixième vertèbre thoracique à la deuxième vertèbre lombaire. Les neurones post- ganglionnaires des ganglions périviscéraux innervent les muscles lisses et les glandes des viscères abdomino-pelviens de même que leurs vaisseaux sanguins. On retrouve parmi ces viscères des organes des appareils digestif, urinaire et reproducteur.

L'arc réflexe sympathique est formé d'une afférence sensitive d'un organe vers la moelle où des interneurones font synapse avec une efférence motrice double (pré- et post-ganglionnaire) vers l'organe. On retrouve dans le ganglion des interneurones qui augmentent le territoire potentiel de la réponse.

Les neurones post-ganglionnaires, plus nombreux que les neurones préganglionnaires, obligent ces derniers à faire synapse avec plusieurs neurones post-ganglionnaires, peut-être une trentaine ou même plus (divergence). Les effets sympathiques auront donc tendance à être diffus plutôt que ponctuels. Le câblage sympathique est encore compliqué par la convergence de plusieurs neurones préganglionnaires sur chaque neurone post-ganglionnaire.

Les neurones sympathiques post-ganglionnaires libèrent presque tous de la noradrénaline comme neurotransmetteur. Ceux qui innervent les glandes sudorifères libèrent en général de l'Ach. La jonction entre les fibres autonomes et les effecteurs n'a pas de base structurale définie, comme la plaque motrice par exemple. On croit que le neurotransmetteur est simplement libéré des terminaisons axoniques vers les cellules effectrices (muscle lisse et cardiaque, glandes).

Il serait bon de noter ici que la *médulla surrénale*, la région centrale des deux glandes surrénales, est parfois incluse dans le système sympathique. Sa stimulation sympathique provoque la synthèse et la libération d'adrénaline et de noradrénaline; véhiculées par le sang, ces hormones ont un effet généralisé sur toutes les structures sensibles à leur action. La noradrénaline étant retirée de la circulation très lentement, son effet dure plus longtemps (environ dix fois) que les effets produits par stimulation nerveuse directe. La glande médulla surrénale sera étudiée au chapitre 17, avec les autres glandes endocrines.

Qu'arriverait-il à un humain privé du contrôle sympathique? La sympathectomie générale, pratiquée expérimentalement, a prouvé que la survie est possible, sous réserve de tenir l'animal dans un environnement clos. Son métabolisme est bas, il est sensible au froid, et privé de toutes les réactions physiologiques normales à un stress. Il est viable, mais inadaptable à un milieu normal.

Le système parasympathique Les neurones du *système parasympathique* émergent du cerveau avec les fibres somatiques des nerfs crâniens III, VII, IX et X, et avec celles des deuxième, troisième et quatrième nerfs spinaux sacrés. Ses zones d'émergence sont ainsi crâniennes et sacrées (figure 9-24).

Les fibres préganglionnaires font synapse avec les neurones post-ganglionnaires dans les ganglions intraviscéraux, situés près ou à

Tableau 9-6 Caractéristiques comparées des systèmes sympathique et parasympathique

	Système sympathique	Système parasympathique
Effet général	Mobilisation de l'énergie (surtout dans les situations de stress)	Conservation et mise en réserve de l'énergie
Champ d'action	Étendu à tout le corps	Localisé
Neurotransmetteur libéré à la synapse effectrice	Noradrénaline (habituellement)	Acétylcholine
Durée de l'effet	Longue	Courte
Émergence du SNC	Niveaux thoraco-lombaires	Niveaux crânio-sacrés
Distribution des ganglions	Chaînes ganglionnaires et ganglions périphériques	Ganglions terminaux (surtout)
Quantité de fibres post-ganglionnaires faisant synapse avec une fibre préganglionnaire	Élevée	Basse

Tableau 9-7 Effet des systèmes sympathique et parasympathique sur différents effecteurs*

Effecteur	Effet sympathique	Effet parasympathique
Coeur	Augmentation de la fréquence et de la force des contractions	Diminution de la fréquence; aucun effet direct sur la force des contractions
Bronches	Dilatation	Constriction
Pupille	Dilatation	Constriction
Organes sexuels	Constriction des vaisseaux sanguins; éjaculation	Dilatation des vaisseaux sanguins; érection
Vaisseaux sanguins	Constriction (en général)	Aucune innervation (en général)
Glandes sudorifères	Stimulation	Aucune innervation
Intestin	Inhibition de la motilité	Stimulation de la motilité et de la sécrétion
Foie	Stimulation de la dégradation du glycogène	Aucun effet
Tissu adipeux	Stimulation de la libération d'acides gras libres par les cellules adipeuses	Aucun effet
Médulla surrénale	Stimulation de la sécrétion d'adrénaline et de noradrénaline	Aucun effet
Glandes salivaires	Stimulation d'une sécrétion épaisse et visqueuse	Stimulation d'une sécrétion abondante et liquide

* Référer à la figure 9-24 pour étudier ce tableau.

l'intérieur du viscère innervé. Les neurones de la région crânienne innervent les yeux, les structures de la tête, les viscères thoraciques et abdominaux. Des ramifications du vague (X^{e} nerf crânien) innervent le coeur, les poumons, le foie, l'oesophage, l'estomac, l'intestin grêle, et la partie haute du côlon (figure 9-25). Les neurones de la région sacrée innervent la portion terminale du côlon, les appareils urinaire et reproducteur, y compris les tissus

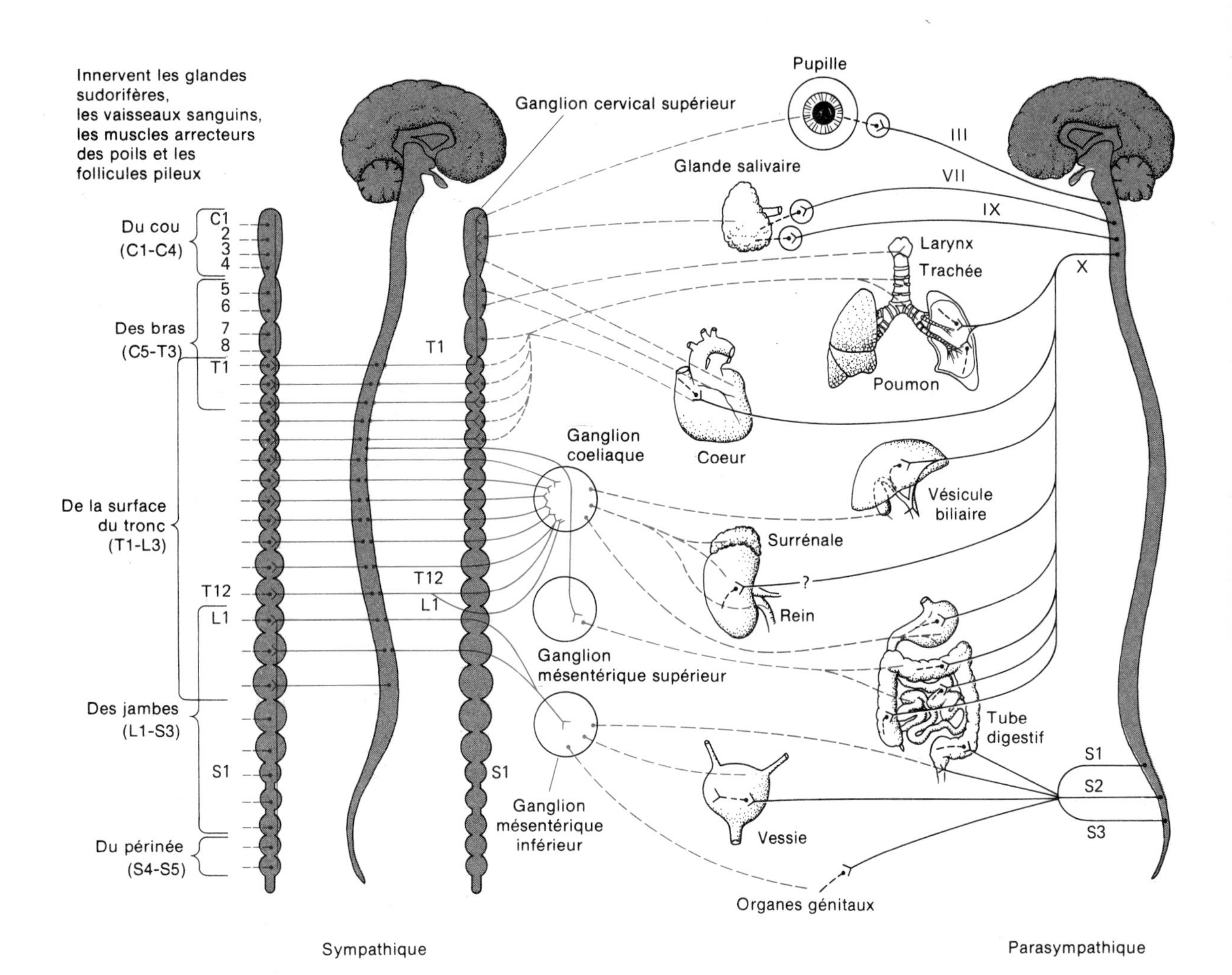

Figure 9-24 Distribution de l'innervation sympathique et parasympathique. Pour plus de clarté, les fibres périphériques et les fibres viscérales du système sympathique ont été divisées et sont représentées les unes à gauche, les autres à droite de la moelle épinière. Cette illustration peut paraître complexe, mais elle a été très simplifiée. (Les lignes colorées représentent le sympathique, les lignes noires le parasympathique, et les pointillés les nerfs post-ganglionnaires.) Pour connaître le rôle spécifique des nerfs, voir le tableau 9-7.

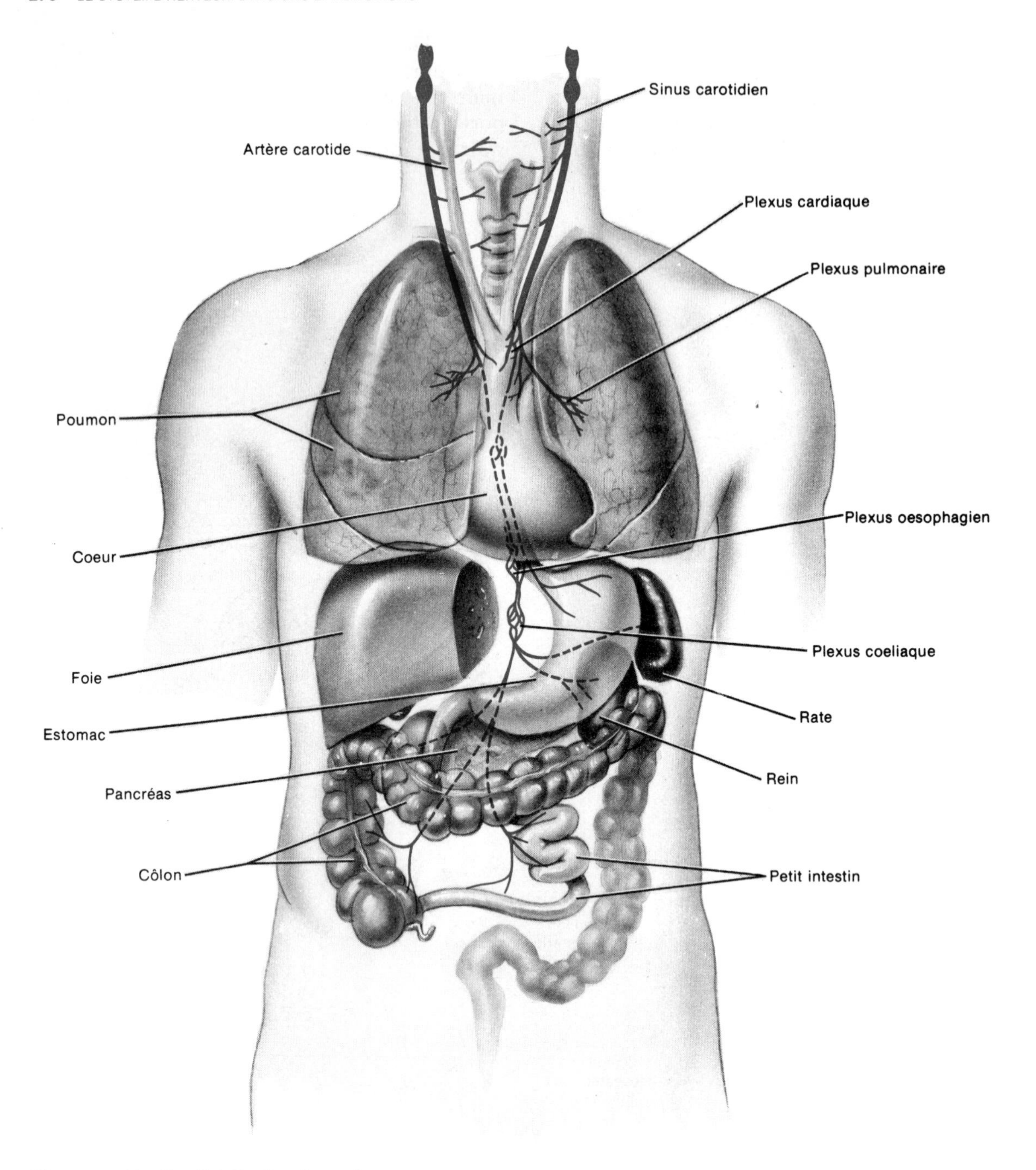

Figure 9-25 La distribution du nerf vague.

érectiles. Les vaisseaux sanguins et les glandes sudorifères sont dépourvus d'innervation parasympathique.

Le neurotransmetteur des fibres parasympathiques post-ganglionnaires est l'acéthylcholine, d'où leur nom de *fibres cholinergiques*. Tout surplus d'Ach est rapidement inactivé par l'acéthylcholinestérase. Les actions du parasympathique sont donc de courte durée en comparaison des effets d'une stimulation sympathique. Les deux systèmes se distinguent aussi par la précision des effets produits. Les neurones préganglionnaires parasympathiques font synapse avec un petit nombre de neurones post-ganglionnaires; l'effet sera donc plus localisé. L'activité parasympathique est prédominante en période de calme émotionnel et de repos physique.

Le contrôle central du système autonome Lors de l'étude du cerveau, il a été fait mention de la régulation de fonctions viscérales par diverses structures centrales. Nous allons ici voir brièvement la relation fonctionnelle entre le SNC et le SNA.

L'intégration de plusieurs réflexes autonomes, comme la vidange de la vessie, se fait dans la moelle épinière. Le tronc cérébral assume lui aussi l'intégration de plusieurs fonctions viscérales telles que le contrôle de la fréquence cardiaque, de la pression artérielle, de la respiration et des vomissements. Chacune de ces fonctions relève d'un ou de plusieurs centres bulbaires qui se servent des voies réticulospinales pour transmettre leurs ordres aux nerfs autonomes appropriés qui émergent de la moelle. Les réponses peuvent aussi subir l'influence du cervelet, mais on ne sait pas encore par quel mécanisme.

On ne connaît pas mieux les mécanismes par lesquels l'hypothalamus influence les centres autonomes du tronc cérébral et de la moelle. La stimulation de diverses zones hypothalamiques peut augmenter ou diminuer la pression artérielle, la fréquence cardiaque, l'activité du tractus gastro-intestinal et plusieurs autres fonctions autonomes. L'influence de l'hypothalamus se fait aussi sentir sur l'émotion. Les hémisphères et l'hypothalamus exercent apparemment de fortes influences sur les fonctions homéostatiques, particulièrement dans des conditions de stress. Nous verrons, au chapitre 17, les conséquences physiologiques d'un stress important et prolongé.

Normalement, comme son nom l'indique, le SNA fonctionne de façon automatique: on ne peut consciemment déterminer la fréquence des battements cardiaques, connaître le degré d'ouverture des artérioles ou, à l'intérieur de certaines limites, évaluer le taux de glucose sanguin. On sait cependant depuis fort longtemps que certaines personnes, comme les adeptes du yoga, exercent un contrôle volontaire sur certaines activités autonomes. Ces dernières années, on a mis au point des techniques plus «scientifiques» pour arriver au même but. Nous avons déjà parlé du contrôle de l'activité électrique du cerveau par rétroaction visuelle. On enseigne ainsi à des patients affectés d'une pression artérielle élevée, de maux de tête, de tension musculaire et même d'arythmies cardiaques, à contrôler partiellement ces états pathologiques en leur présentant une manifestation sensorielle de la variable susceptible d'être corrigée. On a aussi réussi à réduire les crises chez de jeunes asthmatiques en leur enseignant, par cette méthode, à se détendre à fond. Ces techniques sont aussi utilisées dans la réhabilitation de patients ayant subi une attaque cardiaque ou cérébrale, et pour aider des femmes à relaxer pendant l'accouchement. L'atteinte de ces fins dépend d'un conditionnement actif du SNA.

L'EFFET DES MÉDICAMENTS SUR LE SYSTÈME NERVEUX

Environ 25 pour 100 des médicaments sont prescrits dans le but de modifier des états psychologiques; presque tous ceux qui sont pris en excès exercent une influence sur le comportement. Beaucoup de ces médicaments altèrent les concentrations des neurotransmetteurs dans le cerveau, en particulier celles de la noradrénaline, de la sérotonine et de la dopamine, trois substances susceptibles d'influencer le comportement affectif. La libération d'un excès de noradrénaline dans la FRA, par exemple, donne une sensation d'énergie et de stimulation, alors que de faibles concentrations de cette même substance diminuent l'anxiété. Le tableau 9-8 énumère plusieurs médicaments et les effets d'un usage normal et abusif.

L'usage constant de presque tous les calmants peut mener à la dépendance psychologique, où l'usager devient émotivement dépendant de la «drogue» et réclame son effet *euphorique* lorsqu'il en manque. Certains induisent la *tolérance* après un usage continuel pendant plusieurs semaines. La tolérance se traduit par un besoin de quantités toujours plus grandes du médicament pour obtenir l'effet désiré, parce que souvent les cellules hépatiques «ont appris» à dégrader plus rapidement la substance. L'usage de l'héroïne et de la morphine induit une dépendance physiologique: l'héroïnomanie et la morphinomanie. Il en résulte des changements biochimiques tels, que la privation rend le toxicomane malade physiquement; il présente alors les symptômes caractéristiques du sevrage.

Tableau 9-8 Effets de certains médicaments et drogues couramment utilisés

Nom générique (nom de la classe)	Effet général	Effets sur l'organisme	Dangers associés à l'abus
Pentobarbital (barbiturique)	Hypnotiques sédatifs;* «calmants»	Inhibent la formation réticulée activatrice; dépriment le SNC, les muscles squelettiques, le coeur et la respiration; diminuent la pression sanguine; diminuent la phase de sommeil paradoxal	Tolérance, dépendance physiologique, mort suite à une dose trop élevée surtout si associée à l'alcool
Méthaqualone	Hypnotique	Déprime le SNC et certains réflexes spinaux plurisynaptiques	Tolérance, dépendance physiologique, convulsions, mort
Méprobamate	Anxiolytique†; combat la tension nerveuse, l'anxiété; rétablit le calme nerveux et musculaire; tranquillisant mineur	Déprime le SNC; provoque un relâchement musculaire; diminue la phase de sommeil paradoxal	Tolérance, dépendance physiologique, coma, mort.
Diazépam, chlordiazépoxyde	Même que méprobamate	Dépriment le système limbique; relâchent les muscles squelettiques	Modifications mineures de l'EEG associées à l'usage chronique; des doses très importantes causent une dépendance physiologique
Chlorpromazine (phénothiazine)	Antipsychotiques; tranquillisants majeurs; très efficaces pour contrôler les symptômes des patients psychotiques	Affectent les niveaux des catécholamines au cerveau (bloquent les récepteurs de dopamine, inhibent le recaptage de la noradrénaline, la dopamine et la sérotonine); dépriment la formation réticulée activatrice et les ganglions de la base	Pseudo-parkinsonisme associé à l'usage chronique; dyskinésies tardives
Amitriptyline (antidépresseur)	Redresse l'humeur dépressive	Augmentation de la quantité de noradrénaline disponible au niveau des récepteurs postsynaptiques	Désordres neurologiques centraux et périphériques; incoordination; altérations de la fonction cardio-vasculaire normale (hypotension, troubles de conduction)

(Suite à la page suivante)

Tableau 9-8 Effets de certains médicaments et drogues couramment utilisés (*suite*)

Nom générique (nom de la classe)	Effet général	Effets sur l'organisme	Dangers associés à l'abus
Alcool (éthanol)	Euphorie; relaxation; désinhibition	Dépression du SNC; altérations de la vision et de la coordination; augmentation du temps de réaction	Dépendance physiologique; dommages pancréatiques; cirrhose hépatique; désordres neurologiques centraux et périphériques
Morphine, codéine (narcotiques)	Euphorie; diminution de la douleur	Dépression du SNC et des réflexes; constriction des pupilles (myosis); altération de la coordination	Tolérance; dépendance physiologique; convulsions; décès
Cocaïne	Euphorie; excitation suivie de dépression	Stimulation du SNC et du SNA; dilatation pupillaire (mydriase); anesthésie locale	Dépendance psychologique; confusion; convulsions; hallucinations; perte de conscience; décès par arrêt respiratoire
Amphétamines	Euphorie; stimulation; hyperactivité	Stimulation du SNC (cortex cérébral); augmentation des impulsions dans la formation réticulée activatrice; augmentation de la fréquence cardiaque et de la pression sanguine; mydriase	Tolérance; dépendance psychologique; hallucinations; décès
Caféine	Augmentation de la vigilance; diminution de la fatigue et de la somnolence	Stimulation du SNC (cortex cérébral), des muscles cardiaque et squelettiques; relâchement des muscles lisses; augmentation du volume urinaire (effet diurétique)	Avec doses très élevées, convulsions et dépression cardiaque
Nicotine	Diminution de la tension (effet psychologique)	Stimulation du SNA sympathique et parasympathique; augmentation de la synthèse des lipides dans les parois artérielles	Tolérance; dépendance psychologique, risque de développement accéléré d'athérosclérose
LSD	Surexcitation; distorsions sensorielles; hallucinations	Altération des niveaux de neurotransmetteurs au cerveau; potentialisation des stimulants du SNC; mydriase et inégalité des diamètres pupillaires; augmentation de la fréquence cardiaque et de la pression sanguine	Comportement irrationnel
Marijuana	Euphorie	Altérations de la coordination; inflammation des conjonctives (yeux rouges); vasodilatation périphérique; mécanisme d'action exact inconnu	Distorsions sensorielles; troubles de mémoire

* Les sédatifs diminuent l'anxiété, les hypnotiques induisent le sommeil.

† Les anxiolytiques réduisent l'anxiété mais sont moins susceptibles d'induire la somnolence que les hypnotiques sédatifs.

RÉSUMÉ

1 Le cerveau et la moelle épinière sont protégés par des os, du liquide cérébro-spinal, et trois enveloppes méningées: la dure-mère, l'arachnoïde, et la pie-mère.

2 La moelle épinière s'étend de la moelle allongée jusqu'au niveau de la deuxième vertèbre lombaire; elle repose à l'intérieur du canal vertébral. Prolongeant le cône médullaire, on retrouve le filum terminale et la queue de cheval.

3 Une section transversale de la moelle révèle le canal central entouré de substance grise, et une zone externe de substance blanche elle-même divisée symétriquement en deux parties contenant chacune des cordons antérieur, postérieur et latéral.

4 La moelle épinière est un centre d'intégration réflexe et une zone d'articulation réciproque entre le cerveau et les nerfs périphériques.

5 Le liquide cérébro-spinal protège le cerveau des chocs mécaniques et est séparé du sang par la barrière hémato-encéphalique.

6 La moelle allongée contient:

a) Les centres vitaux de contrôle de la respiration, de la fréquence cardiaque et de la pression artérielle.

b) Des centres de contrôle réflexe d'actions comme le vomissement, la déglutition, l'éternuement et la toux.

c) Les noyaux des nerfs crâniens IX à XII.

d) Tous les faisceaux nerveux qui relient la moelle au cerveau.

7 Les fonctions du pont sont:

a) De permettre le passage de faisceaux nerveux.

b) D'assister la moelle allongée dans le contrôle de la respiration.

c) D'assurer les réflexes sous la dépendance des nerfs crâniens V à VIII.

8 Le mésencéphale contrôle plusieurs réflexes visuels et auditifs, et contient des faisceaux reliant diverses parties du cerveau.

9 Le thalamus est un relais important dans le va-et-vient des influx hémisphériques; il a un rôle à jouer dans le niveau de conscience d'un individu et dans les états émotionnels.

10 L'hypothalamus a plusieurs rôles:

a) Relier l'écorce cérébrale aux centres autonomes inférieurs.

b) Relier les systèmes nerveux et endocrinien.

c) Participer à l'équilibre hydrique.

d) Maintenir l'homéothermie.

e) Régulariser l'appétit et la satiété.

f) Influencer les comportements émotionnels et sexuels.

11 Le cervelet permet d'obtenir des gestes réguliers et bien coordonnés, de maintenir la posture et l'équilibre.

12 Le télencéphale est divisé en deux hémisphères, le droit et le gauche, par la fissure longitudinale. Le cortex présente des circonvolutions et des sillons. La substance blanche, sous l'écorce cérébrale, contient les noyaux gris centraux. Chaque hémisphère est divisé en lobes: frontal, pariétal, occipital, temporal, central (insula), et «limbique».

13 Les lobes frontaux contiennent le cortex moteur et l'aire prémotrice, dont l'aire de la parole de Broca. Les lobes pariétaux font l'intégration des informations sensitives. Les lobes occipitaux interprètent les stimulus visuels; les lobes temporaux interprètent les stimulus auditifs, en plus d'être impliqués dans l'émotivité, la personnalité, le comportement, la mémoire. Les «lobes» limbiques jouent un rôle dans l'olfaction et les comportements émotifs et sexuels.

14 La partie somatique du système nerveux assure la relation entre un organisme et le milieu externe; la partie autonome veille à l'ajustement des conditions internes de l'organisme.

15 Tous les nerfs spinaux ont une racine ventrale et une racine dorsale, laquelle possède un ganglion. Chaque nerf se divise en branches dorsales, ventrales, et en rameaux communicants.

16 Le système sympathique mobilise de l'énergie en situation de stress; le système parasympathique préserve et reconstitue les réserves énergétiques. Les nerfs sympathiques émergent de la région thoraco-lombaire, les nerfs parasympathiques de la région crânio-sacrée.

QUESTIONS DE RÉVISION

1 Faire la liste des structures qui protègent le cerveau et la moelle épinière.

2 Quelles sont les fonctions de la moelle épinière?

3 Comment le croisement des fibres pyramidales affecte-t-il la fonction nerveuse?

4 Comment les deux hémisphères cérébraux communiquent-ils?

5 Identifier la région du cerveau principalement responsable de chacune des fonctions suivantes:

a) La régulation de la température corporelle.

b) La régulation de la fréquence cardiaque.

c) La contraction réflexe de la pupille.

d) L'interconnexion des systèmes nerveux et endocrinien.

e) L'interprétation de la parole.

f) Le maintien de la posture.

6 Par quelles méthodes les scientifiques ont-ils cartographié la topographie fonctionnelle des hémisphères?
7 Qu'est-ce que le système pyramidal? En décrire les fonctions.
8 Dans quelle partie des hémisphères cérébraux peut-on trouver: (a) les ganglions de la base, (b) l'aire de Broca, (c) l'aire motrice primaire, (d) l'aire visuelle primaire, (e) le sillon central?
9 Donner un exemple de douleur référée.
10 Exposer deux hypothèses actuelles sur la mémorisation.
11 Dans quelles fonctions, chez la majorité des gens, l'hémisphère gauche se spécialise-t-il? Le droit?
12 Quels sont les usages cliniques de l'EEG?
13 Qu'est-ce que la FRA? Quel est son rôle?
14 Qu'est-ce que le sommeil paradoxal?
15 Faire la liste des nerfs crâniens et de leurs fonctions.
16 Dessiner un schéma d'un nerf spinal et légender ses diverses parties.
17 Opposer les systèmes somatique et autonome.
18 Donner des exemples de la coopération sympathique et parasympathique en vue du maintien de l'homéostasie.
19 Décrire les effets sur l'organisme des: (a) barbituriques, (b) amphétamines, (c) médicaments du type phénothiazine.

10 LES ORGANES DES SENS

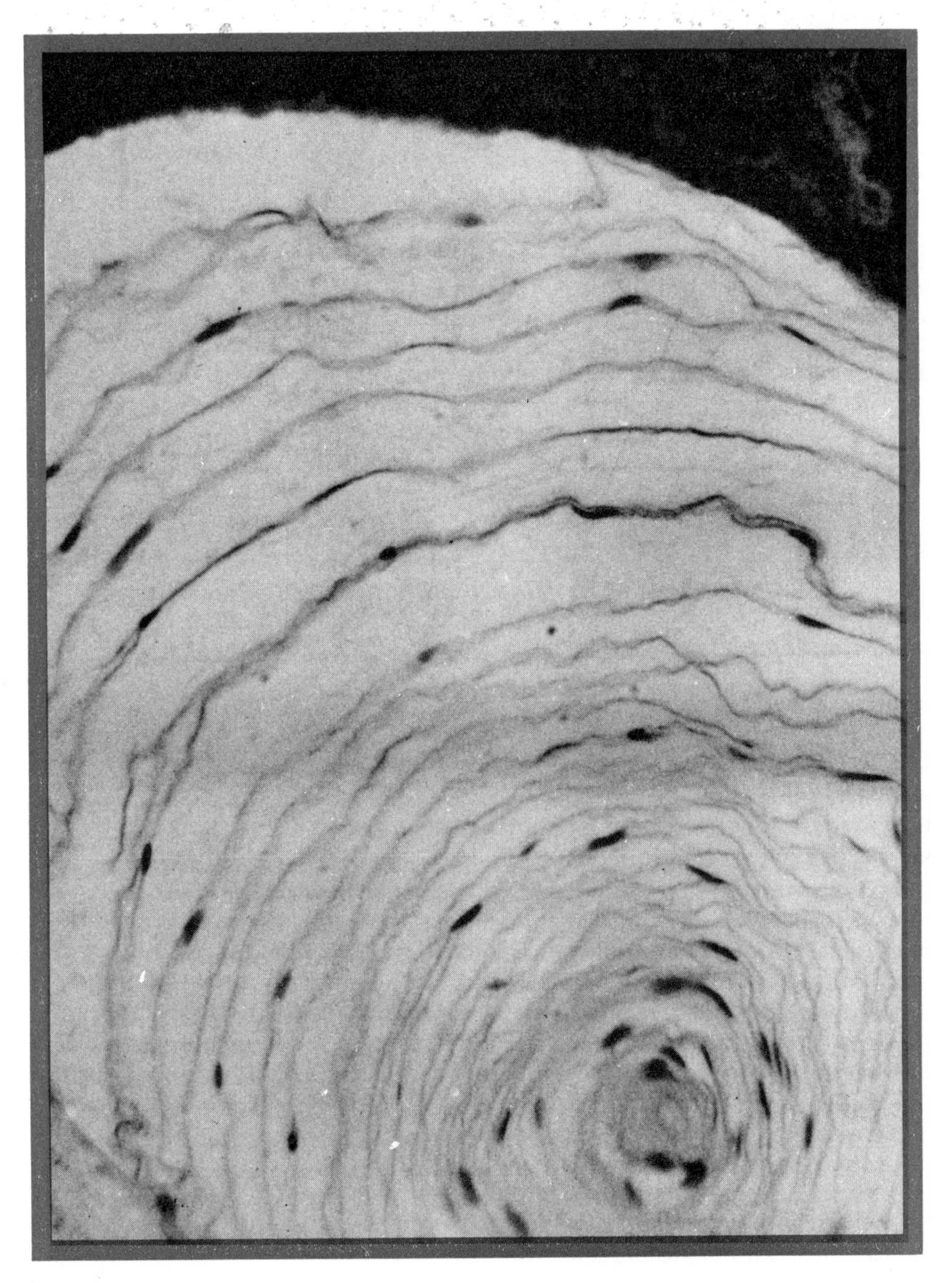

Le corpuscule lamelleux de Pacini. La terminaison sensitive est exactement au centre de cette minuscule structure lamellaire (environ ×700).

OBJECTIFS

L'étude de ce chapitre devrait vous permettre de:

1 Décrire le potentiel générateur,. l'adaptation, et la courbe de réponse d'un récepteur typique, le corpuscule lamelleux.
2 Caractériser les récepteurs de la sensibilité générale; donner les noms, les localisations et les spécialisations.
3 Décrire les récepteurs de l'odorat et du goût.
4 Décrire les yeux, leur localisation, leurs rapports anatomiques et leur structure.
5 Connaître le rôle et le fonctionnement normal des structures suivantes:
- **a)** Les muscles extrinsèques de l'oeil.
- **b)** La cornée.
- **c)** L'iris.
- **d)** Le cristallin.
- **e)** L'humeur aqueuse.
- **f)** Le corps vitré.
- **g)** La rétine.

6 Distinguer la vision diurne de la vision nocturne; relier ces phénomènes aux cellules sensorielles de la rétine et à leurs caractéristiques.
7 Décrire le contrôle de la vision et l'interprétation des informations visuelles par le cerveau.
8 Décrire les structures de l'oreille.
9 Connaître le rôle et les fonctions normales des structures suivantes:
- **a)** L'auricule et le conduit auditif externe.
- **b)** L'oreille moyenne.
  - **1** Les osselets.
  - **2** La trompe auditive.
  - **3** Le tympan.
- **c)** L'oreille interne.
  - **1** La cochlée.
  - **2** L'appareil vestibulaire.

10 Décrire l'interprétation cérébrale des informations relatives à l'audition et à l'équilibration.
11 Connaître le rôle des fuseaux neuromusculaires et des terminaisons proprioceptives des tendons dans le contrôle réflexe de la contraction musculaire.
12 Résumer les principales étapes du développement de l'oeil.
13 Faire la liste des états pathologiques des organes des sens exposés dans ce chapitre et les décrire, en particulier les erreurs de réfraction dans le globe oculaire.

On sait depuis longtemps qu'un lavage de cerveau est efficace en autant que le sujet est isolé le plus parfaitement possible de toute sensation extérieure. Tôt ou tard, selon la qualité de la privation, il perd contact avec la réalité, avec les notions d'espace et de temps, et finit par ne plus avoir de points de repère. Il est désorienté et, si l'expérience est poussée trop loin, elle peut le mener à la folie.

Les informations qu'un individu tire de ce qui l'entoure sont des interprétations: on ne connaît par réellement notre entourage. La perception du milieu extérieur dépend essentiellement de ce qui est capté par les organes des sens, et ceux-ci ne rapportent en général que des informations très indirectes où les objets sont perçus par l'intermédiaire des vibrations atmosphériques, des produits chimiques, ou des radiations qu'ils émettent ou réfléchissent. Bien des informations nous échappent, soit parce que nous ne possédons pas les récepteurs appropriés, soit parce qu'elles sont en dehors de la zone de sensibilité de nos organes. La connaissance du monde extérieur doit alors passer par des instruments de détection et de mesure qui deviennent des extensions sensorielles. Un récepteur de télévision permet ainsi de voir et d'entendre des ondes électromagnétiques et un compteur Geiger, d'entendre des désintégrations atomiques.

LA FONCTION DE RÉCEPTION

Traditionnellement on partage le domaine de la sensibilité en cinq sens: le toucher, l'ouïe, l'odorat, la vue et le goût. Aujourd'hui on considère l'équilibre comme un sens distinct, et le toucher est qualifié de sens complexe puisqu'on peut ressentir la douleur, la température ou la pression, comme des sensations distinctes. Les recherches actuelles ont mis en évidence des récepteurs sensibles à l'angulation des articulations, la tension musculaire, le pH sanguin, le contenu du sang en oxygène, la pression osmotique du sang, le pH du liquide cérébro-spinal et plusieurs autres paramètres.

La plupart des organes des sens peuvent être considérés comme des *transducteurs* biologiques, soit des structures qui convertissent certaines formes d'énergie incidente en messages nerveux. Le cristal ou le dispositif magnétique de la tête de lecture d'un tourne-disque est un exemple classique de transducteur. L'énergie incidente, les vibrations de l'aiguille, est transformée en modulations d'un courant électrique. Ces modulations sont amplifiées et éventuellement retransformées en vibrations sonores grâce aux colonnes de son. Si ces vibrations, transportées par l'air, atteignent l'oreille, des cellules spécialisées agissent comme des transducteurs biologiques et transforment l'énergie mécanique des vibrations atmosphériques en énergie électrochimique sous la forme d'influx nerveux (potentiels d'action) acheminés vers le cerveau. Là naîtra la sensation d'entendre.

On peut diviser le domaine de la sensibilité en deux grandes catégories: les *sensations extéroceptives* et les *sensations intéroceptives*. L'extéroception concerne la connaissance du monde extérieur et des changements qui s'y produisent. Les récepteurs cutanés sensibles à la pression répondent au toucher; les yeux sont sensibles aux ondes lumineuses. Les organes extéroceptifs attirent l'attention sur des informations conscientes alors que les organes intéroceptifs, ceux de la sensibilité inconsciente (l'intéroception), sont le support de l'homéostasie corporelle. Certains sont localisés dans les parois des vaisseaux sanguins et détectent la quantité d'oxygène du sang; d'autres détectent sa composition ionique, son pH, et ainsi de suite. Une catégorie particulière de récepteurs intéroceptifs, les *propriocepteurs*, sont le support du sens de position. Nous allons porter une attention spéciale aux extérocepteurs dans ce chapitre. La majorité des intérocepteurs seront décrits en relation avec les appareils auxquels ils sont affectés.

UN RÉCEPTEUR SENSITIF TYPIQUE

Le *corpuscule lamelleux* (*de Pacini*) est le récepteur sensitif par excellence, le plus gros et le mieux connu de tous. D'un diamètre comparable à celui d'une aiguille très fine, il est formé d'une succession de couches concentriques (comme les pelures d'un oignon) qui enveloppent une terminaison nerveuse libre. (Voir la première page de ce chapitre et le dessin du tableau 10-1.) Les corpuscules lamelleux sont enfouis dans le derme de la peau, particulièrement dans les zones les plus sensibles à la pression, comme la plante des pieds et l'extrémité des doigts. On en retrouve aussi dans les viscères creux et dans le mésentère (dans la cavité abdominale) où leur stimulation (par exemple par un ballonnement abdominal) provoque une douleur sourde.

Les recherches sur le corpuscule lamelleux débutèrent dans les années cinquante, alors qu'il devint possible de les étudier grâce à des techniques électroniques très sensibles. On apprit à les disséquer hors du mésentère d'intestins de rats et de chats pour en faire des montages fonctionnels sur de minuscules électrodes. On put alors les stimuler et mesurer leur activité électrique grâce à un appareillage très élaboré mis au point pendant la deuxième guerre mondiale.

On découvrit que l'application d'une pression mécanique croissante sur le corpuscule produisait une activité électrique soutenue et progressive de part et d'autre de la membrane de la terminaison nerveuse centrale. À un certain seuil critique, à une valeur précise du potentiel transmembranaire, la fibre nerveuse émergeant du corpuscule commençait à émettre des influx propagés, à une fréquence proportionnelle à la pression appliquée. D'une façon plus formelle, on constate que le *potentiel générateur* (la dépolarisation de la membrane du récepteur) fait apparaître, au-dessus d'une valeur liminaire, une suite d'influx dont la fréquence est un analogue de l'intensité de la stimulation. Il semble que la pression mécanique déforme le récepteur et que la membrane centrale soit progressivement étirée. Les ions sodium pénètrent de plus en plus dans la terminaison. Éventuellement, la membrane produit un potentiel d'action. Un étirement plus grand de cette dernière augmente le flux sodique et réduit d'autant le potentiel de repos; le seuil de potentiel est atteint plus rapidement et l'intervalle de temps entre les potentiels d'action successifs est réduit. Le corpuscule peut donc répondre non seulement à l'application du stimulus, mais encore à son intensité, et transmettre en code ces deux types d'informations vers le cerveau. Les organes des sens peuvent ainsi émettre des signaux (potentiels d'action) par les nerfs sensitifs dont la fréquence, variable, renseigne le cerveau sur l'intensité des stimulus. Un stimulus d'intensité plus grande pourra évidemment recruter d'autres corpuscules, voisins du premier, et les nerfs afférents propageront des influx issus d'un plus grand nombre de corpuscules. Grâce au fractionnement du domaine de sensibilité, tous les corpuscules n'émettent pas à la même fréquence pour une même intensité de stimulation. Pour un récepteur, la relation intensité-fréquence est proportionnelle entre certaines limites, mais ne tient plus pour les plus fortes intensités. Par exemple, un corpuscule peut signaler une augmentation d'intensité de quatre fois, alors que cette dernière a augmenté huit fois. Le cerveau, grâce aux informations qui lui parviennent de tous les récepteurs stimulés, pourra cependant faire la différence et interpréter précisément l'information de ce corpuscule. La plupart des organes des sens fonctionnent de cette manière et ont ainsi un domaine de sensibilité beaucoup plus étendu que celui de n'importe lequel des récepteurs individuels qui les composent.

Il est important de remarquer qu'un corpuscule lamelleux ne conserve pas longtemps sa fréquence de décharge initiale, même si le stimulus est toujours appliqué sans changement d'intensité. Le tracé de la figure 10-1 révèle que la fréquence diminue même si l'intensité du stimulus est constante. Le sens du toucher peut donc s'*adapter* à un stimulus constant comme, par exemple, le poids d'un vêtement; il s'ensuit qu'après un certain temps on devient de moins en moins conscient de notre habillement. Vous êtes-vous déjà lancé dans une opération culinaire particulièrement odoriférante? À la longue, l'adaptation fait son oeuvre et l'odeur devient de moins en moins perceptible. C'est ainsi pour la majorité des organes des sens; ils perdent progressivement leur sensibilité dans un milieu où une stimulation est constante et de longue durée. Et c'est bien ainsi; l'adaptation de la fréquence de décharge des récepteurs permet de s'habituer à un environnement agressif et empêche de développer des hypersensibilités qui se traduiraient éventuellement par des comportements agressifs.

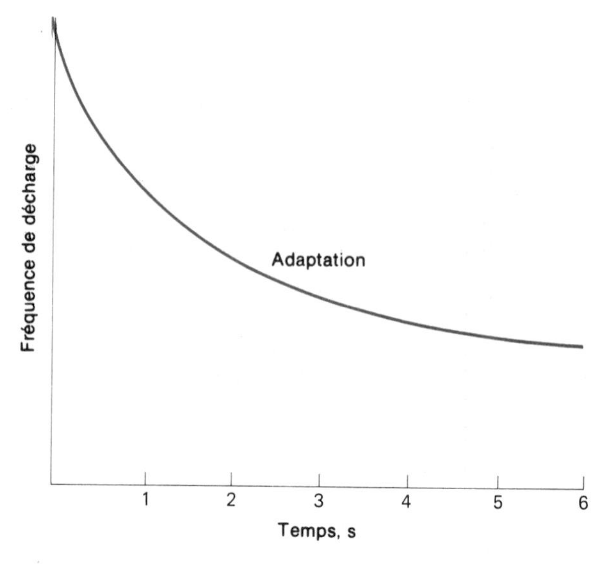

Figure 10-1 Courbe d'adaptation d'un corpuscule lamelleux. La réponse diminue avec le temps malgré une stimulation constante.

LES ORGANES DE LA SENSIBILITÉ GÉNÉRALE

Le tableau 10-1 résume nos connaissances actuelles sur les récepteurs sensitifs les plus dispersés, presque tous rattachés au «sens du toucher». Le «toucher» est particulièrement caractéristique de la peau, dont la sensibilité varie de place en place. Le déplacement d'un insecte sur l'avant-bras produit une sensation de chatouillement exaspérante, disproportionnée. Un seul poil de pinceau, comme ceux qu'utilisent les enfants, produira une réponse cornéenne importante mais ne pourra être détecté par la peau des jointures. La distribu-

Tableau 10-1 Les récepteurs de la peau, des articulations et des muscles

Récepteur	Localisation	Fonctions	Remarques
Terminaisons nerveuses libres Terminaisons libres	Distribution dans la peau et d'autres tissus, comme la cornée. Densité remarquable au niveau des structures respiratoires.	Reconnaissance du toucher et de la pression. Certaines produisent des sensations de douleur, d'autres de démangeaison, quelques-unes même peuvent détecter des changements de température.	L'examen microscopique ne permet pas de distinguer les terminaisons libres les unes des autres, bien qu'elles soient sensibles à plusieurs stimulus spécifiques. La sensation de douleur (due aux récepteurs nociceptifs) semble être déclenchée par la présence de bradykinines, substances libérées par les cellules détruites d'une région blessée. Ces sensations sont dirigées vers la formation réticulée activatrice qui excite l'organisme. Les récepteurs nociceptifs s'adaptent peu et même, dans certains cas, démontrent une sensibilité augmentée après un certain temps de stimulation.
Corpuscules méniscoïdes (disques de Merkel) Corpuscules méniscoïdes	Peau glabre (lèvres, bout des doigts, face palmaire de la main, face plantaire du pied, etc.)	Reconnaissance du toucher et de la pression	Récepteurs à adaptation lente, permettant une détection soutenue d'un stimulus
Poils tactiles Récepteur pileux	Peau pourvue de poils de toutes sortes	Reconnaissance du toucher et de la pression par flexion du poil	Un récepteur pileux enlace le bulbe de chaque poil. Il est sensible à tout mouvement du poil et il s'adapte rapidement. Il permet de déceler l'apparition et la cessation des stimulus, tels que ceux provoqués par les mouvements d'un insecte sur l'avant-bras. La complexité de leur innervation afférente laisse supposer qu'ils permettent de distinguer plusieurs catégories de stimulus.

(Suite à la page suivante)

Tableau 10-1 Les récepteurs de la peau, des articulations et des muscles (*suite*)

Récepteur	Localisation	Fonctions	Remarques
Corpuscules articulaires (de Ruffini)	Peau et tissus sous-jacents; capsule articulaire	Reconnaissance du toucher, de la pression, de l'angle des articulations, et de la vitesse de changement de position des pièces articulaires	La connaissance de l'angulation articulaire (le sens de position) permet de savoir, sans avoir à regarder, dans quelle position sont les membres. Ce sens requiert des récepteurs qui s'adaptent peu ou pas. Il en est de même pour ceux qui, localisés ailleurs, détectent une pression ou un toucher continu.
Corpuscules du tact (de Meissner)	Pulpe des doigts et des orteils, paume de la main, lèvres, là où ils sont requis pour informer de la forme ou de la texture exactes. Aussi bout de la langue, mamelon et gland.	Reconnaissance du toucher	Récepteurs à adaptation très rapide, convenant à la détection des stimulus mobiles plutôt que stationnaires: par exemple, un aveugle lisant du braille, un consommateur tâtant un tissu. Souvent l'afflux des informations sensitives est tel que le cerveau ne peut les interpréter, comme le passage répété de la pulpe des doigts ou des lèvres sur un tissu (par exemple un bas de nylon). L'impression créée en est une d'engourdissement.
Corpuscules bulboïdes (de Krause)	Peau, muscles et tendons, muqueuse de la bouche et des organes génitaux	On a déjà pensé qu'ils étaient associés à la détection de la chaleur et du froid	Récepteurs sur lesquels on ne possède que des informations partielles et souvent contradictoires

Corpuscules lamelleux (de Pacini) 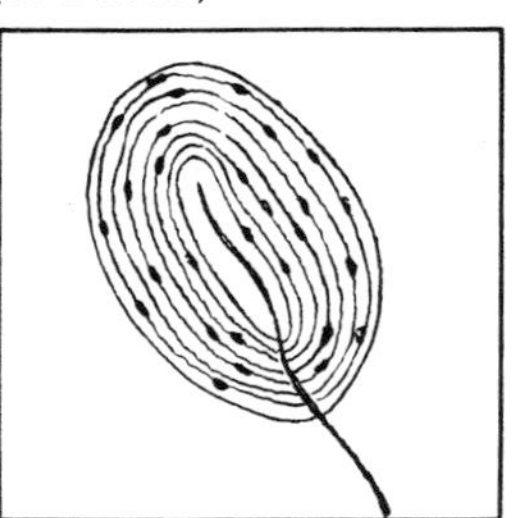	Sous la peau et dans les tissus profonds tels les viscères et le mésentère	Détection des mouvements rapides des tissus	**Spécialisation dans la détection des mouvements vibratoires. En grand nombre dans la plante des pieds où ils servent probablement au maintien de la posture. On les croit aussi responsables d'informer le SNC de la vitesse de rotation angulaire des articulations. Étant parmi les plus gros récepteurs, leur étude est relativement facile et a permis de mettre en lumière le mécanisme de la transduction.**
Fuseau proprioceptif des muscles (fuseau neuro-musculaire) (figure 10-24)	Muscles squelettiques	Contrôle réflexe du tonus musculaire. Détection non seulement du degré d'étirement d'un muscle mais encore de la rapidité de l'allongement. Implication dans le réflexe patellaire.	**Les fuseaux neuro-musculaires et les récepteurs des tendons sont des propriocepteurs qui détectent les changements de posture et de position des parties du corps. Les informations étant dirigées vers le cervelet, leur perception est inconsciente. Lorsqu'un muscle est étiré passivement, les fibres afférentes primaires sont stimulées pendant l'étirement alors que les fibres afférentes secondaires le sont aussi longtemps que l'étirement est maintenu. La contraction automatique du muscle est due à un réflexe spinal, lequel sert aussi à régulariser la tension d'un muscle qui se contracte.**
Terminaisons proprioceptives des tendons (organe tendineux de Golgi) (figure 10-24)	Tendons	Détection de la tension dans les tendons	**Récepteurs à adaptation très lente, source d'un réflexe inhibiteur de la contraction musculaire (myotatique inverse). Sert et à ralentir et à prévenir une tension de contraction excessive.**

tion du poids sur la plante des pieds aide au contrôle de la marche grâce à la stimulation des récepteurs qui s'y trouvent; la position du corps à chaque instant détermine un patron de pressions particulier. Si quelqu'un marche sur un objet pointu ou sur du sable brûlant, la réaction n'est plus la même puisque d'autres récepteurs ont été stimulés. La peau est sensible à la température sur toute sa surface, mais certaines régions sont plus sensibles que d'autres. On pourra détecter qu'un enfant est fiévreux en l'embrassant sur le front, ou qu'un biberon est trop chaud en se versant quelques gouttes de lait sur la surface interne du poignet. Les thermorécepteurs des lèvres et du poignet sont plus sensibles à la chaleur que d'autres. Il en est ainsi de tous les récepteurs de la peau qui remplissent leur rôle d'informateur selon leur spécialité (selon la forme que prend le stimulus appliqué) et leur sensibilité propre. L'interaction des informations qui parviennent au cerveau par tous les récepteurs de la sensibilité cutanée à chaque instant définit la qualité de la connaissance de chacun du milieu dans lequel il se trouve. Plus simplement, on peut identifier une pièce de monnaie en glissant la main dans sa poche ou son sac à main, savoir si le bébé est sec ou mouillé, à deux heures du matin dans l'obscurité, mais être incapable de reconnaître, au même moment, la couleur de sa couche de plastique.

LA SENSIBILITÉ CHIMIQUE

La *chimioréception* est la sensibilité la moins bien développée chez les humains. Qui peut comparer son goût à celui d'un poisson-chat ou son odorat à celui d'un chien policier? (Le poisson-chat possède des bourgeons du goût extrêmement sensibles répartis sur toute la surface de la tête.) On connaît peu les organes de la sensibilité chimique chez l'humain, peut-être à cause de leur influence mineure sur le comportement.

Le goût

Les récepteurs spécifiques du goût (du sens gustatif) sont les *bourgeons du goût* (*gustatifs*), de minuscules structures au nombre d'environ 10 000 chez l'adulte, un peu plus nombreuses chez les enfants, et plus rares chez les gens âgés. Ils sont distribués inégalement dans la bouche mais sont surtout rassemblés sur la langue. On peut en trouver aussi à la surface interne des joues, sur le palais, les tonsilles et l'épiglotte. La partie antérieure de la langue est particulièrement sensible aux substances douces (sucrées), les parties latérales aux substances salées et acides, et la base aux substances amères. Tous les bourgeons du goût sont sensibles aux quatre sensations gustatives proprement dites mais à des degrés divers (figure 11-4). Il est possible que le cerveau interprète le goût par une sorte de comparaison statistique de la réponse des divers bourgeons à un moment donné.

Les bourgeons du goût sont des structures épithéliales reliées à des terminaisons nerveuses, contenant des cellules réceptrices neuro-épithéliales (pseudo-sensorielles[1]) centrales (de 5 à 20 par bourgeon) et des cellules de soutien en périphérie. Ces dernières se divisent constamment et les nouvelles cellules migrent vers le centre du bourgeon. On estime que la longévité d'une cellule gustative est d'environ 250 heures. Il est même possible que les bourgeons soient éphémères, c'est-à-dire progressivement remplacés par d'autres.

L'odorat

Le sens de l'odorat, ou encore l'*olfaction*, est celui que l'on connaît le moins. Les récepteurs sont logés dans la muqueuse olfactive, à la partie supérieure des cavités nasales. Cet épithélium, siège de l'odorat, contient des cellules nerveuses vraies, au contraire des cellules gustatives, et la réunion de leurs prolongements forme le nerf olfactif. Les fibres sensorielles passent au travers de la lame criblée (structure osseuse formant le plancher crânien à cet endroit) par des minuscules pores pour aboutir directement dans le bulbe olfactif (figure 10-2).

Selon certains spécialistes, l'épithélium olfactif pourrait être sensible à un grand nombre de sensations différentes (jusqu'à une cinquantaine) à l'encontre des cellules gustatives qui ne sont sensibles qu'à quatre sensations de base. On croit que l'interaction de ces sensibilités primaires permettrait d'expliquer la discri-

[1] Cellules non nerveuses par l'intermédiaire desquelles une expansion nerveuse reçoit une excitation.

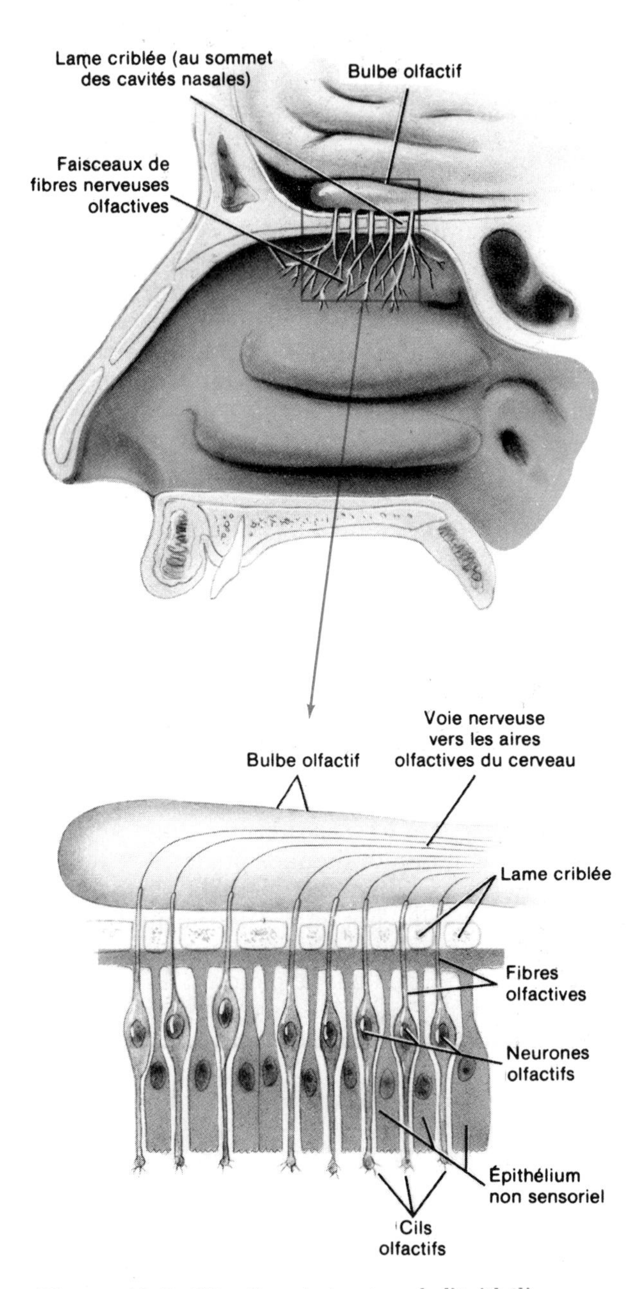

Figure 10-2 Situation et structure de l'épithélium olfactif. Noter que les cellules réceptrices sont situées dans l'épithélium.

mination olfactive à travers la gamme fantastique des odeurs qui peuvent assaillir ou flatter la muqueuse nasale pendant une journée. Les effets des odeurs de pourriture sont actuellement les mieux connus à cause des recherches poursuivies par l'industrie des désodorisants. Les odeurs putrides ont en commun d'être portées par des molécules qui ont le pouvoir de donner ou d'accepter un proton. Cette particularité les rendrait potentiellement aptes à agir sur la membrane de la cellule sensorielle pour y produire un potentiel générateur.

L'odorat est le sens qui s'adapte probablement le plus rapidement. Les cellules olfactives se caractérisent aussi par l'emplacement de leurs corps cellulaires, enfouis dans la muqueuse nasale. Comme les corps cellulaires ne se régénèrent pas après une blessure, toute détérioration de l'épithélium olfactif affecte l'odorat d'une façon permanente. Des agressions mineures mais répétées, comme par exemple la pollution atmosphérique urbaine, la fumée de cigarette ou une infection, peuvent amener une insensibilisation olfactive progressive. On a récemment montré qu'une déficience en zinc peut produire des anomalies sensorielles au niveau du goût et de l'odorat, et même abolir complètement la chimioréception.

Tout le monde à déjà perdu temporairement la faculté de goûter à cause d'une congestion nasale d'origine grippale ou allergique. En fait, l'activité des récepteurs gustatifs demeure intacte. Il semble que le goût, sans l'odorat, soit inopérant, ou que son interprétation par le cerveau requière l'odorat.

L'OEIL

Organe par excellence de la *gnosie* (faculté de reconnaître les objets), l'oeil domine nettement les autres structures perceptives chez l'humain grâce à la qualité et à la précision des informations fournies. On demandera le plus souvent à un témoin, en cour, de raconter non pas ce qu'il a senti ou même entendu, mais ce qu'il a vu; les identifications formelles de personnes ou d'objets sont visuelles.

On a cru longtemps que l'oeil émettait des ondes, un peu comme un radar, permettant de reconnaître les caractéristiques de surface et les contours des objets. On sait maintenant que la lumière est perçue en autant qu'elle est transmise ou réfléchie par les objets. Les rayons lumineux pénètrent dans l'oeil et forment une image de ce qui nous entoure. Le stimulus adéquat de la vision est la lumière visible, une partie très limitée du spectre électro-magnétique entre l'ultraviolet et l'infrarouge (soit les longueurs d'onde comprises entre $\lambda = 0,4\,\mu$m et 0,7 μm). On connaît très peu d'organismes qui sont sensibles à des rayonnements hors de cette bande. Le cas le plus exceptionnel est celui d'une vipère qui peut repérer sa proie (un petit rongeur, par exemple) grâce à des cellules faciales logées dans des fossettes, et sensibles aux radiations calorifiques infrarouges émises par la victime. Celle-ci peut donc être capturée à son insu dans l'obscurité totale, par exemple dans son terrier en pleine obscurité.

Le développement de l'oeil

L'ébauche de la rétine apparaît très tôt (fin de la troisième semaine de la vie embryonnaire) sous la forme de deux épaississements de la paroi du tube neural (*plaques optiques*) dans la région qui va former le prosencéphale. Les plaques optiques se dépriment rapidement en gouttières longitudinales qui s'invaginent et s'enfoncent dans le tissu embryonnaire (mésenchyme). Après la fermeture du tube neural et la constitution des vésicules cérébrales, les *gouttières optiques* se transforment en deux diverticules sphériques et creux, les *vésicules optiques*, qui sont visibles à la surface prosencéphalique (figure 9-6). Leur cavité est en continuité avec la cavité ventriculaire diencéphalique. Les vésicules optiques poursuivent leur poussée latérale et viennent en contact avec l'épiblaste (l'épiderme embryonnaire). Elles restent reliées au cerveau intermédiaire par un pédoncule optique, le futur *nerf optique*. Au lieu de contact entre la vésicule optique et l'épiblaste se produisent deux séries d'événements. (1) La vésicule optique subit une invagination et se déprime pour former une *cupule optique* à double paroi. La paroi externe de la cupule est à l'origine de la *couche pigmentaire* de la rétine (figure 10-9) alors que le feuillet interne devient la partie neuro-sensorielle ou *rétine optique*. Les deux feuillets sont étroitement accolés, sans fusion, de sorte qu'un espace virtuel persiste entre les deux et explique les décollements pathologiques de la rétine chez l'adulte. (2) En regard des vésicules optiques, l'épiblaste s'épaissit et constitue, par un processus d'induction, les deux *placodes cristalliniennes*. La partie centrale de chaque placode s'invagine en une *fossette cristallinienne* qui se ferme, se détache de l'épiblaste, et devient la *vésicule cristallinienne*, l'ébauche du cristallin. Les autres structures du globe oculaire se développent progressivement autour de l'oeil en formation[2].

La localisation des yeux

Pendant leur développement, les yeux migrent d'une position initiale latérale vers une position frontale, permettant le chevauchement des champs visuels. Les deux images rétiniennes sont légèrement différentes et le cerveau, en les comparant, peut percevoir le relief (vision stéréoscopique).

Les structures oculaires et leurs fonctions

Les yeux sont fragiles et vulnérables; leur protection est assurée (figure 10-3) par les cavités osseuses où ils logent (les *orbites*) et par les garnitures lipidiques molles qui les enveloppent. Ils ne sont exposés qu'aux blessures provoquées par un coup direct et puissant sur le visage. Les yeux sont aussi protégés par les paupières, des replis peauciers bordés de cils et incrustés de glandes tarsales (de Meibomius) responsables, avec les larmes, de leur lubrification. Les paupières se ferment par action réflexe devant toute menace oculaire et leurs clignements réguliers nettoient la surface de l'oeil des poussières et autres débris qui l'atteignent. Elles ferment complètement pendant le sommeil et partiellement pendant la somnolence. Quelques muscles des paupières supérieures sont involontaires et se relâchent automatiquement en période de fatigue; il faut alors un effort volontaire important pour garder les yeux ouverts.

La sécrétion des larmes est assurée par les *glandes lacrymales* supraorbitaires et par des glandes conjonctivales accessoires (figure 10-4). Le débit lacrymal est continuel; il élimine les poussières de la surface de l'oeil, lubrifie les paupières et humidifie la cornée. Le surplus se draine dans les cavités nasales par le *conduit lacrymo-nasal* (*canal lacrymal*). Les irritations oculaires, les émotions, les douleurs physiques, augmentent l'écoulement par voie réflexe; du liquide (les larmes) peut déborder de la paupière inférieure alors que le reste s'écoule

[2] Description inspirée du volume 7.3 de la collection «*Synthèse*», *Embryologie humaine (11)*, Éd. Armand Colin, Paris, 1977.

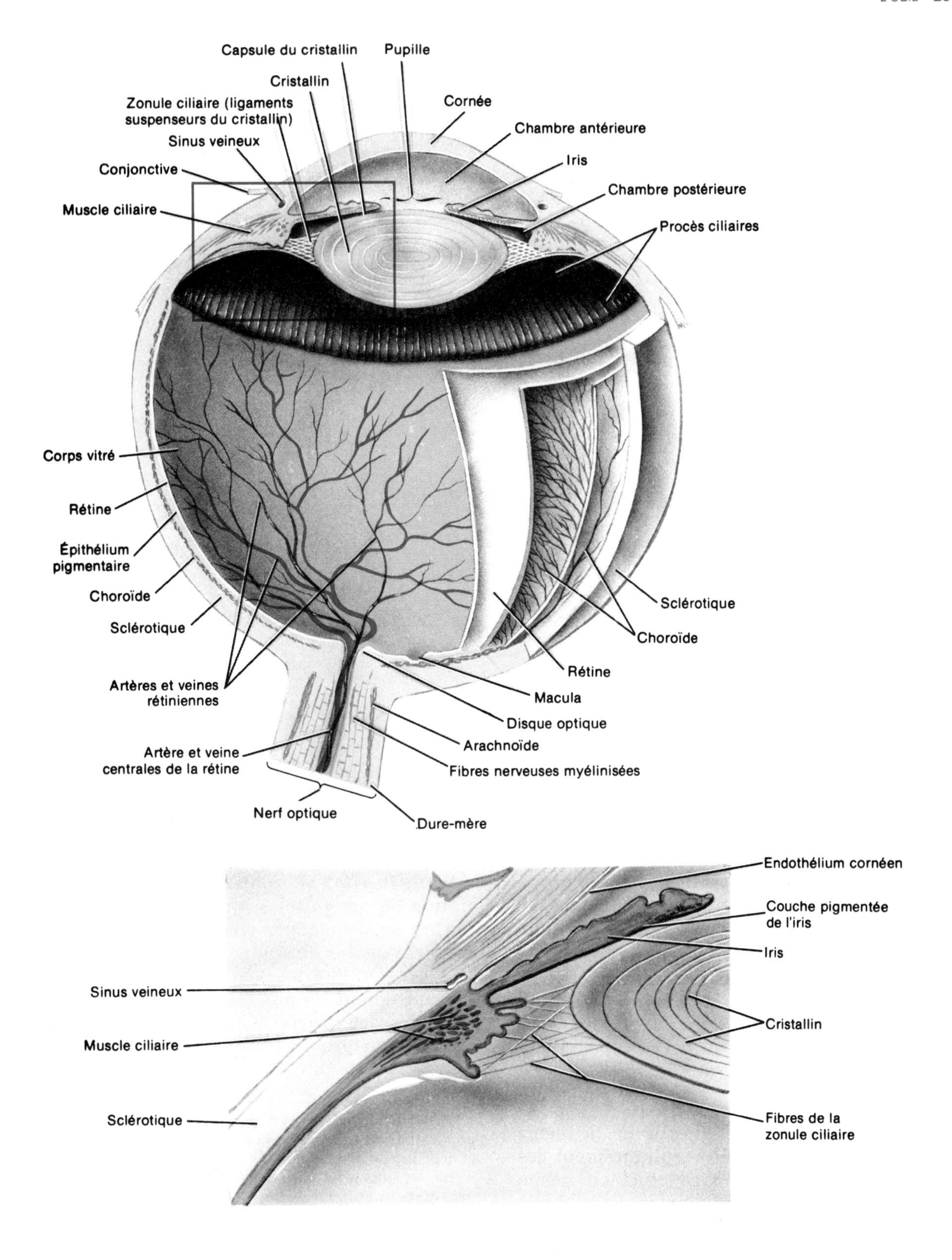

Figure 10-3 La structure générale de l'oeil.

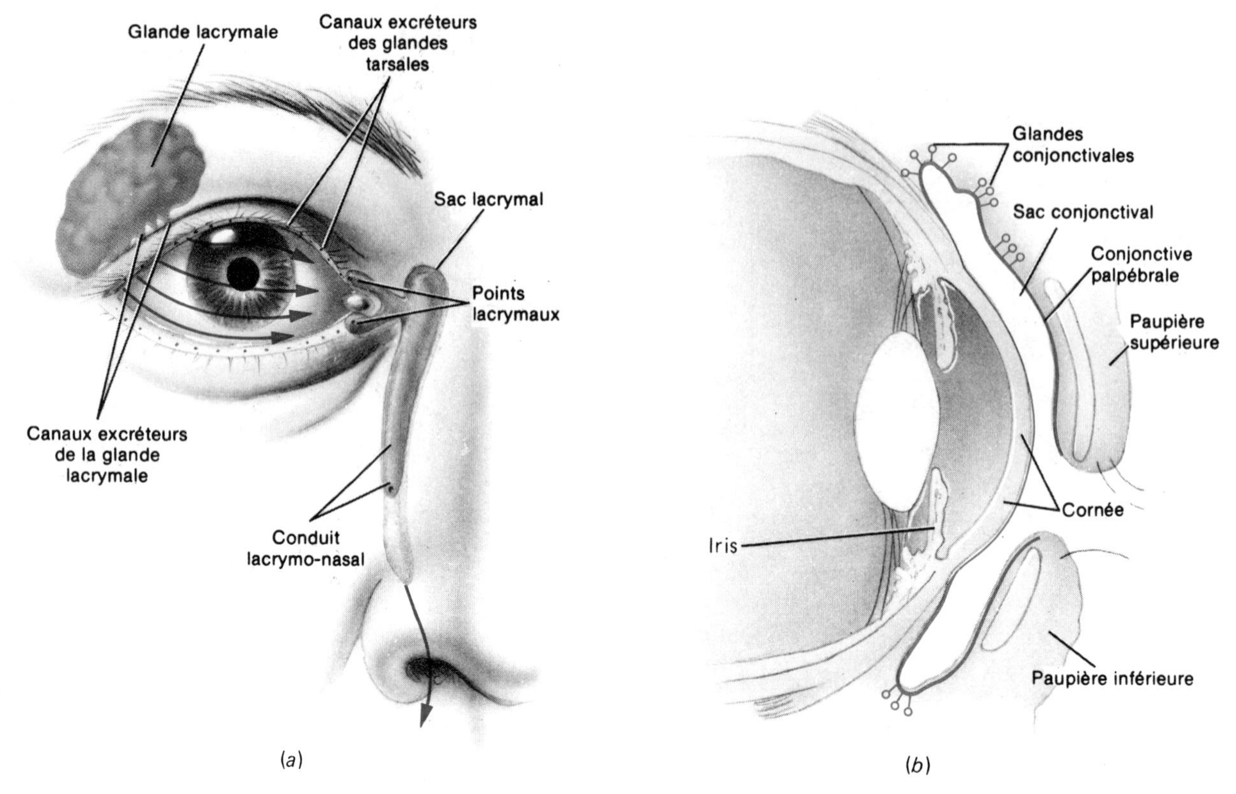

Figure 10-4 (*a*) L'appareil lacrymal; (*b*) coupe sagittale des paupières et de l'oeil montrant le sac conjonctival.

dans les cavités nasales, causant les reniflements caractéristiques des pleurs. La membrane humide qui couvre le blanc des yeux et la face interne des paupières, la *conjonctive*, est en continuité avec le revêtement cornéen et pénètre partiellement à l'intérieur de l'orbite où elle forme un sac conjonctival (cul-de-sac conjonctival). L'infection de cette membrane rend l'oeil rouge, irrité, et produit des sécrétions qui collent aux cils et aux paupières.

Les muscles extrinsèques Six muscles extrinsèques s'insèrent sur le globe oculaire et prennent leur origine sur les os de l'orbite. Ils sont responsables de la rotation des globes, dont les mouvements sont *synergistes* (déplacement simultané des axes optiques dans la même direction) et coordonnés (ordinairement les deux yeux fixent le même objet en même temps). Ces muscles sont illustrés aux figures 10-5 et 10-6.

De toutes les commandes motrices cérébrales, celles qui sont destinées au contrôle et à la coordination des mouvements de l'oeil sont probablement les plus précises. Les muscles oculaires sont constitués d'un grand nombre de cellules très étroites et leurs unités motrices sont très nombreuses. Ils possèdent aussi beaucoup de fuseaux neuro-musculaires. La coordination de ces muscles semble être apprise ou encore se développer conjointement avec la maturation des aires visuelles corticales. Toute confusion motrice peut entraîner le *strabisme*, un défaut de parallélisme des axes optiques des deux yeux[3]. Comme cet état réflète souvent un problème cérébral, on comprend

[3] Le strabisme produit la diplopie ou vision double. Si elle apparaît durant l'enfance, la diplopie entraîne la suppression de la vision qui peut d'abord être temporaire ou intermittente, sans effet sur l'acuité visuelle. La suppression constante et unilatérale dans les premières années de la vie amène l'amblyopie, une baisse marquée de l'acuité visuelle sans lésion anatomique et non améliorable par des verres correcteurs. Il est donc évident que le traitement du strabisme devrait être entrepris dès son apparition.

qu'il soit difficile à soigner. Un strabisme pourra éventuellement être traité par des verres correcteurs, des prismes, des exercices orthoptiques, ou par le déplacement chirurgical d'une attache musculaire sur le globe oculaire pour affaiblir ou renforcer un mouvement particulier de l'oeil.

Les enveloppes externes La surface externe du globe oculaire se différencie à partir d'un revêtement embryonnaire unique qui forme la cornée et la sclérotique. La *cornée*, la fenêtre transparente de l'oeil, recouvre l'iris, lui-même percé en son centre de la pupille. La *sclérotique* (ou *sclère*), le blanc de l'oeil, est visible chez les humains mais invisible chez la plupart des animaux (figure 10-3). La sclérotique entoure complètement le globe oculaire sauf à l'endroit où elle se fusionne avec la cornée. Elle est riche en fibres conjonctives blanches qui lui confèrent résistance et souplesse. L'inflammation ou les pleurs causent une vasodilatation conjonctivale et les yeux deviennent rouges. La cornée contient un grand nombre de terminaisons nerveuses libres sensibles à la chaleur, au froid et au toucher. Les stimulus mécaniques sont cependant perçus comme une douleur qui peut être très vive, à un point tel que l'on peut à peine ouvrir les paupières.

La particularité de la cornée est d'être transparente. Le seul autre tissu qui possède cette caractéristique est le cristallin. La cornée est formée d'un tissu conjonctif original, ne contenant ni fibres ni vaisseaux sanguins. Recouverte extérieurement par un mince épithélium qui se régénère constamment, sa face interne est tapissée d'un endothélium comme celui du revêtement intérieur des vaisseaux sanguins. Aucun élément particulier n'explique la transparence de la cornée, si ce n'est, peut-être, un ajustement précis de l'hydratation tissulaire assuré par les larmes et le transport d'ions et d'eau par l'endothélium. L'hydratation excessive déforme l'arrangement lamellaire uniforme de la cornée, provoquant la dispersion des rayons lumineux (au lieu d'une convergence).

La transparence de la cornée peut être affectée de nombreuses façons (surtout par des cicatrices). Les malformations et déformations qui produisent une irrégularité de surface ou de

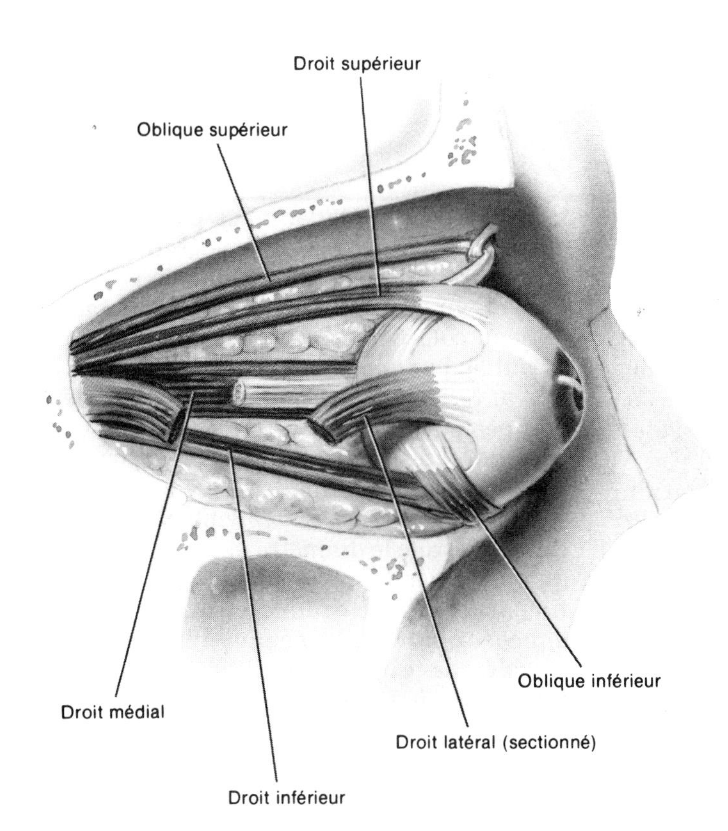

Figure 10-5 Les muscles extrinsèques de l'oeil droit en vue latérale.

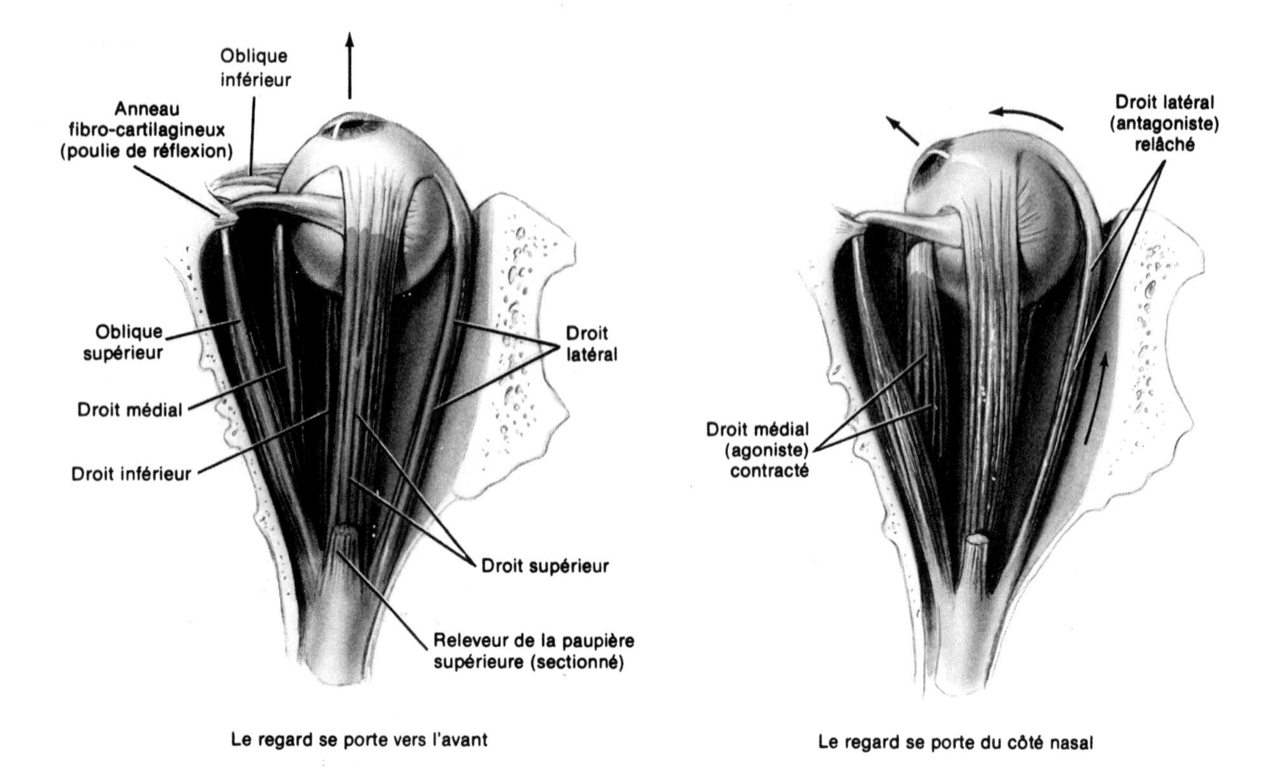

Figure 10-6 L'oeil droit en vue supérieure. La contraction du muscle droit médial fait tourner le globe oculaire vers l'intérieur (vers le nez). S'il se relâche et que son antagoniste (le droit latéral) se contracte, l'oeil tourne vers l'extérieur.

transparence sont des situations où on peut envisager de remplacer la cornée par la greffe d'une cornée normale. Il est important que le greffon soit prélevé sur un donneur qui vient de mourir. Le pronostic est généralement très bon puisque les réactions de rejet sont rares. L'absence de vascularisation est sans doute la cause de cette «heureuse» déficience du système immunitaire.

Le pouvoir réfringent de la cornée fournit plus de la moitié de la puissance optique de l'oeil, de sa capacité à former une image. Il est possible de changer la forme de la cornée avec des verres de contact et cette modification peut même devenir permanente malgré le retrait des lentilles cornéennes. Toujours à l'état expérimental, cette dernière technique pourrait permettre de corriger quelques troubles visuels en se servant de la cornée elle-même comme lentille correctrice endogène.

Les chambres antérieure et postérieure La *chambre antérieure* est formée par le dôme transparent de la cornée. L'iris en est le plancher et, vu d'en haut, il se présente comme un anneau coloré percé d'un trou noir à diamètre variable, la *pupille*. La périphérie de la chambre antérieure, à la base de la coupole, est occupée par un enchevêtrement de poutrelles, les *trabécules* du bord ciliaire. Les pores de ce réseau s'ouvrent dans le *sinus veineux de la sclère* (*canal de Schlemm*) placé à l'arrière. L'iris contrôle le diamètre de la pupille, donc la quantité de lumière qui pénètre dans l'oeil et le filet trabéculaire draine le surplus d'*humeur aqueuse* qui remplit la chambre antérieure. La pression de ce liquide gonfle le globe oculaire et lui permet de conserver sa forme.

L'iris L'*iris* de l'oeil est essentiellement constitué de muscle viscéral, donc à innervation autonome. Les fibres musculaires de l'iris sont disposées en cercle et forment le sphincter iridien, constricteur de la pupille en lumière forte. Des fibres radiaires dilatatrices agrandissent la pupille en lumière tamisée. L'innervation de ces dernières est sympathique alors que celle des fibres constrictrices est parasympathique. Les substances qui affectent le SNA laissent souvent leur empreinte dans les yeux. Les drogues cholinergiques ou celles qui stimulent l'activité de l'Ach (comme la pilocarpine ou la néostigmine) ferment la pupille souvent à un degré jamais observé dans un oeil normal. Les substances adrénergiques (comme l'éphédrine ou les amphétamines), d'un autre côté, la font dilater.

On connaît cette action, sinon son explication, depuis fort longtemps. Pendant la Renaissance on mettait de l'atropine (de la *belladonne*) dans les yeux des dames pour leur dilater les pupilles; on croyait qu'elles étaient ainsi plus séduisantes (*bella dona* signifie «belle dame»). On a découvert récemment que les pupilles des yeux ne s'ajustaient pas seulement en fonction de l'illumination mais encore en fonction de l'état émotif, comme les autres structures à innervation autonome[4].

La coloration de l'iris est due principalement à la mélanine. L'absence de pigment laisse voir par transparence les capillaires iridiens qui donnent les yeux rouges typiques de l'albinos. Des quantités progressivement croissantes de mélanine confèrent les teintes grises, bleues, brunes et noires. Les colorations vertes et noisettes sont dues à la présence de pigments distincts en surplus de la mélanine. Comme on peut s'y attendre la couleur des yeux est reliée au teint et à la couleur des cheveux; elle est héréditaire et la dominance génétique va aux couleurs foncées par rapport aux couleurs pâles.

Le rôle principal de l'iris est de limiter la quantité de lumière qui pénètre dans l'oeil; par ses mouvements pupillaires il met la rétine à l'abri d'une surexposition et, en accord avec certains principes optiques, il réduit l'effet des aberrations du système optique cristallin-rétine.

Le cristallin La *chambre postérieure* est la région sise entre l'iris et le cristallin. Le rôle premier du *cristallin* est d'ajuster la mise au point des images extérieures sur la rétine. La section spéciale traitant de L'OEIL ET LA LUMIÈRE explique le phénomène de l'accomodation.

Le cristallin de l'oeil s'apparente à la lentille d'une caméra; si celle-ci permet de faire la mise au point sur la pellicule grâce à son mouvement d'avant-arrière, le cristallin change de forme pour obtenir le même résultat. En conséquence il doit être transparent et élastique.

Comme nous l'avons vu, le cristallin se différencie à partir de l'épiblaste embryonnaire. Il est partiellement recouvert d'une enveloppe de cellules épidermiques fixées à une membrane basale résistante. Leur division constante repousse les nouvelles cellules vers le centre du cristallin; elles perdent leur noyau, deviennent fibreuses, et font éventuellement partie intégrante d'une vannerie complexe à plusieurs couches qui caractérise la structure microscopique du cristallin. Ce processus se poursuit la vie entière; le cristallin se développe et grossit jusqu'à la mort (figure 10-7*c*).

[4] Il y a pourtant longtemps que le proverbe dit que «les yeux sont le miroir de l'âme».

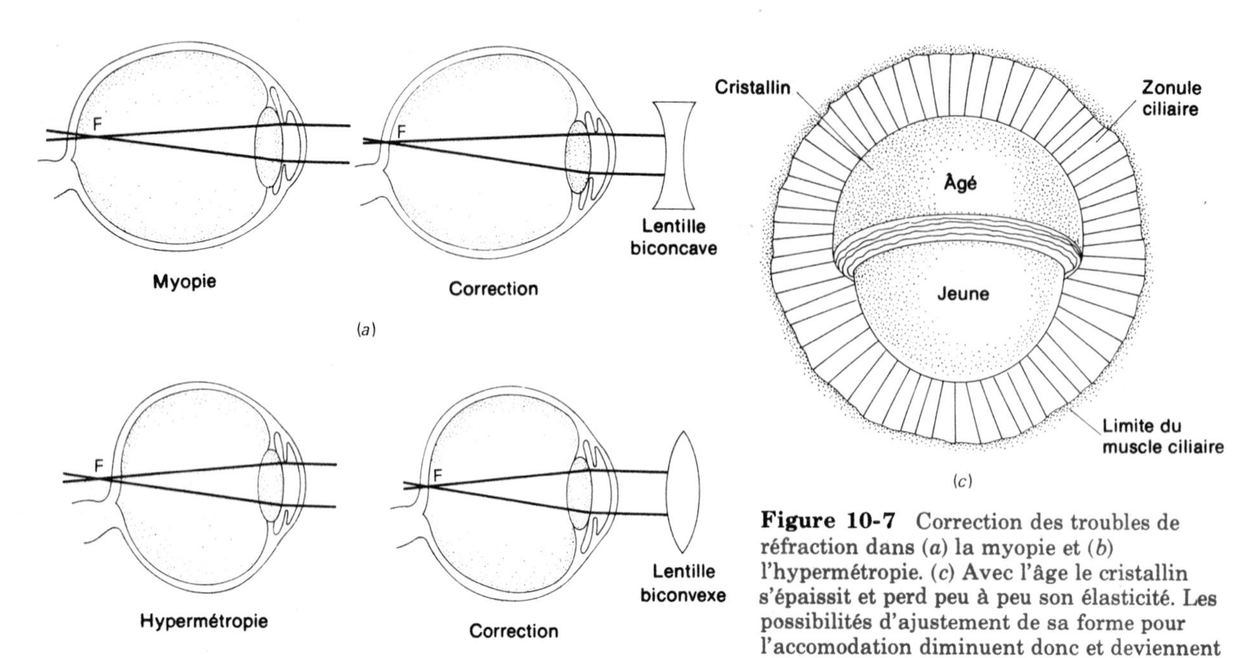

Figure 10-7 Correction des troubles de réfraction dans (*a*) la myopie et (*b*) l'hypermétropie. (*c*) Avec l'âge le cristallin s'épaissit et perd peu à peu son élasticité. Les possibilités d'ajustement de sa forme pour l'accomodation diminuent donc et deviennent presque nulles à un âge avancé. F, foyer.

La lumière est une forme d'énergie, libre de tout support matériel, et qui se propage dans le vide à la vitesse limite c = 300 000 km/s. Sous son aspect ondulatoire la lumière peut avoir une longueur d'onde précise (λ = la distance mesurée entre deux pics successifs) comme la lumière monochromatique, ou encore être polychromatique comme la lumière blanche. Celle-ci est formée d'ondes de différentes grandeurs, les plus longues étant le rouge et les plus courtes le violet.

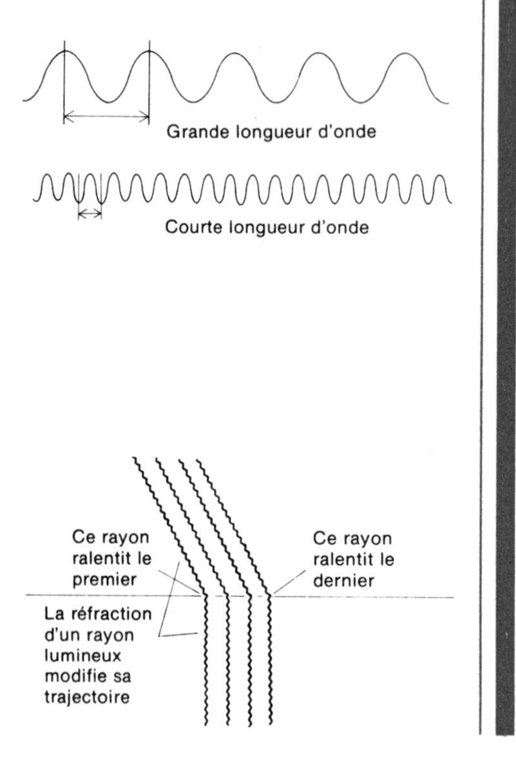

Dans un milieu transparent autre que le vide la vitesse de la lumière diminue: un tiers dans le verre, un peu moins dans l'eau, à peu près pas dans l'air. Observons ci-contre un faisceau lumineux qui pénètre dans l'eau avec un angle d'incidence quelconque. Les rayons sont ralentis et le faisceau lumineux est dévié de sa course rectiligne à l'interface air-eau (la *réfraction*). La valeur de l'angle de réfraction est proportionnelle à la différence de vitesse de propagation dans les deux milieux.

Presque tous les rayons qui atteignent la cornée sont obliques à sa surface. Ils sont déviés, réfractés vers l'axe optique du globe oculaire. Un faisceau de rayons parfaitement parallèles convergera vers un point situé près du centre de l'oeil puis divergera avant d'atteindre la rétine. Ainsi les rayons la touchent du côté opposé à celui de leur pénétration, que ce soit en haut, en bas, à droite ou à gauche de la cornée.

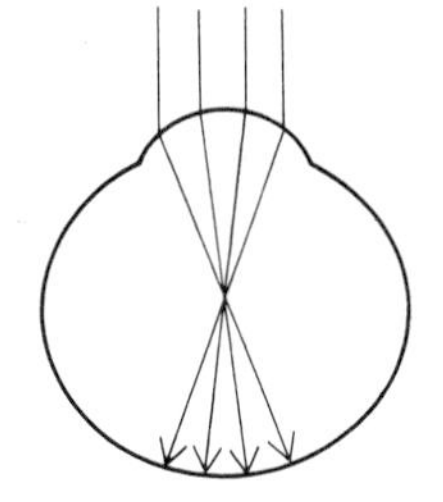

Un objet peut être représenté par une infinité de minuscules points de lumière réfléchie, donnant naissance chacun à un certain nombre de rayons lumineux qui voyagent en ligne droite.

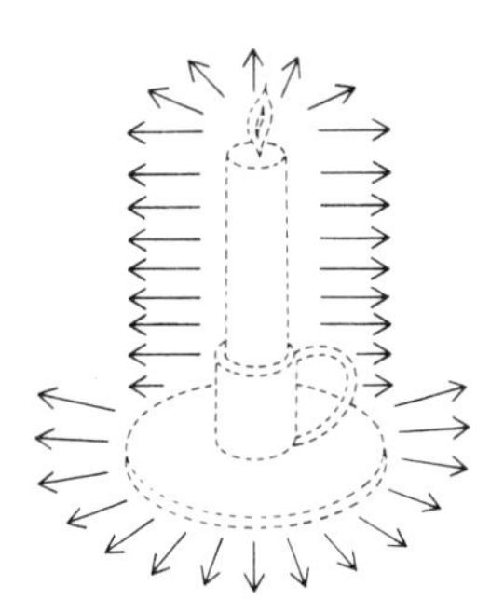

Certains de ces rayons peuvent atteindre la cornée et, si l'objet est placé à la bonne distance de l'oeil, ils formeront une image inversée de l'objet sur la rétine, la surface photosensible de l'oeil.

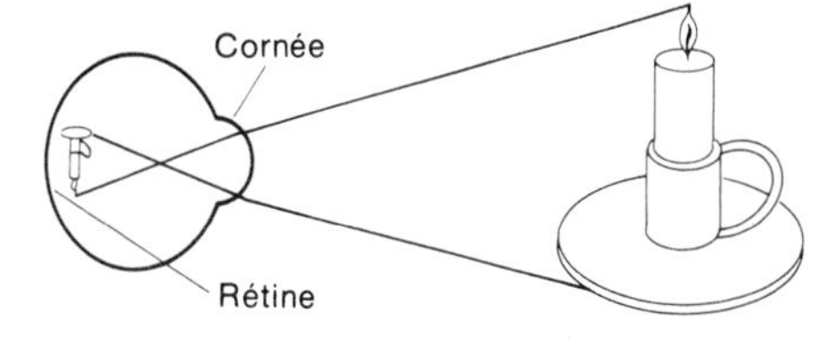

Que se passe-t-il si l'objet est trop près de l'oeil? L'image aura tendance à se former derrière la rétine.

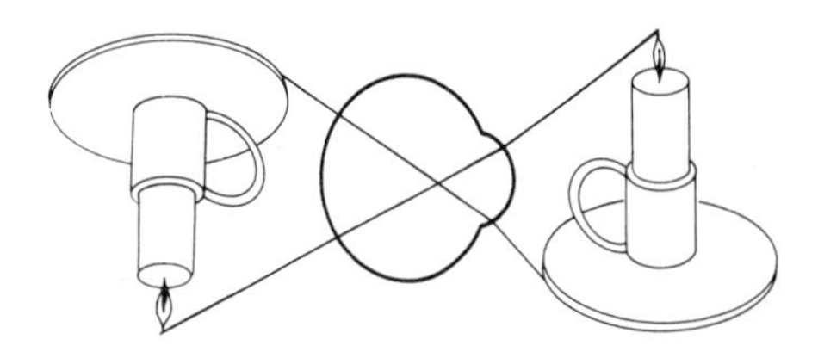

Évidemment aucune image ne pourra se former derrière la rétine puisque le fond de l'oeil est opaque. La rétine enregistre alors une image embrouillée. La même chose se produit si l'objet est placé trop loin de l'oeil et que l'image se forme dans le corps vitré.

Le rôle du cristallin est d'ajuster la mise au point du système optique pour que l'image se forme exactement sur la rétine, quelle que soit, entre des limites raisonnables, la distance de l'objet. Le pouvoir réfracteur du cristallin est faible, puisqu'il est essentiellement formé d'eau et entouré d'un milieu aqueux. Les rayons ralentissent peu en le traversant. Le cristallin complète la réfraction cornéenne et déplace le site de formation de l'image en changeant de forme.

Bien que faible, le pouvoir réfracteur du cristallin est suffisant pour obtenir une image nette d'un objet grâce à son *accomodation*.

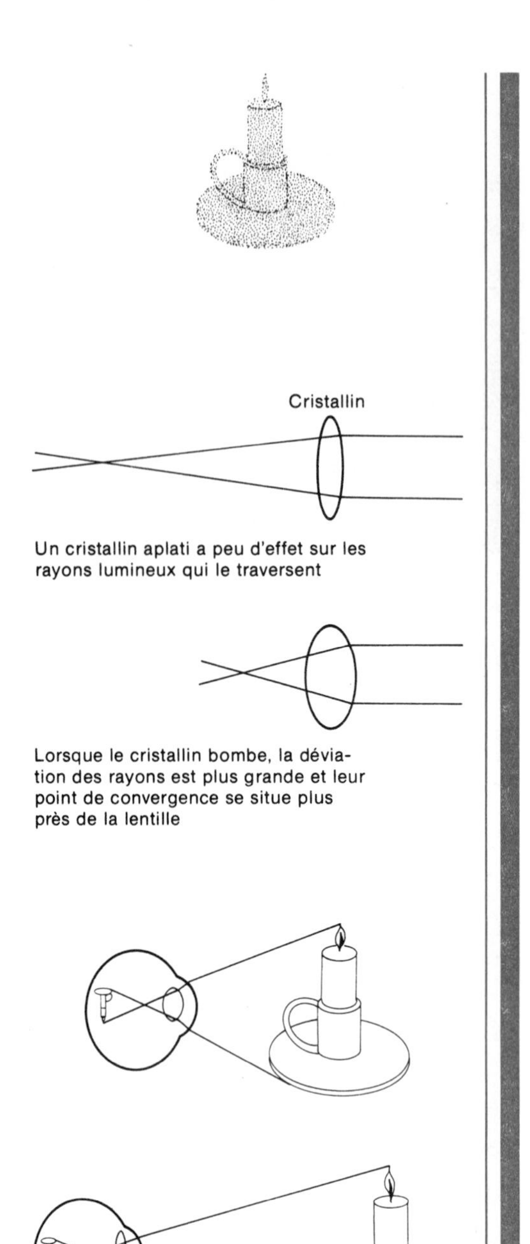

Un cristallin aplati a peu d'effet sur les rayons lumineux qui le traversent

Lorsque le cristallin bombe, la déviation des rayons est plus grande et leur point de convergence se situe plus près de la lentille

Le cristallin est maintenu en place par la *zonule ciliaire* (*ligaments suspenseurs*) qui l'attache au *muscle ciliaire* (figure 10-3), un anneau musculaire lui-même fixé à la sclérotique. Le muscle ciliaire origine de la sclérotique et s'insère sur la capsule, le recouvrement élastique sécrété par les cellules périphériques du cristallin. La contraction des fibres orbiculaires du muscle ciliaire diminue la tension sur la zonule ciliaire et le cristallin reprend passivement une forme sphérique. La relaxation des fibres rétablit la tension sur la zonule et le cristallin s'aplatit. Une forte courbure du cristallin favorise la mise au point rapprochée alors que la diminution de la courbure permet la vision éloignée. Les fibres musculaires radiaires du muscle ciliaire peuvent contrecarrer activement l'action des fibres circulaires (ou orbiculaires) favorisant ainsi l'accomodation du cristallin pour la vision éloignée. Il semblerait en effet qu'elles puissent tirer sur la zonule et aplatir le cristallin.

Le muscle ciliaire est innervé par le SNA, les fibres circulaires ayant une innervation parasympathique et les fibres radiaires ayant possiblement une innervation sympathique. Le muscle ciliaire ressemble au muscle squelettique tout en présentant certaines caractéristiques du muscle lisse. L'*accomodation*, l'ajustement de la focale de l'oeil, est une action partiellement consciente et partiellement réflexe, comme on peut le montrer en essayant de faire la mise au point sur un volume d'air vide. L'oeil ne peut être aisément mis au point que sur un objet dans le champ de vision. Elle se fait alors généralement sans effort conscient.

Le muscle ciliaire n'est qu'une partie du *corps ciliaire* dont la surface interne sécrète l'humeur aqueuse. On ne sait pas comment se fait cette sécrétion mais on constate que la forme du globe oculaire est maintenue par la pression interne du liquide. L'ajustement de la pression dépend de l'équilibre entre la sécrétion de l'humeur aqueuse par les procès ciliaires et son drainage éventuel par le sinus veineux de la sclère.

L'humeur aqueuse circule à partir des procès ciliaires et de la zonule vers la chambre postérieure et la pupille pour se retrouver dans la chambre antérieure et dans le réseau trabéculaire, où, par le sinus veineux, elle débouche dans la circulation veineuse.

Toute ces structures peuvent présenter des dérangements. Le cristallin, par exemple, peut s'opacifier, particulièrement à un âge avancé. Le seul traitement connu de la *cataracte* est l'ablation chirurgicale du cristallin et le port de lunettes compensatrices très fortes ou mieux encore, par la lentille de contact. (Une approche nouvelle et encore controversée consiste à remplacer le cristallin par une lentille plastique. Cette dernière ne permet évidemment pas plus l'accomodation que les lunettes.) La cataracte est fréquente chez les diabétiques et peut aussi apparaître comme un effet secondaire à certaines médications. Son support physiologique est inconnu.

L'*amétropie* est le nom générique donné aux troubles de la réfraction oculaire; suivant la courbure du cristallin l'oeil est dit myope, hypermétrope, presbyte, astigmate, ou normal. La *myopie* est un défaut congénital dû à un gène récessif où le globe oculaire est trop long. L'*hypermétropie*, le contraire de la myopie, n'est pas reconnue comme une affection héréditaire. La *presbytie* apparaît avec l'âge et représente essentiellement la perte du pouvoir d'accommodation du cristallin. C'est un trouble dont l'effet habituel est identique à celui de l'hypermétropie, et on l'attribue généralement à la perte de l'élasticité du cristallin. Une autre explication, récente, suppose que le cristallin devient simplement trop gros pour obéir aux contraintes du muscle ciliaire. Les deux explications ne sont pas exclusives et peuvent être vraies. L'*astigmatisme* est causé par des défauts de courbure des milieux réfringents de l'oeil, surtout par la perte de la parfaite sphéricité de la cornée. L'image ne peut donc être au point en même temps selon tous les méridiens; elle est déformée. Si l'oeil n'a aucun défaut, la vision est normale; en langage technique, c'est l'*emmétropie*.

Le *glaucome* est un désordre dangereux affectant la circulation de l'humeur aqueuse dans la chambre antérieure. Il est dû à l'incapacité pour le filet trabéculaire à filtrer assez rapidement l'humeur aqueuse et parfois à une hypersécrétion liquidienne par le corps ciliaire (le glaucome à angle ouvert)[5], ou encore à une obstruction du sinus veineux par l'iris qui forme un repli lors de sa dilatation (le glaucome à angle fermé). Dans toutes ces situations, la pression augmente rapidement dans le globe oculaire et réduit la circulation rétinienne sans que la situation ne soit décelée; il en résulte généralement une cécité permanente. On peut traiter le glaucome avec des médicaments qui inhibent la sécrétion de l'humeur aqueuse ou facilitent son drainage. On peut

[5] Le glaucome à angle ouvert peut être une maladie héréditaire due à un gène récessif. Les porteurs, même s'ils n'ont pas le phénotype, peuvent être détectés grâce à l'augmentation de la pression intra-oculaire après un traitement des yeux avec des stéroïdes. Cet outil important pour le conseil génétique doit être employé avec beaucoup de précautions afin de ne pas déclencher l'apparition de la maladie chez le patient.

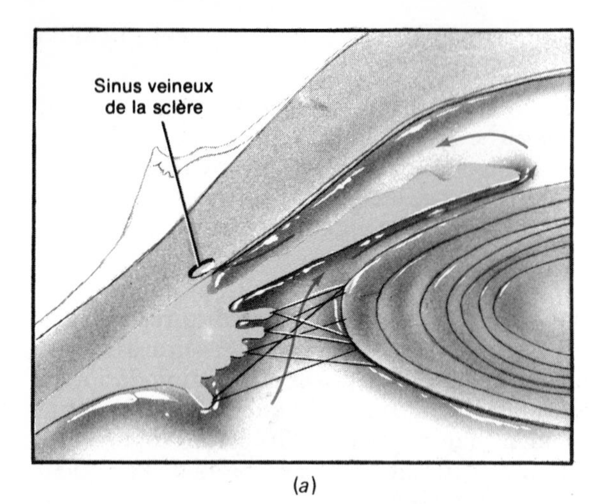

(a)

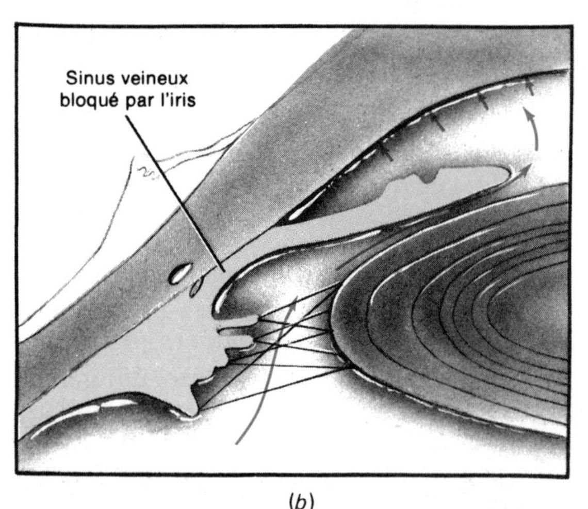

(b)

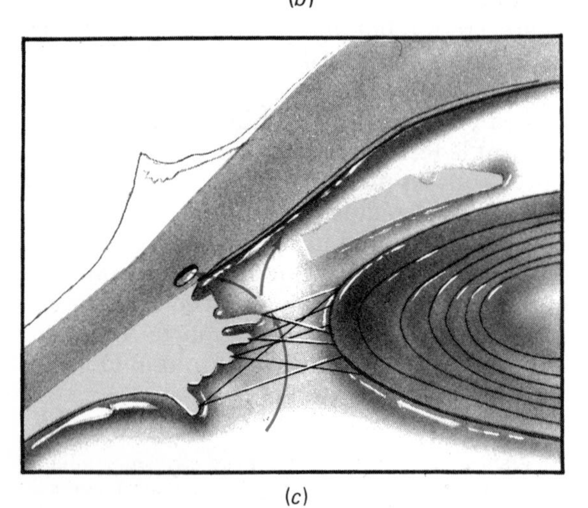

(c)

aussi faire une iridectomie, une entaille chirurgicale de l'iris, pour dégager le sinus veineux (figure 10-8) dans les cas de glaucome à angle étroit ou fermé[6]. On a montré récemment que le tétrahydrocannabinol, le principe actif de la marihuana (cannabis), peut aider à soulager le glaucome. Si jamais on administre le THC par injection, aucun doute que le traitement portera le nom de «shoot de pot».

Le corps vitré et la rétine La cavité postérieure du globe oculaire, le *corps vitré*, est remplie d'un liquide gélatineux qui ne se renouvelle pas chez l'adulte. La surface interne de la sclérotique est couverte d'une membrane pigmentée noire, la *choroïde*, qui empêche la dispersion des rayons lumineux à l'intérieur de l'oeil. La choroïde possède un important réseau vasculaire qui nourrit l'épithélium rétinien. L'albinos qui souffre d'une carence pigmentaire héréditaire a une vue affaiblie en lumière intense puisque les rayons incidents sont réfléchis dans toutes les directions au lieu d'être absorbés au contact de la choroïde. La *rétine* repose sur la choroïde et couvre la majeure partie de la surface interne de l'oeil. C'est un revêtement photosensible qui contient des cellules sensorielles spécialisées et leurs connexions nerveuses. Les rayons lumineux traversent la cornée et le cristallin et forment l'image sur la rétine; celle-ci répond à la stimulation lumineuse en produisant les sensations de la vision.

La rétine, un feuillet de cellules gliales et de neurones, est de structure similaire à celle du tissu cérébral dont elle est issue. Comme le montre la figure 10-9, les cellules sensorielles forment la surface interne de la rétine. Les rayons lumineux doivent donc traverser les nombreuses assises cellulaires rétiniennes a-

[6] Le glaucome à angle ouvert incontrôlé par les médicaments nécessite une chirurgie plus élaborée.

Figure 10-8 (*a*) Circulation normale de l'humeur aqueuse. (*b*) Le drainage de l'humeur aqueuse est interrompu dans le glaucome à angle fermé. (*c*) La chirurgie permet de rétablir un drainage adéquat dans cette forme de glaucome. Toute réduction du drainage de l'humeur aqueuse peut entraîner un glaucome. Le glaucome peut aussi résulter d'un excès de production d'humeur aqueuse.

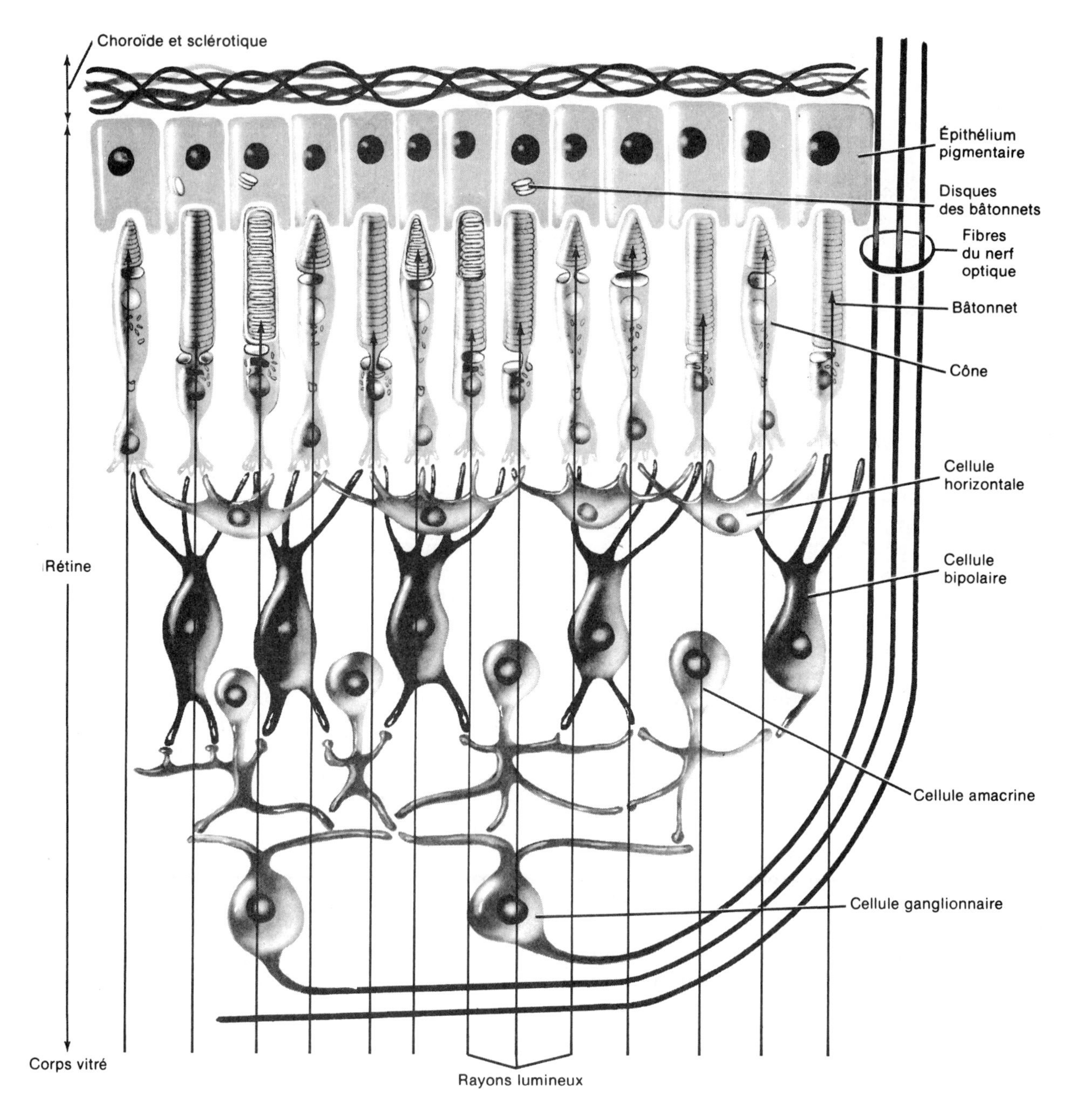

Figure 10-9 Schéma des connexions entre les différentes couches cellulaires de la rétine. Ce réseau très élaboré permet de nombreuses possibilités d'interaction entre les cellules.

vant d'atteindre les éléments sensoriels photosensibles, les cônes et les bâtonnets. La réduction importante de l'épaisseur de ces couches cellulaires au niveau de la *fovea centralis* (*fossette centrale*), la partie la plus sensible de la rétine et où la vision est la plus nette, laisse supposer que ces assises diminuent ailleurs la clarté de l'image.

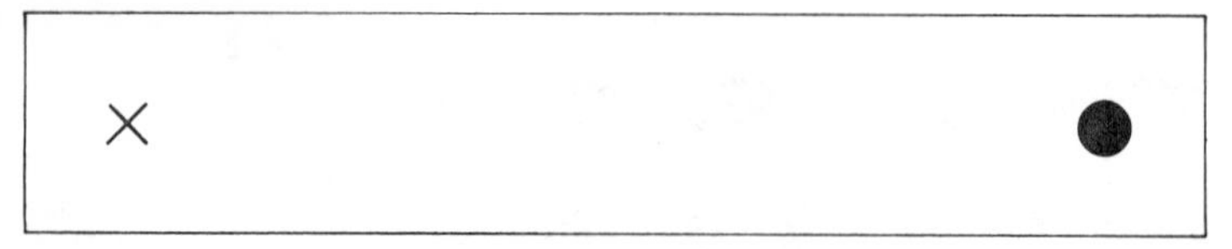

Figure 10-10 Cette figure sert à démontrer l'existence du point aveugle correspondant au disque optique. Couvrir l'oeil gauche et regarder le X avec l'oeil droit en tenant le livre près des yeux. Reculer ensuite la page jusqu'à ce que l'image du point noir arrive sur le disque optique. À ce moment le point noir disparaît.

Près de l'axe optique de l'oeil se trouve la *macula* (*tache jaune*) qui présente une dépression médiane, la *fovea*. L'orientation des yeux est telle que l'image de l'objet principal du champ de vision, celui sur lequel porte l'attention visuelle, se projette sur la fovea. Non loin de la macula se trouve le *disque optique* (la *papille*), l'endroit où le nerf optique pénètre dans le globe oculaire. Dépourvu de récepteurs visuels, il forme un point aveugle dont on peut remarquer l'existence par une expérience très simple décrite à la figure 10-10.

Les récepteurs de la vision sont les *cônes* et les *bâtonnets*. Les cônes demandent une forte intensité lumineuse; ce sont les récepteurs de la *vision diurne*. Ils sont sensibles à la couleur et, concentrés à la macula, permettent la perception des détails. Les bâtonnets sont les récepteurs de la *vision nocturne*. Ils se distribuent dans la rétine périphérique sans laquelle il n'y aurait pas de vision latérale, nécessaire à la localisation spatiale. L'oeil peut ajuster sa sensibilité à des intensités lumineuses un million de fois plus grandes que l'intensité minimale efficace. Entre ces deux extrêmes, la qualité de la réponse oculaire est très différente puisque les bâtonnets ont un pouvoir d'adaptation à la pénombre beaucoup plus grand que celui des cônes. L'ajustement complet de la sensibilité des bâtonnets prend environ 15 à 20 minutes. Ils peuvent alors former une image nette mais achromatique (en noir et blanc) dans des conditions d'éclairage telles que les cônes sont muets. C'est l'explication scientifique du proverbe: «la nuit, tous les chats sont gris».

Le principal pigment visuel est la *rhodopsine* des bâtonnets, à laquelle s'associent un certain nombre de substances parentes qui se trouvent dans les cônes. On sait que la rhodopsine est dégradée chimiquement sous l'action de la lumière, ce qui induit une dépolarisation de la membrane des bâtonnets. Si la dépolarisation atteint un seuil critique, la cellule émet un influx qui se transmet à d'autres cellules nerveuses de la rétine. S'il n'y a pas d'inhibition, cet influx atteint finalement le cerveau. On peut remarquer sur la figure 10-9 que les bâtonnets contiennent une pile de disques membraneux constamment produits à la base de la cellule et repoussés vers la pointe où ils sont résorbés par l'épithélium pigmentaire adjacent. Ce phénomène encore inexpliqué ne semble pas exister dans les cônes.

La rhodopsine est un complexe moléculaire formé d'une molécule de vitamine A chimiquement liée à une grosse protéine, l'*opsine*. L'amorce d'un potentiel d'action par la rhodopsine lors de l'absorption d'une certaine quantité d'énergie lumineuse est simultanée à la scission de la molécule en ses éléments constitutifs. Le bâtonnet doit alors resynthétiser la rhodopsine. Or en lumière intense, la dégradation du pigment est plus rapide que sa synthèse cellulaire. Les bâtonnets sont donc d'une utilité réduite dans ces conditions. Nous avons vu que l'adaptation des bâtonnets à l'obscurité prend un certain temps. C'est le délai requis pour qu'ils puissent accumuler suffisamment de rhodopsine et atteindre leur efficacité maximale. La lumière rouge dégrade moins rapidement la rhodopsine que les lumières d'autres longueurs d'onde; c'est pourquoi on prévoit souvent ce type d'éclairage pour les équipages d'avions militaires en devoir. Placés subitement à l'obscurité, ils sont aptes à vaquer à leurs occupations puisqu'ils ont conservé intacte leur adaptation visuelle nocturne.

Une carence alimentaire en vitamine A provoque une déficience en rhodopsine et entraîne l'*héméralopie*, la baisse considérable de la vision nocturne. La situation contraire, la *nyctalopie* (faculté de voir la nuit), est un état pathologique caractérisé par une forte diminution de la vision pendant le jour. Si la vitamine A interfère énormément avec le bon fonctionnement des bâtonnets, elle n'a que peu d'influence sur l'activité des cônes. Une déficience prolongée en vitamine A peut mener à la disparition des bâtonnets; comme toutes les autres cellules nerveuses, ils ne peuvent être remplacés.

On peut reproduire toutes les couleurs par un mélange précis des trois longueurs d'onde primaires du spectre visible, celles qui sont perçues comme du bleu (450 à 500 nm), du vert (500 à 570 nm) et du rouge (610 à 750 nm). La rétine posséderait-elle trois sortes de récepteurs dont la sensibilité correspondrait respectivement à ces longueurs d'onde? On constate à la figure 10-11 qu'il y a effectivement trois types de cônes. Leur sensibilité maximale se situe respectivement à 435 nm, 540 nm et 565 nm; les spectres d'absorption se chevauchent considérablement. Lorsqu'une tache colorée frappe une partie de la rétine, chaque type de cône excité répond selon sa sensibilité propre aux longueurs d'onde incidentes. Les aires d'association corticales, probablement situées dans le lobe occipital, peuvent ainsi analyser un patron caractéristique d'influx afférents, sensiblement comme dans la chimioréception. Les conclusions de l'intégration sont interprétées d'une façon ou d'une autre par des aires conscientes et la sensation de la couleur est perçue, que la tache soit marron, lilas, turquoise ou aquamarine. La sensibilité différentielle des cônes semble provenir du fait que chaque type possède un pigment photosensible différent. Le *daltonisme*, c'est-à-dire l'impossibilité de distinguer une ou plusieurs couleurs, est relié à l'inexcitabilité ou l'absence d'un ou de plusieurs types de cônes.

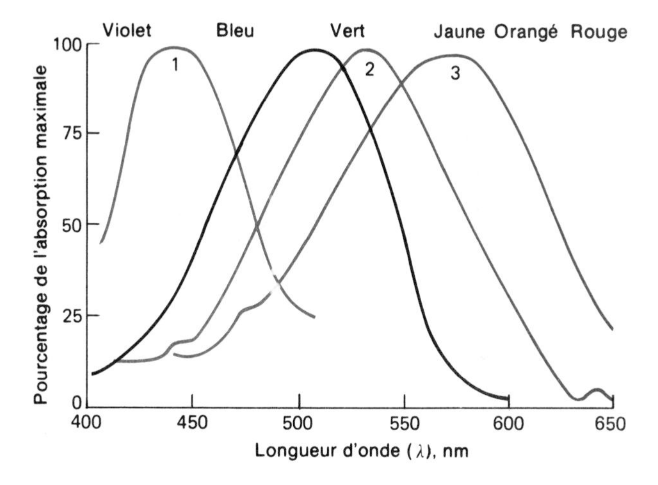

Figure 10-11 Les récepteurs visuels répondent d'une façon caractéristique aux différentes longueurs d'onde du spectre visible. Les courbes rouges illustrent la sensibilité spectrale des trois types de cônes; cette sensibilité différentielle permet à l'oeil de percevoir toutes les couleurs. Le tracé noir présente la courbe d'absorption des bâtonnets; celle-ci est maximale pour une longueur d'onde incidente de 500 nm. L'activité relative des bâtonnets est interprétée par le système nerveux comme différents tons de gris.

Les fibres du nerf optique véhiculent les informations rétiniennes vers le cerveau; or souvent, plusieurs centaines de cônes et de bâtonnets sont reliés à une seule fibre optique (figure 10-9). La précision de l'image, la discrimination visuelle, dépendra donc du rapport entre le nombre de récepteurs et le nombre de voies afférentes correspondantes, rapport qui est variable d'un endroit à l'autre de la rétine. Dans la fovea chaque fibre optique porte les signaux d'un petit nombre de cônes et la densité de ces derniers est très grande. La fovea est le site rétinien de la plus grande acuité visuelle.

Nous avons déjà signalé que la fovea ne contient pas de bâtonnets. Avez-vous déjà essayé de fixer attentivement une étoile de deuxième grandeur dans un beau ciel d'été? Vous aurez alors pu remarquer que son image semble disparaître lorsqu'elle tombe directement sur la fovea. Les cônes étant insensibles à cette intensité de stimulation, il faut diriger les yeux un peu à côté de l'étoile, projetant son image sur des bâtonnets, pour la voir de nouveau.

Le cerveau et la vision

La figure 10-12 montre les voies optiques de la rétine au cortex occipital. Chaque nerf optique contient environ un million de fibres nerveu-

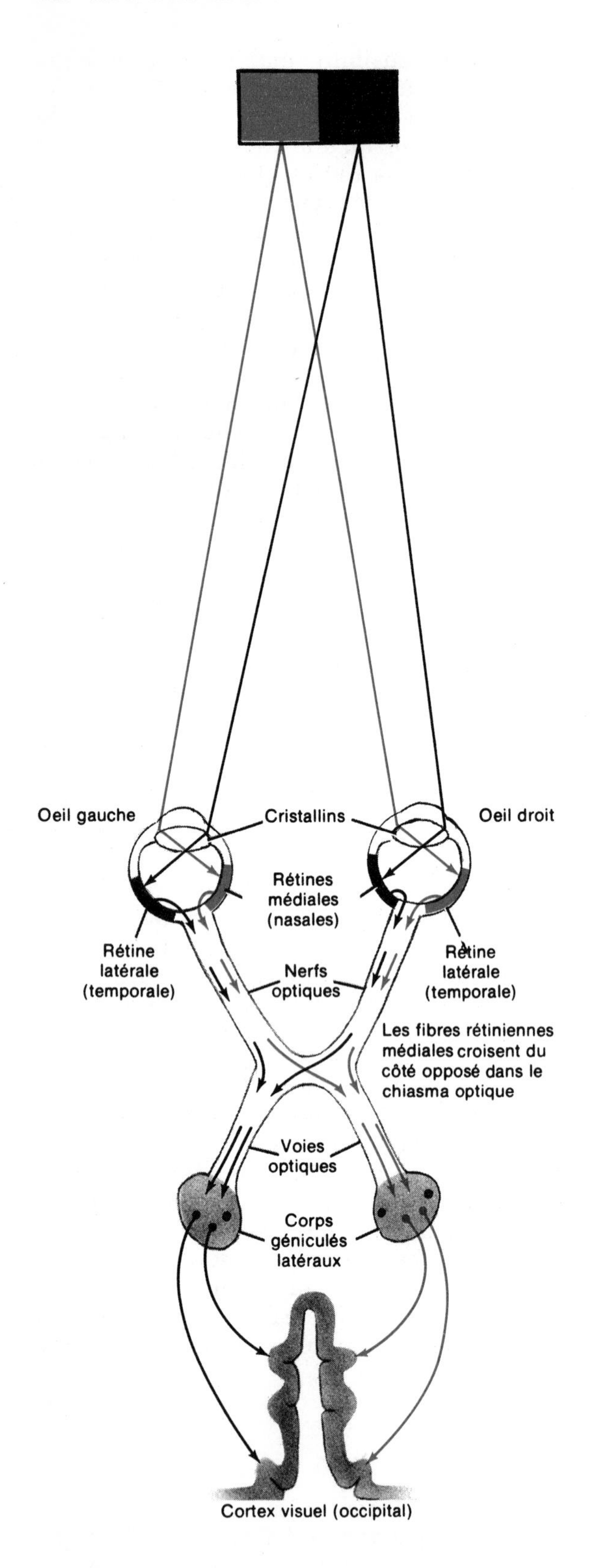

ses, les axones des cellules ganglionnaires de la rétine. La quantité d'informations qu'ils acheminent au cerveau est prodigieuse et le défi d'interpréter cette avalanche de données dépasse la capacité de tout ordinateur actuellement en service. On estime à plus de 200 le facteur de multiplication entre le nombre de fibres optiques et celui des neurones visuels du cerveau.

Une partie du traitement de l'image se fait déjà sur la rétine, à cause des interactions réciproques et des inhibitions mutuelles entre les neurones adjacents. Une autre partie se fait dans des relais centraux (corps géniculés latéraux) précédant le cortex visuel primaire. Ce dernier reçoit donc un message très modifié; les messages des éléments photosensibles traversent de deux à quatre synapses et mettent en jeu plusieurs autres types de cellules rétiniennes avant d'atteindre les cellules ganglionnaires; ces dernières font synapse dans les profondeurs du cerveau avec les cellules des corps géniculés latéraux qui projettent leurs axones directement sur le cortex visuel. À partir de là, on commence à peine à déchiffrer la circuiterie plurisynaptique vers les aires corticales avoisinantes et certaines cibles cérébrales profondes. Un contingent de messages retourne même en arrière pour se projeter sur les corps géniculés latéraux, boucle de rétroaction dont on ne connaît pas la signification fonctionnelle[7].

La rétine présente une spécificité sensorielle, par exemple, à l'orientation ou au mouvement de barres lumineuses ou de lignes de contraste; certaines cellules sont préférentiellement excitées par un mouvement dans une direction plutôt que dans une autre. Cette spécificité est

[7] Il est fortement recommandé de consulter «Les mécanismes cérébraux de la vision», *Pour la Science*, **25**, 79-93, 1979; "Visual Cells in the Pons of the Brain", *Scientific American*, Nov. 1976; "Negative Aftereffects in Visual Perception", *Scientific American*, Dec. 1976.

Figure 10-12 Les voies optiques. Le croisement partiel des fibres rétiniennes permet de projeter sur chaque hémisphère la moitié controlatérale du champ visuel. Le cerveau peut ainsi comparer deux images d'une même réalité.

encore plus marquée au niveau des cellules du cortex visuel. Rappelons que des milliers de fibres optiques font synapse avec les neurones du cerveau. On pourrait penser que la stimulation d'un cône ou d'un bâtonnet provoque l'activité d'un neurone cérébral, mais les nombreuses convergences et inhibitions synaptiques à chaque étape du circuit réduisent progressivement le nombre de cellules sensibles à un type donné de stimulation. La spécialisation des neurones du cerveau sera donc plus marquée que celle des neurones rétiniens. Certains répondront d'une façon spécifique à une barre lumineuse, mais non à un disque; certains percevront un mouvement dans une direction mais non dans une autre, et ainsi de suite.

Le cortex visuel primaire n'est nullement l'étape finale des voies optiques: c'est une étape de divergence des informations vers d'autres régions du cerveau. Chacun sait, par exemple, que la vision est une source d'informations pour l'équilibration. Lorsque la rétine enregistre un déplacement uniforme de disques et de points lumineux dans le champ visuel, comme pendant la marche, certaines cellules pontiques sont excitées. Des influx atteignent le cervelet qui intègre ces messages au bruit de fond proprioceptif des articulations et des muscles, aux afférences de l'organe de l'équilibre (l'appareil vestibulaire) de l'oreille interne, et aux commandes corticales qui coordonnent la marche.

Par suite du croisement partiel des fibres visuelles dans le chiasma optique, le corps géniculé et le cortex du côté gauche reçoivent les projections des moitiés gauches des deux rétines et ne sont en rapport qu'avec la moitié droite du champ visuel. Cette disposition est importante pour la perception du relief et la coordination des muscles extrinsèques des yeux. La profondeur de champ est un attribut des organismes qui peuvent superposer deux images légèrement différentes d'une même réalité visuelle, donc ceux qui ont les yeux sur le devant de la tête. Remarquons les images de la figure 10-13; il est évident qu'à un niveau quelconque des voies optiques il doit y avoir plus qu'une simple superposition des deux patrons d'excitations rétiniennes d'une même scène. Comme les points correspondants des deux images sont d'autant plus séparés que leur distance à l'oeil est faible, le cerveau peut le percevoir et apprendre à évaluer leur éloignement. Ce traitement préliminaire est probablement effectué, chez les humains, dans les *corps géniculés latéraux*, localisés immédiatement derrière le thalamus (figure 10-14) et composés de feuillets superposés de cellules nerveuses. Ces feuillets sont caractéristiques des corps géniculés des animaux à vision stéréoscopique.

Comment se fait la focalisation automatique de l'image d'un objet sur la rétine, et comment l'oeil peut-il la maintenir malgré les mouvements et de l'objet et du corps? La plupart du

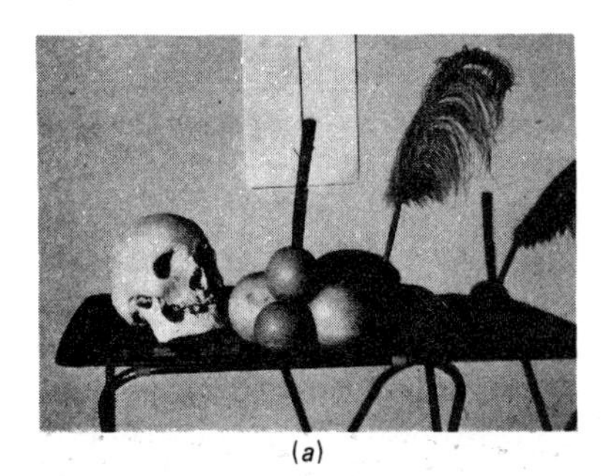
(*a*)

(*b*)

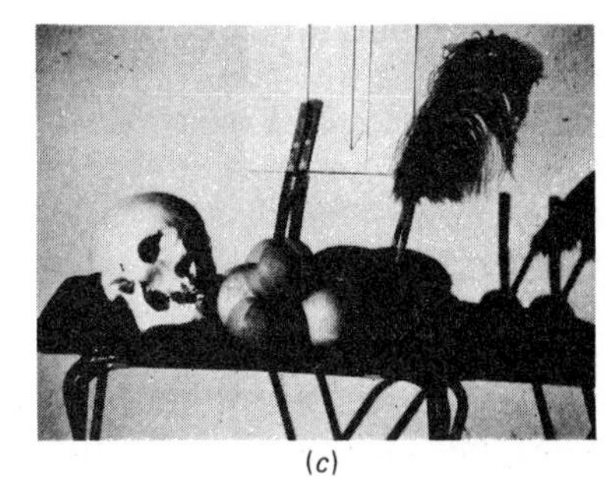
(*c*)

Figure 10-13 L'inhibition dans la perception du relief. (*a*) Image perçue par l'oeil droit. (*b*) Image perçue par l'oeil gauche. (*c*) Superposition des deux images. L'inhibition centrale des informations rétiniennes évite la vision double telle qu'illustrée en (*c*). En même temps l'interprétation inconsciente des différences entre les deux images (par les corps géniculés) permet d'évaluer la distance entre les objets et l'observateur.

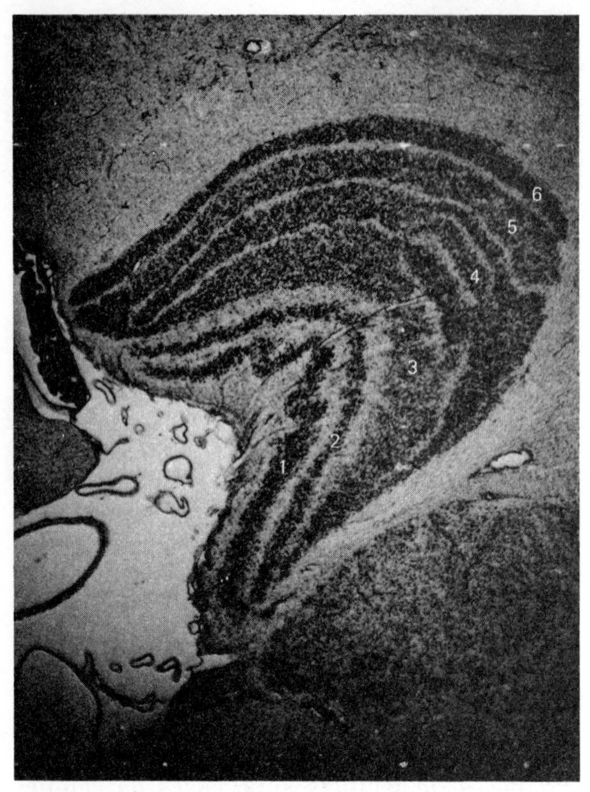

Figure 10-14 Le corps géniculé. Il est probable que les couches superposées de neurones (de 1 à 6) servent à comparer les images venant de chacun des yeux et que cette comparaison soit à la base de la perception du relief (environ ×50). (*Mitchell Glickstein*).

temps cette action ne requiert aucun effort conscient puisque l'ajustement est réflexe, presque aussi automatique que celui d'un système de guidage qui assure la navigation d'une navette spatiale à partir de repaires stellaires. Certains dommages cérébraux et quelques drogues suppriment le pouvoir d'inhiber le réflexe de pistage, donc de tourner les yeux pour regarder ailleurs après avoir verrouillé le regard sur un objet. Cette fixation visuelle anormale et forcée se produit sous l'influence du LSD, par exemple. La coordination synergiste des deux yeux est aussi réflexe. Chez plusieurs albinos ou chez des animaux partiellement albinos, comme les chats siamois, les voies optiques sont perturbées; les yeux peuvent être déviés ou présenter tout autre défaut de parallélisme (de coordination).

Le cerveau est certainement le partenaire le plus remarquable du duo oeil-cerveau. Quelqu'un a déjà dit que si un étudiant en génie dessinait une caméra de télévision sur le même principe que celui de l'oeil, il aurait un échec. Aucune caméra cependant ne «voit» aussi bien que l'oeil malgré ses apparentes «erreurs de conception». La raison est simple et tient au fait que c'est le cerveau et non l'oeil qui voit. De même qu'un ordinateur peut reconstituer une photographie à partir d'une transmission radio d'un quelconque satellite, ainsi le cerveau compare et classe les informations visuelles retransmises par l'oeil et, dans certains cas, voit mieux que ce qu'il pourrait théoriquement faire. On a montré qu'il utilise même les «erreurs de conception» comme soutien au réflexe d'accomodation. L'oeil ne possède aucun système optique de correction parce qu'il n'en a pas besoin.

Le contraste et l'inhibition visuelle

La rétine a la dimension d'une feuille de papier mince, ce qui est très épais à l'échelle microscopique. La lumière doit donc traverser plusieurs épaisseurs de neurones ganglionnaires et la circuiterie qui les accompagne avant d'atteindre les éléments sensoriels; il y a donc une importante dispersion des rayons lumineux à cet endroit. Un faisceau incident assez petit pour ne stimuler qu'une cellule est dispersé et en atteint plusieurs; selon les lois de l'optique, l'oeil devrait alors percevoir une tache floue entourée d'un halo. Comment est-ce possible alors de voir très précisément un point lumineux? Les signaux émis par un récepteur rétinien inhibent les connexions nerveuses des récepteurs voisins, les empêchant d'émettre. Il s'ensuit une grande précision de l'image et une augmentation du contraste. Qu'arrive-t-il si l'oeil est dirigé vers une surface uniformément éclairée? Toutes les cellules de la rétine sont alors partiellement inhibées et le champ visuel paraît plus sombre. Si l'illumination augmente, l'inhibition est plus forte; c'est pourquoi un ciel ensoleillé dont l'intensité lumineuse est de plus de cent fois supérieure à celle d'un ciel couvert n'apparaît que quelques fois plus clair. La sensibilité de la rétine s'ajuste ainsi automatiquement à l'éclairage ambiant grâce à l'inhibition mutuelle des cellules rétiniennes, un mécanisme d'ajustement de la grandeur de

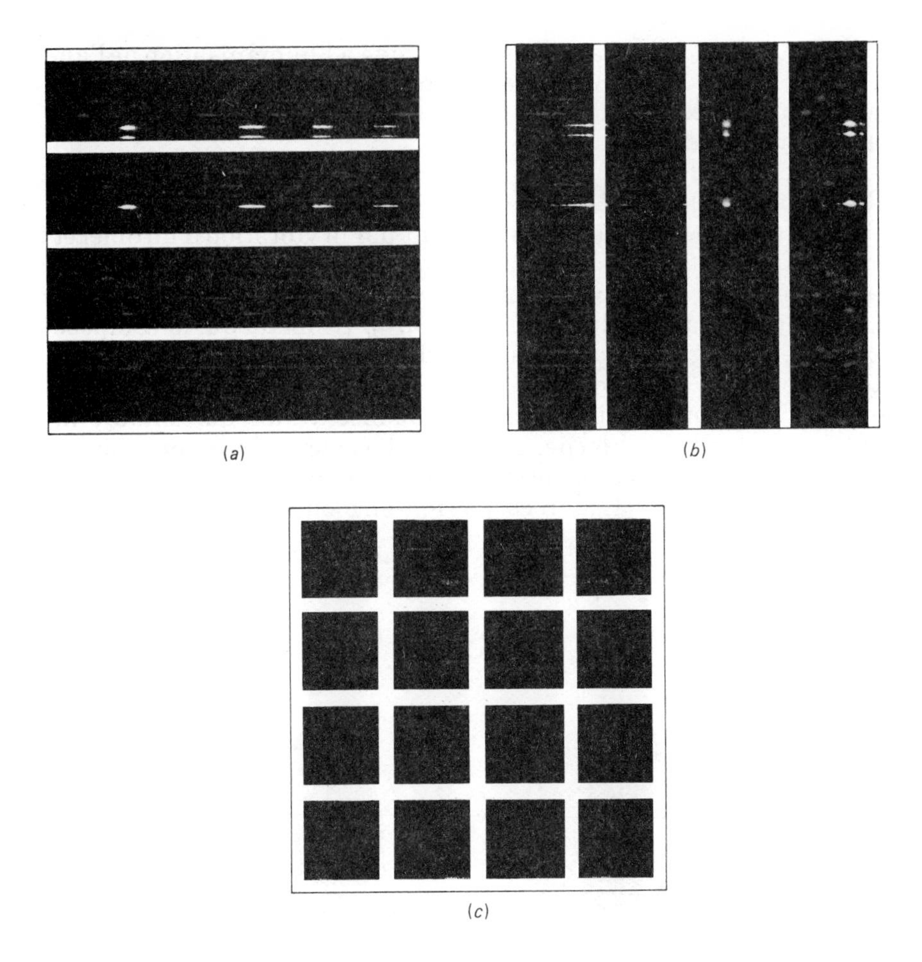

Figure 10-15 L'illusion du grillage est un exemple d'inhibition optique directionnelle. En (*c*), des points gris inexistants apparaissent aux intersections des bandes blanches.

la réponse oculaire beaucoup plus important que la contraction pupillaire.

On peut constater l'inhibition mutuelle des cellules rétiniennes en regardant la figure 10-15. En (*a*) les lignes blanches apparaissent uniformément blanches, comme en (*b*); mais en (*c*) elles se croisent et on remarque des zones grises aux intersections. Un examen attentif révèle cependant que les lignes sont aussi blanches là qu'ailleurs dans le carré.

Vraisemblablement les barres blanches induisent une inhibition rétinienne directionnelle dans le sens de leur orientation. Aux intersections, les cellules photosensibles subissent donc une double inhibition, verticale et horizontale, produisant une image assombrie à cet endroit. Cette illusion met en évidence l'inhibition rétinienne et la sensibilité directionnelle des cellules, soit au niveau de la rétine, ou plus probablement dans le cortex visuel.

LE SON ET L'OREILLE

Être aveugle représente un handicap sérieux, mais il est peut-être encore pire d'être sourd. On a constaté qu'il était presque impossible qu'un enfant atteint de surdité congénitale développe une capacité intellectuelle correspondante à son potentiel; lorsque la surdité survient plus tard, pendant l'adolescence ou à l'âge adulte, les conséquences sont moins graves puisque les troubles de l'apprentissage sont secondaires à l'incapacité d'apprendre à parler. C'est dire l'importance de l'audition pour la culture, essentiellement basée sur la communication. L'acquisition de la parole et l'interprétation du langage représentent probablement le prélude à l'humanisation de l'anthropoïde originel.

La nature du stimulus sonore

Le son est produit par la vibration d'un objet et est en lui-même un genre de déplacement. Imaginons que vous veniez de heurter une cloche (figure 10-16). Le métal qui la compose possède une certaine élasticité et *oscille* d'une position à une autre à la suite du choc. La vibration se transmet à l'air qui entoure la cloche, et son déplacement s'harmonise avec celui de la cloche en oscillant de la même façon. L'air n'est pas mis en mouvement; son déplace-

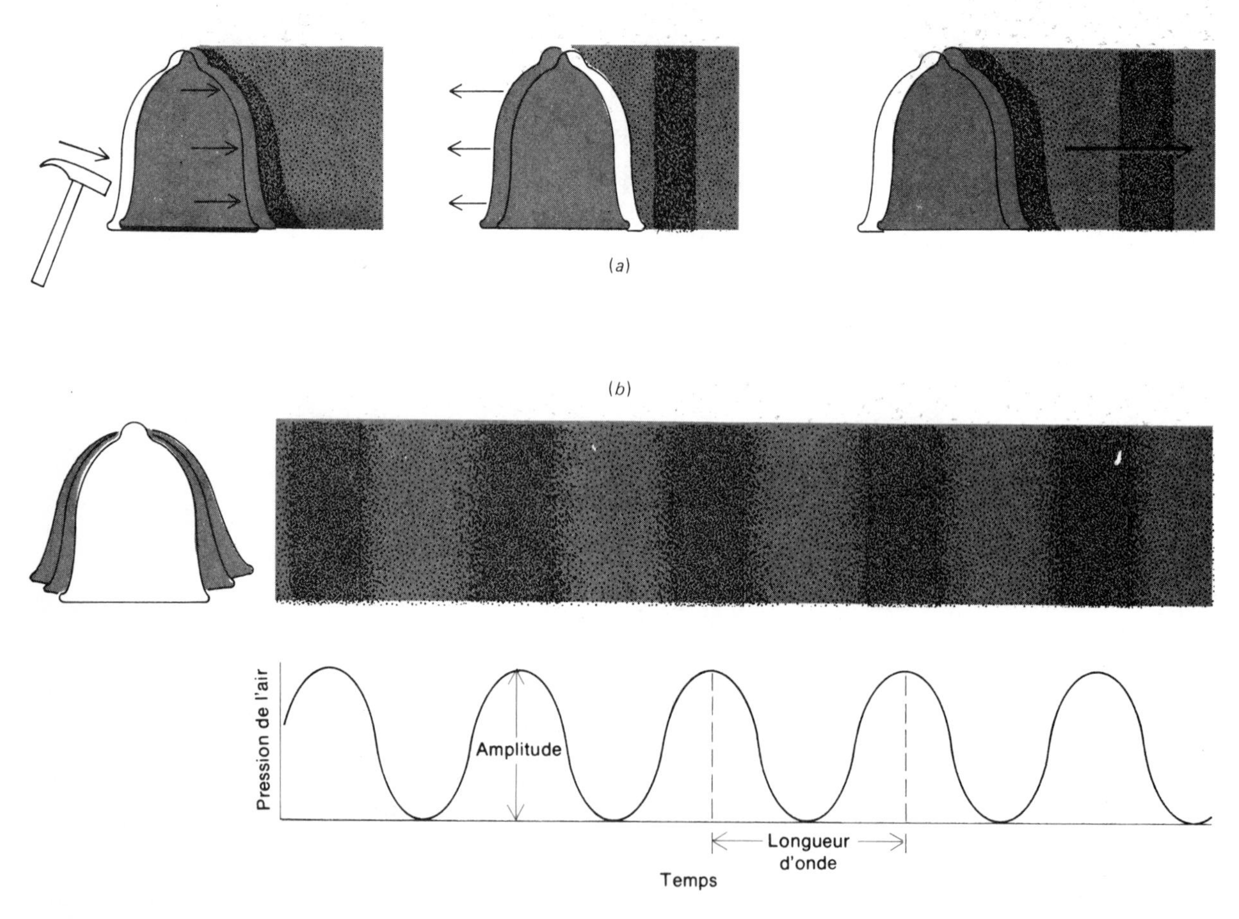

Figure 10-16 La production et la propagation du son.

ment net est nul puisque calqué sur le va-et-vient de la structure métallique.

L'air est un gaz, donc un fluide compressible; le mouvement de la cloche vers l'avant (à partir de sa position de repos) comprime légèrement l'air à proximité et le mouvement vers l'arrière le raréfie. L'air est ainsi non seulement brassé d'en avant en arrière, mais encore il subit alternativement une compression et une raréfaction.

Le manchon d'air qui entoure la cloche est en contact avec l'air ambiant; l'alternance des compressions et des décompressions va se répercuter dans l'air adjacent et y produire des effets similaires quoique moins amples. Ce second manchon d'air entraîne à son tour l'air ambiant, et ainsi de suite. Les vibrations de la cloche seront donc transmises à l'air qui l'entoure sous la forme de compressions et de décompressions qui iront en s'agrandissant en cercle autour de la cloche, comme les rides qui s'étendent autour du point de chute d'un caillou jeté dans une mare calme. Parce qu'il se perd de l'énergie sous forme de chaleur pendant leur propagation, ces perturbations perdent de l'amplitude et finissent par être indétectables. L'amortissement est moindre dans les solides ou les fluides incompressibles comme l'eau.

Imaginons qu'on place un détecteur de pression très sensible à proximité de la cloche. Chaque fois qu'une compression l'atteint, l'instrument indique une brève augmentation de la pression d'air et, à chaque décompression, une baisse de la pression. L'enregistrement graphique de ces variations en fonction du temps prend la forme d'une courbe sinusoïdale, l'*onde sonore* (figure 10-16*c*).

Celle-ci présente deux caractéristiques importantes: (1) la distance entre le sommet des pics et le fond des creux, l'*amplitude*, est perçue comme une intensité; (2) la distance entre deux pics successifs, la longueur d'onde, définit la *fréquence*, c'est-à-dire le nombre d'ondes qui passent en un point par unité de temps. La fréquence est perçue comme la hauteur du son, sa tonalité (figure 10-17). L'amplitude d'un son intense est plus grande que celle d'un son faible. Un son est aigu quand sa fréquence est élevée et grave quand elle est basse. Parmi les sons audibles on distingue les *bruits*, dus à des vibrations non périodiques généralement groupées en trains d'ondes de fréquence et d'amplitude variables, et les *sons musicaux*, qui résultent de vibrations périodiques se produisant pendant un temps suffisant. Un son est *pur* lorsque la source qui le produit est animée d'un mouvement sinusoïdal (le son d'un diapason).

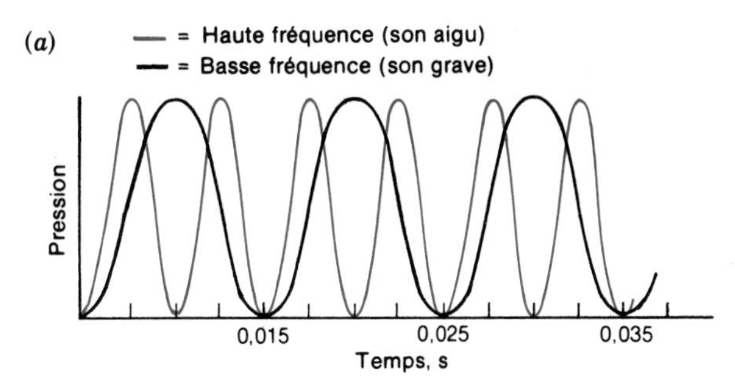

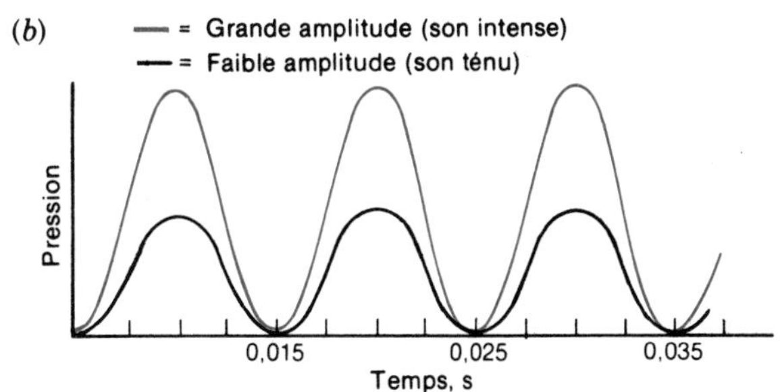

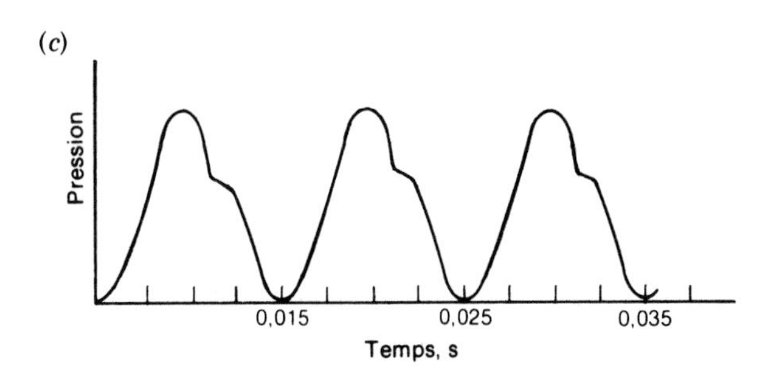

Figure 10-17 (*a*) La *fréquence*. La longueur d'onde de la courbe rouge est deux fois plus faible que celle de la courbe noire. En 35 ms la première oscille 6 fois contre 3 pour la seconde. La fréquence, le nombre d'oscillations par seconde, détermine la hauteur d'un son (grave ou aigu). (*b*) L'*amplitude*. La courbe rouge, plus haute que la courbe noire, possède une amplitude supérieure et correspond à un son plus intense que celui représenté par la courbe noire. Les deux possèdent toutefois la même fréquence. (*c*) Les *harmoniques*. La plupart des ondes sonores sont représentées par des courbes asymétriques et dentelées qui permettent à l'oreille de reconnaître la qualité ou le timbre d'un son, par exemple de distinguer un hautbois d'une voix humaine lorsqu'ils donnent la même note.

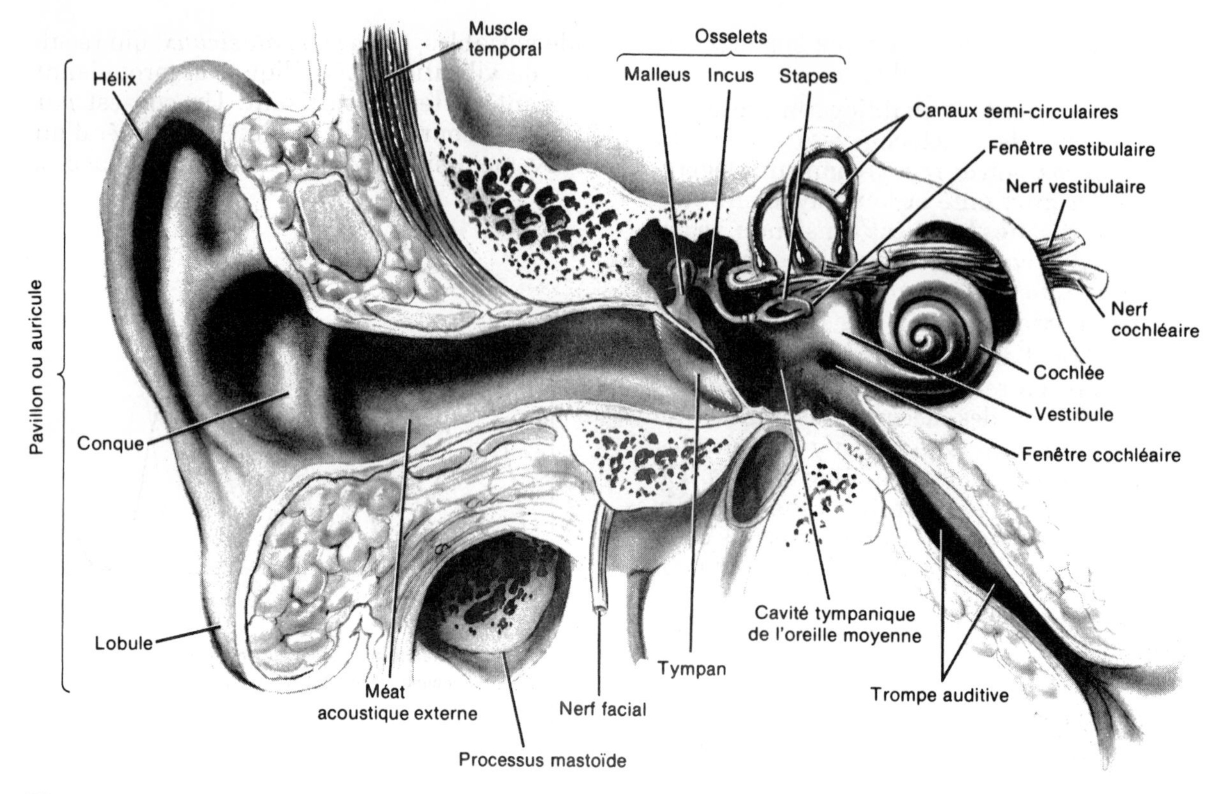

Figure 10-18 L'anatomie de l'oreille.

Chaque son musical est caractérisé par sa composante sinusoïdale de plus basse fréquence, laquelle définit le *son fondamental.* Les autres sons purs qui l'accompagnent correspondent à des fréquences qui sont des multiples de celle du son fondamental et constituent les *harmoniques.* Ces dernières déterminent le *timbre* du son et permettent de reconnaître deux instruments donnant la même note (figure 10-17*c*).

À tout moment l'oreille est assaillie par des vibrations de toutes sortes et elle est sensible à un spectre très étendu de fréquences, comprises entre 16 et 20 000 cycles/s. Les fréquences supérieures, les ultrasons, sont entendues par les chiens, par exemple. Toutes ces vibrations mécaniques sont converties en activité électrique par des transducteurs et acheminées vers le cerveau qui les analyse et les compare pour notre plaisir ou notre malheur. Quel est le secret de cette transformation?

L'oreille externe et le conduit auditif

Lorsqu'on parle de l'oreille on désigne généralement l'*oreille externe,* l'*auricule* ou *pavillon* cartilagineux qui présente un certain nombre de replis et d'anfractuosités, et auquel fait suite un canal irrégulier mesurant environ 2,5 cm, le *méat acoustique externe* (*conduit auditif externe*) (figure 10-18). Ce dernier traverse une cavité du crâne et est formé en partie de cartilage, en partie d'os. Son recouvrement contient des poils et des glandes *cérumineuses* sécrétant la cire des oreilles. La peau du conduit auditif desquame de telle façon que les couches superficielles et la cire qui les recouvre progressent du fond vers l'ouverture du conduit, entraînant les débris et les poussières qui s'y trouvent. Même le recouvrement tympanique aboutit à l'extérieur au bout de 6 à 12 semaines. L'action autonettoyante de l'oreille rend ordinairement inutile et inopportun le nettoyage du conduit avec des coton-tiges (cure-oreille). Un nettoyage périodique est cependant nécessaire lorsque le conduit a une forme anormale ou que le cérumen est sécrété de façon excessive.

La *membrane tympanique* (le *tympan*) obstrue le fond du conduit auditif externe. Le tympan est flexible, oscille avec les vibrations atmosphériques qui l'atteignent, et les transmet aux structures de l'oreille moyenne. Il est constitué de tissu conjonctif recouvert de part et d'autre d'un épithélium.

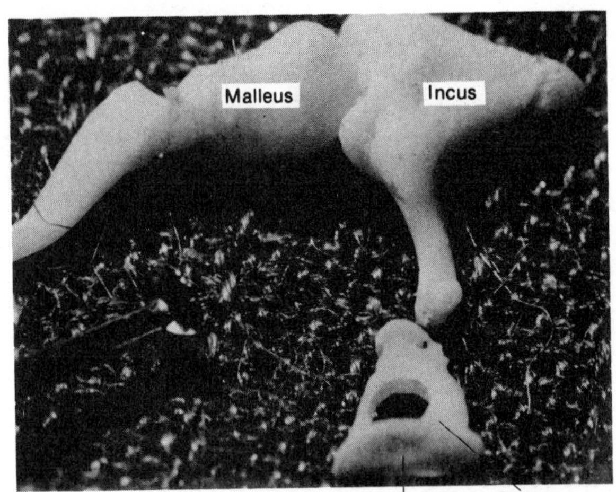

Figure 10-19 La chaîne des osselets de l'oreille moyenne. Elle transmet les vibrations sonores à l'oreille interne. Comparer la grosseur des osselets avec celle de la tête d'épingle placée à gauche.

L'oreille moyenne

L'*oreille moyenne* est une petite cavité irrégulière creusée dans l'os temporal, la *cavité tympanique* ou *caisse du tympan*, traversée par la chaîne des osselets. Elle est limitée par la membrane tympanique, l'oreille interne, et l'ouverture de la trompe auditive. Tapissée d'une membrane muqueuse, la caisse du tympan forme une sorte de chambre capitonnée qui absorbe les sons et permet une transmission adéquate des vibrations par les osselets en réduisant les interférences au maximum.

La *trompe auditive* (d'*Eustache*) est un canal qui relie l'oreille moyenne au pharynx et au milieu extérieur. Bien que normalement fermé, il s'ouvre lors de certaines actions de la bouche ou de la gorge, comme la mastication, le bâillement et la déglutition. L'air peut alors passer vers l'oreille moyenne ou vers la gorge selon les pressions respectives des deux milieux. On expérimente cette situation, par exemple, au début et à la fin d'un voyage en avion, l'air passant vers la gorge au décollage et vers l'oreille moyenne à l'atterrissage. Malheureusement c'est une excellente route pour les bactéries qui peuvent envahir et infecter l'oreille moyenne.

Les structures les plus curieuses de l'oreille moyenne sont les *osselets* (figure 10-19), disposés en une chaîne qui lie mécaniquement la membrane du tympan à la fenêtre vestibulaire de l'oreille interne. Les trois os sont respectivement le *malleus* (*marteau*), attaché au tympan, l'*incus* (*enclume*) et le *stapes* (*étrier*) appliqué sur la fenêtre vestibulaire. Ils sont recouverts d'un périoste et de la muqueuse de l'oreille moyenne. Leurs articulations sont du type synovial et leur croissance s'arrête à la naissance. Le malleus et le stapes possèdent une insertion tendineuse qui les relie respectivement au muscle *tenseur du tympan* et au *muscle stapédien* (*de l'étrier*). La contraction de ces muscles minuscules permet de contrôler la transmission des sons par la chaîne des osselets, particulièrement d'amortir les vibrations excessives dans un réflexe de protection contre les bruits très intenses.

La vibration du tympan ébranle la chaîne des osselets qui transmet la vibration à la fenêtre vestibulaire. On estime que les vibrations sonores sont amplifiées d'un facteur de 1,3 par ce système mécanique, et d'un facteur de 14 par la différence entre les surfaces respectives du tympan et de la fenêtre vestibulaire; une amplification d'environ ×18. La distorsion engendrée par le système est infime malgré sa très grande sensibilité. (Une oscillation tympanique d'amplitude équivalente à la moitié du diamètre d'une molécule de H_2 provoque une stimulation auditive.)

L'oreille interne

L'*oreille interne* comprend deux parties: (1) une suite complexe de canaux et de tunnels encastrés dans la partie pétreuse de l'os temporal, le *labyrinthe osseux*, et (2) un *labyrinthe membraneux*, tubulaire, formé surtout de tissu conjonctif et situé à l'intérieur du premier. L'espace entre les deux contient la *périlymphe* et le labyrinthe membraneux est rempli d'*endolymphe*, deux liquides distincts et de composition différente[8]. Le labyrinthe membraneux contient les éléments nerveux de l'audition et de l'équilibration.

La cochlée L'organe de l'audition, la *cochlée* (*limaçon*), est une partie du labyrinthe osseux et se présente sous la forme d'une coquille d'escargot (figure 10-20). Une coupe transversale révèle deux tubes, la *rampe tympanique* et la *rampe vestibulaire*. Ils s'enroulent en spirale l'un sur l'autre et représentent respectivement un escalier descendant et ascendant.

La base du stapes recouvre presque complètement la *fenêtre vestibulaire* (*ovale*), la porte d'entrée à la rampe vestibulaire. Les vibrations mécaniques du stapes sont transmises par le recouvrement épithélial de la fenêtre vestibulaire au liquide de la rampe vestibulaire et se propagent à travers la périlymphe vers le haut de la spirale avant de redescendre la rampe tympanique jusqu'à la *fenêtre cochléaire* (*ronde*). Les deux rampes sont reliées au sommet de la cochlée par un petit orifice, l'*hélicotrème*[9].

Le labyrinthe membraneux de la cochlée, le *canal cochléaire*, sépare les deux rampes sur toute leur longueur et se termine en cul-de-sac à la pointe de la cochlée. Il renferme les cellules sensorielles ciliées de l'audition, accompagnées de cellules de soutien et disposées régulièrement sur toute la longeur de la membrane basilaire. Cet ensemble cellulaire fait saillie dans le canal cochléaire et forme l'*organe spiral* (*de Corti*). La figure 10-20*b* montre que l'organe spiral est recouvert d'une structure gélatineuse, la membrane tectoriale. Le canal cochléaire étant situé en coin entre les deux rampes, les vibrations l'atteignent facilement grâce à ses parois flexibles. Les oscillations de la membrane basilaire stimulent les *cellules ciliées* par l'intermédiaire de la membrane tectoriale dans laquelle les cils sont enchâssés (figure 10-21). Les potentiels générateurs excitent les dendrites des cellules ganglionnaires du *nerf cochléaire* et celui-ci achemine les influx au cortex auditif du cerveau. On peut donc s'attendre à ce que les bruits forts provoquent des oscillations importantes de la membrane basilaire et une fréquence d'influx propagés proportionnelle à son déplacement. Si on conçoit assez facilement de quelle façon l'oreille interprète le volume d'un bruit, comment peut-elle faire la différence entre la hauteur des sons (la tonalité), distinguer les sons graves des sons aigus?

Les caractéristiques de transmission des deux rampes sont probablement responsables de cette discrimination. On constate en effet que les mouvements du stapes font osciller la membrane basilaire avec une amplitude qui varie en fonction de la distance qui sépare les éléments sensoriels de la fenêtre vestibulaire. Chaque fréquence impose donc un patron d'amplitudes vibratoires particulier dont le pic se situe à un niveau précis de la spirale cochléaire, de telle façon que les cellules les plus éloignées de la fenêtre vestibulaire sont préférentiellement excitées par une basse fréquence. Si celle-ci augmente, la stimulation maximale atteindra des cellules de plus en plus près du stapes[10]. Le cortex auditif peut donc comparer les activités respectives des différentes parties de l'organe et inférer non seulement la hauteur du son mais encore son *timbre* puisque le patron des oscillations est très différent selon qu'il est dû à une pièce musicale, à un klaxon, ou au roulement d'un train.

La sensibilité de perception des sons aigus diminue avec l'âge; les fréquences maximales détectées sont de plus en plus basses. On avait toujours considéré ce phénomène, la *presbyacousie*, comme un processus normal du vieillissement. Des études tendent aujourd'hui à montrer que cette perte d'acuité auditive serait plutôt liée à la pollution sonore de notre société technologique. Certaines peuplades primitives

[8] La principale différence est d'ordre ionique, la périlymphe contenant respectivement 5 et 150 mEq/l de K^+ et de Na^+ par rapport à 145 et 16 mEq/l de ces mêmes ions dans l'endolymphe.

[9] Remarquer que l'eau étant un liquide incompressible, la membrane de la fenêtre vestibulaire ne peut vibrer que si celle de la fenêtre cochléaire vibre en phase avec elle.

[10] De la fenêtre vestibulaire à l'hélicotrème, la membrane basilaire mesure environ 35 mm. Les amplitudes maximales de vibration de cette dernière dues à des fréquences de 1600/s et de 400/s se situent respectivement à environ 18 et 27 mm de la fenêtre vestibulaire.

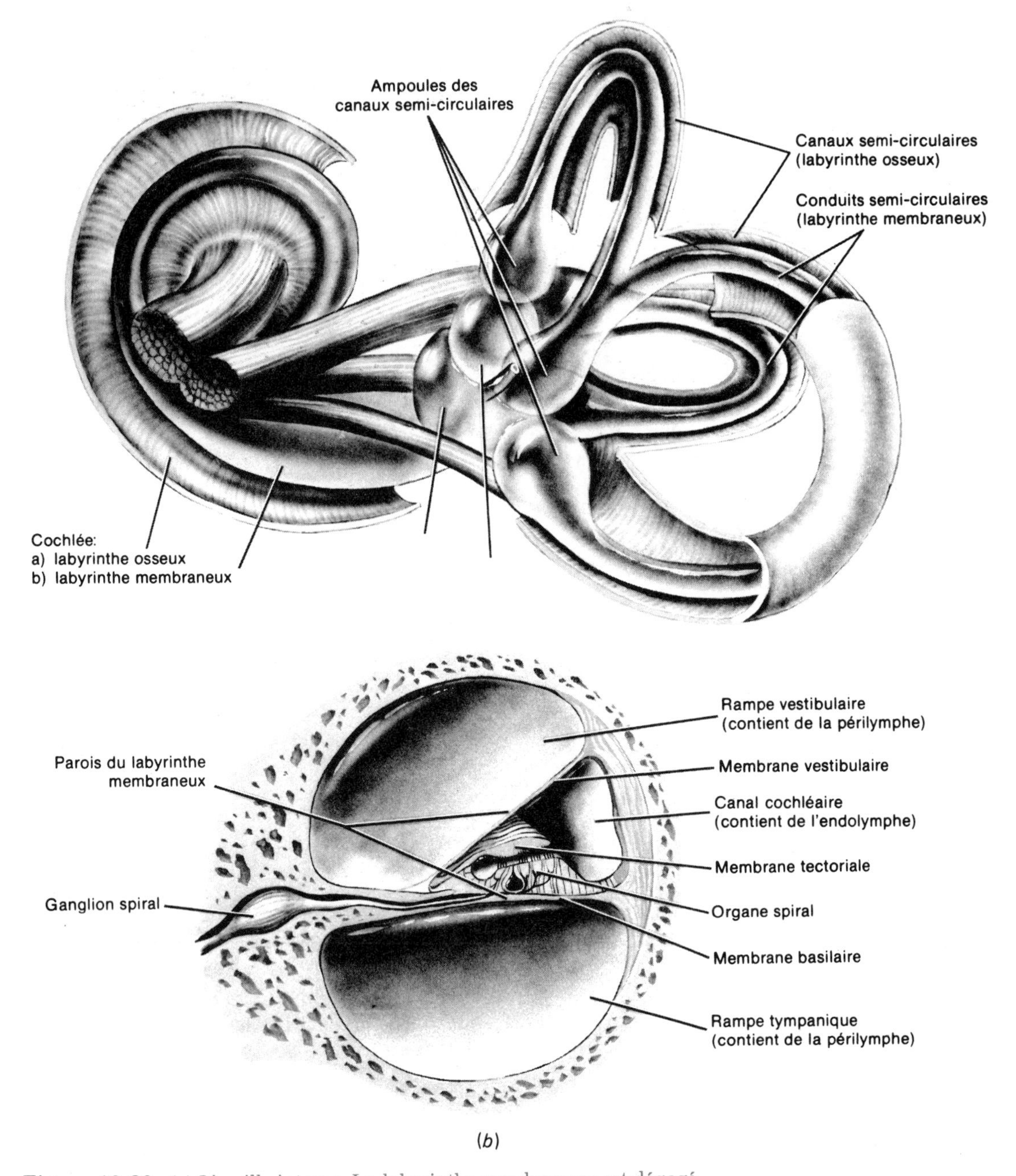

Figure 10-20 (*a*) L'oreille interne. La labyrinthe membraneux est dégagé. Cette vue postérieure permet de voir l'utricule et le saccule. (*b*) Coupe de la cochlée.

qui vivent à l'écart du «modernisme» ne souffriraient pas de presbyacousie, et la finesse de leur ouïe serait reliée au fait qu'ils sont à l'abri des agressions auditives de bruits intenses, prolongés et aigus.

L'oreille, comme l'oeil, peut percevoir une certaine forme de relief, la *stéréophonie*, propriété du cortex auditif. Plusieurs filets nerveux issus des nerfs cochléaires atteignent l'hémisphère controlatéral; le cerveau peut

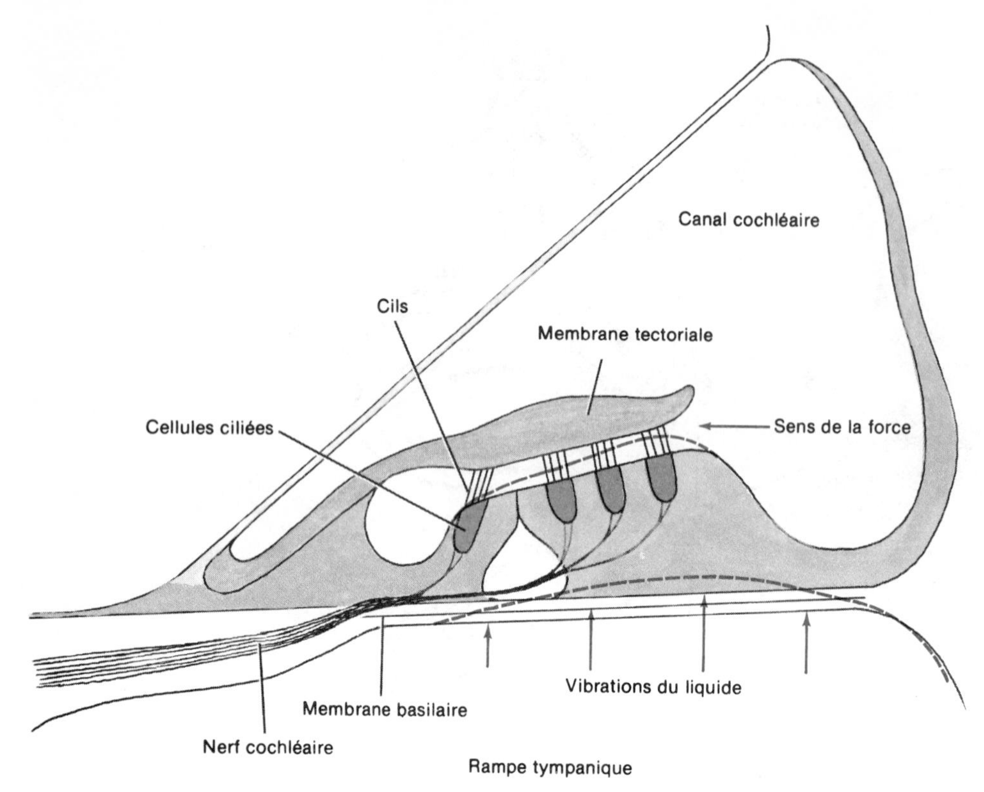

Figure 10-21 L'organe spiral. Les oscillations de l'organe par rapport à la membrane tectoriale stimulent les cellules ciliées qui envoient des impulsions au cerveau par le nerf cochléaire.

donc comparer les différences d'intensité et de phase d'un son capté par les deux oreilles et ainsi tenter d'en localiser la source.

L'appareil vestibulaire L'information recueillie relativement à la position du corps et à l'équilibration parvient de plusieurs sources, mais plus particulièrement de l'*appareil vestibulaire*, l'organe principal du sens de l'équilibre et situé dans l'oreille interne. Il est formé de deux portions: la portion sacculaire renferme l'utricule et le saccule, et la portion canaliculaire contient les canaux semi-circulaires et les ampoules qui leur sont associées.

Les cavités sacculaires Le *saccule* et l'*utricule* sont des structures associées surtout à l'équilibration statique. Ils fourniraient de l'information sur la position de la tête et, par inférence, sur celle du corps. Chaque cavité contient une région sensible, la *macule*, formée de cellules pseudo-sensitives ciliées. Celles-ci sécrètent une sorte de gelée qui les recouvre et dans laquelle sont semés des *otolithes*, des fins cristaux d'un sel de calcium très dense. Attirés par la force de gravité, ceux-ci déforment la masse gélatineuse et entraînent les cils (figure 10-22). Lorsque la tête est en position stationnaire la macule utriculaire est presque horizontale. La pression exercée sur les cils détermine un patron particulier d'influx émis par les neurones associés aux cellules ciliées. Ce patron d'influx sera différent pour chaque position différente de la tête. On a montré que la macule utriculaire était également sensible aux accélérations linéaires, à la vitesse de rotation et à la force centrifuge. Le rôle de la macule sacculaire est moins clair. Elle est placée à angle droit par rapport à celle de l'utricule et ses informations sont probablement complémentaires.

Les canaux semi-circulaires Les *canaux semi-circulaires*, au nombre de trois, reposent à angle droit les uns par rapport aux autres pour ainsi détecter les mouvements dans les trois dimensions. Ces organes de l'équilibration dynamique sont utiles, par exemple, aux coureurs ou aux cyclistes qui négocient une courbe puisqu'ils sont particulièrement sensibles aux variations de la vitesse angulaire.

Cette sensibilité est due à l'endolymphe qu'ils contiennent. La seconde loi du mouvement de Newton stipule que les objets en mouvement tendent à le conserver alors que ceux qui sont stationnaires tendent à le demeurer. Les objets résistent à une accélération positive ou négative, qualité qui se nomme l'*inertie*. Tous les objets possèdent une inertie qui est en rapport avec leur masse.

Supposons que la tête, engagée dans un mouvement circulaire uniforme, soit brusquement soumise à une accélération, une décélération, ou un changement de cap; l'endolymphe des canaux semi-circulaires, à cause de son inertie, résiste à ces modifications et poursuit sa course, pendant un certain temps, à la vitesse ou dans la direction originale (figure 10-23). Il apparaît donc une différence, dans au moins un canal, entre le mouvement de l'endolymphe et celui de la structure osseuse qui l'entoure. Il est aisé de faire la démonstration de ce principe en plaçant un verre plein d'eau sur une nappe. On peut facilement renverser de l'eau en tirant sur celle-ci puisque le verre se met en mouvement plus rapidement que l'eau qui débordera du côté opposé au sens du déplacement du verre. L'écoulement du liquide dans les canaux semi-circulaires ébranle des organes spécialisés, les *crêtes acoustiques* (*ampullaires*), situés dans les *ampoules* de la base des canaux. Chaque crête comprend une *cupule terminale* gélatineuse où sont enfouies des cellules ciliées pseudo-sensitives. Le déplacement de la cupule est provoqué par l'écoulement de l'endolymphe et il active les éléments sensitifs. L'identité des crêtes excitées, l'importance de la réponse et sa direction, permettent au cerveau de savoir si le stimulus correspond à un départ, un arrêt, un changement de direction à droite ou à gauche, ou simplement à un mouvement circulaire de la tête. Contrairement à la macule, les crêtes ne rapportent que les variations d'un mouvement et sont inutiles pour l'équilibration statique.

L'équilibre et le cerveau Les organes de l'équilibre sont situés dans la tête mais doivent permettre de contrôler la position du corps; or celle-ci n'est pas toujours la même que celle de la tête. Le cerveau doit encore ici intégrer les informations de plusieurs sources, particulièrement celles des récepteurs articulaires du cou, et faire les ajustements requis en fonction des différentes positions de la tête.

Figure 10-22 Le mécanisme de détection de la position de la tête par le saccule et l'utricule. Comparer la position des otolithes et des cils en (*a*) et en (*b*). Les changements de position de la tête entraînent une déformation de la gelée et des cils due à la force de gravité. Ceci stimule les cellules ciliées qui envoient des impulsions au cerveau par le nerf vestibulaire.

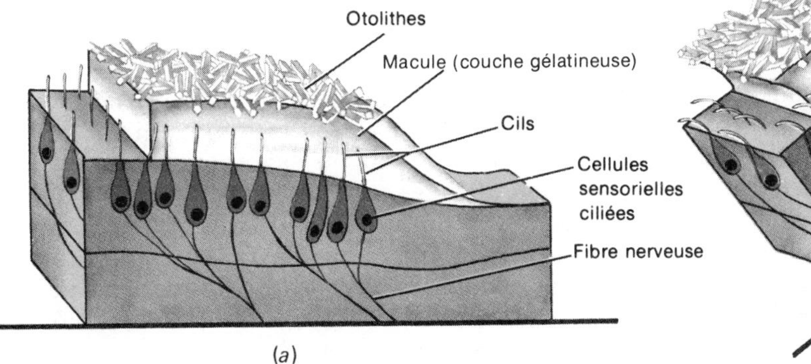

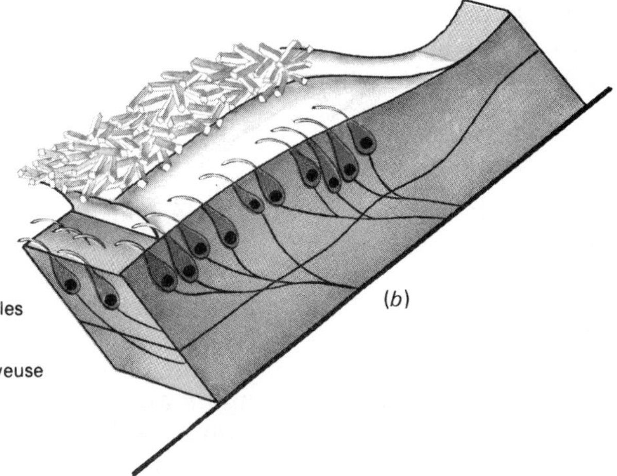

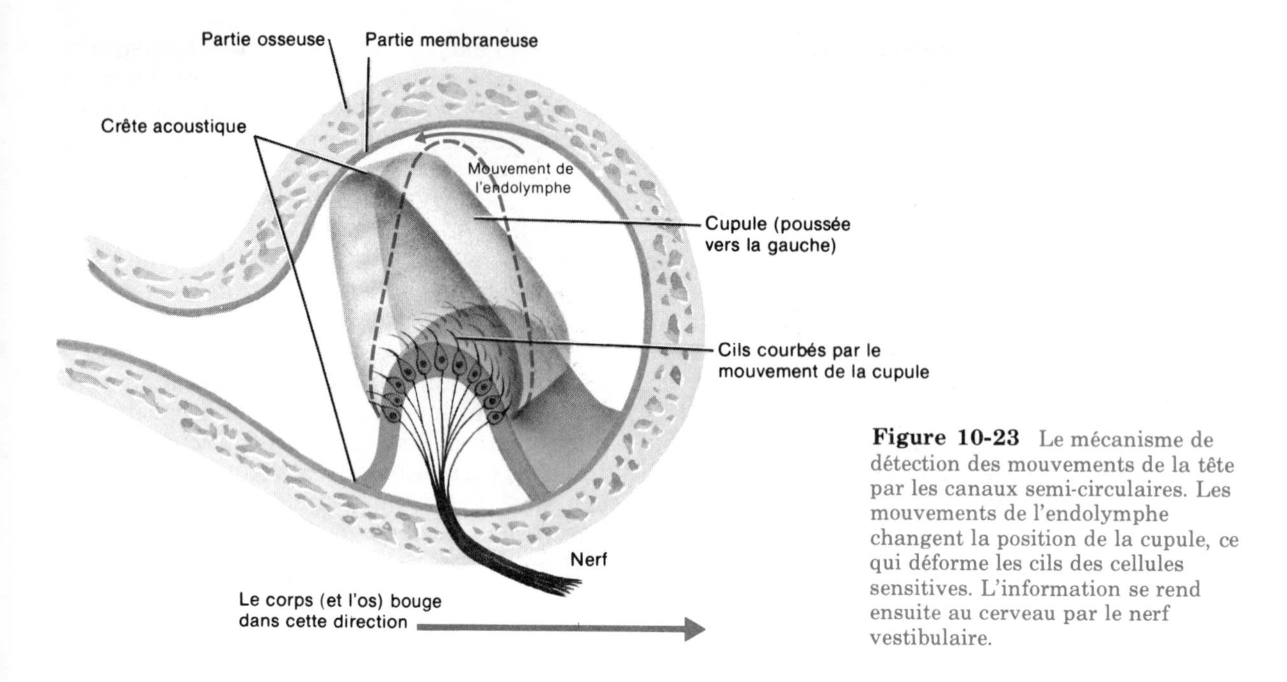

Figure 10-23 Le mécanisme de détection des mouvements de la tête par les canaux semi-circulaires. Les mouvements de l'endolymphe changent la position de la cupule, ce qui déforme les cils des cellules sensitives. L'information se rend ensuite au cerveau par le nerf vestibulaire.

Le nerf auditif (8e nerf crânien) possède une branche vestibulaire (le nerf vestibulaire) qui rejoint les noyaux vestibulaires au niveau du sillon bulbo-pontique. Ils sont en étroit contact avec le cervelet qui est impliqué surtout dans le contrôle de l'équilibration dynamique. En plus d'évaluer une position instantanée, les noyaux vestibulaires peuvent prévoir des changements éventuels de la position d'équilibre et compenser une perte d'équilibre imminente. Que ce soit dans un avion, une automobile ou un bateau, la stimulation intensive des récepteurs de l'équilibration provoque le mal des transports, un état d'étourdissement et de nausées. On peut s'adapter à ces conditions, mais ceux qui ne le peuvent pas ne pourront jamais faire carrière dans la marine.

La surdité

L'unité de mesure de l'intensité sonore en pratique médicale est le *décibel.* Comme le pH, sa progression numérique est plus lente que l'amplitude du son; l'utilité pratique est grande car l'oreille humaine possède la capacité de discerner des intensités sonores de plus de 10 milliards de fois l'intensité minimale audible. Un son de 1 décibel, à peine audible, est 100 fois plus faible qu'un autre de 20 décibels et 10^{10} fois plus faible que les 100 décibels produits par un réacteur d'avion tout proche.

Les sons aigus et intenses portent atteinte à l'audition. La surdité peut aussi survenir à la suite d'une infection de l'oreille moyenne. Toute interférence avec le fonctionnement normal du tympan, des osselets, ou de la fenêtre vestibulaire cause une *surdité de conduction* ou *de transmission.* Une chirurgie qui libère les osselets ou une amplification de certaines fréquences peuvent lever en partie la surdité.

Tout défaut de la cochlée, du nerf auditif ou du cerveau, provoque une *surdité de perception* et est incurable par la chirurgie. L'amplification sélective des fréquences auxquelles le patient est moins sensible pourra toutefois être d'une certaine utilité.

LA SENSIBILITÉ MUSCULAIRE

Il est important de pouvoir comparer la performance d'un muscle avec celle qui lui est demandée. On doit pouvoir savoir si la force instantanée dégagée par un muscle correspond à celle qu'on lui commande d'exercer. Comment peut-on connaître le nombre d'unités motrices supplémentaires qui doivent être activées pour lever une boule de quilles plutôt qu'une balle de ping-pong?

L'information pertinente est obtenue grâce à l'activité de récepteurs spécialisés, les *fuseaux neuro-musculaires*, formés de fibres musculaires différenciées. Un muscle volontaire contient dans sa partie charnue un grand nombre de ces structures attachées au filet conjonctif du muscle. Lorsque celui-ci se contracte, elles font de même. Les fibres musculaires intrafusales se différencient des autres fibres musculaires par une zone centrale démunie de myofilaments mais possédant plusieurs noyaux. Cette zone est encerclée par des terminaisons nerveuses libres, les *terminaisons primaires* ou *annulo-spirales*. L'étirement les déforme et provoque l'envoi d'influx centripètes le long des neurones afférents (figure 10-24).

Supposons que les fibres musculaires extrafusales opèrent une contraction anisométrique et isotonique, la tension demeurant faible et constante dans les cellules. Les fibres du fuseau se contractent comme toutes les autres et sont tendues au même degré pendant le mouvement. La région centrale subit cette tension constante et faible, et les terminaisons nerveuses sont peu excitées. Si la résistance à la contraction augmente et que celle-ci tend à devenir isométrique, la tension interne et l'étirement des fibres fusoriales s'accroissent; elles émettent des influx plus nombreux vers le SNC. Ce dernier peut augmenter d'une façon réflexe la tension musculaire jusqu'à ce qu'une force suffisante soit développée, ou encore inhiber la contraction si l'opposition est trop grande et qu'il existe un risque de déchirure.

Il est possible d'étirer passivement des fibres fusoriales en tirant sur un muscle. On obtient alors une contraction réflexe (*réflexe myotatique*) déjà exposée lors de la description du réflexe patellaire. La percussion du tendon étire le quadriceps et provoque une secousse dans le muscle qui fait lever la jambe.

Si la tension du muscle et du tendon devient excessive, les *récepteurs proprioceptifs des tendons* ou *organes tendineux de Golgi* (figure 10-24) sont excités et provoquent une réponse inhibitrice, le *réflexe myotatique inverse*. Longtemps considéré comme un réflexe de protection, ce qui est toujours possible, le réflexe myotatique inverse peut aussi être associé à d'autres réactions réflexes de signification posturale.

Les fibres fusoriales et probablement aussi les récepteurs proprioceptifs des tendons participent au maintien de l'activité isométrique des muscles dont dépendent la tonicité musculaire et le contrôle de la posture.

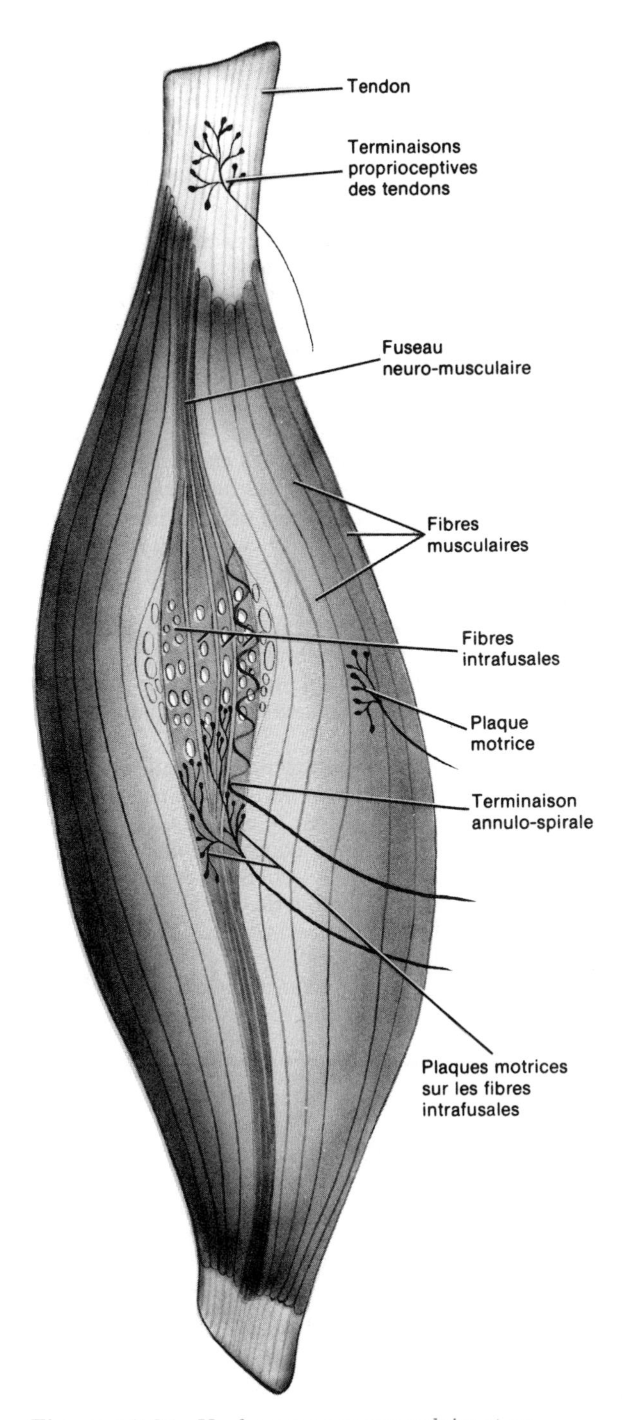

Figure 10-24 Un fuseau neuro-musculaire et un récepteur proprioceptif des tendons.

RÉSUMÉ

1 Le corpuscule lamelleux est formé de feuillets concentriques autour d'une terminaison nerveuse libre dont la fréquence de décharge est proportionnelle à la pression appliquée. La sensibilité de la terminaison diminue rapidement malgré une stimulation soutenue, mais la fréquence adaptée demeure proportionnelle à l'intensité du stimulus. Ce comportement dépend des fluctuations du potentiel de la membrane réceptrice, le potentiel générateur.

2 Les organes de la sensibilité générale sont décrits au tableau 10-1.

3 Les bourgeons du goût sont sensibles à des sensations primaires (salé, amer, sûr et sucré). Les récepteurs olfactifs sont situés dans l'épithélium olfactif, au sommet des cavités nasales.

4 La lumière pénètre dans l'oeil par la cornée, un hublot transparent dans la sclérotique. Le flux lumineux est contrôlé par l'iris, focalisé par le cristallin, et perçu comme une image par la rétine.

5 L'activité des cônes caractérise la vision en lumière intense et permet la perception des couleurs. La vision en lumière tamisée dépend de l'adaptation des bâtonnets à l'obscurité et la vision est en noir et blanc.

6 L'oreille externe comprend l'auricule et le méat acoustique externe, fermé au bout par le tympan. L'oreille moyenne contient le malleus, l'incus et le stapes. L'oreille interne comprend la cochlée et l'appareil vestibulaire. La cochlée, organe de l'audition, est formée d'une partie osseuse (les rampes tympanique et vestibulaire) et d'une partie membraneuse (le canal cochléaire).

7 L'organe spiral est situé dans le canal cochléaire et les vibrations sonores ébranlent ses cellules ciliées.

8 L'appareil vestibulaire comprend d'une part le saccule et l'utricule et, d'autre part, les canaux semi-circulaires et leurs ampoules; toutes ces structures sont reliées à l'équilibration.

9 Les vibrations sonores sont transmises par le tympan à la chaîne des osselets vers la fenêtre vestibulaire de la cochlée. Elles ébranlent le liquide des rampes et aboutissent à la fenêtre cochléaire. Chaque fréquence sonore ébranle une région particulière de l'organe spiral, les plus basses atteignant le sommet de la cochlée. La distorsion des cellules ciliées produit un potentiel générateur qui déclenche des influx véhiculés aux centres auditifs par la branche cochléaire de la huitième paire de nerfs crâniens, le nerf acoustique.

10 Le sens de l'équilibre statique (géotropisme) et dynamique (forces centrifuges et accélérations linéaires) dépend de la macule. Les otolithes sont déplacés par les mouvements de la tête, imprimant une distorsion à la masse gélatineuse dans laquelle ils sont enfouis avec les projections ciliaires des cellules sensitives. Le déplacement des cils produit un potentiel générateur. Les crêtes acoustiques des ampoules sont sensibles à l'écoulement de l'endolymphe des canaux semi-circulaires produit surtout par une variation de la vitesse angulaire.

11 L'effort d'un muscle est contrôlé par un mécanisme de rétrocontrôle prenant naissance dans les fuseaux neuro-musculaires et les récepteurs proprioceptifs des tendons.

QUESTIONS DE RÉVISION

1 Qu'est-ce qu'un potentiel générateur? Quelle est la réponse des neurones sensitifs au potentiel générateur?

2 Qu'est-ce qu'un transducteur? À quelles formes d'énergie incidente les transducteurs biologiques sont-ils sensibles?

3 Comparer les mécanismes oculaires et auditifs de la perception et de l'interprétation des fréquences, de la localisation des objets dans l'espace.

4 Pourquoi le goût est-il affecté temporairement pendant une infection nasale? Comment l'affection peut-elle devenir permanente?

5 Dessiner un oeil et légender votre dessin.

6 Faire la liste des récepteurs qui vous permettent de manger les yeux fermés.

7 Distinguer les rôles respectifs des organes sacculaires et ampullaires en ce qui a trait à l'activité posturale.

8 Décrire les troubles de l'audition consécutifs à:
- **a)** La fusion des osselets.
- **b)** Un trouble de la fenêtre vestibulaire.
- **c)** L'épaississement de la fenêtre cochléaire.

9 Pourquoi est-il impératif de garder la trompe auditive débouchée lors d'une infection de l'oreille moyenne?

10 Quel est le rôle de l'inhibition dans la régulation du contraste visuel, de la sensibilité rétinienne, de la perception du relief?

11 LA TRANSFORMATION DES ALIMENTS: l'appareil digestif

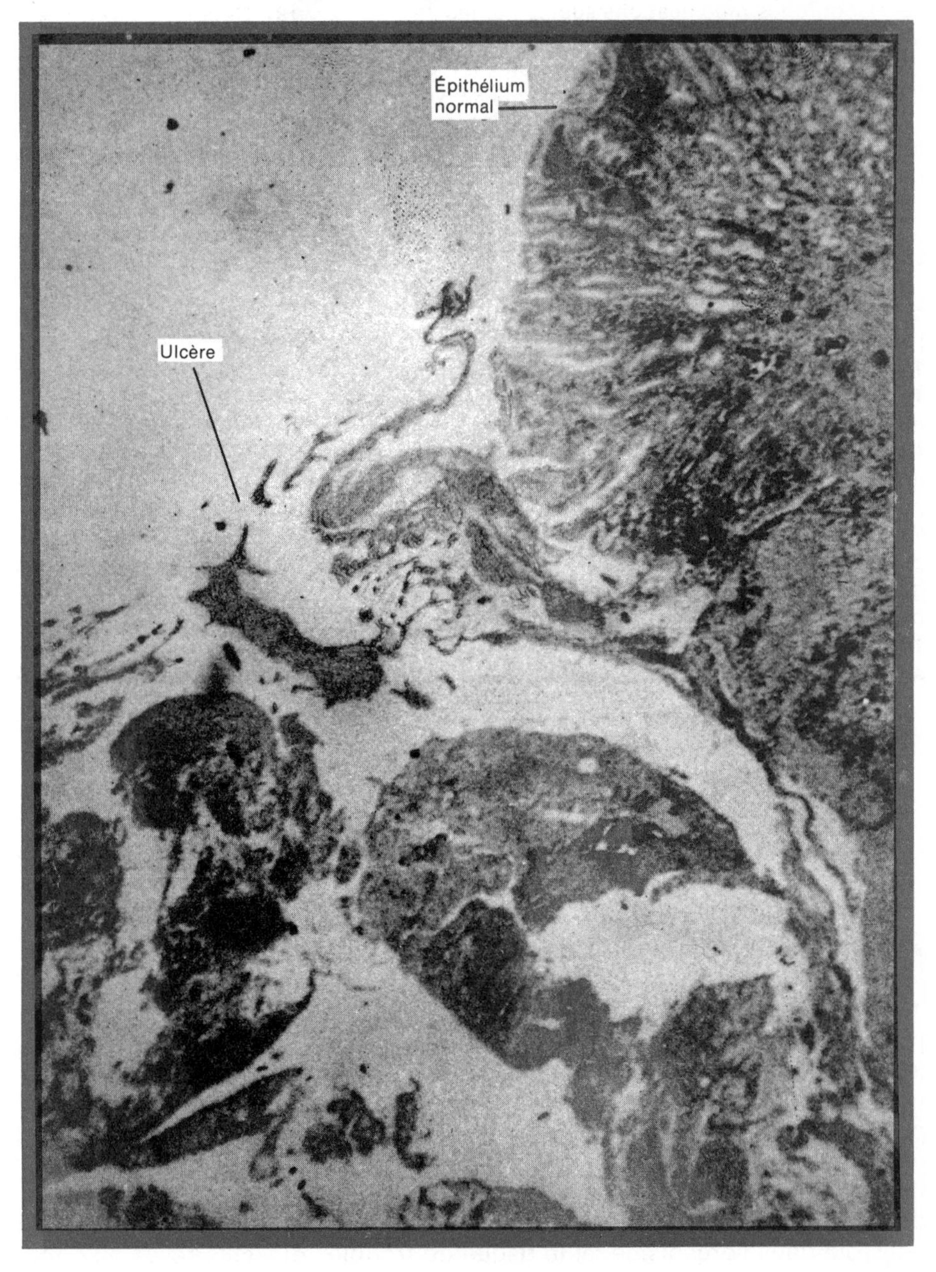

Ulcère gastrique (environ ×100).

OBJECTIFS

L'étude de ce chapitre devrait vous permettre de:

1 Faire la liste des structures que traverse le bol alimentaire entre la bouche et l'anus.
2 Décrire en termes généraux les quatre grandes étapes de la nutrition: l'ingestion, la digestion, l'absorption et l'élimination.
3 Identifier et décrire les quatre couches de la paroi du tube digestif.
4 Distinguer les feuillets pariétal et viscéral du péritoine et en décrire les principaux replis.
5 Décrire les modifications subies par les aliments pendant leur séjour dans la bouche.
6 Décrire les structures de la bouche, indiquer leurs fonctions sans oublier celles de la salive.
7 Dessiner et légender le schéma d'une dent en indiquant les rôles respectifs des différentes parties.
8 Connaître la cause des deux principales affections buccales, les caries dentaires et les troubles périodontaux.
9 Décrire le phénomène de la déglutition en suivant le trajet du bol alimentaire jusqu'à l'estomac; décrire le péristaltisme.
10 Dessiner et légender un schéma de l'estomac.
11 Décrire la structure microscopique de la muqueuse stomacale.
12 Résumer les fonctions de l'estomac. (Suivre les étapes de la transformation des ingesta pendant leur séjour dans l'estomac.)
13 Décrire les mécanismes qui préviennent la digestion de la paroi stomacale par le suc gastrique et expliquer ce qui se passe lorsque la protection fait défaut (l'apparition d'ulcères).
14 Décrire les transformations du chyme lors de son passage à travers l'intestin grêle.
15 Décrire les structures anatomiques qui augmentent la surface d'absorption de l'intestin grêle; décrire les glandes annexes du grêle.
16 Faire la liste, en termes généraux, des fonctions de l'intestin grêle.
17 Énumérer les rôles des enzymes digestives sécrétées par le pancréas.
18 Faire la liste des fonctions hépatiques associées à la nutrition.
19 Décrire la structure macroscopique et microscopique du foie.
20 Connaître la composition et les fonctions de la bile.
21 Connaître le rôle de la vésicule biliaire et décrire la régulation de sa fonction par la cholécystokinine.
22 Résumer le processus de digestion des glucides, étape par étape, en précisant le site de chaque réaction, le nom de l'enzyme impliquée et celui du ou des produit(s).
23 Résumer de la même façon les étapes de la digestion des lipides.
24 Décrire les étapes de la digestion des protéines.
25 Décrire la structure d'une villosité intestinale; dessiner et légender un schéma d'une villosité.
26 Décrire les mécanismes d'absorption du glucose, des acides aminés et des lipides.
27 Suivre la progression du chyme dans le gros intestin et l'élimination des résidus sous forme de fèces.
28 Légender un schéma du gros intestin.
29 Décrire trois fonctions du gros intestin et en connaître les principales affections.

Chez les animaux et les humains, l'action de manger répond à un besoin instinctif, celui de satisfaire sa faim. Qu'est-ce qui guide les gens dans le choix de leurs aliments? La disponibilité, le goût, les habitudes, la publicité, etc. Les facteurs qui entrent en ligne de compte ne sont pas toujours les meilleurs. La vulgarisation et la diffusion des lois de la diététique et de la nutrition sont en voie d'éveiller une partie croissante de la population à l'impact physiologique des choix alimentaires. À l'école, maintenant, on inculque aux enfants des notions de base sur une alimentation saine, complète et équilibrée. Il est souhaitable, en effet, que les habitudes alimentaires d'une population découlent d'une démarche éclairée, basée sur la valeur nutritive des aliments, leur rôle dans l'organisme, et le risque de troubles digestifs reliés aux abus.

Les aspects les plus familiers de la fonction de nutrition, l'alimentation et la défécation, sont sous contrôle volontaire. Toutes les autres étapes se passent normalement à notre insu. Entre son entrée par la bouche sous forme de nourriture et sa sortie par l'anus sous forme de fèces, le bol alimentaire subit des transformations importantes tout au long du tube digestif. L'objet du présent chapitre est non seulement d'étudier les modifications successives des ingesta, mais encore d'établir le rôle respectif de tous les intervenants d'un bout à l'autre du chemin.

ORGANISATION GÉNÉRALE

Le *tube digestif* (*TD*) et les *glandes accessoires* forment l'*appareil digestif*, un long tube enroulé d'environ 4,4 mètres[1] qui relie la bouche à l'anus, et sur lequel viennent se greffer plusieurs glandes. Le diamètre du TD est variable et plusieurs sections possèdent une structure et un rôle précis qui les distinguent en tant qu'organes particuliers.

Entre la bouche et l'anus les aliments traversent successivement le pharynx (la gorge), l'oesophage, l'estomac, l'intestin grêle (subdivisé en duodénum, jéjunum et iléum), et le gros intestin (subdivisé en caecum, appendice, côlon ascendant, transverse, descendant et sigmoïde, rectum et canal anal). Trois types de glandes digestives accessoires déversent leurs sécrétions dans le TD: les glandes salivaires, le foie et le pancréas.

Les principales étapes de la transformation des aliments

La transformation des aliments est une fonction complexe qui comprend plusieurs étapes: le choix des aliments appropriés, l'*ingestion*, c'est-à-dire leur introduction dans la bouche, la *mastication*, la *déglutition* et la *digestion*. La nourriture est normalement formée de morceaux volumineux, beaucoup trop gros pour passer tel quel au travers de la paroi du tube digestif. La digestion mécanique consiste à réduire les morceaux en fines particules qui peuvent être dégradées plus efficacement. La digestion chimique représente l'hydrolyse des longues molécules organiques (comme les polysaccharides et les protéines) par des réactions spécifiques, catalysées par des enzymes produites par des cellules de l'appareil digestif. Lorsque les molécules sont assimilables (on parle alors de *nutriments*), elles passent au travers des parois du TD vers le sang ou la lymphe: c'est l'*absorption*.

Les nutriments sont ensuite *transportés* vers le foie par la circulation sanguine où ils sont inventoriés avant d'atteindre les milliards de cellules du corps. L'*utilisation* des nutriments pour les activités métaboliques et les besoins énergétiques se fait à l'intérieur des cellules. Les aliments non digérés et non absorbés sont *éliminés* par le processus de la *défécation*.

Les parois du TD et le péritoine

Les parois du TD présentent la même structure de base, de l'oesophage à l'anus. Quatre tuniques successives se superposent, de la lumière vers la périphérie: la muqueuse, la sous-muqueuse, la musculeuse, et un revêtement conjonctif, la tunique externe ou adventice, la séreuse (figure 11-2).

La *muqueuse* forme le revêtement interne du TD. Elle est constituée d'un tissu épithélial reposant sur une lame basale conjonctive, la *tunica propria* (*chorion*) et sur la *musculaire de la muqueuse* (*muscularis mucosae*), un mince feuillet musculaire sous-épithélial. Selon sa localisation l'épithélium digestif se spécialise dans la protection des tissus sous-jacents, la sécrétion de mucus ou de sucs digestifs, ou encore l'absorption des nutriments. Au niveau de l'estomac et de l'intestin grêle la muqueuse forme de nombreux replis qui augmentent considérablement la surface digestive et absorbante. L'épithélium, non kératinisé, demeure humide du fait des sécrétions glandulaires.

[1] Mesure par intubation, *in vivo*.

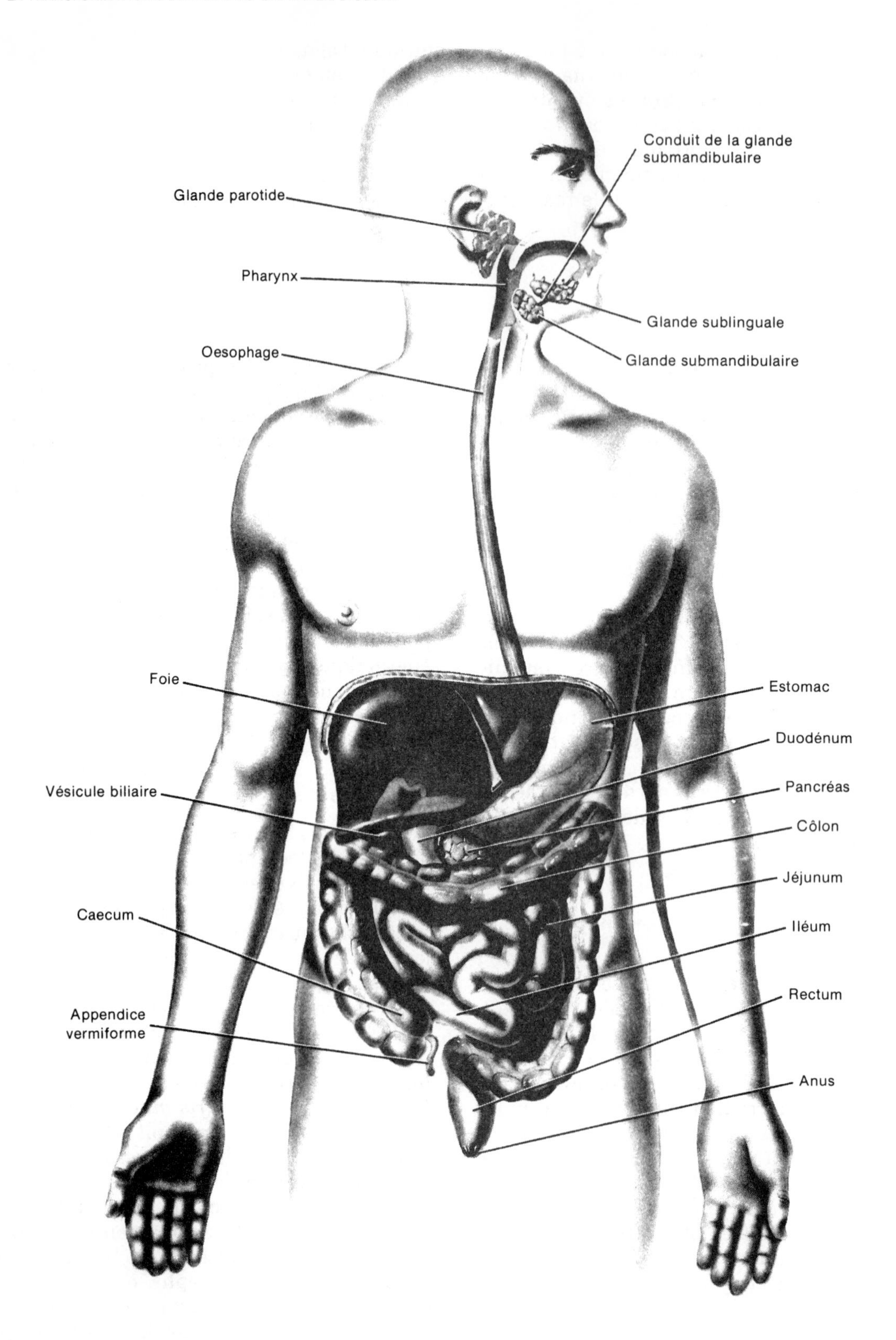

Figure 11-1 L'appareil digestif.

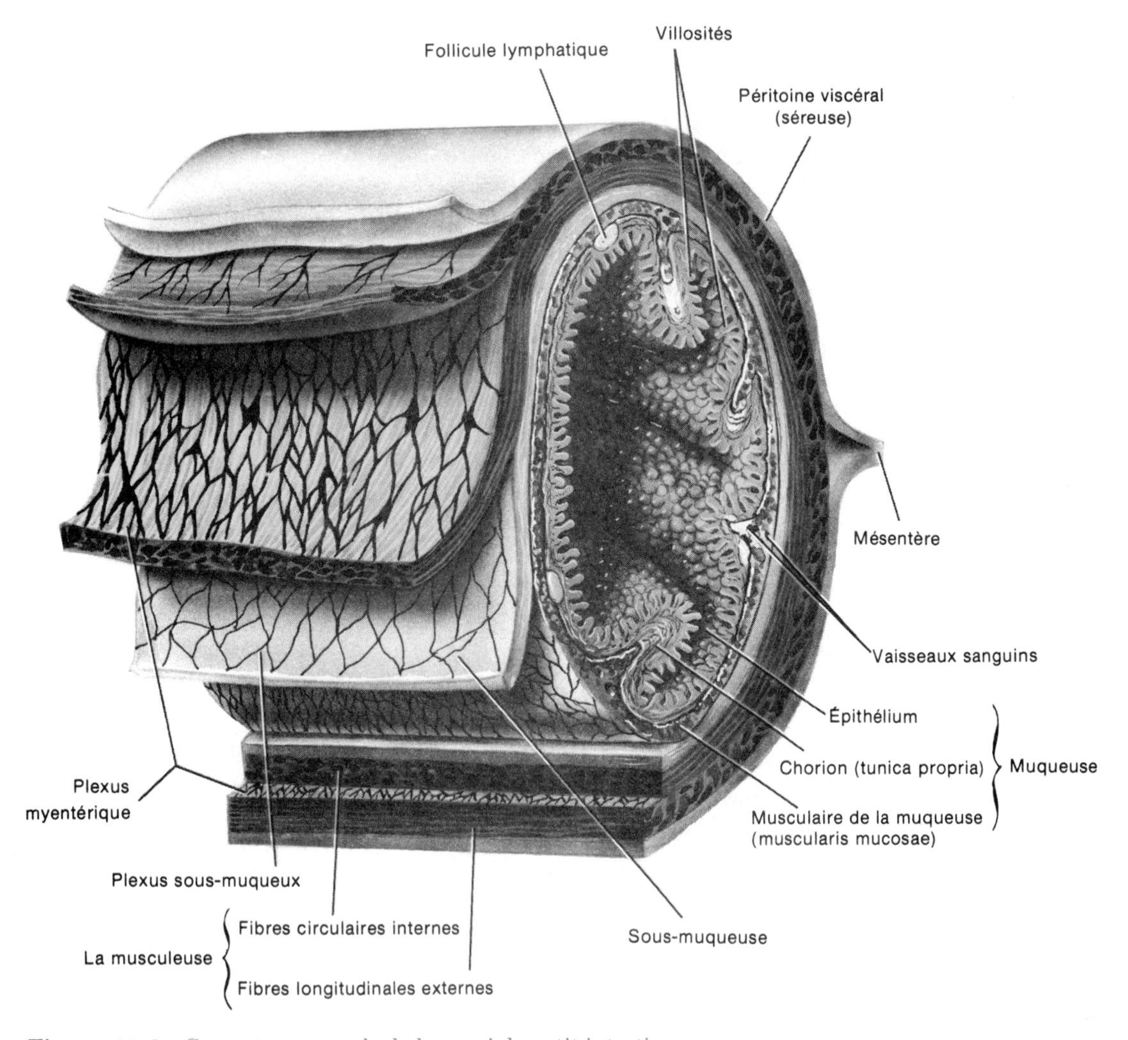

Figure 11-2 Coupe transversale de la paroi du petit intestin.

De vastes réseaux capillaires, vecteurs des nutriments, s'étendent dans le tissu conjonctif de la muqueuse. Le chorion contient du tissu lymphoïde qui assume une fonction de protection contre les bactéries ingérées. La muqueuse contient aussi des vaisseaux lymphatiques qui assurent l'absorption des lipides.

Le tissu conjonctif de la *sous-muqueuse* attache la muqueuse à la tunique musculaire périphérique. De petites ramifications des gros vaisseaux sanguins sous-muqueux irradient vers la muqueuse et la musculeuse. La sous-muqueuse contient aussi un réseau neuronique très développé, le *plexus sous-muqueux* (*plexus de Meissner*).

La *tunique musculaire* ou *musculeuse* de la bouche, du pharynx, et de la moitié supérieure de l'oesophage, contient les muscles squelettiques responsables de la déglutition. Ailleurs dans le TD la musculeuse est formée de muscle lisse disposé généralement en deux feuillets; les fibres du feuillet interne sont circulaires alors que celles du feuillet externe sont longitudinales. Les ondes de contraction rythmiques de ces muscles propulsent les ingesta le long du TD (figure 11-9); elles assurent leur broyage (la digestion mécanique) et accélèrent leur mélange avec les sucs digestifs (la digestion chimique). Entre les deux sous-couches de la musculeuse s'étend un second réseau nerveux, le *plexus myentérique* (*plexus d'Auerbach*), qui contrôle une bonne partie de l'activité musculaire du tube digestif.

La *séreuse* (*tunique externe* ou *adventice*) est formée de tissu conjonctif. Dans sa portion sous-diaphragmatique cette enveloppe est recouverte d'un épithélium pavimenteux, le *péritoine viscéral* (figure 11-3). Présentant de nombreux replis, il rejoint le *péritoine pariétal* avec lequel il forme un feuillet continu qui recouvre l'intérieur de la cavité abdomino-pelvienne. Les deux péritoines délimitent un espace virtuel, la *cavité péritonéale*. L'inflammation du péritoine, la *péritonite*, est une infection grave puisqu'elle peut facilement gagner tous les organes voisins. L'*ascite* représente des troubles reliés à une accumulation excessive de liquide dans la cavité péritonéale.

Le *mésentère* est un grand repli double de tissu péritonéal en continuité avec le péritoine pariétal. Il s'attache à l'intestin grêle sur toute sa longeur et le fixe à la paroi abdominale postérieure. Il supporte les vaisseaux sanguins, les lymphatiques et les nerfs qui se rendent aux intestins.

Deux autres replis importants du péritoine, le *grand épiploon* (ventral) et le *petit épiploon* (dorsal), ont aussi un rôle de soutien. Le petit épiploon suspend l'estomac et le duodénum au foie. Le grand épiploon est un double repli du péritoine attaché au duodénum, à l'estomac et au gros intestin. Il tombe comme un tablier en avant des intestins et contient un abondant tissu adipeux et des noeuds lymphatiques stratégiquement situés pour enrayer les infections et les empêcher de s'étendre au péritoine.

Le contrôle de la motilité et des sécrétions

Les activités de l'appareil digestif sont sous contrôle nerveux et hormonal. L'étude des actions hormonales sera concurrente à celle des activités digestives subordonnées. Une bonne part de l'activité contractile et sécrétoire du TD est contrôlée localement par les plexus myentérique et sous-muqueux. La distension locale du TD par les aliments stimule des récepteurs sensibles à l'étirement qui envoient des influx vers les plexus; ceux-ci les acheminent d'une part vers la musculature lisse des parois, qui se contracte, et vers les glandes digestives qui augmentent leur activité sécrétoire. Cette régulation est indépendante du SNC.

Normalement le SNA participe à la régulation des activités du TD. Il agit directement et par le biais de synapses avec des neurones des deux plexus. Des branches du nerf vague rejoignent l'estomac, l'intestin grêle, et la partie supérieure du gros intestin (figure 9-25). La stimulation parasympathique agit principalement par l'intermédiaire du plexus myentérique et favorise une plus grande activité du TD. Des branches sympathiques innervent presque toutes les parties de l'appareil digestif et ont généralement une action inhibitrice sur son activité.

LE DÉBUT DU TRAJET

Tout repas équilibré est constitué d'un certain nombre d'aliments contenant des glucides (l'amidon du pain, le lactose du lait, le sucrose et l'amidon du gâteau, etc.), des protéines, des lipides[2] et des vitamines. Toutes ces molécules fourniront à l'organisme, sous la forme de nutriments, les éléments essentiels à son entretien normal et à son développement. La suite de ce chapitre décrit le transit d'un repas équilibré à travers le TD, ponctué d'arrêts de place en place pour examiner la structure et les fonctions des différents segments anatomiques rencontrés.

La bouche

Un aliment solide est généralement introduit dans la bouche à l'aide de la main, le seul ustensile de bien des gens. Les dents d'en avant, les incisives, tranchent un fragment d'aliment et les lèvres obstruent l'ouverture buccale. Par l'action coordonnée et complémentaire de la langue, des joues et des lèvres, la nourriture est maintenue entre les surfaces

[2] Il sera probablement utile en parcourant ce chapitre de se référer au chapitre 2 et de revoir les paragraphes qui traitent des protéines, des lipides et des glucides.

(a)

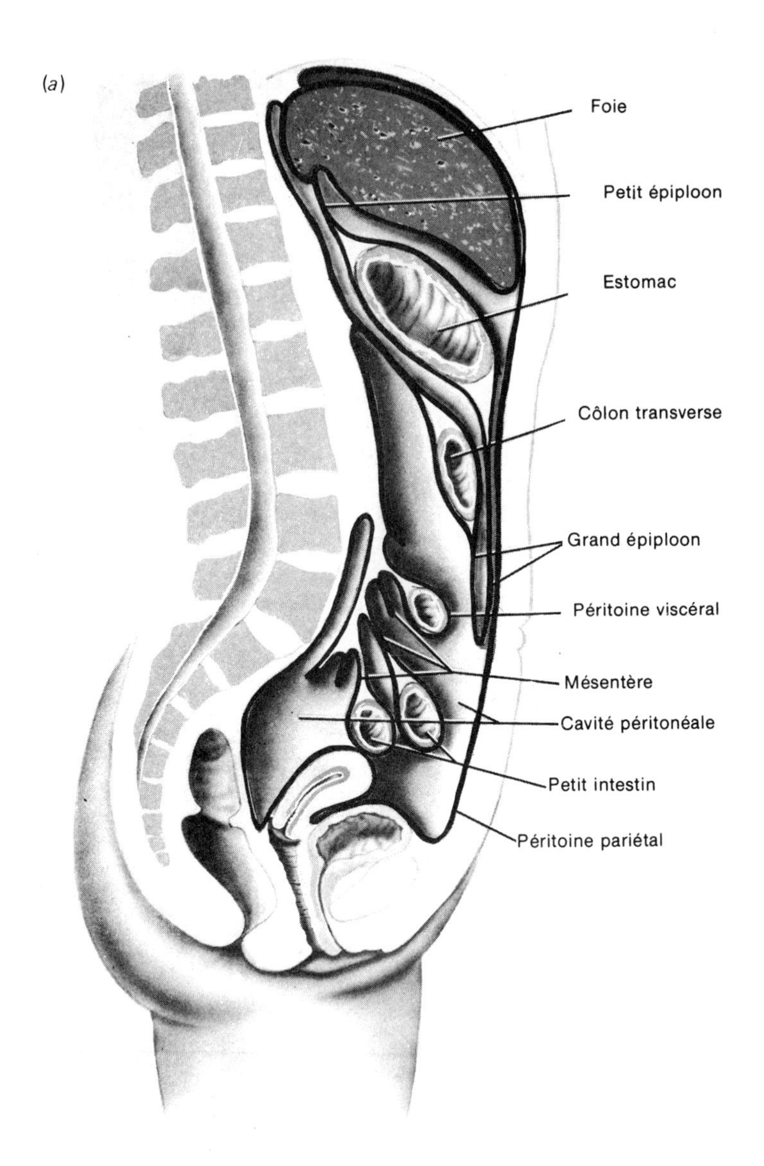

(b)

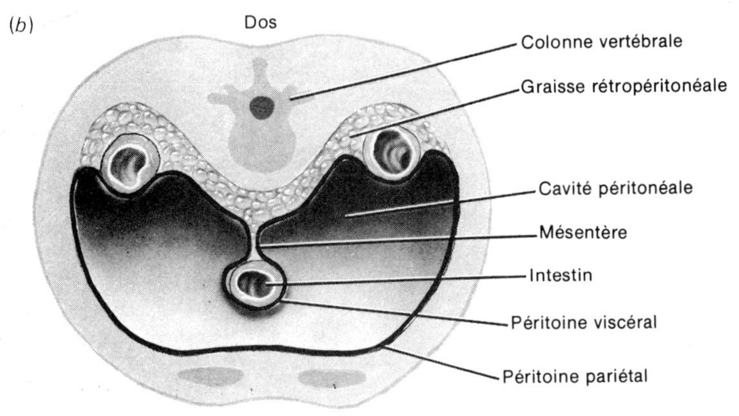

Figure 11-3 Le péritoine et ses prolongements. (*a*) Coupe sagittale de l'abdomen et du pelvis chez la femme, illustrant le petit et le grand épiploon. (*b*) Coupe transversale de l'abdomen montrant le lien entre les péritoines pariétal et viscéral et le mésentère.

de broyage des dents postérieures, les prémolaires et les molaires. La mastication est un acte complexe par lequel les aliments, retournés et mélangés, sont poussés vers le *palais* (au sommet de la bouche) puis vers les joues, pour revenir entre les dents. L'insalivation permet de dissoudre un certain nombre de molécules et la sensation gustative apparaît.

La langue est l'organe principal de la gustation. À l'échelle microscopique sa surface présente un relief tourmenté dû à la présence des *papilles* linguales, sortes de projections polymorphes que l'on classe en trois catégories: les *papilles filiformes*, minces et aiguës, couvrent les deux-tiers antérieurs de la langue; les *papilles circumvallées* (*caliciformes*) sont de grande taille et forment le V lingual, à pointe postérieure, à la base de la langue; ressemblant à des champignons, les *papilles fongiformes* sont larges et renflées à leur sommet; elles ont l'aspect de points rouges à l'extrémité de la langue. Les bourgeons du goût, situés dans l'épithélium des deux derniers types de papilles, permettent la gustation à partir des quatre saveurs primaires: acide, salé, sucré et amer. La figure 11-4 montre la topographie de la sensibilité gustative et la localisation des papilles.

Les dents Les dents sont implantées dans des loges nommées *alvéoles*, situées sur le rebord libre des mâchoires, les *processus alvéolaires*. Les gencives couvrent les processus alvéolaires et pénètrent légèrement dans chaque alvéole. Le tissu conjonctif des gencives est en continuité avec le *périodonte* (*membrane péri-*

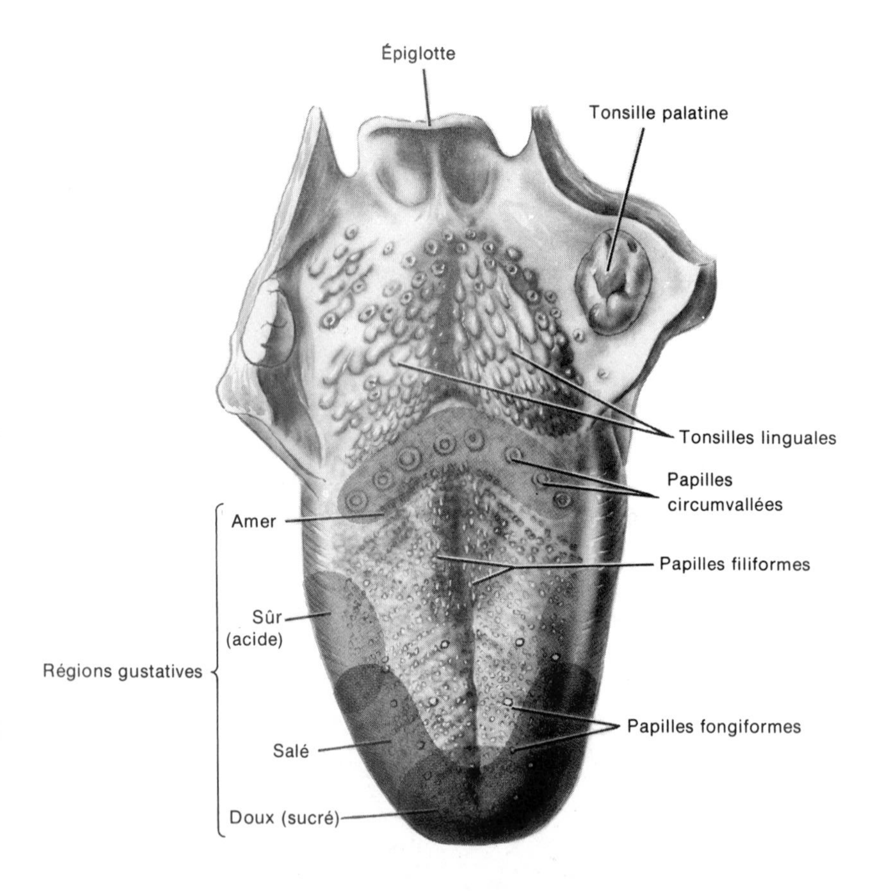

Figure 11-4 Face dorsale de la langue montrant l'emplacement des papilles et des régions gustatives.

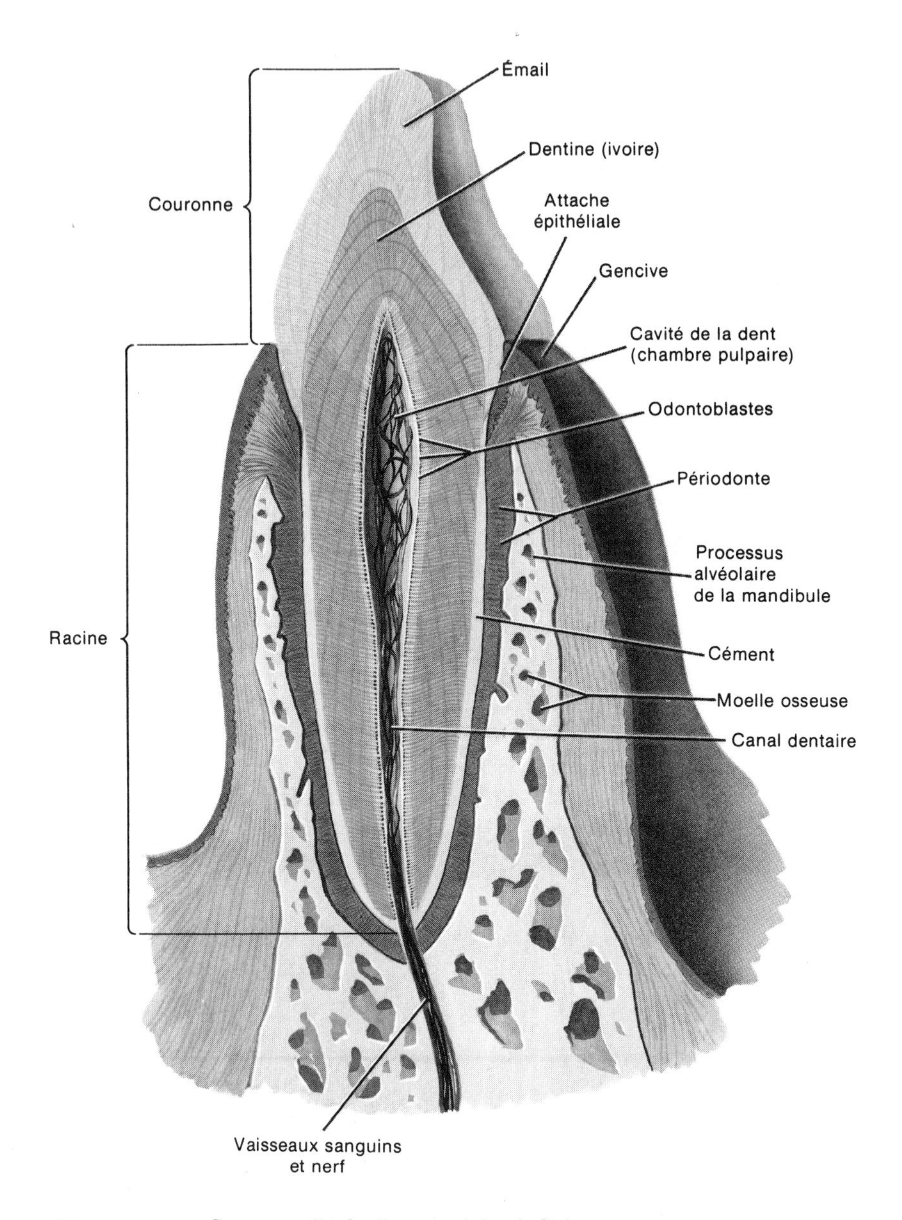

Figure 11-5 Coupe sagittale d'une incisive inférieure.

dentaire ou *périodontale*), un ligament conjonctif qui attache chaque dent à sa loge osseuse et qui se déchire lors d'une extraction. La partie de la dent qui émerge de la gencive est la *couronne*, celle qui est cachée est la *racine* (figure 11-5).

Chaque dent se compose de *dentine* (l'*ivoire*), un tissu conjonctif calcifié dont la formation est similaire à celle de l'os. La couronne de la dent est protégée par un phosphate de calcium extrêmement dur, l'*émail* de la dent. C'est la substance la plus solide que fabrique l'organisme. Ce recouvrement protège la dent contre l'abrasion causée par des substances très dures et rugueuses (nourriture ou autres), et contrôle par son imperméabilité toute substan-

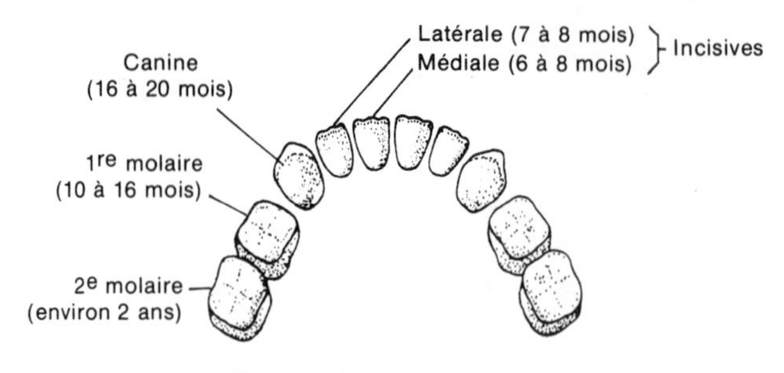

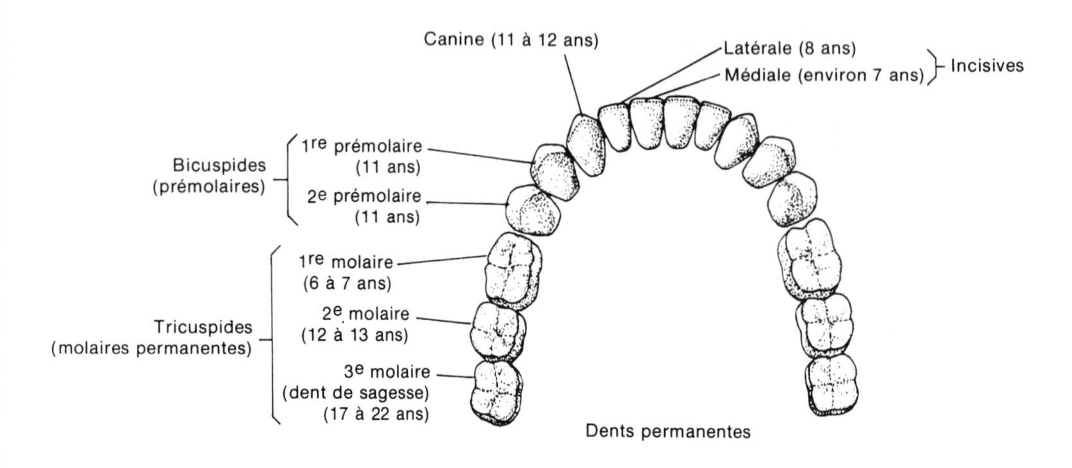

Figure 11-6 Dentitions primitive et permanente. L'âge approximatif d'éruption est entre parenthèses.

ce chimique pouvant dissoudre la dentine sous-jacente. La racine est recouverte d'une enveloppe conjonctive calcifiée, le *cément*.

Chaque dent possède une cavité centrale appelée *chambre pulpaire*. La *pulpe* est un tissu conjonctif innervé et vascularisé (vaisseaux sanguins et lymphatiques); elle est extrêmement sensible et on la nomme souvent le «nerf» de la dent. Des cellules conjonctives, des *odontoblastes*, tapissent la chambre pulpaire et produisent la dentine. Les *canaux dentaires* sont de fines expansions de la chambre qui s'engagent dans les racines et les traversent.

Les deux dentitions humaines sont représentées par l'éruption des 20 dents de lait (les *dents déciduales* ou *temporaires*) remplacées progressivement par 32 *dents permanentes* (*définitives*) (figure 11-6). Les premières commencent à percer vers l'âge de 6 mois et sont lentement expulsées de leurs loges, entre 6 et 13 ans, par l'éruption des dents permanentes. Les troisièmes molaires, les dents de sagesse, ne sortent généralement pas avant l'âge de 17 ans.

Lorsque les bactéries endogènes de la bouche s'accumulent, elles forment des *plaques dentaires* superficielles sur le tiers supérieur de chaque dent, particulièrement près des gencives et souvent même sous ces dernières. Les plaques se développent en-dedans de six heures après un bon nettoyage des dents et leur formation est encore plus rapide pendant la nuit. Si elles ne sont pas enlevées périodiquement, leur calcification produit des calculs dentaires.

Les plaques dentaires sont à l'origine des deux affections chroniques de la bouche les plus fréquentes, les caries et les maladies périodontales. Une *carie dentaire* est une destruction lente, une corrosion locale des dents. La fermentation bactérienne des glucides et particulièrement du sucrose sur les plaques dentaires produit des acides organiques qui déminéralisent la surface externe des dents. Sans traitement approprié, les bactéries peuvent envahir la pulpe et provoquer une infection. Les fluorures ingérés pendant la période de développement des dents s'incorporent à la matrice et augmentent ainsi leur résistance aux attaques bactériennes. (En fait l'émail est formé de minuscules bâtonnets hexagonaux appliqués les uns contre les autres et cimentés par une substance qui peut laisser passer les bactéries vers la dentine. La présence de fluorophosphate de Ca dans ce mortier empêche les invasions bactériennes.)

Jusque vers l'âge de 35 ans les affections dentaires les plus fréquentes sont les caries; après cette période, les *maladies périodontales* (*péridentaires*) prennent la relève. Ce sont des irritations ou des infections gingivales, périodontales ou encore alvéolaires, causées par les plaques dentaires et les calculs. Ces maladies se caractérisent successivement par un déchaussement des dents, des saignements des gencives, et même par une résorption osseuse qui agrandit les alvéoles et provoque la mobilité et la chute des dents.

Les glandes salivaires La figure 11-1 précise l'emplacement des trois principales paires de glandes salivaires, soit les *glandes parotides*, *submandibulaires* (*sous-maxillaires*) et *sublinguales*. Un grand nombre de minuscules *glandes buccales*, disséminées dans les muqueuses linguale, labiale et palatine, sécrètent aussi de la salive mais ne sont pas présentées sur cette figure. Les parotides, les plus grosses glandes salivaires, sont situées en dessous et en avant des oreilles; leurs sécrétions se déversent dans la bouche par un conduit qui s'ouvre à la surface interne des joues, au niveau de la seconde molaire de la mâchoire supérieure. Les oreillons représentent une inflammation d'origine virale des glandes parotides dont l'enflure s'étend à la région de l'oreille. Les glandes submandibulaires et sublinguales reposent respectivement sous la mandibule et sous la langue. Leurs conduits débouchent dans le plancher buccal, sous la langue.

La salive contient deux éléments principaux: (1) une sécrétion séreuse claire et liquide dans laquelle on retrouve la *ptyaline* ou *amylase salivaire*, et (2) une sécrétion muqueuse qui lubrifie la bouche. Les parotides sécrètent la fraction séreuse, les sublinguales et les glandes buccales la fraction muqueuse, et les submandibulaires sécrètent les deux. La salive contient aussi des sels et des produits antibiotiques (bactéricides); la plupart des éléments constitutifs de la salive sont recyclés dans les parties distales du TD.

Les fonctions de la salive sont nombreuses:

1 La lubrification continuelle des parois de la bouche et de la gorge facilite la parole et la mastication. L'insalivation des aliments permet à la langue de transformer une bouchée en une masse semi-solide (le *bol*) qui peut alors facilement être déglutie.
2 La solubilisation de plusieurs molécules alimentaires rend le bol sapide.
3 L'entraînement des particules alimentaires et des bactéries (en plus de leur destruction directe) diminue la fréquence des caries dentaires.
4 L'amylase de la salive amorce la digestion glucidique.

L'amidon, le principal glucide ingéré dans l'alimentation, est formé de molécules de glucose associées en longues chaînes. L'amylase salivaire les réduit en *dextrines* (des chaînes d'environ huit glucoses) et en maltose (des doublets de glucose). La présence des disaccharides dans la bouche, comme lors de la mastication d'une bouchée de pain, s'accompagne d'une saveur douce et légèrement sucrée.

La salive est sécrétée au rythme d'environ 1 litre par jour. Très faible pendant le sommeil, la sécrétion est fortement augmentée par les stimulus sensoriels et psychiques: la vue ou l'odeur de la nourriture et même la pensée d'un bon repas sont des agents incitateurs de la sécrétion salivaire, au même titre que la présence de substances sapides dans la bouche. Les aliments ingérés stimulent des pressorécepteurs et des chimiorécepteurs de la langue et des parois de la bouche. Même la succion d'un galet ou la mastication d'une boule de cire insipide stimule la salivation grâce aux pressorécepteurs. Certains aliments, cependant, ont un pouvoir de stimulation plus prononcé, comme les cornichons au vinaigre, la limonade amère, ou encore les biscottes sèches.

L'intégration des stimulus sensoriels et psychiques se fait dans des noyaux situés entre la moelle allongée et le pont, et reliés aux glandes salivaires par des nerfs sympathiques et parasympathiques. La déshydratation de l'organisme diminue la salivation ou même l'arrête; la bouche devient sèche, ce qui déclenche le désir de boire (la soif).

La déglutition — le pharynx et l'oesophage

La bouchée machée, insalivée, goûtée et réduite en boullie doit être déglutie, c'est-à-dire propulsée dans le pharynx et l'oesophage.

Le *pharynx* (la gorge) est un tube musculeux d'environ 12 cm de longueur et un passage commun vers les voies respiratoires et le TD. On y distingue trois zones: la *portion nasale* (*naso-* ou *rhinopharynx*) qui fait suite aux cavités nasales, la *portion buccale* (*oropharynx*) qui fait suite à la bouche, et la *portion laryngienne* (*laryngopharynx*) située derrière le larynx. Les deux premières régions sont séparées par le *voile du palais* ou *palais mou* qui tombe comme un rideau entre les deux (figure 11-7). Le palais mou est musculeux et forme une extension postérieure du palais dur, le plafond de la cavité buccale. Une petite projection

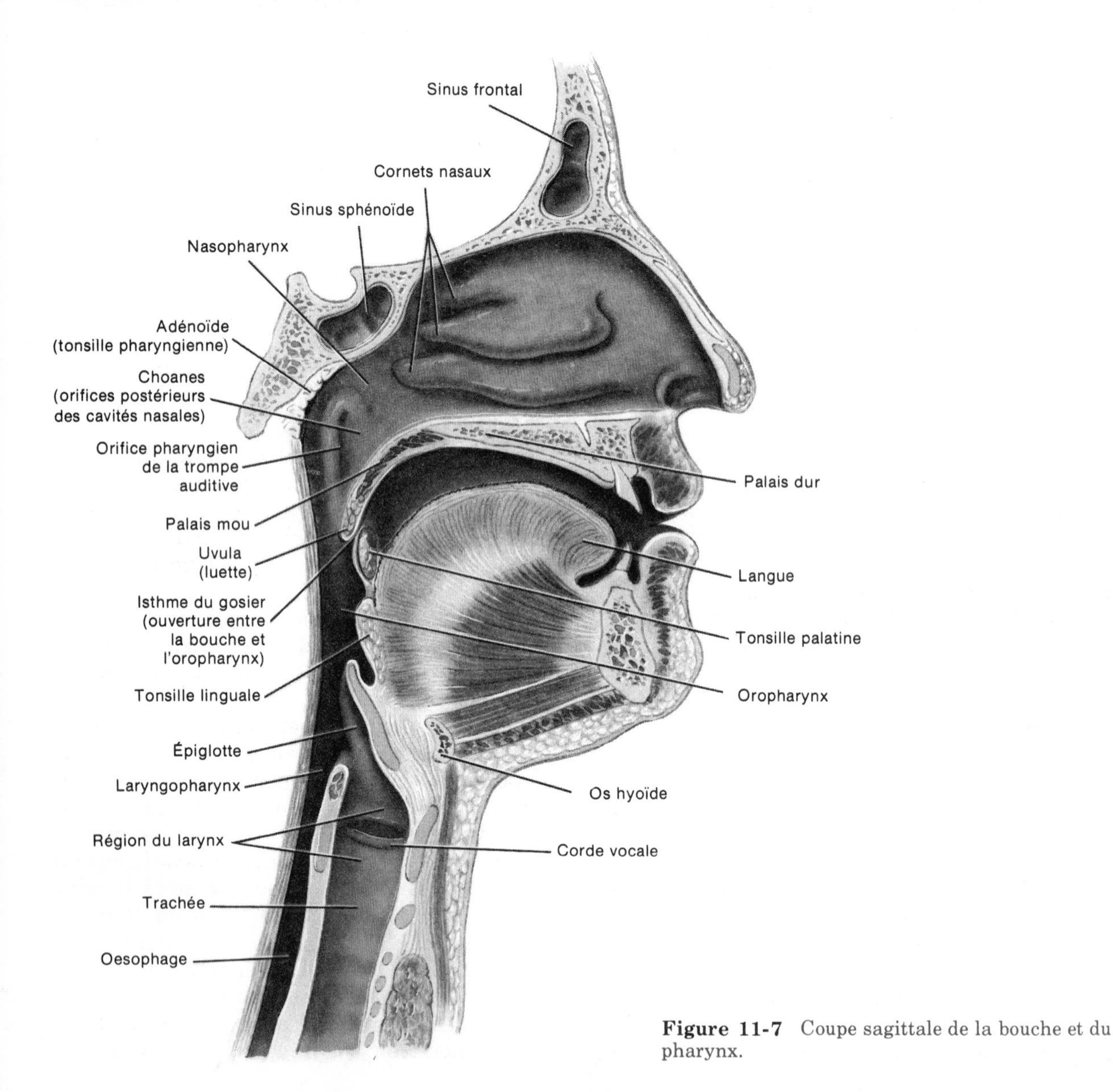

Figure 11-7 Coupe sagittale de la bouche et du pharynx.

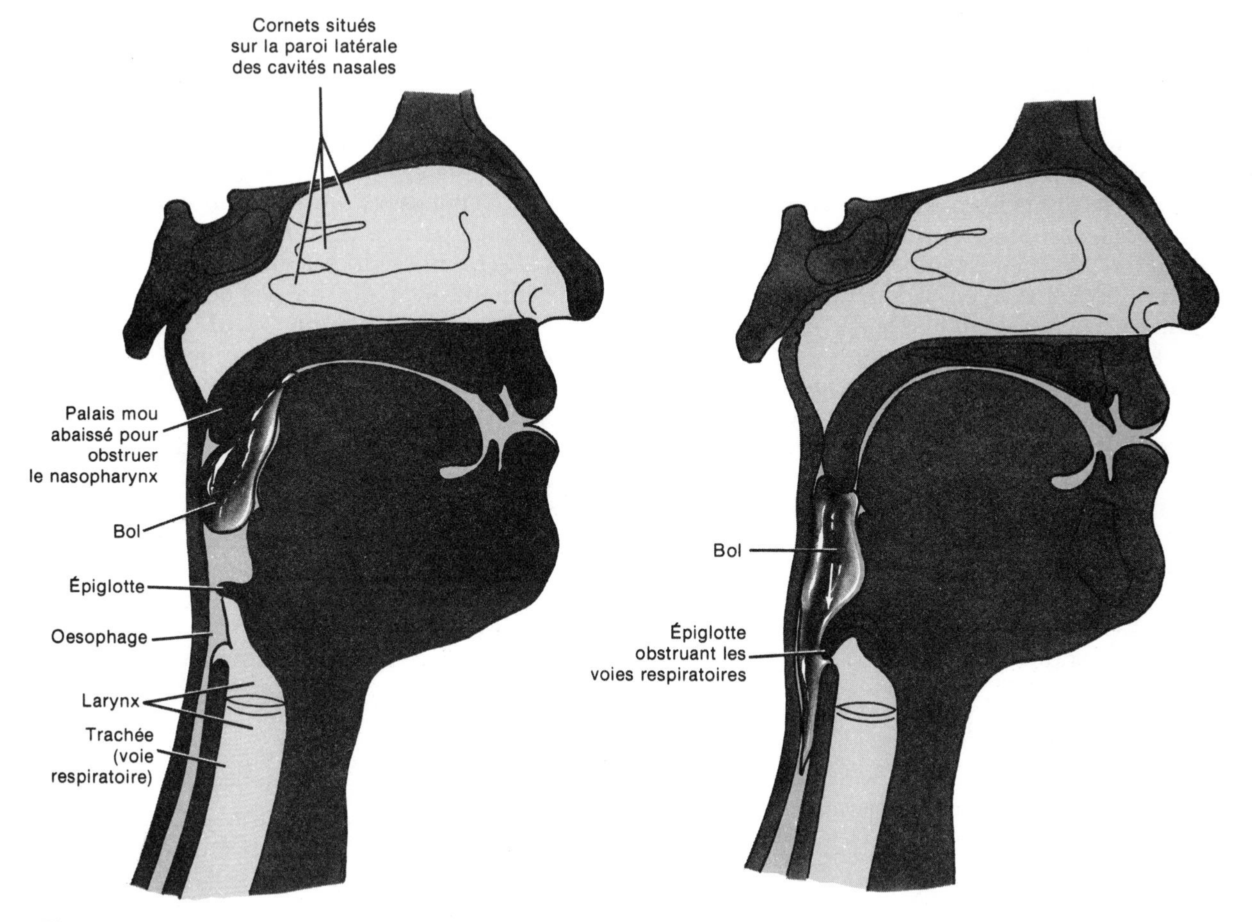

Figure 11-8 Mouvement du bol alimentaire dans le pharynx et l'oesophage supérieur pendant la déglutition.

conique, l'*uvula* (*luette*), est suspendue au centre de la frange postérieure du palais mou. L'*isthme du gosier* relie la bouche à l'oropharynx.

Sept ouvertures débouchent dans le pharynx: l'isthme du gosier, les trompes auditives gauche et droite et les choanes, relient respectivement la bouche, l'oreille moyenne et les cavités nasales au nasopharynx. La région inférieure du pharynx débouche dans l'oesophage par le laryngopharynx et dans la trachée par le larynx.

Les tonsilles (amygdales) sont des masses de tissu lymphoïde de protection contre les bactéries qui pénètrent dans l'organisme par voie aérienne ou alimentaire. Elles sont situées à des endroits stratégiques, soit dans le nasopharynx (la *tonsille pharyngienne* ou l'*adénoïde*), dans l'oropharynx (la *tonsille palatine*), et à la base de la langue (la petite *tonsille linguale*).

La déglutition est l'action mécanique qui fait passer le bol alimentaire de la bouche à l'estomac. Amorcée volontairement, la déglutition devient réflexe lorsque le bol pénètre dans l'isthme du gosier par la poussée de la langue. Les ingesta sont ensuite acheminés vers le laryngopharynx par des contractions réflexes des muscles du pharynx. Deux clapets tissulaires, l'épiglotte et le palais mou, obstruent respectivement les ouvertures pharyngiennes du larynx et du nasopharynx, canalisant les ingesta vers l'oesophage (figure 11-8).

Les 3 ou 4 premiers centimètres de l'oesophage sont normalement fermés par la contraction soutenue de fibres musculaires orbiculaires formant un sphincter; l'air ne peut donc pas pénétrer dans l'oesophage pendant les mouvements respiratoires. La progression du bol dans le pharynx provoque le relâchement des fibres oesophagiennes et l'ouverture du sphincter. En même temps, une onde de contraction entraîne le bol alimentaire dans l'oesophage. Depuis la poussée de la langue, il s'est écoulé environ 1 seconde.

L'onde péristaltique pharyngienne envahit progressivement l'oesophage, repoussant le bol vers l'estomac. Le *péristaltisme* est l'ensemble des contractions des fibres circulaires et longitudinales des parois du TD produisant un étranglement qui se propage de proche en proche. La contraction des fibres longitudinales, coordonnée avec celle des fibres circulaires, favorise la progression des ingesta en avant de l'onde (figure 11-9).

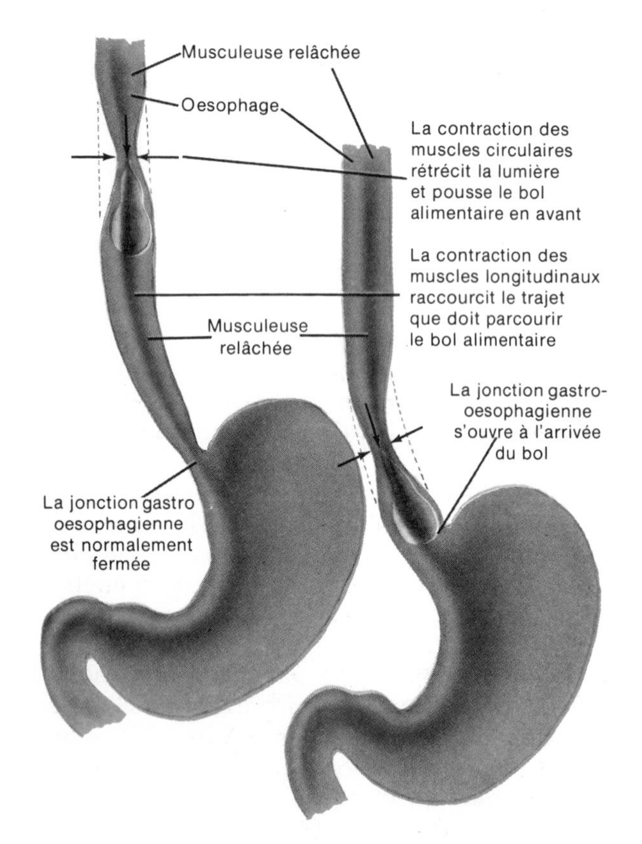

Figure 11-9 Le péristaltisme.

L'oesophage possède un revêtement interne fait d'un épithélium pavimenteux stratifié, très semblable à celui de la peau, qui le protège contre les ingesta rudes ou irritants. Les cellules de surface sont desquamantes et constamment renouvelées par des cellules formées à la base et repoussées vers la lumière. Il y a cependant absence de kératinisation. Par ailleurs, des glandes situées dans la sous-muqueuse viennent s'ouvrir dans l'oesophage et y sécrètent un mucus qui vient humecter et lubrifier les parois sur toute leur longueur (environ 40 cm). Le bol glisse sur cette surface visqueuse.

Le trajet du bol dans l'oesophage dure environ 10 s. En position debout, la gravité favorise la progression du bol qui peut atteindre le bas de l'oesophage avant l'onde péristaltique. Dans l'espace, les astronautes peuvent manger en état d'apesanteur et un acrobate peut même manger la tête en bas. Dans ces deux dernières situations, le bol suit le mouvement de l'onde péristaltique pour déboucher dans l'estomac.

Si la première onde ne vide pas complètement l'oesophage, la distension locale des parois donne naissance à une seconde onde péristaltique, puis à une troisième, et ainsi de suite tant que le tube n'est pas vide. Ce mécanisme autogénérateur dépend des récepteurs sensibles à l'étirement des parois; ils émettent des influx qui convergent vers les fibres nerveuses du plexus myentérique, lesquelles les acheminent vers la musculature de la tunique musculaire.

La portion terminale de l'oesophage contient des fibres musculaires orbiculaires formant la *jonction gastro-oesophagienne* (*JGOE*). Celle-ci mesure de 1 à 2 cm de longueur. La manométrie oesophagienne a montré une augmentation de la pression, à ce niveau, lorsqu'il n'y a pas d'onde péristaltique. La jonction est alors fermée. De cette manière, le suc gastrique très acide ne peut refluer vers les parois de l'oesophage. À l'arrivée d'une onde péristaltique, au contraire, la pression baisse; la jonction s'ouvre et laisse passer le bol. Tout jaillissement de bouillie gastrique dans l'oesophage en irrite les parois et provoque des spasmes douloureux connus sous les noms de pyrosis ou de cardialgie (douleur stomacale au niveau du *cardia*, la portion de l'estomac située à la JGOE).

L'ESTOMAC

L'arrivée de l'onde péristaltique au bas de l'oesophage provoque donc le relâchement de la JGOE et le bol pénètre dans l'estomac, une grosse poche musculeuse affaissée sur elle-même lorsqu'elle est vide. Les nombreux *replis muqueux* internes, les *plis gastriques*, lui confèrent une apparence ridée. L'arrivée des ingesta fait progressivement disparaître les plis, étire l'organe, et augmente sa capacité jusqu'à plus d'un litre.

Structure macroscopique

Le bol pénètre d'abord dans la partie principale de l'estomac, le *corps gastrique*, surmonté du *fundus*, la portion au-dessus du niveau d'entrée de l'oesophage (figure 11-10). Vers la sortie l'estomac rétrécit et forme l'*antre* qui débouche dans le duodénum par le *pylore* (parfois appelé «*sphincter pylorique*»), un étroit canal normalement fermé par un fort anneau musculaire. Les marges externes inférieure et supérieure de l'estomac se nomment respectivement la *grande courbure* et la *petite courbure*.

Structure microscopique

La surface intérieure de l'estomac est couverte d'une muqueuse formée de cellules cylindriques qui sécrètent de grandes quantités de mucus. Les millions de petites dépressions (ou cryptes gastriques) indiquent l'emplacement des glandes gastriques, profondément enfoncées dans la muqueuse. La figure 11-10 présente la structure d'une glande gastrique typique. La région du collet est essentiellement formée de cellules muqueuses parmi lesquelles s'intercalent, dans la région profonde de la glande, des cellules spécialisées. Les *cellules principales* synthétisent de grandes quantités de protéines. Elles sont remplies de grains de zymogène contenant du *pepsinogène*, la forme inactive de l'enzyme *pepsine*. Les *cellules pariétales*, grosses cellules bordantes, sécrètent l'acide chlorhydrique et le «facteur intrinsèque», une substance essentielle à l'absorption efficace de la vitamine B_{12}.

L'estomac peut se contracter dans tous les sens grâce à une troisième couche de fibres, disposée de biais dans la tunique musculaire. Ses mouvements permettent un certain brassage des ingesta et leur mélange avec les sécrétions gastriques. Le péristaltisme stomacal assure aussi la progression de la bouillie vers le pylore où elle est agitée d'un mouvement de va-et-vient avant d'être expulsée dans le duodénum.

La digestion chimique dans l'estomac

Lorsque le bol pénètre dans l'estomac, ce dernier contient déjà une certaine quantité de suc gastrique. La perspective du repas, puis la senteur, la vue et la gustation des aliments, ont déclenché l'envoi de messages nerveux d'origine céphalique vers les parois stomacales, stimulant les sécrétions glandulaires. Celles-ci sont ensuite activées directement par la présence du bol alimentaire dans l'estomac. La distension de l'estomac excite les récepteurs à l'étirement des parois dont les influx accélèrent les sécrétions glandulaires en plus d'induire la libération de *gastrine*, une hormone produite dans la région antrale de la muqueuse gastrique. Entraînée dans la circulation sanguine, elle est transportée vers les cellules pariétales où son effet s'additionne aux stimulus psychiques et mécaniques pour la sécrétion de HCl. La sécrétion de gastrine est aussi influencée par la présence dans l'estomac de certaines substances comme les protéines partiellement digérées, la caféine, et de faibles quantités d'alcool. On identifie parfois trois phases dans la sécrétion du suc gastrique: la phase céphalique, antérieure à l'ingestion, la phase gastrique, correspondant à la présence de nourriture dans l'estomac, et la phase intestinale, l'évacuation de la bouillie gastrique dans le duodénum. Il n'y a pas de démarcation nette entre ces trois phases.

La pepsine est la principale enzyme gastrique; sa synthèse passe par l'élaboration d'une forme inactive de l'enzyme, le pepsinogène, dont la transformation s'effectue au contact du suc gastrique acide. La pepsine hydrolyse toutes les protéines en polypeptides. L'acide chlorhydrique sécrété par les cellules pariétales est très fort; son pH est d'environ 0,8, ce qui représente une concentration d'ions H^+ quatre millions de fois plus grande que celle du sang artériel[3]. L'acide est dilué et tamponné au

[3] A.C. Guyton, *Textbook of Medical Physiology*, 5th ed., p. 872, W.B. Saunders Co., Philadelphia, 1976.

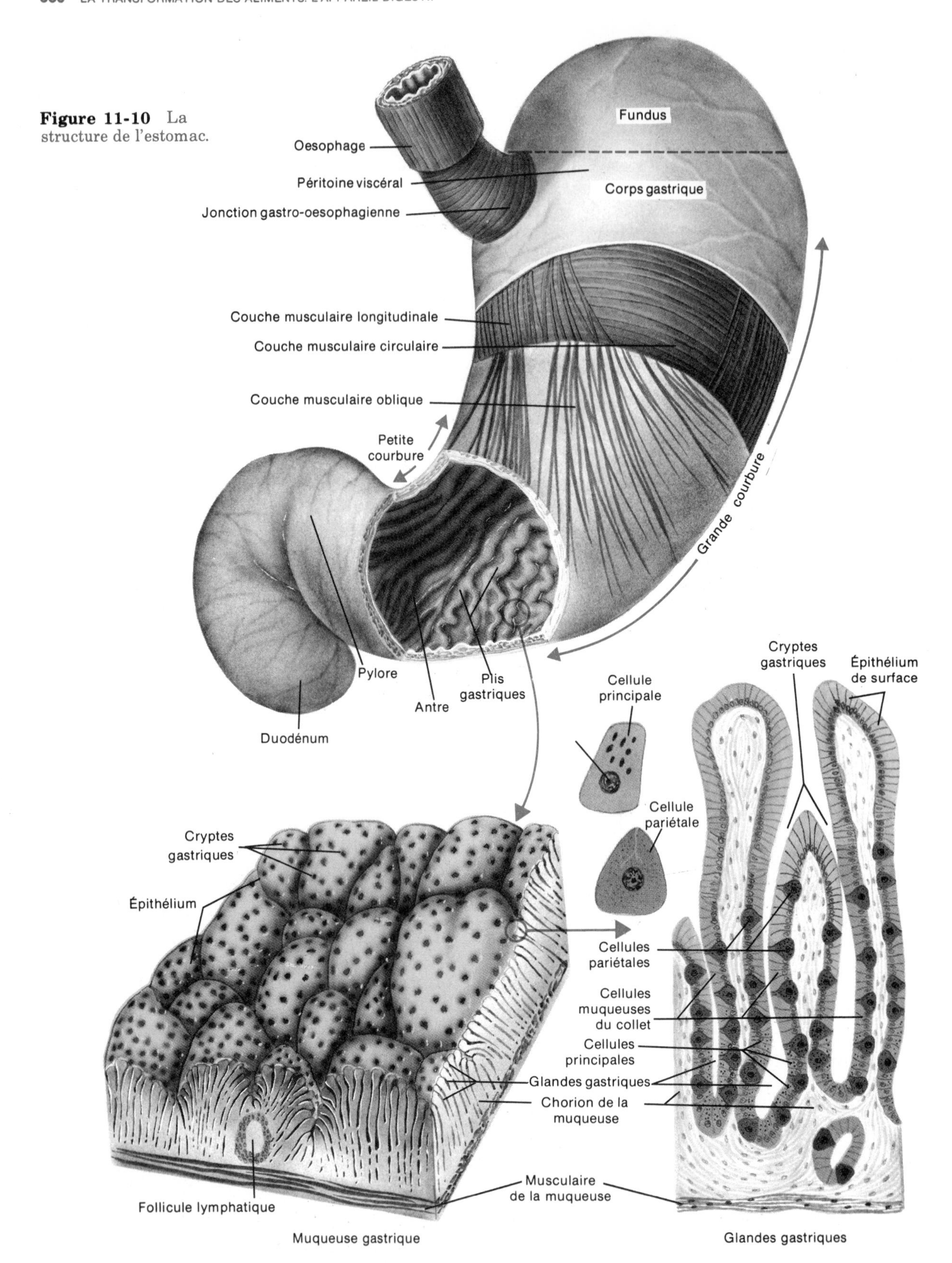

Figure 11-10 La structure de l'estomac.

contact du mucus et de la bouillie gastrique; son pH se stabilise autour de 2, le pH optimum de la pepsine. En plus de fournir un milieu privilégié pour l'activité de la pepsine, l'acide chlorhydrique désinfecte le contenu stomacal en détruisant la plupart des bactéries ingérées avec la nourriture. Pourquoi la pepsine est-elle sécrétée sous une forme inactive? Probablement parce que si son activité se manifestait trop tôt, elle digérerait la muqueuse gastrique.

La digestion du collagène de la viande par la pepsine commence aussitôt que le bol se mélange avec le suc gastrique. Protéine du type albumine, le collagène n'est digéré par aucune autre enzyme du tube digestif. Sa destruction permet au suc gastrique d'atteindre les cellules et de compléter l'hydrolyse des autres protéines.

Bien que la digestion des protéines par la pepsine soit la principale forme de digestion chimique dans l'estomac, on doit se rappeler que l'amylase salivaire continue d'hydrolyser les glucides tant que le suc gastrique n'est pas parvenu à l'inactiver. Lorsque le pH atteint 2 la digestion des glucides est suspendue; environ 30 pour 100 de l'amidon a alors été dégradé en maltose.

La rétention et l'évacuation gastriques

La nourriture demeure souvent plus de quatre heures dans l'estomac après réplétion. Le transit stomacal réduit les ingesta en une bouillie mi-solide mi-liquide, le *chyme*, que les contractions péristaltiques font lentement progresser vers le pylore, la sortie de l'estomac. Peu de substances sont absorbées par la muqueuse gastrique: un peu d'eau, des sels, et quelques composés liposolubles comme l'alcool.

Ce n'est que dans la région de l'antre pylorique qu'aliments et suc gastrique se confondent, et ce n'est que le contenu du canal pylorique que les ondes péristaltiques propulsent sous forme liquide dans le duodénum à raison de quelques ml à la fois. Le pylore se relâche juste avant l'arrivée d'une onde péristaltique pour que le chyme puisse sortir de l'estomac. Pendant son remplissage, le duodénum émet des signaux nerveux vers l'estomac par le plexus myentérique et le nerf vague. Le ralentissement réflexe consécutif à l'évacuation gastrique est donc dû à un mécanisme inhibiteur à point de départ duodénal. Le chyme est alors bloqué dans l'estomac jusqu'à ce que le duodénum soit en mesure d'en recevoir d'autre. Le duodénum peut aussi inhiber la vidange gastrique si le chyme est très acide ou lorsqu'il contient trop de polypeptides ou de lipides (réflexe entéro-gastrique).

Pourquoi le suc gastrique ne digère-t-il pas l'estomac?

L'acidité et l'activité protéolytique du suc gastrique sont si grandes que celui-ci peut facilement brûler et digérer un doigt qui lui serait imprudemment présenté. C'est l'une des merveilles de la physiologie que d'avoir conçu un récipient tissulaire capable de résister à ces conditions.

Plusieurs mécanismes entrent en jeu pour prévenir la digestion de la paroi stomacale. Les cellules épithéliales de la muqueuse gastrique sécrètent un mucus alcalin qui forme une armure en neutralisant l'acidité au voisinage immédiat de la paroi. Une couche muqueuse de plus de 1 mm d'épaisseur recouvre constamment les cellules de la paroi. Ces dernières sont aussi disposées les unes contre les autres de telle façon que le suc gastrique ne puisse s'infiltrer dans les espaces interstitiels qui les séparent. L'autre mécanisme de protection réside dans le renouvellement extrêmement rapide des cellules épithéliales, remplacées au rythme d'un demi-million à la minute. Ces cellules ont une survie moyenne de 3 jours dans la muqueuse gastrique, entre le moment de leur formation et celui de leur desquamation; toutes celles qui sont endommagées sont ainsi rapidement remplacées par des cellules saines.

Qu'est-ce qu'un ulcère?

Il arrive à l'occasion qu'une petite surface de la paroi soit digérée et laisse une plaie ouverte, un *ulcère* (voir page titre du chapitre). On pense que l'ulcération apparaît lorsque les mécanismes de protection de l'estomac tombent en panne ou deviennent insuffisants. On sait par exemple que l'alcool et l'aspirine® (l'acide acétylsalicylique) affaiblissent la résistance de la muqueuse à l'action digestive du suc gastrique. En certaines occasions la muqueuse peut être blessée mécaniquement par un objet pointu ingéré avec la nourriture; la blessure expose ainsi des tissus non protégés au suc corrosif. La majorité des ulcères gastriques se développent dans l'antre malgré le fait que l'activité sécrétrice soit plus intense au niveau du corps de l'estomac. Des mouvements plus puissants et un contact prolongé avec le chyme exposent probablement les mécanismes de protection des parois de l'antre à des conditions locales plus éprouvantes qu'ailleurs.

Les ulcères digestifs sont plus fréquents dans le duodénum que dans l'estomac, et peuvent aussi se former (quoique rarement) dans la partie inférieure de l'oesophage. L'ulcération duodénale semble reliée à une hypersécrétion gastrique, particulièrement entre les repas. La ville avec ses horaires, sa congestion et son rythme, est un milieu de vie anxiogène favorable aux ulcérations duodénales. Le stress et l'anxiété ont une action stimulante sur les sécrétions gastriques, probablement par une commande vagale d'origine hémisphérique. L'histamine, composé chimique libéré pendant les réponses inflammatoires, favorise aussi la sécrétion gastrique.

Les ulcères digestifs saignent souvent et peuvent entraîner une anémie d'origine hémorragique. Si l'ulcération s'étend dans la musculeuse, elle peut atteindre de gros vaisseaux sanguins et provoquer une hémorragie interne très grave, parfois fatale. La perforation est une autre complication relative aux ulcères. Un *ulcère perforé*, comme son nom l'indique, est un trou de part et d'autre de la paroi. Le contenu du TD peut alors s'échapper dans le péritoine et provoquer une péritonite; la perforation est la principale cause de mortalité par ulcération.

L'INTESTIN GRÊLE

Après un séjour de 3 à 4 heures dans l'estomac, les protéines et les glucides sont partiellement digérés. Les fragments moléculaires sont toutefois encore trop volumineux pour être absorbés par la muqueuse intestinale. La digestion des lipides ne débute que dans le duodénum et les fibres cellulosiques demeurent intactes. La cellulose est un polysaccharide constituant de la paroi des cellules végétales et seulement les herbivores peuvent l'assimiler. Chez les humains la cellulose est un matériel indigeste (absence des enzymes spécifiques) mais faisant volume, ce qui assure la distension mécanique des parois du TD.

Presque toute la digestion chimique se fait dans le grêle et non dans l'estomac, comme on le croit généralement. C'est au niveau du duodénum en effet que la bile, le suc pancréatique, et les enzymes sécrétées par les cellules de la muqueuse intestinale s'attaquent conjointement aux ingesta digestes du chyme et les hydrolysent en nutriments assimilables.

Structure macroscopique

Le *petit intestin* (l'*intestin grêle*) est un tube enroulé mesurant environ 2,6 m × 4 cm[4]. Le premier segment, le *duodénum*, se présente sous la forme d'un C de 21 cm de long en moyenne (figure 11-13). Il est suivi d'un segment d'environ 1 m de long, le *jéjunum*, puis de l'*iléum* (figure 11-1). La muqueuse du petit intestin forme des *plis circulaires* (*valvules conniventes*) qui augmentent au moins 3 fois sa surface absorbante et digestive (figure 11-13).

Structure microscopique

L'apparence veloutée du revêtement intestinal est due aux millions de fines projections digitiformes de la muqueuse, les *villosités intestinales* (figures 11-11 et 11-12*a*). Comme les plis circulaires, elles servent à augmenter la surface fonctionnelle du petit intestin. Cette surface est encore multipliée par les microvillosités (des replis cytoplasmiques) de la face apicale des cellules luminales. Environ 600 microvillosités marquent la surface de chaque cellule bordante: c'est la *bordure en brosse*; elle confère une apparence floue au recouvrement épithélial lorsqu'on l'observe en microscopie électronique (figure 11-12*b*).

Si le revêtement intestinal était lisse comme l'intérieur d'un tuyau, les ingesta auraient tendance à glisser rapidement et sans se mé-

[4] Dans plusieurs volumes d'anatomie on affirme, sur la base de mesures autopsiques, que l'intestin mesure plus de 6 m. De fait, après la mort, l'intestin se détend et s'allonge.

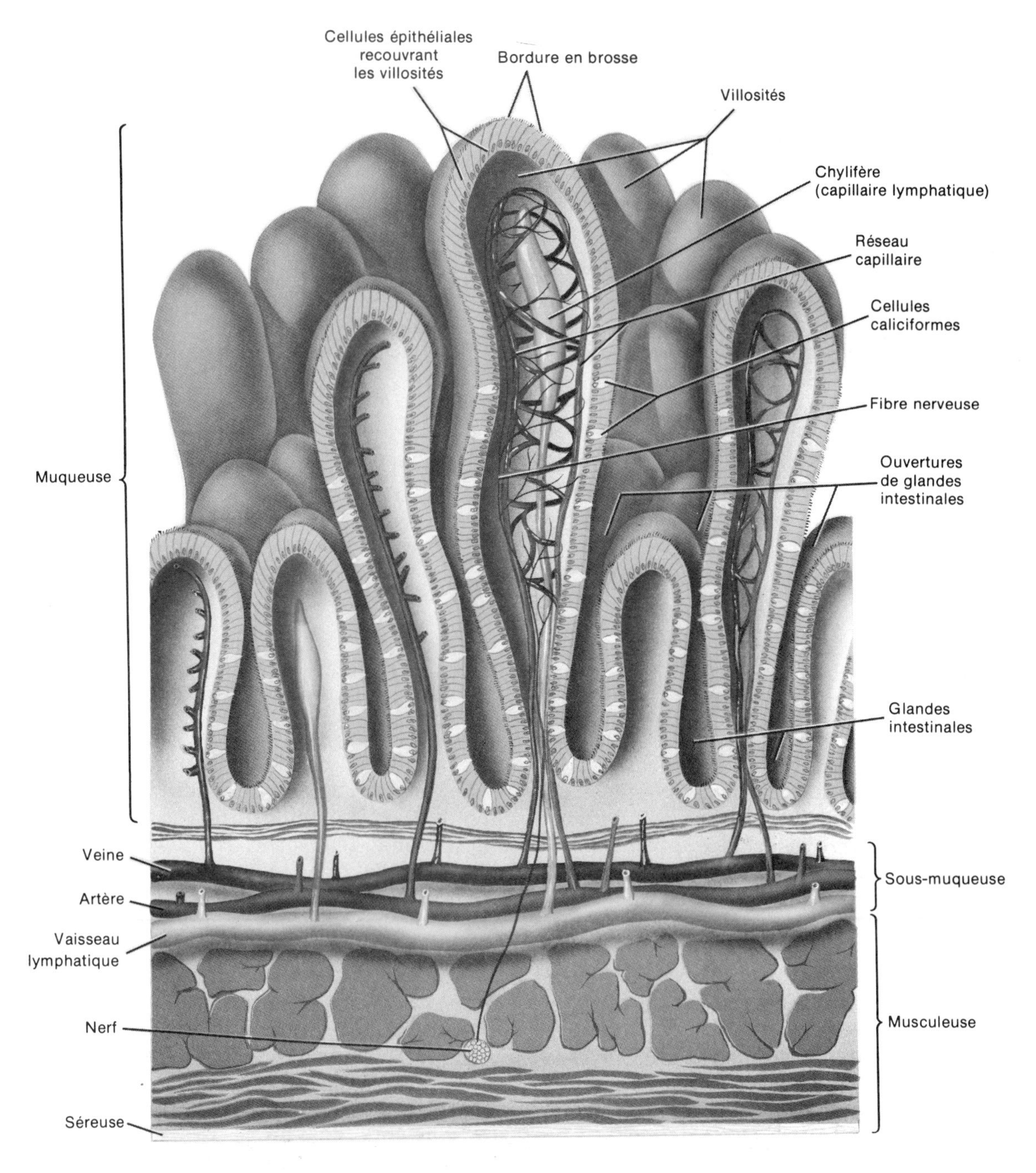

Figure 11-11 La surface du petit intestin est parsemée de villosités et de fines ouvertures marquant l'emplacement des glandes intestinales.

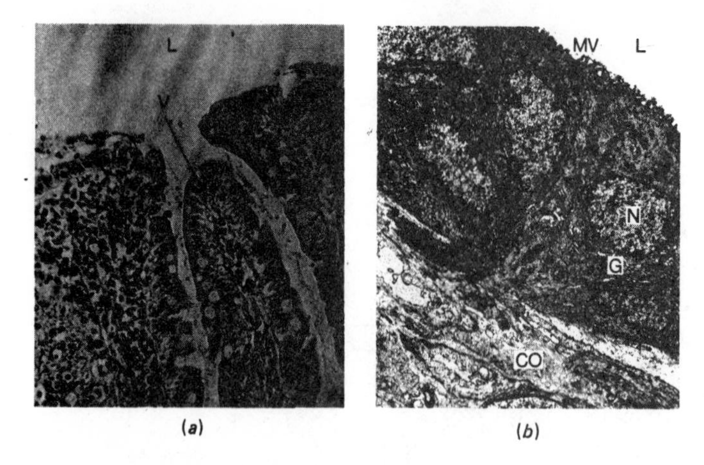

Figure 11-12 (*a*) Photomicrographie du revêtement intestinal. V, villosité; L, lumière de l'intestin. Un gros plan de la région encerclée est présenté en (*b*). (Environ ×150.) (*b*) Photomicrographie électronique des cellules épithéliales de revêtement du petit intestin, avec leurs microvillosités (MV). L, lumière; N, noyau d'une cellule épithéliale; G, appareil de Golgi; CO, collagène (environ ×8 000). (*Dr Lyle C. Dearden.*)

langer d'un bout à l'autre de l'intestin; l'efficacité digestive en serait énormément réduite. Les plis circulaires, les villosités et les microvillosités, augmentent la surface intestinale par un facteur d'environ 600. Si on pouvait déplier et étendre complètement la muqueuse, elle couvrirait à peu près la surface d'un court de tennis!

Les espaces intervilleux se prolongent sous forme de cryptes glandulaires, les *glandes intestinales* (*de Lieberkühn*), profondément enfoncées dans la muqueuse.

Les *glandes duodénales* (*de Brunner*) sont des glandes à mucus, présentes, chez l'humain, dans les premiers centimètres du duodénum. Leur sécrétion est épaisse; elle se dépose à la surface de la muqueuse et la protège de l'action corrosive du chyme acide et du suc gastrique qui sortent de l'estomac. Les excitations sympathiques inhibent leur activité sécrétrice, laissant la muqueuse duodénale sans protection et favorisant possiblement l'apparition d'ulcères. La muqueuse intestinale contient aussi de nombreuses cellules caliciformes uniformément disséminées à sa surface et sécrétant de grandes quantités de mucus.

Les glandes intestinales libèrent quotidiennement environ 2 litres de liquide à pH neutre s'apparentant au liquide interstitiel et presque complètement réabsorbé. Il dilue le contenu intestinal et favorise la digestion du chyme et l'absorption des nutriments.

On a longtemps pensé que les enzymes digestives produites par le petit intestin étaient sécrétées par les glandes intestinales. Elles se trouveraient plutôt dans la bordure en brosse des cellules épithéliales de la muqueuse où se feraient les dernières étapes de la digestion et l'absorption des nutriments.

Les cellules épithéliales de l'intestin produisent plusieurs enzymes: (1) les *peptidases* libèrent des acides aminés individuels à partir des polypeptides, (2) les *lipases* hydrolysent les triglycérides en glycérol et en acides gras, et (3) plusieurs disaccharidases catalysent la transformation des disaccharides en monosaccharides (par exemple la *maltase*, la *sucrase* et la *lactase*). Avant d'envisager plus en détail la digestion chimique du chyme intestinal, considérons les rôles respectifs du pancréas et du foie dans l'activité digestive intestinale.

Le pancréas

Le *pancréas* est une glande abdominale allongée d'environ 15 cm de longueur, 4 cm de largeur et 2 cm d'épaisseur, et dont la tête est enfouie dans la concavité du duodénum (figure 11-13). Le pancréas est une glande *amphicrine*, donc partiellement endocrine et partiellement exocrine. La partie endocrine sécrète l'insuline et le glucagon, deux hormones que nous étudierons au chapitre 17. La partie exocrine sécrète le suc pancréatique, une solution alcaline de plusieurs enzymes digestives.

Les cellules sécrétrices des enzymes pancréatiques sont disposées en petites unités, les *acinus*, qui ressemblent à des grappes de petites baies (figure 11-14). (*Acinus* en latin signifie «grain de raisin, baie».) De fins canalicules émergent des acinus et déversent une solution de bicarbonate de sodium responsable de l'alcalinité du suc pancréatique. Les canalicules s'anastomosent pour former des canaux plus gros et rejoignent éventuellement le canal pancréatique qui traverse le pancréas de part en part. Ce canal principal (le canal de Wirsung) rejoint le canal cholédoque (issu du foie et de la vésicule biliaire) et ils traversent ensemble la paroi duodénale pour déboucher dans l'intestin au niveau de l'*ampoule hépato-pancréatique* (*de Vater*). Assez souvent on retrouve un canal accessoire du pancréas (le canal de Santorini) qui relie directement la tête du pancréas au duodénum et s'ouvre quelques centimètres en amont de l'ampoule hépato-pancréatique.

Les enzymes pancréatiques comprennent (1) la *trypsine*, la *chymotrypsine* et la *carboxypeptidase*, des enzymes protéolytiques; (2) la

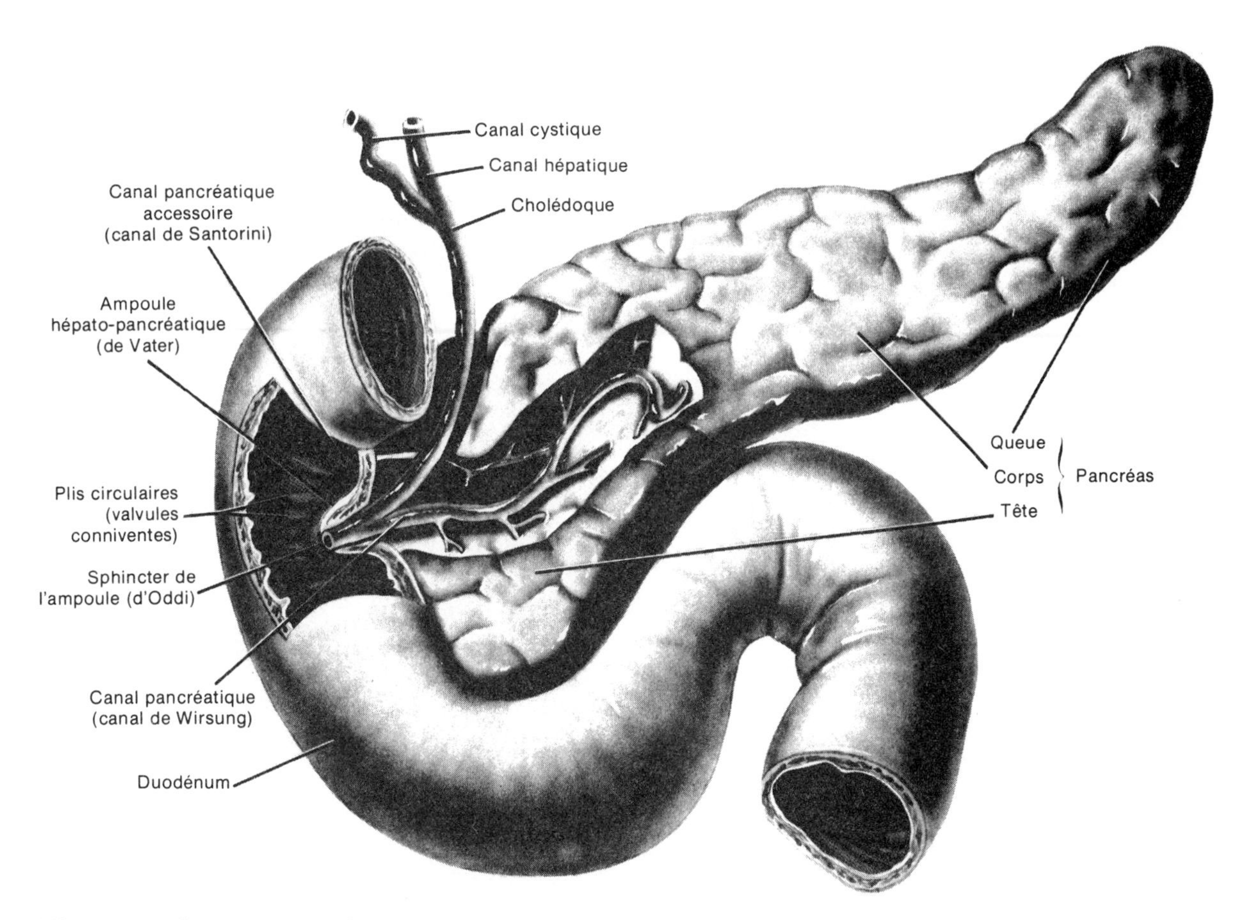

Figure 11-13 La structure du pancréas.

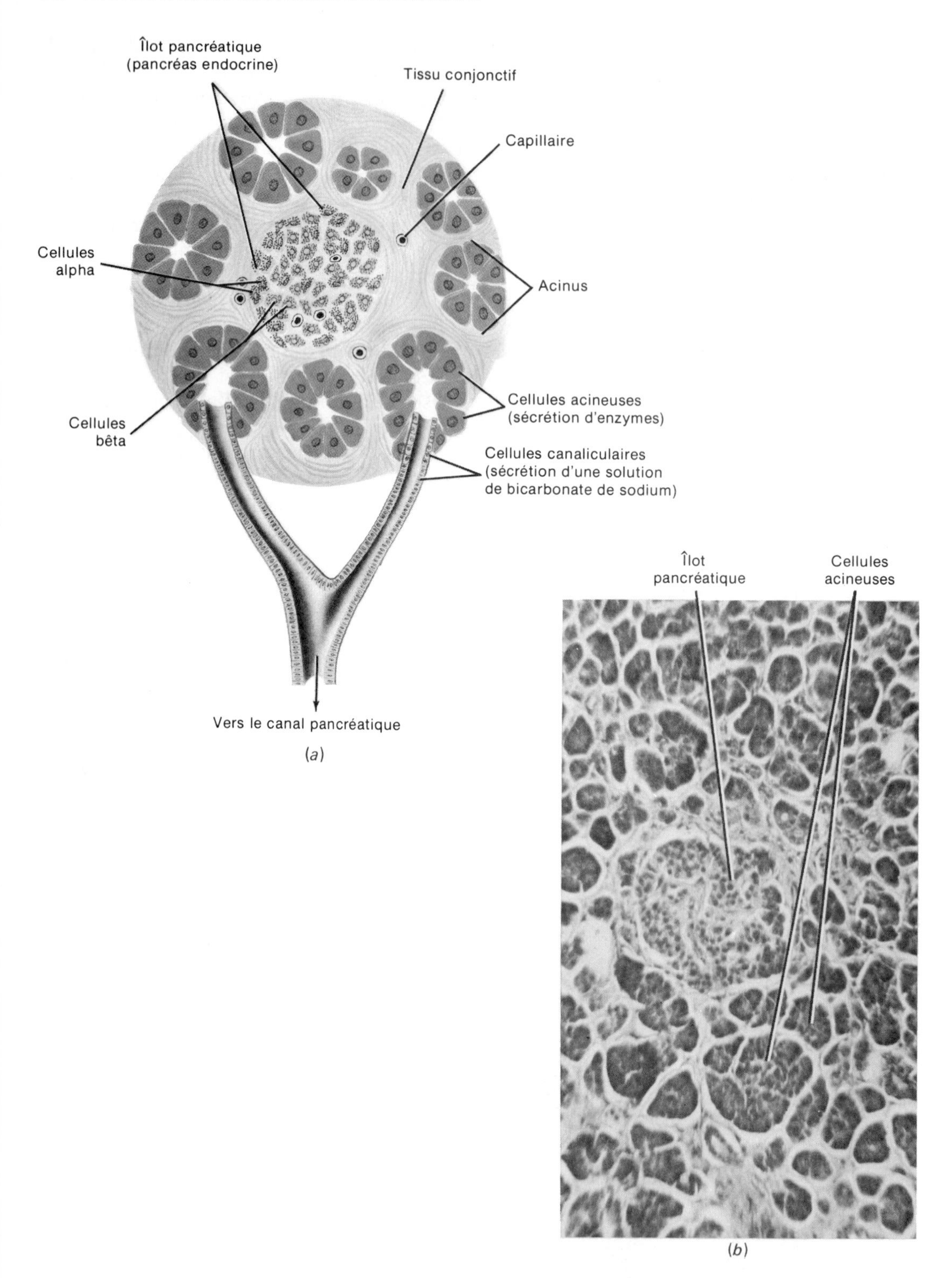

Figure 11-14 Structure microscopique du pancréas. (*a*) Dessin; (*b*) photomicrographie (environ ×500).

lipase pancréatique qui hydrolyse les lipides (glycérides); (3) l'*amylase pancréatique* qui scinde presque tous les polysaccharides, sauf la cellulose, en disaccharides; (4) une *estérase* qui hydrolyse les esters du cholestérol; (5) une *ribonucléase* et une *désoxyribonucléase* qui coupent les acides nucléiques (ARN et ADN) en nucléotides libres.

Toutes les enzymes protéolytiques sont sécrétées sous forme de *proenzymes* (enzymes inactives). Elles acquièrent leur activité dans le duodénum, au contact d'une enzyme (l'entérokinase) sécrétée par la muqueuse intestinale. Pour assurer une meilleure protection pancréatique, les cellules acineuses responsables de la sécrétion de ces enzymes potentiellement très dangereuses synthétisent un inhibiteur de la trypsine qui l'empêche de devenir active dans le pancréas. Laissées à elles-mêmes, les enzymes protéolytiques pancréatiques digéreraient le pancréas en un rien de temps. Si les mécanismes de protection font défaut à cause d'un trouble quelconque au niveau du pancréas (ordinairement une hypersécrétion et une obstruction partielle ou totale des canaux), alors celui-ci peut être détruit par ses propres enzymes; c'est la *pancréatite aiguë*, souvent associée à l'alcoolisme.

Le foie

Le foie, le plus gros viscère et l'un des plus complexes du corps, repose immédiatement sous le diaphragme. Une seule cellule hépatique peut supporter plus de 500 activités métaboliques différentes!

Les fonctions du foie Voici une liste pratique des nombreuses fonctions complexes accomplies par le foie:

1 Sécrétion de la bile, importante pour la digestion des lipides.
2 Inventaire des nutriments absorbés par l'intestin et enlèvement des surplus sanguins de chacun d'entre eux.
3 Transformation des surplus de glucose en glycogène et stockage de ce dernier.
4 Mise en réserve du fer et de certaines vitamines.
5 Transformation des surplus d'acides aminés en acides gras et en urée.
6 Exécution de plusieurs fonctions importantes en ce qui concerne le métabolisme protéique, lipidique et glucidique.
7 Synthèse de plusieurs protéines sanguines.
8 Détoxication sanguine des drogues et des médicaments ingérés ou injectés.
9 Phagocytose des globules rouges usés et des bactéries.

Nous n'envisagerons dans ce chapitre que les fonctions reliées à la nutrition et à la fonction digestive.

La morphologie externe du foie Le foie, vide de sang, pèse environ 1,5 kg. Le lobe droit est au moins six fois plus gros que le gauche et comprend trois parties: le lobe droit lui-même, le plus gros, et les lobes caudé (de Spiegel) et carré visibles sur la face postérieure ou viscérale du foie.

La circulation hépatique est particulièrement bien adaptée à la fonction du foie et se présente selon une disposition caractéristique. Le sang oxygéné arrive au foie par les *artères hépatiques* (figure 11-15). Le foie reçoit aussi du sang par la *veine porte*, qui achemine les nutriments absorbés au niveau de la muqueuse intestinale. De petites ramifications des deux réseaux (artériel et porte) se rejoignent dans les minuscules *sinusoïdes hépatiques* (figure 11-16) où le sang des deux sources se mélange. Les sinusoïdes hépatiques sont bordées de *cellules phagocytaires étoilées* (*cellules de Kupffer*) qui nettoient le sang des bactéries, débris divers et globules rouges usés. Les sinusoïdes s'insinuent entre les cellules hépatiques et débouchent dans les *veines centrolobulaires* qui se jettent dans de plus grosses *veines hépatiques* (*sus-hépatiques*). Ces dernières aboutissent finalement dans la veine cave inférieure.

Chaque lobe hépatique se subdivise en un grand nombre de *lobules hépatiques* microscopiques, les unités fonctionnelles du foie. Le foie humain peut en contenir plus de 50 000. Chaque lobule contient plusieurs travées de cellules hépatiques qui irradient autour d'une veinule hépatique centrolobulaire à la manière des rais d'une roue (figure 11-16). Des canaux biliaires, des artérioles hépatiques, et des petites branches de la veine porte circulent autour des lobules.

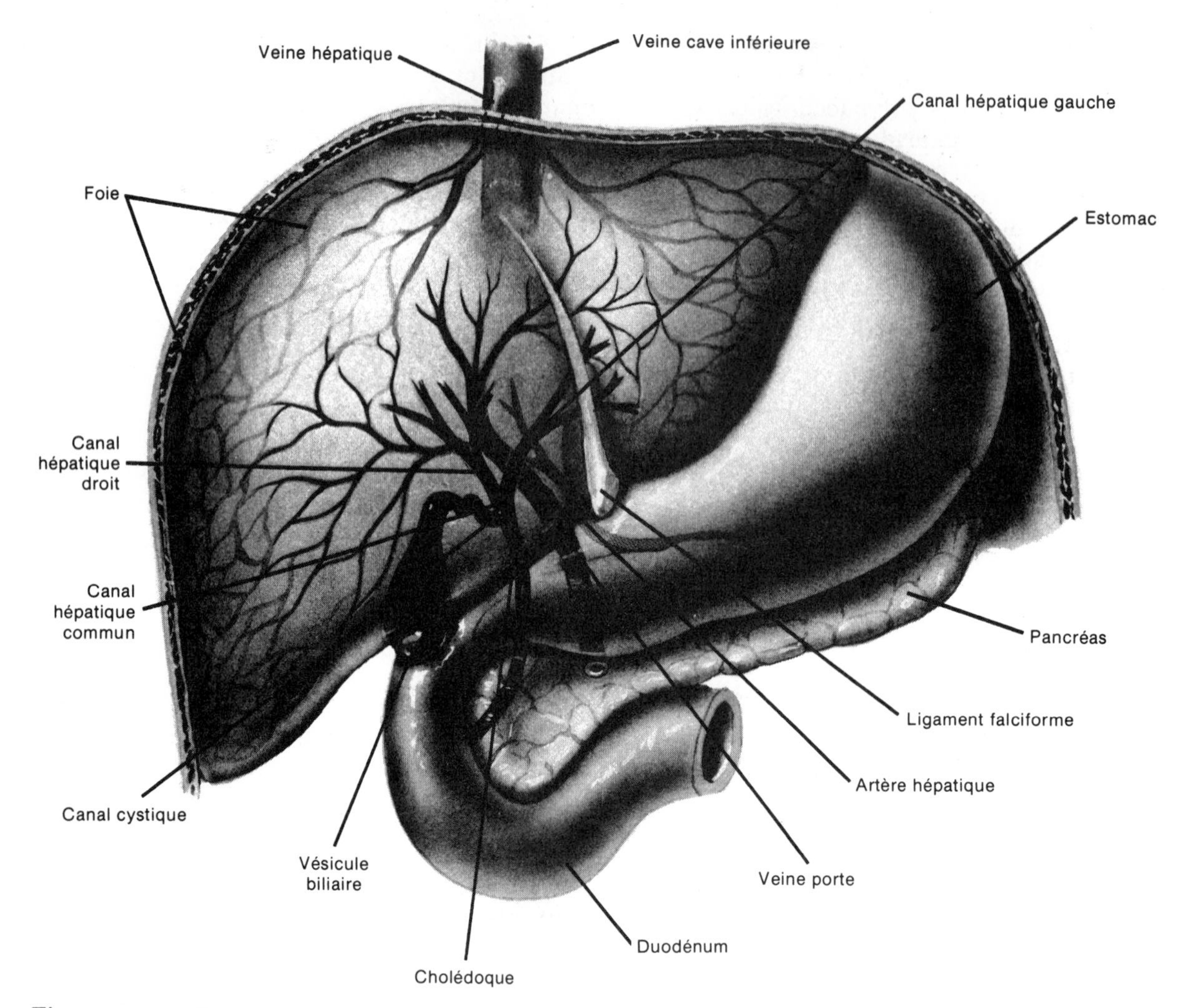

Figure 11-15 Face supérieure du foie.

Entre les cellules hépatiques cheminent de minuscules *canalicules biliaires* qui se jettent dans des canaux biliaires plus gros et interlobulaires. Ceux-ci se rejoignent pour former les deux canaux biliaires principaux, le droit et le gauche, qui s'unissent à leur tour pour former le *canal hépatique*. Le *canal cystique*, qui prend naissance au niveau de la vésicule biliaire, rencontre le canal hépatique et leur fusion forme le *canal cholédoque*. Celui-ci, d'une longueur d'environ 8 cm, débouche dans le duodénum au niveau de la *papille duodénale majeure* (*grande caroncule*). (Les plus gros canaux sont représentés aux figures 11-13 et 11-15.)

La bile Les cellules hépatiques sécrètent continuellement de faibles quantités de *bile* dans les canalicules biliaires. La bile est une solution aqueuse (97 pour 100 d'eau) de *sels biliaires*, de *pigments biliaires*, de cholestérol, d'électrolytes et de *lécithine* (un phospholipide). Les sels biliaires sont synthétisés par les cellules hépatiques à partir du cholestérol alimentaire ou endogène; ce sont des produits du métabolisme des lipides. Le cholestérol se retrouve dans la bile en tant que produit secondaire de la synthèse des sels biliaires et sa concentration reflète la quantité de lipides ingérés dans l'alimentation. Quoique normalement insoluble dans l'eau, le cholestérol est entouré de sels biliaires et de lécithine, formant des *micelles*, des agrégats moléculaires solubles au niveau de l'intestin. Dans des conditions pathologiques le cholestérol peut précipiter (se «désolubiliser») et former des calculs. Les individus qui mangent beaucoup d'aliments gras, pendant plusieurs années, sont susceptibles de développer des calculs au niveau de la vésicule et des canaux biliaires.

Les pigments biliaires, dont le plus important est la *bilirubine*, sont des produits jaunâtres issus de la dégradation de l'hémoglobine, libérés principalement lors de la rupture des globules rouges usés. Les pigments sont excrétés dans la bile (lui conférant une couleur jaune) et quittent l'organisme dans les fèces. Si la destruction des hématies se fait trop rapidement ou encore si les canaux biliaires ou les cellules hépatiques sont endommagés et empêchent l'excrétion normale de la bilirubine, celle-ci s'accumule dans les liquides interstitiels et confère à la peau une teinte jaune caractéristique (jaunisse ou ictère).

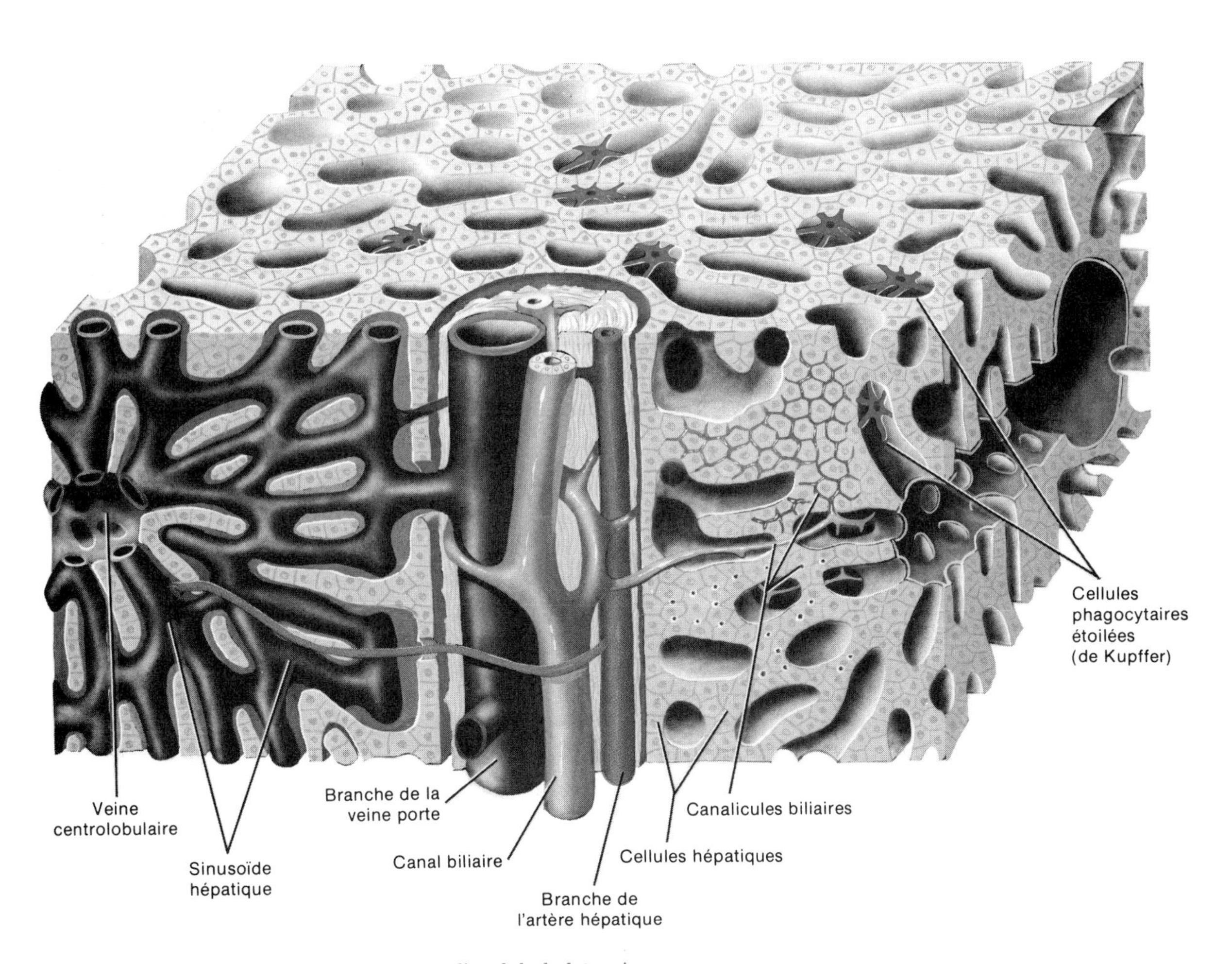

Figure 11-16 Structure microscopique d'un lobule hépatique. *(D'après le professeur H. Elias.)*

La vésicule biliaire Le canal cholédoque, à son entrée dans le duodénum, possède un anneau de muscle lisse, le *sphincter du canal cholédoque*. Lorsque l'ampoule hépato-pancréatique existe, ce muscle se continue par le *sphincter de l'ampoule* (*sphincter d'Oddi*) (figure 11-13). Lorsqu'il est fermé la sécrétion biliaire est déviée vers la vésicule où la bile est stockée (figure 11-17). La vésicule ne fait pas qu'accumuler la bile; elle la concentre en réabsorbant l'eau et les sels qui sont retournés vers la circulation sanguine. Les sels biliaires et les autres constituants de la bile sont ainsi concentrés environ cinq fois. La *cholécystokinine* (CCK) est une hormone sécrétée par la muqueuse entérique, en particulier lorsque le duodénum contient des lipides. Véhiculée par le sang, elle provoque la contraction vésiculaire et l'expulsion du contenu vers le tube digestif par les canaux biliaires.

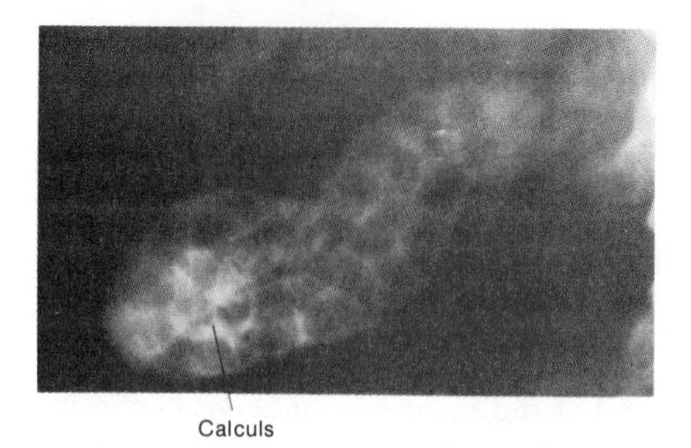

Figure 11-17 Radiographie d'une vésicule biliaire contenant de nombreux calculs de cholestérol.

La digestion

À mesure que les contractions péristaltiques font progresser le chyme dans l'intestin, la digestion des ingesta se poursuit et les nutriments sont absorbés. En plus du péristaltisme, des contractions locales accélèrent le mélange des sucs digestifs et du chyme, facilitant la diffusion des solutés par le morcellement du contenu intestinal. Les villosités sont aussi en mouvement constant; des fibres musculaires de la muqueuse leur communiquent un mouvement de va-et-vient (de piston) qui contribue au mélange. On pense que la motilité intestinale est partiellement sous contrôle hormonal mais on commence seulement à isoler les substances qui en sont responsables.

La régulation de l'activité sécrétoire La sécrétion des sucs digestifs est sous contrôle volumique et hormonal (tableau 11-1). Les glandes intestinales sont d'abord stimulées par des réflexes myentériques locaux déclenchés par la distension des parois et possiblement par une hormone, l'*entérocrinine*; les essais d'isolement de cette substance ont échoué jusqu'à maintenant.

Le plus important stimulant de l'activité sécrétoire du pancréas exocrine est d'ordre hormonal. Lorsque le chyme pénètre dans l'estomac et le duodénum, les muqueuses gastrique et entérique libèrent respectivement de la gastrine et de la cholécystokinine, deux hormones qui stimulent une abondante sécrétion enzymatique par le pancréas. Cette sécrétion est aussi favorisée lors de la phase céphalique de la digestion par des commandes nerveuses centrales déclenchées par la perspective d'un repas ou encore par la vue, l'odeur ou la présence de nourriture dans la bouche.

La *sécrétine* est aussi une hormone entérique libérée par la muqueuse duodénale au contact, entre autres, du chyme acide. Elle stimule la libération de la composante alcaline du suc pancréatique. Dans le duodénum, le bicarbonate de sodium réagit avec l'acide chlorhydrique du chyme par une réaction de neutralisation qui produit de l'acide carbonique et du chlorure de sodium. L'acide carbonique se dissocie rapidement en gaz carbonique (CO_2) et en eau. Le gaz carbonique passe dans le liquide extracellulaire et laisse derrière lui une solution saline neutre et diluée. Ces réactions sont importantes en vue de protéger la muqueuse duodénale contre l'action corrosive de HCl stomacal, donc dans la prévention d'ulcères duodénaux. Elles permettent de plus la mise en place des conditions physico-chimiques favorables à l'activité digestive des enzymes pancréatiques qui est plus grande dans un milieu légèrement alcalin.

Le foie produit continuellement de la bile, mais le rythme de sécrétion augmente sous l'effet combiné d'une stimulation vagale, de la présence de sécrétine et de certains autres facteurs. Nous venons de voir, de plus, que

Tableau 11-1 Les hormones du tractus gastro-intestinal

Hormone	Lieu de sécrétion	Tissu cible	Effet	Facteurs de stimulation de la sécrétion
Gastrine	Muqueuse gastrique (antre)	Estomac (cellules pariétales)	Stimulation de la sécrétion de HCl; augmentation de l'évacuation gastrique	Distension des parois de l'estomac; présence de substances telles la caféine, l'alcool, les peptides (des protéines partiellement digérées) et les AA
		Pancréas	Stimulation de la sécrétion enzymatique	
Sécrétine	Muqueuse duodénale	Estomac	Stimulation de la sécrétion de pepsine	Chyme acide en contact avec la muqueuse duodénale
		Pancréas	Stimulation de la sécrétion d'eau et de bicarbonate	
		Foie	Légère augmentation de la sécrétion de la bile	
Cholécystokinine (CCK)	Muqueuse duodénale	Pancréas	Stimulation de la sécrétion enzymatique	Présence d'AA, de peptides, d'acides gras et d'ions H^+ dans la lumière duodénale
		Vésicule biliaire	Stimulation des contractions de la vésicule et de l'évacuation de la bile	

la CCK stimule les contractions de la vésicule biliaire.

La digestion des glucides Un repas équilibré contient généralement trois glucides importants: l'amidon du pain ou des pommes de terre, le sucrose du dessert et le lactose du lait. La digestion de l'amidon s'amorce dans la bouche par l'action hydrolytique de l'amylase salivaire qui libère des dextrines puis du maltose. La dégradation se poursuit dans l'estomac jusqu'à l'inactivation de l'amylase par l'acidité gastrique; il reste encore environ 70 pour 100 de l'amidon et des dextrines non digérés, c'est-à-dire non dégradés en maltose. Dans le duodénum l'amylase pancréatique prend la relève de l'amylase salivaire et termine le travail. Tout l'amidon ingéré se retrouve finalement sous forme de maltose. Celui-ci est soumis à son tour à l'action hydrolytique de la maltase, une enzyme présente au niveau de la bordure en brosse des cellules épithéliales intestinales. Celle-ci dégrade le maltose en deux molécules de glucose.

Les deux autres glucides les plus communs dans l'alimentation, le sucrose et le lactose, sont des disaccharides qui demeurent intacts jusque dans le duodénum. Au niveau de tout l'intestin grêle et toujours dans la bordure en brosse, la sucrase hydrolyse le sucrose en fructose et en glucose (deux monosaccharides); le lactose, le sucre du lait, est coupé en ses éléments constituants, le glucose et le galactose, grâce à la lactase. Chez certains humains l'activité de la lactase diminue beaucoup à la fin de l'enfance ou pendant l'âge adulte, provo-

Tableau 11-2 Résumé de la digestion des glucides

Localisation	Origine des enzymes	Processus de digestion*
Bouche	Glandes salivaires	Polysaccharides (ex. amidon) —Amylase salivaire→ Maltose 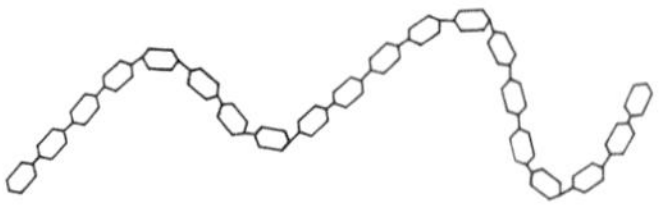 + Dextrine 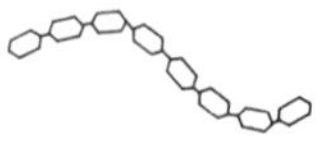
Estomac		Le processus se poursuit jusqu'à ce que l'amylase salivaire soit inactivée par l'acidité stomacale
Petit intestin		
Lumière	Pancréas	Polysaccharides et dextrines non digérés —Amylase pancréatique→ Maltose
Bordure en brosse	Épithélium des parois du grêle	Hydrolyse des disaccharides en monosaccharides
		Maltose —Maltase→ Glucose + Glucose
		Sucrose (sucre de table) —Sucrase→ Glucose + Fructose
		Lactose (sucre du lait) —Lactase→ Glucose + Galactose

* ⬭ = Monosaccharide

quant une intolérance au lait; le lactose non digéré est alors utilisé par les bactéries du gros intestin et leur activité métabolique libère des acides organiques qui peuvent augmenter la motilité intestinale et donner la diarrhée. On retrouve cette intolérance au lactose chez environ 80 pour 100 des individus d'ascendance africaine ou asiatique, et chez environ 20 pour 100 des caucasiens.

L'amidon est enveloppé par les parois cellulosiques des cellules végétales. Puisque les humains ne possèdent pas les enzymes susceptibles de digérer la cellulose, la plus grande partie de ces fibres passent à travers le TD sans être digérées. La cuisson, en détruisant les parois cellulosiques, permet une meilleure digestion de l'amidon parce que l'amylase et les autres enzymes peuvent l'atteindre plus facilement.

Le glucose est le principal produit de la digestion des glucides; il forme à lui seul environ 80 pour 100 des monosaccharides obtenus des aliments, les autres 20 pour 100 étant constitués de fructose et de galactose. La digestion des glucides est résumée au tableau 11-2.

La digestion des lipides Les lipides sont généralement déglutis sous la forme d'amas de triglycérides (molécules comprenant trois acides gras rattachés à une molécule de glycérol). Leur digestion débute dans le duodénum où ils sont émulsifiés par la bile dont l'action détergente réduit la tension de surface des particules lipidiques. La bile ne contient pas d'enzymes donc ne fait aucune digestion chimique; son action, combinée à celle des mouvements de l'intestin, produit une émulsion de très fines particules lipidiques, une action strictement mécanique.

Les minuscules globules ainsi formés augmentent la surface de contact entre les lipides et la lipase pancréatique. Celle-ci hydrolyse les glycérides en un fragment de glycérol et en acides gras libres (la lipase intestinale, dont l'activité est plus faible, participe aussi à cette

Tableau 11-3 Résumé de la digestion des lipides

Localisation	Origine des enzymes ou de la substance digestive	Processus de digestion*
Petit intestin	Foie	Globules de graisse —Sels biliaires→ Émulsification des graisses (triglycérides dispersés)
	Pancréas	Triglycérides —Lipase→ Acides gras + Glycérol

* ≡ = Triglycéride; E = Glycérol; ~ = Acide gras

hydrolyse). Tous les lipides ne sont pas digérés puisqu'il reste une certaine quantité de monoglycérides (glycérol plus un acide gras), de diglycérides et de triglycérides à la fin du processus digestif.

Le cholestérol, un lipide de la catégorie des stéroïdes, se présente principalement sous la forme d'esters de cholestérol dans l'alimentation. Ces composés ne peuvent être absorbés directement; ils sont dégradés en cholestérol assimilable par l'action d'une estérase pancréatique. La digestion des lipides est résumée au tableau 11-3.

La digestion des protéines Les protéines sont des agrégats d'unités plus simples, les *acides aminés* (AA), reliés entre eux par des liens peptidiques (voir au chapitre 2). Le but de la digestion est donc d'hydrolyser les liens peptidiques et de libérer des AA libres. La dégradation des protéines débute dans l'estomac par l'action de la pepsine sur le collagène, un composant protéique du tissu conjonctif intercellulaire dont la destruction facilite l'accès aux protéines cellulaires. La pepsine hydrolyse les liens peptidiques et produit des molécules de taille intermédiaire, des *polypeptides*,

Tableau 11-4 Résumé de la digestion des protéines

Localisation	Origine des enzymes	Processus de digestion*
Estomac	Estomac (glandes gastriques)	Protéines —Pepsine→ Polypeptides
Petit intestin Lumière	Pancréas	Polypeptides —Trypsine, chymotrypsine, carboxypeptidase→ Polypeptides plus petits + Dipeptides A—A—A—A—A | A—A—A—A—A → A—A—A—A + A—A
Bordure en brosse	Petit intestin	Peptides + Dipeptides —Peptidases→ Acides aminés libres A—A—A—A A—A → A A A A A A

* A = Unités aminées ou acides aminés lorsque libres.

et un faible pourcentage d'AA libres. Son action est poursuivie dans le duodénum par la trypsine, la chymotrypsine et la carboxypeptidase du suc pancréatique qui hydrolysent en dipeptides les protéines partiellement dégradées. C'est alors que les dipeptidases de la bordure en brosse de l'épithélium intestinal peuvent entrer en action et libérer les AA individuels qui sont absorbés. Le grand nombre d'enzymes protéolytiques s'explique par leur action sélective sur les liens peptidiques; chaque enzyme agit sur un type particulier de lien peptidique. La digestion des protéines est résumée au tableau 11-4.

L'absorption

La digestion des aliments est suivie par l'absorption des nutriments au travers de la membrane villeuse. La figure 11-11 schématise la structure d'une villosité. Chacune contient un réseau capillaire issu d'une minuscule artériole et qui se draine dans une petite veinule. Un *chylifère*, un petit vaisseau lymphatique, occupe le centre de la villosité. L'absorption d'une molécule de nutriment dans le sang ou la lymphe se fait en deux étapes: le passage au travers de l'épithélium monocellulaire de la villosité puis au travers de l'endothélium, la couche monocellulaire formant la paroi du capillaire ou du chylifère.

Une grande quantité de sodium est sécrétée quotidiennement dans l'intestin avec les sucs digestifs. S'il n'était pas récupéré et recyclé, l'organisme se viderait de son sodium en quelques heures, ce qui aurait des conséquences fatales. Heureusement, Na^+ est continuellement réabsorbé par un mécanisme de transport actif où il se combine à un transporteur membranaire. Avec l'aide d'enzymes appropriées et d'énergie, Na^+ doit traverser deux membranes cellulaires pour atteindre le liquide interstitiel et finalement le sang ou la lymphe.

On pense que le véhicule transépithélial de Na^+ est aussi celui du glucose. Il posséderait deux sites d'attache, l'un pour le glucose, l'autre pour Na^+; il semblerait même que le transport du glucose ne puisse s'effectuer sans la présence du sodium.

Les AA sont probablement transportés de la même façon sauf que plusieurs transporteurs sont impliqués, un pour chaque type d'AA (basiques, acides, neutres). Certains de ces transporteurs requièrent la présence de Na^+. Les AA s'accumulent dans les cellules épithéliales des villosités pour s'en échapper par diffusion au travers de la membrane basale de la cellule et ainsi atteindre le liquide interstitiel et le sang. Les AA et les monosaccharides sont finalement acheminés vers le foie par la veine porte.

L'absorption des lipides repose sur un mécanisme différent (figure 11-18). À mesure que les acides gras et les monoglycérides apparaissent dans l'intestin, ils se dissolvent dans les micelles de sels biliaires; ils peuvent alors être absorbés beaucoup plus efficacement. Les micelles atteignent éventuellement la bordure en brosse des cellules épithéliales et font contact avec elle. Les monoglycérides et les acides gras, très solubles dans les membranes cellulaires, diffusent dans la cellule en laissant la micelle derrière, libre de resolubiliser d'autres lipides et de les mettre en contact avec la membrane cellulaire villeuse. Environ 97 pour 100 des lipides sont absorbés de cette façon. En absence de bile, l'absorption des lipides est réduite de plus de 25 pour 100; ceci peut interférer avec l'absorption des vitamines liposolubles (les vitamines A, D, E, et K) absorbées conjointement avec les lipides. Plus de 90 pour 100 des sels biliaires sont eux-mêmes absorbés par l'intestin et récyclés dans le foie.

Les monoglycérides qui pénètrent dans les cellules épithéliales peuvent encore y être dégradés en glycérol et en acides gras par une lipase cellulaire. Le glycérol et les acides gras libres sont ensuite réassemblés en triglycérides par le RE, empaquetés dans des globules avec le cholestérol et les phospholipides absorbés, et enveloppés d'une couche protéique. Le *chylomicron* ainsi formé (un emballage protéique de globules lipidiques) sort de la cellule et atteint le *chylifère* central de la villosité. Par voie lymphatique, les chylomicrons atteignent la circulation veineuse au niveau de la base du cou. Environ 90 pour 100 des lipides absorbés atteignent la circulation par cette voie indirecte; le reste, surtout les acides gras courts ($< C_{12}$) comme ceux du beurre, sont absorbés directement dans le sang et acheminés vers la veine porte hépatique.

Lorsque le chyme atteint l'extrémité du petit intestin, la plupart des nutriments ont été absorbés. En plus d'absorber les nutriments

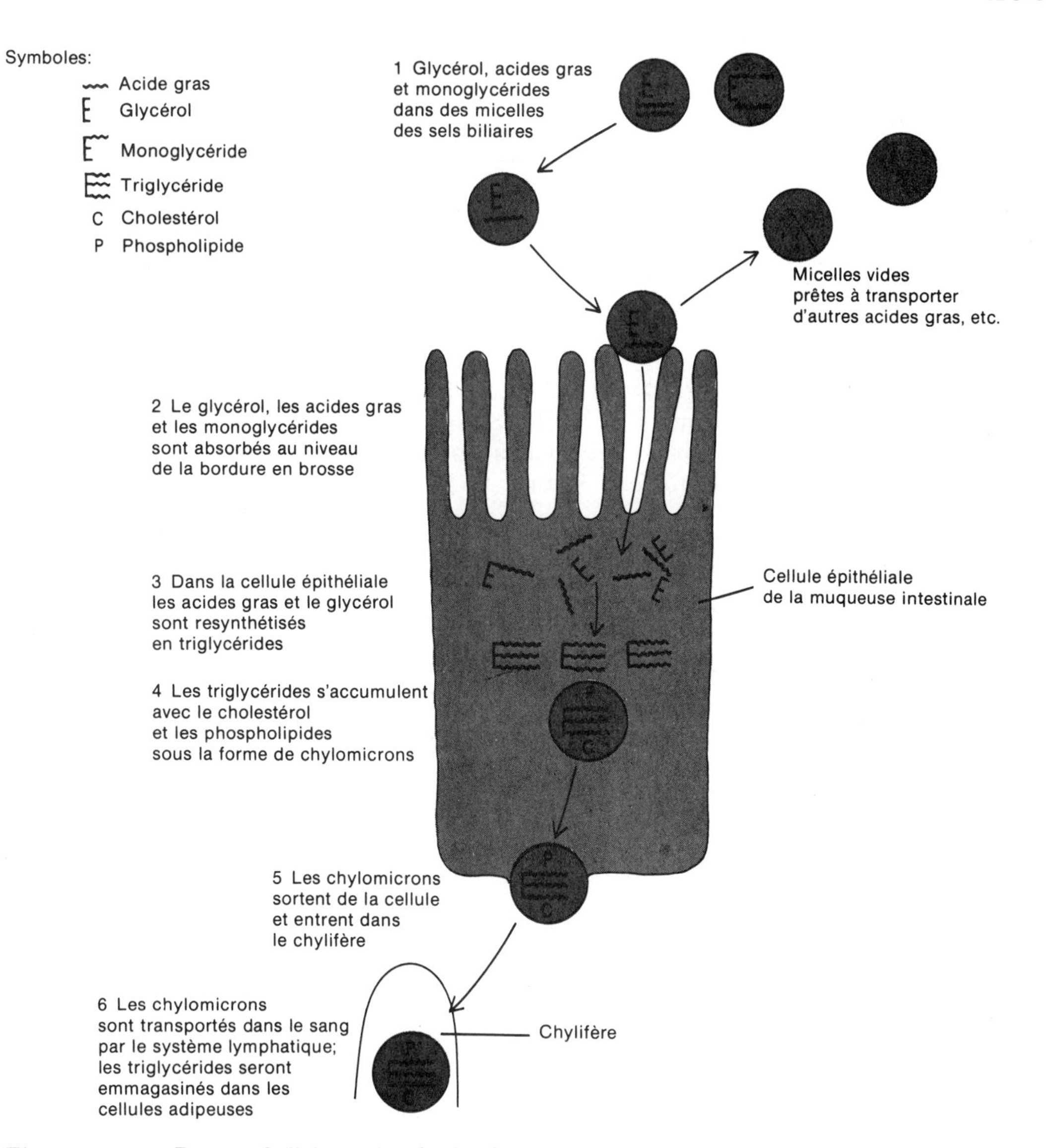

Figure 11-18 Résumé de l'absorption des lipides.

des quelque 0,9 kg de nourriture solide et presque toute l'eau ingérée quotidiennement, le petit intestin doit réabsorber d'énormes quantités de liquide (environ 7 l par jour) sécrété par les glandes accessoires et les parois du TD. Tout trouble de la réabsorption liquidienne par le petit intestin provoque une déshydratation rapide de l'organisme.

LE GROS INTESTIN

Les ingesta sont maintenant dans le TD depuis environ neuf heures. Presque tous les nutriments ont été digérés et absorbés. Il ne reste plus dans le chyme que des substances indigestes comme les fibres cellulosiques des légumes auxquelles s'ajoutent environ 0,2 kg de cellules intestinales desquamées et des pigments biliaires.

Entre le petit et le gros intestin, la *valve iléo-caecale* est normalement fermée. Ce sphincter empêche le retour du chyme du gros intestin vers l'iléum. À la suite d'une contraction péristaltique qui pousse du chyme vers lui, le sphincter s'ouvre et le laisse passer vers le gros intestin.

Le trajet à travers le gros intestin peut prendre entre 1 et 3 jours, même plus. Pendant cette lente progression, les bactéries endogènes vont se nourrir des restes et se rendre utiles en produisant des vitamines qui pourront être absorbées et utilisées par l'organisme hôte. Quelques bactéries peuvent s'attaquer à la cellulose et libérer un surplus de nutriments pour absorption. Le gros intestin réabsorbe aussi du sodium et de l'eau donnant aux fèces leur consistance normale. Voyons maintenant plus en détail la structure et les fonctions du gros intestin.

La structure du gros intestin

Assez court (un peu plus d'un mètre de longueur), le «gros» intestin doit son nom à son grand diamètre (6,5 cm). La valve iléo-caecale est située à environ 7 cm de l'extrémité proximale du gros intestin, créant ainsi un cul-de-sac, le *caecum*, qui pend sous la jonction iléo-caecale (figure 11-19). L'*appendice vermiforme* (*vermiculaire*), un petit tube aveugle en forme de ver et riche en tissu lymphoïde, est situé à l'extrémité du caecum. On considère que l'appendice est une structure vestigiale qui a peut-être déjà eu un rôle important dans le passé végétarien de l'espèce humaine, en tant qu'incubateur des bactéries qui digéraient la cellulose. L'inflammation de l'appendice, une *appendicite*, peut provoquer une péritonite et plusieurs autres complications si elle n'est pas diagnostiquée et traitée à temps.

Du caecum au rectum le gros intestin porte le nom de *côlon*. Le *côlon ascendant* monte verticalement vers la frange inférieure du foie, tourne à angle droit pour former le *côlon transverse* qui passe d'un côté à l'autre de l'abdomen, sous le foie et l'estomac, et en avant du petit intestin. Sur le côté gauche de l'abdomen le *côlon descendant* plonge vers le bas et forme le *côlon sigmoïde* qui se vide dans le *rectum*. Celui-ci est très court et débouche dans l'*anus*, par où les fèces sont expulsées à l'extérieur.

La muqueuse du gros intestin ne possède pas de villosités et ne sécrète aucune enzyme digestive. L'épithélium de surface contient des cellules absorbantes et des cellules caliciformes qui sécrètent du mucus. La surface est parsemée de glandes droites profondes qui contiennent des cellules à mucus. Les fibres musculaires lisses longitudinales de la zone externe de la musculeuse sont groupées en trois bandelettes aplaties, les *taenias*. Entre celles-ci les parois du gros intestin forment des poches saillantes, les *haustras* ou *haustrations*.

Les mouvements du gros intestin

Le gros intestin démontre une activité péristaltique assez semblable à celle de l'intestin grêle. Il s'y produit en plus des contractions qui poussent les matières fécales vers l'anus. Elles sont d'un type légèrement différent des contractions péristaltiques, étant de puissants et rapides mouvements d'ensemble ou de masse associés à la formation d'haustrations. Un segment assez long du gros intestin, peut-être 20 cm, se contracte en même temps et fait avancer le contenu dans le segment suivant. De telles contractions ne se produisent généralement que quelques fois par jour.

Les fonctions du gros intestin

On peut résumer ainsi les fonctions du gros intestin:

1 Absorption de sodium et d'eau. Le sodium est transporté activement et l'eau suit par osmose.
2 Incubation de bactéries. Le gros intestin présente des mouvements léthargiques et les bactéries ont le temps de s'y développer et s'y reproduire. Certaines espèces établissent des relations mutuellement avantageuses avec leur hôte (*commensalisme*) en produisant certaines vitamines comme la vitamine K, la thiamine, la riboflavine et la vitamine B_{12}, en échange de nourriture et d'un abri. Un sain équilibre de la flore intestinale prévient le développement de bactéries pathogènes. Lorsque l'écologie normale du gros intestin est perturbée, par exemple lors d'un traitement

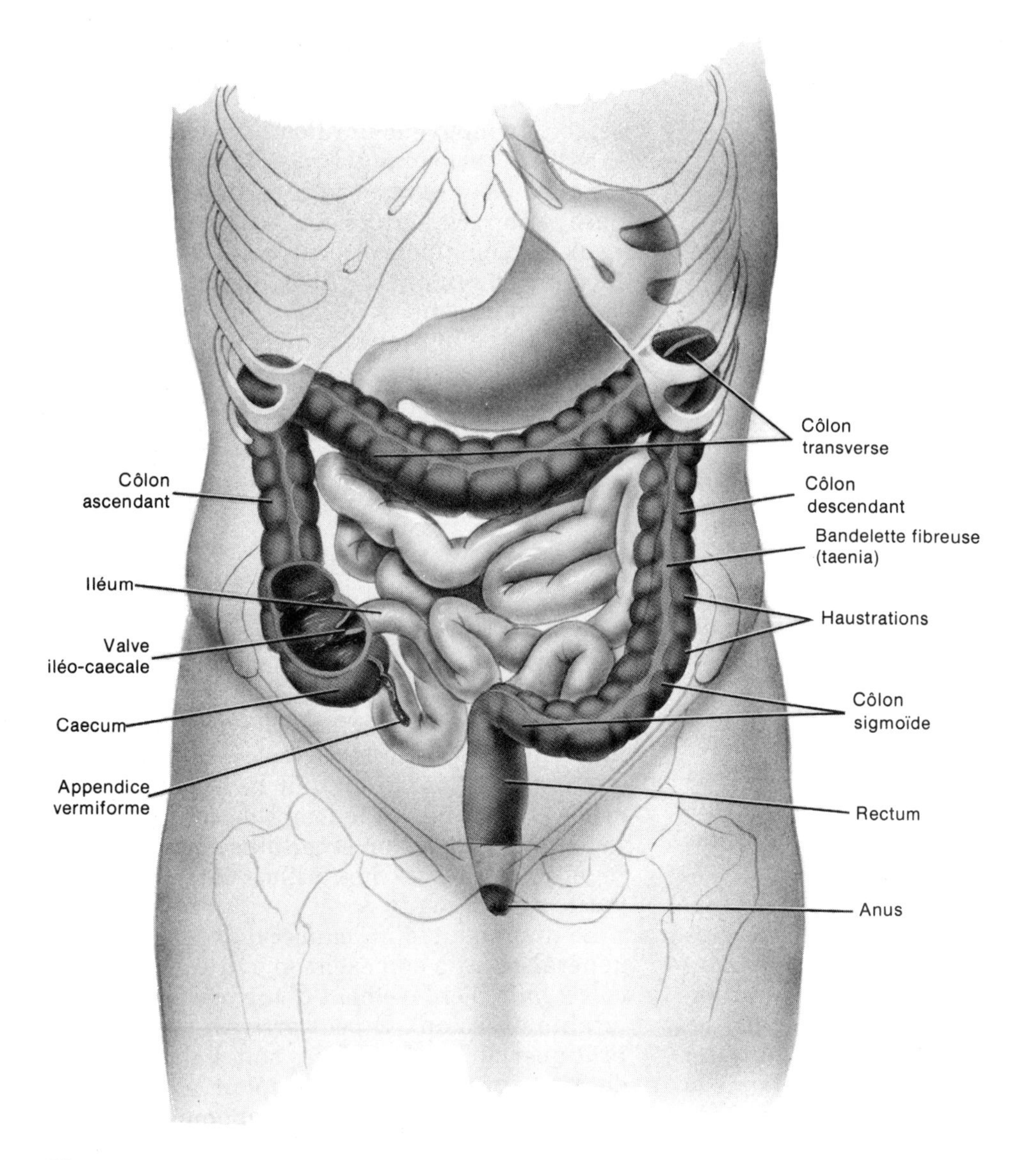

Figure 11-19 Le gros intestin.

prolongé aux antibiotiques, les bactéries pathogènes peuvent prendre le dessus et causer une maladie.

3 Élimination des résidus. Les ingesta non digérés et non absorbés, les cellules intestinales desquamées et les pigments biliaires, sont expulsés hors de l'organisme par le gros intestin sous forme de fèces. (Il faut bien distinguer l'*élimination* et l'*excrétion*. Le premier concept réfère à des substances qui n'ont jamais quitté le TD et jamais participé au métabolisme. Le second réfère au rejet des déchets métaboliques, fonction essentielle des reins. Les sels biliaires sont cependant excrétés et non pas éliminés par le gros intestin alors que les fibres cellulosiques sont éliminées par ce dernier.)

La défécation

L'absorption de l'eau par l'intestin déshydrate lentement le chyme qui se solidifie pour prendre la consistance normale des fèces soit une masse constituée d'environ 75 pour 100 d'eau. La fraction solide contient à peu près 30 pour 100 de bactéries, vivantes et mortes, de la cellulose et autres matières inassimilables, des cellules mortes, des sels et des pigments biliaires. Les fèces contiennent une bonne part d'éléments qui ne sont pas d'origine alimentaire; elles sont donc formées même pendant un jeûne prolongé. Les pigments biliaires, soumis à l'action bactérienne dans le côlon, contribuent à la coloration brunâtre des fèces normales. Si l'excrétion des pigments biliaires est bloquée, soit à cause d'une atteinte hépatique, soit par obstruction (calculs ou cancer) des canaux biliaires, les fèces prennent une coloration blanchâtre. L'odeur caractéristique dépend en partie des produits du métabolisme bactérien et elle varie selon la diète et les espèces bactériennes présentes.

La motilité du gros intestin augmente après les repas. La distension mécanique de l'estomac amorce des contractions coliques qui stimulent l'envie de *déféquer* (l'*expulsion des fèces*).

L'entrée du rectum est gardée par un sphincter assez faible qui laisse passer les matières fécales lorsqu'elles sont poussées par des contractions péristaltiques. Le sphincter anal interne (formé de muscle lisse) et le sphincter anal externe (formé de muscle volontaire) ferment l'anus. Le premier s'ouvre lorsque le rectum est distendu par son contenu mais le second demeure fermé jusqu'à relaxation volontaire. La défécation est donc un acte réflexe qui peut être inhibé volontairement par le maintien de la contraction tonique du sphincter externe.

Un *transit intestinal* trop rapide augmente la fréquence et l'hydratation des selles. Cette condition, la *diarrhée*, peut être due à des agents pathogènes qui irritent la muqueuse du gros intestin, augmentent sa motilité, et diminuent l'absorption. La tension émotive et certains aliments, comme les prunes, stimulent aussi la motilité intestinale et peuvent provoquer la diarrhée.

Si l'état diarrhéique se prolonge, il y a perte d'eau et d'électrolytes essentiels comme le sodium et le potassium. La déshydratation, surtout chez les enfants, peut être grave et même fatale.

La *constipation* est un peu la situation inverse, soit un mouvement ralenti des fèces dans le gros intestin; la plus grande réabsorption d'eau rend les fèces dures et sèches. Souvent provoquée par un régime alimentaire trop peu volumineux, la constipation peut aussi dépendre de facteurs émotionnels. L'usage de laxatifs irrite souvent l'intestin et ne contribue pas au rétablissement d'une fonction normale. Il est nettement avantageux d'augmenter la diète végétale, laquelle possède des propriétés laxatives naturelles à cause de la cellulose. Celle-ci fournit du volume, distend le côlon et facilite le rétablissement de sa fonction.

Le cancer du côlon

Le cancer du côlon est l'une des causes les plus communes de décès dus au cancer. Il semble qu'il pourrait être relié à la diète, à cause de sa fréquence plus élevée chez les individus qui mangent peu de fibres végétales. On a suggéré qu'un tel régime diminuait la fréquence des selles et prolongeait le temps de contact entre la muqueuse du côlon et certains agents cancérogènes, tels les nitrites utilisés comme préservatifs des aliments.

Le diagnostic d'un cancer du côlon aboutit généralement à son excision chirurgicale, par *côlectomie* (l'enlèvement d'une partie ou de la totalité du côlon). Il peut arriver qu'on doive pratiquer une *côlostomie*, soit l'aboutement de la portion intacte du côlon à un anus artificiel placé dans la paroi abdominale.

Le cancer du gros intestin produit des symptômes précoces et peut être guéri si la chirurgie est pratiquée rapidement. C'est pourquoi l'examen rectal fait partie de la routine d'un examen physique. Le sigmoïdoscope est un instrument qui permet au médecin d'inspecter l'état du rectum et du sigmoïde. C'est un outil précieux de diagnostic grâce auquel on peut déceler environ 50 pour 100 des tumeurs malignes du gros intestin. De nouveaux instruments à fibres optiques sont flexibles et permettent de voir, d'agrandir et même de photographier tout l'intérieur du côlon.

L'examen radiologique du TD est un autre outil important pour le diagnostic. Le gros intestin est vidé, nettoyé, et rempli d'une solution barytée opaque aux rayons-X (figure 11-20).

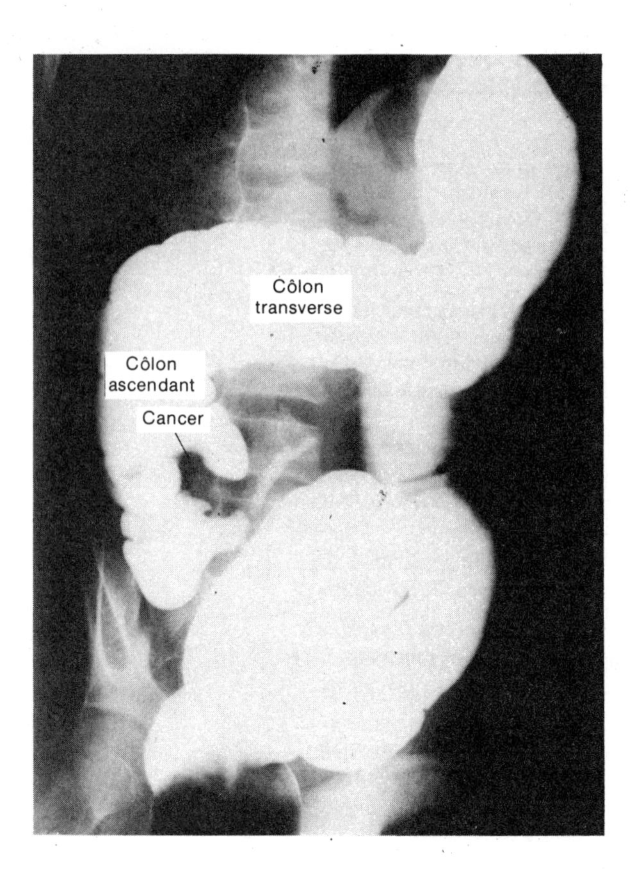

On utilise le même genre de procédure pour le diagnostic d'ulcères et de tumeurs des autres parties du TD. Le tableau 11-5 décrit certains troubles de l'appareil digestif, parmi les plus fréquents.

Figure 11-20 Radiographie du gros intestin d'un patient porteur d'un cancer du côlon.

Tableau 11-5 Affections fréquentes de l'appareil digestif

Affection	Description
Ballonnement	Présence d'une trop grande quantité de gaz dans l'estomac ou l'intestin. Ces gaz proviennent soit de la déglutition d'air, de l'ingestion de boissons gazeuses ou de la décomposition de la nourriture (par les bactéries).
Cholécystite	Inflammation de la vésicule biliaire. Souvent causée par l'obstruction du canal cystique par un calcul biliaire. L'arrêt partiel ou total de l'écoulement amène la concentration de la bile qui irrite par action chimique les parois de la vésicule.
Choléra	Maladie bactérienne transmise par de l'eau ou de la nourriture contaminées; l'infection est limitée au tube digestif, provoquant des diarrhées et des vomissements graves dus aux toxines produites par les bactéries

(Suite à la page suivante)

Tableau 11-5 Affections fréquentes de l'appareil digestif (*suite*)

Affection	Description
Cirrhose du foie	Maladie chronique où une fibrose progressive remplace les cellules hépatiques dégénérées. Plus la quantité de tissu conjonctif augmente dans le foie, moins ce dernier est apte à remplir ses fonctions. Maladie communément associée à l'alcoolisme.
Colite	Inflammation du côlon souvent causée par des microorganismes pathogènes
Diverticulose	Présence de diverticules en un point quelconque du tube digestif, plus couramment dans les parois de l'oesophage, du duodénum et du côlon. Peut être congénitale ou acquise. Ces diverticules se forment là où il y a un affaiblissement de la paroi du tube digestif. Leur inflammation cause une diverticulite.
Dysenterie	Inflammation de l'intestin, plus particulièrement du côlon, qui donne des diarrhées et des douleurs abdominales. Les selles contiennent du pus, du mucus ou du sang. Peut être due à une bactérie (dysenterie bactérienne), une amibe (dysenterie amibienne) ou un protozoaire cilié parasite.
Entérite	Inflammation de l'intestin grêle
Gastrite	Inflammation de l'estomac, chronique ou aiguë. Elle est causée par des substances irritantes dans la nourriture, des poisons, des boissons alcooliques ou de la bile.
Hémorroïdes	Dilatation des veines de la portion terminale du rectum ou de l'anus. Peuvent être causées par une grossesse ou par un trop grand effort lors de la défécation. Causent des ennuis et des saignements.
Hépatite	Inflammation du foie. Il y a deux types d'hépatites à virus (A et B). La dégénérescence des cellules hépatiques et l'inflammation caractérisent cette maladie. L'hépatite peut aussi être provoquée par l'inhalation, l'ingestion ou l'injection de plusieurs produits chimiques (ex. le tétrachlorure de carbone), des champignons vénéneux et certains produits pharmaceutiques (halothane).
Nausées	Malaise dans la région de l'estomac souvent accompagné de sensations de vomissement imminent
Pyrosis (cardialgie)	Sensation de brûlure montant de l'estomac à la gorge souvent accompagnée d'une abondante salivation acide. Ces troubles, d'origine stomacale, apparaissent surtout à la suite de l'ingestion d'aliments gras ou de substances irritantes.
Rectocolite ulcéro-hémorragique	Inflammation chronique du côlon dont la cause première est encore inconnue. Pourrait être due à un dérangement du système immunitaire.
Vomissement	Réflexe amenant la vidange rapide de l'estomac et du duodénum par la bouche. L'ingestion de substances irritantes, la stimulation mécanique du pharynx, des stimulus psychiques conditionnés ou l'irritation de l'oreille interne (le mal des transports) peuvent déclencher le réflexe.

RÉSUMÉ

1 Une bouchée de nourriture traverse successivement la bouche, le pharynx, l'oesophage, l'estomac et le petit intestin (duodénum, jéjunum, iléum). Les ingesta non assimilés poursuivent leur route à travers le gros intestin et sortent par l'anus.

2 La transformation des aliments comprend l'ingestion, la digestion mécanique et chimique, l'absorption des nutriments à partir de l'intestin vers le milieu intérieur, le transport vers les cellules et l'utilisation cellulaire. Les ingesta inassimilables sont éliminés dans les fèces par la défécation.

3 Les parois du tube digestif sont formées des couches suivantes:

a) la muqueuse,
b) la sous-muqueuse,
c) la musculeuse, comprenant des feuillets de fibres circulaires et longitudinales,
d) le recouvrement conjonctif externe.

4 Le recouvrement conjonctif externe de la partie sous-diaphragmatique, le péritoine viscéral, est relié au péritoine pariétal par des replis. Les principaux replis entre les deux péritoines sont le mésentère et les deux épiploons (grand et petit).

5 Lors de la déglutition, des mouvements réflexes propulsent le bol à travers la gorge et dans l'oesophage où des contractions péristaltiques le poussent vers l'estomac.

6 Les fonctions de l'estomac se résument ainsi:

a) la digestion mécanique des ingesta,
b) la sécrétion du suc gastrique,
c) la production d'un facteur intrinsèque requis pour l'absorption de la vitamine B_{12},
d) le stockage temporaire des aliments jusqu'à leur transformation en chyme et jusqu'à ce que le duodénum ait pu les recevoir,
e) l'absorption de l'eau, de l'alcool et de certaines autres substances au travers de ses parois.

7 Le suc gastrique ne peut normalement digérer les parois de l'estomac parce qu'elles sont enduites d'une couche muqueuse épaisse et alcaline sécrétée par les cellules épithéliales; la disposition de ces dernières empêche le suc gastrique de s'infiltrer entre elles; leur renouvellement très rapide remplace régulièrement les cellules superficielles.

8 Le chyme passe lentement, et par petites quantités, dans le duodénum où il se mélange à la bile et au suc pancréatique qui favorisent la digestion des aliments, leur transformation en nutriments absorbables.

9 On peut ainsi résumer les fonctions de l'intestin grêle:

a) élaboration des enzymes requises pour la digestion chimique des protéines, lipides et glucides,
b) site de réception de la bile et du suc pancréatique,
c) absorption transépithéliale des nutriments,
d) production d'hormones régulatrices des fonctions digestives.

10 Le foie contient des milliers de lobules formés de travées radiaires de cellules hépatiques autour d'une veine centrale sus-hépatique. Entre les cellules hépatiques, les canalicules biliaires ramassent la bile et la vident dans des canaux biliaires de plus gros calibre.

11 Les matières féculentes telles l'amidon sont transformées en dextrines et en maltose par l'amylase salivaire. Amorcée dans la bouche, cette digestion se poursuit dans l'estomac jusqu'à l'inactivation de l'enzyme par le suc gastrique acide. L'amylase pancréatique reprend la digestion des féculents dans le duodénum et libère du maltose. Les disaccharides sont hydrolysés en leurs deux monosaccharides constituants par des disaccharidases dans la bordure en brosse des celludes épithéliales qui tapissent l'intérieur du duodénum.

12 La digestion des lipides débute dans le duodénum où ils sont émulsifiés par la bile. La lipase pancréatique les hydrolyse ensuite en leurs éléments, soit le glycérol et des acides gras.

13 La digestion chimique des protéines débute dans l'estomac avec la pepsine qui les coupe en unités plus petites. Les enzymes protéolytiques du pancréas poursuivent le travail dans le duodénum en libérant des dipeptides à partir des polypeptides. Les dipeptidases de la bordure en brosse terminent l'ouvrage en hydrolysant les dipeptides qui libèrent leurs deux acides aminés constitutifs.

14 Les villosités sont le siège de l'absorption. Le glucose et les acides aminés sont absorbés par transport actif après leur combinaison avec un transporteur membranaire. Les acides gras et les monoglycérides sont absorbés à partir des micelles directement dans les cellules épithéliales du revêtement intestinal, où ils sont réassemblés en triglycérides et empaquetés dans des chylomicrons. Ces derniers passent finalement dans les chylifères avec leur contenu.

15 Les fonctions du gros intestin comprennent:

a) l'absorption de sodium et d'eau,
b) l'incubation de bactéries,
c) la formation et l'élimination des fèces.

QUESTIONS DE RÉVISION

1 Suivre à la trace une bouchée de laitue dans le TD. Faire la liste des structures rencontrées et décrire le sort réservé à la cellulose à chaque endroit.

2 Décrire les transformations que subissent les aliments de nature protéique dans le TD.

3 Décrire les transformations que subissent les lipides dans le TD, la nature des transformations et où elles se font.
4 Décrire la digestion d'un glucide étape par étape. (Nommer les enzymes impliquées et leur origine, préciser le site de chaque transformation.)
5 Dessiner un schéma des parois du TD et identifier les différentes couches.
6 Dessiner et légender un schéma d'une villosité.
7 Quels mécanismes protègent les parois du TD contre une ulcération?
8 Qu'est-ce qu'un pH approprié, essentiel au bon fonctionnement du TD? Quels sont les changements de pH entre la bouche et l'estomac? Entre l'estomac et le duodénum?
9 Quelle régulation digestive est sous le contrôle de la gastrine? De la sécrétine? De la cholécystokinine?
10 Quelles structures augmentent la surface du petit intestin? Pourquoi est-ce important d'augmenter la surface de contact?
11 Les aliments végétaux ne sont pas très digestibles, mais pourtant on les considère très importants dans le fonctionnement normal du TD. Pourquoi?
12 Énumérer plusieurs fonctions du foie.

12 L'UTILISATION DES NUTRIMENTS: le métabolisme

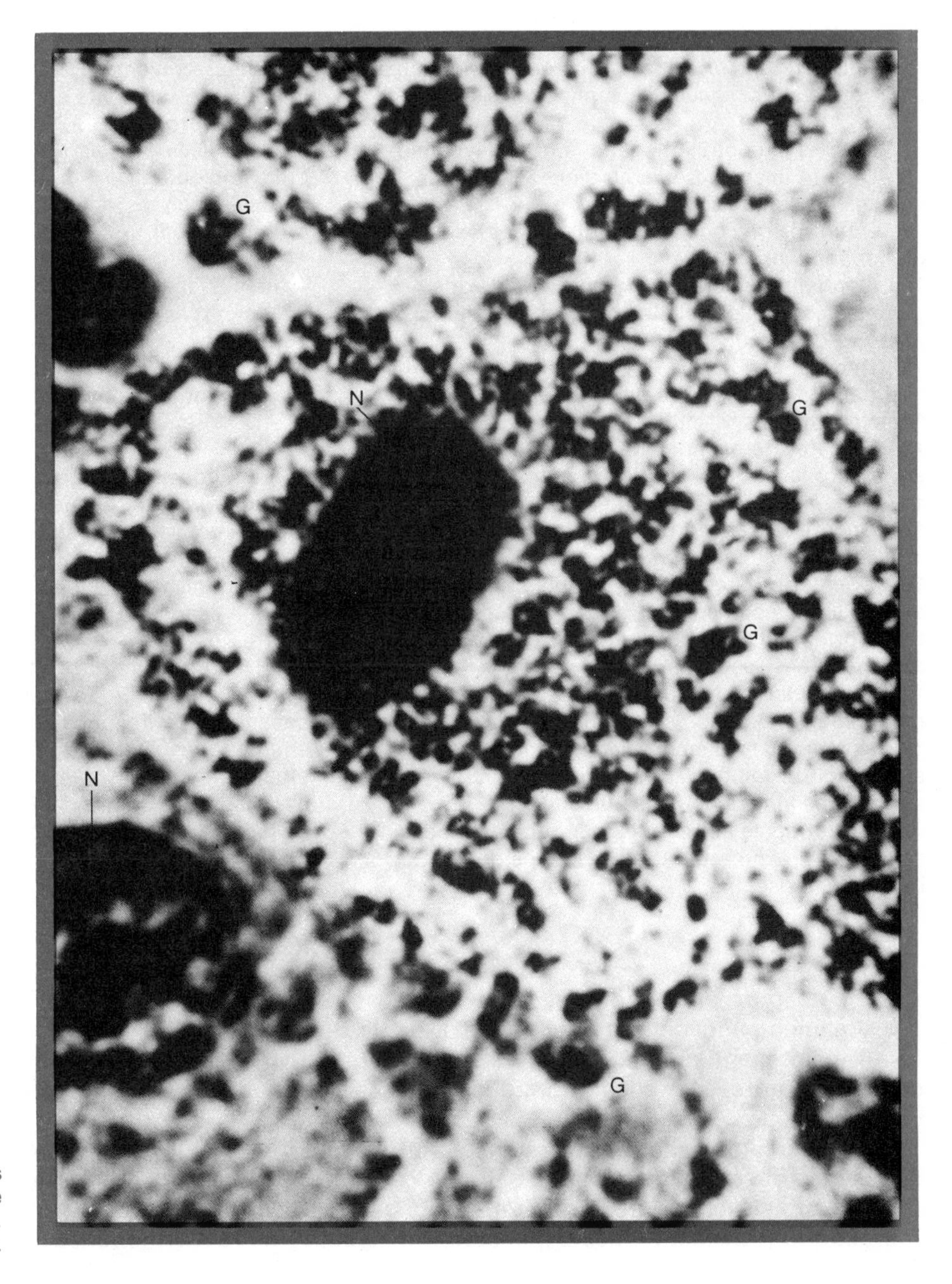

Cellules hépatiques chargées de glycogène (environ ×6 000). N, noyau; G, glycogène.

OBJECTIFS

L'étude de ce chapitre devrait vous permettre de:

1 Comparer l'anabolisme et le catabolisme.
2 Connaître l'importance de l'eau dans l'organisme et énumérer ses principaux rôles.
3 Identifier les minéraux essentiels à l'organisme et décrire leurs rôles respectifs.
4 Connaître l'utilité des vitamines, leurs sources alimentaires, et les conséquences des avitaminoses.
5 Identifier les vitamines, selon leur solubilité dans l'eau et les lipides, et définir l'hypervitaminose.
6 Énumérer les principaux glucides alimentaires et la forme sous laquelle ils sont absorbés par le TD.
7 Décrire le contrôle hépatique de la glycémie.
8 Décrire le sort réservé au glucose dans les cellules de l'organisme.
9 Définir la glycogenèse, la glycogénolyse et la gluconéogenèse.
10 Connaître le sort réservé aux surplus de glucose lorsque les cellules ont complété leurs réserves de glycogène.
11 Décrire la molécule d'ATP et connaître son rôle dans le métabolisme cellulaire.
12 Résumer les réactions de la glycolyse.
13 Discuter du phénomène de la dette d'oxygène en relation avec la respiration anaérobie.
14 Résumer les réactions du cycle de Krebs.
15 Décrire le transport des électrons et le relier à la respiration cellulaire aérobie.
16 Comparer la respiration aérobie et anaérobie en relation avec la production d'ATP, l'activité des transporteurs d'hydrogène, et les produits terminaux des réactions.
17 Distinguer les lipides saturés et insaturés, et reconnaître les mono-, di-, et triglycérides.
18 Nommer des aliments riches en lipides saturés et en cholestérol, et d'autres qui contiennent surtout des lipides poly-insaturés; décrire la relation probable entre une diète riche en lipides saturés et en cholestérol et l'incidence de l'athérosclérose.
19 Décrire le sort réservé aux lipides à partir de leur absorption intestinale jusqu'à leur accumulation dans le tissu adipeux; décrire leur utilisation par l'organisme.
20 Expliquer le rôle des lipoprotéines dans le transport des lipides et décrire la mobilisation des graisses à partir des cellules adipeuses.
21 Résumer les étapes de la β-oxydation des acides gras et discuter de l'importance de cette chaîne de réactions.
22 Dire pourquoi les acides aminés (AA) essentiels doivent se trouver dans la diète et identifier les aliments en fonction de la qualité de la source protéique qu'ils représentent.
23 Donner trois raisons pour lesquelles il est plus difficile d'obtenir des quantités adéquates d'AA dans les régimes végétariens et montrer comment on peut établir une diète végétarienne équilibrée.
24 Décrire le sort et les rôles des AA et des protéines dans l'organisme, et ce qu'il advient des AA en surplus.
25 Énumérer les effets d'une déficience protéique et décrire le kwashiorkor.
26 Expliquer le concept de l'équilibre azoté.
27 Décrire les mécanismes qui contrôlent l'appétit.
28 Expliquer le concept de métabolisme basal et décrire la méthodologie utilisée pour en mesurer le taux; le comparer à celui du métabolisme total.
29 Établir le calcul du besoin énergétique total d'un organisme et expliquer ce qui se passe lorsque l'équilibre est rompu, d'un côté comme de l'autre.
30 Décrire les effets de l'obésité sur l'état de santé; en connaître les causes et le traitement en basant les explications sur des considérations énergétiques. Décrire la diète amaigrissante la plus efficace.
31 Résumer les principales modifications métaboliques consécutives à un jeûne et décrire le marasme.

Le chapitre précédent présentait les transformations subies par les aliments lors de leur passage à travers le tube digestif. Nous allons maintenant faire le point sur les nutriments: d'où ils viennent, ce qu'ils deviennent après leur absorption, et comment ils sont utilisés par les cellules de l'organisme.

L'être humain a besoin de substances nutritives pour vivre et pour assurer la croissance et l'entretien de sa machinerie cellulaire. Ses besoins nutritionnels sont d'ordre structural (construction, conservation, reconstruction) et énergétique (satisfaction des dépenses comme celles de la thermogenèse, du travail des divers systèmes et appareils, etc.), et ils seront plus ou moins comblés selon la qualité et la quantité des nutriments disponibles. Chacun sait que l'alimentation est indispensable mais peu de gens connaissent les raisons pour lesquelles une diète équilibrée est essentielle au bien-être de l'organisme. On pourrait donc se demander en premier lieu pourquoi il est nécessaire de manger? Puis, dans un deuxième temps, pourquoi les cellules ont besoin de nutriments spécifiques?

Nous savons maintenant que les cellules d'un organisme vivant sont en constante activité, que des molécules y sont continuellement synthétisées, utilisées, dégradées. La plupart des cellules sont en activité pendant un temps plus ou moins long puis meurent; elles sont remplacées par d'autres qui subissent le même sort. Le *métabolisme* représente l'ensemble des réactions conduisant à l'obtention d'énergie utilisable et à la biosynthèse. On subdivise le métabolisme en deux grandes catégories de transformations. La multiplication cellulaire qui aboutit à une augmentation nette de masse est due à un groupe de réactions biochimiques que l'on désigne sous le nom d'*anabolisme*; elles sont surtout concernées par l'édification de molécules complexes à partir des nutriments. Cette synthèse, comme toute construction, demande de l'énergie; celle-ci sera fournie par un autre ensemble de réactions qui dégradent des molécules complexes et libèrent une partie de l'énergie contenue dans leurs liaisons chimiques pour la rendre disponible à la construction et à l'entretien de l'organisme. Le *catabolisme* comprend ainsi toutes les réactions métaboliques impliquées dans la dégradation des molécules en leurs éléments constitutifs. Les nutriments essentiels à la santé sont fournis par une alimentation bien équilibrée contenant de l'eau, des minéraux, des vitamines, des glucides, des lipides et des protéines.

L'EAU

Un adulte a besoin en moyenne d'une ration quotidienne d'environ 2,4 l d'eau. Les deux tiers sont ingérés sous forme de breuvages, et l'alimentation solide, qui contient entre 65 et 90 pour 100 d'eau, fournit le reste. Par exemple, le dernier rosbif que vous avez mangé contenait environ 85 pour 100 d'eau! Une pomme mûre contient à peu près 65 pour 100 de sa masse en eau.

À quoi nous sert l'eau?

L'eau est le principal composant du corps, représentant plus de 60 pour 100 de sa masse. Plus de la moitié des liquides corporels se retrouve dans le compartiment intracellulaire; le reste compose le plasma sanguin, la lymphe, le liquide interstitiel, et remplit les cavités du corps (LCS, humeur vitrée de l'oeil, liquide pleural, etc.).

Presque toutes les réactions chimiques de l'organisme ont lieu en milieu aqueux. L'eau est un solvant presque universel puisque beaucoup de composés chimiques peuvent s'y dissoudre. Lorsque les particules sont en solution, leurs mouvements sont beaucoup plus rapides que lorsqu'elles forment une substance solide. Cette agitation facilite les rencontres et les interactions mutuelles. Dans plusieurs réactions métaboliques l'eau ne sert pas seulement de support mais encore d'ingrédient actif. La digestion, par exemple, représente une suite de réactions d'hydrolyse où les molécules d'eau sont utilisées pour permettre la libération des produits.

L'eau sert aussi au transport des substances, que ce soit à l'intérieur des cellules ou encore d'un endroit à l'autre du corps. Le plasma sanguin, formé à plus de 90 pour 100 d'eau, véhicule les nutriments, les hormones, les déchets azotés et plusieurs autres substances. Les urines et la sueur, contenant environ 99 pour 100 d'eau, évacuent des produits de déchet hors de l'organisme.

L'eau possède une grande capacité calorifique et peut absorber ou libérer de fortes quantités de chaleur sans variation importante de sa température. Cette propriété lui permet d'avoir un rôle important dans l'homéothermie corporelle. De plus son évaporation à la surface de la peau et des voies respiratoires permet d'évacuer une grande quantité de chaleur.

LES MINÉRAUX

Les *minéraux* sont des nutriments inorganiques ingérés sous la forme de sels dissous dans la nourriture et les boissons. Le sodium, le chlore, le potassium, le magnésium, le calcium, le soufre, le phosphore et le fluor, ont tous des fonctions importantes dans l'organisme. Certains autres, les *micronutriments*, sont ainsi nommés parce qu'ils sont requis en quantités minimes. Ce sont, entre autres, le cuivre, le cobalt, le manganèse, le fer et l'iode.

L'organisme est en équilibre hydrique si la concentration en sel des liquides corporels est d'environ 0,9 pour 100. Les pertes minérales par la sueur, les urines et les fèces, doivent être compensées par l'alimentation. Certains minéraux sont nécessaires pour l'activation des réactions métaboliques; d'autres sont des constituants essentiels de composés chimiques importants, comme le fer dans l'hémoglobine ou encore l'iode dans les hormones thyroïdiennes. Les minéraux dont les carences alimentaires sont les plus à craindre sont le fer, le calcium et l'iode. Le tableau 12-1 énumère les minéraux les plus importants et leurs fonctions dans l'organisme. Nous reparlerons de plusieurs d'entre eux lors de la description des fonctions auxquelles ils sont rattachés.

Tableau 12-1 Quelques minéraux essentiels et leurs fonctions

Minéraux	Fonctions	Commentaires
Sodium	Principal cation (ion positif) du liquide interstitiel; important dans l'équilibre liquidien du corps	Présence normale dans l'alimentation; utilisation du sel de table pour assaisonner; la diète d'un américain moyen en contient trop; l'ingestion en excès peut être la cause d'une augmentation de la pression artérielle
Chlore	Principal anion (ion négatif) du liquide interstitiel; important dans l'équilibre liquidien et acido-basique	Présence normale dans l'alimentation; ingéré sous la forme de sel de table
Potassium	Principal cation intracellulaire; influence sur la contraction musculaire et l'excitabilité nerveuse	Présent dans un vaste choix d'aliments
Magnésium	Le rapport adéquat entre les concentrations de Mg^{++} et Ca^{++} est nécessaire pour le fonctionnement musculaire et nerveux normal; composant de plusieurs coenzymes	Présent dans un vaste choix d'aliments
Calcium	Composant des os et des dents; essentiel à la coagulation du sang et au fonctionnement musculaire et nerveux normal	Important apport dans le lait, les autres produits laitiers, et dans les légumes verts à feuilles; les os sont un important réservoir de calcium
Phosphore	Composant structural des os sous la forme de phosphate de calcium; essentiel aux transferts d'énergie (composant de l'ATP) et à plusieurs autres processus métaboliques; composant de l'ADN et de l'ARN	Ses rôles sont plus nombreux que ceux de n'importe quel autre minéral; les antiacides peuvent empêcher son absorption
Fer	Composant de l'hémoglobine, de la myoglobine, de plusieurs enzymes respiratoires (cytochromes), et d'autres enzymes essentielles au transport de O_2 et à la respiration cellulaire	Le minéral le plus sujet à une carence alimentaire; apport important dans la viande (surtout le foie), les noix, le jaune d'oeuf et les légumes. La carence amène l'anémie.
Iode	Composant des hormones thyroïdiennes (hormones élevant le niveau du métabolisme)	Présence dans les fruits de mer, le sel iodé, et les légumes cultivés dans des sols riches en iode. La carence amène le goitre, un développement anormal de la taille de la glande thyroïde.

(Suite à la page suivante)

Tableau 12-1 Quelques minéraux essentiels et leurs fonctions (*suite*)

Minéraux	Fonctions	Commentaires
Fluor	Composant des os et des dents; améliore la résistance des dents aux caries	Aux endroits où il ne se trouve pas naturellement il peut être additionné aux eaux des aqueducs municipaux (fluoration). Un surplus peut causer la marbrure des dents.
Cuivre	Composant d'une enzyme responsable de la synthèse de la mélanine; présent dans plusieurs autres enzymes; peut stimuler l'absorption du fer et être impliqué dans la synthèse de l'hémoglobine	Sources alimentaires: foie, oeufs, poisson, farine de blé entier, fèves

LES VITAMINES

Les *vitamines* sont des composés organiques (différents des lipides, glucides et protéines) nécessaires en très faibles quantités (en traces) dans la diète. Plusieurs d'entre elles, surtout les vitamines B, sont des coenzymes (aussi appelées des cofacteurs). (Vous pourriez ici retourner au chapitre 2, à la section des coenzymes.) Une déficience vitaminique amène plusieurs troubles métaboliques et des symptômes cliniques prévisibles. On doit distinguer deux classes de vitamines: les vitamines *liposolubles* (A, D, E, et K) et *hydrosolubles* (C et B). Le tableau 12-2 présente un certain nombre de renseignements sur les vitamines.

Tableau 12-2 Les vitamines

Vitamines et AQR*	Fonctions	Effets d'une carence	Sources	Commentaires
Liposolubles				
A (5 000 UI)†	Composant des pigments rétiniens essentiels à une vision normale. Nécessaire à la croissance normale et à l'intégrité du tissu épithélial. Favorise la croissance normale des os et des dents en contrôlant l'activité des ostéoblastes et des ostéoclastes.	Défauts de croissance; vision nocturne diminuée; atrophie des épithéliums qui deviennent susceptibles aux infections; peau écailleuse; *xérophtalmie* (sécheresse et atrophie de la conjonctive)	Foie, huiles de foie de poissons, oeufs; légumes jaunes et verts	Peut être obtenue à partir d'une provitamine, la carotène (pigment jaune ou rouge). Souvent qualifiée de vitamine anti-inflammatoire. Toxique en doses massives.
D (400 UI) ou 2,5 μg	Stimulation de l'absorption intestinale du calcium; présence requise pour le développement et l'entretien normal des os	Déformations osseuses; rachitisme infantile; ostéomalacie chez les adultes	Foie, huiles de foie de poissons, jaune d'oeuf, lait, beurre, margarine	La forme D_2 (calciférol) est synthétique; la forme D_3 vient de l'action des rayons UV sur le 7-déshydrocholestérol de la peau; toxique à fortes doses
E (30 UI) ou 6-8 μg	Inhibition de l'oxydation des acides gras poly-insaturés et de la vitamine A qui favorisent la formation des membranes des cellules et des organites cellulaires; rôle biochimique exact inconnu	Augmentation du catabolisme des ac. gras poly-insaturés diminuant ainsi leur disponibilité pour l'entretien normal des membranes; impact négatif sur la croissance	Huiles de graines de céréales, foie, oeufs, poisson	On connaît quatre trocophérols différents: alpha, bêta, gamma et delta

(Suite à la page suivante)

Tableau 12-2 Les vitamines (*suite*)

Vitamines et AQR*	Fonctions	Effets d'une carence	Sources	Commentaires
K (1-2 mg?)	Essentielle à la coagulation du sang	Augmentation du temps de coagulation	Production par les bactéries de la flore intestinale; légumes verts feuillus	Les antibiotiques peuvent détruire les bactéries intestinales; administration avant chirurgie pour favoriser la coagulation. Aucune entente sur l'AQR.
Hydrosolubles				
C (Ac. ascorbique) (60 mg)	Nécessaire à plusieurs synthèses cellulaires dont celle du collagène, et à la formation de la matrice osseuse, de la dentine des dents, du cément intercellulaire. Nécessaire au métabolisme de plusieurs AA. Peut augmenter la résistance corporelle aux brûlures et aux toxines bactériennes.	Scorbut (guérison lente des plaies, faiblesse du tissu cicatriciel, fragilité capillaire, affections de la croissance et de la guérison des os, gencives molles, dents déchaussées)	Citrons, fraises, tomates	Rôle dans la prévention du rhume ou l'acquisition d'une immunité naturelle? Danger associé aux très fortes doses. Le fumeur moyen en aurait besoin deux fois plus que le non-fumeur pour maintenir une concentration sanguine identique.
Complexe vitaminique B				
Thiamine (B_1) (1,5 mg)	Coenzyme dans maints systèmes enzymatiques; nécessaire au métabolisme des glucides et des AA	Béribéri (faiblesse du muscle cardiaque, dilatation des cavités droites du coeur, désordres nerveux et gastro-intestinaux)	Foie, levures, céréales, viande, légumes verts feuillus	Déficit fréquent chez les alcooliques
Riboflavine (B_2) (1,7 mg)	Composant structural de deux coenzymes essentielles à la respiration cellulaire (FMN et FAD)	Dermatite; inflammation et fissures aux coins des lèvres; dépression nerveuse	Foie, fromage, lait, oeufs, légumes verts en feuilles	Les coenzymes forment le groupe prosthétique des enzymes flavoprotéines (mononucléotide et adénine dinucléotide)
Niacine (Ac. nicotinique) (20 mg)	Composant structural de deux coenzymes essentielles à la respiration cellulaire (NAD et NADP)	Pellagre (dermatite, démence, diarrhée, faiblesse musculaire, fatigue)	Foie, viande, poisson, céréales, légumes, pain de grains entiers ou enrichi	La détermination de la quantité contenue dans les aliments inclut celle du tryptophane, un AA précurseur de la niacine
Pyridoxine (B_6) (2 mg)	Coenzyme nécessaire à la synthèse des AA et au métabolisme des protéines	Dermatite, troubles gastro-intestinaux, convulsions	Foie, viande, céréales, légumes	Sa forme active dans les cellules est le pyridoxal phosphate, aussi précurseur de la porphyrine, constituant essentiel de l'hémoglobine
Ac. pantothénique (10 mg)	Composant de la coenzyme A (CoA), très important dans le métabolisme cellulaire	Déficit très rare	Abondance dans tous les aliments	Non toxique

(Suite à la page suivante)

Tableau 12-2 Les vitamines (*suite*)

Vitamines et AQR*	Fonctions	Effets d'une carence	Sources	Commentaires
Ac. folique (0,4 mg)	Coenzyme requise pour la synthèse des acides nucléiques et la maturation des hématies (globules rouges)	Défaut de croissance, anémie mégaloblastique	Production par la flore intestinale; foie, céréales, légumes feuillus vert foncé	Implication dans le métabolisme de certains AA (His, Glu, Met, Ser)
Biotine (0,3 mg)	Coenzyme du métabolisme cellulaire	Carence inconnue	Flore intestinale, foie, chocolat, jaune d'oeuf	Non toxique. Absorption bloquée par une protéine du blanc d'oeuf, l'avidine, qui se combine à la biotine.
B_{12} (6 mg)	Coenzyme du métabolisme des ac. nucléiques	Anémie pernicieuse	Foie, viande, poisson	Contient du cobalt; le facteur intrinsèque sécrété par la muqueuse gastrique est requis pour son absorption

* AQR: Apport Quotidien Recommandé pour subvenir aux besoins d'un organisme adulte moyen (valeurs établies par le Food and Nutrition Board du National Research Council des États-Unis).

† Unité Internationale (UI): quantité produisant des effets biologiques spécifiques et acceptée internationalement comme mesure de l'activité de la substance.

Les suppléments vitaminiques

La controverse au sujet des suppléments vitaminiques est très actuelle. Plusieurs nutritionnistes soutiennent qu'un régime équilibré contient toutes les vitamines nécessaires. D'autres affirment que malgré un tel régime les individus dépendent de la qualité des aliments qu'ils se procurent, comme des fruits et légumes qui ne sont pas fraîchement cueillis et des aliments préparés qui ne fournissent pas toujours une ration suffisante de vitamines. D'autres croient que de grandes quantités de certaines vitamines sont bénéfiques; vous avez probablement entendu parler du prétendu pouvoir de la vitamine C contre la grippe, ou peut-être de celui de la vitamine E contre les maladies vasculaires. Encore plus récemment on a même avancé que les vitamines C, E et A, pouvaient aider à prévenir certaines formes de cancer. En vérité, il nous reste encore beaucoup à apprendre, non seulement sur l'action des vitamines, mais encore sur de bons critères qui permettraient de chiffrer le besoin vitaminique. *En attendant on recommande la modération.*

Les hypervitaminoses A et D (les symptômes d'un surplus important de ces deux vitamines) sont de plus en plus fréquentes en clinique. La liposolubilité de ces vitamines facilite leur accumulation dans les cellules adipeuses (surtout dans le foie), réduisant d'autant leur excrétion rénale; elles peuvent ainsi atteindre des niveaux dangereux. Les surplus de vitamine C peuvent aussi être dommageables, surtout chez les enfants. Des doses massives peuvent entraîner des troubles rénaux et des dérangements intestinaux.

LES GLUCIDES

Les glucides représentent le principal combustible du corps; les cellules les «brûlent» pour obtenir l'énergie nécessaire à leurs multiples activités. Dans les sociétés riches les glucides représentent environ 50 pour 100 de l'énergie alimentaire ingérée quotidiennement. La valeur énergétique des aliments se mesure, dans le SI, en kilojoules (kJ) (le joule étant l'unité de travail et d'énergie). Ainsi 1 g de glucides, de protéines et de lipides, valent respectivement 17, 25 et 40 kJ, lorsqu'ils sont entièrement dégradés.

Le riz, les pommes de terre (patates), le maïs et les autres grains céréaliers, sont riches en glucides et figurent parmi les denrées les moins coûteuses. La diète glucidique est souvent le reflet du niveau économique d'une collectivité, la proportion des glucides alimentaires étant inversement proportionnelle à la richesse. Seules les sociétés riches peuvent se payer le luxe d'une alimentation protéique coûteuse comme la viande et les produits laitiers.

Les glucides sont généralement ingérés sous la forme de polysaccharides, soit l'amidon et la cellulose. L'amidon est le glycogène des plantes, la molécule de stockage du glucose dans le monde végétal; le TD peut dégrader l'amidon en glucose. La cellulose est le principal constituant des parois des cellules végétales et, comme nous l'avons vu au chapitre 11, le TD est incapable de la digérer. Celle-ci ne peut donc pas servir à l'alimentation humaine; elle fournit cependant la masse ou le volume dont le côlon a besoin pour bien fonctionner et former les fèces.

Dans les sociétés opulentes, environ 25 pour 100 des glucides ingérés (encore plus chez les enfants) sont sous forme de sucrose (disaccharide tiré de la canne à sucre ou de la betterave à sucre), le sucre de table pris dans le café ou les desserts. La digestion du sucrose fournit une molécule de glucose et une molécule de fructose. Le lactose, le sucre du lait, est un autre disaccharide important libérant du glucose et du galactose.

Le sort des glucides

Les glucides sont presque tous absorbés sous forme de glucose et ceux qui le sont sous une autre forme sont rapidement transformés en glucose par le foie. Après son absorption le glucose est transporté des capillaires intestinaux vers le foie par la veine porte. Celle-ci se ramifie dans les nombreux sinusoïdes hépatiques. Le sang passe donc lentement à travers ce «filtre» qui lui soutire son surplus de glucose.

L'un des rôles les plus importants du foie est la régulation de la *glycémie* (le taux sanguin de glucose). L'extrême dépendance des cellules du corps envers un approvisionnement constant en glucose sanguin est mis en évidence par les neurones, incapables de le stocker; si la glycémie baisse, ils sont privés de leur source d'énergie et présentent des anomalies de fonctionnement. C'est donc le foie qui prélève le surplus de glucose sanguin après les repas et le met en réserve pour le libérer au besoin entre les repas; la glycémie demeure ainsi à l'intérieur de limites raisonnables, soit autour de 5 mmol/l (90 mg/100 ml) de sang, à jeûn. Après un repas riche en glucides la glycémie peut s'élever temporairement autour de 7,8 mmol/l (140 mg/100 ml). Si le foie n'enlevait pas le surplus de glucose, sa concentration pourrait alors atteindre des valeurs 3 fois plus grandes; au contraire, entre les repas et pendant la nuit, la glycémie pourrait tomber à des niveaux très bas si le foie n'ajoutait pas régulièrement du glucose dans le sang.

Les cellules hépatiques (et à un moindre degré les cellules musculaires) lient les molécules de glucose les unes aux autres pour former un composé insoluble, le glycogène; c'est la *glycogenèse*. Sans ces réactions les cellules ne pourraient stocker le glucose puisque l'accumulation de ces petites molécules osmotiquement actives entraînerait de grandes quantités d'eau qui pourraient éventuellement les faire éclater. La glycogenèse permet le stockage puisque les molécules de glucose sont assemblées en complexes moléculaires stables qui précipitent généralement hors de la solution et forment des granules comme ceux que l'on peut observer sur la photomicrographie de la page titre du chapitre. Presque toutes les cellules peuvent emmagasiner du glycogène, mais les cellules hépatiques le font sur une plus grande échelle, soit environ 8 pour 100 de leur masse. Viennent ensuite les cellules musculaires avec 1 pour 100 de leur masse. La glycogenèse est une voie métabolique à plusieurs étapes, chacune requérant une enzyme spécifique.

La baisse du taux sanguin de glucose entre les repas induit une lente dégradation du glycogène, la *glycogénolyse*, et les molécules individuelles de glucose sont libérées dans le sang. Les réactions de la glycogénolyse ne sont pas les réactions inverses de celles de la glycogenèse. Chaque molécule de glucose est détachée du glycogène par une réaction de phosphorylation (addition d'un phosphate au glucose) qui requiert une enzyme particulière, une *phosphorylase*.

Le foie contient assez de glycogène pour maintenir la glycémie à un niveau normal pendant plusieurs heures. Si les réserves viennent à manquer les cellules hépatiques transforment des AA et la fraction glycérol des lipides en glucose, processus appelé *gluconéogenèse* (la production de nouvelles molécules de glucose). Le contrôle hormonal de la glycémie sera étudié au chapitre 17. Si l'alimentation glucidique dépasse les capacités de stockage du foie, les cellules hépatiques transforment le surplus de glucose en glycérol et en acides gras. Ceux-ci sont ensuite assemblés en triglycérides et acheminés vers les dépots adipeux du corps où ils s'accumulent (figure 12-1).

La respiration cellulaire

Nous avons vu à plusieurs reprises que les cellules du corps ont besoin d'un apport ininterrompu de glucose. En effet le glucose est le principal combustible de la respiration cellulaire, une suite complexe de réactions par lesquelles le glucose est dégradé en CO_2 et H_2O en vue de libérer l'énergie stockée dans ses liaisons chimiques. L'équation suivante résume ce processus:

$$\underset{\text{Glucose}}{C_6H_{12}O_6} + \underset{\text{Oxygène}}{6O_2} \longrightarrow \underset{\text{Gaz carbonique}}{6CO_2} + \underset{\text{Eau}}{6H_2O} + \text{énergie}$$

L'énergie produite est temporairement portée par l'*adénosine triphosphate* (*ATP*), un composé chimique d'importance centrale dans le métabolisme énergétique. L'oxydation complète d'une molécule de glucose produit 38 molécules d'ATP. Un gramme de glucose fournit ainsi environ 17 kJ. (Rappelons qu'au chapitre 2 nous avons mentionné que l'oxydation consiste à enlever des électrons à un atome ou à enlever des atomes d'hydrogène à une molécule organique.)

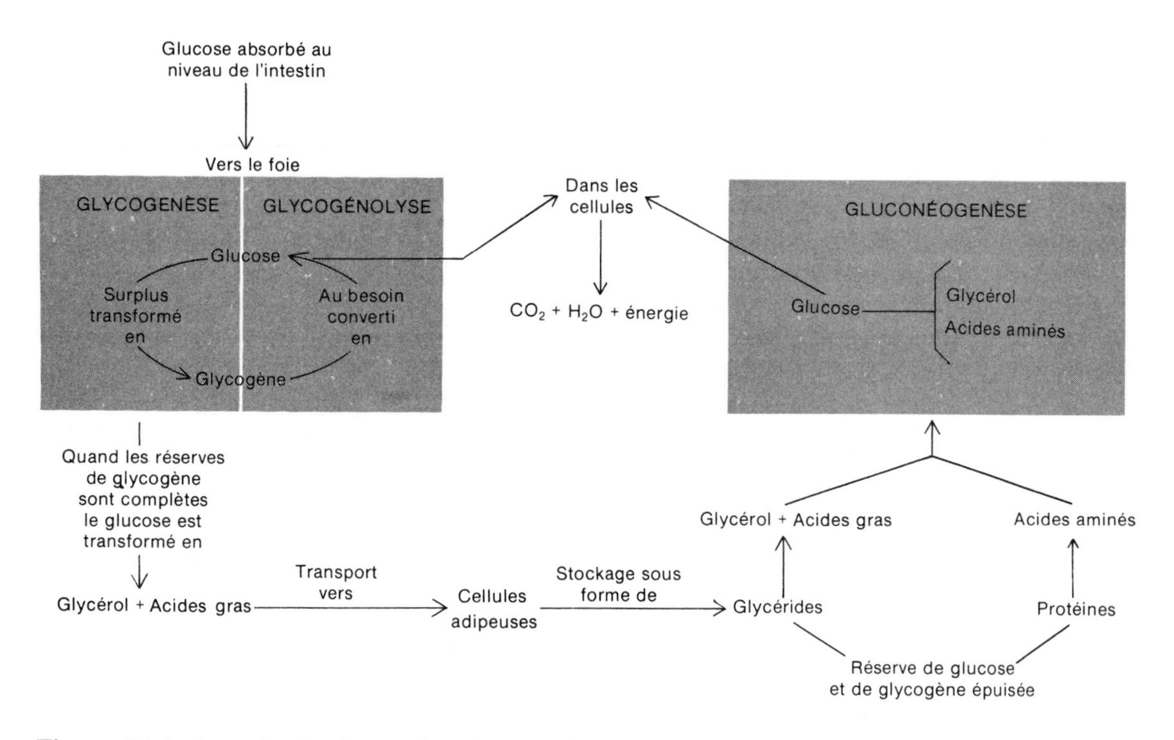

Figure 12-1 Le cycle du glucose dans le corps humain.

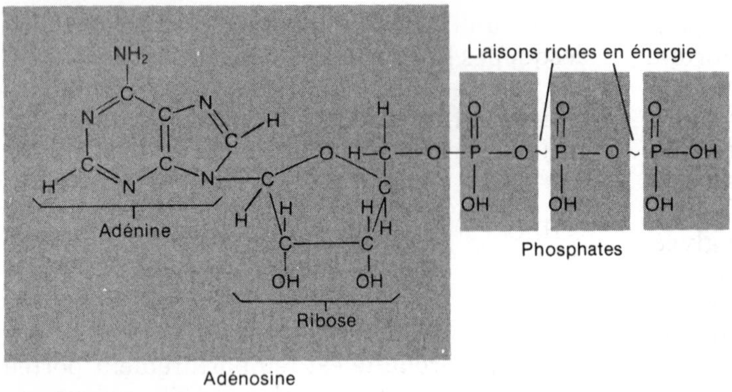

Liaisons riches en énergie

Adénine

Ribose

Phosphates

Adénosine

ATP

AMP (adénosine *mono*phosphate) = adénosine − P

ADP (adénosine *di*phosphate) = AMP ~ P

ATP (adénosine *tri*phosphate) = AMP ~ P ~ P = ADP ~ P

Figure 12-2 Structure chimique de l'ATP.

L'ATP Le rôle de l'ATP s'apparente à celui d'un réseau de distribution d'électricité en ce qui concerne la transmission de l'énergie. Un coup d'oeil à la figure 12-2 révèle que l'ATP comprend trois parties: (1) une base azotée, l'adénine, qu'on retrouve aussi dans l'ADN, (2) un ribose, un glucide (sucre) à 5C, et (3) trois groupements phosphate (on représente les phosphates inorganiques par P_i) constitués chacun d'un atome de phosphore (P) entouré d'atomes d'oxygène. Remarquer que les trois groupements phosphate sont attachés à la suite, un peu comme trois wagons derrière une locomotive. En se référant à la figure 12-2, on constate que les liaisons chimiques qui relient les deux derniers phosphates au reste de la molécule sont riches en énergie et labiles, c'est-à-dire qu'on peut facilement les faire et les défaire. L'enlèvement du dernier groupement phosphate transforme l'ATP en *adénosine diphosphate,* l'*ADP*. L'enlèvement de deux phosphates laisse une molécule d'*adénosine monophosphate*, l'*AMP*. Ces deux réactions sont réversibles et peuvent s'écrire ainsi:

$$\text{AMP} + P_i + \text{énergie} \rightleftharpoons \text{ADP}$$

$$\text{ADP} + P_i + \text{énergie} \rightleftharpoons \text{ATP}$$

On constate que l'addition d'un P_i sur l'AMP ou l'ADP demande de l'énergie et que celle-ci est libérée ou transférée à une autre molécule lors de l'enlèvement d'un P_i. L'ATP est ainsi un maillon essentiel entre les réactions *exergoniques* (qui libèrent de l'énergie) et *endergoniques* (qui utilisent de l'énergie). La plupart des réactions cataboliques sont du premier type alors que les réactions anaboliques sont généralement endergoniques (figure 12-3). Les traits ondulés qui relient les deux derniers phosphates sur la figure 12-2 représentent des liens dits «riches en énergie», contenant plus de 2 fois l'énergie d'une liaison «normale» ou «moyenne». En conséquence l'organisme doit dépenser plus d'énergie pour attacher ces deux groupements phosphate à la molécule d'adénosine que pour former une liaison chimique quelconque.

Les cellules sont des réservoirs où l'ATP, l'ADP et le P_i sont en équilibre dynamique. À chaque seconde des milliers d'ATP sont formées à partir de l'ADP et du P_i; un nombre équivalent d'ATP est aussi dégradé et cède de l'énergie aux processus métaboliques. Ainsi l'ADP et le P_i sont sans cesse recyclés dans une ronde énergétique perpétuelle où l'énergie produite par la respiration est utilisée par les processus qui en consomment.

L'ATP représente en fait l'énergie courante de la cellule; on pourrait dire, par analogie, que notre capacité de dépenser vient de l'argent gagné en travaillant. De la même manière, l'énergie de la respiration cellulaire est mise en

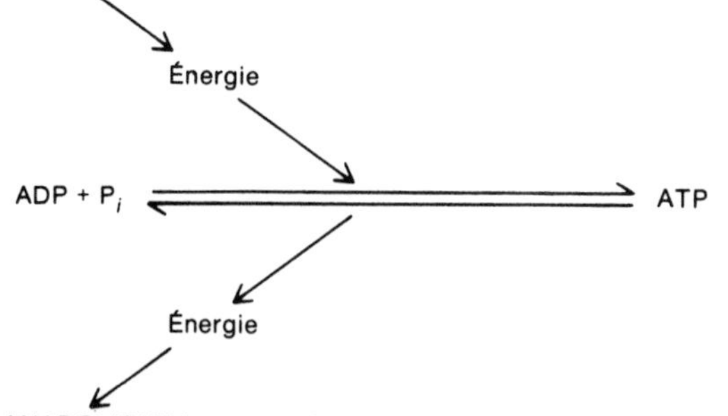

Figure 12-3 La réversibilité de la réaction ADP + $P_i \leftrightharpoons$ ATP assure le lien entre l'anabolisme et le catabolisme.

réserve dans l'ATP. Cependant l'ATP ne représente pas un compte d'épargne, mais un compte courant qui doit suffire aux besoins au jour le jour. Pour la cellule, la banqueroute ou le manque de fonds signifie la mort.

La glycolyse La plus grande partie des réactions de la respiration cellulaire peut être classée en trois groupes: la glycolyse, le cycle tricarboxylique (cycle de Krebs), et le transport des électrons (chaîne des cytochromes). La *glycolyse* représente les premières réactions de la respiration cellulaire à partir du glucose. Ces réactions ont été décrites pour la première fois dans les années 20 par Embden et Meyerhof, et représentent la coupure et la dégradation partielle d'une molécule de glucose en deux acides pyruviques à 3C. Comme pour toutes les réactions métaboliques, chaque étape de la glycolyse est catalysée par une enzyme spécifique et le résultat énergétique est un gain net de 2 ATP. On peut ainsi résumer ce processus:

Glucose ⟶ 2 Ac. pyruviques + 2 ATP + Hydrogène

Examinons les réactions individuelles telles que présentées à la figure 12-4.

Dans une première étape le glucose (6C) accepte un groupement phosphate (Ⓟ) d'une ATP. L'ATP est le donneur parce qu'une certaine quantité d'énergie est nécessaire pour lier le Ⓟ au squelette carboné du glucose. L'ATP fournit ainsi non seulement le Ⓟ mais encore l'énergie de liaison. La formation consécutive d'une ADP n'augmente pas nécessairement la réserve cellulaire d'ADP; lorsqu'il y a de l'oxygène, en effet, les mitochondries transforment rapidement les ADP en ATP. La phosphorylation du glucose sur le carbone 6 donne le glucose-6-phosphate. La réaction suivante représente un réarrangement des atomes d'oxygène et d'hydrogène pour former le fructose-6-phosphate. Une enzyme est encore nécessaire pour cette étape. Puis une autre ATP vient donner un Ⓟ en position C_1 du fructose-6-phosphate et on obtient le fructose-1, 6-diphosphate. Jusqu'ici on a donc utilisé 2 ATP sans en former une seule. Le fructose-1, 6-diphosphate est maintenant coupé en deux fragments tricarbonés, la *phosphoglycéraldéhyde* (*PGA*), qui est oxydée en *di*phosphoglycérate. Les deux molécules de diphosphoglycérate possèdent maintenant un Ⓟ à chaque extrémité, soit sur les atomes de carbone 1 et 3. D'où viennent-ils? Celui qui est en C_1 vient de la phosphorylation du glucose et du fructose, donc de l'ATP, alors que celui qui est en C_3 vient de la réserve cellulaire de P_i (PO_4^{3-}). L'importance de cette phosphorylation en C_3 vient de ce qu'elle conserve l'énergie d'oxydation du groupement aldéhyde de la PGA dans son produit d'oxydation, le diphosphoglycérate.

Les deux diphosphoglycérates perdent ensuite leurs Ⓟ au profit de l'ADP. Puisqu'il y avait 4 Ⓟ impliqués, 4 ATP sont ainsi formées, un gain net de 2 ATP sur l'investisse-

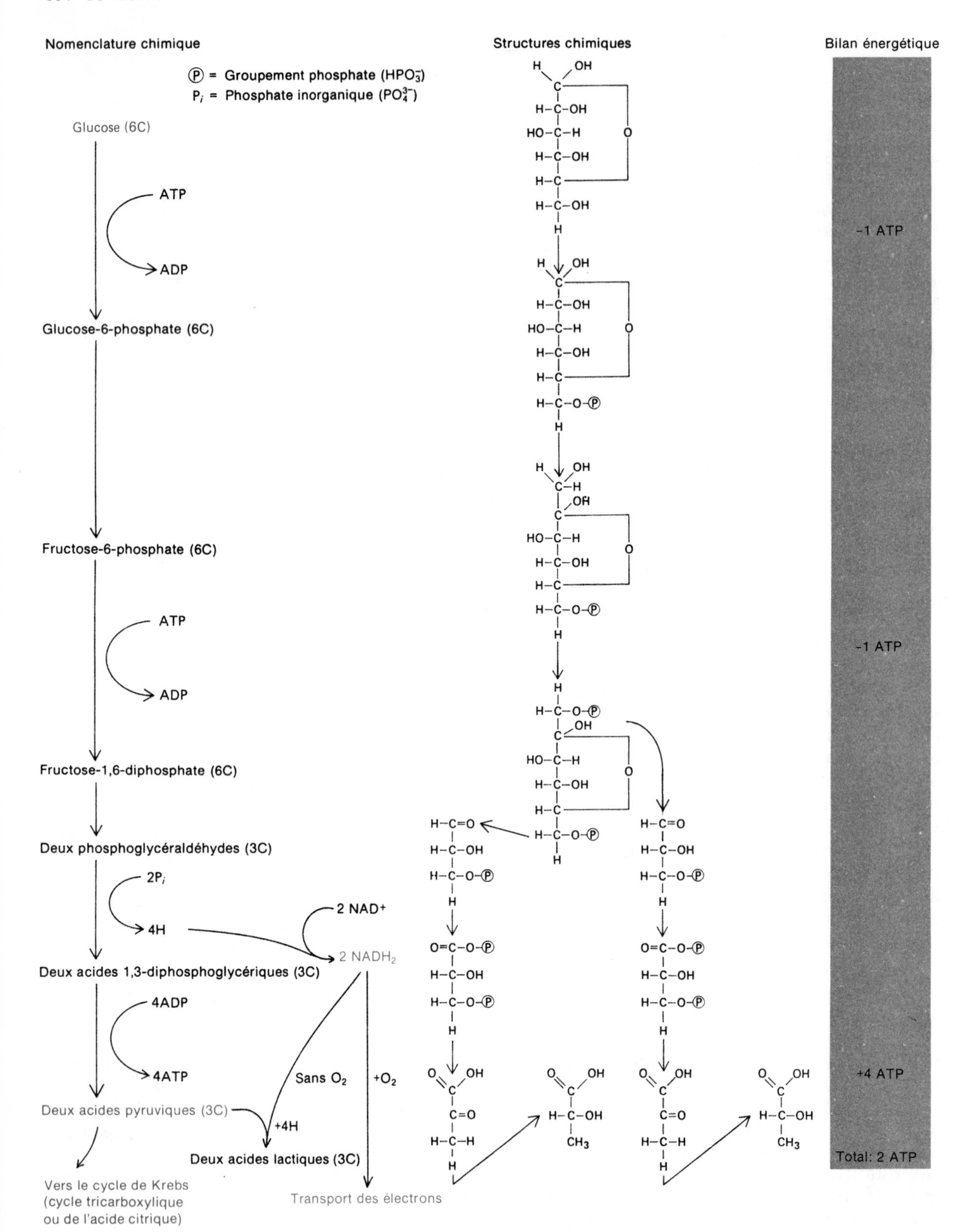
Nomenclature chimique
Structures chimiques
Bilan énergétique
Ⓟ = Groupement phosphate (HPO_3^-)
P_i = Phosphate inorganique (PO_4^{3-})
Glucose (6C)
ATP
ADP
Glucose-6-phosphate (6C)
Fructose-6-phosphate (6C)
ATP
ADP
Fructose-1,6-diphosphate (6C)
Deux phosphoglycéraldéhydes (3C)
$2P_i$
4H
2 NAD^+
2 $NADH_2$
Deux acides 1,3-diphosphoglycériques (3C)
4ADP
4ATP
Sans O_2
$+O_2$
Deux acides pyruviques (3C)
+4H
Deux acides lactiques (3C)
Vers le cycle de Krebs (cycle tricarboxylique ou de l'acide citrique)
Transport des électrons
-1 ATP
-1 ATP
+4 ATP
Total: 2 ATP

ment initial. Sans groupements phosphate, le diphosphoglycérate devient de l'*acide pyruvique*, un composé central du métabolisme cellulaire. On remarque que l'énergie mise en réserve dans l'ATP vient immédiatement du diphosphoglycérate, mais que ce dernier s'est formé en définitive grâce à l'énergie préalablement stockée dans une molécule de glucose présente, à l'origine, dans une plante verte qui a synthétisé le glucide en utilisant l'énergie du soleil (par photosynthèse).

En cours de route on a dû oxyder le fructose-1, 6-diphosphate pour former la PGA grâce à l'enlèvement de 4 atomes d'hydrogène. Que deviennent-ils? Si on assume qu'il n'y a pas d'oxygène disponible en quantité suffisante pour que la respiration *aérobie* (respiration en présence d'oxygène) puisse se faire, alors l'hydrogène est cédé à l'ac. pyruvique qui devient de l'ac. lactique. Une telle situation peut exister, par exemple, dans les muscles d'un sprinter à la fin d'une course exténuante. La respiration en anaérobiose est présentée à la figure 12-8. L'accumulation d'ac. lactique dans le sang et les muscles est en partie responsable de la sensation de fatigue. L'acidification du sang par l'ac. lactique stimule la respiration et provoque le halètement. L'oxygène supplémentaire ainsi obtenu sert à dégrader une fraction de l'ac. lactique, libérant l'énergie nécessaire pour retransformer le reste en glucose. C'est un peu comme si le sprinter, en utilisant plus d'énergie que le sang ne peut fournir d'oxygène aux muscles, contracte une dette qui doit être payée à la fin de l'effort (la *dette d'oxygène*). La respiration anaérobie cependant ne libère que 2 ATP par molécule de glucose; c'est donc un processus inefficace qui utilise une grande quantité de combustible. Pour cette raison la masse des cellules musculaires comprend environ 1 pour 100 de glycogène, beaucoup plus que les autres cellules, exception faite des cellules hépatiques.

Le cycle tricarboxylique En aérobiose l'ac. pyruvique ne sert pas d'accepteur d'hydrogène; il est complètement dégradé par une suite de réactions, le *cycle tricarboxylique*, encore appelé *cycle de Krebs*. Remarquer à la figure 12-5 que l'ac. pyruvique est transformé en un composé à 2 carbones, un acétyle, par perte d'un atome de carbone sous la forme de CO_2. Le gaz carbonique ainsi produit est véhiculé aux poumons par le sang et est expiré. Dans la cellule, le radical acétyle se combine à la coenzyme A pour former l'*acétyl CoA*. La CoA est synthétisée à partir d'une vitamine du complexe B, l'ac. pantothénique. Le fragment acétyle pénètre dans le cycle en s'associant à l'ac. oxaloacétique, un composé à 4 carbones présent dans toutes les cellules, et la liaison chimique des deux molécules donne l'*acide citrique*, un produit à 6 carbones. (On nomme aussi le cycle de Krebs, *cycle de l'ac. citrique*.) Les réactions suivantes libèrent un premier puis un second groupement C-O (*carbonyle*) de l'ac. citrique sous la forme de CO_2. À la fin de la boucle on retrouve l'ac. oxaloacétique (4C) qui devient disponible pour s'associer à un autre acétyl CoA et amorcer un autre cycle. La libération des trois molécules de CO_2 équivaut à la dégradation complète de l'ac. pyruvique. Puisque le cycle de Krebs ne produit directement aucune molécule d'ATP[1], les deux seules formées jusqu'à maintenant viennent de la glycolyse par phosphorylation au niveau du substrat; on est encore loin des 38 ATP promises!

Le transport des électrons La manipulation du glucose par la glycolyse et le cycle de Krebs enlève des atomes d'hydrogène qui seront éventuellement mis en présence d'oxygène pour former de l'eau. On sait d'autre part qu'un mélange gazeux de H_2 et de O_2 dans des proportions précises (2:1) et sous des conditions de température et de pression adéquates est instable et tend à brûler ou à exploser. Si l'énergie du glucose était ainsi libérée tout d'un coup, la cellule ne pourrait l'utiliser efficacement et la température corporelle s'élèverait considérablement. Pour pallier à cette difficulté la cellule libère l'énergie contenue dans ses «aliments» par petites quantités grâce au *transport des électrons* (encore appelé la *chaîne des cytochromes*).

Figure 12-4 Résumé des réactions de la glycolyse. L'efficacité des réactions est assurée par des enzymes, une par étape. Chaque transformation est décrite dans le texte.

[1] Certains auteurs considèrent que la formation de GTP (guanosine triphosphate) correspond de fait à la production d'une ATP par le cycle.

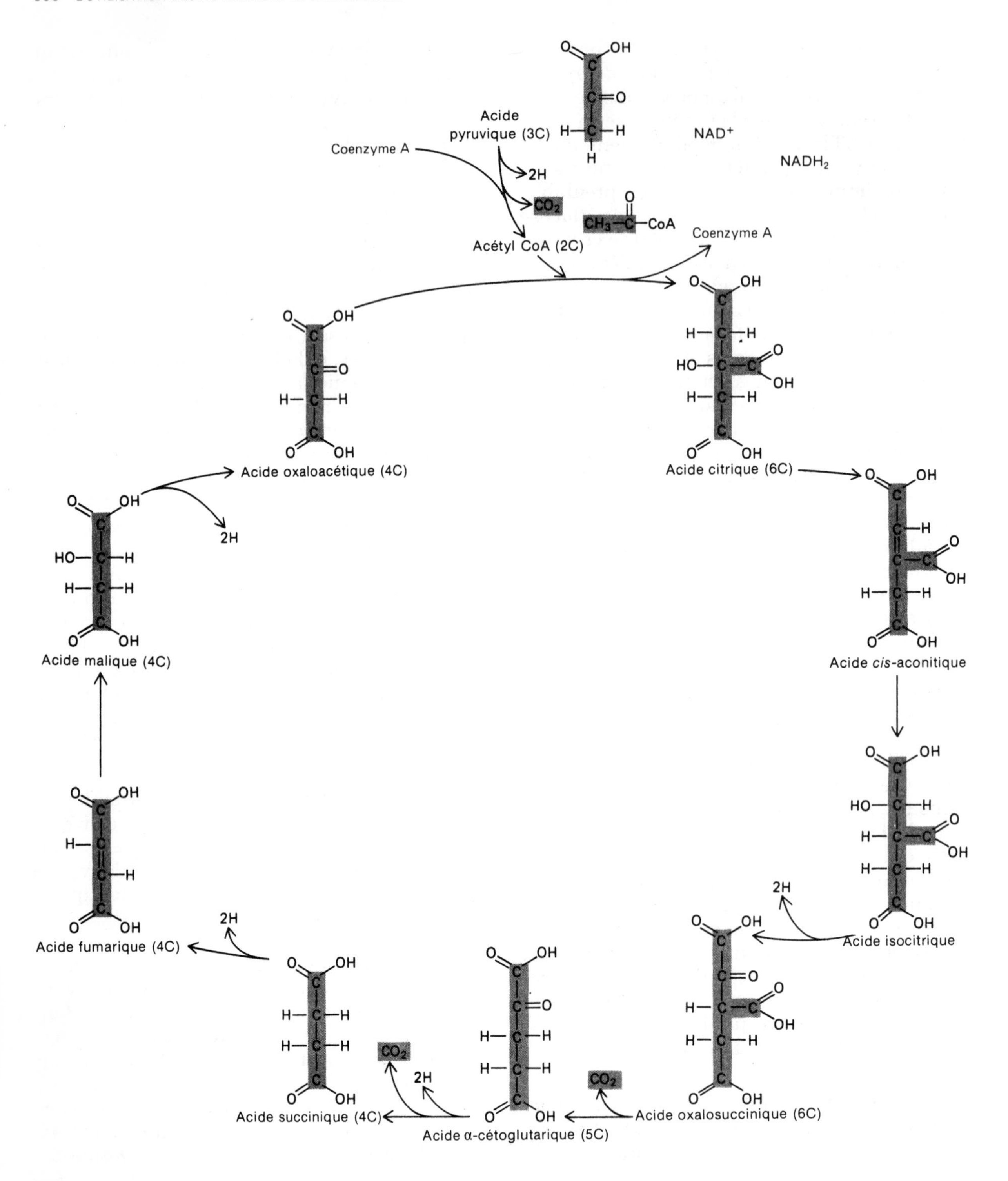

Figure 12-5 Le cycle tricarboxylique (cycle de Krebs). Chaque réaction du cycle requiert une enzyme spécifique.

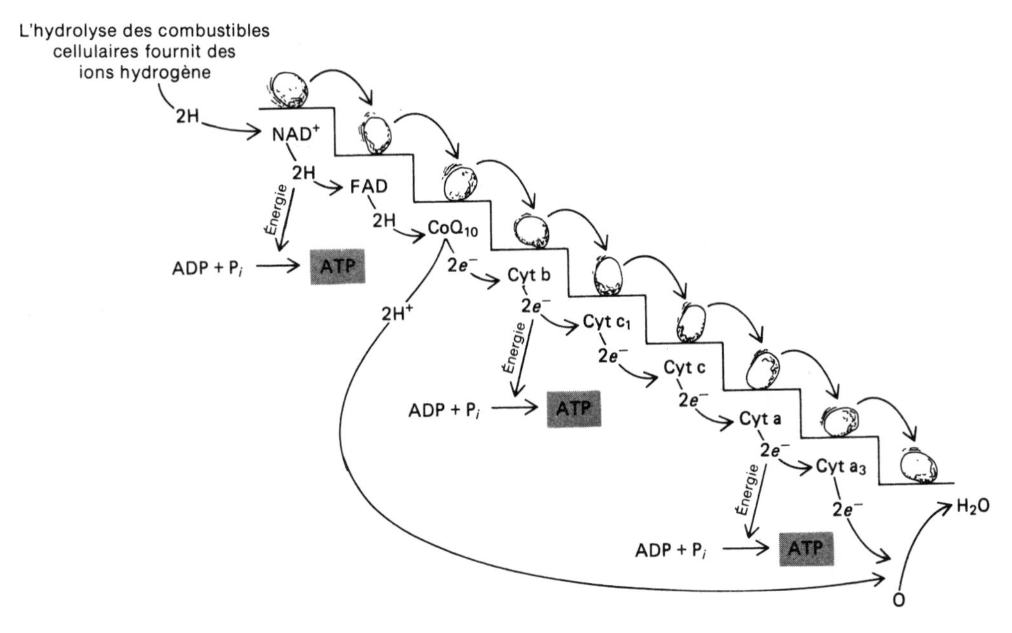

Figure 12-6 Le transport des électrons. La production énergétique de la chaîne est de 3 ATP à partir du $NADH_2$ et de 2 ATP à partir de la $FADH_2$.

Imaginons qu'un bloc de pierre soit placé au sommet d'une falaise abrupte de 30 mètres. S'il est poussé dans le vide son énergie potentielle est libérée en une seule étape, sous forme de chaleur, lorsqu'il heurte le sol, et la brusque contrainte peut disloquer le bloc en multiples fragments. D'un autre côté on pourrait construire un escalier de haut en bas de la falaise et descendre le bloc marche par marche; la même quantité d'énergie potentielle serait libérée, mais la probabilité de garder le bloc intact serait plus grande. Le dégagement d'énergie se faisant par étapes, la quantité libérée à chaque marche est relativement plus faible. Le glucose subit un sort un peu analogue dans les cellules. L'énergie potentielle de cette molécule est considérable et sa dégradation brusque libérerait une grande quantité de chaleur. C'est pourquoi les cellules la dégradent par étapes et lui enlèvent progressivement ses atomes; le carbone et l'oxygène sont libérés sous forme de CO_2 alors que les atomes d'hydrogène et les électrons sont associés successivement à plusieurs accepteurs avant de se combiner avec l'oxygène pour former de l'eau. Les accepteurs (sauf l'oxygène terminal) sont des molécules organiques qui, associées à l'hydrogène ou à des électrons, se distinguent de leurs voisines par une faible différence d'énergie potentielle chimique. La série de réactions impliquant les quelque 10 composés accepteurs d'hydrogène et d'électrons permet à la cellule de libérer de l'énergie par petites quantités et, à certaines étapes, de former de l'ATP si la différence d'énergie potentielle chimique entre deux accepteurs successifs le permet.

Le premier accepteur de la série, le *NAD* (*nicotinamide-adénine-dinucléotide*) est synthétisé par la cellule à partir de la niacine, l'une des vitamines du complexe B. En acceptant l'hydrogène il est réduit en $NADH_2$. L'hydrogène est ensuite refilé à un second composé, la *FAD* (*flavine-adénine-dinucléotide*), qui vient de la riboflavine, une autre vitamine du complexe B. La FAD devient de la $FADH_2$. [Avant d'aller plus loin, on doit rappeler qu'une perte d'hydrogène (ou d'électron) est une oxydation alors que le gain d'hydrogène (ou d'électron) est une réduction.] La facilité avec laquelle ces deux composés sont oxydés ou réduits est incroyable! Chacun peut passer d'un état à l'autre des centaines de fois par seconde, véhiculant des atomes d'hydrogène à la manière des anciens pompiers qui se passaient des seaux d'eau de main à main en faisant la chaîne. Le contenu énergétique du $NADH_2$ est plus grand que celui de la $FADH_2$. Puisque l'énergie ne peut être ou créée ou détruite, la différence se retrouve en bonne partie sous forme de chaleur et l'autre partie sert à la synthèse d'ATP à partir d'une ADP et d'un phosphate. Les détails de cette réaction sont inconnus.

Après l'étape de la FAD, l'hydrogène se sépare en ses deux éléments constitutifs (un proton et un électron) qui suivent des routes différentes. L'électron continue à débouler l'escalier alors que le proton est libéré dans la mitochondrie. On doit ajouter qu'en fait *deux* électrons passent d'un accepteur à l'autre, en même temps, tout au long de la chaîne. Les accepteurs d'électrons sont des *cytochromes*, des pigments chimiquement similaires à l'hémoglobine du sang, une molécule aussi facile-

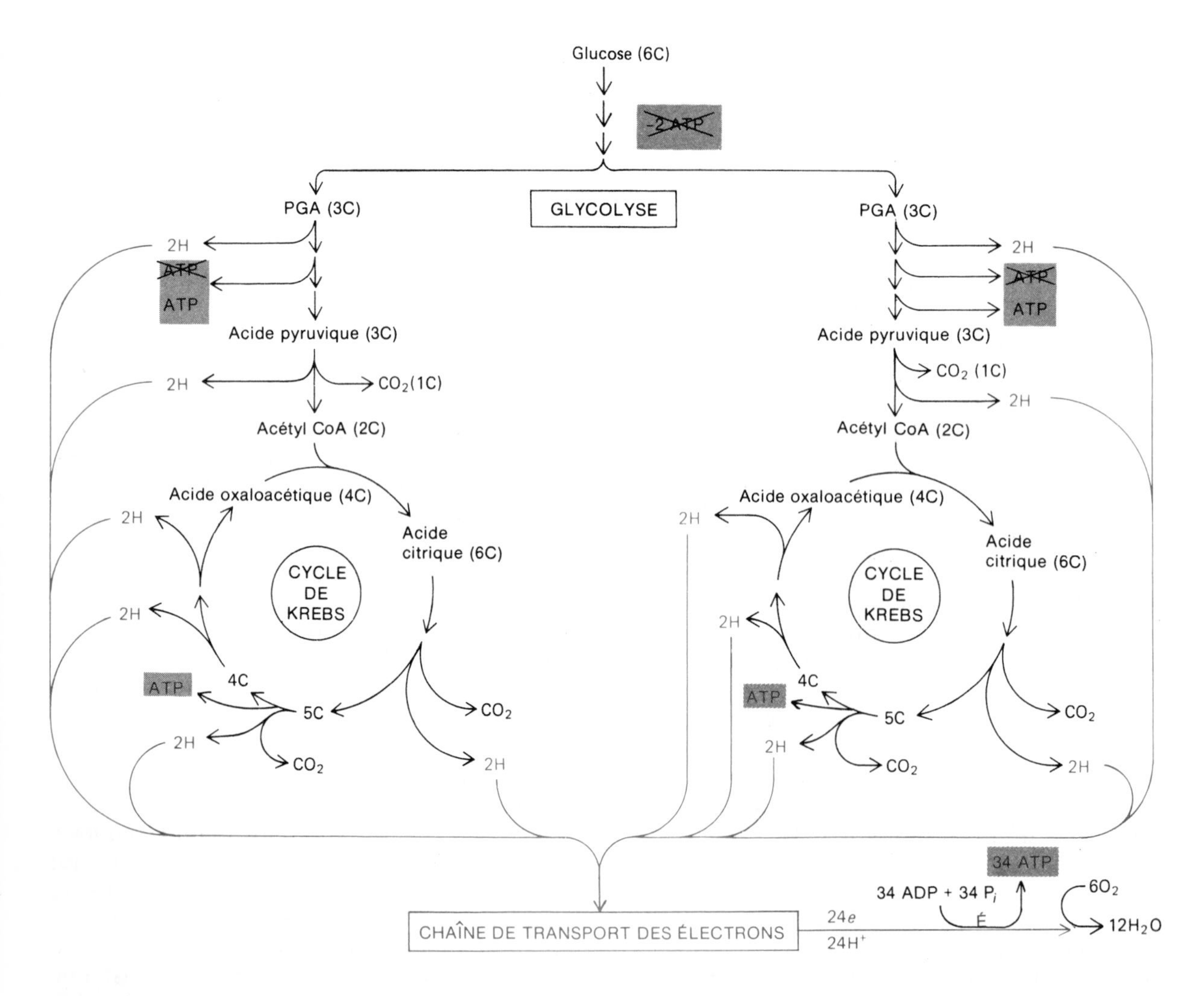

Figure 12-7 Résumé des réactions de la respiration aérobie.

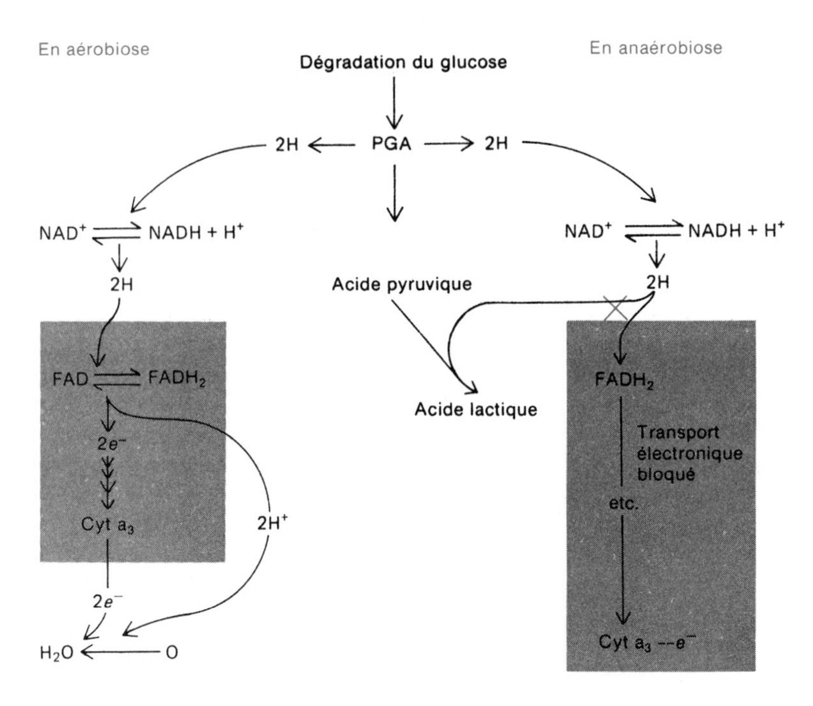

Figure 12-8 La glycolyse aérobie et anaérobie.

ment oxydée et réduite que ses frères et soeurs de la chaîne. La différence réside dans le fait que l'oxydation de l'hémoglobine dépend de son association temporaire avec des atomes d'oxygène alors que l'oxydation et la réduction des cytochromes est une question de perte ou de gain d'électrons. En deux endroits de la chaîne des cytochromes la différence d'énergie potentielle est suffisante pour produire une molécule d'ATP, et c'est exactement ce qui se passe. En bout de course les électrons réagissent avec l'oxygène en ne produisant qu'un peu de chaleur. Les protons libérés en haut de l'escalier aboutissent eux aussi sur l'oxygène et reforment deux atomes d'hydrogène; il apparaît ainsi une molécule d'eau. Chaque paire d'atomes d'hydrogène qui s'engage dans la cascade électronique à partir du $NADH_2$ permet de former 3 ATP. La figure 12-7 résume les étapes de la respiration cellulaire.

La respiration aérobie vs anaérobie Plus de 90 pour 100 de l'ATP formée dans la plupart des cellules est produit par la respiration aérobie. Le glucose cède ainsi toute son énergie et 38 ATP sont produites par son oxydation complète; l'efficacité globale du processus, comparée à la valeur énergétique théorique de la molécule, est de 44 pour 100.

Lorsqu'il existe un déficit cellulaire en oxygène les électrons du dernier cytochrome de la chaîne peuvent ne pas trouver d'accepteur; le précédent accepteur ne pouvant passer les siens demeure réduit et ainsi de suite jusqu'au $NADH_2$. Le transport des électrons cesse donc de produire de l'ATP, situation que la majorité des cellules ne peut tolérer très longtemps; la quantité d'énergie produite en anaérobiose est insuffisante pour soutenir la vie, certaines cellules ne pouvant pas fonctionner dans ces conditions. Le tableau 12-3 et la figure 12-8 comparent les deux processus respiratoires.

Le manque d'oxygène n'est pas le seul facteur de blocage de la chaîne. Plusieurs poisons, dont le cyanure, en inhibent l'activité normale en se liant fermement avec le dernier cytochrome; celui-ci ne pouvant plus accepter d'électrons arrête le transfert, la production d'ATP cesse pratiquement, et la cellule meurt.

Tableau 12-3 Comparaison de la respiration aérobie et anaérobie

	Anaérobiose	Aérobiose
Gain d'ATP		
Par la glycolyse	2 ATP	2 ATP (O_2 non requis)
Par le transport des électrons		
2 $NADH_2$ (4H) de la glycolyse		6 ATP
2 $NADH_2$ (4H) de l'ac. pyruvique		6 ATP
6 $NADH_2$ (12H) du cycle de Krebs		18 ATP
2 $FADH_2$ (4H) du cycle de Krebs		4 ATP
Par phosphorylation au niveau du substrat dans le cycle de Krebs		2 ATP
Gain net d'ATP	2 ATP	38 ATP
Accepteur d'hydrogène	Ac. pyruvique	O_2
Métabolites terminaux	Ac. lactique	CO_2 et H_2O

La régulation de la respiration cellulaire La respiration cellulaire est associée à un assortiment d'environ 100 réactions chimiques différentes. On peut s'imaginer un peu le problème de contrôler l'ensemble du processus d'une manière équilibrée, de l'ajuster aux besoins changeants des cellules ou encore aux exigences particulières des divers types de cellules. Ce contrôle est bien sûr sous la responsabilité des enzymes qui catalysent chaque réaction et en régularisent la vitesse.

Le fonctionnement adéquat de la respiration cellulaire repose sur un apport constant de nutriments combustibles et d'oxygène. Ceci étant acquis, le rythme des réactions est d'abord régularisé par les stocks d'ADP et de phosphate disponibles; la synthèse d'ATP gruge les réserves cellulaires d'ADP et de P_i et la respiration ralentit. L'utilisation subséquente d'ATP pour les activités cellulaires regarnit les réserves d'ADP et de P_i entraînant une accélération de la respiration. On observe donc une autorégulation du rythme général des réactions qui assure un ajustement de la production aux besoins énergétiques variables des cellules.

Alors que les réactions de la glycolyse se déroulent dans le cytoplasme, dans une phase liquide, les réactions du cycle de Krebs et du transport des électrons ont lieu dans les mitochondries, sur un support membranaire. La membrane externe des mitochondries est le siège d'un important transport actif et probablement aussi d'un contrôle très sélectif de ce qui entre et sort. La plupart des enzymes de la respiration de même que les constituants du système cytochrome oxydase sont associés à la membrane interne. Il semble possible et même probable que ces enzymes soient placées les unes par rapport aux autres selon une orientation et une disposition spatiales compatibles avec l'ordre des réactions impliquées; les molécules, les électrons et les ions hydrogène, passeraient ainsi aisément de l'une à l'autre, augmentant énormément l'efficacité et la rapidité de tout le système. Les enzymes sont probablement incluses dans la structure même de la membrane mitochondriale interne puisqu'on ne peut les détacher qu'en brisant cette membrane. Les lignes d'assemblage construites par les ingénieurs sont véritablement dérisoires en comparaison des lignes de démontage des mitochondries. Il est malheureux qu'on ne puisse les voir fonctionner *in vivo*, agitées de vibrations qui produisent des milliers de transformations moléculaires complexes à chaque seconde, laissant échapper un flot continu d'ATP, d'eau et de CO_2, comme celles des centaines d'autres mitochondries de chacune des milliards de cellules de l'organisme.

LES LIPIDES

Les cellules utilisent les lipides comme combustible, comme partie intégrante de leurs membranes, et comme constituant des hormones stéroïdes, des sels biliaires et de quelques autres substances. Le régime moyen d'un Nord-Américain ou d'un Européen a une valeur énergétique basée environ à 40 pour 100 sur son contenu lipidique. Dans les pays pauvres ce pourcentage peut tomber en dessous de 10 pour 100, les aliments riches en lipides (viandes, oeufs, produits laitiers) étant relativement chers. On ne connaît pas de carences alimentaires en lipides parce qu'ils sont largement représentés dans la nourriture. On a montré cependant qu'au moins deux acides gras sont essentiels dans l'alimentation humaine; le corps peut synthétiser tous les autres lipides dont il a besoin (glycérides et cholestérol) à partir de nutriments non lipidiques.

Les lipides alimentaires sont presque exclusivement ingérés sous la forme de triglycérides (98 pour 100) (voir le tableau 2-2 et la figure 2-3). Ceux-ci peuvent être saturés, c'est-à-dire complets en ce qui a trait à leur contenu en hydrogène, mono-insaturés (contenant une seule double liaison C=C dans un acide gras, ce qui permet d'ajouter deux atomes d'hydrogène à la molécule), ou encore poly-insaturés (contenant plus d'une double liaison, ce qui permet l'addition d'au moins quatre atomes d'hydrogène) (figure 12-9). En règle générale les graisses animales sont riches en glycérides saturés et en cholestérol; les huiles végétales, au contraire, ne contiennent pas de cholestérol et leurs glycérides sont en majorité poly-insaturés. Parmi ces dernières, on utilise beaucoup les huiles tirées des grains de maïs, de soya, de coton et de safran. Les huiles d'olive et d'arachide contiennent un grand nombre de glycérides mono-insaturés. On retrouve surtout des glycérides saturés dans le beurre (environ 66 pour 100); 31 pour 100 sont mono-insaturés et seulement 3 pour 100 sont poly-insaturés. Les proportions sont inversées dans l'huile de soya: 15 pour 100 d'acides gras saturés, 25 pour 100 mono-insaturés et 60 pour 100 poly-insaturés. L'huile de safran présente une proportion encore plus grande d'acides gras poly-insaturés, soit 75 pour 100.

La diète nord-américaine fournit quotidiennement environ 700 mg de cholestérol alors que l'apport recommandé n'est que de 300 mg. Ce régime est donc trop fortement axé sur les jaunes d'oeuf, le beurre et la viande, les trois principales sources de cholestérol alimentaire. L'organisme n'a même pas besoin de cholestérol exogène puisqu'il peut le synthétiser *de novo* à partir d'acétate.

De nombreuses recherches s'effectuent aujourd'hui sur les lipides surtout à cause de leur implication probable dans l'étiologie de l'athérosclérose («durcissement des artères»), maladie à développement lent caractérisée par des dépôts lipidiques intraluminaux qui bouchent éventuellement des vaisseaux sanguins. Comme nous le verrons au chapitre 13, l'athérosclérose provoque des troubles circulatoires et des maladies coronariennes, et son occurrence est reliée à un régime alimentaire riche en glycérides saturés et en cholestérol. Bien que le foie synthétise et mette continuellement du cholestérol en circulation, un régime qui fournit beaucoup de glycérides saturés peut provoquer une élévation de plus de 25 pour 100 de la cholestérolémie, exactement comme peut le faire une forte ingestion de cholestérol. D'un autre côté si le régime contient beaucoup de glycérides poly-insaturés, le taux sanguin de cholestérol a *tendance à baisser*, un état potentiellement favorable à une certaine protection contre l'apparition de l'athérosclérose. Pour toutes ces raisons les huiles végétales sont de plus en plus utilisées en lieu et place du beurre et du lard pour la cuisson et la friture; le lait écrémé et la margarine supplantent lentement le lait entier et le beurre. (Noter que dans la fabrication des margarines, les huiles végétales subissent une hydrogénation partielle qui réduit le nombre de leurs doubles liaisons.)

Le sort des lipides

Nous avons vu au chapitre précédent que les chylomicrons étaient formés dans les cellules épithéliales du petit intestin et absorbés dans les chylifères des villosités. À partir de la circulation lymphatique les chylomicrons gagnent le sang par le *conduit* (*canal*) *thoracique* (un gros vaisseau qui ramène la lymphe vers la circulation sanguine). Lorsque le sang passe par les tissus adipeux, la plupart des chylomicrons sont prélevés; en-dedans de quelques minutes après son absorption le contenu lipidi-

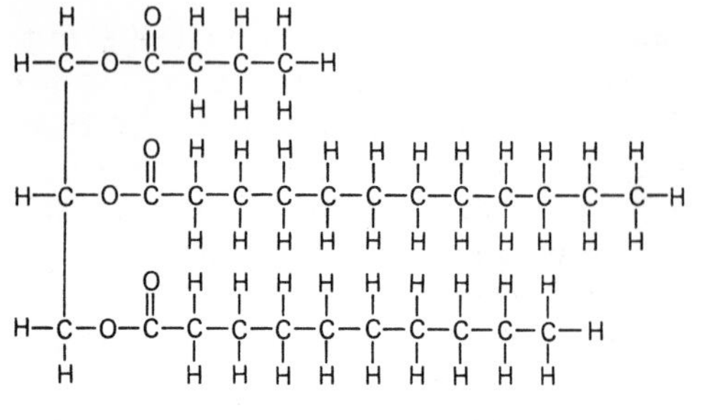

(a)

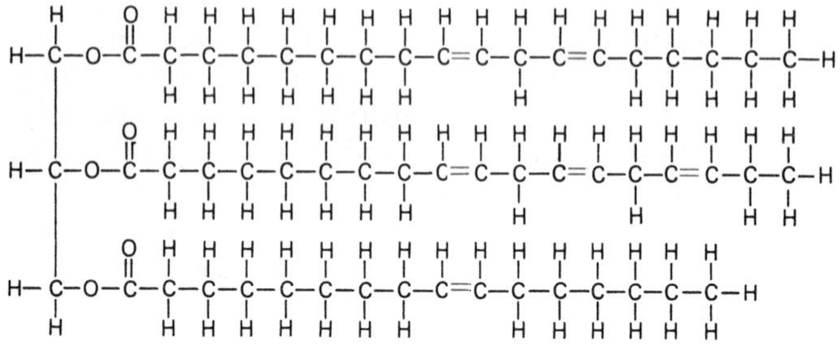

(b)

Figure 12-9 Comparaison entre un triglycéride saturé et poly-insaturé. (*a*) Triglycéride formé de trois acides gras saturés. (*b*) Triglycéride formé de trois acides gras contenant des doubles liaisons, donc insaturés.

que des chylomicrons est stocké sous forme de graisse.

La mobilisation des graisses à partir du tissu adipeux se fait sur demande. Les triglycérides sont hydrolysés dans les cellules adipeuses et les acides gras sont libérés dans la circulation. Ils s'associent à l'albumine plasmatique et sont transportés sous la forme d'un complexe lipoprotéique.

Le niveau sanguin normal d'ac. gras libres, à jeûn, est d'environ 15 mg/100 ml, mais le taux de renouvellement est extrêmement rapide. C'est la raison pour laquelle l'organisme peut mobiliser de grandes quantités d'ac. gras sans élévation importante de leur concentration sanguine. Le tissu adipeux, contrairement à ce qu'on peut penser, contient des cellules très actives qui dégradent et synthétisent continuellement les triglycérides; par exemple, les lipides que vous avez ingérés la semaine dernière ont été stockés sous une forme différente de celle où ils se trouvent aujourd'hui dans vos cellules adipeuses, même si la quantité totale est probablement la même!

Les chylomicrons sont composés de lipoprotéines, des associations de lipides et de protéines. Le foie produit au moins trois autres types d'associations lipoprotéiques, moins volumineuses que celles des chylomicrons, mais qui représentent aussi une forme sous laquelle les lipides, et surtout le cholestérol et les phospholipides, sont véhiculés dans le sang. Les lipoprotéines à faible densité[2], l'un de ces trois types, contiennent surtout du cholestérol; leur forte concentration sanguine est associée à l'incidence et à l'évolution de l'athérosclérose.

L'utilisation énergétique des lipides

La valeur énergétique d'un triglycéride, par unité de masse, est plus du double de celle des glucides et des acides aminés. La dégradation complète d'un acide gras à 6C par la respiration cellulaire fournit 44 ATP comparativement aux 38 ATP libérées par le glucose (une molécule contenant aussi 6C)[3]. Si la réserve corporelle de glycogène est relativement res-

[2] La littérature française parle aussi de *LDL* (Low Density Lipoproteins).

[3] La masse moléculaire d'un ac. gras saturé de cette taille est de 116 g par rapport à 180 g pour le glucose.

treinte, celle des lipides peut être impressionnante; l'organisme les emmagasine surtout dans le tissu adipeux sous-cutané. La «graisse» représente donc une importante réserve énergétique, d'autant plus que la plupart des cellules peuvent se servir indifféremment du glucose ou des acides gras comme combustible. Ces derniers sont métabolisés entre les repas, au moment où la majorité des cellules modifient leur métabolisme énergétique, passant de la glycolyse à l'oxydation des ac. gras. Le glucose est ainsi toujours disponible pour les cellules nerveuses qui ne peuvent, en temps normal, se servir des lipides comme source énergétique.

La baisse de la glycémie induit une activité enzymatique «digestive» dans les cellules adipeuses qui hydrolysent les glycérides en glycérol et en acides gras. Une partie du glycérol est déversée dans le plasma et catabolisée par d'autres cellules; il semble toutefois que la plus grande partie soit catabolisée sur place dans les cellules adipeuses; le glycérol, dans les deux situations, est phosphorylé et transformé soit en PGA, soit en certains autres produits de structure voisine. Ces intermédiaires peuvent ensuite entrer dans les réactions de la respiration aérobie et être dégradés. De leur côté, les acides gras sortent facilement des cellules adipeuses par diffusion et la voie sanguine les achemine vers les différentes cellules de l'organisme (figure 12-10).

Les acides gras sont dégradés en sous-unités acétyle (à 2C) avant de libérer leur énergie potentielle (figure 12-11) par des réactions qui ont lieu surtout dans les cellules hépatiques. Les longues chaînes carbonées sont taillées en maillons par une suite de transformations chimiques complexes, la *β-oxydation*, dont l'étape terminale est d'associer chaque maillon à une molécule de coenzyme A. Les acides gras perdent donc successivement leurs carbones deux à deux et, à chaque fois, libèrent une molécule d'*acétyl coenzyme A* (AcCoA). Une fois détaché de la coenzyme, l'acétyle pourra subir une oxydation complète en entrant dans

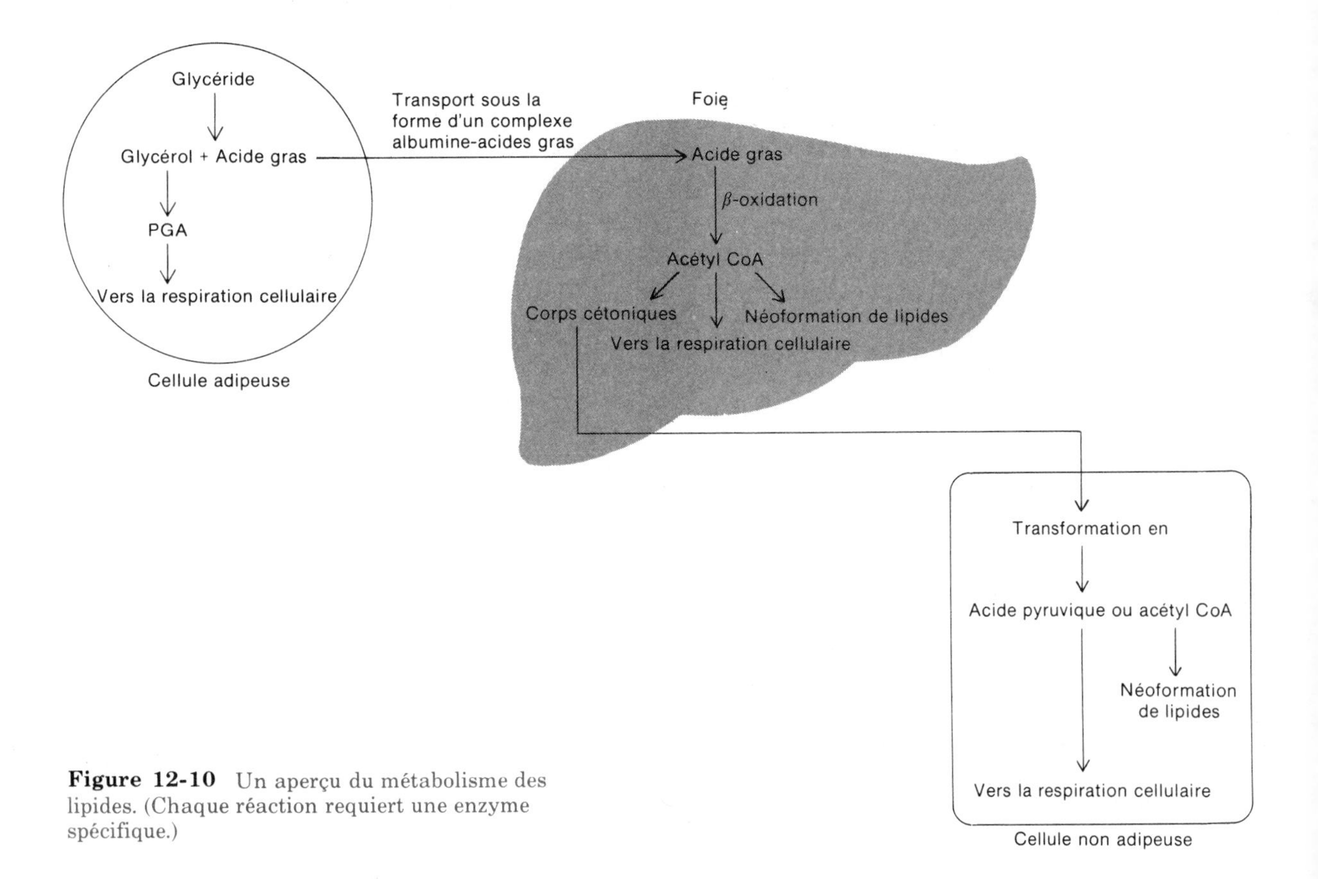

Figure 12-10 Un aperçu du métabolisme des lipides. (Chaque réaction requiert une enzyme spécifique.)

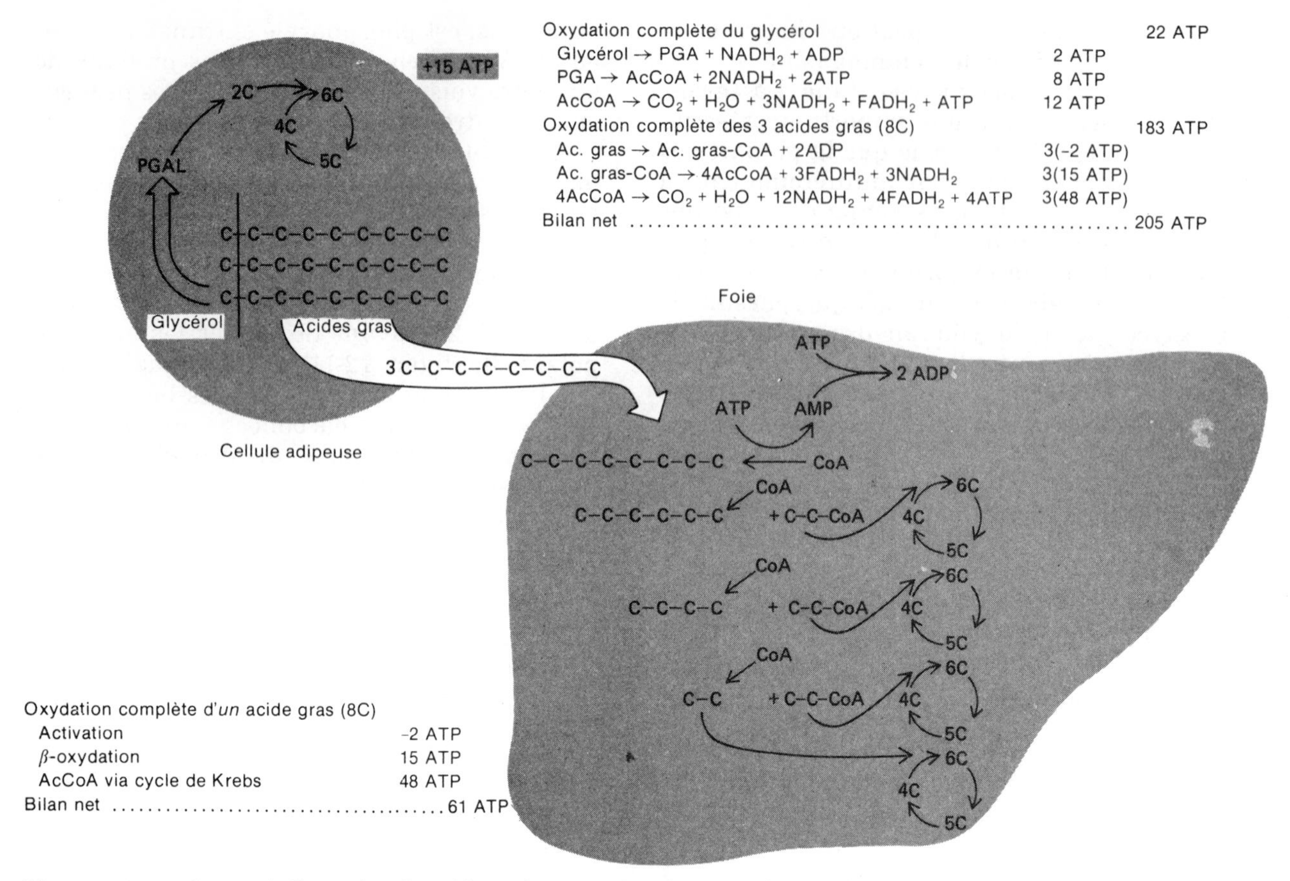

Figure 12-11 Le catabolisme des glycérides et la succession des β-oxydations des acides gras. Le triglycéride de cet exemple permet la formation nette de 205 ATP grâce à la dégradation du glycérol et des trois acides gras à 8 carbones. Par unité de masse, les lipides sont plus «énergétiques» que le glucose qui fournit 38 ATP par molécule.

le cycle de Krebs dans les mitochondries. Les cellules hépatiques oxydent plusieurs des acétyles qu'elles produisent mais une partie doit atteindre les autres cellules de l'organisme. Pour ce faire les AcCoA subissent un certain nombre de transformations permettant la synthèse d'un groupe de molécules diffusibles (les corps cétoniques) qui sortent des cellules hépatiques et atteignent la majorité des autres cellules de l'organisme par voie sanguine.

La coenzyme A est un activateur; certains composés doivent s'y attacher avant de subir des transformations biochimiques. Un type de transformations déjà mentionné est la β-oxydation (figure 12-11); un autre type est la formation des *corps cétoniques* (acétone, acide acétoacétique, acide β-hydroxybutyrique), des composés à faible masse moléculaire et normalement présents dans le sang à une concentration d'environ 3 mg/100 ml. Sous cette forme les acétyles peuvent rejoindre les cellules de l'organisme où ils reformeront des molécules d'AcCoA et seront éventuellement dégradés dans le cycle de Krebs. La concentration sanguine des corps cétoniques peut augmenter considérablement dans certaines conditions anormales, comme lors d'un jeûne ou dans le diabète insipide, où le métabolisme des lipides augmente d'une façon importante. La production des corps cétoniques peut s'accroître de telle façon et si rapidement que leur taux sanguin devient excessif (haute *cétonémie*) et mène à une acidose sanguine éventuellement mortelle; les mécanismes de l'équilibre acidobasique normal sont débordés et le pH baisse. Soulignons finalement qu'on ne connaît pas les raisons pour lesquelles les Esquimaux, dont l'alimentation est extrêmement riche en corps gras, réussissent à conserver un équilibre acido-basique normal.

Les autres usages des lipides

Les cellules utilisent l'AcCoA à plusieurs fins, dont la synthèse de composés essentiels tels que le cholestérol, les sels biliaires, les hormones stéroïdes et les phospholipides. Le cholestérol et les phospholipides fournis par voie sanguine viennent des cellules hépatiques et servent à l'élaboration des structures membranaires cellulaires et sub-cellulaires. Les sels biliaires monopolisent pour leur synthèse environ 80 pour 100 du cholestérol de l'organisme. Le reste sert à la production d'hormones stéroïdes cortico-surrénaliennes et sexuelles; une certaine quantité précipite dans la couche cornée de la peau prévenant la pénétration transépithéliale de plusieurs substances chimiques.

LES PROTÉINES

La fraction protéique de l'alimentation est un indice du niveau de vie d'un individu ou d'une collectivité; de tous les aliments, les protéines représentent la catégorie la plus coûteuse et la plus rare, et leur déficit alimentaire est à la source d'un des problèmes de santé les plus urgents au niveau mondial. Des millions d'êtres humains ont une santé fragile, sont malades et meurent, à cause d'une malnutrition de nature protéique.

Pourquoi les protéines sont-elles aussi importantes dans la nutrition? Surtout parce qu'elles forment la charpente de l'édifice cellulaire (les protéines structurales représentent 50 pour 100 du contenu organique du corps). Les enzymes sont aussi des protéines; elles sont utilisées dans le métabolisme pour synthétiser, transformer, et dégrader toutes les substances organiques dont le corps a besoin.

Le chapitre 11 a mis en lumière le sort des protéines dans le tube digestif; elles sont dégradées en leurs éléments constitutifs, les acides aminés (AA). Ceux-ci sont absorbés et le métabolisme cellulaire les utilise pour reconstruire de nouveaux édifices moléculaires selon les besoins. Environ 20 AA sont importants au point de vue nutritif et l'organisme peut en synthétiser plusieurs par réarrangement interne de certains acides organiques. Environ huit AA (neuf chez les enfants) ne peuvent être obtenus de cette façon, ou encore sont produits en quantité insuffisante pour rencontrer les besoins du corps; ces *AA essentiels* doivent donc se retrouver dans l'alimentation.

Toutes les protéines n'ont pas le même contenu en AA; il existe de grandes différences en quantité et en diversité. Beaucoup de protéines ne contiennent pas certains AA essentiels. La qualité des protéines, leur *valeur biologique*, dépend des AA constitutifs. Les meilleures présenteront un assortiment complet et équilibré, comme l'ovalbumine du jaune d'oeuf et la caséine du lait. La viande, la volaille et le poisson, sont aussi considérés comme des sources de protéines *complètes*. Certains aliments, comme la gélatine et les fèves de soya, contiennent une forte proportion protéique, mais ne fournissent pas tous les acides aminés essentiels, ou encore n'en comportent pas des quantités diététiques. Presque toutes les protéines d'origine végétale sont *incomplètes*, c'est-à-dire déficientes par rapport à un ou plusieurs AA essentiels dont la lysine, le tryptophane ou la thréonine.

La ration quotidienne recommandée est d'environ 0,8 g de protéines par kg de masse corporelle (56 g pour un homme de 70 kg, 48 g pour une femme de 60 kg). L'apport quotidien, dans les pays industrialisés, dépasse largement cette valeur. L'Américain moyen, par exemple, en consomme environ 140 kg par an, seulement dans la viande et les produits laitiers. La consommation moyenne annuelle *per capita* de ces deux aliments dans les pays sous-développés atteint à peine 1 kg.

La plus grande partie de l'humanité se nourrit principalement de grains céréaliers comme le riz, le blé, ou le maïs. Aucun de ces aliments n'offre un apport protéique complet, particulièrement pour assurer une croissance normale des enfants. Dans certaines parties du monde l'alimentation est essentiellement à base de fécule de pommes de terre ou de manioc (la cassave), dont le contenu protéique est inférieur à 2 pour 100, bien en dessous des besoins minimaux.

Puisque la majeure partie de l'humanité dépend presque exclusivement des aliments d'origine végétale pour sa nutrition, voyons un peu plus en détail la valeur d'un régime végétarien. Les aliments végétaux ne contiennent pas tous les AA essentiels et ont une teneur en protéines plus faible que les aliments d'origine animale. La proportion protéique de la viande est de 25 pour 100 par rapport à une teneur de 5 à 13 pour 100 dans des grains à haut rendement. Il existe un autre problème qui touche à la digestibilité des protéines végétales; leur accessibilité par les enzymes digestives est rendue difficile puisqu'elles sont situées dans des enveloppes cellulosiques non digestibles. Si ces parois ne sont pas adéquatement broyées, les protéines ne pourront être digérées et passeront le long du tube digestif en tant que remplissage inerte.

On doit signaler de plus que le corps ne possède aucun mécanisme de mise en réserve des AA (comparable au stockage du glucose dans le glycogène par exemple). Il n'y a pas non plus de dépôts protéiques dans le genre des dépôts lipidiques du tissu adipeux. On peut presque conclure qu'un repas doit contenir tous les AA essentiels. Si quelqu'un, par exemple, mange du maïs à l'heure du midi et des fèves au dîner (souper), l'organisme sera dans l'impossibilité de synthétiser, à partir de cet apport exogène, certaines protéines nécessaires à son bon fonctionnement.

Est-ce que cela veut dire que les régimes végétariens sont toujours déficients? Pas du tout. Tous les AA essentiels peuvent être présents dans une telle diète en autant qu'elle soit bien planifiée, que la personne qui la suit possède des notions de base en nutrition et qu'un éventail assez large d'aliments soit disponible, l'objectif étant de sélectionner des mets complémentaires du point de vue nutritif. Par exemple, quelqu'un peut manger du maïs, ou des fèves avec du riz, et avoir ainsi un apport complet en AA. L'ajout de produits laitiers est bénéfique puisqu'un bol de céréales avec du lait, ou du macaroni avec du fromage, ont une valeur nutritive beaucoup plus grande que les céréales ou le macaroni seuls.

Les fèves de soya et les arachides, par exemple, ont un contenu protéique de plus du double de celui des grains céréaliers. Malheureusement leur rendement à l'hectare est beaucoup moindre que celui des cultures céréalières. On constate de plus qu'une grande partie des légumes cultivés sert à l'alimentation du bétail plutôt qu'à l'alimentation humaine. Aux États-Unis, par exemple, 91 pour 100 des protéines végétales produites sont destinées au bétail (céréales, légumes, etc.). Il s'ensuit une perte énorme et même catastrophique pour l'humanité puisque chaque kilogramme de protéines additionné au fourrage ne produit que 0,2 kg de protéines animales. La viande est dispendieuse économiquement parce qu'elle représente une grande dépense écologique. C'est pourquoi la croissance démographique mondiale oblige de plus en plus d'humains à se tourner vers une alimentation végétarienne.

L'impact des carences protéiques

De tous les nutriments nécessaires à une bonne alimentation, les AA essentiels représentent ceux qui sont le plus souvent absents. Des millions d'individus ont une santé chancelante et une faible résistance aux maladies à cause de carences protéiques chroniques. Si un enfant manque des éléments essentiels à la construction de son organisme, il risque de subir des retards mentaux et physiques. De plus cette malnutrition augmente considérablement l'incidence des décès causés, par exemple, par la rougeole, la varicelle ou la coqueluche, des maladies infantiles courantes, mais bénignes dans les populations bien alimentées. (La rougeole peut causer jusqu'à 300 fois plus de décès dans les pays sous-développés que dans les pays industrialisés.)

Lorsqu'une femme enceinte suit un régime déficient en protéines elle met le développement du foetus en danger. Des études récentes ont montré que le cerveau de bébés morts de malnutrition pouvait contenir un nombre de cellules cérébrales inférieur à la normale (jusqu'à 40 pour 100). Le développement du cerveau passe une phase critique avant la naissance et pendant les deux premières années de la vie. Un enfant alors privé des nutriments requis peut ne jamais récupérer son retard de croissance et de développement. Même une légère déficience protéique peut rendre maladroit, réduire les habiletés manuelles, amener des retards de langage et des troubles mentaux.

Une malnutrition protéique grave débouche sur une condition connue sous le nom de *kwashiorkor*, terme africain qui signifie «garçon rouge» et qui correspond à une dépigmentation de la peau. Lorsqu'un enfant nourri au sein est sevré pour laisser la place à un nouveau-né, le plus vieux peut alors être nourri

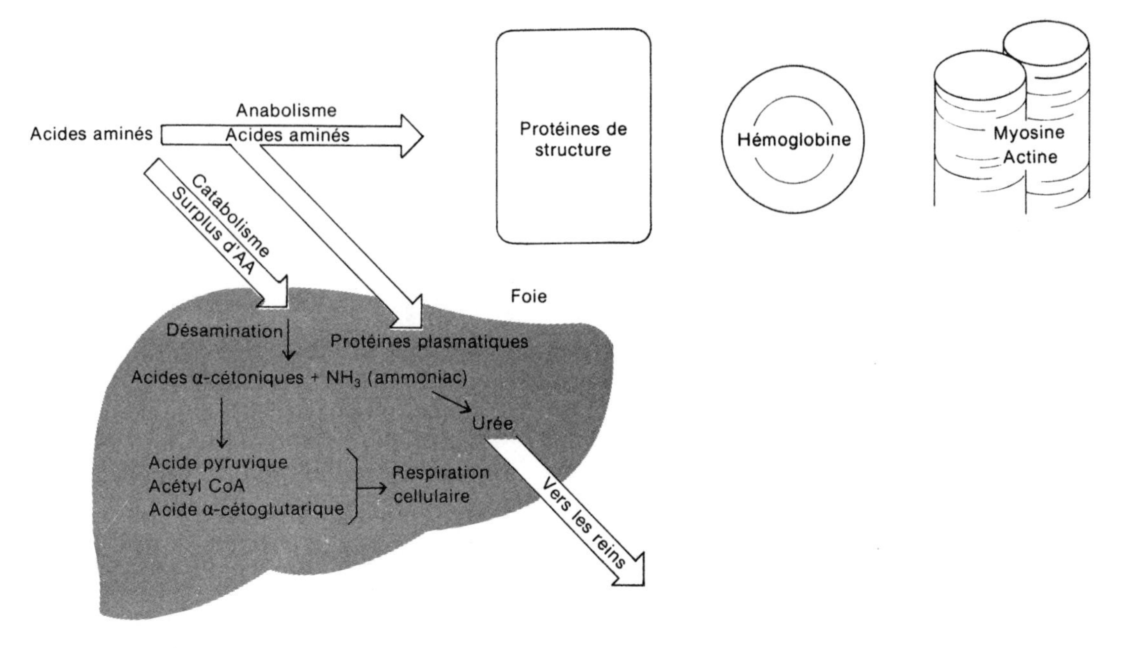

Figure 12-12 Le métabolisme des protéines.

avec des farines de céréales ou de manioc, des aliments hypercaloriques mais hypoprotéinés. La croissance arrête, la musculature s'atrophie. Les enfants présentent de la fièvre, de l'oedème (ventre arrondi caractéristique); ils deviennent apathiques, anémiques, et leur métabolisme est complètement désorganisé. Sans AA essentiels les enzymes digestives ne peuvent plus être synthétisées, réduisant d'autant la digestion du peu de protéines ingérées. La déshydratation et les diarrhées s'ajoutent aux symptômes déjà décrits. La mort est d'habitude l'aboutissement de la maladie qui, pourtant, pourrait généralement être guérie en 4 à 6 semaines grâce seulement à un apport protéique adéquat!

Le sort des acides aminés

Alors que le glucose et les acides gras servent surtout à des processus cataboliques, les AA sont utilisés principalement dans des réactions anaboliques ou de construction (figure 12-12). Les cellules les utilisent pour synthétiser des protéines structurales ou des enzymes. Dans les cellules musculaires, ils entrent entre autres dans la fabrication de l'actine et de la myosine, des protéines responsables de la contraction musculaire. Dans les cellules hépatiques, les AA sont utilisés aussi pour la production des protéines plasmatiques, alors que les globules rouges les transforment en partie en hémoglobine.

Chaque cellule possède une petite réserve d'AA dans son cytoplasme, mais il n'existe aucun mécanisme de stockage important. Tout surplus d'AA est retiré du sang par les cellules hépatiques pour y subir une *désamination*, par enlèvement du groupement aminé ($-NH_2$).

$$R^4\text{—}\underset{\underset{H}{|}}{\overset{\overset{NH_2}{|}}{C}}\text{—COOH} + H_2O + \text{Coenzyme} \longrightarrow$$

$$R^4\text{—}\overset{\overset{O}{\|}}{C}\text{—COOH} + NH_3 + \text{Coenzyme réduite}$$

La réaction libère des molécules d'ammoniac (NH_3) qui, à cause de leur toxicité, sont rapidement transformées en urée dans les cellules, passent dans le sang, et sont excrétées par les reins. Le composé $R^4\text{—}\overset{\overset{O}{\|}}{C}\text{—COOH}$ produit par la réaction de désamination (l'*acide cétonique*

[4] R représente le reste de la molécule, soit les autres atomes de n'importe quel AA.

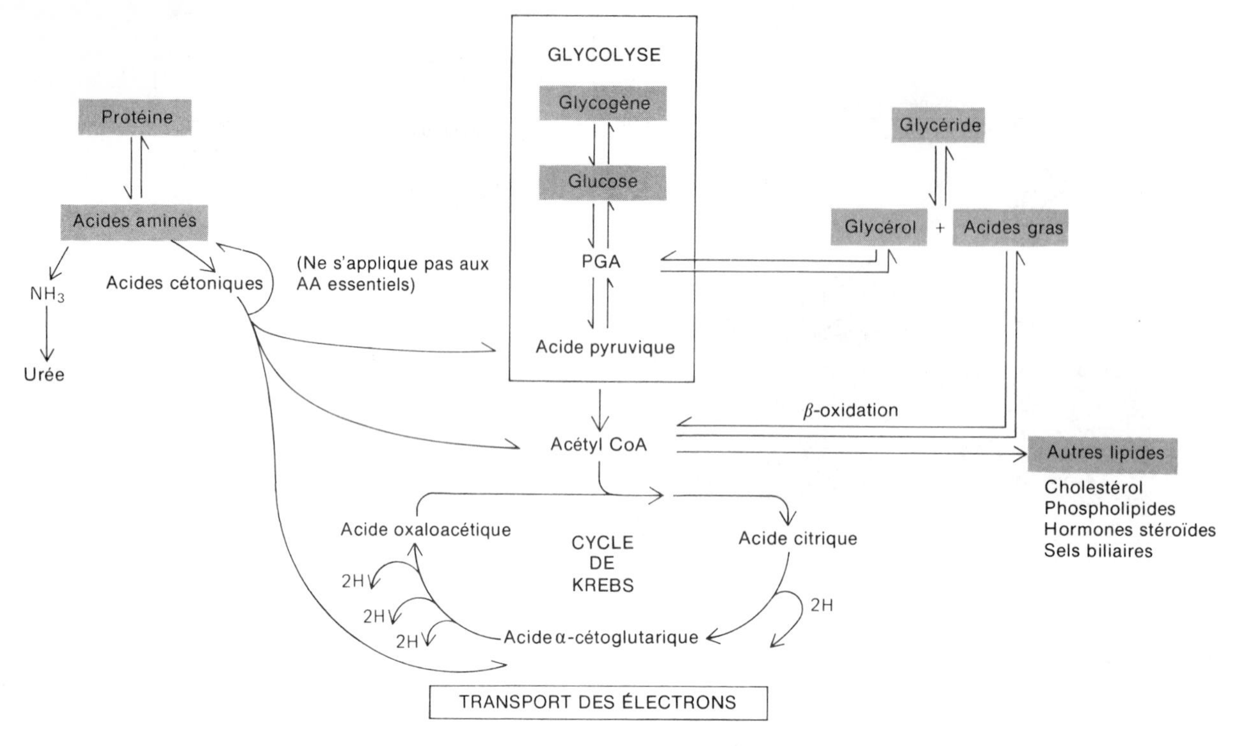

Figure 12-13 Les principales interrelations du métabolisme des glucides, des lipides et des protéines.

de l'AA originel) peut maintenant être transformé en glucide ou en lipide; il pourra servir de carburant ou encore être mis en réserve sous forme de graisse. La désamination de l'alanine et de l'acide glutamique (deux acides aminés) produit respectivement l'ac. pyruvique et l'ac. *a*-cétoglutarique, deux intermédiaires du cycle de Krebs (voir figure 12-5).

La figure 12-13 présente les relations qui existent entre le métabolisme des protéines, des lipides et des glucides.

Le bilan azoté

L'azote excrété dans l'urine reflète la quantité d'AA et de protéines dégradés par l'organisme. On dit qu'un individu est en *équilibre azoté* si la quantité d'azote ingérée égale la quantité excrétée dans l'urine. En période de jeûne ou lors de dérangements hormonaux, la dégradation cellulaire des protéines est très importante et l'excrétion azotée dépasse largement l'ingestion; on dit alors que l'organisme est en équilibre négatif. En période de croissance ou de convalescence, par contre, l'ingestion protéique dépasse généralement l'excrétion urinaire d'azote; on parle alors d'un équilibre positif.

QU'EST-CE QU'UN RÉGIME CONVENABLE?

La connaissance des nutriments de base et de leurs rôles respectifs doit être accompagnée de notions quantitatives pour compléter la présentation du métabolisme. Par exemple, comment se contrôle l'appétit? Quelle quantité de nourriture permet de maintenir tel rythme de vie?

Le contrôle de l'appétit

Les gens s'alimentent en général lorsqu'ils ont faim et arrêtent de manger lorsqu'ils sont rassasiés. L'habitude de prendre trois repas par jour s'accompagne, lorsqu'on en saute un, de contractions stomacales et d'un sentiment psychologique d'inconfort.

L'appétit est aussi contrôlé par des facteurs métaboliques. La région latérale de l'hypothalamus contient un centre de l'appétit (ou de la faim) qui stimule le désir de manger. Un centre de la satiété, dans la partie ventrocentrale de l'hypothalamus, inhibe le premier et fait disparaître l'appétit. La destruction expérimentale du centre de l'appétit chez un animal bloque toute activité alimentaire, entraînant la mort par inanition. La destruction du centre de la satiété provoque l'attitude contraire, soit la suralimentation et une extrême obésité.

Certains scientifiques croient que ces centres hypothalamiques sont contrôlés par le taux sanguin de glucose et d'AA. La baisse de leur concentration stimule le centre de l'appétit tandis que l'élévation de cette dernière stimule le centre de la satiété. Lors d'un repas le métabolisme augmente, ce qui entraîne une élévation de la température qui pourrait aussi être un signal pour le centre de la satiété; on constate en effet qu'un organisme exposé au froid mange plus qu'un autre, exposé à la chaleur.

Quelques considérations énergétiques

Le terme de métabolisme représente l'ensemble des réactions qui se déroulent dans l'organisme. Le *taux de métabolisme* est mesuré en termes de quantité d'énergie calorifique libérée par l'organisme, et est exprimé en kilojoules par heure ou par jour, ou en pourcentage en plus ou en moins d'un niveau standard normal. Presque toute l'énergie dépensée par le corps est éventuellement convertie en chaleur.

Le métabolisme basal Le *métabolisme basal* représente le coût énergétique de base pour les besoins cellulaires, le niveau des dépenses énergétiques dans des conditions normalisées: position allongée, en éveil, après un jeûne d'au moins 12 heures, à température ambiante confortable. En d'autres termes, le métabolisme de base correspond à des conditions de repos.

On évalue le taux du métabolisme basal par calorimétrie indirecte en mesurant la quantité d'oxygène consommée par unité de temps. On sait que chaque litre d'oxygène utilisé par l'organisme libère environ 20 kJ; la valeur obtenue pendant l'expérience est ramenée par heure et par mètre carré de surface corporelle, soit n kJ/m^2/h. Par exemple, si un taux de métabolisme basal est évalué à +25, cela signifie que d'après un calcul basé sur la taille, la masse et la surface corporelle du sujet, celui-ci a produit 25 pour 100 plus de chaleur que ne le prévoyait la table des moyennes.

Tableau 12-4 Dépense énergétique approximative reliée à certaines activités

Activité	kJ par heure au-dessus du métabolisme basal
Position assise au repos	60
Marche	540-840
Course	2100-3800
Cyclisme (vitesse modérée)	1000
Nage	840-2900
Écriture	85
Travail intellectuel	35

Le taux de métabolisme total La mesure de la dépense énergétique d'un individu doit tenir compte non seulement du taux de métabolisme basal, mais encore de l'énergie nécessaire pour qu'il puisse vaquer à ses occupations quotidiennes. Celui qui exerce un métier dur toute la journée aura un taux de métabolisme total plus élevé que celui qui passe sa journée assis derrière un bureau. Le tableau 12-4 présente la dépense énergétique horaire correspondante à certaines activités.

L'équilibre énergétique et pondéral Un homme ou une femme de stature moyenne qui ne suivent pas de programme d'entraînement et qui s'occupent à des activités légères (non exténuantes) ont une allocation énergétique journalière d'environ 11 000 kJ pour l'homme et de 8 500 kJ pour la femme. Si leur ration alimentaire est équivalente, l'énergie ingérée égale l'énergie dépensée: le sujet est en équilibre pondéral. Toute inégalité de l'équation

$$\text{Apport énergétique} = \text{Dépense énergétique}$$

aboutit à l'une des deux situations suivantes: des entrées insuffisantes obligent l'organisme à puiser dans ses réserves (surtout adipeuses) et la masse diminue; si les entrées s'élèvent, les nutriments sont stockés sous forme de graisse et la masse augmente.

LES DÉSÉQUILIBRES ALIMENTAIRES

Les nutriments les plus susceptibles de présenter des carences dans l'alimentation sont les protéines, les vitamines, et certains minéraux. Nous avons déjà constaté les conséquences de certaines déficiences spécifiques. La malnutrition s'applique aussi à des déséquilibres alimentaires globaux qui aboutissent à la sous-alimentation, au jeûne, à l'embonpoint, ou à l'obésité.

Le jeûne

Quels sont les changements métaboliques consécutifs à un apport alimentaire globalement déficient? On sait que les réserves de glycogène s'épuisent quelques heures après un repas; les cellules se tournent donc vers les protéines et les graisses commes sources de carburant. Les cellules mobilisent d'abord des protéines qu'elles transforment en glucose par gluconéogenèse pour les besoins des cellules nerveuses. Toutes les autres cellules utilisent de préférence les acides gras mobilisés dans les cellules adipeuses. Après 4 ou 5 jours de jeûne les cellules nerveuses activent les enzymes qui leur permettent d'utiliser les corps cétoniques comme combustible. La dégradation des protéines est alors grandement réduite, tant que les stocks de graisses ne sont pas épuisés. Pendant les jours ou les semaines de dépendance envers les graisses, les corps cétoniques s'accumulent et causent une élévation de la cétonémie. Finalement, lorsque les protéines corporelles ont diminué environ de moitié, l'organisme ne peut plus fonctionner et la mort survient, souvent provoquée par une attaque cardiaque.

Le *marasme* est une forme de sous-alimentation sévère affectant particulièrement les enfants de moins d'un an. Il apparaît souvent lorsqu'un enfant nourri au sein est mis au biberon de lait très dilué, fournissant un apport énergétique insuffisant. La croissance ralentit et les muscles s'atrophient. L'enfant devient anémique et meurt. Souvent accompagné de kwashiorkor (déficience protéique), le marasme présente aussi les symptômes de plusieurs avitaminoses[5].

[5] «Une forme de malnutrition fréquemment rencontrée dans les pays en voie de développement est la malnutrition protéino-calorique (*MPC*), appelée également protéino-énergétique (*MPE*), qui associe une insuffisance calorique globale de la ration (marasme) et une insuffisance protidique (kwashiorkor)». *La Recherche*, **115**, 1980.

L'obésité

L'obésité, l'état de l'organisme caractérisé par un dépôt excessif de graisses, est une forme grave de malnutrition et un important problème de santé publique dans les sociétés opulentes. Presque 20 pour 100 des Américains adultes sont obèses au point d'affecter leur santé et leur longévité.

L'obèse exige un effort supplémentaire de son coeur qui doit travailler plus fort pour pomper le sang à travers les tissus adipeux excédentaires. Il présente aussi une plus grande susceptibilité à l'athérosclérose, à l'hypertension, aux hernies, aux affections de la vésicule biliaire, et il représente un risque chirurgical accru. Selon les statistiques des compagnies d'assurance, un homme dont la masse dépasse de 20 pour 100 ou plus la masse idéale a 43 pour 100 plus de chances de mourir d'un infarctus, 53 pour 100 plus de chances d'avoir une hémorragie cérébrale, et 133 pour 100 plus de chances de décéder du diabète.

L'étiologie de l'obésité L'obésité est le résultat d'un apport énergétique supérieur à la dépense, une suralimentation par rapport aux activités. En d'autres termes:

Apport énergétique   Dépense énergétique

La suralimentation est le seul moyen de développer de l'obésité. (Même si la rétention d'eau, un oedème par exemple, augmente la masse corporelle, elle n'affecte en rien les réserves de graisse; les surplus d'eau peuvent être éliminés rapidement, beaucoup plus facilement que les surplus de graisse.) On estime que 1 g de lipides est stocké pour chaque 39 kJ alimentaire excédentaire (600 kJ en surplus quotidien pendant 1 mois font gagner 0,5 kg). Après avoir augmenté sa masse, un individu la maintient même s'il équilibre les entrées et les sorties énergétiques. La seule façon de la réduire est de diminuer l'apport ou d'augmenter la dépense.

Un jeune athlète de 16 ans a besoin d'un apport énergétique important pour compenser les dépenses de croissance et d'activité physique. Dix ans plus tard, cependant, comme commis de banque, le même apport est excessif, même si l'individu fait toujours de l'exercice. Celui-ci sera prédisposé à l'obésité s'il ne réduit pas la quantité de nourriture ingérée. La suralimentation dépend très souvent de mauvaises habitudes alimentaires associées à des facteurs d'ordre psychologique comme, par exemple, un moyen de réduire la tension nerveuse.

L'obésité infantile est probablement un facteur d'incitation à l'obésité adulte. On a découvert que les cellules adipeuses prolifèrent pendant la tendre enfance et qu'à l'âge adulte leur nombre total n'augmente plus. Lorsqu'on gave un bébé ou un enfant (sous prétexte qu'un beau bébé est un bébé joufflu) le nombre de ses cellules adipeuses peut augmenter d'un facteur 5 et on le condamne souvent à lutter contre l'obésité pendant toute sa vie.

Les cellules adipeuses ressemblent à des petits ballons qui peuvent être remplis par des dépôts de graisse (figure 1-7). Ils peuvent ainsi gonfler jusqu'à 50 pour 100 de leur taille normale. Lorsque les dépôts sont mobilisés, les cellules dégonflent en proportion. Un enfant obèse possède donc des milliers de cellules adipeuses excédentaires qui n'attendent qu'à être remplies de dépôts lipidiques. Quelques chercheurs pensent que cette situation amène une élévation de l'ajustement hypothalamique de l'appétit. En d'autres termes, le centre de la satiété retarde avant de signaler l'arrêt de l'alimentation. On a aussi suggéré que les habitudes de vie sédentaire, avec de faibles dépenses énergétiques dues à l'exercice ou au travail, désajustent les centres de l'appétit et de la satiété.

L'obésité peut aussi être due, dans une très faible proportion des cas, à des problèmes glandulaires. Les recherches sur le métabolisme vont certainement mettre en évidence des facteurs d'incitation à l'obésité. On a suggéré, par exemple, que certaines personnes pouvaient présenter une plus grande efficacité digestive que d'autres. Les aliments étant transformés plus efficacement, l'absorption des nutriments s'en ressent de même que l'apport énergétique d'un repas. Une moins grande efficacité digestive s'accompagne d'une plus grande élimination de nutriments dans les fèces et l'alimentation, pour compenser, devra être plus copieuse. Malgré toutes les variantes individuelles chacun peut contrôler son appétit en rapport avec ses besoins d'énergie.

Les régimes Le seul traitement valable de l'obésité est une réduction de l'apport alimentaire. L'organisme devra compenser le déficit en pigeant dans les réserves de graisse; les acides gras mobilisés seront «brûlés» et la masse diminuera. La meilleure façon d'y arriver est d'augmenter l'exercice en même temps que de diminuer la «bouffe».

La plupart des spécialistes en diététique conseillent un régime amaigrissant équilibré, contenant une proportion normale de lipides, de glucides et de protéines; il s'agit de manger de tout, mais en moindre quantité.

Bien des gens ont fait et font encore fortune en publicisant et en vendant toutes sortes de «gadgets» amaigrissants: des régimes, des livres, des stages ou appareils, qui plaisent aux millions d'individus qui veulent réduire leur masse sans effort. Dans la plupart des cas l'effet de ces campagnes n'est que psychologique, c'est-à-dire qu'elles encouragent les obèses à moins manger. Elle ont parfois des effets secondaires qui peuvent même nuire à la santé des adeptes. Les régimes riches en protéines, par exemple, hypothèquent le fonctionnement des reins qui doivent excréter des doses massives d'urée, une cause potentielle de lésions rénales permanentes. Les surplus d'acides cétoniques sont convertis en graisse et le déplacement métabolique consécutif a pour effet d'augmenter le taux sanguin de triglycérides dans des proportions anormales ou même pathologiques. Il est complètement faux d'affirmer que quelqu'un peut manger à satiété d'un type donné d'aliment (par exemple des protéines); on sait en effet que tout surplus protéique ou glucidique est rapidement transformé en lipides et stocké. Un autre inconvénient de plusieurs régimes amaigrissants en vogue repose sur le fait qu'on ne peut les suivre très longtemps. Après quelques semaines l'usager retourne à ses anciennes habitudes alimentaires et recouvre rapidement la masse perdue.

On doit se méfier des diètes amaigrissantes qui reposent sur une réduction alimentaire d'eau ou de sel. Toute perte de masse doit alors être imputée à une déshydratation, sans mobilisation des graisses. Un tel amaigrissement peut être dommageable et le remplacement de l'eau annulera rapidement la perte.

RÉSUMÉ

1 Plusieurs minéraux sont importants pour l'organisme. Par exemple, le fer est un composant de l'hémoglobine et de plusieurs enzymes; l'iode est un

composant des hormones thyroïdiennes; le calcium et le phosphore sont des composants des os et des dents (le calcium assure aussi la coagulation du sang et le fonctionnement normal des cellules musculaires et nerveuses); le sodium et le chlore sont indispensables pour le maintien de l'équilibre liquidien. Référer au tableau 12-1.

2 Le tableau 12-2 énumère les rôles et les sources alimentaires des vitamines de même que les effets des avitaminoses. La vitamine C et celles du complexe B sont hydrosolubles. Les vitamines A, D, E et K, sont liposolubles.

3 Le foie est le principal responsable de la régulation de la glycémie. Grâce à lui les surplus de glucose sanguin sont rapidement stockés sous forme de glycogène (glycogenèse). Le glycogène est dégradé au besoin (glycogénolyse) et le glucose est libéré dans la circulation. Lorsque les réserves hépatiques de glycogène sont épuisées, le foie synthétise du glucose à partir d'AA et de glycérol (gluconéogenèse).

4 Le glucose est utilisé par les cellules comme combustible pour la respiration cellulaire. En présence de O_2 il est complètement dégradé en H_2O et CO_2, et l'énergie libérée par ces réactions sert à former de l'ATP.

5 L'ATP est un intermédiaire énergétique du métabolisme cellulaire. Formée grâce à des réactions endergoniques elle est dégradée par des réactions exergoniques de telle sorte que l'énergie peut être transférée par le couplage des phosphorylations et des déphosphorylations.

6 La figure 12-4 résume la glycolyse et la figure 12-5 présente les réactions du cycle de Krebs.

7 Le transport des électrons est un système en cascade de donneurs et d'accepteurs d'atomes d'hydrogène et d'électrons; il est situé dans les mitochondries. En aérobiose le NAD, la FAD et les cytochromes, par un processus de transfert, soutirent graduellement l'énergie à partir de l'hydrogène.

8 L'utilisation des acides gras comme combustible requiert leur transformation en acétyl CoA, dans le foie, par la β-oxydation. La dégradation complète d'un ac. gras à 6 carbones permet la formation aérobie de 44 ATP.

9 Les AA servent à construire des protéines. Celles-ci sont essentielles comme composantes structurales, comme enzymes, et comme composés chimiques divers (par exemple, l'hémoglobine des globules rouges). Les AA excédentaires sont désaminés et les acides cétoniques produits sont transformés soit en glucides, pour utilisation immédiate, ou encore en lipides, pour être emmagasinés sous forme de graisse.

10 Le concept d'équilibre azoté réfère à la situation où l'apport quotidien d'azote, sous forme d'AA, égale l'azote excrété suite à la dégradation des AA et des protéines.

11 Le taux de métabolisme basal correspond à l'énergie utilisée par un organisme au repos. On le mesure en déterminant la quantité d'oxygène consommée par unité de temps. Le taux de métabolisme total ajoute à la valeur du métabolisme basal la quantité d'énergie nécessaire aux activités journalières.

12 La masse d'un individu est stable lorsque l'apport énergétique est égal à la dépense. Si l'apport est plus grand que la dépense, le surplus énergétique s'accumule sous forme de graisse et la masse augmente. Si l'apport est inférieur à la dépense, l'organisme puise dans ses réserves et le sujet maigrit.

QUESTIONS DE RÉVISION

1 Énumérer les grandes classes de nutriments et justifier leur utilité.

2 Caractériser l'anabolisme et le catabolisme avec des exemples.

3 Quelles sont les conséquences des carences suivantes: fer, vitamine A, vitamine D, AA essentiels?

4 Définir la glycogenèse, la glycogénolyse et la gluconéogenèse. Décrire chaque processus et expliquer son utilité.

5 Écrire une réaction qui résume la respiration cellulaire et expliquer d'où viennent les réactifs et les produits.

6 Expliquer le rôle de l'ATP.

7 Résumer la glycolyse.

8 Qu'arrive-t-il à l'acide pyruvique dans le cycle de Krebs?

9 Qu'est-ce que le transport des électrons? Quel est son rôle dans le métabolisme énergétique?

10 À quel endroit se produisent les réactions de la glycolyse? Du transport des électrons? Du cycle de Krebs?

11 Résumer schématiquement les réactions métaboliques impliquant les glucides. Répéter pour les AA puis pour les lipides.

12 Qu'advient-il des surplus d'AA? Des surplus de glucose?

13 Caractériser les glycérides saturés et insaturés; identifier ceux qui sont dommageables pour l'organisme et dire pourquoi.

14 Qu'est-ce que la β-oxydation?

15 Indiquer de quelle façon les AA et les ac. gras peuvent s'introduire dans les réactions de la respiration cellulaire et être dégradés pour produire de l'énergie.

16 Définir le taux de métabolisme basal.

17 Écrire une équation susceptible de représenter une relation énergétique correspondant à un équilibre pondéral; à une cure d'amaigrissement.

18 Résumer les adaptations métaboliques à un jeûne prolongé.

13 L'APPAREIL CIRCULATOIRE

Photomicrographie au microscope électronique à balayage d'un globule rouge emprisonné dans de la fibrine (environ ×14 000). (*Émil Bernstein, Science*, **173,** *page couverture*, 1971. *Copyright* 1971 *par l'AAAS*.)

OBJECTIFS

L'étude de ce chapitre devrait vous permettre de:

1 Énumérer cinq fonctions de l'appareil circulatoire.
2 Énumérer les pincipaux composants du sang et les décrire brièvement.
3 Suivre le développement d'un globule rouge, de la cellule souche jusqu'à maturité; décrire la structure et les fonctions d'un globule rouge fonctionnel et normal.
4 Décrire le rôle de l'érythropoïétine dans le contrôle de la production des globules rouges.
5 Énumérer trois causes générales de l'anémie et décrire les types spécifiques d'anémie dont parle le texte (par exemple, l'anémie à hématies falciformes et l'anémie pernicieuse).
6 Décrire (et identifier sur des schémas ou des photomicrographies) cinq variétés de globules blancs et préciser leurs fonctions respectives.
7 Caractériser la leucémie, dire ce qu'on connaît de son étiologie et décrire ses effets pathologiques.
8 Expliquer la formation des plaquettes sanguines et décrire leur structure.
9 Décrire le processus de formation d'un thrombus blanc et résumer les phénomènes chimiques de la coagulation.
10 Comparer la structure et les fonctions des différents vaisseaux sanguins, soit les artères, artérioles, capillaires, sinusoïdes, veinules et veines.
11 Décrire l'organisation générale des réseaux vasculaires pulmonaire et systémique en suivant une goutte de sang à travers les principaux vaisseaux et les cavités cardiaques.
12 Identifier les différentes régions de l'aorte et faire la liste de ses principales branches collatérales.
13 Décrire les réseaux vasculaires coronaire et cérébral, et le système porte hépatique.
14 Décrire le coeur et ses parois, le péricarde, les chambres, les valves; reconnaître quelques malformations valvulaires courantes et expliquer leurs conséquences fontionnelles.
15 Décrire la structure et le rôle du système cardio-necteur.
16 Montrer les ressemblances et mettre en relief les différences entre les muscles cardiaque et squelettique.
17 Énumérer et décrire brièvement les phases d'une révolution cardiaque; faire la corrélation entre les bruits normaux du coeur et les étapes du cycle.
18 Associer les principales déflexions de l'ECG normal aux phases de la révolution cardiaque; décrire quelques troubles du rythme cardiaque et autres anomalies fonctionnelles qui peuvent être diagnostiqués grâce à l'ECG.
19 Décrire l'autorégulation et le contrôle nerveux de la contraction cardiaque.
20 Définir la notion de débit cardiaque et la relier à la loi du coeur de Starling.
21 Caractériser les facteurs qui influencent le débit sanguin.
22 Décrire les mécanismes homéostatiques de régulation de la pression artérielle systémique.
23 Identifier le support physiologique du pouls artériel; expliquer comment on le mesure.
24 Décrire l'évolution pathologique de l'athérosclérose; identifier les facteurs de risque, les complications les plus fréquentes, et expliquer le traitement.
25 Décrire plusieurs maladies cardio-vasculaires présentées dans le chapitre dont l'angine, l'hypertension, l'occlusion coronaire, l'infarctus du myocarde, la thrombose et l'embolie.

L'appareil circulatoire, le système de transport de l'organisme, relie entre elles toutes les parties du corps. Il véhicule les nutriments et l'oxygène vers toutes les cellules de l'organisme; les métabolites terminaux empruntent aussi cette voie vers les différents organes d'excrétion.

Le fonctionnement de l'appareil circulatoire repose sur l'activité du *coeur* qui pompe le *sang*, un tissu conjonctif liquide, à travers un réseau complexe de *vaisseaux sanguins* qui irriguent toutes les parties du corps. Le coeur et les vaisseaux sont disposés de façon à former deux circuits en série.

Le premier amène le sang vers les poumons, site des échanges gazeux; le second recircule le sang issu des poumons dans toutes les autres parties de l'organisme. Lorsque le sang parvient aux *capillaires*, les plus petits vaisseaux, une certaine quantité de liquide sort du circuit, entre dans le compartiment interstitiel, le milieu dans lequel baignent les cellules, et leur apporte les nutriments. Un second réseau vasculaire, l'*appareil circulatoire lymphatique*, recueille et retourne dans la circulation sanguine le surplus liquidien interstitiel. Le bon fonctionnement de l'appareil circulatoire dépend aussi de plusieurs organes et tissus dont le foie, la rate, les noeuds lymphatiques, le thymus, la moelle rouge des os et les reins.

Les principales fonctions de l'appareil circulatoire sont les suivantes:

1) Le transport des nutriments
2) Le transport de l'oxygène et du gaz carbonique
3) Le transport des déchets métaboliques cellulaires vers l'appareil excréteur (reins, poumons, glandes cutanées, etc.)
4) Le transport des hormones, à partir des glandes endocrines vers leurs cellules cibles
5) La protection de l'organisme contre les maladies par la reconnaissance et la neutralisation des macromolécules «étrangères» qui pénètrent dans le milieu intérieur
6) La régulation de la température corporelle
7) La régulation de l'équilibre hydrominéral.

LE SANG

Le sang complet est un tissu conjonctif fluide de couleur rouge qui contient plusieurs catégories de cellules en suspension dans un liquide jaune pâle, le *plasma* (la substance intercellulaire). Hors de l'organisme, le sang coagule en une sorte de gelée qui durcit après un certain temps. On peut empêcher ce phénomène en ajoutant au sang certains produits chimiques comme l'*héparine*. Si on laisse reposer du sang hépariné dans un tube, les éléments cellulaires décantent dans le fond laissant apparaître du plasma transparent dans la partie supérieure. En laboratoire on peut accélérer la sédimentation par la centrifugation. Les tubes de sang tournent alors à grande vitesse et les éléments cellulaires se déposent très rapidement au fond du tube. Les *globules rouges* (*GR*) (*érythrocytes* ou *hématies*) forment la plus grande partie du culot, soit environ 45 pour 100 du volume sanguin total. La mince pellicule grisâtre en surface du culot érythrocytaire est formée de *globules blancs* et de *plaquettes sanguines*. Le pourcentage de GR (qu'on peut lire directement à l'aide de tubes précalibrés) s'appelle l'*hématocrite* et sa mesure est un test clinique de routine. Une faible valeur de l'hématocrite indique un manque de GR alors qu'un hématocrite élevé peut être un signe de *polycythémie*, un excès de GR (tableau 13-3).

Le volume de sang circulant représente normalement environ 8 pour 100 de la masse corporelle, soit 5,6 litres chez un homme de 70 kg. Le pH normal du sang est légèrement alcalin, se situant entre 7,35 et 7,45.

Le sang est plus visqueux que l'eau. On définit la viscosité comme une mesure de la résistance à l'écoulement d'un liquide. La mélasse possède une plus grande viscosité que le sirop d'érable ou le lait par exemple. L'hématocrite est un indice de la viscosité du sang puisqu'un plus grand pourcentage de GR, qui correspond à une augmentation des forces de friction interne, implique une plus grande résistance à l'écoulement. Lorsque l'hématocrite est normal, la viscosité du sang est de 4 par rapport à 1 pour l'eau. Ceci signifie que la pression requise pour faire passer du sang dans un tube doit être environ 4 fois plus grande que celle qu'on devrait appliquer pour y faire passer le même volume d'eau.

Le plasma

Le *plasma* contient en moyenne 92 pour 100 d'eau, 7 pour 100 de protéines et quelques sels. Il transporte un vaste assortiment de substances comme de l'oxygène, des nutriments, des déchets métaboliques, des hormones (tableau 13-1). Du sang débarrassé des protéines impliquées dans la coagulation s'appelle du *sérum*.

Tableau 13-1 Quelques constituants plasmatiques importants

Constituant	Normalité (SI)	Description
Eau	92% du plasma	
Protéines totales	6-8 g/100 ml (60-80 g/l)	
Albumines	4-5 g/100 ml (40-50 g/l)	Aident au maintien de la pression oncotique, contribuent à la viscosité du plasma; servent au transport des acides gras
Globulines	2-3 g/100 ml (20-30 g/l)	Certaines globulines sont des anticorps
Fibrinogène	0,3 g/100 ml (3 g/l)	Nécessaire à la coagulation
Glucose	70-100 mg/100 ml* (3,9-5,6 mmol/l)	Nutriment en transit
Calcium	8,5-10,5 mg/100 ml (2,1-2,6 mmol/l)	
Azote uréique	8-25 mg/100 ml (2,9-8,9 mmol/l)	Mesure des résidus uréiques (sous forme d'urée) en transit
Azote non protéique	25-40 mg/100 ml (8,9-14,3 mmol/l)	Azote provenant de l'urée, d'autres résidus azotés et aussi des acides aminés
Lipides totaux	450-1000 mg/100 ml (4,5-10 g/l)	
Cholestérol	150-280 mg/100 ml (3,9-7,2 mmol/l)	
Glycérides	80-240 mg/100 ml (0,8-2,4 g/l)	
Triglycérides	40-150 mg/100 ml (0,4-1,5 g/l)	
Acides gras	190-420 mg/100 ml (1,9-4,2 g/l)	

* Exprimé aussi en mg% ou mg/dl (décilitre).

Les protéines plasmatiques sont généralement classées en *albumines, globulines* et *fibrinogène*. Parmi leurs nombreuses fonctions, disons d'abord qu'elles assurent la constance du volume sanguin circulant. Lorsque le sang traverse les capillaires, une certaine quantité de liquide sort du circuit sanguin vers le liquide interstitiel. Les protéines, cependant, passent difficilement au travers des parois capillaires à cause de leur grande taille. Elles tendent à demeurer dans la circulation où elles exercent une force osmotique, une *pression osmotique colloïdale* (ou *pression oncotique*) qui favorise le retour liquidien vers les capillaires. [Il existe une force (pression) osmotique entre deux solutions de concentration différente lorsqu'elles sont séparées par une membrane plus perméable au solvant, ici l'eau, qu'aux solutés. La solution plus concentrée est *hypertonique* et sa pression osmotique est plus grande que celle de la solution *hypotonique* moins concentrée. Lorsque la différence de concentration repose sur la présence de grosses molécules et/ou de particules colloïdales, comme c'est ici le cas de la solution intracapillaire par rapport à la solution interstitielle, on parle de pression oncotique plutôt que de pression osmotique (figure 3-3)].

Les protéines plasmatiques comptent pour plus de 15 pour 100 de la capacité tampon du sang. Elles aident à maintenir un pH adéquat grâce aux propriétés d'ionisation de plusieurs de leurs groupements carboxyles et aminés (-COOH et $-NH_2$).

Les protéines plasmatiques assument de plus certaines fonctions selon qu'elles sont des albumines, des globulines ou du fibrinogène. Un grand nombre de globulines, par exemple, sont des anticorps, des agents d'immunité contre des maladies. Le fibrinogène, entre autres protéines plasmatiques, est impliqué dans le processus de la coagulation du sang. Certaines albumines transportent des acides gras; d'autres transportent des hormones spécifiques qu'elles gardent liées tant que l'organisme n'en a pas besoin, empêchant ainsi leur excrétion urinaire.

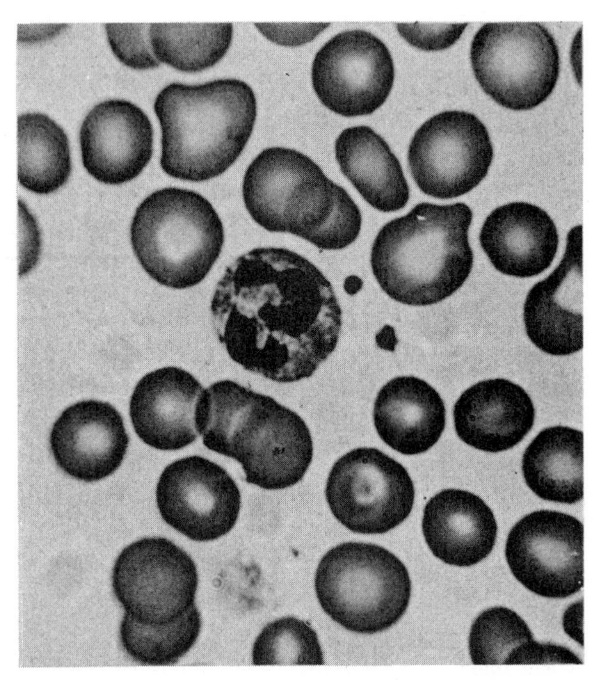

Figure 13-1 Photomicrographie d'un frottis sanguin. On peut voir un polynucléaire neutrophile entouré de globules rouges (environ ×1 200).

Les globules rouges

Les *globules rouges* (GR) sont les cellules les plus nombreuses et parmi les plus spécialisées de l'organisme. Leur seul rôle est la synthèse et l'emballage de l'hémoglobine qui leur permet de transporter de l'oxygène. Un homme adulte possède environ 3×10^{13} GR circulants, soit une numération globulaire d'environ 5 200 000 par mm^3 (μl). La femme en possède un peu moins, soit environ 4 700 000 par mm^3 (μl). Les GR ont un diamètre d'environ 8 μm et une épaisseur voisine de 2 μm. Dans 1 cm, on peut mettre bout à bout environ 1 250 GR.

Le GR mûr se présente sous la forme d'un petit disque flexible biconcave tel que présenté sur la page titre de ce chapitre. Au microscope optique (comme ceux qu'utilisent les étudiants au laboratoire), la partie centrale du GR apparaît relativement plus claire que la périphérie puisque le cytoplasme y est plus mince (figure 13-1). Les GR n'ont pas de noyau. Ils ont tendance à s'accoler les uns aux autres et à former des *rouleaux*, un peu comme des piles de pièces de monnaie. Dans certaines maladies cette tendance est exagérée.

Dans une solution hypertonique, les GR se contractent suite à une perte d'eau vers le liquide extracellulaire. La membrane cellulaire présente alors des plissements et on dit qu'elle est *crénelée* (le phénomène de la plasmolyse a été décrit à la figure 3-3). Dans une solution hypotonique, au contraire, l'entrée d'eau gonfle la cellule qui peut être étirée au point de laisser échapper son contenu hémoglobinique dans le plasma. Ces GR deviennent incolores, des *fantômes*, et le phénomène qui les forme est l'*hémolyse.* (C'est la raison pour laquelle il est si important d'utiliser des solutions isotoniques lors des injections intraveineuses.)

L'hémoglobine transporte environ 20 pour 100 de CO_2 plasmatique sous forme combinée; la plus grande partie est cependant véhiculée dans le plasma sous forme d'ions bicarbonate. Les GR possèdent une enzyme, l'anhydrase carbonique, qui favorise la formation de bicarbonate à partir de l'eau et du gaz carbonique, facilitant ainsi le transport de ce dernier vers les poumons. (Le transport des gaz est traité au chapitre 15.)

La production des globules rouges L'organisme doit produire environ 2,4 millions de GR à la seconde pour remplacer ceux qui se brisent ou qui sont détruits. Chez l'adulte cette fabrication (l'érythropoïèse) se fait dans la moelle rouge des vertèbres, des côtes, du sternum, du

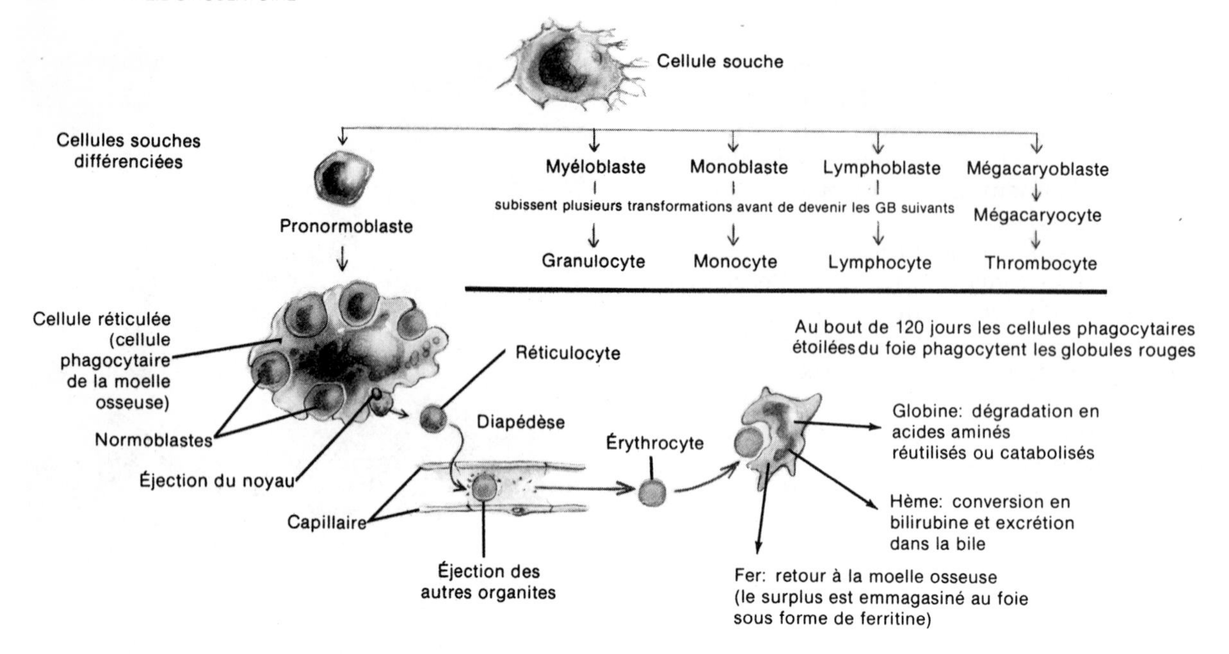

Figure 13-2 Le cycle de vie d'un globule rouge. Les cellules souches de la moelle rouge, sous l'influence de l'érythropoïétine, se transforment en pronormoblastes. Ces derniers se multiplient et donnent naissance à 16 normoblastes qui se développent en étroite association avec une cellule réticulée (volumineuse cellule phagocytaire présente entre autres dans la moelle rouge des os). Le normoblaste expulse son noyau qui est phagocyté par la cellule réticulée; il devient alors un réticulocyte et entre dans la circulation sanguine par diapédèse. Les jours suivants il perd ses autres organites et devient un globule rouge mature. Au bout de 120 jours il sera phagocyté dans le foie ou la rate par des macrophages et ses constituants seront excrétés ou recyclés.

crâne, et des épiphyses proximales du fémur et de l'humérus. Chez les enfants les GR sont produits par la moelle rouge de presque tous les os; avant la naissance ils sont aussi fabriqués par le foie, la rate et les noeuds lymphatiques.

Les *cellules souches* de la moelle osseuse se divisent constamment et produisent plusieurs catégories de cellules souches différenciées qui donneront chacune un type spécifique de cellule sanguine (figure 13-2). Les *pronormoblastes*, par exemple, représentent la catégorie de cellules souches différenciées responsable de la production des *normoblastes*, les GR immatures. En 3 ou 4 jours un pronormoblaste produit environ 16 normoblastes par divisions successives.

Les normoblastes possèdent un noyau et tous les organites dont ils ont besoin pour la synthèse de grandes quantités d'hémoglobine. Son accumulation intracellulaire s'accompagne d'une réduction de la taille du noyau. Lorsque la concentration d'hémoglobine atteint environ 34 pour 100 de la masse de la cellule, le noyau est expulsé et le GR s'infiltre à l'intérieur d'un capillaire sanguin par *diapédèse.* À ce stade de son développement le GR est un *réticulocyte.* Il atteint sa maturité en 1 ou 2 jours, alors qu'il synthétise une certaine quantité d'hémoglobine additionnelle et que les autres organites cellulaires sont expulsés à leur tour hors de la cellule.

Une cellule souche demande donc environ 5 jours pour produire un GR différencié, un érythrocyte, petit sac biconcave plein d'hémoglobine dont la longévité moyenne est d'environ 120 jours.

L'hémoglobine L'hémoglobine est un pigment rouge qui lie facilement l'oxygène moléculaire et qui confère à l'érythrocyte et au sang complet leur couleur caractéristique. La molécule d'*hémoglobine* (*Hb*) est une protéine constituée de quatre sous-unités, quatre chaînes polypeptidiques (la globine) liées individuellement à un groupement *hème* contenant un atome de fer. Deux des chaînes polypeptidiques, les chaînes alpha, ont 141 AA alors que les deux autres, les chaînes bêta, en ont 146 (figure 2-5*b*). Pour synthétiser Hb la cellule a besoin d'AA, d'un grand nombre d'enzymes spécifiques, et de plusieurs minéraux dont le fer et le cuivre.

L'hémoglobine forme une liaison labile (facilement réversible) avec l'oxygène moléculaire et devient de l'*oxyhémoglobine* (HbO_2). Une molécule de Hb peut lier une molécule de O_2 à chaque atome de fer, donc transporter 4 molécules de O_2 à la fois. La réaction n'est possible que si Hb est sous sa forme réduite, soit celle représentée par le fer ferreux (Fe^{2+}). L'oxydation du fer ferreux en fer ferrique (Fe^{3+}) rend Hb inutilisable pour le transport de l'oxygène. C'est pourquoi des enzymes érythrocytaires veillent à retransformer constamment Hb oxydée (non fonctionnelle) en Hb réduite (fonctionnelle). Dans certaines conditions, par exemple lorsque le sang est mis en présence de médicaments ou d'agents oxydants, il se forme de grandes quantités de *méthémoglobine* ($HbFe^{3+}$), de couleur foncée, responsable du bleuissement de la peau caractéristique de la cyanose.

Le recyclage des globules rouges Après 3 ou 4 mois de vie utile les GR deviennent fragiles et ne peuvent plus passer impunément dans certaines parties du système vasculaire. Lorsqu'ils se brisent, ils sont phagocytés par les macrophages de la rate et du foie. Le fer est libéré dans la circulation, transporté vers la moelle rouge des os et recyclé; il peut aussi être stocké dans le foie sous la forme de *ferritine*. Le noyau hème de la molécule est converti en bilirubine, un pigment biliaire, et acheminé au foie d'où il est excrété hors de l'organisme dans la bile.

La régulation de l'érythropoïèse La destruction de millions de GR à chaque minute s'accompagne de la production d'un nombre équivalent de nouvelles cellules, si bien que la quantité totale de GR en circulation demeure à peu près constante. Ce contrôle est sous la responsabilité de l'*érythropoïétine*, une hormone d'origine rénale (et probablement aussi hépatique). Les cellules rénales produisent et libèrent dans le sang une substance appelée *facteur de stimulation de l'érythropoïèse* (REF, Renal Erythropoietic Factor) qui réagit avec une globuline spécifique pour former de l'érythropoïétine (figure 13-3). L'hormone est véhiculée dans le sang jusqu'à la moelle rouge des os où elle stimule les cellules souches à produire des GR.

Qu'est-ce qui détermine la libération du facteur de stimulation? Bien que tous les détails ne soient pas encore connus parfaitement, il semble que l'*hypoxie* (un manque d'oxygène dans les cellules) rénale déclenche la libération d'une substance quelconque qui à son tour favorise l'augmentation de la concentration sanguine du facteur de stimulation. Tout ce qui réduit l'apport sanguin d'oxygène aux cellules est donc potentiellement responsable d'une accélération de la synthèse d'érythropoïétine et d'une plus grande production de GR, que ce soit une hémorragie, un trouble cardio-vasculaire, l'exercice ou encore l'altitude. L'érythropoïèse est ainsi soumise à un mécanisme homéostatique qui veille à maintenir une numération globulaire compatible avec un approvisionnement adéquat des cellules en oxygène.

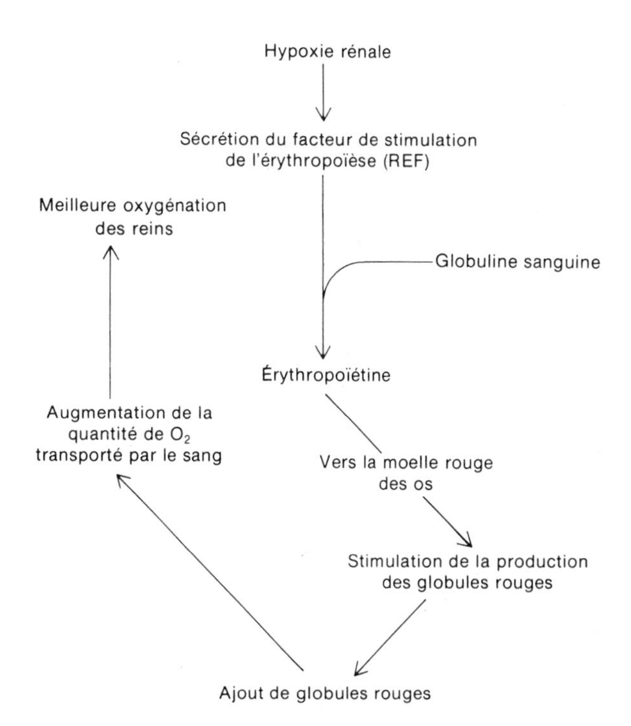

Figure 13-3 La régulation de la production des globules rouges.

Les anémies Les *anémies* sont des déficiences hémoglobiniques accompagnées habituellement d'une réduction du nombre total de GR. La quantité d'oxygène transportée est moindre et, dans des cas aigus, ne peut suffire aux besoins cellulaires. Les symptômes cliniques des anémies reflètent cette situation puisque souvent le patient se plaint de fatigue, de léthargie et de manque d'énergie (syndrome asthénique). Il est souvent pâle et s'essoufle au moindre exercice.

Quelles sont les situations qui peuvent causer les anémies? Les trois principales sont: (1) la perte de sang, (2) le ralentissement de l'érythropoïèse, et (3) l'augmentation du taux de destruction des GR (les *anémies hémolytiques*). L'anémie hémorragique correspond à une perte de sang qui réduit le volume sanguin. Si la victime survit à l'accident, le volume plasmatique retrouvera un niveau normal en 2 ou 3 jours même sans traitement. Le remplacement des GR est un processus beaucoup plus lent qui pourra s'étaler sur plusieurs semaines.

La diminution de l'érythropoïèse est attribuable soit à un mauvais fonctionnement de la moelle rouge des os (anémie aplasique), soit à une carence alimentaire. L'anémie aplasique peut dépendre d'une surexposition à un rayonnement ionisant; c'est pourquoi les diagnostics aux rayons-X, de plus en plus fréquents, s'accompagnent de précautions plus grandes qu'autrefois, alors qu'on ne connaissait pas les effets de ces rayons. L'anémie aplasique peut aussi être causée par des médicaments, comme ceux qui servent dans le traitement du cancer, et par diverses substances chimiques. L'anémie ferriprive, la plus fréquente, résulte d'une carence en fer. La synthèse de Hb implique un apport constant de fer. Si cet apport est insuffisant, les GR contiennent moins de Hb; ils sont pâles (anémie hypochrome) et souvent plus petits que les GR normaux (anémie microcytaire) (figure 13-4*a*). La numération globulaire peut descendre jusqu'à 3 millions ou moins au μl. L'*anémie pernicieuse* est la conséquence d'un déficit en vitamine B_{12}. En effet, l'absorption normale de cette vitamine se fait en présence du facteur intrinsèque sécrété par la muqueuse gastrique et toute diminution de la production de ce dernier peut causer l'avitaminose B_{12}. L'examen microscopique du sang révèle alors de gros GR immatures (anémie macrocytaire) remplis d'hémoglobine (hyperchromes). Leurs membranes sont fragiles et se rompent facilement, particulièrement lorsque les cellules doivent passer dans des capillaires étroits.

On connaît plusieurs types d'anémies hémolytiques. Le plus courant, l'anémie à hématies falciformes, est dû à une mutation du gène responsable de la synthèse de Hb et il s'exprime par la substitution d'un seul des 146 AA des chaînes bêta de la molécule. Connue sous le nom *d'hémoglobine S*, elle précipite et forme de longs cristaux surtout lorsque la concentration d'oxygène est faible. L'allongement des cristaux modifie l'apparence des cellules qui prennent une forme caractéristique de cette maladie (figure 13-4*b*). L'endommagement consécutif de la membrane cellulaire la rend très fragile et sujette à rupture de sorte que les GR sont détruits en grand nombre. On trouve cette mutation chez certains individus d'ascendance africaine ou méditerranéenne. En effet, dans plusieurs régions de l'Afrique et de la Méditerranée, la malaria a déjà sévi à l'état endémique, représentant pendant des siècles l'une des causes les plus fréquentes de décès. Les hétérozygotes A/S, c'est-à-dire ceux qui possèdent un gène normal donnant l'hémoglobine A et un gène mutant donnant l'hémoglobine S, sont porteurs du caractère sans présenter la maladie. Seulement 30 pour 100 de leur Hb est du type S et, dans des conditions normales, les GR ne se déforment pas. Les homozygotes (ceux dont les deux gènes sont anormaux) présentent tous les symptômes de la maladie. (On constate que les hétérozygotes possèdent une certaine résistance contre le parasite sanguin responsable de la malaria. La dissémination du gène mutant représenterait donc un avantage évolutif dû à la sélection naturelle.)

La polyglobulie On appelle *polyglobulie* la présence d'un surplus de GR dans le sang. La polyglobulie vraie est un trouble grave où la numération globulaire peut doubler. On constate une élévation du taux d'érythropoïétine (on ne connaît pas la cause de cet état). Plusieurs chercheurs considèrent que cette maladie est la conséquence d'une tumeur de la moelle rouge.

Une légère polyglobulie est normale si elle fait partie de la réponse homéostatique destinée à compenser une mauvaise oxygénation tissulaire. Tout séjour prolongé à très haute

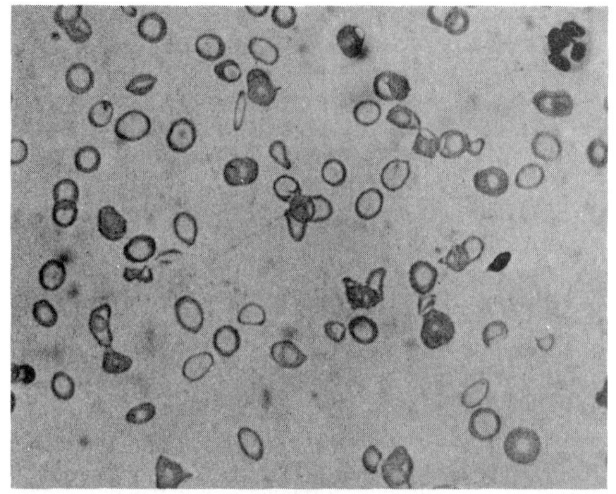

(a)

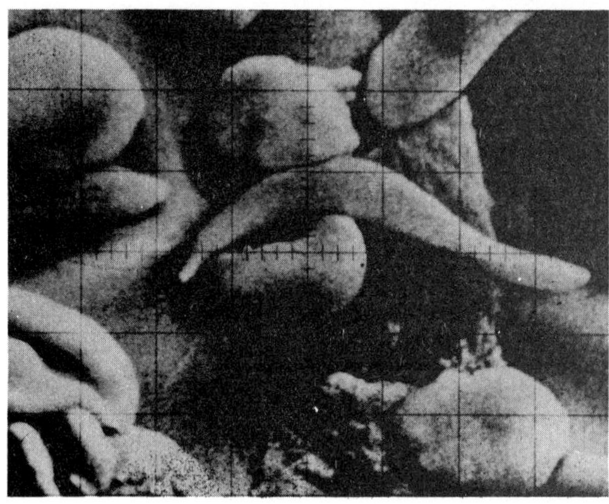

(b)

Figure 13-4 (*a*) Anémie ferriprive (par déficience en fer). Les globules rouges sont hypochromiques et microcytaires (environ ×500). (*Dr. Sorrell Wolfson.*) (*b*) Anémie falciforme (environ ×4 000). (*Irene Piscipe-Rodgers, Philips Electronic Instruments.*)

altitude, par exemple, déclenche une polyglobulie compensatrice; la baisse de la pression atmosphérique entraîne une insaturation de l'hémoglobine qui transporte donc moins d'oxygène vers les tissus. Certaines maladies cardio-vasculaires de même que des exercices violents et réguliers peuvent aussi entraîner une polyglobulie normale.

Les globules blancs

Les *globules blancs* ou *leucocytes* protègent l'organisme contre diverses substances et organismes *pathogènes* (qui peuvent causer une maladie). Les GR sont beaucoup plus nombreux que les globules blancs, dans un rapport d'environ 500 à 700 pour 1. On compte normalement chez l'adulte environ 7 000 globules blancs par μl (tableau 13-2).

L'observation de la figure 13-5 révèle les principaux caractères morphologiques des cinq variétés leucocytaires. Deux d'entre elles (les *agranulocytes*) sont dépourvues de granulations dites spécifiques, soit les *lymphocytes* (figures 13-6*a* et 3-1) et les *monocytes* ou *macrophages*). Les *granulocytes* (ou *polynucléaires*) possèdent des granules cytoplasmiques et un gros noyau à plusieurs lobes. Les trois catégories sont représentées par les *neutrophiles* (figure 13-6*b*), les *acidophiles* (ou *éosinophiles*) et les *basophiles.* Les éosinophiles réagissent aux colorants acides (dont l'éosine); leurs granules deviennent de couleur orangée. Les basophiles, après coloration basique, présentent des granules d'un bleu foncé; les neutrophiles, les plus nombreux parmi les leucocytes, possèdent une grande quantité de granules plus ou moins ponctuels (séparés les uns des autres) et réagissent positivement à des colorants neutres.

Le cycle vital des leucocytes Les monocytes et les granulocytes se développent à partir de cellules souches différenciées (les monoblastes et les myéloblastes) dans la moelle osseuse rouge. Les lymphocytes viennent aussi de la moelle rouge sauf que certaines cellules souches différenciées, les lymphoblastes, migrent vers le thymus, la rate et les noeuds lymphatiques, où elles continuent leur développement et où elles se spécialisent.

Les globules blancs rejoignent le courant sanguin en s'insinuant entre les cellules des parois capillaires. La durée de leur séjour dans la circulation est très variable, entre quelques heures pour les granulocytes et des mois ou même des années pour les lymphocytes. Les globules blancs peuvent quitter la circulation par diapédèse et errer à travers les tissus (grâce à des mouvements amiboïdes) pour phagocyter des bactéries, des substances étrangères ou des débris cellulaires (figure 3-5*b*). Le lymphocyte n'est pas doué de pouvoir phagocytaire. Les mouvements amiboïdes se caractérisent par l'apparition d'extensions membranaires et cytoplasmiques (les *pseudo-*

Tableau 13-2 Les éléments cellulaires du sang

Cellule	Normalité (SI)	Fonction	Pathologie
Globules rouges	Homme: 4,2-5,4 millions/mm³ (4,2-5,4 × 10^{12}/l) Femme: 3,6-5,0 millions/mm³ (3,6-5,0 × 10^{12}/l)	Transport de l'oxygène	Défaut: anémie Surplus: polycythémie
Plaquettes	150 000-400 000/mm³ (150-400 × 10^9/l)	Essentielles à la coagulation	Troubles de la coagulation; saignements; pétéchies
Globules blancs (GB) (total)	5 000-10 000/mm³ (5,0-10 × 10^9/l)		
Neutrophiles	À peu près 59% des GB	Phagocytose	Surplus: dans les cas d'infection, d'inflammation, de leucémie (myéloïde)
Éosinophiles	1-3% des GB	Participation à la réponse aux allergies	Surplus: en réponse à une réaction allergique, à une infestation parasitaire
Basophiles	1% des GB	Rôle probable de prévention de la coagulation intravasculaire	
Lymphocytes	25-35% des GB	Production des anticorps; destruction des cellules étrangères	Présence de lymphocytes atypiques dans la mononucléose infectieuse; une augmentation de leur nombre peut être secondaire à une leucémie (lymphocytique), à certaines infections virales
Monocytes	6% des GB	Se différencient en macrophages	Augmentation possible de leur nombre dans les leucémies monocytaires, la tuberculose, les infections à champignons

podes) dans lesquelles le contenu cellulaire s'écoule.

Les neutrophiles sont particulièrement bien adaptés pour la recherche et la phagocytose des bactéries; ils jouent un rôle essentiel dans les réactions de défense de l'organisme. Le rôle des éosinophiles (acidophiles) et des basophiles est moins clair. La multiplication des éosinophiles pendant les périodes d'allergie active est un indice de leur implication probable dans les réponses allergiques. L'invasion des tissus par les basophiles s'accompagne de leur différenciation en *mastocytes*. Très voisins du point de vue structural et fonctionnel, les mastocytes et les basophiles contiennent de grosses quantités d'histamine, probablement libérée dans les tissus blessés ou infectés pour y développer de l'inflammation. On suspecte aussi les basophiles de contenir de l'*héparine*, un produit anticoagulant dont le rôle serait de maintenir l'équilibre entre les nombreux processus hémostatiques et antihémostatiques du corps.

Les monocytes sont des cellules immatures dont le développement se termine dans les tissus, après leur sortie du torrent circulatoire. Ils augmentent alors énormément de volume (environ ×5) et se différencient en macrophages; leur capacité phagocytaire est alors impressionnante. Tout y passe: débris cellulaires, cellules mortes, bactéries, etc.

Les lymphocytes, du moins une partie d'entre eux, voyagent d'une façon continuelle entre le sang et la lymphe. Porteurs de la «mémoire immunologique», sites d'élaboration d'anticorps spécifiques et de substances responsables des réactions de défense non spécifiques (par exemple la production de l'interféron), les lymphocytes participent activement aux processus de défense contre les infections (décrits au prochain chapitre).

La numération leucocytaire est un important test clinique pour le diagnostic de plusieurs maladies, dont les infections bactériennes, qui provoquent une augmentation du

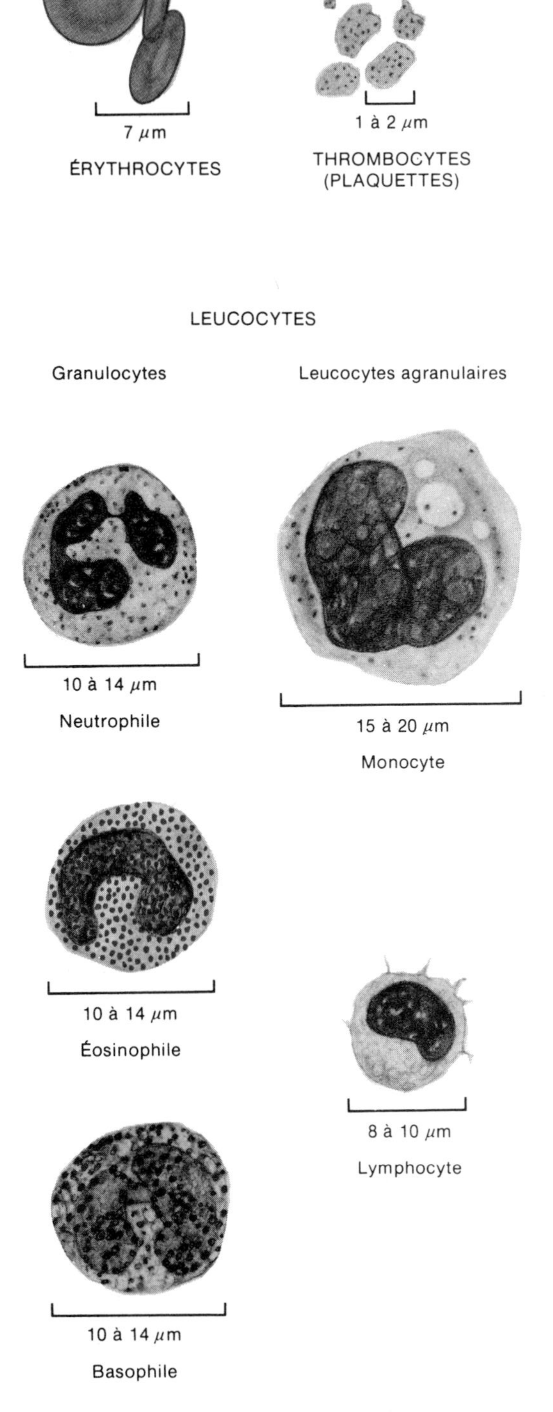

Figure 13-5 Les principaux éléments cellulaires du sang.

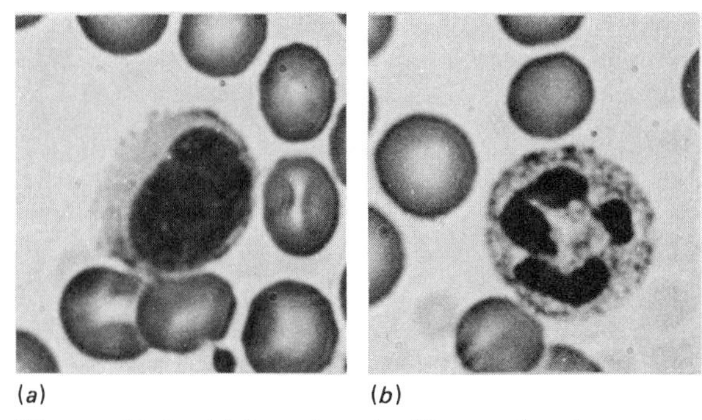

Figure 13-6 (*a*) Lymphocyte; (*b*) granulocyte (environ ×1200).

nombre de leucocytes circulants (tableau 13-2). Plusieurs infections virales, l'arthrite rhumatoïde, la cirrhose du foie et bien d'autres affections, sont accompagnées d'une diminution du nombre de leucocytes. C'est pourquoi le médecin utilise souvent ce test avant de prescrire des antibiotiques, médicaments efficaces contre les bactéries mais sans effet contre les virus. L'augmentation du nombre de globules blancs dans le sang périphérique (>10 000/μl) porte le nom de *leucocytose*; la diminution, celui de *leucopénie*. Quelques médicaments, dont ceux qui sont utilisés en chimiothérapie (dans le traitement d'un cancer par exemple), réduisent très sérieusement la production leucocytaire (tableau 13-3). La proportionnalité relativement constante des différentes variétés leucocytaires chez le sujet normal a permis d'établir une *formule leucocytaire*; l'analyse des variations de cette formule est aussi un important outil de diagnostic. Pour 1 basophile, on rencontre normalement environ 3 éosinophiles, 6 monocytes, 30 lymphocytes et 60 neutrophiles.

Les leucémies Les leucémies se caractérisent par la prolifération incontrôlée des cellules souches de la moelle et par une augmentation considérable (plus d'un million /μl) ou encore une réduction du nombre de leucocytes sanguins. Le fait important est que la plupart d'entre eux sont immatures, malformés, et incapables de défendre adéquatement l'organisme. Ils deviennent si nombreux dans la moelle osseuse qu'ils interfèrent avec le développement normal et la maturation des GR et des plaquettes. La mort survient souvent plus rapidement à cause d'une infection bactérienne ou d'une hémorragie cérébrale.

Tableau 13-3 Les examens sanguins de routine

Examen	Description*
Formule sanguine complète	Comprend quatre examens différents: (1) la mesure de la concentration de Hb, (2) l'hématocrite, (3) le décompte des globules blancs et la formule leucocytaire (la proportion relative en pourcentage de chaque catégorie de leucocytes), (4) l'examen des GR et des plaquettes. (Leur décompte peut compléter l'examen.)
Hémoglobine	La détermination de l'hématocrite et du taux de Hb sert à dépister l'anémie et la polycythémie de même qu'à suivre l'évolution de l'anémie chez des patients. Valeurs normales chez l'adulte: 12-15g/100 ml (8,1-9,9 mmol/l) chez la femme; 14-17g/100 ml (8,7-10,5 mmol/l) chez l'homme. Le sang complet subit un traitement chimique qui consiste à former un pigment stable avec Hb (la cyanométhémoglobine); on détermine ensuite la densité optique de la solution avec un spectrophotomètre. (La densité optique mesure la coloration de la solution qui est en relation directe avec la concentration de Hb.)
Hématocrite	L'hématocrite permet d'évaluer le pourcentage de GR par unité de volume de sang. Valeurs normales chez l'adulte: femme, 36-46% (0,36-0,46 l); homme, 42-52% (0,42-0,52 l). Le sang est centrifugé et le volume occupé par les GR est lu directement sur une échelle précalibrée; on l'exprime traditionnellement en % du volume du sang complet (fraction du volume).
Numération leucocytaire	Examen utilisé pour fins de diagnostic d'infections bactériennes et de certaines maladies comme la leucémie. Le test sert aussi à suivre de près les effets d'une radiothérapie ou d'une chimiothérapie qui pourrait réduire d'une façon alarmante le nombre de leucocytes. On mélange le sang complet avec une solution d'un acide faible pour diluer le sang et hémolyser les GR. On place un échantillon de sang dilué dans une cellule de comptage (hémocytomètre: une lame de microscope présentant une dépression, la cellule de comptage, au fond de laquelle un fin quadrillage précalibré a été gravé) permettant d'évaluer le nombre de GB par mm^3 ($10^9/l$).
Numération des globules rouges	Le compte peut être fait de la même façon que pour la formule leucocytaire ou encore on peut utiliser un compteur électronique.
Formule leucocytaire	Sert à déterminer la proportion relative de chaque sorte de leucocytes du sang. L'examen est généralement fait à partir d'un étalement ou frottis de sang coloré.
Numération plaquettaire	Utile pour le diagnostic de troubles de la coagulation. Le sang dilué est coloré et les plaquettes sont comptées dans une cellule de comptage.

* Les valeurs entre parenthèses représentent la normalisation des grandeurs selon le SI.

Les différentes leucémies se distinguent par la variété leucocytaire affectée. Les symptômes peuvent se manifester de façon chronique (le patient pouvant alors vivre plusieurs années) ou aiguë; les globules blancs sont alors presque tous immatures. Les leucémies peuvent se développer à tout âge quoique les variétés chroniques soient plus communes chez les adultes que chez les enfants; les variétés aiguës se rencontrent chez les deux groupes. (Aujourd'hui la moitié des enfants sont vivants 5 ans après le diagnostic de leucémie.)

On peut provoquer des leucémies d'origine virale chez des souris mais les efforts pour établir une telle étiologie chez l'humain se sont avérés négatifs. La maladie peut être déclenchée chez l'humain par une exposition aux radiations, surtout pendant l'enfance. Les populations d'Hiroshima et de Nagasaki ont été les cobayes involontaires de cette découverte. On a pu aussi établir une relation entre des produits chimiques aromatiques (benzéniques) et les leucémies; dans la majorité des cas toutefois on ne connaît pas la cause de l'apparition de ces maladies pour lesquelles il n'existe aucun traitement curatif. Les thérapies utilisant des antimitotiques ont un certain succès en amenant des rémissions partielles ou complètes pendant des mois voire même des années.

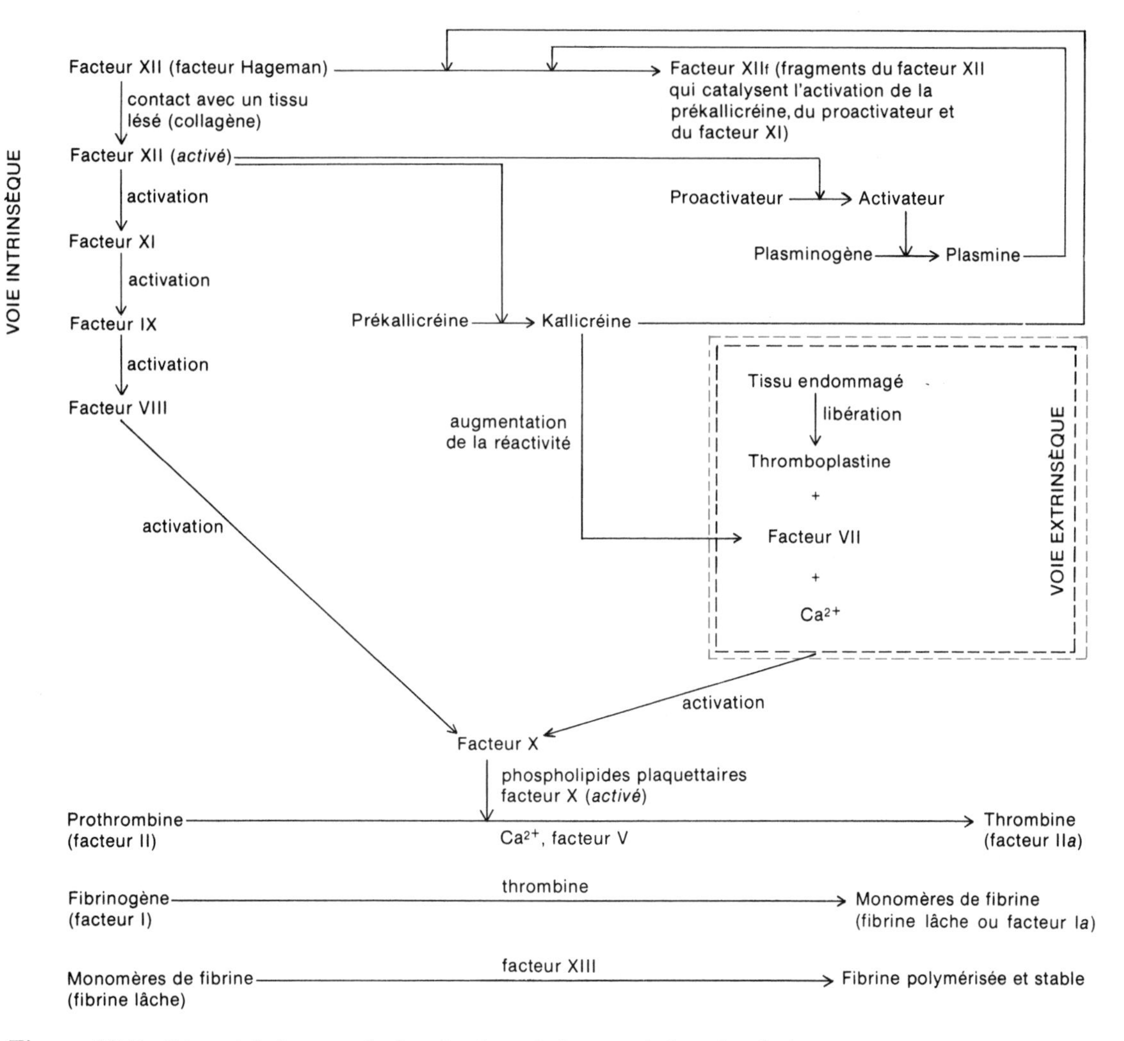

Figure 13-7 Résumé de la cascade des réactions de la coagulation. Les facteurs de coagulation ont été numérotés au fur et à mesure de leur découverte et non d'après la chronologie des réactions. La mémorisation de cette cascade de réactions n'est pas très importante; elle est présentée ici pour illustrer le mécanisme général de la coagulation.

Les plaquettes

Les *plaquettes* sanguines ne sont pas des cellules au sens strict, mais des portions cytoplasmiques anucléées qui se détachent de cellules géantes, les *mégacaryocytes* (cellules dérivées des mégacaryoblastes), pour devenir un élément du sang essentiel pour l'hémostase. Ces fragments de cytoplasme sont entourés d'une membrane et contiennent souvent des organites cellulaires ou des parties d'organites (figure 13-5). La numération plaquettaire soulève de grandes difficultés techniques surtout à cause de leur fragilité et de leur tendance à s'agglutiner sur toutes les particules présentes en solution. La valeur moyenne normale est de 300 000 par μl. Leur rôle dans l'hémostase dépend de leurs propriétés d'adhésivité et d'agrégation; elles forment rapidement un bouchon et libèrent des substances qui favorisent la coagulation.

Le thrombus blanc Quelques secondes après la lésion d'un vaisseau sanguin les parois se contractent (spasme vasculaire) et des plaquettes adhèrent aux lèvres rugueuses de la plaie. Il est possible que les fibres de collagène des parois, mises à nu par la blessure, attirent les plaquettes. L'agrégation des plaquettes est favorisée de façon spécifique par l'ADP libérée par le processus de thrombose, lequel consomme une grande quantité d'ATP plaquettaire. Ordinairement l'obstruction de la fissure vasculaire par le *thrombus blanc* est complète en moins de 5 minutes.

La coagulation sanguine Une vingtaine de secondes après la blessure, un caillot permanent commence à se former par un processus extrêmement complexe mettant en jeu plus de 30 substances différentes. La description qui suit n'expose que quelques étapes du phénomène de l'hémostase.

Le plasma subit d'abord la coagulation par l'apparition d'un réseau insoluble de *fibrine* qui va renforcer le thrombus blanc. La fibrine est une protéine fibreuse présente dans le plasma sous une forme inactive, le *fibrinogène*, et sa transformation en fibrine est l'oeuvre d'une enzyme, la *thrombine*, qui dérive elle-même de la *prothrombine*. La thrombine ne peut être présente inopinément dans le sang puisque alors des caillots se développeraient un peu partout. La prothrombine, le précurseur inactif de la thrombine, est une globuline fabriquée dans le foie avec l'aide de la vitamine K. Elle est libérée dans le sang et s'y trouve normalement. Alors qu'est-ce qui active la transformation de la prothrombine? Le processus devient ici beaucoup plus compliqué.

On connaît deux voies susceptibles de libérer rapidement de petites quantités de thrombine, accélérant ainsi le processus de coagulation (figure 13-7): la *voie intrinsèque* (la plus commune semble-t-il) et la *voie extrinsèque*. La première voie consiste en une cascade de réactions impliquant plusieurs facteurs de coagulation. La série des réactions se déclenche au moment où se produit la blessure vasculaire; le facteur Hageman (XII) inactif est activé, probablement par le contact entre le sang et le collagène des parois. À l'autre bout de la chaîne de réactions, en présence des phospholipides plaquettaires et de calcium, le facteur X activé catalyse la transformation de la prothrombine en thrombine. L'absence du facteur VIII à cause d'une mutation génétique (voir au chapitre 19) provoque l'*hémophilie*, maladie caractérisée par des hémarthroses (présence de sang dans les articulations), des hématomes et des saignements prolongés.

Dans la voie extrinsèque le vaisseau sanguin blessé ou un autre tissu libère le facteur III, la *thromboplastine*. En association avec plusieurs autres facteurs de coagulation la thromboplastine transforme la prothrombine en thrombine. Les deux voies se fusionnent au niveau de la conversion de la prothrombine en trombine.

La fibrine polymérise en longs filaments qui adhèrent aux surfaces blessées, enserrent dans leurs mailles des cellules sanguines, des plaquettes et du plasma, renforçant ainsi le thrombus. Le plasma alors immobilisé se transforme en gel; en quelques minutes le caillot se rétracte, expulse le surplus de sérum, rapproche les lèvres de la blessure et durcit.

Les troubles de la coagulation et leur prévention Le mécanisme homéostatique vital de la coagulation ne doit pas se produire de façon fortuite. Les caillots ne se forment généralement pas dans un vaisseau intact; ses parois sont très lisses et tapissées de protéines contenant des charges négatives qui repoussent les plaquettes et les facteurs de coagulation. Si, pour une raison ou pour une autre, le revêtement interne devient rugueux et perd sa charge négative, les plaquettes qui passent au voisinage peuvent être endommagées et amorcer le processus de coagulation bien qu'il n'y ait pas de rupture vasculaire. C'est un peu ce qui se passe dans l'athérosclérose; les caillots, s'ils deviennent trop gros, peuvent ralentir ou bloquer la circulation dans le vaisseau. Quelques chercheurs croient à l'occurrence assez fréquente de lésions mineures des parois des petits vaisseaux sanguins rapidement recouvertes d'un thrombus. Si le processus évolue trop longtemps, toutefois, il peut y avoir obstruction partielle ou totale. La *stase* (le ralentissement du débit) peut aussi être une cause de coagulation intempestive. L'immobilité prolongée, en position debout ou assise, provoque une accumulation de sang dans les veines. On a suggéré que les parois veineuses sont alors susceptibles d'être affectées par un manque d'oxygène, d'où formation de caillots. Ceux-ci peuvent même se briser, se détacher, et être transportés par le torrent circulatoire vers d'autres destinations. (Un tel caillot mobile s'appelle une *embole* ou un *embolus*.) Un jour ou l'autre l'embole est bloquée dans un petit vaisseau ou un capillaire, surtout dans les poumons, et peut causer une *embolie pulmo-*

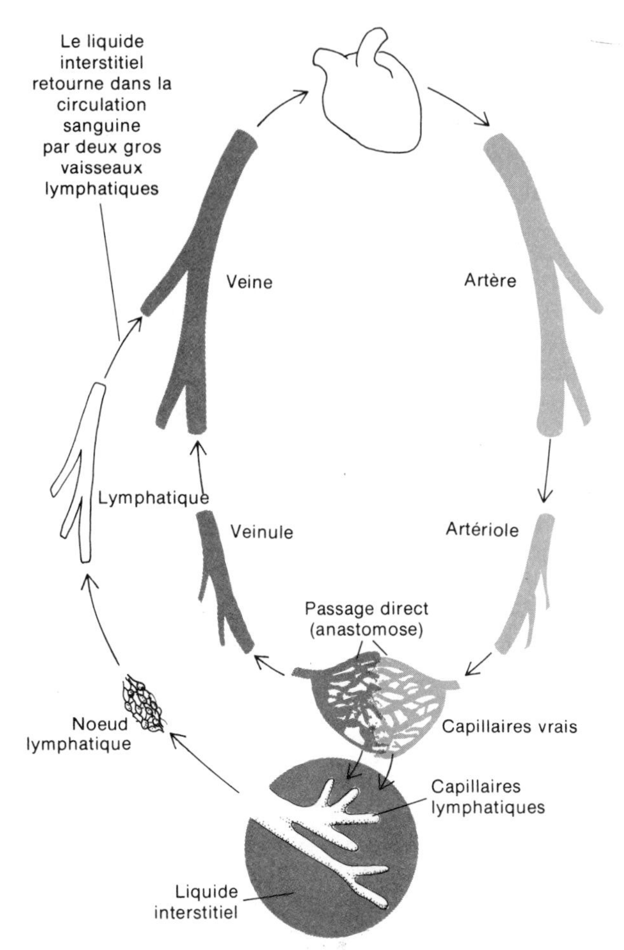

Figure 13-8 Les catégories de vaisseaux sanguins et leurs interrelations.

naire parfois mortelle. Les scientifiques pensent que plusieurs personnes présentent un mécanisme de coagulation hyperactif, peut-être à cause d'une quantité excessive de l'un ou l'autre des facteurs de coagulation; ces personnes seront plus exposées que d'autres à l'apparition de caillots intravasculaires.

Le plasma contient plusieurs substances susceptibles d'entraver ou même de bloquer le processus de la coagulation. Certaines d'entre elles sont regroupées sous le terme de «système fibrinolytique», un système enzymatique capable de détruire le réseau de fibrine. Le facteur Hageman, initiateur de la coagulation, joue un rôle dans l'activation du système fibrinolytique. Son action sur une enzyme inactive du plasma libère la *fibrinolysine* (ou *plasmine*), une enzyme qui s'attaque au réseau de fibrine et le détruit. On peut apprécier la signification physiologique de l'activité fibrinolytique sachant qu'elle protège l'organisme en débarrassant les parois endothéliales des dépôts de fibrine et en participant aux processus de guérison des blessures.

Les basophiles et les mastocytes contiennent de l'*héparine*, un anticoagulant très actif qui inhibe plusieurs étapes de la coagulation. On s'en sert pour traiter certaines maladies cardio-vasculaires bien qu'on ne sache pas exactement quel est son rôle physiologique.

Le découmarol et certains composés parents empêchent l'utilisation de la vitamine K pour la synthèse de la prothrombine et de plusieurs facteurs de la coagulation. Ces antivitamines K ne sont pas à proprement parler des anticoagulants puisqu'ils n'ont aucun effet sur le processus de la coagulation lui-même. L'utilisation clinique des anticoagulants doit être accompagnée de soins attentifs car le patient risque de saigner abondamment à la moindre blessure.

Le contact du sang avec les parois de plastique ou de verre des contenants ou des seringues suffit à amorcer la coagulation. On peut l'empêcher en ajoutant du citrate ou de l'oxalate au sang lors de la prise de sang. Ces substances s'associent au calcium, le séquestrent ou le font précipiter, empêchant la coagulation de se produire.

Les tests de coagulation La coagulation est un phénomène complexe donc vulnérable sous plusieurs aspects. La *thrombopénie* (la diminution significative du nombre de plaquettes), l'insuffisance de tout facteur de coagulation et même de toute substance impliquée dans le processus, sont des éléments potentiels de troubles de la coagulation.

L'investigation de patients qu'on suspecte d'être atteints de troubles de la coagulation nécessite une batterie de tests cliniques pour mesurer, entre autres, le temps d'hémostase, le temps de coagulation du sang en éprouvette ou le temps de coagulation plasmatique. Le test de la prothrombine permet aussi d'évaluer la coagulabilité du sang. Une certaine quantité de plasma liquide contenant de la thromboplastine est additionnée de calcium. Le test consiste à mesurer le temps d'apparition d'un caillot visible, soit normalement une douzaine de secondes. On fait aussi de nombreux dosages des facteurs de la coagulation.

LES VAISSEAUX SANGUINS

L'appareil vasculaire sanguin comprend trois grandes catégories de vaisseaux: les *artères* acheminent le sang du coeur vers les tissus, les *capillaires* distribuent le sang dans les tissus en formant un réseau extrêmement développé et assurent les échanges sang-tissus, et les *veines* ramènent le sang vers le coeur (figure 13-8). Il existe une grande diversité structurale, géométrique et fonctionnelle, entre chaque groupe de vaisseaux et leurs sous-groupes respectifs.

La structure générale des parois vasculaires

Les parois des vaisseaux sanguins et du coeur (mais non celles des capillaires) possèdent trois enveloppes: la tunique interne ou intima, la tunique moyenne ou média, et la tunique externe ou adventice. La composition de ces trois tuniques diffère d'un type de vaisseau à un autre mais il demeure une certaine continuité structurale à travers l'arbre vasculaire (figure 13-9).

L'*intima* est essentiellement formée du revêtement endothélial d'un vaisseau. Un *endothélium* est un tissu de recouvrement dont la structure est voisine de celle d'un épithélium pavimenteux mais qui possède une origine embryonnaire différente. Certaines cellules endothéliales ont des pores et d'autres se chevauchent légèrement, ce qui favorise les échanges intercellulaires et transcellulaires.

La *média* est caractérisée d'une part par des fibres musculaires lisses dont le niveau d'activité détermine le degré d'ouverture du vaisseau et, d'autre part, par du tissu conjonctif élastique particulièrement bien fourni dans les grosses artères.

L'*adventice* contient du tissu conjonctif fibreux envahi de filets nerveux et de vaisseaux sanguins nourriciers. Il peut sembler étrange que les parois d'un vaisseau sanguin soient pourvues d'un réseau vasculaire. Les grosses artères et les veines ont des parois assez épaisses pour que les échanges entre la lumière et les cellules les plus éloignées soient inadéquats. Les vaisseaux dont le diamètre excède environ 200 μm sont donc pourvus d'un réseau de distribution comme tous les autres tissus, comprenant des petites artères, des capillaires et des petites veines. Ce réseau s'appelle un *vasa vasorum*.

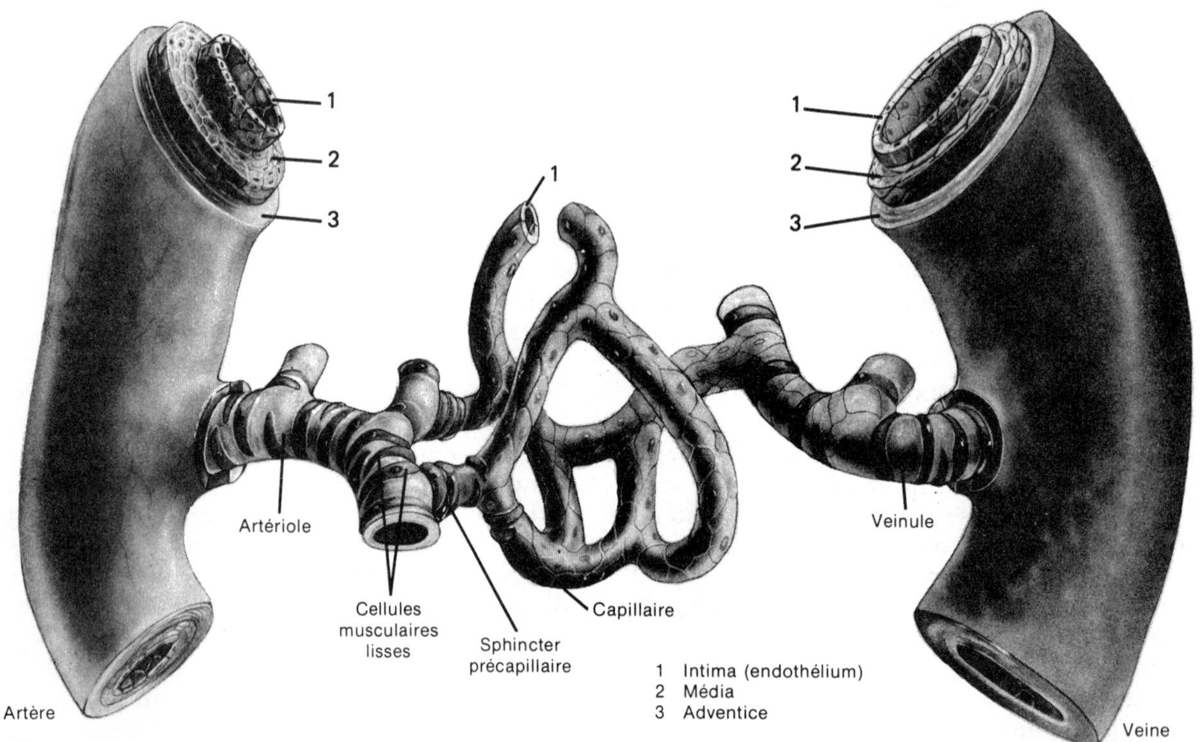

Figure 13-9 La structure des parois vasculaires.

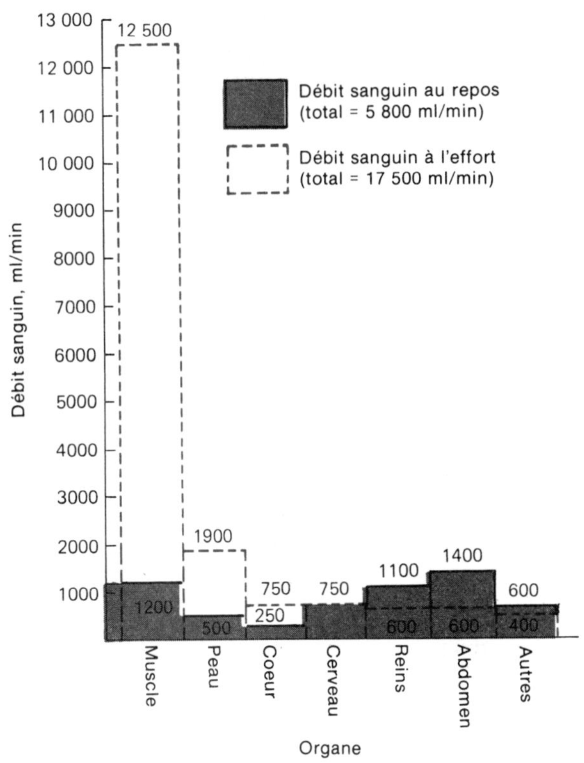

Figure 13-10 Distribution du débit sanguin total entre les différents organes du corps, au repos et à l'effort. *(Avec la permission de B. Chapman et Jere H. Mitchell.)*

Les artères

Une *artère* conduit le sang du coeur vers les organes et les tissus du corps. Seules les artères pulmonaires contiennent du sang non hématosé[1] puisqu'elles amènent le sang aux poumons. Les parois des plus grosses artères sont très élastiques et se distendent sous la pression de remplissage des contractions ventriculaires. Les grosses artères élastiques se ramifient en un réseau très étendu d'artères de moyen calibre qui distribuent le sang dans tous les tissus. Ces artères distributrices possèdent beaucoup moins de tissu élastique mais plus de fibres musculaires lisses que les grosses artères.

Les artères de distribution se résolvent elles-mêmes en un vaste réseau d'*artérioles*, les robinets de contrôle du débit sanguin local. La musculature de ces vaisseaux est douée de *vasomotricité*; elle peut réduire (par *vasoconstriction*) ou agrandir (*par vasodilatation*) la lumière des artérioles, modifiant ainsi considérablement leur débit. La vasomotricité est sous l'influence de contrôles locaux surtout reliés aux besoins métaboliques d'une région donnée, mais aussi aux exigences globales de l'organisme. Par exemple, l'accroissement de l'activité métabolique d'un tissu commande une irrigation plus importante. Pendant un exercice la vasodilatation artériolaire augmente le débit sanguin musculaire de plus de 10 fois au-dessus du niveau de base.

Le volume sanguin total du corps est insuffisant pour remplir en même temps tous les vaisseaux. Il ne peut donc y avoir une vasodilatation simultanée de toutes les artérioles puisque la chute de pression artérielle consécutive serait fatale. Le sang est plutôt dirigé vers les tissus selon leurs besoins immédiats (figure 13-10). Normalement le foie, les reins et le cerveau, se partagent la part du lion du débit sanguin total. Toutefois si quelqu'un, par exemple, doit monter plusieurs étages à pied, alors une plus grande partie du débit est déviée vers le coeur et les muscles des membres inférieurs. Au même moment l'appareil digestif et les reins, qui peuvent tolérer une ischémie partielle temporaire, se verront privés d'une quantité importante de sang au profit des organes locomoteurs.

Les capillaires

Le sang passe des artérioles terminales dans des capillaires microscopiques. Les *passages directs* sont des capillaires qui connectent directement une artériole à une *veinule* (une veine minuscule). Les «*vrais*» *capillaires* prennent naissance du côté artériel d'un capillaire direct, se ramifient, se réunissent, et reviennent s'y résoudre du côté veineux (figure 13-8). Les vrais capillaires s'interconnectent et se subdivisent si abondamment que presque toutes les cellules du corps sont à moins de 50 μm de l'un deux. Chaque capillaire est très court (longueur moyenne d'environ 1 mm) et leur diamètre est très étroit; plusieurs sont si fins que les GR ne peuvent y passer qu'à la queue leu leu. Le nombre total des capillaires est cependant si grand qu'on estime à près de 100 000 km leur longueur totale bout à bout.

Les capillaires représentent les organes d'échange de l'appareil circulatoire; leurs parois sont assez minces pour que les gaz respiratoires et les nutriments diffusent librement au

[1] L'*hématose* représente l'oxygénation du sang dans les poumons.

travers. Les parois capillaires ne sont pas complètement étanches et le plasma peut même sortir des canalisations vasculaires en entraînant des nutriments avec lui.

La paroi capillaire est formée de l'endothélium de l'intima. La média n'y est représentée que par des *cellules périthéliales* étoilées, plaquées irrégulièrement à la surface des capillaires qu'elles enlaçent de leurs prolongements; ces cellules sont interprétées comme des éléments contractiles. Il n'y a pas d'adventice. Le point d'émergence d'un capillaire à partir d'un passage direct est gardé par une cellule musculaire lisse formant un *sphincter précapillaire* dont l'activité contractile règle le débit sanguin dans le capillaire effluent.

Dans le foie, la rate et la moelle osseuse, les artérioles sont connectées aux veinules par des *sinusoïdes* plutôt que par des capillaires typiques. Le revêtement endothélial des sinusoïdes est discontinu, laissant plusieurs ouvertures béantes vers l'interstitium. Cette inétanchéité est cependant accompagnée d'un débit sanguin très lent et d'une faible pression; les quantités de plasma qui s'en échappent sont donc faibles. Un grand nombre de macrophages, disséminés à travers les cellules endothéliales des sinusoïdes, phagocytent les débris cellulaires, les GR usés et les particules étrangères, les éliminant de la circulation.

Les veines

À sa sortie des capillaires le sang rejoint des *veinules* qui s'anastomosent et forment des *veines* de plus en plus grosses. La tunique la plus épaisse des parois veineuses, l'adventice, contient surtout du tissu conjonctif souvent accompagné de fibres musculaires lisses longitudinales. La média est très mince ou encore absente dans les parois de certaines veines. En général les parois veineuses sont plus minces que celles des artères de même calibre. La plupart des veines de plus de 2 mm de diamètre qui véhiculent le sang contre la force de gravité possèdent des *valves*. Elles sont formées de deux lames tissulaires intraluminales (des *valvules*) qui ressemblent à des goussets disposés de part et d'autre de la veine. Elles empêchent le reflux du sang en s'ouvrant et en s'affrontant par leurs bords.

Lorsqu'un individu doit passer de longues heures debout chaque jour le sang s'accumule dans les veines des membres inférieurs. Elles se dilatent et les valves deviennent inefficaces puisque les deux valvules s'écartent. C'est un contexte idéal pour l'apparition des varices, en particulier chez les sujets obèses ou encore chez ceux qui présentent une faiblesse héréditaire des parois veineuses. Une *varice* correspond à une portion dilatée, déformée et étirée d'une veine, le tissu élastique de la paroi étant souvent détérioré. Les varices apparaissent surtout au niveau des veines superficielles (près de la surface) des membres inférieurs, celles qui ont le moins de support externe et qui subissent les plus fortes augmentations de pression. Les *hémorroïdes*, des varices au niveau des veines de la région anale, apparaissent lorsque la pression veineuse à ce niveau est continuellement élevée comme, par exemple, dans la constipation chronique (à cause des efforts répétés pour déféquer) et lors d'une grossesse (à cause de l'utérus qui appuie sur les veines de la région pelvienne).

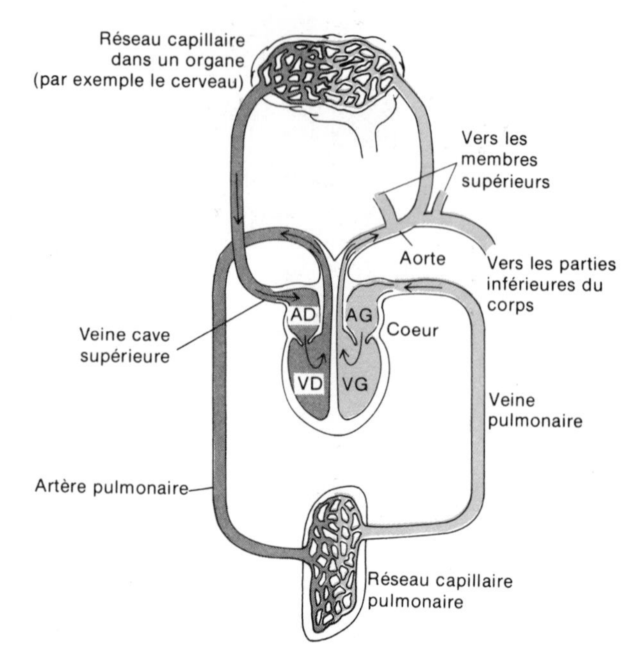

Figure 13-11 Schéma simplifié des circulations systémique et pulmonaire.

L'ARRANGEMENT DE L'APPAREIL CIRCULATOIRE

Le sang coule dans un réseau continu de vaisseaux disposés en un double circuit entre (1) le coeur et les poumons et (2) le coeur et tous

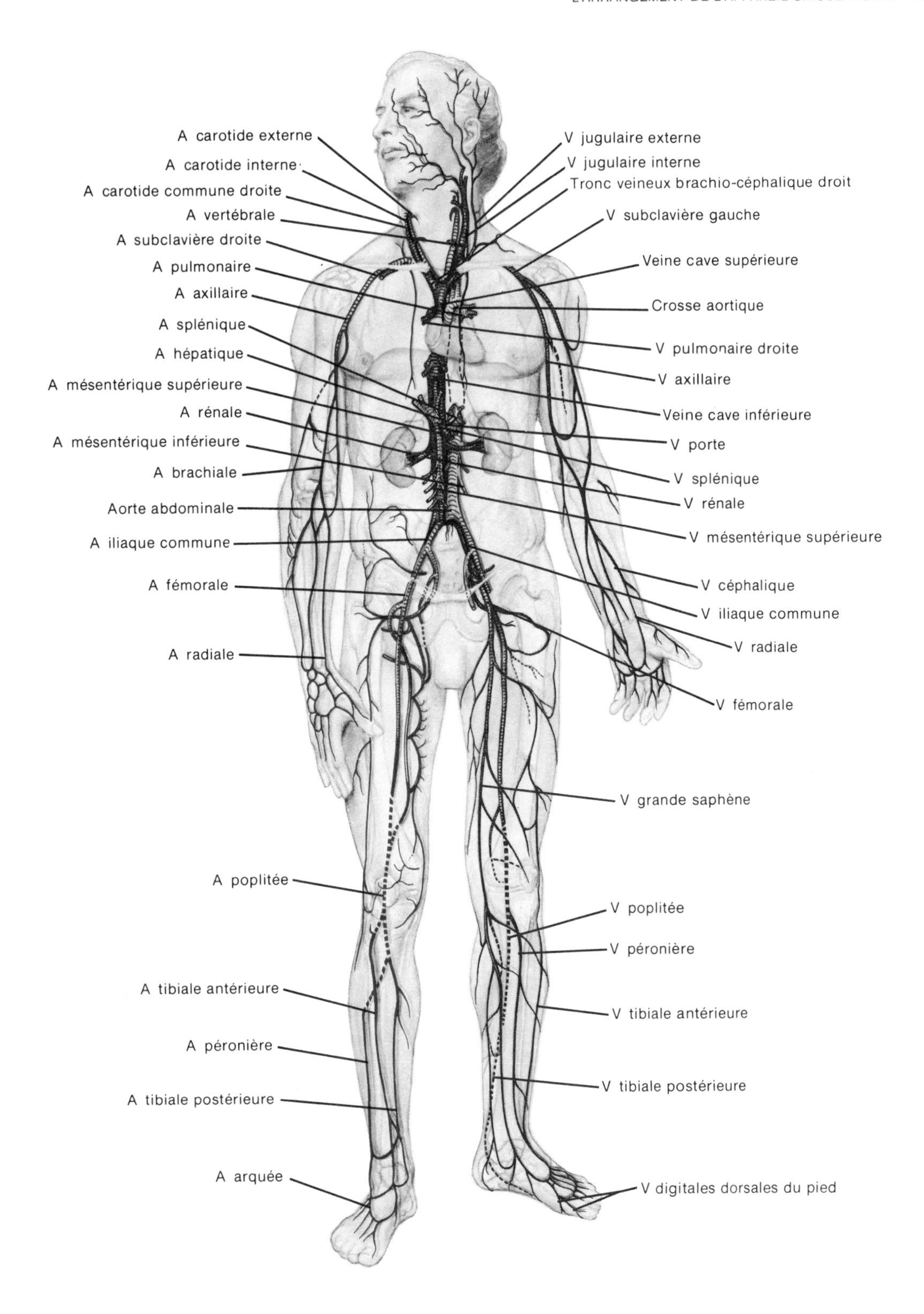

Figure 13-12 Les principales artères et veines du corps.

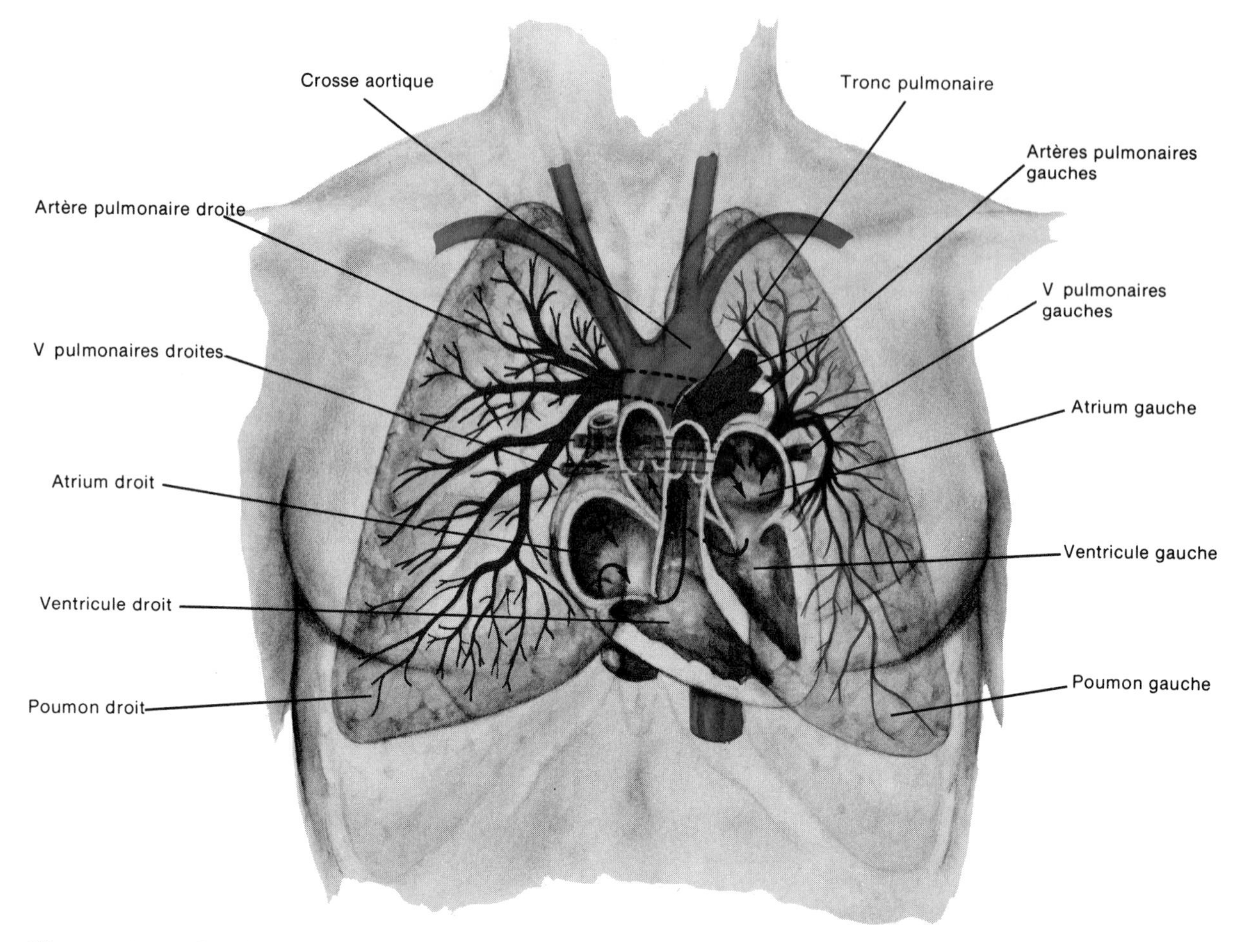

Figure 13-13 La circulation pulmonaire.

les autres tissus. Le coeur lui-même est une pompe double à quatre chambres: deux *atriums* (*oreillettes*) et deux *ventricules*. Le ventricule gauche pompe le sang dans la *circulation systémique* (ou *générale*) qui amène du sang hématosé aux différents tissus et organes de l'organisme. Le sang revient au coeur chargé de CO_2 et est pompé dans la *circulation pulmonaire* par le ventricule droit. Les *artères pulmonaires* amènent le sang aux poumons où se font les échanges gazeux. Les *veines pulmonaires* ramènent le sang hématosé vers l'atrium et le ventricule gauches d'où il est propulsé à nouveau dans la circulation systémique. Le schéma de la figure 13-11 présente ce double circuit dont les détails apparaissent à la figure 13-12.

La circulation pulmonaire

Le sang pauvre en oxygène qui revient au coeur après son passage dans la circulation systémique atteint l'atrium droit d'où il est chassé dans le ventricule droit. De là il est dirigé vers le tronc pulmonaire, une grosse artère qui se divise rapidement en artères pulmonaires gauche et droite irriguant respectivement les poumons gauche et droit. Les ramifications successives des deux artères pulmonaires assurent la distribution du sang dans toutes les parties des poumons.

Le sang passe dans le réseau capillaire pulmonaire logé dans les parois des alvéoles; à cet endroit CO_2 quitte le sang et diffuse dans l'alvéole alors que O_2 fait le contraire. Les capillaires pulmonaires contenant maintenant du sang hématosé forment des veinules puis des veines de plus en plus grosses. Deux veines pulmonaires émergent de chaque poumon et acheminent le sang vers l'atrium gauche. Il est bon de noter que les veines pulmonaires sont les seules veines à transporter du sang hématosé et que les artères pulmonaires sont les seules artères à véhiculer du sang pauvre en oxygène.

En résumé, le sang circule dans le circuit vasculaire pulmonaire en empruntant successivement: l'atrium droit → le ventricule droit → le tronc pulmonaire → les artères pulmonaires → les artérioles → les capillaires → les veinules → les veines pulmonaires → l'atrium gauche (figure 13-13).

La circulation systémique

Au retour des poumons le sang passe dans l'atrium puis dans le ventricule gauches. Il est alors pompé dans l'*aorte*, la plus grosse artère du corps.

La première partie de l'aorte, l'*aorte ascendante*, se dirige vers le haut et vers l'avant (figure 13-14). Les artères coronaires émergent de cette portion de l'aorte pour irriguer le muscle cardiaque (tableau 13-4). Puis l'aorte se recourbe vers l'arrière et vers le bas au niveau de la *crosse de l'aorte* qui donne naissance à trois grosses artères: (1) le *tronc artériel brachio-céphalique* irrigue la partie supérieure droite du corps, (2) la *carotide commune (primitive) gauche* irrigue le côté gauche de la tête et du cou, et (3) l'*artère subclavière (sous-clavière) gauche* irrigue le cou et le bras gauche. L'aorte traverse ensuite la cage thoracique et la cavité abdominale; elle prend alors le nom d'*aorte descendante* et émet des artères collatérales qui irriguent tous les principaux organes et tissus. Par exemple, les artères rénales naissent au niveau des reins. Au bas de la cavité abdominale l'aorte se subdivise en deux troncs, les *artères iliaques communes (primitives)* gauche et droite qui irriguent les membres inférieurs.

Le retour du sang vers le coeur se fait par deux gros vaisseaux, les *veines caves inférieure* et *supérieure* (figure 13-15). La première collecte le sang des parties du corps situées sous le niveau du coeur. Les deux *troncs veineux brachio-céphaliques* recueillent le sang des régions supérieures du corps et le déversent dans la veine cave supérieure (tableau 13-5). (Les troncs veineux brachio-céphaliques reçoivent le sang des *veines jugulaires* qui drainent le cerveau, des *veines subclavières (sous-clavières)* qui drainent les épaules et les membres supérieurs, et de plusieurs autres veines.)

Les trois prochaines sections décrivent les réseaux vasculaires du coeur, du cerveau et du foie; les figures 13-16 à 13-19 présentent les principaux vaisseaux sanguins des membres supérieur et inférieur.

La circulation coronaire Le coeur est un gros organe musculeux et son activité métabolique est intense. Les échanges sang-tissus doivent donc y être très importants. Le sang des cavités cardiaques ne peut servir à ces échanges car ils doivent s'effectuer par diffusion et les parois du coeur sont beaucoup trop épaisses. Les parois sont donc pourvues d'un réseau vasculaire complet, la *circulation coronaire*.

Deux artères coronaires naissent de l'aorte ascendante, tout près de son émergence du coeur (figure 13-20). L'*artère coronaire gauche* passe sous l'atrium gauche et se divise en deux branches: l'*artère interventriculaire antérieure* irrige les parois des ventricules et l'*artère circonflexe* dessert les parois de l'atrium et du ventricule gauches.

L'*artère coronaire droite* passe sur la face antérieure du coeur et se divise aussi en deux branches: *l'artère coronaire antérieure droite* irrigue les parois des deux ventricules et l'*artère marginale* dessert l'atrium et le ventricule droits. (D'ordinaire l'*artère interventriculaire postérieure* est issue de la coronaire droite et non de la gauche comme l'indique la figure 15-20.)

Le sang passe ensuite à travers le réseau capillaire du coeur où l'oxygène et les nutriments gagnent les cellules cardiaques et où les métabolites terminaux toxiques gagnent le sang. Les capillaires se résolvent dans les veines coronaires qui se rejoignent pour former le *sinus coronaire*, une grosse veine qui repose sur la face postérieure du coeur et qui débouche dans l'atrium droit. La coronarographie de la figure 13-21 montre une partie du réseau vasculaire coronaire. On y remarque l'obstruction d'une des artères. Comme on le verra, l'interruption du débit sanguin coronaire normal est la cause principale des maladies cardiaques. (*Suite du texte p. 413*)

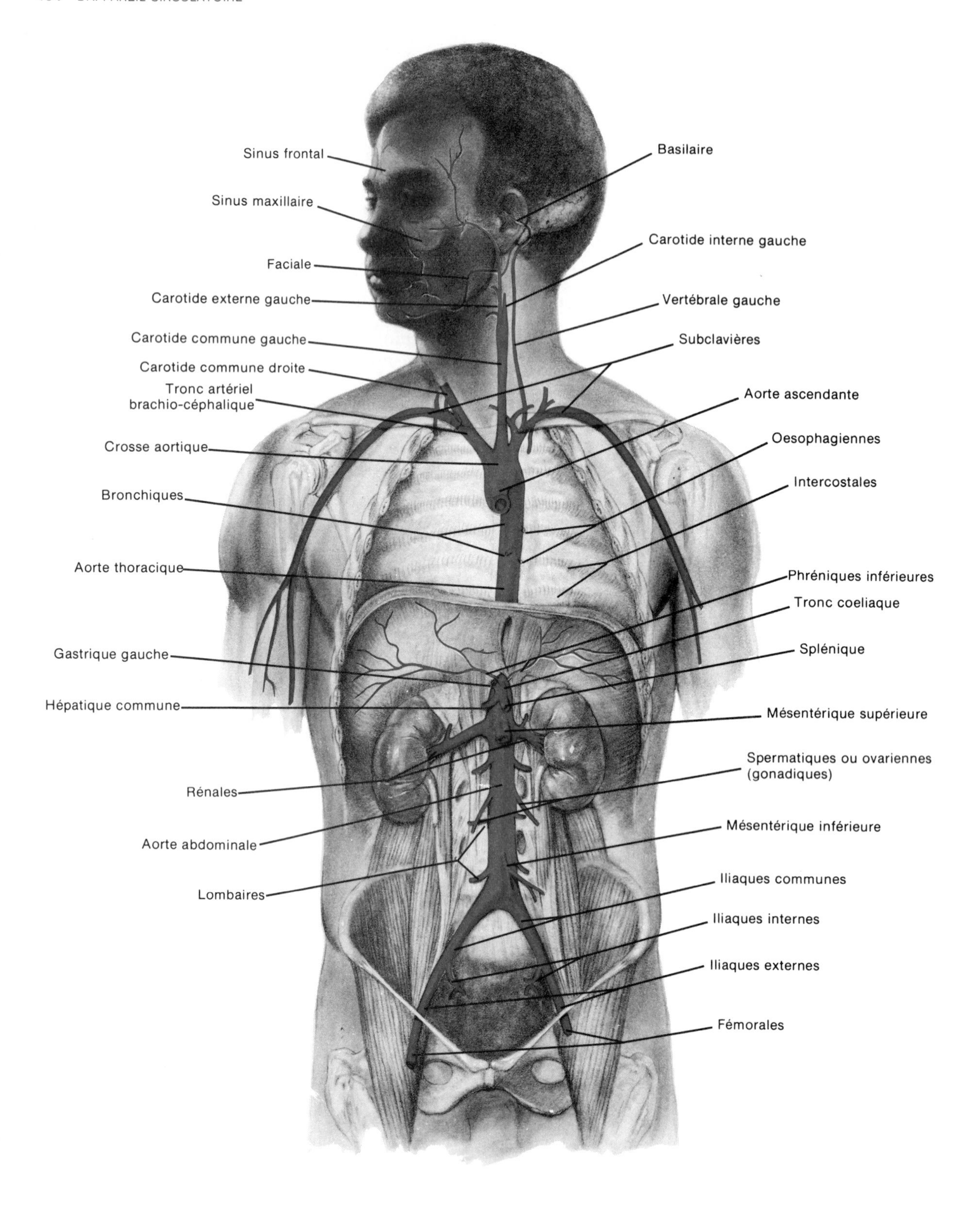

Figure 13-14 L'aorte et ses principales artères collatérales.

Tableau 13-4 L'aorte et ses principales branches collatérales

Région de l'aorte	Branches artérielles	Territoire irrigué
Aorte ascendante	Artères coronaires	Parois du coeur
Crosse aortique	Tronc artériel brachio-céphalique	
	Carotide commune droite	Les artères carotides communes qui montent vers la tête se divisent en une carotide interne (pour le cerveau et l'oeil) et une carotide externe (pour le cou et la face)
	Subclavière droite	Membre supérieur droit, mamelle droite et cou
	Carotide commune gauche	Voir carotide commune droite
	Subclavière gauche	Voir subclavière droite
Aorte thoracique	Branches viscérales:	
	Artères bronchiques	Vaisseaux nourriciers des poumons
	Artères oesophagiennes	Oesophage
	Branches pariétales:	
	Artères intercostales postérieures de la troisième à la onzième côte	Muscles intercostaux et autres muscles du thorax; plèvre; mamelle
Aorte abdominale	Branches viscérales:	
	Tronc coeliaque	Se divise en trois artères importantes: hépatique commune (foie), gastrique gauche (estomac), splénique (rate, pancréas, estomac)
	Artère mésentérique supérieure	Intestin grêle et première portion du côlon
	Artères surrénales	Glandes surrénales
	Artères rénales	Reins
	Artères gonadiques:	
	Ovariennes	Ovaires
	Testiculaires	Testicules
	Artère mésentérique inférieure	Côlon, rectum
	Artères iliaques communes:	
	Externes	Membres inférieurs
	Internes	Cuisses, vessie, utérus, vagin
	Branches pariétales:	
	Artères phréniques inférieures	Diaphragme
	Artères lombaires	Moelle épinière et région lombaire du dos
	Artère sacrée médiane	Sacrum, coccyx, grand fessier et rectum

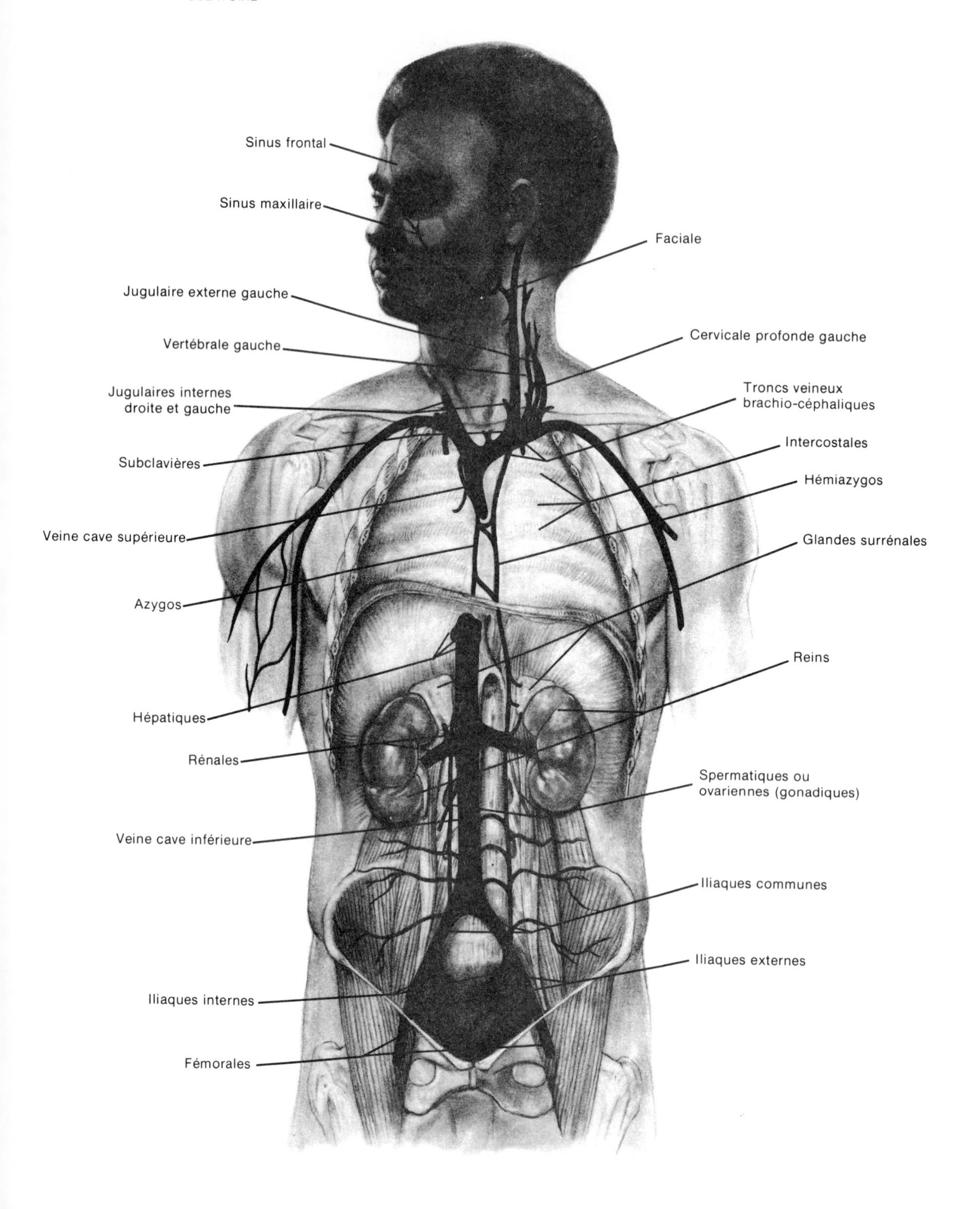

Figure 13-15 Les principales veines tributaires des veines caves supérieure et inférieure.

Tableau 13-5 Les principales veines rejoignant les veines caves

Veine	Structures tributaires	Territoire(s) d'origine
Vers la veine cave supérieure		
Jugulaire interne	Sinus de la dure-mère	Cerveau, crâne
Jugulaire externe	Veines de la face	Muscles et peau de la face et du cuir chevelu
Subclavière	Veines axillaire, céphalique, basilique et leurs tributaires, veines scapulaire et thoracique	Membres supérieurs, thorax, glandes mammaires
Tronc veineux brachio-céphalique	Jugulaires interne et externe, subclavière	Cerveau, face, cou
Azygos	Veines lombaires et intercostales	Partie postérieure des cavités thoracique et abdominale
Vers la veine cave inférieure		
Hépatiques	Sinusoïdes du foie	Foie
Rénales	Veines des reins	Reins
Gonadiques	Veines des organes génitaux (gonades)	Ovaires ou testicules
Iliaques communes	Iliaques externes	Membres inférieurs
	Iliaques internes	Organes du pelvis
	Fémorales	Membres inférieurs

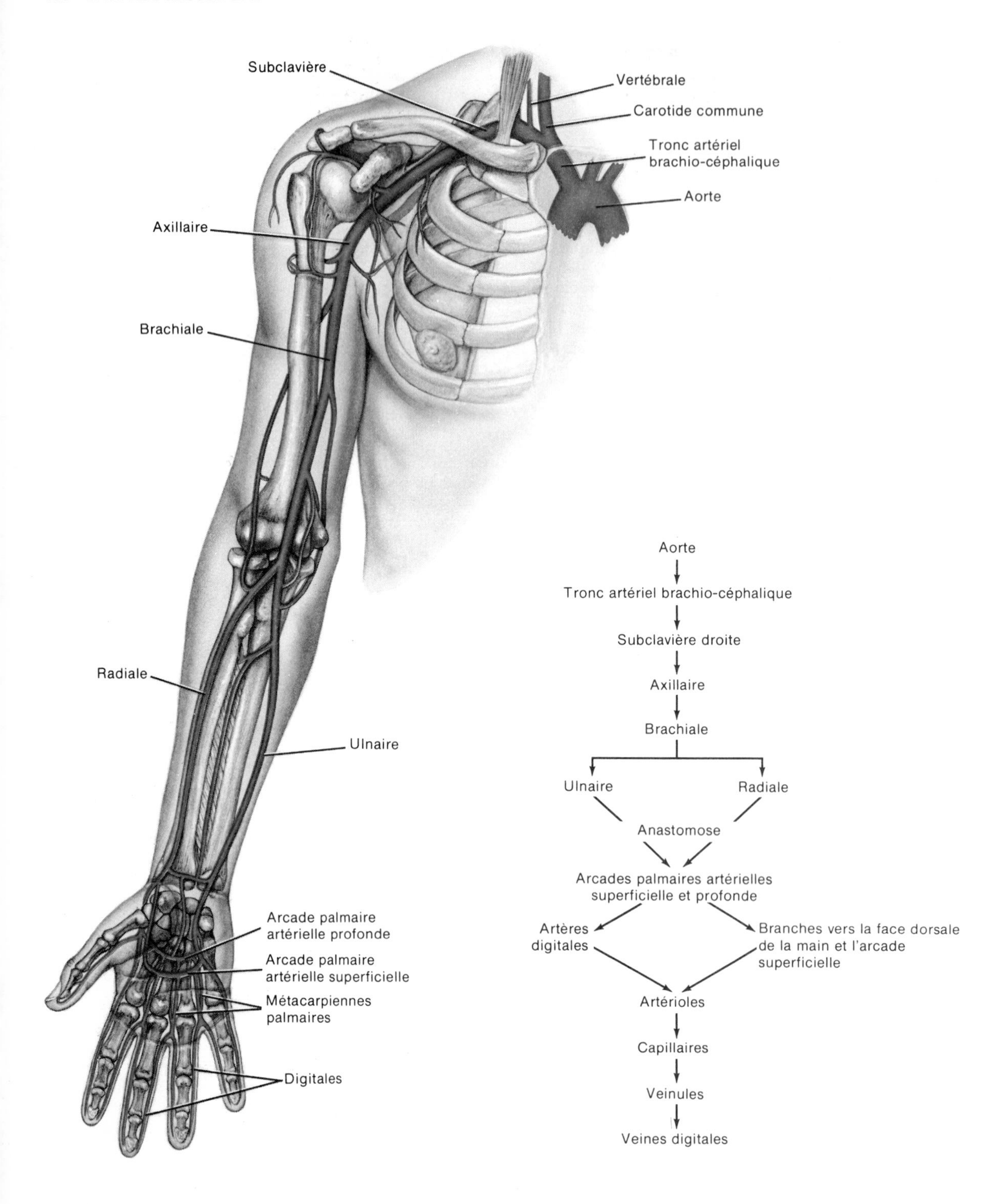

Figure 13-16 Circulation artérielle du membre supérieur droit.

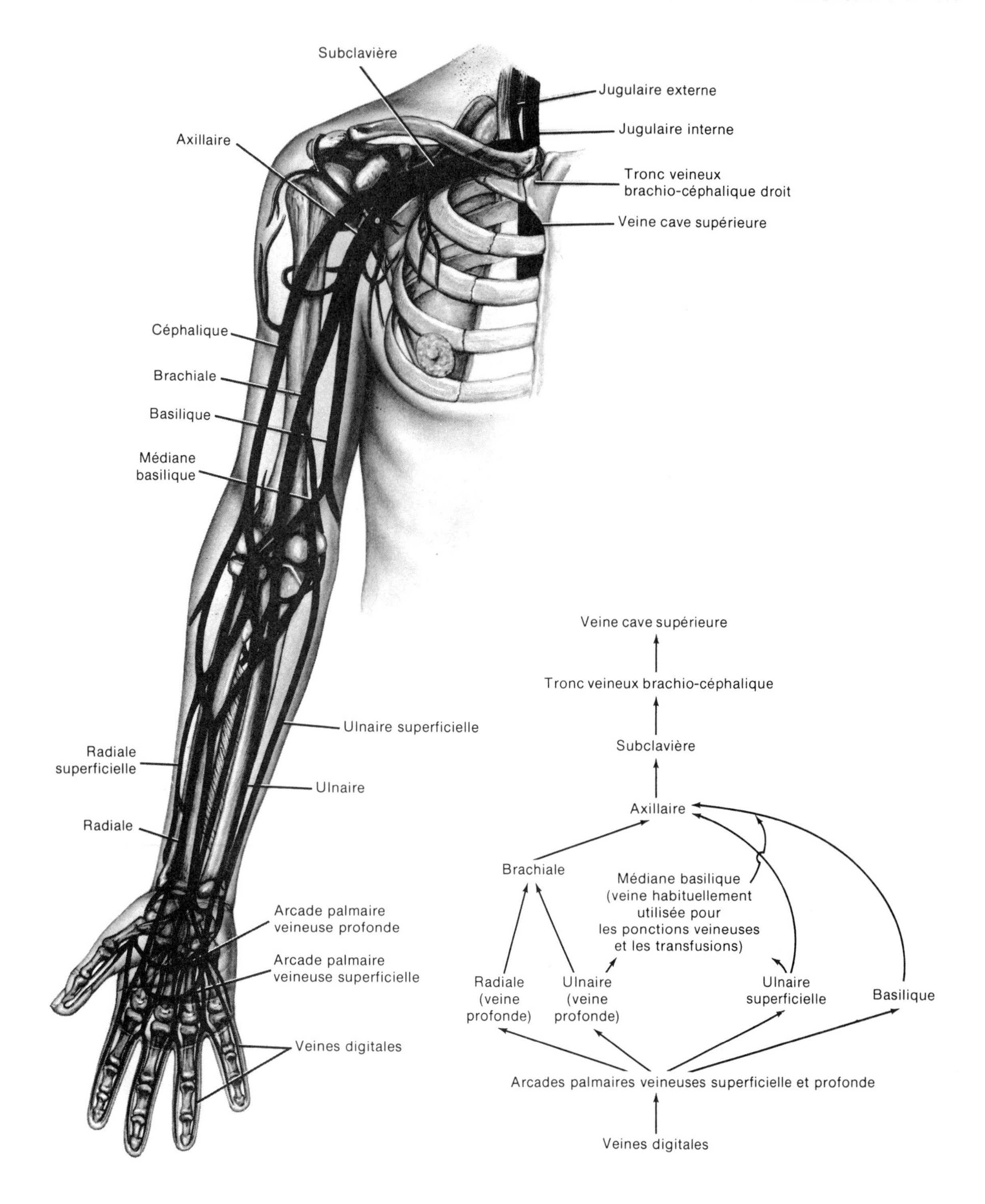

Figure 13-17 Circulation veineuse du membre supérieur droit.

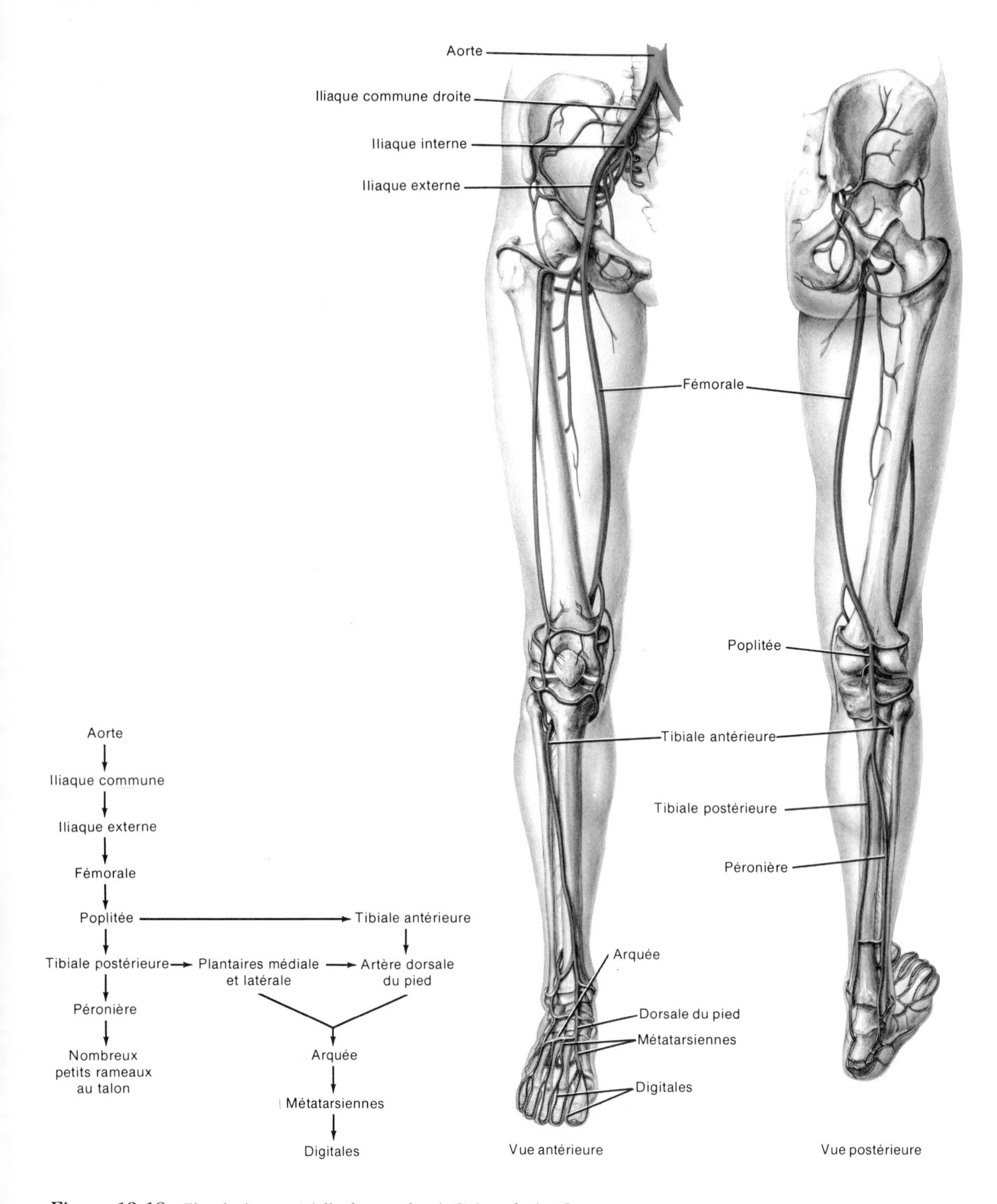

Figure 13-18 Circulation artérielle du membre inférieur droit. (On ne peut voir les artères plantaires médiale et latérale sur ces schémas.)

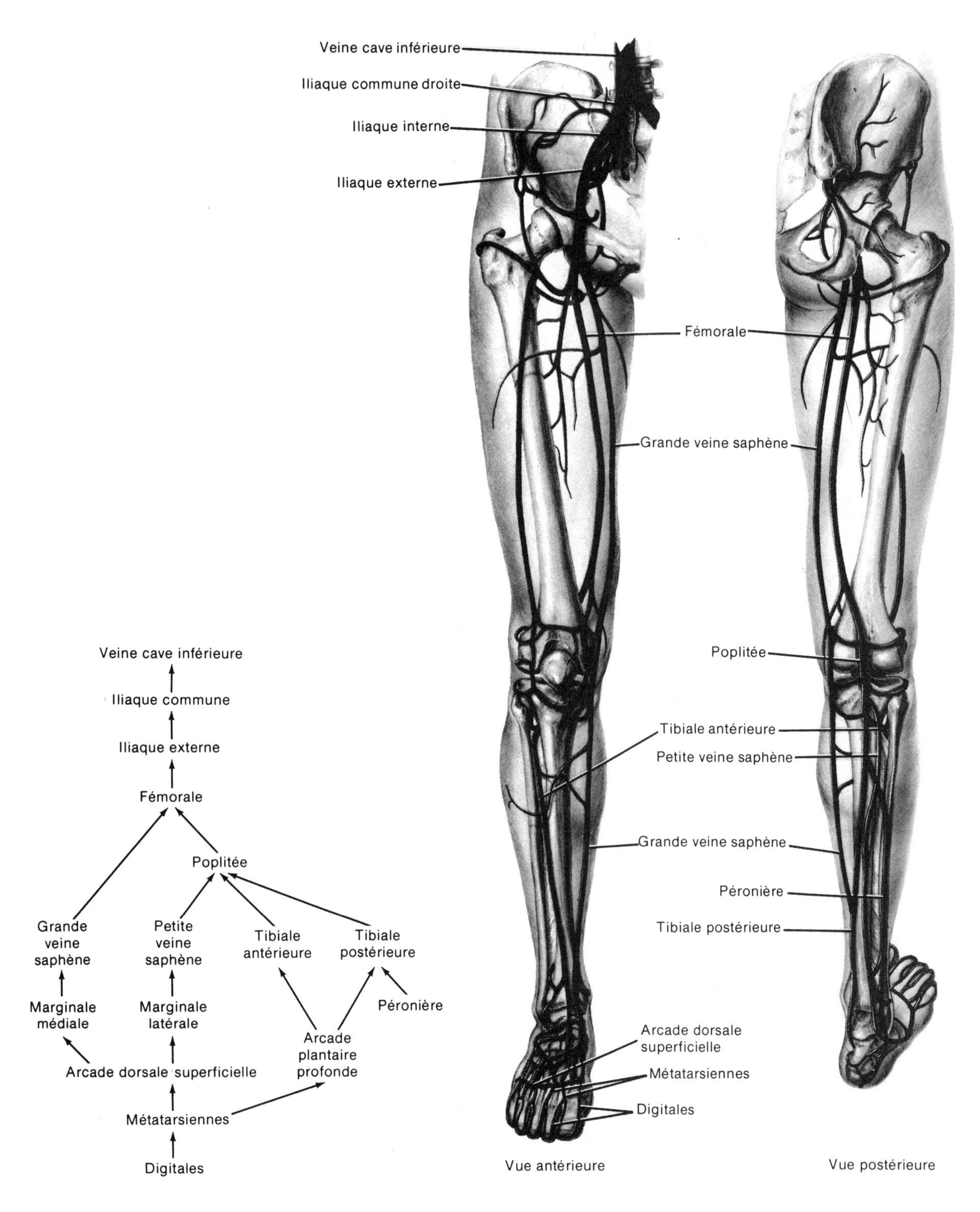

Figure 13-19 Circulation veineuse du membre inférieur droit. Les principales veines superficielles sont les veines saphènes (grande et petite).

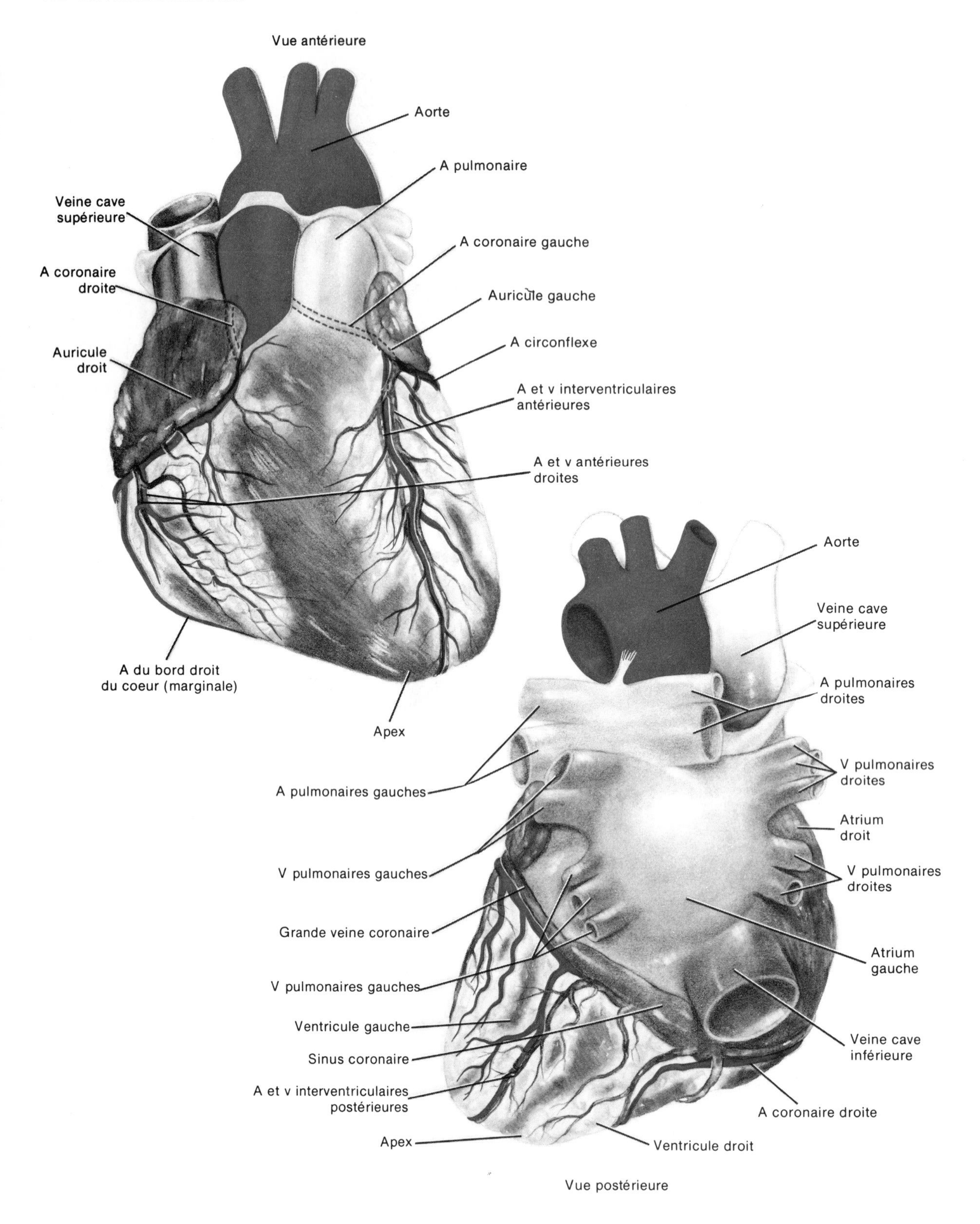

Figure 13-20 Les artères coronaires et leurs branches.

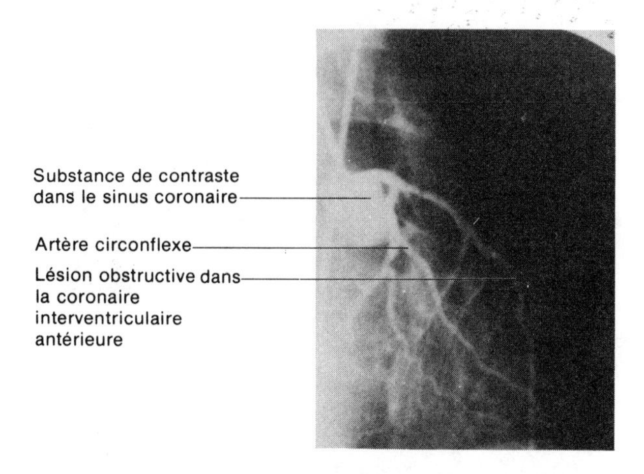

Figure 13-21 Radiographie illustrant la circulation coronarienne. On peut voir une plaque athéromateuse obstruant à 90 pour 100 la lumière de la coronaire interventriculaire antérieure. On voit bien la substance de contraste dans le sinus coronaire. (*Dr. Dennis Pupello.*)

La circulation cérébrale Le cerveau est irrigué par quatre artères, les deux *artères carotides internes* et les deux *artères vertébrales* (issues des artères subclavières) (figures 13-22 et 13-23). Les artères vertébrales passent par le foramen magnum et se réunissent sur la face ventrale du tronc cérébral pour former l'*artère basilaire* qui se divise en deux branches, les *artères cérébrales postérieures* gauche et droite. Les carotides internes pénètrent aussi dans la boîte crânienne par le foramen magnum et leurs branches terminales sont les *artères cérébrales antérieures* et les *artères cérébrales moyennes*. Plusieurs petites *artères communicantes* entre les artères cérébrales antérieures, moyennes et postérieures, forment des *anastomoses* artérielles à la base de l'encéphale: c'est le *cercle artériel du cerveau* (*polygone de Willis*), un circuit de sécurité au cas où l'une ou

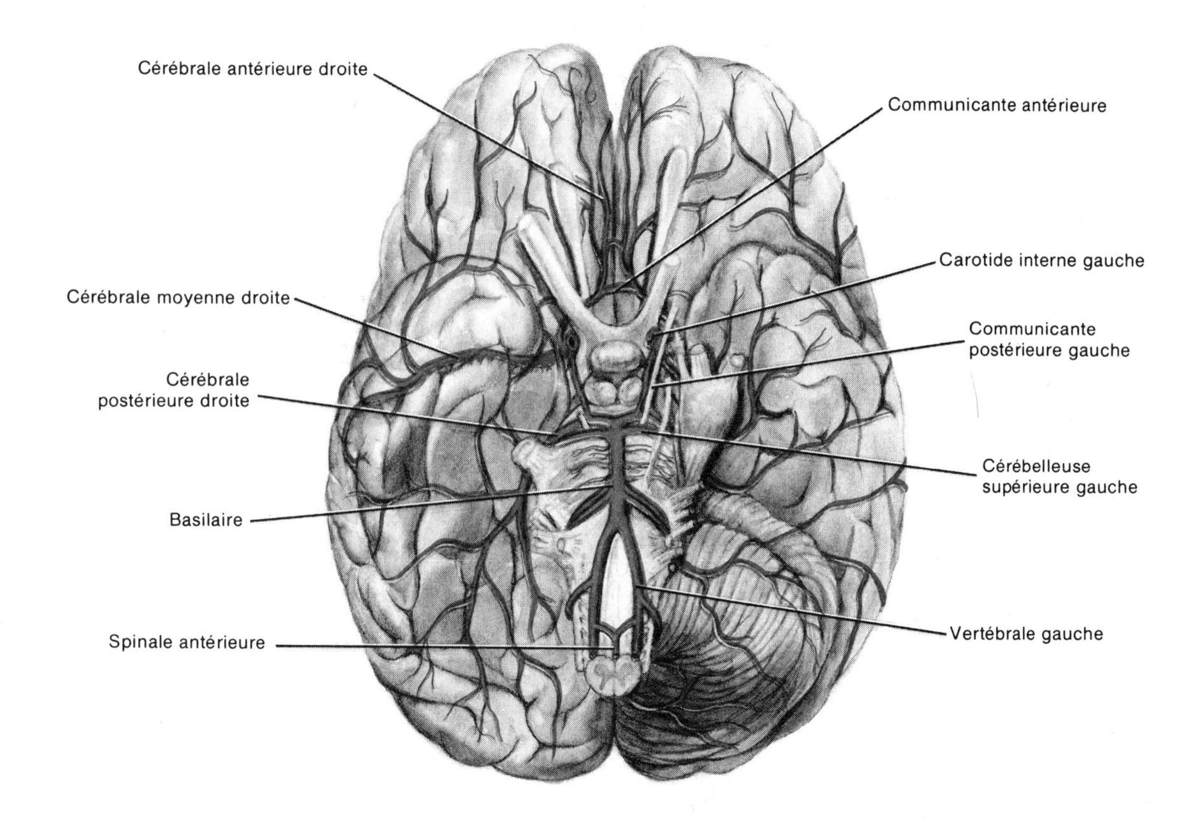

Figure 13-22 La circulation artérielle du cerveau avec le cercle artériel.

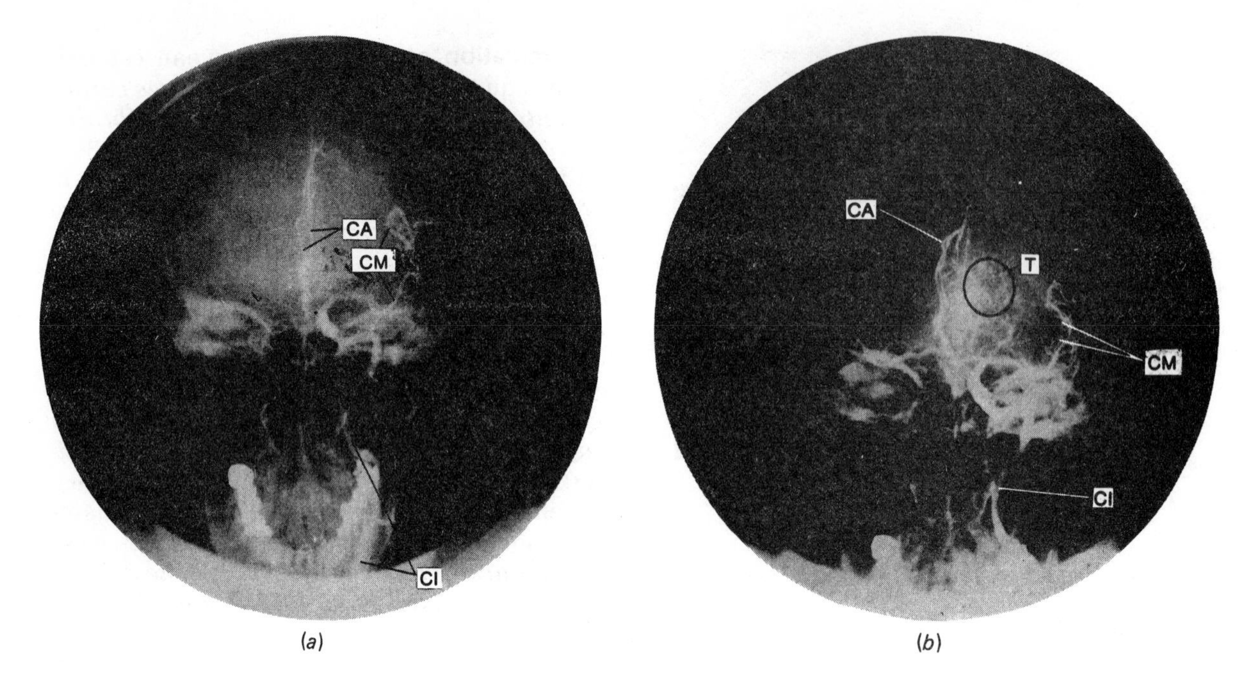

Figure 13-23 Deux artériographies du cerveau d'un patient porteur d'un glioblastome (cancer du cerveau). La première radiographie (*a*) a été prise à l'apparition des premiers symptômes et elle ne montre aucune anomalie. La deuxième radiographie (*b*) fait partie d'une série d'artériographies effectuées quatre mois plus tard. La zone tumorale présente une vascularisation exagérée. L'artère cérébrale antérieure a été repoussée vers la droite par la tumeur. CA, artères cérébrales antérieures; T, tumeur; CM, branches de la cérébrale moyenne; CI, artère carotide interne.

l'autre des artères nourricières du cerveau venait à s'obstruer ou à ne plus fonctionner normalement. Les interconnexions permettraient alors de maintenir un débit sanguin adéquat dans la région touchée grâce aux autres artères.

À sa sortie des capillaires, le sang se draine dans de grands sinus veineux situés dans des replis de la dure-mère. Les sinus sont reliés aux veines jugulaires internes, de part et d'autre du cou, et le sang retourne au coeur par les troncs brachio-céphaliques puis par la veine cave supérieure.

Le système porte hépatique En général le sang passe d'abord dans des artères, puis dans des capillaires, et enfin dans des veines. Le *système porte hépatique*, qui ramène le sang du TD vers le foie, fait exception à cette règle (figure 13-24).

Le sang atteint les intestins par les artères mésentériques et se distribue entre autres dans les capillaires des villosités intestinales où il recueille les nutriments absorbés par la muqueuse. De là, il gagne les veines mésentériques qui contribuent à former la veine porte. Celle-ci amène le sang au foie où il se distribue dans un réseau très élaboré de sinusoïdes. Les cellules hépatiques peuvent alors faire l'inventaire des nutriments et en prélever les surplus. Les sinusoïdes se déversent éventuellement dans les veines hépatiques qui quittent le foie pour rejoindre la veine cave inférieure.

Est-ce que le sang de la veine porte hépatique est riche en oxygène? On doit se souvenir qu'il a déjà irrigué l'intestin et il est probable que si les cellules hépatiques ne devaient dépendre que de cet apport d'oxygène pour leurs activités, elle ne pourraient survivre bien longtemps. Pour pallier à cette difficulté, le foie reçoit du

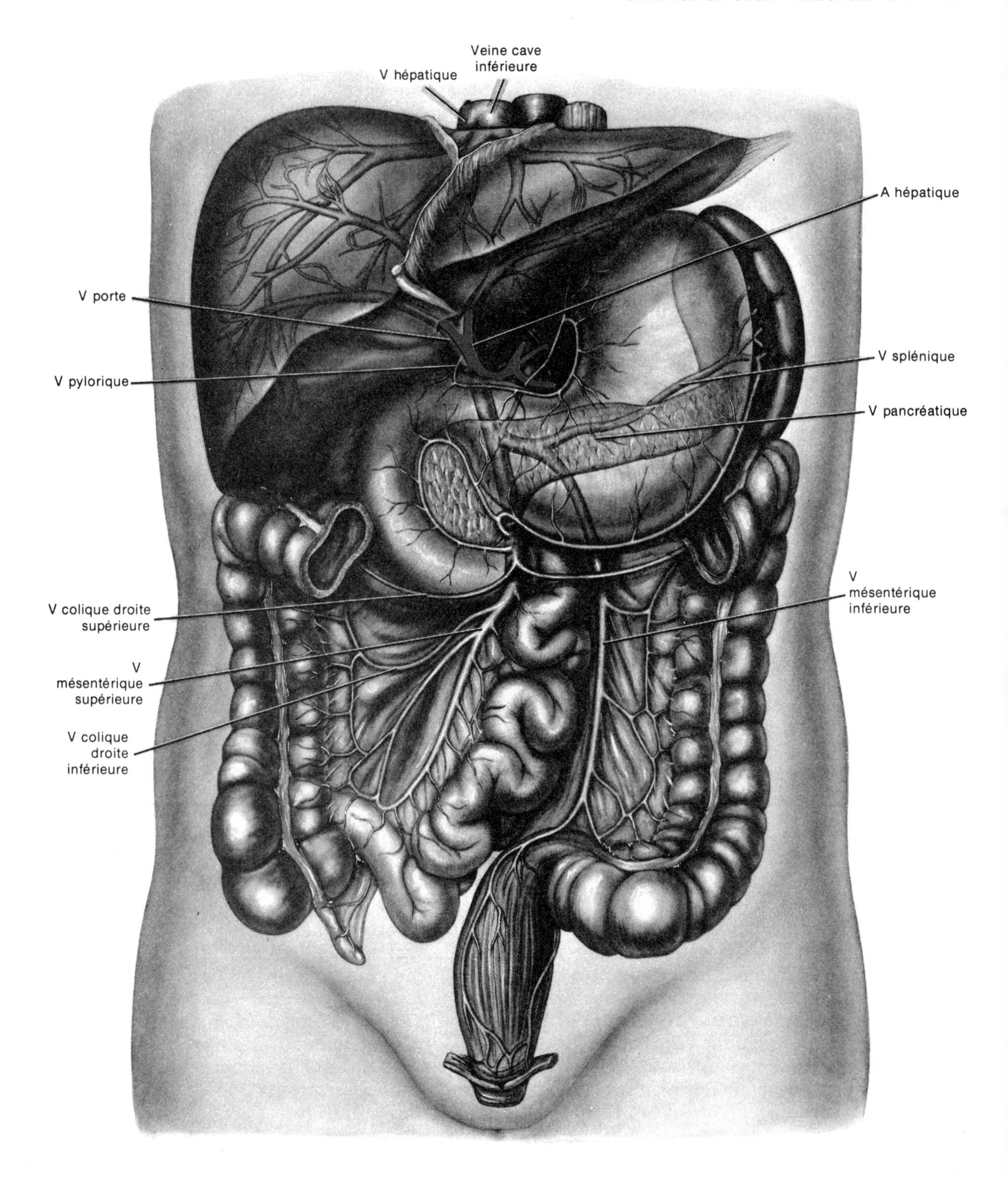

Figure 13-24 Le système porte. On peut voir la circulation hépatique aux figures 11-15 et 11-16.

sang hématosé directement de l'artère hépatique propre. Celle-ci se ramifie jusque dans les sinusoïdes où son sang se mélange à celui de la veine porte. Ce mélange de sang veineux et artériel atteint finalement le coeur par les veines hépatiques et la veine cave inférieure.

Le système porte hépatique n'est pas le seul du genre dans l'organisme. Il existe aussi un double réseau capillaire dans les reins et dans la circulation hypothalamo-hypophysaire.

LE COEUR

Les poètes et les scientifiques ont toujours été fascinés par le coeur, siège des sentiments pour les premiers et celui de la vie pour les seconds. Cet attrait est normal puisqu'on sait depuis très longtemps que ses battements réguliers marquent le rythme de la vie et que son arrêt entraîne la mort à très brève échéance. Le coeur n'est pas beaucoup plus gros qu'un poing et pèse moins de 500 g à vide. Pourtant il bat environ 2,5 milliards de fois pendant la durée moyenne d'une existence et pompe environ 300 millions de litres de sang. Son débit peut varier entre 5 et 35 litres à la minute selon les besoins de l'organisme.

Le *coeur* est un organe creux et musculeux qui repose dans le médiastin, entre les deux poumons. L'apex se situe environ à 5 cm à gauche de la ligne médiane du corps. Les deux-tiers de sa masse se trouvent à gauche de cette même ligne.

Les parois cardiaques

Le développement du coeur s'amorce chez l'embryon à partir d'une paire de vaisseaux sanguins. On doit donc s'attendre à une certaine similitude structurale entre les parois du coeur et celles des gros vaisseaux sanguins. Au niveau du coeur cependant, les couches tissulaires portent des noms différents. De l'intérieur vers l'extérieur on retrouve successivement l'endocarde, le myocarde et l'épicarde (figure 13-25).

L'*endocarde* est un feuillet endothélial qui repose sur une fine pellicule de tissu conjonctif. Il est en continuité avec le revêtement interne des vaisseaux sanguins qui s'aboutent au coeur. La plus grande partie du tissu cardiaque est formée du *myocarde*, la couche musculaire du coeur. L'*épicarde* (le *péricarde viscéral*) est une enveloppe conjonctive à forte teneur en collagène recouverte de cellules mésothéliales (variété de cellules épithéliales qui dérivent du mésoblaste) aplaties, similaires aux cellules endothéliales.

Les fibres de collagène du coeur sont disposées en un réseau sur lequel s'attachent les fibres musculaires et les valves. Les parois contiennent un fort contingent de fibre nerveuses et de vaisseaux sanguins et lymphatiques. Les parois du ventricule gauche sont beaucoup plus épaisses que celles du ventricule droit; il pompe le sang à travers la circulation systémique où la résistance à l'écoulement est supérieure à celle de la circulation pulmonaire.

Le péricarde

Le coeur est enveloppé dans un sac de tissu conjonctif fibreux, le *péricarde pariétal*, tapissé à l'intérieur d'un mésothélium. Le mésothélium du péricarde viscéral fait donc face à celui du péricarde pariétal. L'espace entre les deux, la *cavité péricardique*, contient normalement un mince film de liquide lubrifiant qui humidifie les surfaces de contact et facilite les mouvements de contraction et de décontraction du coeur.

Les cavités et les valves

Les parties gauche et droite du coeur sont séparées par un *septum interatrial* (*cloison interauriculaire*) ou *interventriculaire*, selon qu'il se trouve entre les atriums ou entre les ventricules (figure 13-25). On aperçoit sur le septum interatrial une dépression, la *fosse ovale*, au point de cicatrisation du trou ou foramen ovale (trou de Botal) qui faisait communiquer les deux atriums pendant la vie foetale. Celui-ci se ferme à la naissance lorsque la circulation pulmonaire s'établit. Un *auricule*, une sorte de petite pochette musculaire en forme d'oreille, recouvre la face latérale de chaque atrium (figure 13-20).

La contraction des atriums chasse le sang dans les ventricules et lorsque les atriums se décontractent les ventricules commencent à se contracter, élevant la pression intraventriculaire bien au-dessus de celle qui règne au même moment dans les atriums. Une valve atrio-

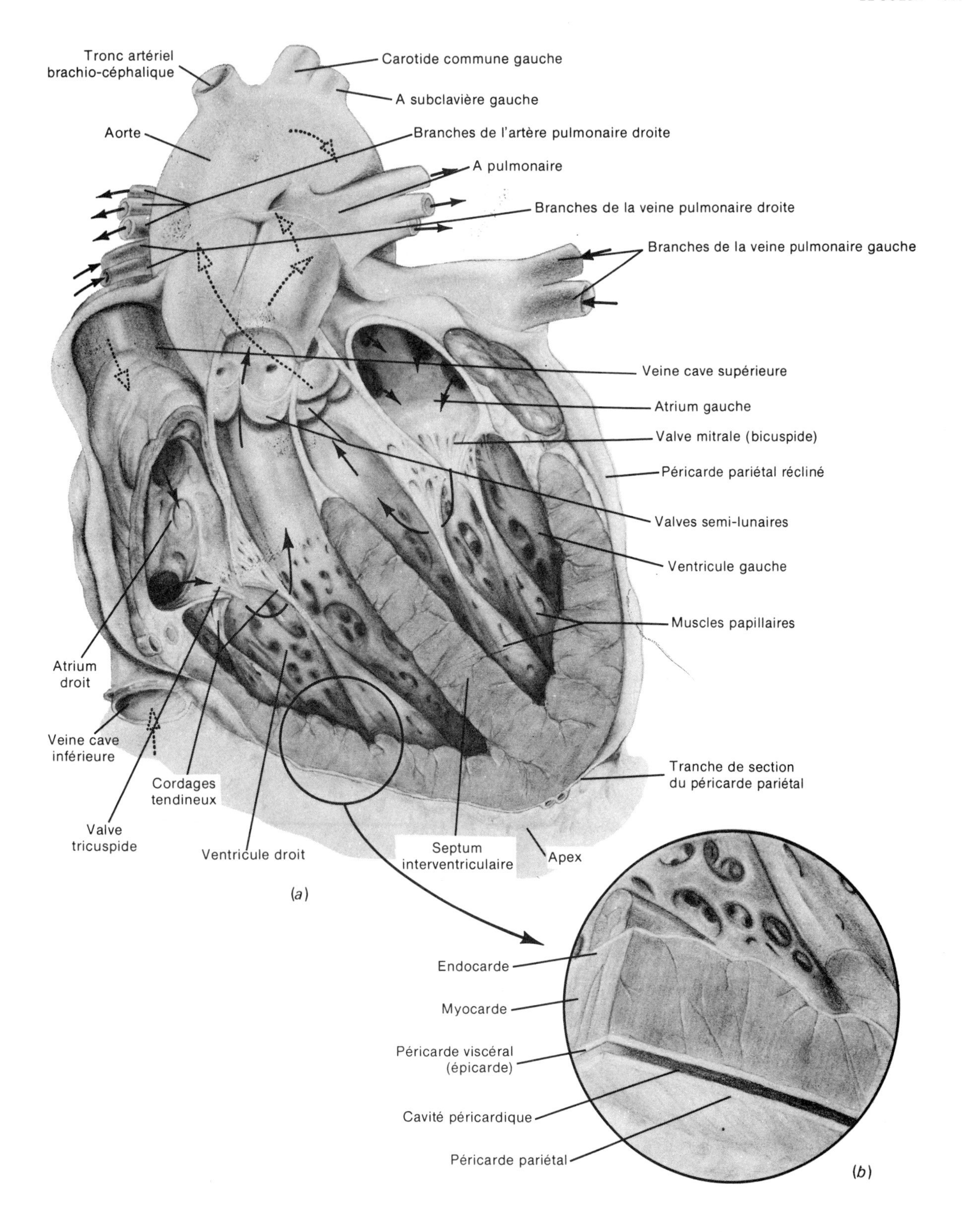

Figure 13-25 (*a*) Face antérieure de la structure interne du coeur. (*b*) Coupe transversale de la paroi du coeur.

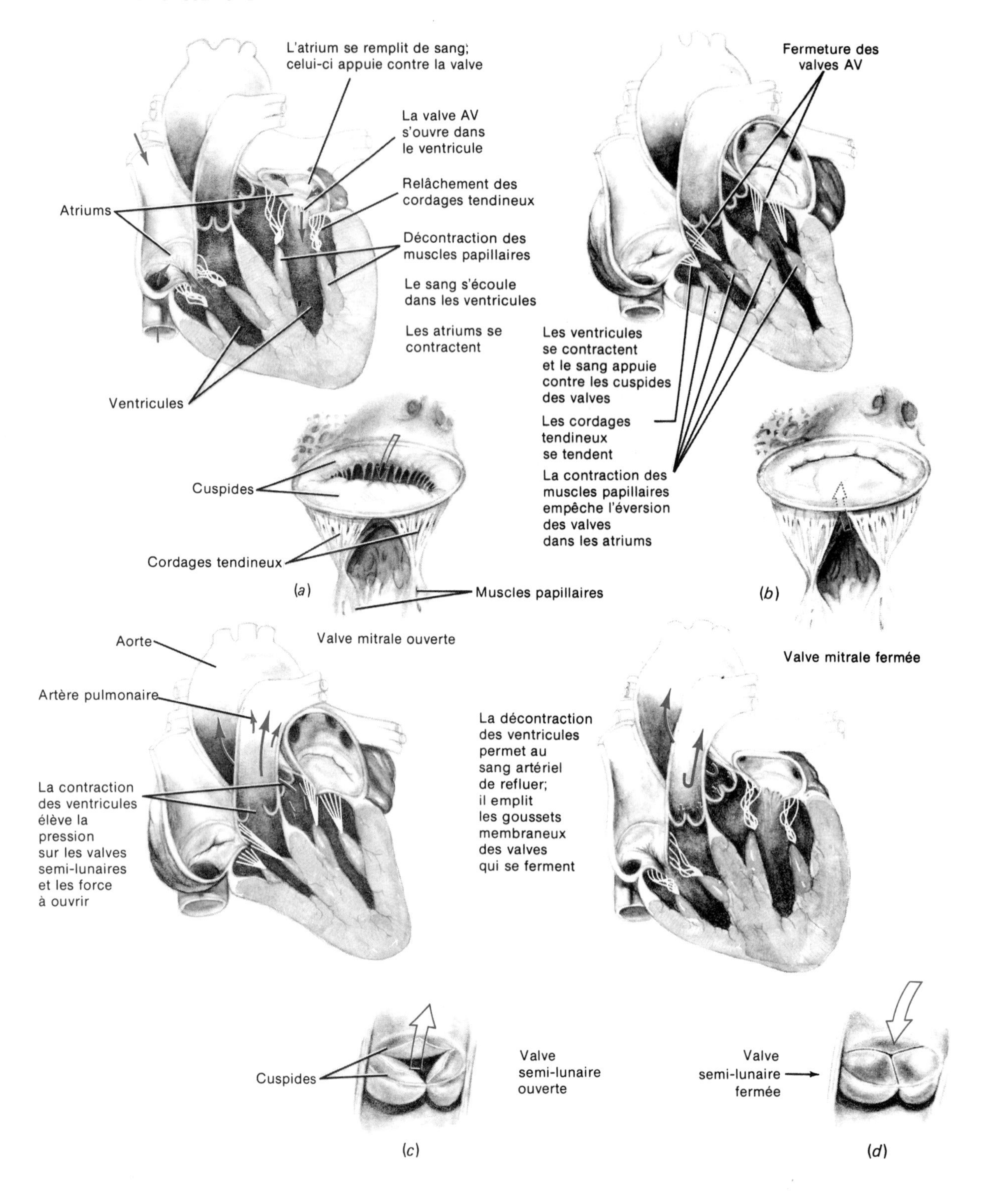

Figure 13-26 Le travail des valves cardiaques.

ventriculaire (AV) empêche alors le reflux sanguin du ventricule vers l'atrium correspondant en obstruant l'orifice atrio-ventriculaire. Les valves AV sont des lames ou des pointes membraneuses faites d'endocarde. La valve AV droite, formée de trois valves ou *cuspides*, se nomme la *valve* (*valvule*) *tricuspide*. La valve AV gauche, formée de deux cuspides seulement, porte le nom de *valve* (*valvule*) *bicuspide* ou, plus communément, de *valve* (*valvule*) *mitrale*. Les valves AV sont attachées à des projections musculaires, les *muscles papillaires*, par des *cordages tendineux*. Lorsque le sang afflue dans les atriums, la pression augmente sur les valves AV et les force à s'ouvrir dans les ventricules (figure 13-26). Lors de la contraction des ventricules, la pression sanguine provoque la fermeture des valves. La contraction simultanée des muscles papillaires augmente la tension sur les cordages tendineux et empêche l'éversion des valves dans les atriums. Elles ressemblent à des portes battantes qui n'ouvriraient que dans une seule direction.

Les *valves semi-lunaires* (*sigmoïdes*) contrôlent l'ouverture de l'artère pulmonaire et de l'aorte. Elles contiennent chacune trois pochettes dont les bords libres s'aplatissent contre la paroi de l'artère lorsque le sang est expulsé des ventricules. Lors de la décontraction le reflux de sang emplit les pochettes dont les bords libres s'affrontent et obstruent les lumières artérielles pulmonaire et aortique.

Plusieurs malformations valvulaires sont congénitales mais la cicatrisation consécutive à l'inflammation des valves est la cause la plus fréquente des pathologies valvulaires. La fièvre rhumatismale et la syphilis entraînent souvent des malformations valvulaires comme, par exemple, la *sténose mitrale*, un rétrécissement de l'orifice AV presque toujours causé par une inflammation d'origine rhumatismale. La valve s'épaissit et l'écoulement sanguin de l'atrium gauche au ventricule gauche se fait difficilement. L'*insuffisance valvulaire* est une autre conséquence des malformations ou des lésions valvulaires; si la valve mitrale est en partie détruite, il s'ensuit une perte d'étanchéité et le sang reflue dans l'atrium pendant la contraction du ventricule. L'augmentation de pression dans l'atrium gauche se répercute sur le réseau vasculaire pulmonaire et peut provoquer un oedème aigu du poumon. Il est parfois possible de faire l'ablation chirurgicale d'une valve défectueuse et de la remplacer par une prothèse artificielle.

LA PHYSIOLOGIE DU COEUR

L'une des caractéristiques fonctionnelles les plus étonnantes du coeur est son activité rythmique intrinsèque, indépendante de tout support nerveux. Un coeur excisé peut battre pendant plusieurs heures en autant qu'il soit perfusé avec une solution nutritive adéquatement oxygénée. C'est un organe puissant et très résistant dont le rôle essentiel est de maintenir le débit circulatoire.

Le système cardio-necteur

Le *système cardio-necteur* (commande et conduction) comprend le noeud sinu-atrial, le noeud atrio-ventriculaire (noeud AV), et le faisceau atrio-ventriculaire (figure 13-27). Ces structures sont formées de tissu musculaire cardiaque spécialisé.

Le *noeud sinu-atrial* (*sinusal* ou *sino-auriculaire*) est un îlot de tissu particulier situé dans la partie postérieure de l'atrium droit, près de l'aboutement de la veine cave supérieure. Les cellules du noeud sinu-atrial jouissent de la propriété d'auto-excitation spontanée et donnent naissance à des ondes d'activation rythmiques qui envahissent tout le muscle cardiaque; c'est le centre d'automatisme, l'*entraîneur* (*stimulateur*) *cardiaque* ou «*pace-maker*». Les fibres nodales sont en contact étroit avec les cellules musculaires cardiaques grâce à des jonctions de type desmosome et des zones d'accolements membranaires (jonctions serrées) considérées comme des régions de faible résistance électrique permettant le passage aisé des potentiels d'action d'une cellule à l'autre. L'onde d'activation peut ainsi rapidement gagner tout le tissu myocardique des atriums et provoquer leur contraction.

Un groupe de cellules musculaires à plus grand diamètre achemine le potentiel d'action directement du noeud sinu-atrial vers le *noeud AV* situé au-dessus de la valve septale de la tricuspide. Le tissu nodal AV présente une conduction décrémentielle, un ralentissement

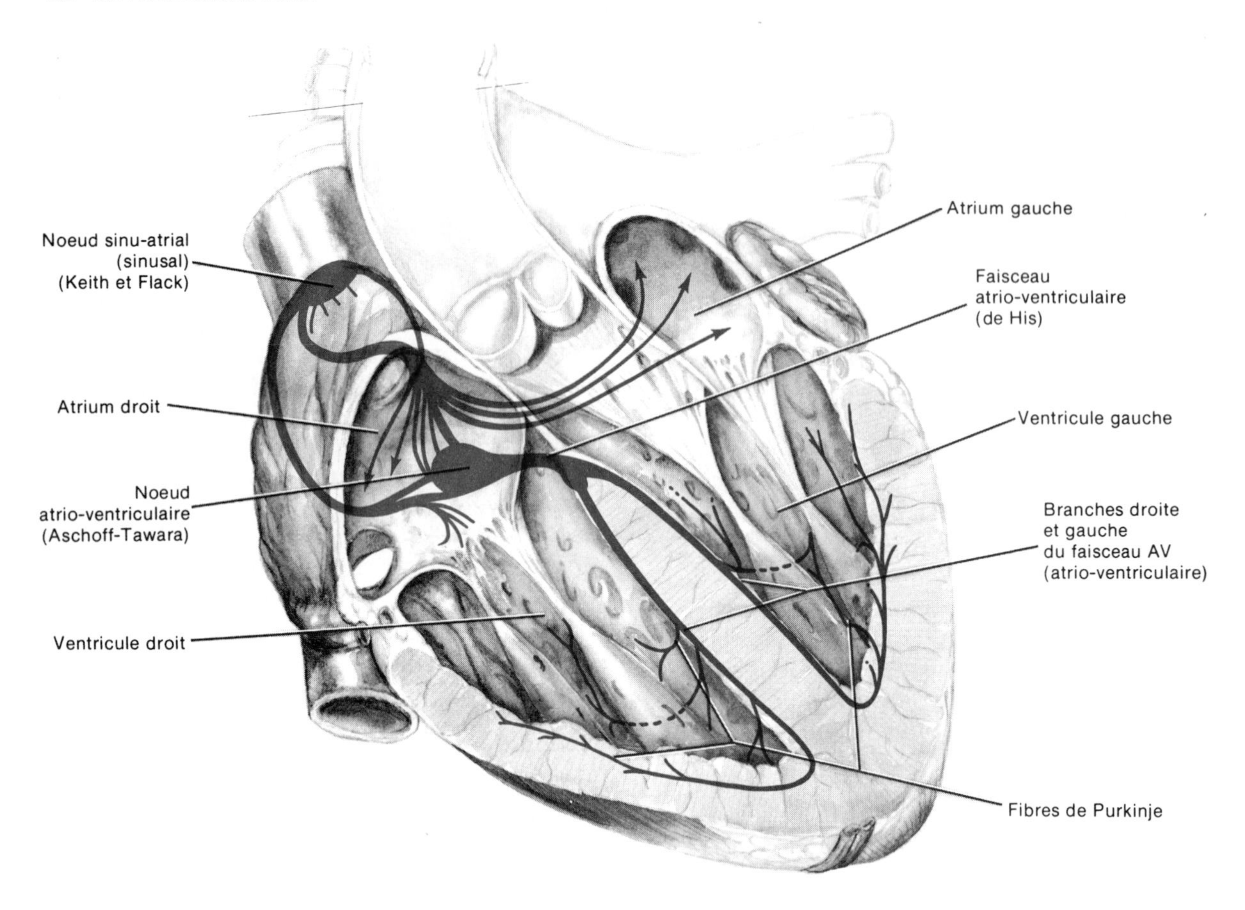

Figure 13-27 Le système de commande et de conduction du coeur (système cardio-necteur.)

de la vitesse de conduction (0,05 m/s). Les atriums ont ainsi le loisir de compléter leur contraction avant que ne débute celle des ventricules. Une partie du retard dépend de l'interposition de petites fibres de jonction qui relient les fibres myocardiques des atriums aux fibres spécialisées du noeud.

À sa sortie du noeud AV, le seul lien électrique entre les atriums et les ventricules, le potentiel d'action envahit un tissu conducteur formé de *fibres de Purkinje* rassemblées dans le *faisceau AV* (ou *faisceau de His*). Les grosses fibres de Purkinje représentent une voie rapide de conduction du potentiel d'action (la vitesse est de l'ordre de 2 à 4 m/s comparativement à 0,3 à 1 m/s pour la propagation myocardique). Le faisceau AV se divise rapidement en deux branches, droite et gauche, qui se distribuent dans chaque ventricule immédiatement sous l'endocarde. Chaque branche se ramifie en plusieurs branches plus petites jusqu'aux fibres de Purkinje terminales. Celles-ci reposent elles aussi sous l'endocarde et s'enfoncent dans le myocarde où elles rejoignent les fibres myocardiques ordinaires. De là, le potentiel d'action s'étend à toutes les fibres musculaires des parois ventriculaires. Remarquer que par sa disposition, le faisceau AV achemine l'onde de dépolarisation vers l'apex du coeur d'où elle envahit le tissu myocardique de bas en haut, chassant ainsi efficacement le sang dans les deux troncs artériels, aortique et pulmonaire.

Le muscle cardiaque

Le muscle cardiaque est, du point de vue histologique, très près du muscle squelettique. Il possède des stries Z et les myofibrilles présentent l'alternance régulière des disques clairs et sombres caractéristiques des muscles striés. Elles contiennent des filaments d'actine et de myosine et le processus contractile est vraisemblablement similaire dans les deux tissus.

Le muscle cardiaque se particularise cependant sous plusieurs aspects. Son activité électrique intrinsèque peut déclencher une contraction indépendante de toute efférence nerveuse motrice. Ce comportement dépend non seulement du tissu nodal, mais aussi du tissu conducteur puisque la destruction du noeud sinu-atrial laisse persister des contractions cardiaques spontanées; la fréquence est cependant plus basse. Il est évident que les muscles squelettiques ne jouissent pas d'une telle propriété, et c'est tant mieux!

Une autre particularité du muscle cardiaque repose sur les nombreuses bifurcations des cellules myocardiques disposées plus ou moins parallèlement les unes aux autres (figure 13-28). La microscopie électronique a permis de constater qu'elles étaient abondamment pourvues d'interconnexions latérales. Chaque cellule possède un et parfois deux noyaux localisés plus à l'intérieur de la fibre. Les cellules musculaires cardiaques sont unies les unes aux autres à leurs extrémités par des bandes sombres, les *disques intercalaires*, qui représentent des jonctions de type serré à faible résistance électrique. Le potentiel d'action passe ainsi facilement d'une cellule à l'autre et toute la masse myocardique peut être activée par un seul potentiel d'action. C'est pourquoi le muscle cardiaque, bien que composé d'éléments cellulaires distincts, est considéré comme étant en continuité électrique et forme un *syncytium fonctionnel*. Le syncytium atrial est séparé du syncytium ventriculaire par une lame de tissu fibreux inexcitable. Les potentiels d'action des atriums ne peuvent donc gagner les ventricules que par le noeud AV, ce qui explique la fréquence des blocs AV. Cet arrangement anatomique syncytial fait que la stimulation d'une seule fibre musculaire entraîne la contraction de toutes les fibres myocardiques, un excellent exemple de la loi du tout ou rien. Cette loi, applicable aux fibres individuelles ainsi qu'aux unités motrices des muscles squelettiques, s'applique à l'ensemble des fibres cardiaques suite à l'apparition d'un seul potentiel d'action sur la membrane de n'importe quelle fibre musculaire, nodale ou conductrice, du coeur.

Figure 13-28 Photomicrographie de muscle cardiaque (environ ×600). DI, disque intercalaire. (*William F. Windle, "Textbook of Histology", 5th ed, McGraw-Hill Book Company, New York, 1976. Copyright 1976 McGraw-Hill, Inc. Avec la permission de McGraw-Hill Book Company.*)

Le couplage excitation-contraction dans les fibres cardiaques ressemble beaucoup à celui des fibres musculaires squelettiques. La propagation du potentiel d'action le long de la membrane des cellules cardiaques et sa pénétration vers l'intérieur par le système sarcotubulaire sont suivies d'une libération de calcium par le réticulum sarcoplasmique. Le calcium diffuse vers l'appareil contractile myofibrillaire et les ponts d'union acto-myosiniques amorcent le glissement des filaments d'actine le long des filaments de myosine. Le potentiel d'action cardiaque dure beaucoup plus longtemps (il est en fait aussi long que la phase active de la contraction) que celui des fibres musculaires squelettiques (environ 200 à 500 ms contre 2 à 5 ms). La période réfractaire est proportionnellement plus longue, ce qui explique l'*intétanisabilité* normale de l'organe, soit l'inaptitude du tissu cardiaque à présenter, d'ordinaire, de sommation de ses contractions lorsqu'il est soumis à des stimulations de fréquence élevée. La relaxation du muscle correspond à la restauration des conditions initiales avant l'arrivée du potentiel d'action: séquestration du calcium, désengagement des myofilaments, décontraction.

La révolution cardiaque

La suite des phénomènes mécaniques et électriques reliés à la contraction et à la relaxation du muscle cardiaque porte le nom de *cycle* (*révolution*) *cardiaque*. Chaque révolution dure à peu près 0,8 s, soit une fréquence d'environ 75 battements par minute. La phase de contraction, ou *systole*, est suivie d'une phase de relâchement, ou *diastole*.

La révolution cardiaque normale s'amorce avec l'apparition spontanée d'un potentiel d'action dans le tissu sinu-atrial. L'onde de dépolarisation envahit les atriums qui se contractent, chassant le sang vers les ventricules. À ce moment les valves AV sont ouvertes et les valves semi-lunaires sont fermées (figure 13-26).

La diastole atriale s'accompagne d'un afflux de sang veineux dans les atriums, alors que débute la systole ventriculaire: la pression intraventriculaire s'accroît, les valves AV se ferment, et le sang est chassé vers les troncs artériels pulmonaire et aortique lorsque la pression intraventriculaire atteint puis dépasse légèrement celle qui règne dans ces deux vaisseaux (moment qui correspond à l'ouverture des valves semi-lunaires). La diastole ventriculaire s'accompagne de la fermeture des valves semi-lunaires, de l'ouverture des valves AV et du remplissage des ventricules. Celui-ci débute avant même la systole atriale puisque la pression veineuse résiduelle devient plus grande que la pression intraventriculaire dont la valeur tend vers 0 kPa en début de diastole. La figure 13-29 relie les pressions aortique et intracavitaires au décours de la révolution cardiaque.

La contraction des atriums complète un remplissage ventriculaire déjà bien avancé; en effet les ventricules sont remplis à près de 70 pour 100 de leur capacité normale à ce moment. Ce surplus toutefois est important puisqu'il distend les parois ventriculaires et étire les fibres musculaires myocardiques; celles-ci, comme les fibres musculaires squelettiques, voient leur pouvoir de contraction augmenter. La diastole atriale renverse le sens des pressions intracavitaires, les valves AV se ferment et la contraction des ventricules débute. La tension pariétale et la pression intraventriculaire augmentent d'abord très rapidement (contraction isométrique ou isovolumétrique) tant que les valves semi-lunaires demeurent fermées, c'est-à-dire tant que la pression intraventriculaire ne dépasse pas la valeur de celle qui règne dans les deux troncs artériels pulmonaire et aortique. À partir de ce moment et jusqu'à la fin de la systole ventriculaire, la contraction est anisométrique et à peu près isotonique; la tension pariétale est plus ou moins constante pendant que les fibres se raccourcissent fortement, enserrant un volume de sang de plus en plus petit. Lorsque la pression intraventriculaire passe sous la valeur de celle qui règne dans les troncs artériels, les valves semi-lunaires s'emplissent et se ferment; les ventricules se relâchent et le sang afflue de nouveau par les orifices AV.

Les bruits du coeur

L'auscultation clinique d'un coeur normal avec un stéthoscope, par exemple, permet de percevoir deux bruits marquant le début et la fin de la systole ventriculaire. Le premier bruit est contemporain du début de la systole ventriculaire et se superpose au complexe QRS (le

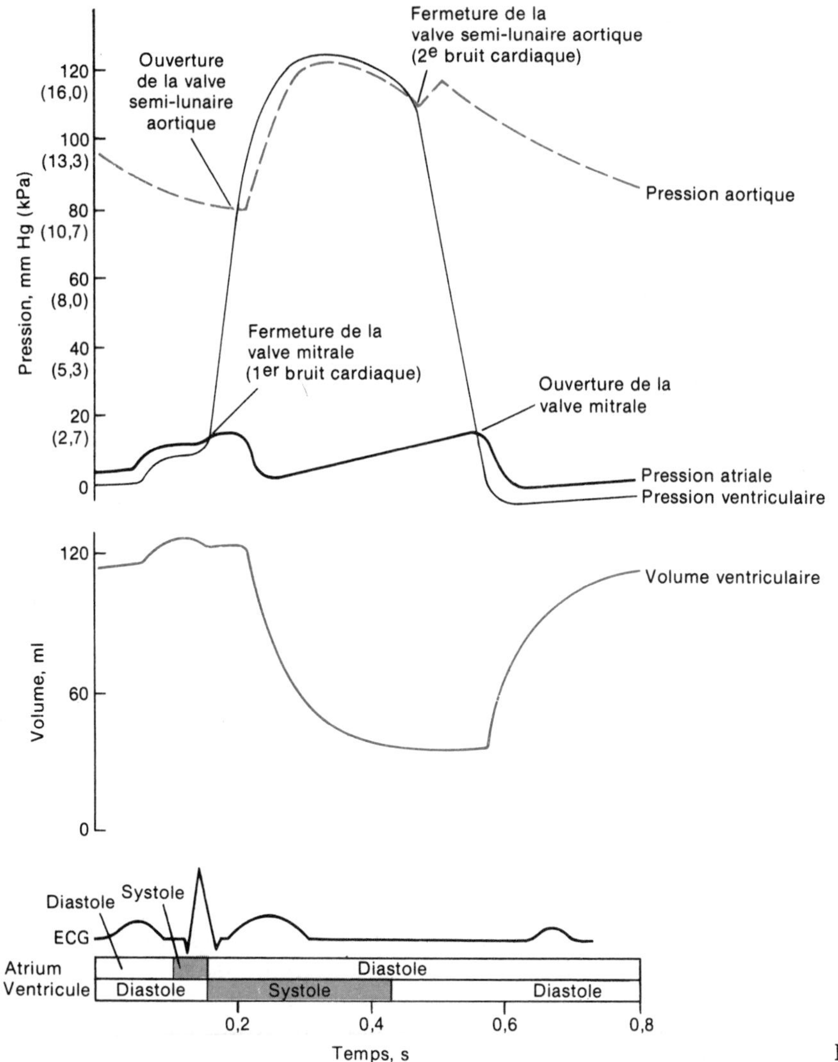

Figure 13-29 Le cycle cardiaque.

complexe rapide) de l'électrocardiogramme. Quoique l'on en reconnaisse aujourd'hui quatre composantes audibles, les deux principales correspondent respectivement à la mise sous tension de la masse musculaire cardiaque et aux vibrations de l'anneau mitral et tricuspidien résultant de cette mise sous tension.

Contrairement au premier bruit, assez long et de tonalité sourde (traduit cliniquement par l'onomatopée BOUM), le deuxième bruit est plus bref, d'intensité plus grande et de tonalité plus élevée que le premier (l'onomatopée correspondante est TA). Il marque la fin de la systole ventriculaire, le moment où la pression chute de façon abrupte au début de la phase de relaxation. Le sang tend à refluer rapidement vers les ventricules mais ce mouvement est brusquement interrompu par les valves dont la fermeture et la tension provoquent dans l'artère et le ventricule les vibrations du deuxième bruit. Comme la diastole dure plus longtemps que la systole, les deux bruits du coeur se présentent, lorsqu'il bat à un rythme normal, en succession rapide suivie d'une pause après le deuxième bruit.

Les souffles cardiaques Les *souffles* et *roulements* sont des bruits, la plupart du temps anormaux, surajoutés aux bruits normaux du coeur; ils sont la traduction acoustique d'une fuite ou d'un écoulement sanguin au travers d'un rétrécissement vasculaire. Parfois, comme lors d'un exercice violent, on peut entendre un souffle normal; le sang est éjecté avec tant de force que l'écoulement est turbulent et audible. Par contre, le plus souvent, l'audition d'un souffle traduit un trouble valvulaire, une inétanchéité laissant refluer un certain volume de sang. La turbulence est le plus souvent due à un brusque changement de calibre — rétrécissement ou dilatation — de la voie normale d'écoulement, à une communication anormale entre deux cavités cardiaques ou entre une cavité et un vaisseau (due à une rétraction ou à une rugosité valvulaire). La sténose aortique, par exemple, produit un souffle caractéristique. La turbulence est engendrée par un rétrécissement de la valve aortique; lors de la systole, le sang est propulsé à travers une ouverture de plus faible calibre, donc à une vitesse beaucoup plus grande que normalement. L'écoulement n'est plus laminaire et le souffle intense et bruyant est la traduction sonore de la turbulence locale. Les spécialistes peuvent diagnostiquer un grand nombre d'anomalies cardiaques uniquement par l'interprétation des bruits anormaux (leur qualité, leur intensité, leur irradiation, et le moment précis où ils se produisent).

L'électrocardiogramme

Lorsque l'onde de dépolarisation se répand à travers le tissu myocardique, elle produit des courants électriques dans les tissus avoisinants et à la surface du corps. On peut enregistrer des potentiels électriques en posant deux électrodes ou plus sur la peau à des endroits plus ou moins éloignés du coeur. On amplifie les différences de potentiel entre les électrodes et on les enregistre avec un *électrocardiographe*. On obtient ainsi un *électrocardiogramme* (ECG), un tracé de l'activité électrique du coeur. Les signaux peuvent aussi être enregistrés sur bande magnétique ou encore, comme dans les unités de soins intensifs modernes, être dirigés vers un oscilloscope. Celui-ci affiche les ondes électrocardiographiques sur un écran cathodique et peut même être couplé à une surveillance électronique qui déclenche une sonnerie à la moindre perturbation du tracé.

L'ECG normal contient une série de déflexions périodiques caractéristiques, les ondes P, Q, R, S et T. L'onde P représente l'invasion électrique des atriums, précurseur de leur contraction (figure 13-30). Le complexe QRS correspond à l'envahissement ventriculaire par l'onde d'activation, soit la dépolarisation des ventricules, alors que leur repolarisation se traduit par le segment ST et l'onde T.

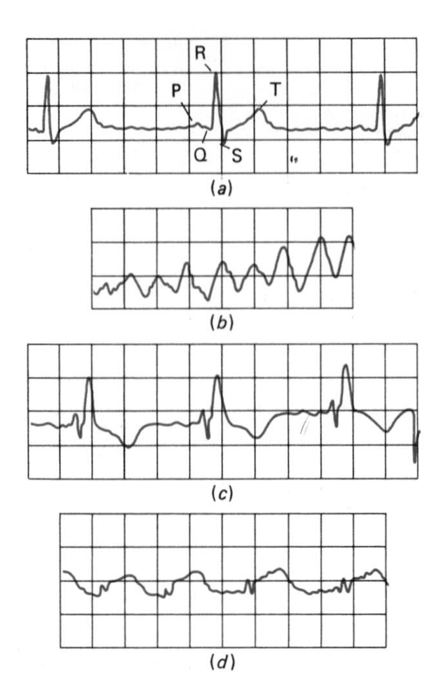

Figure 13-30 Électrocardiogrammes. (*a*) Normal. (*b*) Fibrillation ventriculaire. (*c*) Bloc de branche droite. (*d*) Infarctus du myocarde: une partie des cellules myocardiques a été endommagée pendant une «crise cardiaque». Remarquer le segment ST allongé en (*d*).

Les anomalies électrocardiographiques traduisent des troubles de conduction ou des troubles du rythme. Ces derniers peuvent être dus à des accroissements (*tachycardies*) de la fréquence des pulsations (plus de 100 par minute), des diminutions (*bradycardies*) de la fréquence (moins de 60 battements par minute), ou encore des irrégularités (*arythmies*) de la fréquence cardiaque. Ces trois conditions peuvent souvent se retrouver chez un individu dont la fonction cardiaque est normale.

Certaines arythmies se caractérisent par des fréquences cardiaques très élevées. Le *flutter atrial*, par exemple, est une tachycardie régulière et très rapide; il n'existe plus de période de repos électrique entre les périodes d'activation cardiaque. La *fibrillation* consiste en activations très rapides, irrégulières et asynchrones, le coeur paraissant divisé en une mosaïque de petites surfaces qui se contractent faiblement et indépendamment les unes des autres. Les ventricules ne se contractent plus comme un tout et l'efficacité de pompage est nulle.

Les *blocs* représentent des situations où la propagation de l'onde de dépolarisation est arrêtée en un endroit quelconque du système conducteur, le plus souvent au niveau du tissu nodal. Les blocs apparaissent fréquemment au noeud AV lorsque le tissu est lésé ou encore lorsque l'amplitude du potentiel d'action est réduite. Les blocs peuvent être complets ou partiels si la communication électrique n'est pas totalement interrompue. L'ECG permet de déceler, par exemple, des ralentissements exagérés de la conduction AV qui se traduisent par un intervalle P-R plus long que la normale. Si certaines ondes de dépolarisation atriales ne sont pas transmises aux ventricules, alors l'ECG montrera un découplage entre les ondes P et les complexes QRS (soit 2 ou 3 contractions des atriums pour 1 contraction ventriculaire). Le *bloc de branche* est un trouble de la conduction intraventriculaire localisé à un niveau inférieur à celui de la bifurcation du faisceau AV; il y aura alors un retard d'activation de l'un des deux ventricules selon que l'atteinte est au niveau de la branche droite ou gauche.

Un bloc AV complet correspond à une suppression totale de la conduction AV. Les atriums poursuivent généralement leur activité rythmique normale alors que les ventricules se contractent d'une façon indépendante, à une fréquence réduite (environ 40 battements par minute) déterminée par leur propre pace-maker, le noeud AV. On dit alors souvent que les ventricules ont échappé au contrôle atrial. On pose maintenant des stimulateurs artificiels aux patients atteints de blocs cardiaques sérieux. Alimentés par une pile, ils fournissent des impulsions électriques rythmiques qui entraînent le coeur. On implante l'appareil sous la peau et on le relie au coeur par deux électrodes fichées dans le tissu cardiaque.

Les tracés électrocardiographiques peuvent aussi révéler des dommages cardiaques simultanés ou consécutifs à des attaques cardiaques. À l'occasion, le médecin peut même déceler sur un tracé des anomalies qui l'informent de troubles mineurs survenus plusieurs années auparavant, lors d'une crise non diagnostiquée (dont le patient n'a peut-être même pas eu conscience).

La régulation de l'activité cardiaque

Le coeur peut battre indépendamment de tout support nerveux extrinsèque. Plusieurs facteurs sont susceptibles de modifier son débit et la fréquence de ses battements. Le débit cardiaque dépend surtout du *retour veineux*, c'est-à-dire de la quantité de sang veineux qui revient au coeur. La fonction cardiaque est aussi influencée par plusieurs ions plasmatiques dont le calcium, le potassium et le sodium. Normalement leurs concentrations plasmatiques respectives sont maintenues dans des limites assez strictes et ils n'ont pas d'effet néfaste sur l'activité cardiaque. Lors d'un déséquilibre ionique, cependant, la trop forte ou trop faible concentration de ces ions peut affecter sérieusement la fonction cardiaque. Une hypercalcémie, par exemple, peut provoquer des contractions spastiques ou une contracture. L'augmentation de la concentration du potassium (l'hyperkaliémie) entraîne une diminution de la fréquence (effet chronotrope négatif), alors qu'un excès de sodium (l'hypernatrémie) déprime la fonction cardiaque (effet inotrope négatif, soit une baisse de la puissance de contraction).

Le contrôle nerveux Bien que le coeur puisse battre de façon rythmique par lui-même, il ne peut ajuster adéquatement sa force de contraction et sa fréquence aux besoins variables de l'organisme. Ce rôle est dévolu aux nerfs autonomes qui atteignent le coeur.

L'innervation autonome cardiaque est double, parasympathique et sympathique. Les fibres parasympathiques prennent naissance dans le tronc cérébral et atteignent le coeur par des branches issues des deux nerfs vagues. Les fibres nerveuses vagales se terminent au niveau des noeuds SA et AV; leur stimulation provoque la libération d'Ach dans le tissu nodal, entraînant un ralentissement du rythme et une baisse de la force des contractions. L'influence nerveuse parasympathique est normalement dominante au niveau cardiaque.

Les nerfs sympathiques émergent de la moelle au niveau de la partie supérieure de la région thoracique et atteignent le myocarde par plusieurs filets nerveux dits accélérateurs. Les fibres sympathiques innervent non seulement le tissu nodal mais aussi les fibres musculaires. Leur stimulation entraîne la libération de noradrénaline et une augmentation du rythme et de la force des contractions ventriculaires. Cette dernière peut doubler dans des états de stress, lorsque le myocarde est soumis à une intense activité sympathique.

Plusieurs structures nerveuses spécialisées, associées à l'appareil vasculaire, contiennent des *barorécepteurs*. Ceux des *corps aortiques* sont localisés dans les parois de la crosse aortique, et ceux des *corps carotidiens* sont situés dans les parois de chaque sinus carotidien (un petit renflement fusiforme de l'artère carotide interne juste au-dessus de la bifurcation de l'artère carotide commune); on en retrouve aussi dans les parois des veines caves et dans celles de l'atrium droit. Comme leur nom l'indique, les barorécepteurs sont des neurones sensibles aux variations de la pression sanguine. L'étirement des parois des vaisseaux, suite à une augmentation de la pression, étire les membranes réceptrices qui augmentent proportionnellement leur fréquence de décharge. Les potentiels d'action sont acheminés vers les centres cardiaques du tronc cérébral et stimulent l'activité parasympathique des fibres vagales. Le rythme cardiaque diminue et peut favoriser un retour de la pression à la normale.

La baisse de la pression sanguine, d'un autre côté, affaiblit la tension pariétale des vaisseaux et réduit l'étirement des membranes réceptrices. La fréquence de décharge des barorécepteurs diminue (ils émettent un moins grand nombre de potentiels d'action par unité de temps vers les centres du tronc). Il s'ensuit une baisse de l'activité vagale. L'accélération du rythme cardiaque peut alors favoriser une élévation de la pression.

Le débit cardiaque

Le volume de sang pompé par un ventricule lors d'une seule systole est le *volume d'éjection*. On peut mesurer le *débit cardiaque* en multipliant le volume d'éjection par le nombre de systoles ventriculaires pendant une minute. Le débit cardiaque est donc le volume de sang pompé par un seul ventricule en 1 minute.

Débit cardiaque = Volume d'éjection × nombre de contractions ventriculaires/min
= 70 ml × 72
= 5 040 ml/min ($\approx$ 5 l/min)

Le débit cardiaque dépend principalement du retour veineux (figure 13-31); plus il est grand, plus le coeur pompe de sang. Cette relation, connue depuis longtemps comme la *loi du coeur de Starling*, signifie que le coeur pompe tout le sang qui lui est apporté par les veines (à l'intérieur des limites physiologiques). Elle repose sur le fait que plus les cavités cardiaques sont pleines, plus les fibres myocardiques sont étirées en diastole et, jusqu'à un certain point, plus les fibres musculaires cardiaques se contractent avec force pour expulser le sang dans les réseaux artériels. Ce contrôle intrinsèque permet d'augmenter le débit normal de 5 l/min jusqu'à environ 14 l/min. Si le retour veineux excède cette valeur, le coeur devra être assisté du sympathique pour suffire à la tâche. (Souvenez-vous que l'augmentation de cette activité autonome a des effets inotropes et chronotropes positifs sur les fibres myocardiques.)

L'entraînement provoque une augmentation du volume cardiaque (jusqu'à 50 pour 100). Le coeur peut alors pomper plus de 20 l/min sans aucun secours nerveux de sorte que le pouls d'un athlète s'élève peu pendant un exercice en comparaison de celui d'un individu non entraîné.

Sous certaines conditions (une hémorragie par exemple) le retour veineux peut diminuer. Le débit cardiaque suivra la même tendance à la baisse. D'un autre côté un coeur malade peut s'avérer incapable de pomper tout le sang qui lui est amené. On dit alors que le coeur est défaillant. La *défaillance cardiaque* est un trouble fréquent qui peut aussi être dû à une hypertension chronique.

HÉMODYNAMIQUE

Pourquoi le sang est-il en mouvement? Votre réponse sera probablement la suivante: parce qu'il est pompé par le coeur. C'est partiellement vrai. Le sang (comme tous les liquides) s'écoule des régions de haute pression vers celles où la pression est plus faible. Puisque la pression artérielle est plus élevée que la pression veineuse, le sang passe des artères vers les veines. La vitesse d'écoulement dans les vaisseaux n'est pas liée à la valeur absolue de la pression mais à la différence de pression entre deux points. L'écoulement est ralenti par la résistance: résistance interne causée par la

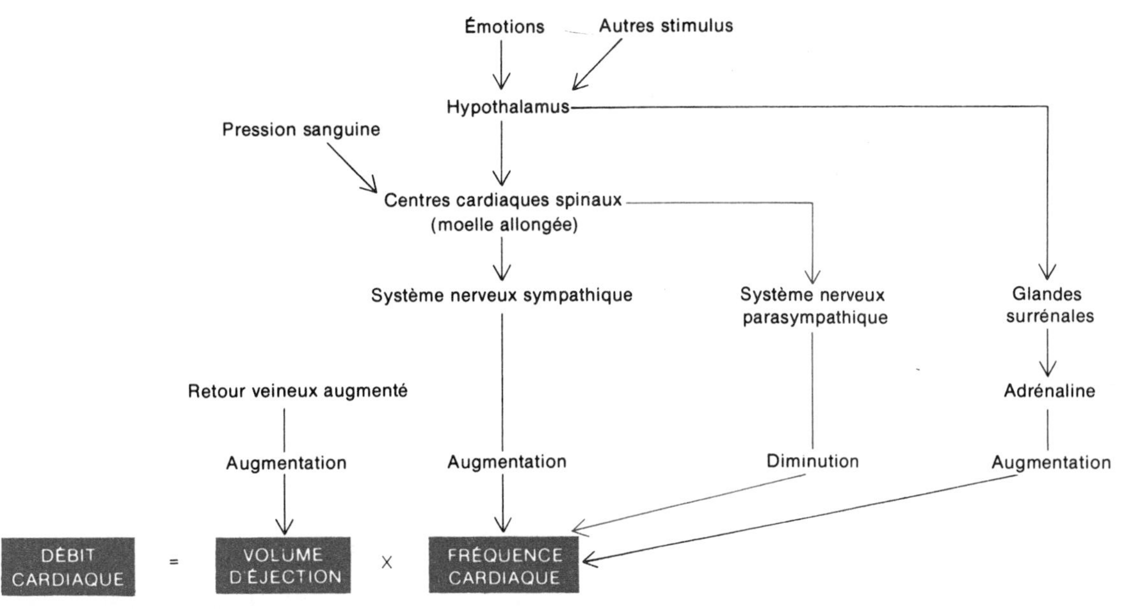

Figure 13-31 Les principaux facteurs déterminant le débit cardiaque.

friction entre les éléments constitutifs du sang (molécules, ions, globules, etc.) et résistance imposée par la géométrie des vaisseaux (longueur et rayon). La résistance interne du sang détermine sa viscosité. Normalement la viscosité du sang est relativement constante et son effet est imperceptible sur les variations de résistance à l'écoulement. La géométrie des vaisseaux, par contre, a une importance capitale sur ces variations. La loi de l'*écoulement laminaire* (écoulement sans turbulence) a été établie expérimentalement par Poiseuille pour de l'eau dans des capillaires de verre. Elle s'exprime sous la forme

$$\dot{Q} = \frac{\pi r^4}{8 L \mu} \Delta P$$

où $\dot{Q}$ = débit;
r = rayon du tube;
μ = viscosité;
ΔP = différence de pression entre les extrémités du tube de longueur L.

Si on pose K (conductance) = $\frac{\pi r^4}{8 L \mu}$ et que

$K = \frac{1}{R}$, alors R (résistance) = $\frac{8 L \mu}{\pi r^4}$

et la loi de Poiseuille s'écrit $\dot{Q} = \frac{\Delta P}{R}$

On constate que la relation générale entre le débit, la pression et la résistance se résume à ceci: le débit est égal à la différence de pression entre les deux extrémités du tube divisée par la résistance du tube. Il convient d'insister sur le fait que la résistance varie comme la quatrième puissance du rayon de sorte que, toutes choses restant égales, si le rayon d'un vaisseau double, le débit sera multiplié par $2^4 = 16$. C'est pourquoi le principal site de variation de la résistance à l'écoulement, dans le système vasculaire, est au niveau des artérioles, à cause de leur *vasomotricité* (changement actif de calibre par la contraction ou le relâchement des fibres musculaires lisses circulaires).

Lorsque le sang parvient dans les capillaires la vitesse d'écoulement diminue d'une façon marquée (le débit y est environ 1 000 fois moins rapide que dans l'aorte) parce que la surface de la section totale des capillaires (le volume disponible pour l'écoulement) est beaucoup plus grande que celle de la section de l'aorte. On estime qu'au repos la surface de la section totale des capillaires actifs, c'est-à-dire ceux dans lesquels le sang s'écoule, est d'environ 1 400 cm^2, soit 260 fois la surface de la section de l'aorte ascendante[2]. Lors d'une activité modérée le nombre de capillaires actifs aug-

[2] Kayser, *Physiologie*, Tome 3, Flammarion, 1970, p. 589.

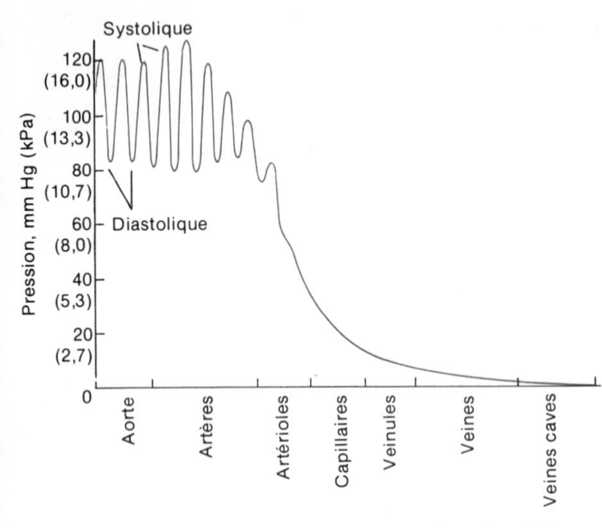

Figure 13-32 La pression sanguine dans les différentes parties de l'appareil circulatoire.

mente de sorte que leur surface de section peut dépasser plus de 1 000 fois celle de l'aorte. On comprendra donc que la résistance totale offerte par les capillaires soit peu importante, même au repos, par rapport à celle des artérioles (figure 13-32).

Dans les veines, l'écoulement s'accélère quelque peu quoiqu'il demeure plus lent que dans les artères. La résistance offerte par les veines est faible puisque leur diamètre est grand. Les parois veineuses sont minces et se distendent facilement. Les veines peuvent donc contenir un grand volume de sang. En effet, en tout temps, plus de la moitié du volume sanguin total se trouve dans les veines; elles agissent donc comme un réservoir. Lors d'une hémorragie, par exemple, la perte de sang s'accompagne d'une chute de la pression artérielle. La réaction des barorécepteurs stimule par voie réflexe les muscles lisses des parois veineuses. Ils se contractent et refoulent une grande quantité de sang vers le coeur, prévenant un état de choc en maintenant le retour veineux et le débit cardiaque à des valeurs compatibles avec les besoins de l'organisme.

La disposition spatiale des veines est telle qu'en position debout la force de gravité offre une résistance importante à l'écoulement. Il est même surprenant que le sang puisse gagner le coeur à partir des membres inférieurs. Comment se fait ce retour? On doit se rappeler que les veines sont munies d'un système de valves anti-reflux. Le sang est poussé non seulement par la pression dynamique résiduelle, mais encore par les mouvements des muscles squelettiques qui compriment les veines.

Pendant un exercice la contraction des muscles squelettiques, plus fréquente et plus forte, élève le retour veineux d'une façon importante et, par le fait même, augmente le débit cardiaque. D'un autre côté, pendant la station debout (un garde-à-vous prolongé, par exemple), le sang s'accumule dans les membres inférieurs, d'abord dans les veines puis progressivement dans les capillaires à mesure que la pression veineuse croît. L'augmentation consécutive de la pression capillaire favorise la sortie du plasma vers le liquide interstitiel; en peu de temps le volume sanguin circulant peut diminuer de 20 pour 100. La pression artérielle tombe et l'irrigation du cerveau, entre autres, peut devenir assez faible pour qu'il y ait perte de connaissance.

La régulation de la pression artérielle

La pression artérielle se maintient à un niveau extrêmement stable, dans la limite des variations systolo-diastoliques, grâce à l'interaction de nombreux mécanismes homéostatiques complexes (figure 13-33). Les ajustements à court terme dépendent de mécanismes nerveux et hormonaux; les reins ont un rôle important dans les ajustements à long terme.

Les barorécepteurs artériels carotidiens, par exemple, envoient vers le tronc cérébral des potentiels d'action dont la fréquence instantanée reflète la pression, au même moment, dans l'artère carotide. Comme le régime normal est pulsatile à cet endroit [il oscille normalement entre 120 et 80 mm Hg (16 et 10,7 kPa)], le décours de la pression est transformé en un message nerveux codé dans lequel la fréquence systolique est élevée et la fréquence diastolique est plus faible. Tout écart sera immédiatement codé par les barorécepteurs, premiers éléments d'une boucle réflexe complexe dont le rôle est de ramener la pression à la normale. Les principaux acteurs de ces réflexes sinuso-carotidiens, outre les barorécepteurs, sont la moelle allongée (les centres cardiaque et vasomoteur), les voies sympathique et parasympathique, les fibres sinusales cardiaques, les fibres musculaires myocardi-

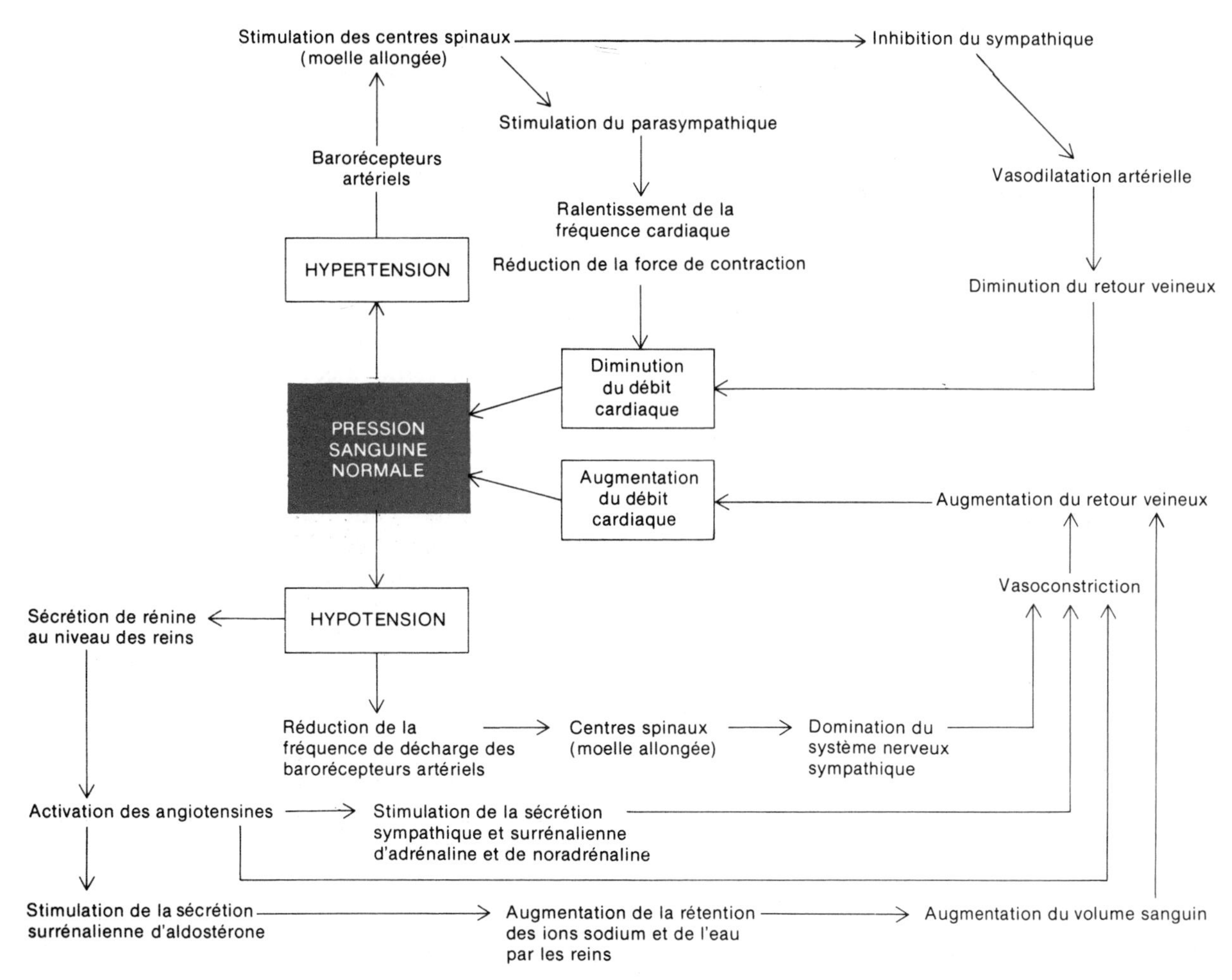

Figure 13-33 Résumé des principaux facteurs déterminant la valeur de la pression sanguine.

ques, et les fibres musculaires lisses artériolaires (et veineuses). Les réflexes atteignent donc les trois principaux effecteurs responsables de la régulation de la pression artérielle et peuvent ainsi ajuster la fréquence cardiaque, la force de contraction et la résistance périphérique (le calibre des vaisseaux). Le passage brusque de la position couchée à la position debout, par exemple, provoque une rapide chute de la pression carotidienne. Sans correctifs rapides (les réflexes orthostatiques), cette baisse de pression pourrait entraîner une perte de conscience à chaque fois que quelqu'un se lève brusquement. Les réponses réflexes issues des barorécepteurs carotidiens comportent une suite stéréotypée d'événements: diminution de la fréquence des potentiels d'action sinuso-carotidiens, acheminement de l'information par voie parasympathique vers la moelle allongée où (1) le centre cardiaque ralentit la fréquence des potentiels d'action parasympathiques vers le noeud sinu-atrial (augmentation du rythme cardiaque) et (2) accélère la fréquence des potentiels d'action sympathiques vers les fibres myocardiques (augmentation de la force de contraction); en même temps (3) le centre vasomoteur augmente la fréquence des potentiels d'action sympathiques vers les fibres musculaires lisses des artérioles et des veines (vasoconstriction). Ces trois réponses réflexes cardio-vasculaires tendent à faire remonter la pression artérielle. S'il survient une brusque hausse de la pression artérielle, les réponses, alors contraires à celles décrites, amèneront une rapide diminution de la pression. (Comme exercice, écrivez cette réponse contraire en vous servant de la description qui vient d'être présentée.)

La régulation de la pression artérielle est aussi sous l'influence d'un groupe d'hormones, les angiotensines, des vasoconstricteurs puissants. Lorsque la pression intra-rénale diminue sous le niveau normal, des cellules spécialisées bordant les artérioles du rein libèrent dans la circulation une protéine connue sous le nom de *rénine*. Celle-ci catalyse la coupure d'une protéine plasmatique, l'*angiotensinogène*, précurseur d'un petit peptide, l'*angiotensine I*, elle-même convertie en *angiotensine II* par action enzymatique. (L'*angiotensine III* est aussi un membre de cette famille d'hormones.) Les trois angiotensines ont probablement un effet positif sur la régulation de la tension, mais on connaît mal plusieurs mécanismes de leur action. L'angiotensine II est non seulement un agent vasoconstricteur artériolaire, mais aussi un stimulant de la sécrétion d'*aldostérone* par le cortex surrénal. Cette hormone agit au niveau de la rétention rénale du sodium, donc de l'eau. La présence d'aldostérone favorise la reprise du sodium par les tubes rénaux; celle-ci est accompagnée par une reprise osmotique d'eau qui accroît le volume sanguin et élève la pression artérielle. D'autre part si la pression augmente, les reins excrètent un plus grand volume d'urine, ce qui réduit le volume sanguin, le retour veineux, le débit cardiaque et, enfin, la pression artérielle.

Les angiotensines agissent aussi sur le système nerveux sympathique en stimulant la libération d'adrénaline et de noradrénaline par les terminaisons nerveuses et par les glandes surrénales (médulla surrénale). Par leur action vasoconstrictrice au niveau des artérioles, ces hormones favorisent l'augmentation de la pression artérielle.

Lors d'un choc vasculaire il se peut que la pression diminue suffisamment pour provoquer une anoxie tissulaire et des lésions (surtout cérébrales). Une hémorragie, entre autres, peut provoquer un tel choc. La perte de sang réduit le retour veineux et, par voie de conséquence, le débit cardiaque. Le choc traumatique causant des lésions capillaires étendues peut avoir le même effet sans hémorragie au sens strict[3], puisque le sang peut perdre une quantité importante de liquide au profit des tissus lésés. Le retour veineux et le débit cardiaque sont affectés, souvent même d'une façon irréversible. La perte de conscience est due en général à une vasodilation périphérique qui occasionne une accumulation importante de sang dans les vaisseaux correspondants; le débit cardiaque diminue. Si la personne évanouie est tenue en position verticale l'état de choc peut devenir mortel. Habituellement, cependant, la perte de conscience s'accompagne d'une chute en position horizontale qui favorise le retour veineux et l'accroissement consécutif du débit cardiaque.

Le pouls

La brusque tension provoquée par l'éjection ventriculaire étire les parois élastiques de l'aorte et cette expansion se propage comme une onde jusque dans les artères périphériques (la vitesse de propagation de cette onde est beaucoup plus rapide que celle du sang, soit, dans l'aorte, de l'ordre de 4 m/s contre 60 cm/s pour la vitesse moyenne du sang). Aussitôt que l'onde de pression est passée, les parois artérielles élastiques reprennent leur position originale. C'est le *pouls*, une expansion et une rétraction élastiques des parois provoquées par le passage de l'onde pulsatile.

L'élasticité des parois artérielles est très importante sous plusieurs aspect dont, entre autres, l'atténuation des conséquences du fonctionnement discontinu du coeur et le maintien d'une tension d'origine élastique ne nécessitant aucune dépense d'énergie. Ces deux caractéristiques permettent à l'aorte de jouer le rôle d'un réservoir accumulateur de pression vis-à-vis la pompe cardiaque. L'ondée systolique étire les parois de l'aorte et se loge dans celle-ci. La distension des parois, due au travail fourni par le coeur, représente l'énergie nécessaire à la propulsion du sang dans le réseau capillaire pendant la diastole ventriculaire. Si les parois étaient rigides le sang, incompressible comme tous les liquides, devrait s'écouler très rapidement dans le réseau capillaire pendant la systole ventriculaire, puis l'écoulement serait interrompu jusqu'à l'éjection suivante: la circulation capillaire serait ainsi saccadée au lieu d'être régulière. Pour un même débit l'énergie dépensée par le coeur devrait être beaucoup plus importante et exigerait de sa part une charge et un effort additionnels.

[3] On entend ici une perte de sang complet.

Si vous placez un doigt au-dessus d'une artère superficielle vous pouvez sentir le pouls. On utilise souvent l'artère radiale du poignet pour ce faire, mais la carotide commune ou toute autre artère superficielle peut faire l'affaire. Au niveau des capillaires, l'onde pulsatile est dissipée; il n'y a pas de pouls capillaire. Puisqu'il y a un délai entre le moment où le pouls apparaît dans l'aorte et celui où il passe au niveau du poignet, par exemple, on peut le sentir après la contraction ventriculaire.

Le pouls veineux, dû à la contraction de l'atrium droit, peut aussi être mesuré au niveau du cou par palpation de la veine jugulaire.

La mesure de la pression artérielle

La pression sanguine artérielle varie de façon cyclique en fonction d'une révolution cardiaque. Haute pendant la systole, elle baisse graduellement pendant la diastole. On exprime donc la pression artérielle comme le rapport de la pression systolique sur la pression diastolique; par exemple, elle est en moyenne de 16/11 kPa chez un jeune adulte (la pression différentielle se calcule en faisant 16 - 11 = 5 kPa). Ces pressions valent 120/80 mmHg, une pression différentielle de 40 en unités traditonnelles.

Les exercices physiques et les stress émotionnels, par exemple, influencent beaucoup la valeur de la pression systolique; elle peut difficilement servir d'indicateur clinique fiable. Cependant la valeur de la pression diastolique fournit au clinicien un outil de diagnostic sûr pour déceler un état d'hypertension chez un patient. Le fait que la valeur de la pression diastolique se maintienne d'une façon permanente au-dessus de 13 kPa (97 mmHg) est un signe sémiologique constant des hypertensions. Ainsi des valeurs de 21/13 kPa (158/97 mmHg) représenteraient une lecture typique d'un hypertendu.

On mesure normalement la pression sanguine à l'aide d'un *sphygmomanomètre* et d'un stéthoscope. Le sphygmomanomètre est un manchon gonflable relié à un manomètre (appareil servant à mesurer la pression) et rattaché par un tube à une poire à pression.

La technique de mesure consiste à envelopper solidement le bras du patient avec le manchon et à gonfler ce dernier jusqu'à disparition du pouls brachial. L'artère est alors écrasée par le pression d'air. (On utilise le stéthoscope pour entendre les pulsations de l'artère brachiale au niveau du coude.) On ouvre alors légèrement une valve qui laisse l'air s'échapper du manchon. On entend bientôt un son distinct qui correspond au rétablissement partiel de la circulation, au moment où la pression dans l'artère dépasse légèrement celle du manchon. La lecture du manomètre indique alors la valeur de la pression systolique. À mesure que l'air s'échappe du manchon le sang passe de plus en plus librement à chaque contraction, quoique encore de façon discontinue; l'intensité sonore augmente parallèlement puis le son change de qualité avant de devenir inaudible. La pression indiquée à ce moment sur le manomètre correspond à la valeur de la pression diastolique. La pression intraluminale est plus élevée que celle du manchon pendant toute la révolution cardiaque et l'écoulement redevient laminaire (non turbulent) et silencieux suite à la disparition du rétrécissement artériel.

LES MALADIES CARDIO-VASCULAIRES

Les maladies CV sont responsables de plus de la moitié des décès (environ 1 million) enregistrés annuellement aux États-Unis. (En France les maladies circulatoires ne représentent qu'environ le tiers des décès.) Les différents troubles CV représentent aussi une cause importante de maladie et d'incapacité affectant plus de 28 millions d'Américains. les maladies CV étaient la cause, en 1937, d'environ 14 pour 100 des décès alors qu'aujourd'hui le pourcentage dépasse les 50 pour 100. Cependant depuis 1967 il semble que le pourcentage soit en légère régression.

L'hypertension

L'*hypertension* (haute pression sanguine) est l'une des affections CV les plus fréquentes et elle touche environ 5 pour 100 de la population adulte des États-Unis. Des quelque 24 millions d'individus qui souffrent d'hypertension, seulement 30 pour 100 environ suivent un programme de contrôle adéquat. Ceci semble être dû au fait que les symptômes de l'hypertension n'apparaissent généralement pas avant que la maladie n'ait atteint un stade assez avancé pour avoir causé des dommages ou des lésions, que ce soit de l'athérosclérose, des troubles rénaux ou cardiaques, ou encore un accident CV. L'absence de symptômes rend difficile le diagnostic précoce de l'hypertension, amène l'ignorance de la maladie chez beaucoup de gens atteints, et favorise même l'insouciance chez les hypertendus déclarés. En effet, même après un diagnostic positif et la prescription d'une médication précise, plusieurs patients négligent de s'astreindre au traitement. On classe les cas d'hypertension en deux groupes: les *hypertensions essentielles* (qui n'ont pas de cause précise) et les *hypertensions secondaires* (d'étiologie connue, impliquant souvent la fonction rénale). Par exemple, la diminution anormale du calibre des artères rénales réduit la pression intrarénale et induit une abondante sécrétion de rénine totalement inopportune. Plus de 85 à 90 pour 100 des cas d'hypertension sont d'étiologie inconnue. Les spécialistes croient aujourd'hui que l'hypertension est le signe sémiologique d'un grand nombre de maladies affectant plusieurs fonctions de l'organisme, mais qui évoluent toutes vers le même état, soit une pression sanguine élevée.

La haute pression est presque toujours due à une augmentation de la résistance vasculaire, surtout au niveau des artérioles et des petites artères des muscles. Dans la plupart des cas, toutefois, la cause de cette résistance vasculaire anormale est inconnue. On pense que l'hérédité, l'obésité, et l'apport excessif de sel dans l'alimentation, sont des facteurs importants pour le développement de l'hypertension.

L'évolution de la maladie augmente progressivement la charge de travail du coeur; puisque la résistance vasculaire s'élève, le coeur doit ajuster la pression pour assurer un débit adéquat. Il se développe une hypertrophie du ventricule gauche et, éventuellement, une détérioration progressive de ses fonctions. Les hypertendus non traités pendant plusieurs années meurent généralement d'insuffisance cardiaque, d'accident cérébro-vasculaire (rupture d'un petit vaisseau au cerveau et hémorragie), d'insuffisance rénale ou d'occlusion coronaire (voir plus loin).

L'athérosclérose

L'*athérosclérose* (le durcissement des parois des artères) est la cause de décès la plus fréquente dans les sociétés industrialisées. Cette maladie et ses complications sont responsables de plus des deux tiers des morts subites dues à un collapsus cardiaque.

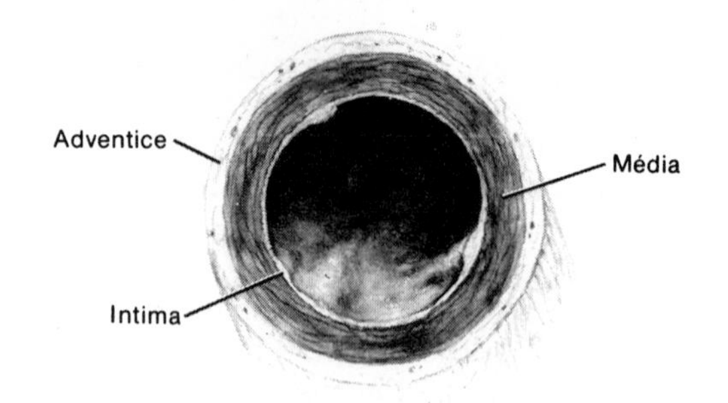

(*a*) Prolifération du muscle lisse avec envahissement de l'intima
Il se dépose des lipides, des protéines et du calcium dans la masse de muscles lisses

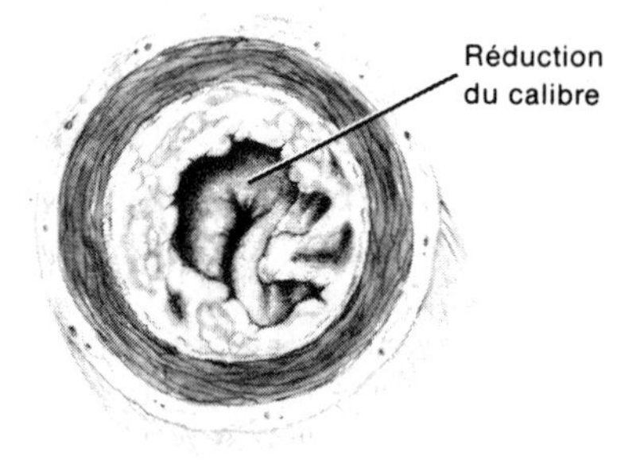

(*b*) La plaque athéromateuse obstrue presque complètement la lumière

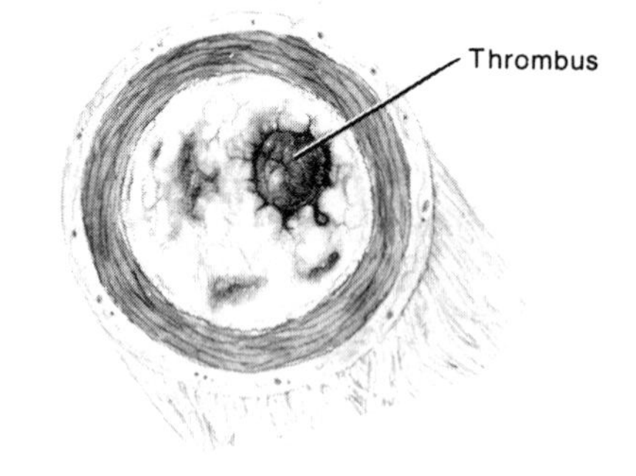

(*c*) La formation d'un thrombus a provoqué l'oblitération complète de la lumière vasculaire

Figure 13-34 La progression de l'athérosclérose.

Les plaques athéromateuses L'évolution de l'athérosclérose s'accompagne de l'apparition de *plaques athéromateuses* au niveau du recouvrement interne des parois artériolaires (figure 13-34). Le phénomène, qui s'étend sur une période de plusieurs années, se traduit par une prolifération des cellules musculaires lisses de la média et un envahissement de l'intima. Des lipides (particulièrement du cholestérol), des protéines et du calcium s'accumulent

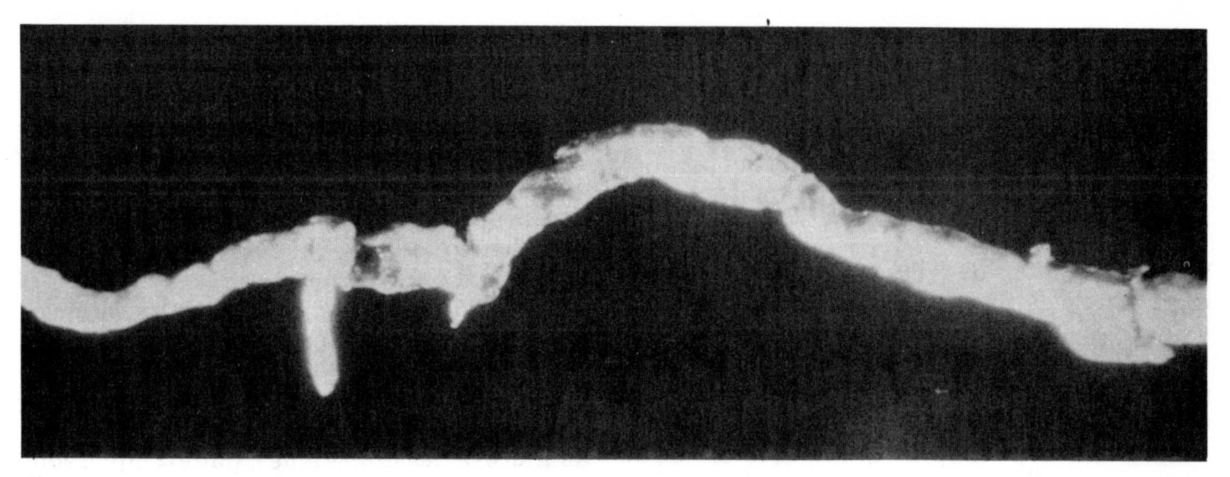

Figure 13-35 Photographie d'une plaque athéromateuse après son excision de l'artère coronaire droite chez un patient souffrant d'athérosclérose sévère. (*Dr. Dennis Pupello.*)

dans la masse musculaire et font partie intégrante de la plaque.

Deux théories apparemment exclusives tentent actuellement d'expliquer l'apparition de l'athérosclérose. Selon la première, les plaques seraient des tumeurs bénignes dérivant d'une seule cellule mutante[4]. De telles mutations pourraient être provoquées par une exposition à des radiations, par des virus, ou par certains produits mutogènes [comme les hydrocarbures aromatiques ou polycycliques (chaînes carbonées contenant un ou deux anneaux benzéniques) contenus, par exemple, dans la fumée de cigarette]. La mutation pourrait même être héréditaire. On a montré que les hydrocarbures aromatiques étaient véhiculés dans le sang par des lipoprotéines à faible densité qui transportent aussi du cholestérol. Plus la concentration des lipoprotéines est grande, plus elles peuvent transporter d'hydrocarbures. Le cholestérol lui-même peut être transformé par l'organisme en un produit mutogène, l'époxyde de cholestérol[5]. On a montré que la concentration de ce produit est plus haute chez les individus qui présentent une cholestérolémie élevée.

L'autre théorie prétend que les plaques se développent à la suite de lésions répétées des parois artérielles[6]. Selon les tenants de cette théorie, quelqu'un pourrait développer de telles lésions pour plusieurs raisons: forte concentration sanguine de lipides et de cholestérol, pression sanguine élevée, augmentation des anticorps circulants (suite à la présence dans le sang de produits de la combustion du tabac de cigarette ou de diverses substances immunogènes), ou encore présence de certaines toxines circulantes comme le monoxyde de carbone. Quelle que soit la cause des lésions, une fois que l'endothélium est endommagé, il y a agrégation plaquettaire et libération d'un facteur de stimulation de la prolifération cellulaire. Les cellules musculaires lisses de la média se divisent et envahissent la région lésée. Quelques chercheurs croient que ce processus s'amorce pendant l'enfance et se continue la vie durant.

Une fois établie, la maladie évolue. Les artères atteintes perdent progressivement leur élasticité; la lumière rétrécit et s'obstrue lentement, au rythme du développement des lésions (figure 13-35). Certaines d'entre elles s'ulcèrent, saignent, forment des thrombus. L'athérosclérose peut affecter en principe presque toutes les artères, mais les plus souvent atteintes sont l'aorte, les artères coronaires, céré-

[4] Earl P. Benditt, "The Origin of Atherosclerosis", *Scientific American*, **236**, 74, 1977.

[5] L'époxyde de cholestérol est synthétisé par la réaction entre la double liaison du cholestérol et un composé peroxy, formant un groupe fonctionnel époxyde

(—C — C—).
 \ O /

[6] Russel Ross and Laurence Harker, "Hyperlipidemia and Atherosclerosis", *Science*, **193**, 1094, 1976.

brales, rénales, et celles qui amènent le sang aux membres. (L'athérosclérose est la forme la plus fréquente de l'*artériosclérose*, un état qui représente n'importe quelle condition où les parois artérielles sont épaissies et ont perdu leur élasticité. On doit noter ici qu'il existe d'autres formes de scléroses artérielles.)

Les complications de l'athérosclérose La diminution du calibre des vaisseaux consécutive au développement des plaques réduit le débit. L'ischémie cardiaque est probablement la complication la plus fréquente de l'athérosclérose; elle apparaît lorsque les artères coronaires sont assez obstruées pour que le tissu cardiaque manque d'oxygène. Cet état est décrit un peu plus loin.

L'irritation due aux plaques athéromateuses peut encore provoquer un spasme vasculaire. Si cette situation se produit dans une artère coronaire, le débit sanguin est alors interrompu brusquement dans une partie du tissu myocardique.

Parfois les plaques affaiblissent les parois artérielles à un point tel que celles-ci forment une excroissance pariétale arrondie, un *anévrisme*, dont la rupture peut provoquer une hémorragie mortelle. Ce type d'anévrisme se produit le plus souvent au niveau de l'aorte.

Lorsque l'athérosclérose se développe dans les artères cérébrales l'irrigation du cerveau peut en souffrir. S'il y a oblitération d'une artère cérébrale par une plaque, un thrombus ou une embole[7] (dans ce cas l'embole est souvent un fragment d'un thrombus qui s'est détaché de son site de formation), une partie plus ou moins importante du cerveau peut être privée complètement d'oxygène et de nutriments. Cet accident cérébro-vasculaire est un *ictus*.

La défaillance cardiaque, l'incapacité de maintenir un débit circulatoire adéquat, survient parfois comme une complication de l'athérosclérose. L'*insuffisance cardiaque congestive chronique* évolue lentement, parallèlement au processus athéromateux qui réduit l'efficacité de l'appareil circulatoire. L'*insuffisance cardiaque aiguë* se produit soudainement à la suite, par exemple, d'un infarctus (une «crise cardiaque»).

[7] Une *embole* peut être un fragment de thrombus, une bulle d'air, une masse de cellules cancéreuses, ou tout corps étranger véhiculé par le sang jusqu'à ce qu'il se coince dans un vaisseau sanguin et l'oblitère. L'embolie est l'accident provoqué par l'embole.

Étiologie On n'a pas identifié de cause unique à l'athérosclérose mais plusieurs facteurs de risque. Ce sont: (1) l'hypertension, (2) l'hyperlipémie (souvent associée à des régimes à forte teneur énergétique totale, riches en lipides totaux, en glycérides saturés et en cholestérol), (3) la fumée de cigarette (les chances d'atteinte athéromateuse sont de 2 à 6 fois supérieures chez les fumeurs que chez les nonfumeurs et sont proportionnelles à la consommation quotidienne), (4) la tolérance anormale au glucose (les diabétiques, par exemple, sont plus susceptibles d'être atteints d'athérosclérose), (5) la baisse du niveau des oestrogènes, des hormones féminisantes (l'incidence de l'athérosclérose est en effet plus faible chez les femmes d'âge moyen que chez les hommes; on a donc suggéré que ces hormones offraient une certaine protection puisque après la ménopause, alors que leur taux sanguin est réduit, la maladie se développe rapidement chez les femmes dont le taux de mortalité des suites de complications athéromateuses rejoint celui des hommes), (6) peut-être d'autres facteurs alimentaires comme l'ingestion excessive de sel et de sucre raffiné, (7) possiblement une prédisposition héréditaire. D'autres causes peuvent aussi contribuer au développement de l'athérosclérose (quoique la relation soit moins contraignante) dont l'obésité, le sédentarisme et l'émotivité.

Les traitements de l'athérosclérose On ne connaît pas de traitement curatif à cette maladie. On doit donc mettre l'accent en clinique sur les mesures prophylactiques et réduire les facteurs de risque. Certaines fois un athérome avancé peut être traité par chirurgie. Le pontage aorto-coronarien, par exemple, consiste à prélever dans la jambe une section d'une veine saphène et à relier l'aorte à une coronaire, en aval du site obstrué. On crée ainsi un nouveau passage pour le torrent circulatoire qui court-circuite la partie atteinte de l'artère coronaire.

L'ischémie cardiaque

L'*ischémie cardiaque* est un terme général qui recouvre plusieurs troubles spécifiques reliés à une réduction de l'apport sanguin au myocarde. (Le terme d'*ischémie* signifie un débit circulatoire inadéquat dans un territoire donné.) L'athérome des artères coronaires est la cause principale et la plus commune de l'ischémie cardiaque. Leur oblitération progressive réduit le débit sanguin dans le muscle. Lorsque l'évolution de la maladie est lente, il se développe des vaisseaux collatéraux qui maintiennent pendant un certain temps une irrigation convenable des tissus en offrant de nouvelles voies de passage au sang. Malheureusement les vaisseaux collatéraux ne peuvent compenser indéfiniment l'évolution de l'athérome et l'irrigation du myocarde faiblit jusqu'à ce que la fonction cardiaque soit affectée. L'aboutissement le plus fréquent de cette situation est la défaillance cardiaque par infarctus.

L'angine de poitrine Chez les individus en santé le débit coronaire est plus grand que ce qui est requis pour le fonctionnement normal du coeur. Cette marge de sécurité doit donc disparaître avant que le métabolisme cardiaque ne soit affecté. Dans les débuts de l'athérome coronaire un individu peut ne pas présenter de symptômes au repos. À l'exercice, cependant, ou à la suite d'un stress émotionnel, la charge cardiaque augmente et il peut alors ressentir une douleur à la poitrine causée par une ischémie cardiaque. Cette douleur, l'*angine de poitrine*, est ressentie sous le sternum et irradie souvent dans le bras et l'épaule gauches. On la décrit souvent comme un serrement qui peut survenir en spasmes. Le repos, en diminuant la charge au niveau du coeur, soulage la douleur. Les patients qui font de l'angine portent généralement sur eux des pilules de nitroglycérine en cas d'attaque. Ce médicament réduit la charge cardiaque (débit et pression artérielle) en diminuant le retour veineux (dilatation veineuse). Il provoque aussi une faible vasodilation coronaire qui favorise l'irrigation du myocarde.

L'occlusion coronarienne Lorsqu'une plaque athéromateuse provoque la saillie intraluminale de l'intima, elle peut créer une zone rugueuse au niveau du revêtement interne de l'artère. Les plaquettes adhèrent à cette surface et amorcent le processus de la coagulation. Si le thrombus (un caillot qui se forme dans un vaisseau sanguin ou dans le coeur) ou l'embole oblitère une branche importante d'une coronaire, le torrent circulatoire vers le territoire vasculaire effluent sera entravé ou encore bloqué. Ce genre d'occlusion coronaire est un type assez commun de «crise cardiaque». (Puisque l'oblitération est due à un thrombus, ce type de crise est qualifié de *thrombose coronaire*. On parlera aussi parfois d'embolie si l'obstruction est due à une embole.)

Si le territoire myocardique privé de sang est grand, la mort peut survenir en quelques minutes. Si la zone affectée est réduite, le coeur peut continuer à battre et les cellules de la zone ischémique meurent et sont remplacées par du tissu fibreux. On parle alors de région *infarcisée* et on qualifie cet état d'*infarctus du myocarde*. (Les termes infarctus du myocarde, occlusion coronaire, et thrombose coronaire sont tous synonymes de «crise cardiaque».)

On doit comprendre que les infarctus du myocarde peuvent survenir sans oblitération coronaire totale. Le débit sanguin est alors réduit à un point tel qu'une certaine quantité de tissu myocardique devient non fonctionnel et est atteint d'infarcissement.

Lorsqu'un patient se relève d'un infarctus aigu du myocarde, son coeur est affaibli pendant un certain temps. Bien qu'il soit encore capable de pomper un volume sanguin suffisant pour entretenir l'organisme au repos, tout exercice ou stress qui augmente sa charge peut aggraver son état ou même être fatal. Si le patient prend un repos de plusieurs semaines, il peut se développer des vaisseaux sanguins collatéraux qui renforceront le coeur.

Un fort pourcentage de patients atteints d'infarctus du myocarde meurent avant d'atteindre l'hôpital et plusieurs meurent en dedans de quelques heures ou de quelques jours de l'attaque. L'une des causes du décès immédiat est l'apparition d'une fibrillation ventriculaire. Il se peut aussi que le coeur dans son ensemble soit trop affaibli pour rencontrer les exigences de l'organisme: c'est une défaillance cardiaque. Si le coeur arrête de battre, c'est un *arrêt cardiaque*. On peut souvent faire repartir le coeur grâce à des soins rapides dont le massage cardiaque (se référer au chapitre 15).

Une autre cause de décès à la suite d'un infarctus du myocarde est l'anévrisme cardiaque (une excroissance de la paroi cardiaque) ou la rupture pure et simple de la région atteinte. La zone infarcisée demeure faible tant que les cellules mortes ne sont pas résorbées et que le tissu fibreux de remplacement n'est pas revas-

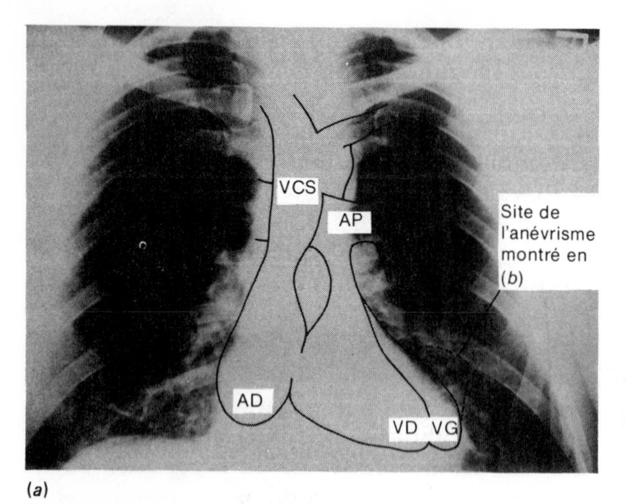

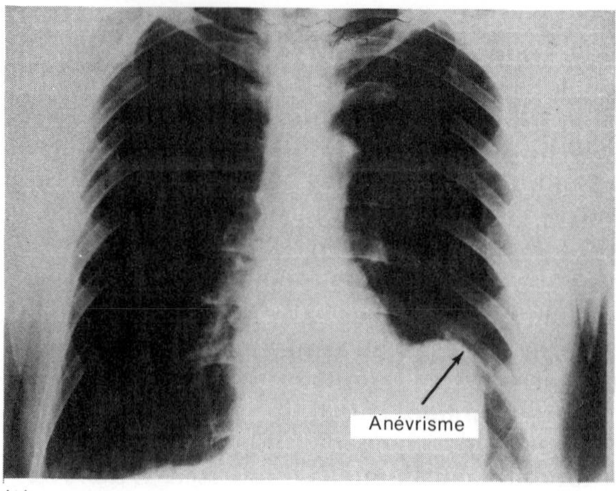

(a) (b)

Figure 13-36 Radiographies d'un coeur. (*a*) Normal. (Les traits superposés indiquent l'emplacement du coeur et de quelques vaisseaux importants.) AD, atrium droit; VD, ventricule droit; VG, ventricule gauche; AP, artère pulmonaire; VCS, veine cave supérieure. (*b*) Anévrisme ventriculaire. (*Dr. Dennis Pupello.*)

cularisé. Si le coeur doit faire face à une charge additionnelle pendant le processus de guérison, il est possible que la paroi ne puisse résister, qu'il s'y forme un anévrisme (figure 13-36), ou encore qu'elle cède, laissant échapper du sang dans la cavité péricardique. L'épanchement de sang dans cette cavité comprime le coeur et l'empêche de battre avec efficacité. Cet accident (la rupture myocardique avec *tamponnade*) est souvent mortel.

RÉSUMÉ

1 L'appareil circulatoire (a) véhicule les nutriments, (b) l'oxygène, (c) les déchets métaboliques, (d) les hormones; (e) assure une protection contre les agents pathogènes et les substances nocives, (f) participe à la régulation thermique et (g) à l'équilibre hydrominéral.

2 Le sang est une suspension de globules rouges et blancs et de plaquettes dans un liquide, le plasma.

3 Le plasma contient 92 pour 100 d'eau, 7 pour 100 de protéines et 1 pour 100 de sels et de substances variées. Les protéines plasmatiques développent une pression osmotique colloïdale qui favorise la rétention de liquide dans les vaisseaux sanguins et, par le fait même, la constance du volume sanguin et l'équilibre hydrique.

4 Un globule rouge mature est un disque flexible biconcave, sans noyau et autres organites cellulaires, surtout fait pour transporter de l'oxygène.

5 Les cellules souches primordiales de la moelle rouge se divisent et produisent des globules rouges immatures. Ceux-ci synthétisent de l'hémoglobine, expulsent leur noyau, et pénètrent dans le torrent circulatoire.

6 L'hémoglobine peut se combiner de façon réversible avec l'oxygène et former de l'oxyhémoglobine.

7 La longévité moyenne des globules rouges est d'environ 120 jours, après quoi ils deviennent fragiles et se brisent en passant dans des endroits étroits, particulièrement dans la rate. Les débris sont alors phagocytés par les macrophages.

8 On pense que l'hypoxie déclenche la libération par le rein d'un facteur de stimulation de l'érythropoïèse responsable de la production d'érythropoïétine. Cette hormone accélère la production de globules rouges par les cellules souches.

9 L'anémie peut dépendre (a) d'une perte de sang, (b) d'un ralentissement de la production des globules rouges (anémies aplasique, ferriprive, pernicieuse), ou (c) d'une augmentation du rythme de destruction des globules rouges (anémie hémolytique dont un exemple est l'anémie à hématies falciformes).

10 Les granulocytes peuvent quitter le torrent circulatoire et se déplacer un peu partout pour phagocyter des bactéries ou d'autres particules étrangères. Les lymphocytes et les monocytes ne possèdent pas de granulations. La maturation des monocytes a lieu dans les tissus où ils deviennent des macrophages; les lymphocytes sont les cellules principalement responsables des réponses immunitaires.

11 La leucémie est une forme de cancer où les cellules souches de la moelle rouge produisent des globules blancs anormaux en grande quantité.

12 Les plaquettes sont des portions de cytoplasme entourées d'une membrane et issues de la fragmentation de cellules géantes de la moelle rouge, les mégacaryocytes.

13 Lors de la rupture d'un vaisseau sanguin les plaquettes s'agglutinent et forment un thrombus blanc. Pendant ce temps le caillot permanent se forme à partir d'une suite de réactions chimiques amorcées par l'activation directe des premiers facteurs de coagulation par les parois endommagées du vaisseau.

14 Les parois de la plupart des vaisseaux sanguins contiennent (a) une tunique interne, le revêtement endothélial, (b) une tunique moyenne où se trouvent les cellules musculaires lisses responsables de la vasomotricité et, dans les grosses artères, le tissu conjonctif élastique, et (c) une tunique externe ou adventice formée de tissu conjonctif fibreux portant les filets nerveux et les vaisseaux sanguins nourriciers de la paroi.

15 Les plus grosses artères possèdent des parois élastiques qui se distendent sous l'effet de la pression interne. Les artérioles peuvent changer de calibre grâce à leur musculature lisse et ajuster le débit sanguin dans les différents lits capillaires. Les parois capillaires ne possèdent qu'une seule assise de cellules endothéliales, ce qui facilite les échanges sang-tissus. Les veines sont entourées d'une tunique adventice épaisse et plusieurs d'entre elles possèdent des valves.

16 Un globule rouge qui pénètre dans l'atrium droit atteint et traverse le réseau vasculaire pulmonaire en rencontrant successivement les structures suivantes: atrium droit → ventricule droit → tronc pulmonaire → artère pulmonaire → artériole pulmonaire → capillaire pulmonaire → veinule pulmonaire → veine pulmonaire → atrium gauche. De là il s'oriente vers la circulation systémique: ventricule gauche → aorte → une artère collatérale de l'aorte → lit capillaire → veine → veine cave inférieure ou supérieure. Il revient finalement dans l'atrium droit.

17 Les parois cardiaques comprennent l'endocarde, le myocarde et l'épicarde. Le péricarde est un sac conjonctif résistant qui enveloppe le coeur.

18 Le coeur contient quatre cavités: deux atriums et deux ventricules. Chaque atrium est séparé du ventricule qui lui correspond par un dispositif valvulaire, la valve tricuspide du côté droit et la valve mitrale du côté gauche.

19 L'onde d'excitation myocardique apparaît normalement dans le noeud SA. Elle se répand à travers les parois des atriums et entraîne leur contraction. Un groupe de fibres assure la propagation de l'excitation au niveau du noeud AV; l'onde d'excitation gagne ensuite la masse musculaire ventriculaire par le faisceau AV et les fibres de Purkinje.

20 Chaque révolution cardiaque débute avec l'apparition d'un potentiel d'action dans le noeud SA. Les atriums se contractent et poussent un surplus de sang dans les ventricules. La systole ventriculaire provoque l'ouverture des valves semi-lunaires et le sang passe vers les circulations pulmonaire et systémique. Au même moment les atriums, en diastole, s'emplissent de sang. Au début de la diastole ventriculaire les valves semi-lunaires se ferment et les valves tricuspide et mitrale s'ouvrent de nouveau.

21 L'auscultation du coeur avec un stéthoscope permet d'entendre distinctement deux bruits normaux, un «boum» qui correspond à la mise sous pression isovolumétrique de l'ondée systolique, et un « ta» provoqué par l'ébranlement des parois de l'aorte suite à la fermeture des valves semi-lunaires.

22 L'onde P de l'électrocardiogramme résulte de l'invasion des parois des atriums par l'onde d'excitation, phénomène qui précède immédiatement la systole atriale. Le complexe QRS résulte de l'invasion des parois des ventricules par l'onde d'excitation, alors que l'onde T est causée par la repolarisation des fibres musculaires des ventricules.

23 L'activité cardiaque dépend du retour veineux, d'un équilibre ionique normal, et de l'activité nerveuse sympathique et parasympathique dont les effets chronotropes sont respectivement positifs et négatifs. Les barorécepteurs aortiques et carotidiens, sensibles aux variations de la tension pariétale artérielle, délivrent des messages nerveux vers la moelle allongée (dans le tronc cérébral), centre d'intégration des boucles réflexes contrôlant la fréquence des pulsations cardiaques.

24 Le débit cardiaque se définit comme le volume de sang pompé en une minute par un ventricule. Selon la loi du coeur de Starling, plus le retour veineux est important pendant la diastole, plus le volume de l'ondée systolique est grand.

25 Le débit sanguin est affecté, entre autres, par le débit cardiaque, la viscosité du sang, l'élasticité des parois vasculaires et le diamètre des vaisseaux sanguins.

26 Le niveau de la pression artérielle est sous contrôle nerveux et hormonal. Les barorécepteurs artériels fournissent les informations pertinentes aux centres cardiaques du tronc cérébral afin que puisse s'effectuer le contrôle réflexe. On mesure la pression artérielle avec un sphygmomanomètre et un stéthoscope.

27 Le pouls est la conséquence de l'expansion et de la rétraction élastiques des parois artérielles suite à l'éjection de l'ondée systolique. On peut facilement le sentir par palpation d'une artère superficielle.

28 Les plaques athéromateuses contiennent des fibres musculaires lisses, du cholestérol et du calcium. Elles se développent au niveau de l'intima des parois artérielles et finissent par entraver le débit sanguin. Les principaux facteurs de risque de l'athérosclérose sont le tabagisme, l'hypertension et l'hypercholestérolémie.

QUESTIONS DE RÉVISION

1 Quelles sont les fonctions des érythrocytes? Des neutrophiles? Des plaquettes? Des monocytes?
2 Quelles sont les fonctions des protéines plasmatiques prises globalement? Des globulines?
3 Comment se fait la régulation de la production des globules rouges?
4 Qu'est-ce qui permet d'affirmer que les globules rouges mûrs sont particulièrement bien adaptés à leur fonction?
5 Quelles sont les trois causes principales de l'anémie? Faire la liste et décrire l'étiologie de quatre types d'anémies.
6 Quels désordres physiologiques sont causés par les leucémies?
7 En commençant avec la prothrombine, décrire les réactions terminales de la formation d'un caillot sanguin.
8 Comparer les parois d'une artère, d'un capillaire et d'une veine.
9 Pourquoi nomme-t-on parfois les capillaires «la partie fonctionnelle» de l'appareil vasculaire?
10 Décrire le trajet d'un GR (a) de la veine jugulaire à l'aorte, (b) de l'atrium droit à la veine rénale, (c) de la veine porte hépatique à l'artère carotide, (d) de la veine cave inférieure à la veine cave supérieure, (e) de l'artère coronaire à un capillaire pulmonaire.
11 Quelles sont les différences structurales et physiologiques entre le muscle cardiaque et le muscle squelettique?
12 Décrire une révolution cardiaque en suivant l'activité du système cardio-necteur.
13 Faire la relation entre les phénomènes mécaniques de la révolution cardiaque et les principales ondes de l'ECG.
14 Quels sont les facteurs qui influencent la contraction cardiaque?
15 Énoncer la loi du coeur de Starling.
16 Quels sont les facteurs de la régulation de la pression artérielle?
17 Quel est le support physiologique du pouls artériel?
18 Quels sont les éléments qui permettent au sang veineux de remonter le long des veines, contre la force de gravité, depuis les membres inférieurs jusqu'au coeur?
19 Qu'est-ce qu'une ischémie cardiaque et décrire quelques-unes des conséquences de cet état?
20 Décrire l'athérosclérose et relier cette maladie à plusieurs types d'affections cardiaques.
21 Qu'est-ce que l'hypertension? Pourquoi y a-t-il autant d'hypertendus ignorants de leur état?

14 L'APPAREIL LYMPHATIQUE ET L'IMMUNITÉ

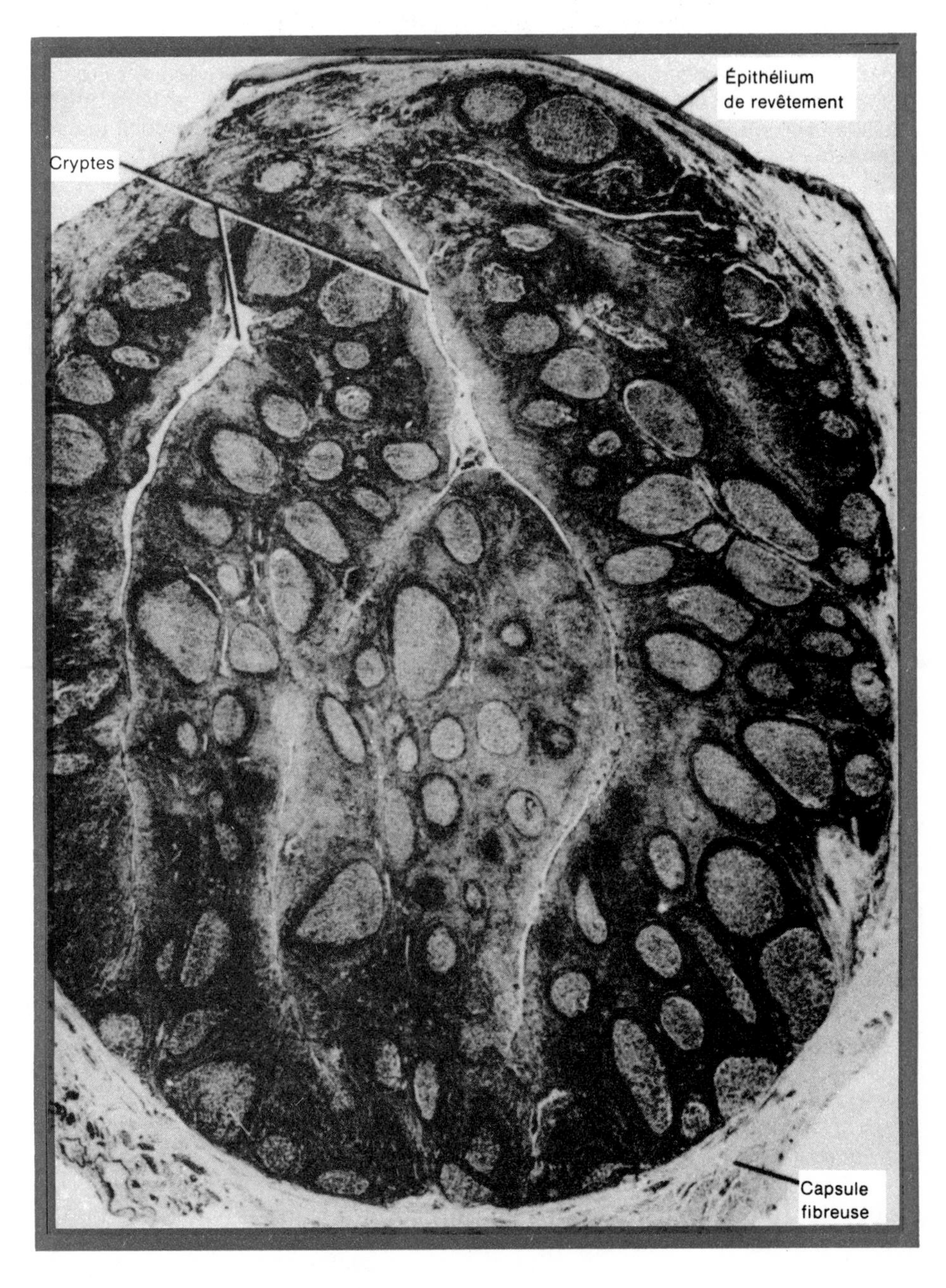

Coupe histologique d'une tonsille palatine humaine. L'épithélium superficiel du coin supérieur gauche s'est détaché. La tonsille est formée par de nombreux nodules lymphatiques. Les cryptes tonsillaires sont de profondes échancrures bordées par une invagination de l'épithélium pavimenteux stratifié superficiel. Les bactéries s'accumulent souvent dans les cryptes (environ ×11). (*Tiré de William F. Windle, "Textbook of Histology", 5th ed., McGraw-Hill, N.Y., 1976.*)

OBJECTIFS

L'étude de ce chapitre devrait vous permettre de:

1 Énumérer et décrire succinctement les trois rôles principaux de l'appareil lymphatique.
2 Identifier les structures importantes de l'appareil lymphatique et décrire l'organisation générale de la circulation lymphatique.
3 Identifier deux grandes fonctions des noeuds lymphatiques et connaître leur distribution dans l'organisme.
4 Faire la différence entre les nodules (follicules) lymphatiques et les noeuds lymphatiques; décrire le rôle des nodules.
5 Décrire le rôle des tonsilles, de la rate et du thymus, en tant qu'organes lymphoïdes.
6 Montrer le lien qui existe entre le plasma, le liquide interstitiel et la lymphe, mettre en évidence leurs différences de composition et connaître leurs modes de formation respectifs.
7 Identifier les mécanismes responsables de l'écoulement de la lymphe; définir l'oedème et ses causes.
8 Caractériser l'individualité macromoléculaire en tant que support de l'immunité.
9 Décrire quatre mécanismes de défense non spécifiques dont le système phagocytaire, l'inflammation, l'immunité nutritionnelle et l'interféron.
10 Définir les termes d'antigène et d'anticorps; savoir différencier les antigènes et de quelle façon ils stimulent les réponses immunitaires.
11 Décrire l'activité directe des anticorps sur les agents pathogènes et comment ils peuvent intervenir par le biais du système complément.
12 Décrire le mécanisme de l'immunité à médiation cellulaire et le développement des cellules à mémoire.
13 Décrire le mécanisme de l'immunité humorale.
14 Décrire le rôle du thymus dans les mécanismes immunitaires.
15 Distinguer l'immunité active et passive en donnant des exemples; savoir expliquer le caractère temporaire de l'immunité passive.
16 Préciser la nature immunologique de l'allergie et décrire succinctement les réactions allergiques suivantes: l'asthme, la fièvre des foins, l'urticaire [une forme d'exanthème (apparition de rougeurs)] et le choc anaphylactique.
17 Montrer l'importance de l'utilisation clinique des antihistaminiques et de la désensibilisation dans le traitement des allergies.
18 Décrire les systèmes ABO et Rh des groupes sanguins humains; expliquer les raisons pour lesquelles, lors d'une transfusion sanguine, le sang du donneur doit être compatible avec celui du receveur.
19 Décrire le phénomène du rejet des greffons et expliquer les méthodes utilisées en clinique pour atténuer les effets de ces réactions chez les receveurs.

L'appareil lymphatique comprend un réseau vasculaire et des organes lymphoïdes. Ses trois principaux rôles sont les suivants:

1 Retourner dans le torrent circulatoire les surplus de liquide interstitiel et les protéines plasmatiques échappées des capillaires
2 Défendre l'organisme contre les agents pathogènes (microbes, toxines, etc.) par des mécanismes immunologiques
3 Prendre en charge les lipides absorbés au niveau du tube digestif et les acheminer vers le sang.

Ce dernier rôle ayant déjà été présenté au chapitre 11, nous n'aborderons ici que les deux premiers.

SCHÉMA D'ORGANISATION

L'appareil lymphatique comprend:

1 La lymphe, un liquide clair et transparent un peu semblable à du plasma, et contenant des lymphocytes et des monocytes en suspension.
2 Un réseau vasculaire très développé dans lequel la lymphe s'écoule.
3 Du tissu lymphoïde, un type de tissu conjonctif caractérisé par la présence d'un grand nombre de lymphocytes. Le tissu lymphoïde associé aux vaisseaux lymphatiques est disposé en petites masses, les nodules et les noeuds lymphatiques.
4 Le thymus et la rate, deux gros organes constitués principalement de tissu lymphoïde.

La circulation de la lymphe

L'appareil vasculaire lymphatique ne possède ni coeur ni artères. Ses capillaires sont borgnes (fermés à une extrémité) et dispersés dans presque tous les tissus. (Le SNC, les os et l'épithélium de la peau sont des exceptions majeures.) Le surplus de liquide interstitiel gagne les capillaires lymphatiques où il prend le nom de *lymphe*. Les capillaires lymphatiques acheminent la lymphe vers des tubes plus gros, les *vaisseaux lymphatiques* ou *veines lymphatiques*. Comme les vaisseaux sanguins, ils possèdent trois tuniques; leurs parois sont toutefois plus minces et présentent un très grand nombre de valves. En plusieurs endroits de l'organisme les lymphatiques pénètrent dans des noeuds où la lymphe est filtrée, c'est-à-dire que les bactéries, les substances étrangères ou les divers débris en sont retirés par des cellules phagocytaires.

Les lymphatiques acheminent la lymphe vers la base du cou. Les lymphatiques des parties inférieures de l'organisme convergent vers la *citerne du chyle* (*de Pecquet*), une sorte de gros vaisseau lymphatique de fort calibre situé dans la région lombaire de la cavité abdominale. La citerne du chyle, tous les lymphatiques du territoire sous-diaphragmatique et ceux de la moitié gauche sus-diaphragmatique, se jettent dans le *canal thoracique*. Celui-ci rejoint la veine subclavière gauche près de l'endroit où elle rencontre la jugulaire. La lymphe de la moitié droite de la tête et du cou, du membre supérieur droit, du poumon droit et d'une partie de la moitié droite de la paroi thoracique, se draine dans le *canal lymphatique droit* (*grande veine lymphatique*) qui, malgré son nom, ne mesure pas plus de 1 cm de longueur et s'aboute à la veine subclavière droite (figure 14-1).

Les nodules lymphatiques

Les *nodules* ou *follicules lymphatiques* sont des petites masses de tissu lymphoïde dense dispersées dans du tissu conjonctif lâche comme, par exemple, le chorion des muqueuses de la partie haute des voies respiratoires, de l'intestin et des voies urinaires. Ils ne sont pas permanents, c'est-à-dire qu'ils apparaissent et disparaissent selon l'activité locale du tissu lymphoïde. Leur distribution reflète toutefois le caractère stratégique de leur fonction de défense puisqu'on les retrouve là où des organismes pathogènes sont susceptibles de traverser les barrières naturelles telles les revêtements des conduits internes qui débouchent sur l'extérieur. Le nodule lymphatique est formé de lymphocytes et de cellules réticulaires enrobées dans un réseau de fibres réticulaires. Ses contours ne sont pas toujours bien définis et certains nodules présentent une zone centrale plus claire, le *centre germinatif*, contenant des lymphocytes immatures qui se divisent activement.

Les nodules peuvent s'unir dans des structures plus ou moins bien organisées, comme les *follicules lymphatiques agrégés* (*plaques de Peyer*) des parois de la partie distale de l'intestin grêle. Les tonsilles sont aussi des masses de tissu lymphoïde situées sous le revêtement épithélial de la cavité buccale et du pharynx (voir la figure de la première page du chapitre). Rappelons que les tonsilles linguales sont placées à la base de la langue, que les tonsilles palatines sont de part et d'autre de la gorge, et que les tonsilles pharyngiennes (les adénoïdes) sont situées sur la paroi postérieure du nasopharynx. Ces amas de tissu régressent à partir de l'âge de 7 à 10 ans.

Les noeuds lymphatiques

Les *noeuds* (*ganglions*) *lymphatiques* sont des structures mieux organisées que les nodules; ils comportent une capsule conjonctive et s'interposent un peu partout sur les principaux

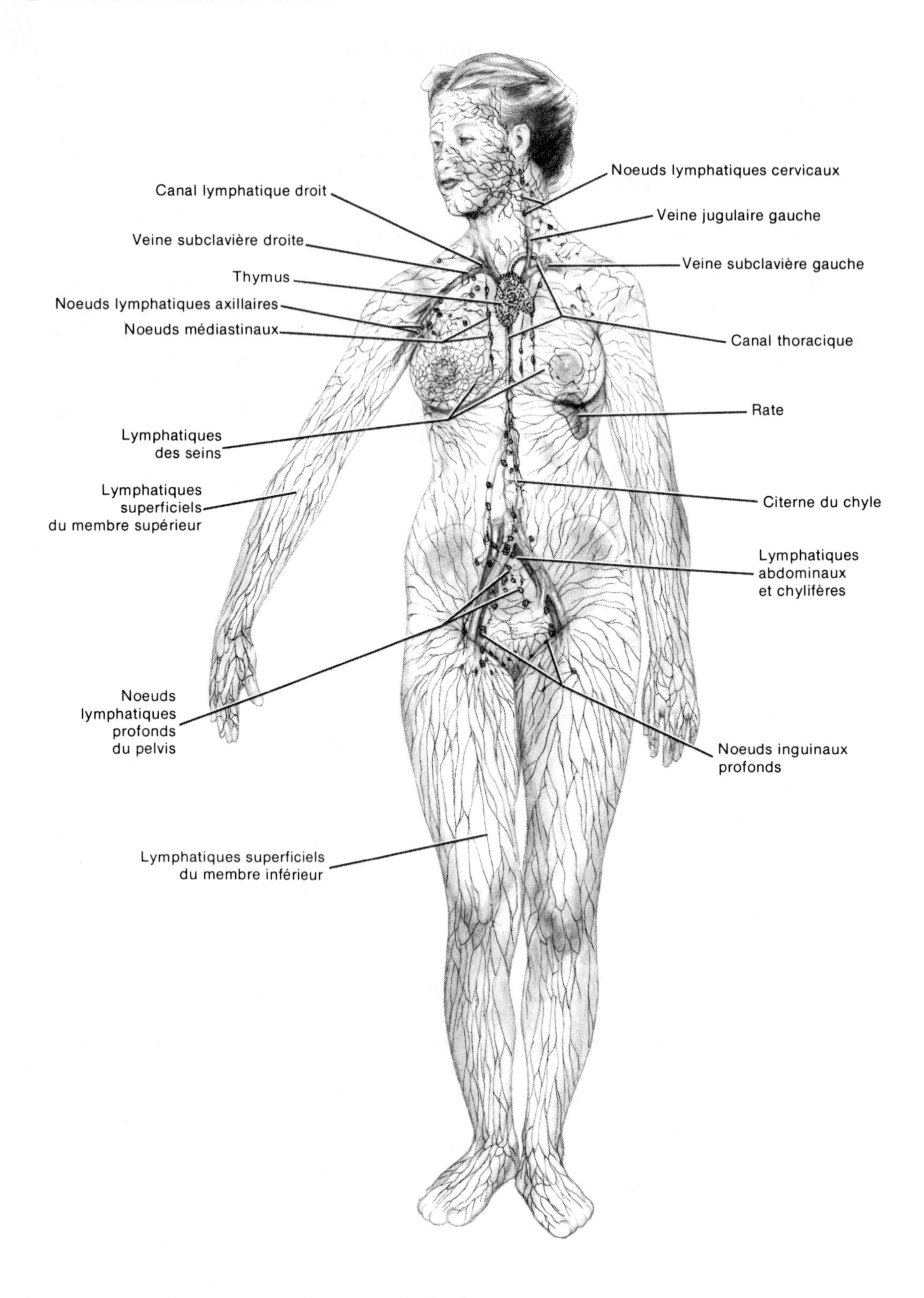

Figure 14-1 L'appareil lymphatique. Noter la distribution groupée des noeuds.

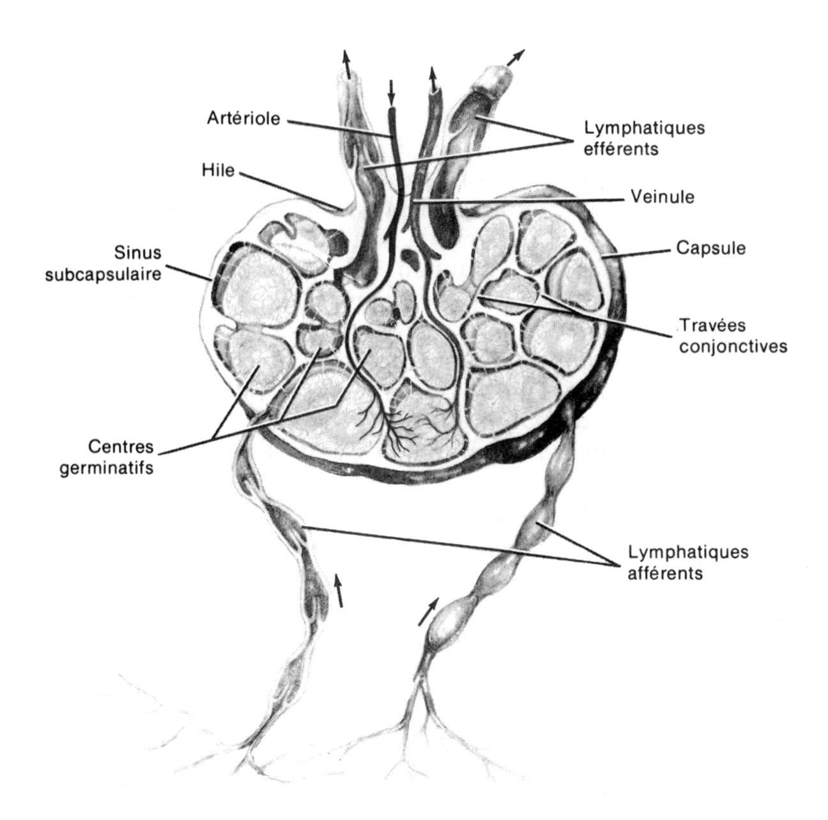

Figure 14-2 La structure d'un noeud lymphatique.

trajets de la lymphe. Ils sont regroupés en certains endroits stratégiques du corps (figure 14-1) dont l'aisselle, l'aine, le cou, le thorax et le mésentère.

Ils sont généralement ovales ou ont la forme d'un haricot (figure 14-2) et leur diamètre peut être compris entre 1 et 30 mm. Le noeud est recouvert d'une capsule qui envoie des projections à l'intérieur de l'organe. Ces *travées* (*trabécules*) divisent le noeud en sections et forment un support solide pour le noeud lui-même et les vaisseaux sanguins nourriciers. Les travées se prolongent en un fin grillage de tissu réticulaire limitant les sinus lymphatiques. Une petite artère pénètre par une échancrure de la capsule (le *hile*) et se ramifie en un réseau capillaire. Le sang quitte le noeud par une veinule qui émerge aussi au niveau du hile. Le parenchyme (tissu spécialisé) de chaque noeud est formé entre autres de lymphocytes et de plasmocytes, et présente deux régions: l'une périphérique (le cortex) et l'autre centrale (la médulla), contenant respectivement des nodules lymphatiques avec centres germinatifs et du tissu lymphoïde disposé en cordons irréguliers.

Les lymphatiques afférents pénètrent dans le noeud par sa surface convexe et acheminent la lymphe dans le sinus subcapsulaire (marginal). Leurs valves empêchent tout retour en arrière de la lymphe qui circule lentement dans les sinus où elle est «nettoyée» par les cellules réticulaires phagocytaires. Elle s'enrichit de lymphocytes et sort du noeud par les lymphatiques efférents, aussi munis de valves, qui émergent au niveau du hile. Les deux principales fonctions des noeuds lymphatiques sont la filtration de la lymphe et la production des lymphocytes (et des plasmocytes).

La rate

La *rate* (figure 14-1), le plus gros organe lymphoïde, est située sous le diaphragme, derrière l'estomac et devant le rein gauche. Sa structure est très semblable à celle d'un gros noeud lymphatique sauf que l'organe filtre du sang en lieu et place de la lymphe. Les vaisseaux sanguins et les nerfs entrent et sortent de la rate par le hile. Le parenchyme splénique, la pulpe, est de deux types: rouge et blanc. La pulpe blanche est formée de masses denses de leucocytes, surtout des lymphocytes. La pulpe rouge apparaît comme un ensemble de sinus remplis de sang et occupant tous les espaces laissés libres par les travées et la pulpe blanche; elle contient tous les éléments du sang circulant et des lymphocytes. L'artère splénique se ramifie à l'intérieur de la rate et les branches suivent les travées pour se résoudre dans le parenchyme splénique où l'adventice artériolaire est remplacée par un manchon de tissu réticulaire envahi de lymphocytes (la pulpe blanche). Les fines artérioles qui en émergent déversent le sang dans les sinus veineux de la pulpe rouge où il est nettoyé des agents pathogènes, débris, et globules rouges usés qu'il contient, par l'activité phagocytaire d'un grand nombre de cellules réticulaires spécialisées, de macrophages et autres.

La rate joue un rôle important dans les réponses immunitaires en produisant sur demande des lymphocytes et des cellules phagocytaires. Chez certains animaux la rate est un réservoir de sang; chez les humains elle semble surtout stocker des plaquettes. Malgré ses nombreux rôles (dont celui d'organe hématopoïétique) la rate n'est pas un organe vital puisque la moelle osseuse, le foie, et certains noeuds lymphatiques, peuvent lui suppléer physiologiquement après son ablation chirurgicale (splénectomie).

Le thymus

Le *thymus* est situé dans la partie moyenne de la cage thoracique (médiastin) derrière le sternum (figure 14-1). Surtout développé à la naissance et pendant l'enfance, il diminue de volume après la puberté. Les deux principaux lobes du thymus sont enveloppés dans une capsule conjonctive. Jusqu'à récemment son rôle était inconnu. Quoiqu'il demeure encore plusieurs questions sans réponse, on lui assigne aujourd'hui un rôle clé dans l'immunité, le sujet discuté dans la seconde partie du chapitre.

LA DISTRIBUTION DU LIQUIDE EXTRACELLULAIRE

L'organisme ne doit pas seulement maintenir un volume liquidien total relativement constant, mais il doit aussi en assurer une répartition convenable. La plus grande partie du volume liquidien de l'organisme se trouve dans le *compartiment intracellulaire*; le reste est dans le *compartiment extracellulaire* et comprend principalement le plasma, la lymphe et le liquide interstitiel. L'appareil circulatoire lymphatique joue un rôle important dans le maintien de l'équilibre liquidien entre le sang et le liquide interstitiel.

Les globules sanguins et les plaquettes ne s'échappent pas normalement du torrent circulatoire. Les protéines plasmatiques, de dimensions plus faibles, peuvent diffuser dans le liquide interstitiel et certains leucocytes y accèdent par diapédèse. Le *liquide interstitiel* a une composition à peu près semblable à celle du plasma; son contenu protéique ne représente toutefois qu'environ 25 pour 100 de celui du plasma, il ne contient pas de plaquettes, et le nombre de leucocytes est très faible. Le liquide interstitiel remplit les espaces entre les cellules des différents tissus, leur apportant les nutriments et l'oxygène directement du sang. En même temps il recueille les résidus du métabolisme cellulaire (CO_2 et produits de rebut) et les retourne vers le torrent circulatoire.

À son entrée dans les capillaires le sang possède une pression suffisante pour qu'une certaine quantité de plasma passe au travers des pores de la paroi capillaire: c'est la *pression hydrostatique capillaire*. La *pression oncotique capillaire* (due à la présence des protéines plasmatiques) s'oppose à la pression hydrostatique en créant une force osmotique d'appel vers les capillaires. Du côté interstitiel de la paroi capillaire, deux autres forces entrent aussi en jeu, soit la pression hydrostatique tissulaire et la pression oncotique tissulaire. Quoique faibles, elles ne sont pas négligeables (figure 14-3). On pourrait penser que la pression hydrostatique interstitielle s'oppose à la sortie de liquide hors des capillaires, mais ce n'est pas le cas. En effet cette pression est inférieure à la pression atmosphérique et exerce sur le liquide intravasculaire une succion qui favorise sa sortie des capillaires. Ainsi

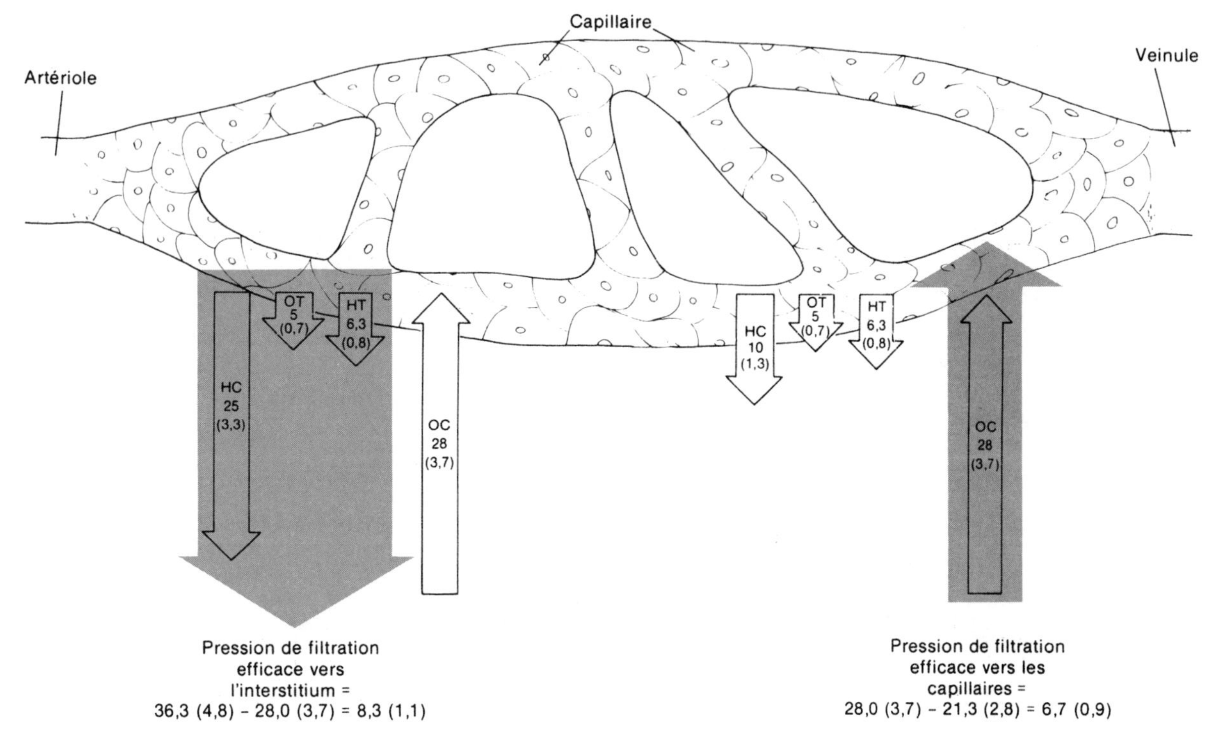

Figure 14-3 Ensemble des forces qui affectent le passage de liquide entre les capillaires et l'interstitium. Les valeurs de pression sont en mm de Hg (kPa). HC, pression hydrostatique capillaire; OC, pression oncotique capillaire; HT, pression hydrostatique tissulaire; OT, pression oncotique tissulaire.

quatre forces affectent les échanges liquidiens entre les compartiments vasculaire et interstitiel: la pression hydrostatique capillaire et les pressions osmotique et hydrostatique tissulaires tendent à faire sortir du liquide hors des capillaires, alors que la pression oncotique capillaire tend à le garder dans les capillaires. La résultante de ces forces est la *pression de filtration efficace*, la force nette qui détermine dans quel sens le liquide va passer à un moment donné. Ce principe, connu sous le nom de *loi des capillaires* de Starling (le même que celui de la loi du coeur), se résume donc ainsi: la direction et le débit de l'écoulement liquidien transcapillaire sont déterminés par la valeur des pressions hydrostatique et osmotique colloïdale des deux liquides.

À l'extrémité veineuse des capillaires le retour liquidien est donc assuré par la pression oncotique capillaire dont la valeur dépasse celle des trois autres forces. Deux problèmes surgissent cependant: (1) puisque la force nette de retour à l'extrémité veineuse des capillaires est plus faible que la force nette de sortie à l'extrémité artérielle, un volume liquidien plus faible que celui qui en est sorti regagne les capillaires; (2) les protéines ne retournent que difficilement dans le torrent circulatoire après en être sorties et s'accumulent dans le liquide interstitiel. Ces deux phénomènes sont importants puisque, sans correctif, l'équilibre liquidien *serait* d'abord sérieusement perturbé après quelques heures, puis la mort *interviendrait* en dedans de 24 h si la situation n'était pas rectifiée et parfaitement équilibrée par la circulation lymphatique.

Comment se forme la lymphe?

Les vaisseaux lymphatiques contribuent à l'équilibre liquidien en drainant vers la circulation sanguine le liquide et les protéines qui s'accumulent dans le milieu interstitiel. Une fois à l'intérieur des capillaires lymphatiques, le liquide interstitiel change de nom et devient de la lymphe. Ainsi, selon sa localisation, le même liquide (ou à peu près) peut être du plasma, du liquide interstitiel ou de la lymphe.

Vous vous demandez peut-être comment la lymphe se forme, c'est-à-dire quelles forces poussent une partie du liquide interstitiel dans les capillaires lymphatiques qui, ne l'oublions pas, sont borgnes? Plusieurs éléments facilitent ce passage. L'augmentation de la concentration protéique du liquide interstitiel en élève la pression osmotique colloïdale, ralentissant la translocation liquidienne dans les capillaires à l'extrémité veineuse et augmentant le volume de liquide interstitiel. En conséquence la pression hydrostatique tissulaire s'accroît et favorise le passage de liquide interstitiel et de protéines dans les capillaires lymphatiques.

L'anatomie des capillaires lymphatiques facilite ce passage (figure 14-4). Leurs parois sont formées de cellules endothéliales attachées à du tissu conjonctif mais non cimentées entre elles. Les cellules se chevauchent légèrement par leurs bords qui peuvent être repoussés vers la lumière lorsque la pression liquidienne externe est suffisante, disposition qui rappelle une porte sans pêne qui ne s'ouvrirait que dans une direction, vers l'intérieur. Lorsque le volume intracapillaire augmente ces volets cellulaires s'appliquent sur les cellules voisines et empêchent le reflux. Les protéines, gagnant aussi les lymphatiques, diminuent la pression oncotique tissulaire et le cycle recommence.

Les lymphatiques présentent une activité de pompage qui favorise la formation de la lymphe. Des fibres contractiles contenues dans les cellules endothéliales des parois des lymphatiques se contractent plusieurs fois par minute et font progresser la lymphe, par exemple, du cul-de-sac jusque dans le premier segment, où une valve empêche son reflux. Lorsque les fibres se détendent le cul-de-sac est partiellement vide et sa pression interne, légèrement plus faible que celle du milieu interstitiel, crée une force qui facilite l'écoulement du liquide interstitiel dans le lymphatique.

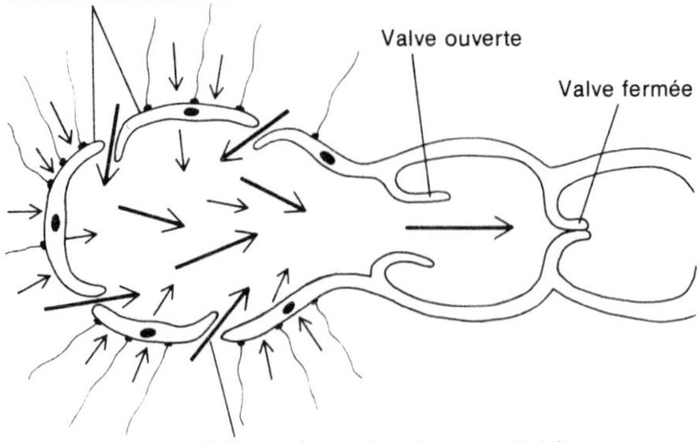

La circulation de la lymphe

La propulsion de la lymphe dans l'appareil vasculaire lymphatique dépend de plusieurs mécanismes qui s'apparentent à ceux qui assurent le retour veineux. La force motrice du coeur ne se fait aucunement sentir directement au niveau des lymphatiques. Ainsi, les valves lymphatiques empêchent tout reflux de telle sorte que la lymphe qui a franchi une porte ne peut revenir en arrière. La lymphe est d'abord poussée par l'activité de pompe des parois des vaisseaux. Lorsqu'un segment est distendu par la lymphe, les fibres musculaires lisses contenues dans les parois se contractent et propulsent le liquide en aval.

Le débit de la lymphe est aussi facilité par toute compression des tissus comme, par exemple, les contractions des muscles ou les pulsations d'une artère voisine. Le débit de la lymphe est relativement faible; environ 120 ml est ajouté à la circulation sanguine par heure. Quoique lent, ce processus est vital comme le démontre la section suivante.

Cellules endothéliales
Valve ouverte
Valve fermée
La pression interstitielle entr'ouvre les clapets cellulaires

Figure 14-4 Schéma de l'extrémité aveugle d'un capillaire lymphatique et de ses valves. Le liquide interstitiel se forme par exsudation de plasma à l'extrémité artérielle d'un réseau capillaire. La plus grande partie de ce volume retourne vers la circulation sanguine à l'extrémité veineuse du réseau. Le reste, contenant des protéines, pénètre dans les capillaires lymphatiques et devient ainsi de la lymphe.

L'oedème

Toute obstruction des lymphatiques peut créer un *oedème*, c'est-à-dire une accumulation de liquide interstitiel. Ces obstructions sont causées par plusieurs facteurs dont les blessures, l'inflammation, l'infection parasitaire; elles peuvent aussi être la conséquence d'une intervention chirurgicale.

La mastectomie, l'ablation complète d'un sein pour cause de cancer, par exemple, est souvent accompagnée d'une exérèse des noeuds lymphatiques axillaires afin de réduire ou de bloquer la dispersion des cellules cancéreuses. La brusque interruption de la circulation lymphatique dans le membre supérieur correspondant peut provoquer des enflures très importantes du membre tant que de nouveaux lymphatiques ne se seront pas développés, dans les mois qui suivent, et n'auront pas rétabli au moins partiellement la circulation lymphatique.

La filariose est une infection parasitaire transmise aux humains par des moustiques sous la forme d'une larve de nématode (la filaire). Celle-ci affecte l'appareil lymphatique puisque les vers adultes habitent les vaisseaux lymphatiques, obstruant ainsi leur lumière. L'accumulation de liquide interstitiel dans les régions mal drainées produit des enflures importantes comme, par exemple, dans l'*éléphantiasis*, un oedème énorme des membres inférieurs souvent causé par cette maladie.

La réduction du drainage lymphatique n'est toutefois pas la seule cause étiologique de l'oedème. En fait, l'insuffisance cardiaque est la principale raison d'un oedème généralisé, par accumulation de sang veineux et augmentation consécutive de la pression hydrostatique capillaire, situation favorisant la sortie de liquide du compartiment vasculaire vers le milieu interstitiel. Si l'insuffisance atteint le ventricule gauche ou encore si la valve AV gauche n'est pas étanche, le sang s'accumule dans la circulation pulmonaire. L'oedème résultant est extrêmement dangereux puisque le liquide peut envahir les alvéoles pulmonaires et causer la mort rapidement par suffocation. L'oedème peut aussi être secondaire à des réactions allergiques, des obstructions veineuses, des régimes hypoprotéinés (provoquant une baisse de la concentration des protéines plasmatiques donc de la pression oncotique sanguine), ou encore à des maladies rénales.

L'IMMUNITÉ

L'organisme humain possède un remarquable potentiel de défense. Mises à part les barrières anatomiques naturelles comme la peau ou le suc gastrique (en plus des autres défenses non spécifiques), il peut déclencher des opérations complexes contre des microorganismes et de nombreuses substances étrangères. Il possède en effet plusieurs armées de cellules compétentes mobilisables et se sert d'un arsenal chimique très élaboré. Au sens strict, l'*immunité* ou la *réponse immunitaire* se définit comme l'état réfractaire d'un organisme à une deuxième agression par un agent étranger. D'une façon plus générale, on peut regrouper sous le vocable d'immunité l'ensemble des mécanismes que possède l'organisme pour se défendre.

L'immunité est basée sur la reconnaissance d'une substance étrangère, donc d'une substance qui n'est pas un constituant cellulaire propre à l'organisme. Cette reconnaissance repose sur le fait que chaque individu possède des antigènes uniques. Tous les humains possèdent les mêmes catégories de molécules mais certaines protéines, plusieurs grosses molécules glucidiques et les acides nucléiques, présentent des marques distinctives, un peu comme des empreintes digitales. Mis à part les vrais jumeaux qui possèdent les mêmes gènes, il n'y a pas deux individus qui ont un bagage macromoléculaire identique. Les cellules responsables de la mise en branle de la réponse immunitaire doivent non seulement reconnaître ce qui est propre à un organisme, soit ses composants normaux (le «soi»), mais encore identifier les macromolécules de l'envahisseur (le «non-soi») comme étrangères à l'organisme. Elles se mettent alors en action pour le détruire ou le neutraliser et ainsi préserver l'homéostasie. Examinons d'abord les défenses non spécifiques (ne faisant pas partie de l'immunité proprement dite); nous discuterons ensuite des mécanismes spécifiques associés à la réponse immunitaire.

Les défenses non spécifiques

Les défenses non spécifiques sont des barrières qui empêchent la pénétration des substances étrangères et des microorganismes (tableau 14-1) et qui les détruisent rapidement s'ils réussissent à s'y infiltrer. Certaines défenses très générales ont déjà été présentées; qu'on se souvienne de la peau, la première barrière de l'organisme contre les agents pathogènes. Les microorganismes qui sont ingérés avec la nourriture sont normalement détruits par les sécrétions acides et les enzymes stomacales. Ceux qui empruntent les voies respiratoires sont soit filtrés par les poils des cavités nasales ou englués dans le mucus

Tableau 14-1 Quelques agents pathogènes pouvant infecter l'organisme humain

Catégorie et taille	Description	Exemples de maladies consécutives à l'infection
Virus (20-300 nm)	Parasites intracellulaires obligatoires*, formés d'ADN ou d'ARN et recouverts d'une enveloppe protéique. Les virus ne sont pas des cellules, mais des structures sub-cellulaires ne possédant pas les enzymes nécessaires à leur métabolisme. On ne peut en faire la culture qu'à l'intérieur de cellules vivantes. Ils peuvent présenter des périodes de dormance assez longues dans les cellules, sans présenter de symptômes, puis se développer brusquement. Ils ne répondent pas aux antibiotiques mais de nombreuses recherches sont actuellement en cours sur de nouveaux médicaments antiviraux.	Le rhume de cerveau, l'influenza, la pneumonie virale, la variole, la varicelle, les verrues, l'herpès, la rougeole et la rubéole, les oreillons, l'hépatite virale, la rage, certains cancers animaux (et probablement humains)
Chlamidies (0,3-0,4 μm de diamètre)	Parasites intracellulaires obligatoires plus gros que les virus et formés d'ADN, d'ARN, de ribosomes, et entourés d'une membrane. Ne peuvent avoir de vie indépendante car incapables de synthétiser les transporteurs énergétiques comme l'ATP. Sensibilité à quelques antibiotiques. Forment une subdivision du groupe des rickettsies.	Psittacose (une maladie transmise par certains oiseaux infectés et qui ressemble un peu à une pneumonie), trachome et conjonctivite (infection de l'oeil), lymphogranulome vénérien
Rickettsies (0,5 par 1,0 μm)	Parasites intracellulaires obligatoires plus gros en moyenne que les chlamidies. Ce sont des bactéries miniatures, de type cellulaire, et possédant des enzymes. Incapables d'une vie indépendante par manque des enzymes nécessaires à la reproduction et à cause d'une trop grande perméabilité de la paroi. Sensibles à certains antibiotiques et transmises par des insectes.	Thyphus, fièvre des Montagnes Rocheuses, fièvre des tranchées, fièvre du Queensland (maladies où les fortes fièvres s'accompagnent habituellement d'éruptions cutanées caractéristiques)
Mycoplasmes (aussi appelés PPLO) (environ 0,5 μm)	Semblables aux bactéries, sauf qu'ils sont entourés d'une membrane cellulaire au lieu d'une paroi rigide. Culture possible sur milieu artificiel (non vivant); inhibition par certains antibiotiques. PPLO vient de «Pleuro-Pneumonia-Like-Organisms».	Infections respiratoires aiguës et pharyngites; infection du type pneumonie; abcès de l'appareil génital (*Mycoplasma hominis*)
Bactéries (2 à 5 μm de longueur)	Les bactéries sont des cellules complètes et indépendantes qui peuvent être cultivées sur milieu nutritif artificiel. Elles ont trois formes principales: coques (sphériques), bacilles (bâtonnets), spirilles (hélicoïdales). Aussi vibrions (virgules). Les cellules peuvent demeurer attachées après division et former des groupes (par exemple les diplo-, strepto- et staphylocoques).	Diphtérie, coqueluche, tétanos, infections à streptocoques, à staphylocoques, gonorrhée, pneumonie à pneumocoques
Champignons (3-15 μm)	Organismes mono- ou pluricellulaires ressemblant à des plantes (non chlorophylliens). Reproduction par spores dispersées dans l'air. L'hypersensibilité aux antigènes fongiques peut causer de graves lésions tissulaires. Les champignons qui séjournent normalement à la surface de la peau ou au niveau des ouvertures sur l'extérieur peu-	Pied d'athlète, teignes, et plusieurs maladies généralisées plus graves

(Suite à la page suivante)

Tableau 14-1 Quelques agents pathogènes pouvant infecter l'organisme humain (*suite*)

Catégorie et taille	Description	Exemples de maladies consécutives à l'infection
	vent se développer d'une façon incontrôlée suite à des traitements prolongés aux antibiotiques ou aux immunosuppresseurs (dérangement de l'écologie normale de la flore bactérienne).	
Protozoaires (quelques μm à 100 μm)	Unicellulaires; certains font partie de la flore intestinale normale mais plusieurs sont des agents pathogènes très dangereux	Malaria, dysenterie amibienne, maladie du sommeil
Helminthes (vers parasites) (1 cm — 10 m)	Les nématodes, les trématodes et les cestodes peuvent tous parasiter l'humain. Ce sont des organismes pluricellulaires dont les cycles vitaux sont complexes, passant souvent par un ou plusieurs hôtes intermédiaires.	Vers ronds (nématodes): *ascaris*, trichine, filaire (infection des lymphatiques); vers plats: (trématodes) douve du foie, douve pulmonaire, bilharzie sanguine (hématurie); (cestodes) ver solitaire

* Un parasite intracellulaire obligatoire est un organisme qui a la propriété très particulière de ne pouvoir se multiplier qu'à l'intérieur d'une cellule qu'il doit infecter.

collant sécrété par l'épithélium de l'arbre bronchique. Des phagocytes peuvent alors les engloutir et les digérer rapidement[1]. Voyons maintenant plus en détail certaines autres défenses non spécifiques.

Le système phagocytaire mononucléé Les parenchymes, les tissus de soutien et les endothéliums vasculaires, contiennent des phagocytes fixés ou libres, les *macrophages.* Le terme de macrophage s'applique ici à toute cellule douée d'activité phagocytaire, comme les cellules réticulaires des tissus hématopoïétiques, les monocytes, les histiocytes, les cellules étoilées du foie (de Kupffer), et les macrophages libres des alvéoles pulmonaires et des séreuses. Les macrophages constituent un système de défense de l'organisme, un ensemble dont l'étendue est assez mal définie et dont les éléments sont dispersés un peut partout. Le pouvoir phagocytaire du *système phagocytaire mononucléé* (anciennement le *système réticulo-endothélial*) s'exerce surtout contre les bactéries et les cellules mortes (en particulier les hématies usées). Si on les compare aux neutrophiles, les cellules du système phagocytaire sont relativement fixes mais mobilisables, c'est-à-dire qu'elles peuvent se libérer du tissu dont elles font partie suite à la présence d'irritants.

Les macrophages tapissent les sinus des noeuds lymphatiques et filtrent la lymphe. Ils recouvrent aussi les sinus veineux de la rate et nettoient le sang. Les cellules étoilées bordant les sinusoïdes du foie enlèvent tous les microorganismes qui auraient survécu aux défenses stomacales. Le filtre des sinusoïdes hépatiques capture presque toutes les bactéries restantes de sorte qu'elles n'arriveront pas dans la circulation générale.

Les alvéoles pulmonaires contiennent un très grand nombre de macrophages qui gobent toutes les substances étrangères qui se sont frayées un chemin jusqu'à eux. Les particules indigestes peuvent demeurer en permanence dans ces cellules; ainsi les poumons des gros fumeurs ou des travailleurs dans les mines de houille présentent une coloration foncée, l'anthracose (chapitre 15).

L'inflammation Lorsqu'un agent pathogène envahit un tissu il déclenche une réponse inflammatoire (vu au chapitre 4). En dedans d'une heure, de nombreux neutrophiles s'appliquent au revêtement endothélial des capillaires voisins de la zone infectée. Ils s'insinuent entre les cellules endothéliales (diapédèse) et

[1] Plusieurs substances comme les acides gras non saturés de la peau et la lysozyme, une enzyme présente dans les larmes, la salive et les sécrétions nasales, sont capables de détruire certaines bactéries.

gagnent le milieu interstitiel. Les substances libérées par les cellules lésées et par les bactéries attirent les neutrophiles, phénomène appelé *chimiotaxie*; ceux-ci convergent donc vers le site atteint par l'infection (ou la blessure). Les tissus enflammés libèrent aussi des substances qui, pense-t-on, stimulent la mobilisation des réserves leucocytaires de la moelle osseuse et augmentent la production de nouveaux leucocytes.

Au site de l'inflammation les neutrophiles phagocytent des bactéries et des débris cellulaires. Pour ce faire ils doivent reconnaître les éléments tissulaires propres à l'organisme des éléments étrangers, les cellules normales des cellules mortes. Il semble qu'un des moyens utilisés serait en rapport avec la charge électrique. Les cellules normales ont une charge négative alors que les cellules lésées et les particules étrangères auraient une charge positive, attirant ainsi les phagocytes.

Le phénomène de la phagocytose à déjà été décrit (voir figures 3-5 et 5-15). La bactérie ingérée est enveloppée d'une portion de membrane cellulaire qui s'est détachée pour former une vacuole de phagocytose. À l'intérieur du phagocyte les lysosomes s'accolent à la membrane de la vacuole et transfèrent dans celle-ci des enzymes digestives qui réduisent la bactérie en ses éléments constitutifs. Ceux-ci deviennent inoffensifs et peuvent même servir de nutriments au phagocyte. La capacité phagocytaire d'un neutrophile est relativement faible puisqu'il cesse d'être fonctionnel et meurt après l'ingestion d'une vingtaine de bactéries. Certaines bactéries peuvent même se défendre en libérant des enzymes qui détruisent les membranes lysosomiales dont le contenu hydrolytique se répand dans le cytoplasme du phagocyte et le détruit. D'autres bactéries, comme le bacille de la tuberculose (le bacille de Koch), possèdent des parois résistantes à l'action des enzymes lysosomiales.

Quelques heures après le début de la réponse immunitaire les macrophages entrent en scène. Très nombreuses, ces cellules géantes sont voraces et leur capacité phagocytaire est nettement supérieure à celle des neutrophiles. Elles peuvent ingérer une centaine de bactéries pendant leur vie active.

L'immunité nutritionnelle On a suggéré récemment que l'organisme pouvait restreindre la disponibilité de certains nutriments aux microorganismes, réduisant ainsi leurs chances de se développer et de se multiplier. Par exemple, il semblerait que le fer (et probablement le zinc), dont les microorganismes ont besoin pour croître, puisse être «retiré» et retenu hors de leur portée. On constate que pendant une infection, la concentration plasmatique du fer diminue, que son accumulation hépatique s'accroît, alors que peu ou pas de fer est absorbé à partir du chyme intestinal.

On pense que le métabolisme du fer est ainsi modifié suite à l'apparition d'une protéine d'origine leucocytaire. Cette même protéine pourrait aussi avoir une influence pyrogène sur les centres thermorégulateurs cérébraux, faisant apparaître la fièvre, un autre facteur de défense naturelle (non spécifique) d'un organisme infecté. Bien que les microorganismes puissent toujours croître à des températures supérieures à 38°C, la biosynthèse de leurs transporteurs endogènes du fer est sérieusement affectée.

L'interféron L'*interféron* est une protéine d'origine cellulaire capable d'inhiber, dans les autres cellules de l'organisme, la multiplication de n'importe quel virus. Lorsqu'une cellule est infectée par un virus ou un autre parasite intracellulaire (dont des bactéries, des champignons et des protozoaires), on constate une nette augmentation de production d'interféron par celle-ci. L'infection débute par l'atteinte d'un petit nombre de cellules qui sont dès lors condamnées, mais qui vont produire l'interféron; celui-ci diffuse vers les cellules intactes et les «avertit» en quelque sorte d'un danger imminent. Ainsi prévenues, les cellules se parent d'un supplément de protection et peuvent résister à l'infection. Plusieurs compagnies pharmaceutiques recherchent activement aujourd'hui des substances semblables à l'interféron, aux propriétés analogues, pour mettre sur le marché un médicament susceptible de prévenir la grippe et les autres épidémies virales. Il est important de noter que les propriétés antivirales de l'interféron ne sont pas les seules recherchées chez cette substance. L'interféron possède en effet une activité antitumorale (inhibition de la multiplication des cellules tumorales), active les cellules T tueuses (cellules capables de détruire spontanément des cellules tumorales en culture), et augmente le pouvoir phagocytaire des macrophages.

L'immunité acquise (spécifique)

Au cours de leur vie les organismes vivants viennent en contact avec divers agents infectieux contre lesquels ils acquièrent et accumulent des immunités spécifiques. Si vous avez déjà eu la varicelle ou les oreillons, vous avez de fortes chances de ne plus contracter ces maladies même si vous y êtes directement exposé. Votre organisme a développé une immunité spécifique contre les agents infectieux responsables de ces maladies. Chaque microorganisme possède des *antigènes* distincts (des substances provoquant une réponse immunitaire) qui poussent le système immunitaire à produire des lymphocytes tout aussi spécifiques. Certains lymphocytes se différencient en plasmocytes et produisent des *anticorps*, des protéines circulantes capables de s'unir, de réagir spécifiquement avec l'antigène qui a induit leur synthèse. D'autres lymphocytes deviendront des cellules soldats, pourront reconnaître l'antigène et le neutraliser (les lymphocytes sensibilisés).

Comme nous allons le voir, la mobilisation de l'équipement immunitaire prend plusieurs jours, période pendant laquelle les défenses naturelles (non spécifiques) tentent de réduire le plus possible l'avance de l'agent infectieux et le nombre des envahisseurs. Les anticorps sont parmi les armes chimiques les plus efficaces de l'organisme.

Les antigènes Un *antigène* est une substance ayant la capacité d'induire la production d'anticorps. Les antigènes sont des macromolécules ordinairement de nature protéique ou glucidique. Nous allons traiter surtout des antigènes présents à la surface des agents infectieux ou de ceux qui sont des toxines libérées par des bactéries. Un seul microorganisme peut porter de 10 à plus de 1 000 antigènes différents et spécifiques à sa surface. Afin de comprendre l'action immunogène de ces molécules étrangères, nous allons décrire la structure de surface d'un antigène.

Les grosses molécules possèdent généralement une conformation spatiale spécifique dictée par leur structure chimique. La surface de la molécule présente donc un aspect précis et distinct de sorte que sur un antigène de nature protéique, par exemple, plusieurs acides aminés superficiels pourront définir un *déterminant antigénique*, une configuration susceptible d'être «reconnue» par un anticorps ou par un récepteur cellulaire spécifique (figure 14-5). Ordinairement un antigène possède de 5 à 10 déterminants antigéniques à sa surface mais il peut en avoir jusqu'à 200 et même plus.

Certains médicaments, des produits chimiques présents dans la poussière et certaines autres substances qui pénètrent dans l'organisme, peuvent réagir spécifiquement avec un anticorps mais sont incapables d'en induire la synthèse par eux-mêmes (probablement à cause de leur faible taille). Ces substances, appelées *haptènes*, se combinent parfois à des protéines porteuses et acquièrent ainsi un pouvoir immunogène. Ce complexe, protéine plus haptène, suscite la formation d'anticorps et certains d'entre eux réagissent spécifiquement avec l'haptène.

Les anticorps Les *anticorps* sont des protéines, appelées *immunoglobulines*, synthétisées sous l'influence d'une stimulation antigénique. Leur mode de production sera décrit un peu plus loin. Disons simplement qu'ils sont produits par les plasmocytes, dans les noeuds lymphatiques et dans plusieurs autres organes lymphoïdes, et qu'ils gagnent le sang par la circulation lymphatique. Ils font partie, dans le sang, de la fraction des globulines plasmatiques.

Une immunoglobuline (Ig) contient généralement quatre chaînes polypeptidiques: deux chaînes légères identiques et deux chaînes lourdes identiques (figure 14-5). Chaque chaîne légère comprend 214 acides aminés et les chaînes lourdes en possèdent plus de 400. L'anticorps est formé d'une partie variable (où les acides aminés peuvent être différents) et d'une partie invariable (où les acides aminés sont toujours les mêmes). Par digestion à la papaïne l'anticorps se fractionne en trois: deux fragments Fab et un fragment Fc. Les fragments Fab sont formés de la partie variable et contiennent la moitié de la chaîne lourde et la chaîne légère. Le fragment Fc est formé de la partie invariable. Il fixe le complément et se lie aux membranes cellulaires (par exemple, l'IgE se fixe aux mastocytes par le fragment Fc). Ce fragment est formé du reste de la chaîne lourde. L'anticorps reconnaît et se combine à son antigène homologue grâce à son extrémité variable, la spécificité réciproque de l'anticorps et de l'antigène rappelant celle d'une

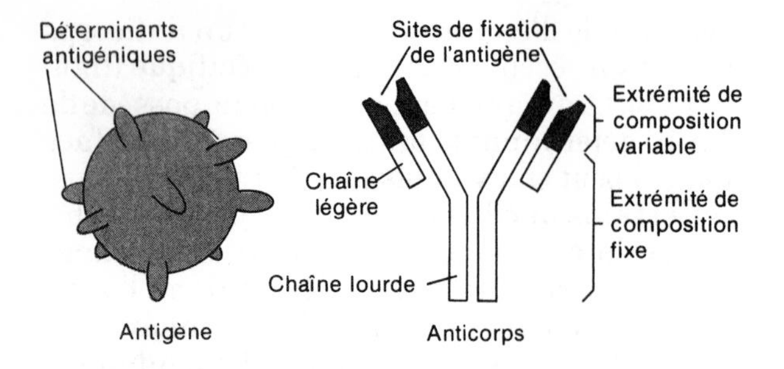

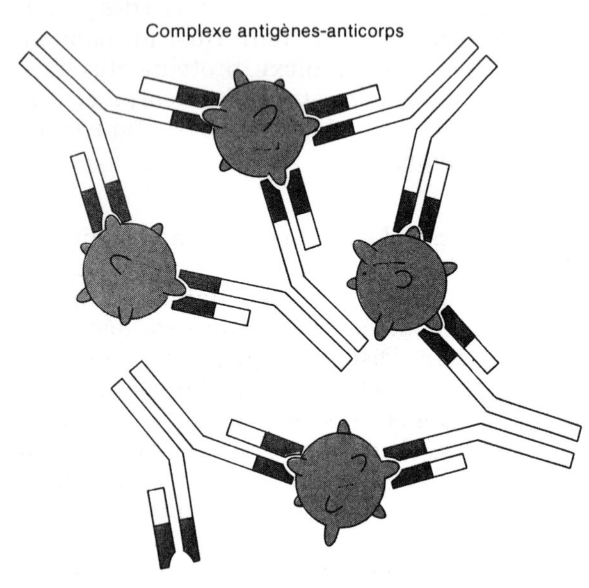

Figure 14-5 Antigènes, anticorps, et complexe antigène-anticorps.

enzyme pour son substrat (selon l'image de la clef et de la serrure).

Les classes d'anticorps L'extrémité de composition fixe des chaînes lourdes d'un anticorps présente une suite d'AA distinctifs permettant de les regrouper en cinq classes: les IgG (immunoglobulines G), IgM, IgA, IgD et IgE. Les IgG représentent environ 75 pour 100 des anticorps de l'organisme. Elles font partie des gammaglobulines sanguines et semblent responsables, avec les IgM, de l'immunité spécifique aux microorganismes. Les IgA sont libérées par des cellules du tissu lymphoïde du tube digestif et des voies respiratoires et urinaires. Elles sont sécrétées dans la salive, les autres sécrétions digestives, les larmes et le mucus. Leur rôle serait donc d'augmenter la résistance de l'organisme aux infections dues aux microorganismes qui pénètrent par les voies naturelles. On ne connaît pas le rôle des IgD; des études récentes laissent penser qu'elles seraient sécrétées pendant les premières étapes de la différenciation des lymphocytes qui produisent plus tard d'autres types d'Ig. Quant aux IgE, elles sont les vecteurs des réponses allergiques que nous étudierons un peu plus loin.

Comment fonctionnent les anticorps? Un anticorps peut attaquer un microorganisme directement en s'associant avec son antigène complémentaire, manoeuvre qui inactive ou rend l'intrus inoffensif. Ce mécanisme peut, par exemple, empêcher un virus de s'attacher à la cellule hôte. Souvent les anticorps se combinent à plusieurs antigènes, formant une masse hétéroclyte de *complexes antigènes-anticorps* (figure 14-5). Ces amas sont phagocytés par les macrophages. Certaines bactéries, comme *Clostridium tetani* (l'agent responsable du tétanos), libèrent des toxines dommageables pour l'organisme hôte. À ces toxines correspondent des anticorps qui les rendent inoffensives en se combinant avec elles.

Les anticorps unis aux antigènes entrent souvent en contact et réagissent avec le *complément*. Le complément est représenté dans le plasma et les autres liquides corporels par une série d'environ 11 protéines normalement inactives. Un complexe antigènes-anticorps, cependant, sert d'amorce à une suite de réactions qui mettent le système du complément en action. Les composants du complément peuvent alors attaquer l'agent pathogène de plusieurs façons. Bien qu'on parle du complément comme d'un système unique, souvenez-vous que ses différents composants ont des rôles distincts.

Le complément peut se fixer à la surface d'un microorganisme ou d'une cellule à partir du moment où les anticorps se sont liés aux déterminants antigéniques. On dit alors que les complexes antigènes-anticorps fixent le complément (*réaction de fixation du complément*). Le complément peut alors entrer en action et, par exemple, digérer des parties d'une cellule. À côté du complément et des anticorps spécifiques, d'autres facteurs favorisent la phagocytose: les opsonines, des protéines sériques dépourvues de spécificité pour les antigènes bactériens, se fixent à la surface des bactéries (*opsonisation*) et neutralisent le pouvoir antiphagocytaire de certains constituants de surface, de sorte que le complément, les macrophages et les neutrophiles puissent s'attaquer au microorganisme. Le complément amplifie aussi certaines manifestations de la réaction inflammatoire, par exemple, en attirant chimiquement les phagocytes vers la région enflammée.

L'action du complément, comme son nom l'indique, est de compléter l'action des anticorps. (Seulement les IgG et IgM, toutefois, peuvent agir par le biais du complément.) Les composants du complément ne sont pas spécifiques; ils s'attaquent aux antigènes en autant que ceux-ci sont activés sous la forme d'un complexe antigènes-anticorps. Les anticorps étant, eux, très spécifiques, ils offrent un mécanisme de protection en identifiant l'agent pathogène et en s'assurant que le complément ne s'attaque pas aux cellules de l'organisme.

Les lymphocytes Les principaux gendarmes des réponses immunitaires spécifiques sont les quelque 10^{12} lymphocytes stationnés dans des dépôts de tissu lymphoïde répartis dans l'organisme. On peut retracer les origines de tous les lymphocytes jusqu'aux cellules souches parentes de la moelle osseuse. Pendant la vie foetale, un certain nombre de descendants des cellules souches migrent vers les tissus lymphoïdes où ils continuent à se diviser pendant toute l'existence. Une partie des lymphocytes, lors de leur migration vers les tissus lymphoïdes, s'arrêtent dans le thymus où ils sont instruits. Ils deviennent le support de l'*immunité cellulaire* (responsable, par exemple, du rejet des greffons) et portent le nom de *lymphocytes T* ou *thymocytes*. Ceux qui ne séjournent pas dans le thymus se différencient ailleurs (figure 14-6). (Chez les oiseaux, ces lymphocytes gagnent la *bourse de Fabricius*, une petite excroissance de la paroi cloacale des oisillons; cette structure n'existe pas chez les mammifères. On en a recherché sans succès l'équivalent chez l'humain. Certains chercheurs croient que ces lymphocytes se différencient dans la moelle osseuse mais il est possible aussi que la différenciation se fasse dans le tissu lymphoïde du tube digestif.) Ce second groupe de lymphocytes, les *lymphocytes B*, est impliqué dans l'*immunité humorale*, la production d'anticorps circulants spécifiques (figure 14-7).

Malgré des cycles vitaux et des fonctions dissemblables, les lymphocytes T et B ont une apparence identique sur un frottis sanguin observé au microscope ordinaire. On peut toutefois les identifier grâce à certaines techniques, comme la microscopie en fluorescence; on a pu ainsi constater que les lymphocytes T et B possèdent des récepteurs de surface exclusifs. Ils suivent des routes différentes lors de

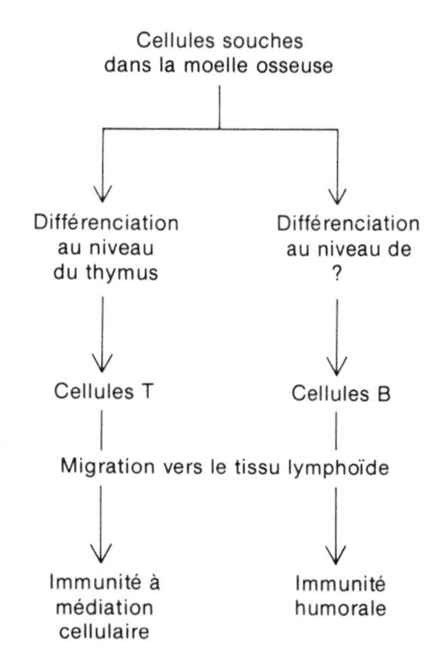

Figure 14-6 L'origine et les rôles respectifs des lymphocytes T et B.

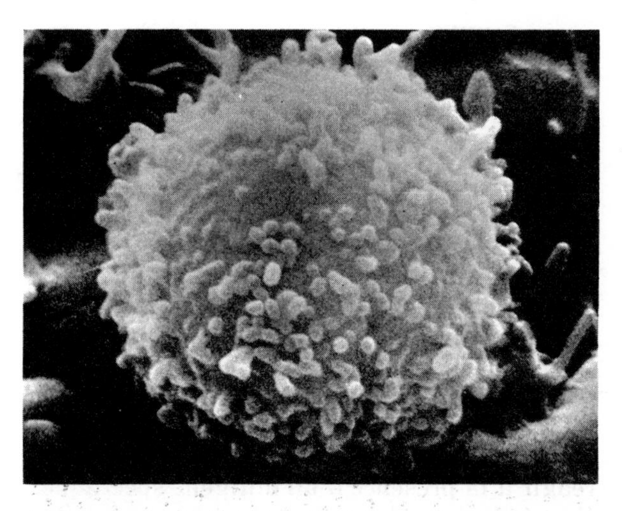

Figure 14-7 Photomicrographie électronique d'un lymphocyte B (environ ×8 000). (*Robert A. Good, Memorial Sloan-Kettering Cancer Center.*)

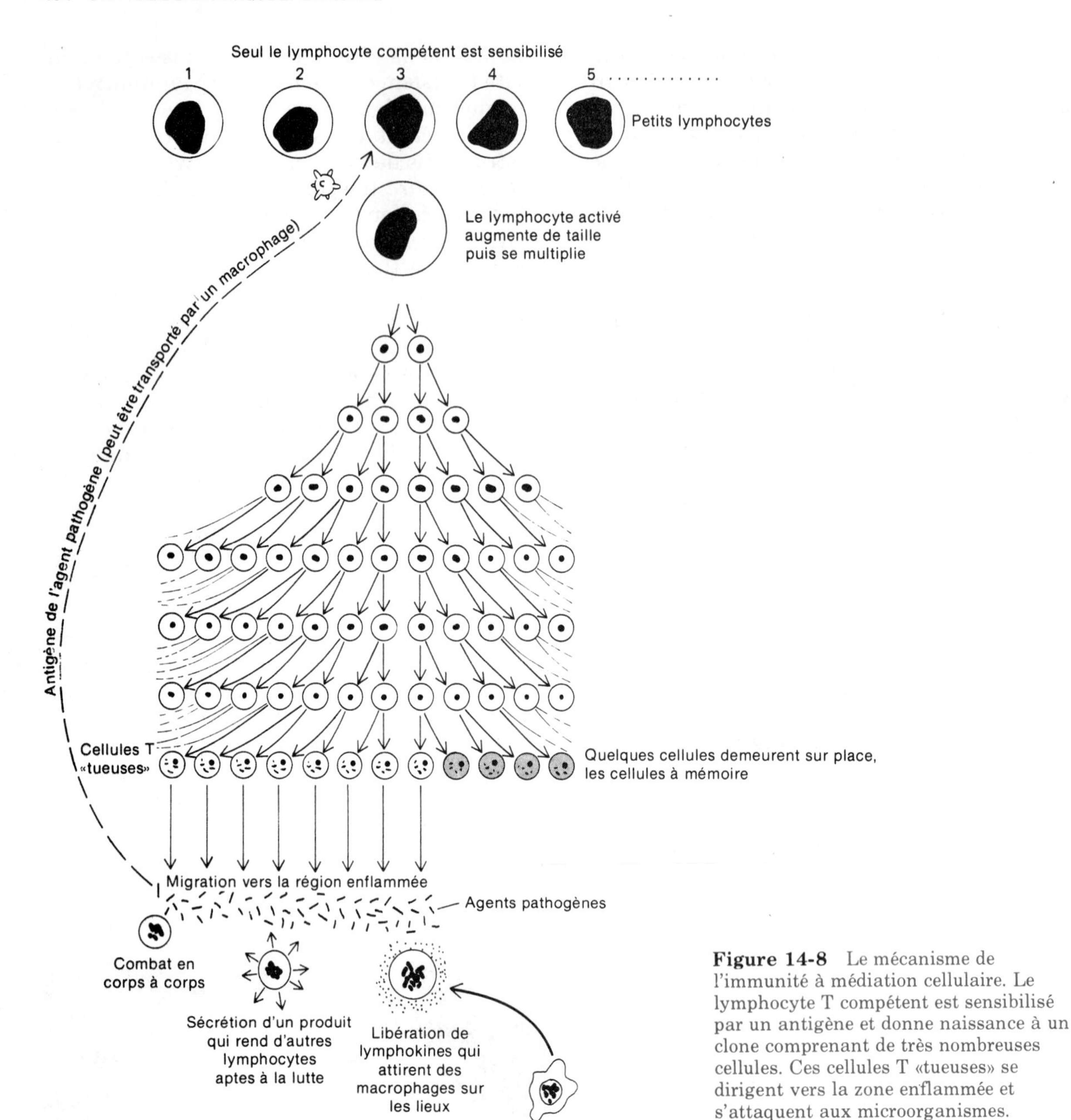

Figure 14-8 Le mécanisme de l'immunité à médiation cellulaire. Le lymphocyte T compétent est sensibilisé par un antigène et donne naissance à un clone comprenant de très nombreuses cellules. Ces cellules T «tueuses» se dirigent vers la zone enflammée et s'attaquent aux microorganismes.

leur migration et ont tendance à se regrouper en des endroits différents dans les noeuds lymphatiques et les autres tissus lymphoïdes.

L'immunité à médiation cellulaire Les lymphocytes T sont de plusieurs types (plusieurs milliers), chaque type ayant la capacité de réagir à la présence d'un antigène spécifique. En général la plus grande partie (environ 98 pour 100) des lymphocytes sont inactifs. Morphologiquement on les distingue comme des petits lymphocytes. La pénétration d'un antigène particulier dans l'organisme provoque l'activation d'un seul type de cellules compétentes, les *lymphocytes sensibilisés*, spécialement programmés pour réagir à la présence de cet antigène. L'activation se produit lorsque des macrophages, ayant capté les antigènes, les présentent aux lymphocytes. Il se produit alors une coopération entre macrophages et lymphocytes, une union par des ponts que le microscope électronique permet de mettre en évidence. Les lymphocytes compétents présentent alors une activité intense: accroissement de leur taille, multiplication, chaque lymphocyte activé donnant naissance à une lignée (un clone) de cellules identiques à lui-même (figure 14-8). Ces cellules migrent hors des noeuds et envahissent la zone enflammée. C'est là que les cellules «tueuses» s'engagent dans un corps à corps avec les microorganismes et les détruisent, peut-être en leur inoculant des enzymes lysosomiales. Les lymphocytes activés sécrètent de plus une substance qui rend compétents les lymphocytes voisins; ceux-ci deviennent aptes à participer à la lutte. Les *lymphokines* (autres produits chimiques libérés par ces lymphocytes) amplifient la réaction inflammatoire en attirant de nombreux macrophages sur les lieux et accentuent leur pouvoir phagocytaire, ce qui les rend plus avides de microorganismes. On n'a pu montrer la présence d'anticorps à la surface des lymphocytes T et on ne sait pas comment ils peuvent reconnaître des antigènes spécifiques. Les lymphocytes T coopèrent aussi avec les lymphocytes B dans les réponses immunitaires de type humoral.

Les lymphocytes T sont particulièrement bien adaptés à la lutte antivirale, antiparasitaire et antifongique. Ils s'attaquent aussi à quelques bactéries dont le cycle vital se déroule dans les cellules de l'hôte. On prête aussi aux lymphocytes un rôle anticancéreux. Plusieurs chercheurs pensent qu'il se développe constamment des cellules cancéreuses dans un organisme. Puisque ce sont des cellules anormales, certaines de leurs protéines de surface seraient différentes de celles des cellules non cancéreuses. Leur antigénicité stimulerait une réponse immunitaire de la part de lymphocytes compétents. Ces lymphocytes peuvent être différents des lymphocytes T et B et on les appelle NK (*non specific killer*, cellules tueuses non spécifiques), ou ce sont des lymphocytes T. Les cellules T tueuses sont spécifiques. Les cellules NK ou T sensibilisées se dirigeraient vers ces tumeurs naissantes pour y détruire les cellules potentiellement létales; c'est la *théorie de la surveillance immune.* Selon cette théorie, le mécanisme pourrait parfois ne pas déceler la présence de cellules anormales et permettre la division incontrôlée des cellules cancéreuses.

Lorsque les cellules T sont sensibilisées dans les noeuds lymphatiques, la plupart des cellules activées quittent les tissus lymphoïdes pour gagner la scène du combat. Quelques-unes demeurent derrière et deviennent des *cellules à mémoire.* Elles peuvent apparemment vivre plusieurs années et constituent la *mémoire immunologique*, le support de l'hypersensibilité retardée. Advenant une réinvasion par le même agent pathogène, ces cellules déclenchent une réponse beaucoup plus rapide que lors de la première invasion. Les microorganismes sont alors détruits si rapidement qu'ils n'ont généralement pas le temps de s'établir et de faire apparaître les symptômes de la maladie.

L'immunité humorale De la même façon qu'en ce qui concerne les lymphocytes T, des milliers de lymphocytes B immunocompétents, chacun affecté à un type spécifique d'antigène, reposent dans le tissu lymphoïde. Leur réponse est toutefois très différente puisque au lieu de se rendre à la rencontre de l'agent pathogène, ils produisent des anticorps spécifiques qui sont envoyés sur le champ de bataille. Les lymphocytes eux-mêmes demeurent dans le tissu lymphoïde. Quoique stationnaires, les lymphocytes B produisent de faibles quantités d'anticorps qui recouvrent leur surface et deviennent des récepteurs spécifiques. On retrouve peut-être 100 000 récepteurs membranaires à la surface d'un lymphocyte B.

Supposons qu'un certain type de bactérie envahisse l'organisme, apportant avec lui sa collection d'antigènes. Certains d'entre eux rejoignent le tissu lymphoïde (soit attachés à une bactérie ou encore après en avoir été détachés pendant le processus de phagocytose, par exemple). Les macrophages présentent aux lymphocytes des renseignements sur ces antigènes. Lorsque l'antigène spécifique rencontre le type de lymphocyte spécialement conçu pour produire les anticorps homologues, le lymphocyte immunocompétent est activé. Il se multiplie et produit en quelques jours un clone de cellules identiques (figure 14-9). La plupart d'entre elles augmentent de taille et se différencient en *plasmocytes*, les cellules sécrétrices des anticorps. Les plasmocytes contiennent un abondant réticulum endoplasmique granulaire très bien développé. Quelques lymphocytes B activés ne se différencient pas jusqu'au bout et demeurent des cellules à mémoire, prêtes à entrer en action advenant un retour du même type de bactérie.

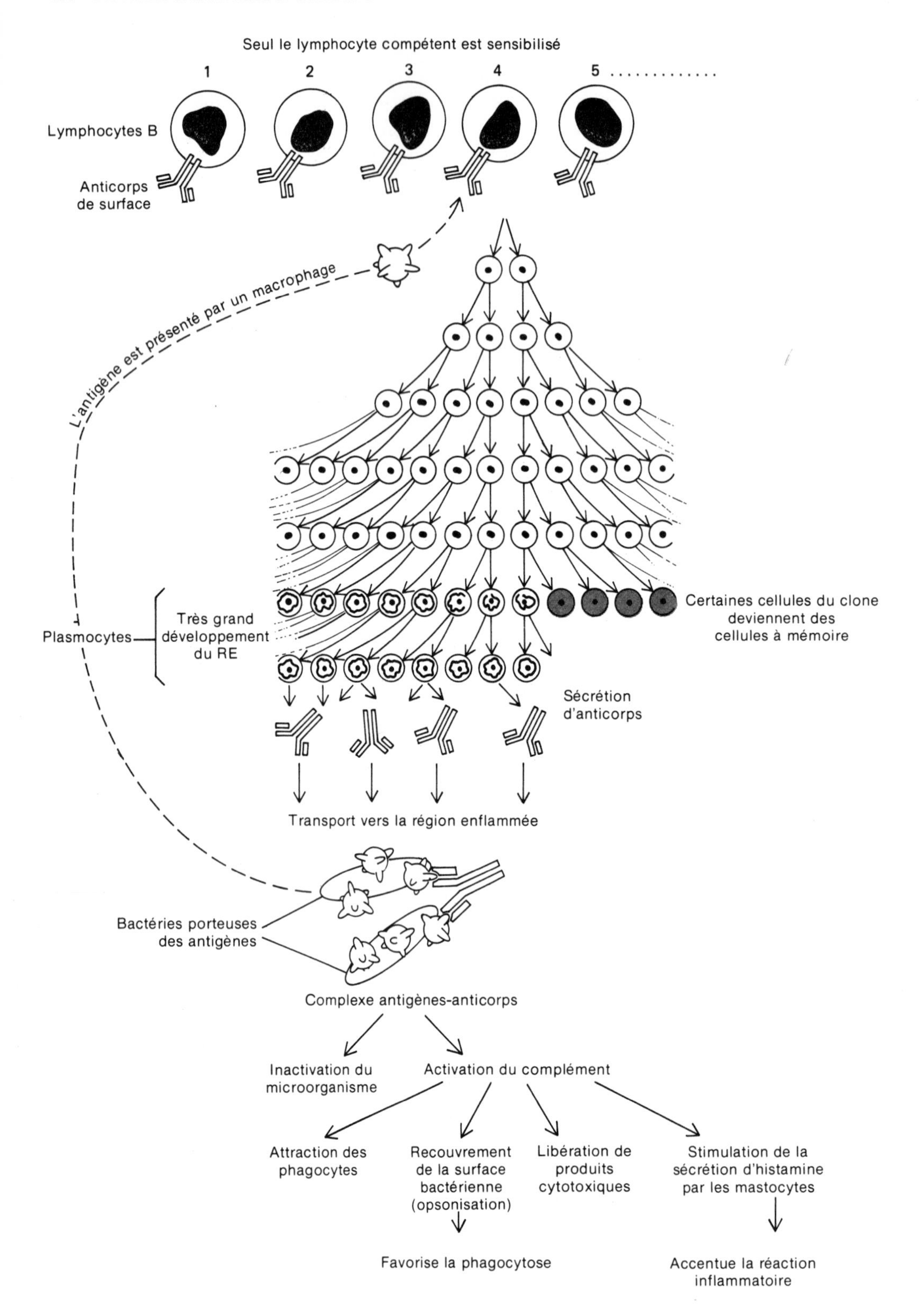
Seul le lymphocyte compétent est sensibilisé
1
2
3
4
5 ....
Lymphocytes B
Anticorps
de surface
L'antigène est présenté par un macrophage
Certaines cellules du clone
deviennent des
cellules à mémoire
Plasmocytes
Très grand
développement
du RE
Sécrétion
d'anticorps
Transport vers la région enflammée
Bactéries porteuses
des antigènes
Complexe antigènes-anticorps
Inactivation du
microorganisme
Activation du complément
Attraction des
phagocytes
Recouvrement
de la surface
bactérienne
(opsonisation)
Libération de
produits
cytotoxiques
Stimulation de la
sécrétion d'histamine
par les mastocytes
Favorise la phagocytose
Accentue la réaction
inflammatoire

Figure 14-9 Le mécanisme de l'immunité humorale. Le lymphocyte B compétent est sensibilisé par un antigène et donne naissance à un clone comprenant de très nombreux plasmocytes. Ceux-ci sécrètent l'anticorps qui parvient à la zone enflammée par voie sanguine ou lymphatique. Les complexes antigènes-anticorps qui se forment inactivent directement quelques agents pathogènes et déclenchent le système complément.

Vous devez comprendre clairement que les lymphocytes T sont surtout impliqués dans l'immunité à médiation cellulaire alors que les lymphocytes B sont le support de l'immunité humorale. Les cellules T ont aussi un rôle dans la production d'anticorps. Certaines fois les antigènes activent d'abord une cellule T qui collabore ensuite avec une cellule B compétente. On ne comprend pas complètement le rôle joué par la cellule T mais il semble qu'elle apparaisse indispensable au bon fonctionnement de la réponse; le rôle de la cellule T serait «modulateur». Ainsi la cellule T peut avoir une influence positive et aider la réponse immune. On les appelle les *cellules T* «helper». Dans d'autres circonstances des cellules T exercent une influence régulatrice négative en inhibant les réponses immunitaires. On qualifie ces lymphocytes de *cellules T «suppresseurs»*. Il semblerait que les macrophages collaborent aussi avec les cellules T et B dans les réponses immunitaires du type humoral; on ne comprend toutefois pas clairement leur rôle.

Le rôle du thymus Nous avons dit au début de la discussion sur les lymphocytes que certains d'entre eux passaient par le thymus pour y être instruits et s'y différencier. Cette phrase a pu vous laisser perplexe et vous aviez raison puisque personne ne sait vraiment ce qui se passe pendant la maturation thymique des lymphocytes. On pense que le thymus pourrait conférer une *compétence immunologique* aux lymphocytes, leur donnant la capacité de se différencier en cellules susceptibles d'exercer certaines activités immunitaires face à des antigènes spécifiques.

Il semblerait que le thymus «instruirait» les lymphocytes T peu avant la naissance et pendant les premiers mois de la vie extra-utérine. La thymectomie expérimentale (chez la souris, par exemple) avant l'acquisition de l'immunocompétence par les lymphocytes T empêche le développement de l'immunité à médiation cellulaire. Si le thymus est enlevé après la période critique, ce type d'immunité ne semble pas sérieusement affecté.

Le thymus sécrète plusieurs hormones dont la *thymosine*; sa masse moléculaire est voisine de 12 000, et on a émis l'hypothèse qu'elle agirait sur des cellules T partiellement différenciées mais immatures, les stimulant à compléter leur différenciation et à devenir immuno-actives. On a administré de la thymosine avec succès à des patients atteints de certains types d'incompétence immunitaire. La première utilisation clinique a été faite en 1974 sur une fillette de 5 ans souffrant d'un déficit grave de la fonction thymique; sa numération lymphocytaire T était si faible qu'elle était constamment malade, souffrant d'infections continuelles. La thérapie restaura sa numération lymphocytaire et il semblerait qu'aujourd'hui elle ait une vie normale. Quelques chercheurs suggèrent que l'injection de thymosine à des cancéreux pourrait stimuler l'immunité à médiation cellulaire et empêcher la généralisation de la maladie.

Les enfants qui naissent sans thymus présentent le syndrome de Di George. L'absence d'immunité à médiation cellulaire s'accompagne d'une immunodéficience caractérisée par l'impossibilité de synthétiser des anticorps correspondant à plusieurs antigènes, dont des antigènes viraux et fongiques; ceci est causé par l'absence de cellules T modulatrices de l'activité des cellules B, elles-mêmes productrices d'anticorps.

Les maillons manquants

L'immunologie est une science très jeune et l'un des champs de recherche biomédicale les plus fascinants. Ces dernières années les chercheurs ont découvert et ajusté plusieurs pièces de cet énorme et très complexe puzzle. Il manque cependant plusieurs morceaux importants. L'un de ceux-ci se rapporte à l'explication de la diversité et du nombre fantastique des anticorps. Qu'est-ce qui assure la production des milliers, voire même des millions de variétés de lymphocytes, chacune étant programmée pour produire un certain type d'anticorps? Est-ce que chacun hérite des gènes porteurs de l'information relative à la synthèse de chaque type d'anticorps? Si cela était, il y aurait une énorme quantité d'ADN vouée à cette tâche. Les lymphocytes pourraient aussi subir des mutations, peut-être dans le thymus, et acquérir chacun leur individualité propre quant aux anticorps synthétisés. Si cette hypothèse s'avérait juste elle soulèverait encore plus de questions. Par exemple, les mutations se font de façon aléatoire (les acides nucléiques étant modifiés au hasard); est-ce que cela voudrait dire que les milliers de recettes de synthèse des anticorps seraient produites au hasard et que quelques-unes s'avéreraient exactes, permettant la synthèse d'anticorps qui s'ajusteraient parfaitement aux antigènes qui pénètrent dans l'organisme?

L'autotolérance est une autre pièce qui manque au puzzle. Un individu ne produit normalement pas de lymphocytes compétents susceptibles de synthétiser des anticorps contre ses propres cellules. La reconnaissance du «soi» et du «non-soi» est à la base de l'efficacité immunitaire, mais on ne comprend pas comment le système fait cette discrimination. On a suggéré que l'organisme possédait des lymphocytes producteurs d'anticorps qui s'attaqueraient aux cellules de l'organisme; ils seraient cependant rapidement détruits au fur et à mesure de leur apparition. Lorsqu'ils ne le sont pas, on assiste alors au développement de *maladies auto-immunes* (liées à une immunisation de l'individu contre lui-même). La myasténie grave, la sclérose en plaques, le lupus érythémateux disséminé et l'arthrite rhumatoïde, seraient quelques-unes des nombreuses maladies associées à des défauts d'autotolérance[2].

L'immunité active et passive

Toute la discussion a abordé jusqu'ici des aspects de l'immunité active, consécutive à une exposition naturelle à des antigènes. L'immunité active peut aussi se développer en exposant l'organisme artificiellement à des antigènes spécifiques. Ce processus est à la base de l'immunisation en clinique. En injectant à un individu des antigènes tirés d'un type spécifique de microorganisme, on peut déclencher la réponse immunitaire que l'on veut. L'organisme développe des cellules à mémoire et l'hypersensibilité retardée ainsi acquise permettra d'éviter toute infection ultérieure par le même agent pathogène. L'organisme ne distingue donc pas les antigènes volontairement administrés de ceux qui l'infectent accidentellement.

Il existe plusieurs méthodes pour produire des vaccins. On peut affaiblir (atténuer) un virus, par exemple, de manière à ce qu'il ne puisse se reproduire efficacement, puis l'administrer par voie buccale ou parentérale. On prépare ainsi le vaccin Sabin contre la poliomyélite, le vaccin contre la variole[3] et celui contre la rougeole. Les vaccins contre la diphtérie, la coqueluche et la fièvre thyphoïde, sont préparés à partir de microorganismes morts qui portent toujours les antigènes nécessaires à la réponse immunitaire. La protection contre le tétanos, le botulisme et certaines autres maladies, demande une vaccination à partir de toxines sécrétées par les microorganismes. Les toxines sont altérées pour les rendre inoffensives, mais de façon à ce qu'elles conservent leur pouvoir immunogène. L'organisme répond activement à toutes ces vaccinations et produit des clones de cellules spécialisées, des anticorps et des cellules à mémoire.

L'*immunité passive* est le transfert, dans un individu, d'anticorps déjà fabriqués contre un antigène. Étant déjà fabriqués, ils agissent rapidement, plus vite que dans l'immunité active. Cependant ses effets sont temporaires. On l'utilise pour amplifier les défenses d'un patient atteint d'une maladie particulière. Par exemple, pendant le guerre du Viêt-Nam, l'hépatite était très répandue; les soldats recevaient donc des injections de gammaglobulines (contenant les anticorps correspondant au virus de l'hépatite) pour les prémunir contre la maladie. Malheureusement ces anticorps ont une vie brève, quelques semaines, puisque l'organisme n'ayant pas participé à leur élaboration ne développe pas de compétence immunologique, de cellules à mémoire et d'hypersensibilité retardée. Les femmes enceintes confèrent une immunité passive au foetus en produisant des anticorps pour lui. Certains anticorps maternels traversent la barrière placentaire et protègent le foetus ou le nouveau-né jusqu'à ce que son système immunitaire puisse devenir compétent. Les bébés nourris au sein continuent à bénéficier d'une certaine protection grâce aux immunoglobulines du colostrum et du lait maternel.

[2] Voir *La Recherche*, **115**, 1980, «Les grandes maladies d'aujourd'hui».

[3] Maladie infectieuse dont l'éradication mondiale semble acquise depuis 1977.

La thérapie de l'immunisation passive fut utilisée la première fois en 1891 lorsque des médecins injectèrent à une jeune fille atteinte de diphtérie, et à l'article de la mort, du sérum provenant d'un mouton immun, c'est-à-dire ayant été inoculé avec des antigènes diphtériques. Le mouton avait développé des anticorps, ce que l'organisme affaibli de la jeune fille ne pouvait faire efficacement; la rémission fut spectaculaire.

L'allergie

Vous venez de constater que les réponses immunitaires sont des mécanismes de défense bénéfiques qui s'attaquent aux agents pathogènes. L'*allergie*, ou l'*hypersensibilité*, est un état de réactivité altérée dommageable pour l'organisme. L'allergie résulte, comme les autres réponses immunitaires, d'une exposition et d'une sensibilisation à un antigène. Tout individu peut montrer une réponse allergique. Cependant, environ 15 pour 100 de la population est affligé de réactions allergiques importantes, comme l'asthme et la fièvre des foins. Ces individus ont une tendance héréditaire à produire des anticorps, appelés aussi *réagines*, envers des antigènes peu nocifs, des *allergènes*, qui n'amènent aucune réponse immunitaire chez des individus non allergiques. Ces réagines dans la réaction allergique sont des IgE, une classe particulière d'anticorps. Imaginez, par exemple, que vous êtes allergique (hypersensible) au pollen de graminées (entre autres, les céréales). L'inhalation des pollens, les allergènes, favorise la libération d'IgE qui se rendent au niveau du revêtement muqueux des cavités nasales et s'attachent à des récepteurs membranaires des mastocytes (basophiles tissulaires) (figure 14-10). Ils se combinent probablement aussi à des basophiles libres, des éosinophiles, et certains autres types cellulaires. Chaque mastocyte possède à sa surface des milliers de récepteurs sur lesquels les IgE peuvent s'attacher. L'extrémité variable de l'anticorps (le fragment Fab) demeure libre pour s'associer à l'allergène, alors que l'extrémité invariable (fragment Fc) s'attache à la membrane du mastocyte. Lorsque deux anticorps ou plus sont fixés à la membrane et que l'allergène vient les réunir, il déclenche la libération mastocytaire d'histamine et d'autres médiateurs chimiques physiologiquement actifs (comme les SRS-A, Slow Reacting Substances of Allergy) provoquant une vasodilatation et une augmentation de la perméabilité capillaire; il s'ensuit de l'oedème et des rou-

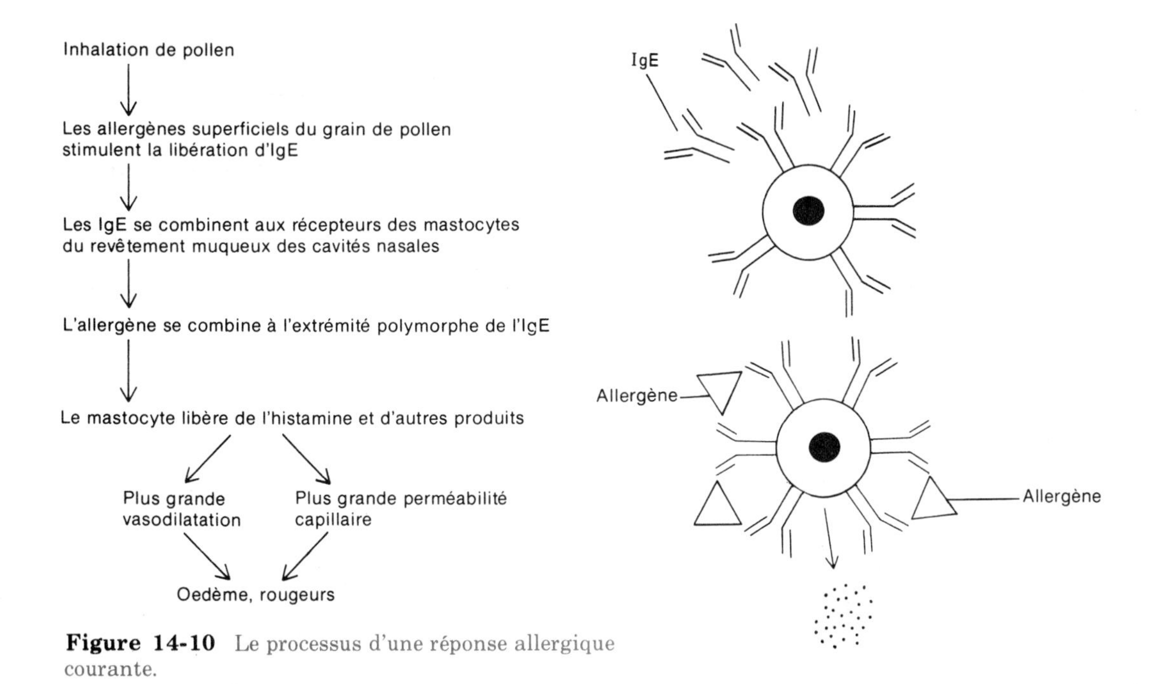

Figure 14-10 Le processus d'une réponse allergique courante.

geurs. Dans la fièvre des foins, les muqueuses nasales enflent et sécrètent du liquide[4].

L'*asthme* se caractérise par une réaction allergènes-réagines dans les bronchioles. Les mastocytes libèrent une substance à action lente provoquant un spasme de la musculature lisse bronchiolaire qui rend la respiration difficile. Lorsque la réaction allergènes-réagines se fait au niveau de la peau, il apparaît souvent une papule d'*urticaire*, purigineuse, entourée d'un halo érythémateux à bords irréguliers, suite à la libération d'histamine.

Parfois des individus développent une allergie à des médicaments, comme la pénicilline. Après injection, le médicament amorce une réaction (l'*anaphylaxie active générale*) qui peut être dramatique à cause de ses effets très étendus. À cette occasion, une grande quantité d'histamine est libérée dans la circulation et cause de la vasodilatation et une augmentation de la perméabilité capillaire. Un grand volume de plasma peut donc quitter le réseau vasculaire. On observe alors un choc circulatoire et l'hypotension peut provoquer un collapsus létal en quelques minutes. Les IgE sont si puissantes qu'un nanogramme (10^{-9}g) peut provoquer une réaction allergique mortelle.

Les antihistaminiques constituent un groupe de médicaments qui bloquent les effets de l'histamine. Ils se combinent aux mêmes sites récepteurs que l'histamine sur les cellules cibles de celle-ci. En d'autres termes, ils compétitionnent pour la même population de récepteurs. La fraction combinée à un antihistaminique ne peut lier l'histamine, réduisant par le fait même ses effets nocifs. Les antihistaminiques se sont montrés efficaces pour soulager les effets des réponses allergiques. Leur efficacité n'est pas totale puisque, en plus de l'histamine[5], d'autres substances causant les symptômes de l'allergie sont libérées par les mastocytes.

Lorsque les sujets allergiques sont affectés de troubles majeurs, on applique parfois une thérapie de désensibilisation: les injections répétées de petites doses d'allergène spécifique provoquent chez le patient la formation d'*anticorps bloquants* du type IgG. Lors d'une réexposition à l'allergène, ces IgG se combinent à celui-ci, bloquant les récepteurs de l'allergène; alors celui-ci ne peut plus s'unir aux IgE. De cette façon on substitue une réponse immunitaire peu dangereuse à une réaction allergique potentiellement grave. Il se peut de plus que la désensibilisation augmente la production de cellules T «suppresseurs» et que celles-ci empêchent une grande production d'IgE.

[4] Les plus récentes découvertes indiquent que les patients sont allergiques à cause d'un mauvais contrôle de la production d'IgE par les cellules suppresseurs; ces dernières ne peuvent empêcher la production d'IgE. Cette déficience des cellules T suppresseurs serait liée aux gènes.

[5] Une autre substance chimique est employée en clinique contre les allergies; c'est le chromoglycate de sodium. Il empêche la libération des substances vasoactives par les mastocytes.

Transfusion sanguine et groupes sanguins

Au XVIIe siècle, on transfusait à des humains du sang d'agneau dans l'espoir de leur redonner jeunesse et pureté. Les essais ultérieurs de transfusions homologues (par exemple d'un humain à un autre humain) ne furent guère plus réussis, étant même parfois désastreux pour le receveur. La technique ne devint véritablement valable que lorsque Landsteiner, au début du siècle, découvrit les groupes sanguins.

On sait aujourd'hui que le sang de chacun est individualisé et qu'il possède des patrons caractéristiques d'antigènes et d'anticorps. Les antigènes les plus importants du point de vue de la transfusion sont ceux des systèmes ABO et Rh. Si on tient compte de cette classification, il est possible de transfuser du sang complet à des receveurs lors, par exemple, d'interventions chirurgicales ou encore après une hémorragie. On utilise aussi du plasma pour augmenter, par exemple, le volume sanguin ou le taux de certains facteurs de coagulation. On peut aussi donner des globules rouges à des patients atteints d'une anémie grave ou dans des conditions où la capacité de transport de O_2 par le sang a été dangereusement réduite (par exemple, après un empoisonnement au monoxyde de carbone). On peut même préparer des transfusions de leucocytes ou de plaquettes lorsque c'est cliniquement indiqué.

Le système ABO Le sang de chaque humain est de l'un des quatre groupes suivants: A, B, AB ou O. Si vous être du groupe A alors vous avez aussi un antigène de type A, (on lui donne aussi le nom d'*agglutinogène* de type A) à la surface de vos hématies. Vous avez de plus développé des anticorps, des *agglutinines*

Tableau 14-2 Les groupes sanguins ABO

			Fréquence relative en Amérique du Nord, %		
Groupe sanguin	Antigène sur les hématies (agglutinogène)	Anticorps plasmatiques (agglutinines)	Descendance européenne de l'Ouest	Descendance africaine	Génotypes (voir chapitre 19)
O		Anti-A, anti-B	43	50	OO
A	A	Anti-B	45	29	AO ou AA
B	B	Anti-A	8	17	BO ou BB
AB	A, B		4	4	AB

anti-B circulantes contre du sang de groupe B. Si vous recevez accidentellement du sang de ce groupe lors d'une transfusion, vos anticorps vont se combiner aux antigènes du type B présents à la surface des hématies du donneur, provoquant leur agglutination et leur hémolyse. Il est possible que cette première transfusion ne soit pas fatale, mais la seconde le sera presque inéluctablement.

Si votre groupe sanguin est du type B, vos hématies sont recouvertes d'antigène du type B et vous possédez des anticorps anti-A. Si vous êtes du groupe AB alors vous possédez les deux antigènes, mais pas d'anticorps anti-A ou anti-B. Si vous êtes du groupe O vous possédez les deux anticorps mais aucun des deux antigènes (tableau 14-2). Vous pouvez donc comprendre maintenant les expressions de donneur universel et de receveur universel. Si vous n'avez aucun des deux antigènes, votre sang peut être donné à n'importe qui, quel que soit son groupe sanguin (du moins en théorie); vous êtes du groupe O et donneur universel. Si vous êtes du groupe AB, vous n'avez pas d'anticorps anti-A ou anti-B. Votre sang ne peut donc agglutiner le sang transfusé, qu'il soit du groupe A, B, AB ou O; vous êtes receveur universel. Dans la pratique, toutefois, on ne donne à un patient que du sang de son groupe. Les tests d'hémocompatibilité se font aujourd'hui d'une façon routinière: on mélange quelques gouttes de sang d'un individu avec des sérums contenant différents types d'anticorps et on vérifie s'il y a agglutination. Vous avez peut-être déjà fait cette expérience au laboratoire.

Le système Rh Le *système Rh*, dont le nom provient du singe rhésus dans le sang duquel il a d'abord été mis en évidence, ne comprend pas moins de huit catégories d'antigènes, chacune étant qualifiée du terme de facteur Rh. Le plus important est l'antigène D. La majorité des habitants des États-Unis sont Rh-positifs; ils possèdent l'agglutinogène D à la surface de leurs hématies, en plus des antigènes du système ABO correspondant à leur groupe sanguin. Les quelque 15 pour 100 des individus dont le sang est Rh-négatif ne possèdent pas l'agglutinogène D et produiront des anticorps s'ils y sont exposés. Une fois produits ces anticorps demeurent dans le sang, et si une seconde transfusion de sang D-positif leur est administrée, même plusieurs années plus tard, il en résultera vraisemblablement une réaction grave.

On connaît plusieurs incompatibilités sanguines entre un foetus et sa mère. L'incompatibilité Rh est probablement la plus grave à cause des problèmes consécutifs à une grossesse où une femme Rh-négative et un homme Rh-positif ont un bébé Rh-positif. Au moment de la naissance il peut y avoir mélange d'un peu de sang du bébé avec celui de la mère, stimulant celle-ci à produire des anticorps contre les agglutinogènes D. Si elle porte un second bébé Rh-positif[6], les anticorps peuvent traverser la barrière placentaire pour agglutiner et hémolyser les GR du foetus. À la suite de l'hémolyse certains produits de la dégradation de l'hémoglobine mis en circulation endommagent des organes, dont le cerveau. Cette maladie hémolytique s'appelle l'*érythroblastose foetale*. Si le médecin suspecte certains problèmes d'incompatibilité Rh, il peut maintenant faire une transfusion *in utero*, soit l'échange du sang

[6] L'incompatibilité du type Rh se développe souvent très lentement, sur une période qui peut comprendre plusieurs grossesses.

foetal lorsque le bébé est toujours dans l'utérus. On a mis au point un médicament (IgG anti Rho) qui est formé d'anticorps anti-Rh. Son injection à une femme Rh-négative, immédiatement après l'accouchement d'un bébé Rh-positif, l'empêche de développer des anticorps. Elle n'est donc pas sensibilisée aux antigènes Rh d'un éventuel deuxième enfant. On pense que le médicament nettoie son sang des cellules Rh-positives d'une façon assez rapide pour réduire les chances d'une sensibilisation de ses lymphocytes B, de leur synthèse d'anticorps anti-Rh susceptibles d'affecter un futur bébé.

La transplantation d'organes

Des centaines de reins, plusieurs coeurs et quelques autres organes ont été tansplantés d'un donneur humain à un receveur ces dernières années. Quoique réalisées entre deux sujets d'une même espèce ces *homogreffes* n'ont eu que peu de succès. Le principal problème réside dans le fait que le système immunitaire reconnaît ces tissus comme «non-soi» ou étrangers et s'applique à les détruire (en général d'une façon très efficace). Cette réponse immunitaire, le *rejet des greffes*, est sous la responsabilité des lymphocytes T qui attaquent et peuvent détruire le greffon en quelques jours.

Chaque individu possède plusieurs groupes d'antigènes, désignés collectivement sous le terme d'antigènes d'histocompatibilité, qui affectent l'évolution du transplant. Le plus important semble être le groupe HLA (pour Human Leucocytes Antigens), constitué d'une combinaison de quatre locus ou groupes d'antigènes: HLA-A, B, C et D. Chaque locus se subdivise en plusieurs antigènes; on en connaît plus de 50. Comme pour le système ABO, le système HLA est formé de substances génétiquement déterminées par des gènes d'histocompatibilité. Avant une transplantation, on tente d'assortir le mieux possible les tissus respectifs du donneur et du receveur. Les jumeaux identiques ayant une histocompatibilité parfaite, puisque possédant le même bagage génétique, acceptent toute greffe de l'un à l'autre. Cette greffe est considérée comme une *autogreffe*, soit une greffe d'un sujet à lui-même. Il y a au moins une chance sur quatre d'avoir histocompatibilité antigénique entre deux enfants de mêmes parents, comparativement à une sur mille si deux individus sans lien de parenté sont choisis au hasard. Si les quatre antigènes du système HLA sont compatibles, le greffon possède environ 95 pour 100 de chances de survivre la première année. Le typage cellulaire parfait est très difficile à obtenir. C'est pourquoi, la plupart du temps, on doit minimiser les effets de la réaction de rejet en utilisant des agents immunodépresseurs non spécifiques (par exemple des sérums anti-lymphocytaires, des immunodépresseurs chimiques ou des rayons-X) pour détruire d'une façon non spécifique les lymphocytes T du receveur. L'immunodépression spécifique comme par exemple la tolérance ou encore la destruction des seuls lymphocytes T sensibilisés par les antigènes du transplant, n'a été réalisée qu'expérimentalement chez l'animal. La suppression sans aucun discernement de tous les lymphocytes n'élimine pas seulement les réactions de rejet mais encore toutes les réponses immunitaires. Plusieurs patients ayant subi des greffes succombent donc à des pneumonies, à d'autres infections, ou encore au cancer.

Plusieurs équipes de recherche tentent de mettre au point des méthodes qui pourraient rivaliser de finesse avec le système immunitaire. On pense, par exemple, à immuniser le patient avec des lymphocytes du donneur. Les anticorps produits sont alors isolés, sélectionnés, et ceux qui peuvent s'attacher aux sites immunogènes des cellules de l'organe du donneur (qui peuvent ainsi cacher ou camoufler l'antigénicité du transplant) sont perfusés au travers de ce dernier. Après la transplantation, l'organe aurait perdu son caractère de «non-soi» pour le receveur et pourrait échapper à l'attaque lymphocytaire.

On tente depuis peu de traiter des leucémies par des greffes de moelle (tissu hématopoïétique sain). L'irradiation de la moelle osseuse du patient tue les cellules souches anormales. On injecte ensuite une certaine quantité de moelle osseuse d'un donneur, fournissant de nouvelles cellules souches saines. Toujours considéré comme expérimental, ce traitement offre de grands espoirs. Il arrive parfois que le tissu greffé réagisse contre l'hôte. Si le système immunitaire de l'hôte a été détruit, les lymphocytes T introduits lors de la greffe peuvent migrer vers les tissus lymphoïdes du receveur et s'y établir. Ils sont activés par les macromolécules du receveur et s'attaquent à ses tissus. Quoique de telles réactions soient parfois fatales, souvent elles s'atténuent après un certain temps par un processus que personne ne comprend encore.

Il existe certains sites anatomiques où des tissus étrangers sont acceptés par l'hôte. Certaines parties du corps sont reconnues comme des sites privilégiés au point de vue immunitaire. Les greffes de cornée, par exemple, montrent un fort taux de succès parce que ce tissu n'est pas vascularisé, donc hors d'atteinte des lymphocytes. Bien plus, il est peu probable que les antigènes du greffon cornéen puissent parvenir dans la circulation générale et rejoindre le tissu lymphoïde. L'utérus apparaît aussi comme un lieu privilégié. Le foetus peut y développer en toute sécurité sa propre identité biochimique. Ces sites privilégiés correspondent à des endroits qui permettent la présence et la croissance de tissu étranger, soit en empêchant la sensibilisation des cellules lymphoïdes, soit en bloquant les attaques de cellules sensibilisées.

Le système des antigènes HLA ne sert pas seulement pour les transplantations. De plus en plus, en effet, certaines maladies auto-immunes semblent reliées à la présence d'un antigène HLA spécial dans le génotype de l'individu. Ainsi, la spondylite ankylosante est reliée à la présence du HLA B27. En clinique, le dépistage des patients possédant le HLA B27 permet de prédire qu'ils seront affectés par cette maladie. De plus, dans les cas où le diagnostic d'une arthrite est incertain, la présence de cet antigène est pathognomonique.

RÉSUMÉ

1 L'appareil lymphatique (a) retourne du liquide interstitiel, dont des protéines d'origine plasmatique, vers la circulation générale, (b) est le support de l'immunité, (c) recueille les lipides absorbés par la muqueuse intestinale et les déverse dans le sang.

2 L'appareil lymphatique comprend principalement (a) des vaisseaux, (b) de la lymphe, (c) des noeuds et des nodules, (d) le thymus et la rate.

3 Les capillaires lymphatiques se distribuent dans presque tous les tissus de l'organisme; ils s'unissent pour former des vaisseaux lymphatiques. Presque tous les lymphatiques du corps convergent vers le canal thoracique qui reçoit aussi la lymphe de la citerne du chyle, dans laquelle se déverse la lymphe issue surtout des membres inférieurs. Les lymphatiques du quadrant supérieur droit rejoignent quant à eux le canal lymphatique droit.

4 Les noeuds lymphatiques ont plusieurs fonctions: (a) ils filtrent la lymphe et (b) sont un site de multiplication des lymphocytes. Ils sont interposés sur le trajet de la lymphe, un peu partout, mais surtout au niveau des aisselles, de l'aine, du cou, du thorax et de l'abdomen.

5 Les nodules lymphatiques ne possèdent ni lymphatiques afférents ni capsules conjonctives. Ils se distribuent à travers les tissus conjonctifs.

6 La rate filtre le sang. Le thymus joue un rôle clé dans le système immunitaire en étant le site de différenciation des lymphocytes T et en produisant la thymosine.

7 Le liquide interstitiel se forme à partir d'une ultrafiltration de plasma au travers des parois des capillaires. La lymphe est du liquide interstitiel ayant gagné les lymphatiques.

8 La lymphe s'écoule surtout grâce à l'activité de pompage des lymphatiques eux-mêmes, à la présence de valves, à la contraction des muscles, au pouls artériel, et à d'autres facteurs dont l'effet est de comprimer les tissus.

9 L'oedème représente une accumulation excessive de liquide interstitiel. Cette situation peut se produire à la suite d'un ralentissement ou d'un arrêt de l'écoulement de la lymphe dus, entre autres, à une obstruction lymphatique, une insuffisance cardiaque, des réactions allergiques, des troubles rénaux, et même à une grave malnutrition protéique.

10 L'immunité repose sur le fait que chaque individu possède un assortiment macromoléculaire spécifique, légèrement différent de celui des autres individus, que son organisme apprend à reconnaître. Toute macromolécule qui ne correspond pas à ce patron est identifiée comme étrangère, donc potentiellement nocive.

11 L'immunité non spécifique comprend entre autres (a) le système phagocytaire mononucléé, formé de macrophages et de lymphocytes fixes, (b) l'inflammation, un mécanisme qui favorise l'invasion d'une zone infectée par un grand nombre de neutrophiles et de macrophages, ce qui permet la phagocytose des microorganismes, (c) l'immunité nutritionnelle, un mécanisme de privation des microorganismes de minéraux essentiels, (d) l'interféron, sécrété par les cellules infectées par des virus.

12 L'immunité à médiation cellulaire repose sur les lymphocytes thymodépendants (T). Ceux-ci quittent les noeuds lymphatiques pour le site de l'infection où ils engagent un combat de cellule à cellule. L'immunité humorale repose sur les lymphocytes B (non thymodépendants) qui produisent des anticorps spécifiques mis en circulation dans le sang par la lymphe.

13 Un antigène présente à sa surface des déterminants antigéniques distincts susceptibles d'être reconnus par des anticorps. L'entrée d'un antigène dans l'organisme stimule le type de lymphocyte spécifiquement programmé pour réagir à sa structure.

14 Les anticorps peuvent s'attacher aux antigènes et former des complexes qui sont phagocytés par les macrophages. Souvent les anticorps activent le système du complément, lequel favorise la lutte aux agents pathogènes de plusieurs façons, dont l'opsonisation et l'amplification de la réaction inflammatoire.

15 Lorsqu'ils sont sensibilisés par un antigène spécifique, les lymphocytes T augmentent de taille, se multiplient, et migrent vers la zone infectée où ils tentent de détruire l'envahisseur. Quelques-uns demeurent dans les noeuds lymphatiques et y vivent plusieurs années; ce sont les cellules à mémoire, support de l'hypersensibilité retardée.

16 Lorsqu'ils sont sensibilisés par un antigène spécifique, les lymphocytes B se multiplient et produisent un imposant clone de cellules qui se différencient en plasmocytes et sécrètent de grosses quantités d'anticorps. Quelques cellules B ne se différencient pas complètement et deviennent des cellules à mémoire.

17 L'immunité active, naturelle ou artificielle, implique l'exposition à un antigène, une nouvelle fabrication d'anticorps et une production de cellules à mémoire. Dans l'immunité passive, les anticorps sont empruntés à un donneur, humain ou animal, qui les a produits.

18 Dans sa forme la plus courante, la réaction allergique suit l'exposition à un allergène qui stimule la production d'une IgE; celle-ci se combine avec des récepteurs sur la surface des mastocytes situés à l'endroit où la réponse à été déclenchée. Les mastocytes libèrent de l'histamine et plusieurs autres substances qui provoquent une vasodilatation et une augmentation de la perméabilité des capillaires.

19 Une personne dont le groupe sanguin est A possède l'antigène A et les anticorps du type B; il ne peut donc pas être transfusé avec du sang du groupe B. Une personne du groupe B possède l'antigène B et les anticorps du type A; le sang du groupe AB possède les deux antigènes alors que celui du groupe O ne possède aucun antigène mais les deux types d'anticorps. Un sang Rh-positif possède les antigènes Rh.

20 Lors d'une transplantation, l'organisme identifie le greffon en tant qu'étranger et élabore une réponse immunitaire amorcée par les antigènes des cellules greffées.

QUESTIONS DE RÉVISION

1 Quels sont les rôles homéostatiques de l'appareil lymphatique?

2 Quelles sont les fonctions des noeuds lymphatiques?

3 Comparer un nodule lymphatique et un noeud lymphatique.

4 Quel est le rôle de la rate?

5 Qu'est-ce que le liquide interstitiel? Comment est-il formé?

6 Quels mécanismes contribuent à la formation de la lymphe? À son écoulement?

7 En quoi l'oedème représente-t-il une menace à l'homéostasie?

8 Comparer les mécanismes de défense spécifiques et non spécifiques.

9 Montrer l'aspect homéostatique de la réponse inflammatoire.

10 Qu'est-ce que le système phagocytaire mononucléé?

11 Qu'est-ce que l'interféron?

12 Définir antigène et anticorps.

13 Qu'est-ce que l'immunité humorale?

14 En quoi l'immunité à médiation cellulaire diffère-t-elle de l'immunité humorale?

15 Tracer un schéma qui montre l'origine d'un lymphocyte B et son développement suite à une sensibilisation antigénique.

16 Décrire brièvement cinq types différents d'agents pathogènes.

17 Qu'est-ce que le complément et comment ce système fonctionne-t-il?

18 Pourquoi l'immunité passive est-elle temporaire?

19 Quelles théories ont été proposées afin d'expliquer la présence de milliers de types lymphocytaires distincts?

20 Que sont les maladies auto-immunes?

21 Pourquoi les vaccins sont-ils considérés comme une forme d'immunité active?

22 Quel mécanisme immunitaire est impliqué dans la réponse allergique?

23 Comment fonctionnent les antihistaminiques?

24 Quels types d'antigènes retrouve-t-on dans un sang Rh-positif du groupe A?

25 Qu'est-ce que le phénomène de rejet des greffes? Comment les médecins tentent-ils de le prévenir? De le supprimer?

15 L'APPAREIL RESPIRATOIRE

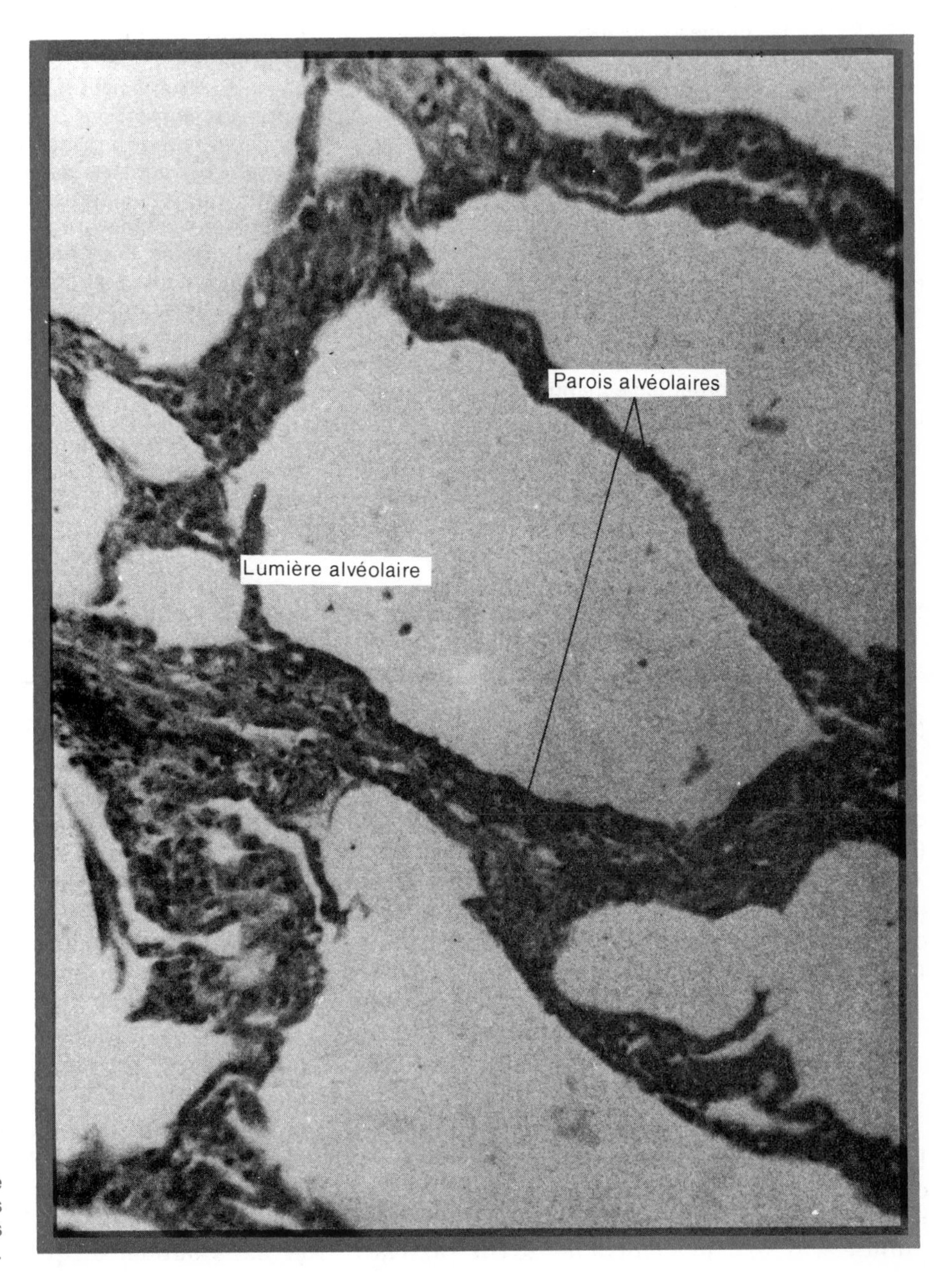

Coupe histologique montrant plusieurs alvéoles pulmonaires (environ ×500).

OBJECTIFS

L'étude de ce chapitre devrait vous permettre de:

1 Suivre le trajet parcouru par l'air pendant son va-et-vient à travers les principales structures de l'appareil respiratoire; résumer les modifications qu'il subit en cours de route.

2 Donner trois raisons pour lesquelles l'appareil respiratoire est nécessaire à la vie d'un organisme humain.

3 Décrire les cavités nasales et leurs principales fonctions.

4 Décrire les cavités sinusales.

5 Énumérer les causes de la sinusite.

6 Décrire le pharynx.

7 Décrire la structure, les fonctions, et les troubles les plus fréquents du larynx.

8 Décrire la structure et les fonctions de la trachée et des bronches en insistant sur le mouvement muco-escalateur des cils.

9 Décrire la structure et les fonctions des poumons en insistant sur:
- **a)** Les bronchioles.
- **b)** Les canaux alvéolaires.
- **c)** Les alvéoles.
- **d)** Le transport et les échanges des gaz respiratoires.

10 Décrire le rôle de l'hémoglobine en tant que transporteur d'oxygène et de gaz carbonique.

11 Connaître les mécanismes de défense naturels des poumons.

12 Décrire l'étiologie, les effets et le traitement des affections pulmonaires suivantes:
- **a)** Pneumonie.
- **b)** Tuberculose.
- **c)** Asthme.
- **d)** Asbestose et silicose.

13 Résumer les effets nocifs du tabagisme en insistant sur ceux qui affectent la fonction respiratoire.

14 Énumérer les sources et décrire la nature des fortes concentrations de polluants atmosphériques; reconnaître leur impact sur les organismes vivants.

15 **a)** Expliquer le mécanisme de la respiration normale et forcée; présenter l'action des structures ou des ensembles structuraux impliqués.

b) Définir les principaux volumes primaires du poumon tels que présentés au tableau 15-2.

16 **a)** Présenter un résumé du contrôle nerveux de la respiration en fonction du contenu sanguin en ions H^+, en CO_2 et en O_2; décrire les mécanismes nerveux et chimiques impliqués.

b) Comprendre le rôle de la fonction respiratoire dans la régulation du pH sanguin.

Depuis Aristote (IVe siècle av. J.-C.), on a attribué à la respiration des rôles aussi surprenants qu'inattendus. En voici quelques exemples: le but de la respiration est de refroidir le sang (Aristote); la respiration permet de retirer de l'air un «principe vital» et de rejeter des «vapeurs fuligineuses» (Galien, IIe siècle ap. J.-C.); les mouvements respiratoires sont en eux-mêmes indispensables à l'entretien de la vie (Vésale, 1543). Plusieurs de ces affirmations, quoiqu'elles puissent sembler peu sérieuses aujourd'hui, n'en contiennent pas moins une part de vérité. On sait maintenant que la tachypnée (halètement) d'un chien, lorsqu'il fait chaud, remplit la fonction mise de l'avant par Aristote, et que l'oxygène et le gaz carbonique sont respectivement assez près du «principe vital» et des «vapeurs fuligineuses» de Galien. On constate donc qu'avant de qualifier une idée nouvelle de saugrenue, il vaut peut-être mieux y penser par deux fois!

L'AIR ET LES VOIES RESPIRATOIRES

Les mouvements rythmiques de la cage thoracique font entrer et sortir de l'appareil respiratoire environ 500 ml d'air quinze fois par minute, soit un déplacement de 7,5 l de gaz à la minute, 450 l par heure, ou 10 800 l par jour dans des conditions de repos.

La composition de l'air atmosphérique est très stable d'un endroit à l'autre sur la terre: 79 pour 100 d'azote, près de 21 pour 100 d'oxygène, sans oublier un peu de gaz carbonique et des traces de gaz rares (argon, néon, xénon, etc.). Sa température et son contenu en vapeur d'eau sont toutefois variables et l'air n'est presque jamais saturé en eau. Ce fait a des conséquences importantes dont les implications apparaîtront un peu plus loin. Selon que l'air est inspiré en ville ou en campagne il contiendra plus ou moins de poussières, de pollens, de spores, de suie, et des quantités variables de polluants gazeux, solides et liquides (sous la forme de fines gouttelettes).

L'air est un fluide; il n'a donc pas de forme définie. À mesure qu'il progresse dans le dédale des voies respiratoires il en épouse les formes, perdant peu à peu de vélocité à cause des nombreuses frictions qu'il subit; sa composition se modifie quantitativement et qualitativement. Lorsqu'il parvient aux alvéoles pulmonaires sa vitesse est nulle, il est saturé en vapeur d'eau, et il ne contient plus qu'une faible proportion des particules solides qu'il transportait au départ. L'air pénètre d'abord par les narines et traverse successivement les cavités nasales, le pharynx, le larynx et la trachée. Cette dernière bifurque bientôt pour donner naissance aux deux bronches principales dans lesquelles l'air s'engouffre. Celles-ci se ramifient successivement en bronches et en bronchioles et l'air parvient au niveau des alvéoles. Le débit de l'air, rapide dans la trachée, faiblit à chaque embranchement de l'arbre bronchique pour devenir nul dans les alvéoles.

La direction du courant d'air s'inverse lors de l'expiration. Une certaine quantité d'air quitte les alvéoles et, à mesure que les courants se rejoignent par les réunions successives des bronchioles puis des bronches, elle reforme un volume gazeux sensiblement égal à celui qui a été inspiré 2 secondes plus tôt. Sa composition est toutefois très différente: la proportion d'oxygène a baissé de 21 à 14 pour 100 alors que celle du gaz carbonique est passée de 0 à 5,6 pour 100. Les échanges gazeux pulmonaires correspondent à une combustion qui est à l'origine de la chaleur animale. Le métabolisme utilise l'oxygène pour brûler du combustible, processus qui libère du gaz carbonique. Alors comment se fait-il qu'il y ait toujours autant d'oxygène dans l'atmosphère? À cause des organismes chlorophylliens. Ceux-ci utilisent du gaz carbonique et libèrent de l'oxygène par le processus de la photosynthèse. Ils se servent de l'énergie du soleil et la captent grâce aux chloroplastes, les usines énergétiques des végétaux. Qu'arriverait-il si les végétaux chlorophylliens disparaissaient de la surface de la terre? Il est probable que toute vie animale disparaîtrait aussi.

Tableau 15-1 Comparaison des compositions respectives de l'air inspiré et expiré

	Pourcentage d'oxygène (O_2)	**Pourcentage de gaz carbonique (CO_2)**	**Pourcentage d'azote (N_2)**
Air inspiré*	20,9	0,04	79
Air expiré†	14,0	5,6	79

* Composition identique à celle de l'air atmosphérique.

† Parfois assimilé à l'air (ou gaz) alvéolaire.

Note: On constate que l'organisme utilise environ un tiers de l'oxygène inspiré. La proportion de CO_2 augmente de plus de 100 fois puisqu'il est produit par la respiration cellulaire.

POURQUOI UN APPAREIL RESPIRATOIRE?

L'appareil respiratoire apparaît à partir du moment où la simple diffusion ne suffit plus à un organisme vivant pour assurer ses échanges avec le milieu ambiant. Tant que la taille d'un organisme permet des échanges adéquats par diffusion, comme chez les bactéries, les protozoaires, et une foule d'organismes pluricellulaires aquatiques ou parasites, toutes les cellules sont en contact plus ou moins direct avec l'environnement extérieur. Pour que la taille puisse augmenter sans trop restreindre les échanges, les organismes ont dû développer des appareils capables d'acheminer vers et hors des cellules les matériaux et les produits de déchet impliqués dans le métabolisme. L'augmentation de la taille allant de pair avec la spécialisation des cellules et des tissus en organes, on vit apparaître un circuit de transport (l'appareil vasculaire) qui, couplé à l'appareil respiratoire, permit de couper les contacts directs entre la majorité des cellules et le milieu externe. Les organismes pouvaient donc se vêtir de carapaces imperméables et s'affranchir de plus en plus de leur sujétion aux conditions du milieu. Les résultats de l'évolution furent variés: signalons par exemple les pores cutanés et les trachées des insectes, les branchies des poissons et les poumons des mammifères. Ces structures, quoique très différentes d'un point de vue anatomique, remplissent fondamentalement les mêmes fonctions. Elles assurent un apport d'oxygène aux cellules et évacuent le gaz carbonique par le biais d'un liquide circulant. Ce sont des surfaces de contact fonctionnelles entre l'organisme et son milieu. Dans le cas des poumons, les surfaces d'échange sont bien protégées et pourvues d'une tuyauterie complexe présentée à la figure 15-2.

LES CAVITÉS NASALES

La description qui suit peut être lue en vous référant à la figure 11-7. Les *narines* sont les ouvertures sur l'extérieur des deux *cavités (fosses) nasales*; celles-ci sont pourvues de forts poils qui retiennent les plus grosses particules inspirées avec l'air. Les cavités nasales sont séparées l'une de l'autre par une *cloison* cartilagineuse mitoyenne, généralement symétrique et droite et qui donne sa forme au nez, le *septum nasal*. Parfois, soit de naissance, soit à la suite d'un traumatisme, le septum est fortement décentré. Cette déviation provoque un assèchement des cavités nasales et interfère avec leur drainage normal; il peut s'ensuivre des infections chroniques ou encore des troubles respiratoires. L'intérieur des cavités nasales contient trois projections importantes, les *cornets*, qui limitent chacun un méat (supérieur, moyen et inférieur). Soutenus par une structure osseuse (les cornets osseux), les cornets permettent entre autres de créer de la turbulence dans l'écoulement de l'air pour mieux le réchauffer et l'humidifier.

Les parois des cavités nasales sont presque entièrement recouvertes d'une muqueuse humide contenant de nombreux cils et des glandes. Le profil irrégulier des cavités nasales force le courant d'air à changer de direction à plusieurs reprises. Les particules plus lourdes ayant tendance à poursuivre leur route en ligne droite heurtent la muqueuse, un peu comme une voiture qui négocierait un virage trop rapidement; elles s'engluent dans le mucus superficiel. Les battements incessants et coordonnées des cils impriment un mouvement continu au recouvrement muqueux et le dirigent vers l'arrière des cavités nasales où il glisse vers la gorge. Son accumulation déclenche le réflexe de la déglutition. Le volume de mucus dégluti quotidiennement représente près d'un litre de liquide. Lorsqu'une allergie ou une infection, par exemple, irritent le revêtement des cavités nasales, la sécrétion de la muqueuse augmente et les battements ciliaires ne suffisent plus à évacuer tout le liquide; celui-ci déborde vers l'avant à moins d'être expulsé volontairement d'une façon périodique.

L'un des caractères distinctifs de la muqueuse nasale est la densité de son réseau vasculaire. De grandes quantités de sang circulent dans ses couches conjonctives profondes, comme en fait foi le grand nombre de gens qui sont affectés, un jour ou l'autre, d'un épanchement sanguin nasal parfois très long à étancher. Cette importante vascularisation permet de réchauffer et d'hydrater l'air qui pénètre dans les voies respiratoires. Aucune autre structure de la partie haute de l'appareil respiratoire ne peut aussi bien humidifier l'air que le nez; en effet, à son arrivée dans la trachée, l'air est virtuellement saturé à 100 pour 100 de vapeur d'eau et le demeure jusqu'à son expiration. L'air qui passe par la bouche, au contraire, ne se sature qu'en atteignant les parties basses des voies respiratoires; il s'ensuit un dessèchement des parois trachéales et bronchiques, lesquelles sont en plus privées de l'action filtrante du nez.

La région inférieure des cavités nasales est recouverte d'une muqueuse un peu plus lâche qu'ailleurs qui s'engorge facilement de sang et enfle à la suite d'une irritation ou d'une inflammation. Le nez se bouche, comme il arrive souvent pendant un rhume banal. Peu de gens réalisent cependant que même sans rhume ou allergie, cette muqueuse enfle alternativement d'un côté et de l'autre. L'une des deux muqueuses peut ainsi échapper, pendant un temps, au courant d'air dessicatif et se réhumidifier.

LES SINUS

Les os de la face d'un nouveau-né sont déjà solides; en vieillissant, ils se creusent de cellules aériennes qui s'agrandissent et s'unissent les unes aux autres pour former les *sinus paranasaux* (*cavités sinusales* paranasales). Ceux-ci terminent leur développement tard dans l'adolescence et même dans la vingtaine. Ils sont assez volumineux puisqu'on estime que leur capacité se situe entre 50 et 70 ml, soit à peu près le volume des cavités nasales elles-mêmes. Les sinus sont reliés aux cavités nasales par de fins *canaux* (*méats*) *sinusaux*, et leur revêtement muqueux est en continuité avec celui des cavités nasales. Aussi longtemps que les canaux drainent le mucus hors des sinus, ceux-ci causent peu de problèmes. Leur obstruction, par l'enflure des tissus adjacents enflammés, risque de déclencher une infection sinusale causée par les bactéries endogènes normalement inoffensives des cavités nasales. Il s'ensuit une *sinusite*, une inflammation des sinus. Plus souvent bénigne, parfois sérieusement ennuyeuse, cette infection est rarement une urgence médicale. On traite généralement les sinusites avec des décongestionnants pour garder les canaux sinusaux ouverts et fonctionnels. Parfois la guérison nécessite une médication antibiotique. Il est possible que les sinus aient un rôle important dans le fonctionnement de l'organisme; si tel est le cas, on ne le connaît pas.

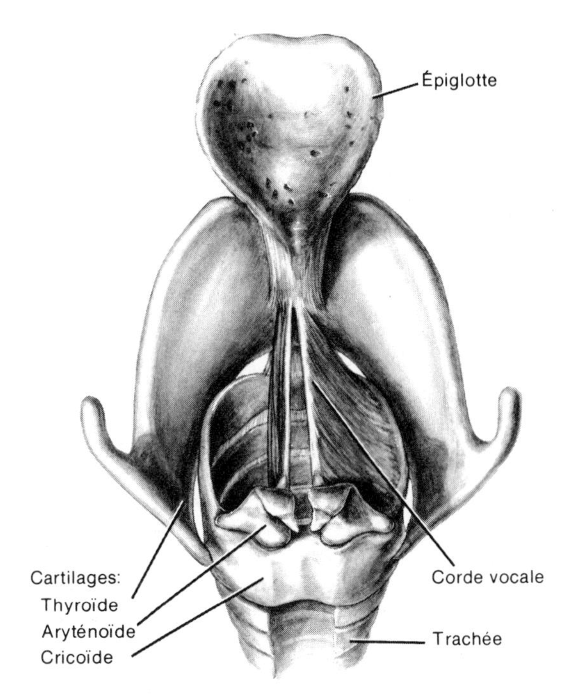

Figure 15-1 Dessin de la face postérieure du larynx vu par-dessus.

LE PHARYNX ET LE LARYNX

Après avoir traversé les cavités nasales l'air pénètre dans le nasopharynx, en route vers le laryngopharynx (voir chapitre 11) et la *glotte*. Située entre les cordes vocales, elle représente l'orifice du larynx et est la véritable porte d'entrée de l'appareil respiratoire.

Le larynx est une structure fort complexe souvent apparente chez les hommes; c'est la «pomme d'Adam». Il est situé au sommet de la trachée, en position antéro-supérieure par rapport à l'ouverture de l'oesophage. C'est une disposition qui non seulement permet le passage de l'air, mais encore l'inhalation accidentelle de nourriture. Afin de parer à cette éventualité (fort dangereuse par ailleurs), l'*épiglotte*, un clapet de cartilage, se rabat sur la glotte lorsque celle-ci se ferme. Ces deux mouvements réflexes sont associés à la déglutition. Les liquides qui pourraient s'infiltrer derrière l'épiglotte sont arrêtés par les cordes vocales et plusieurs replis laryngiens qui obstruent d'une façon très étanche le sommet de la trachée.

L'une des fonctions du larynx est donc d'empêcher la pénétration de corps solides ou liquides dans la trachée. Il empêche aussi l'air d'entrer ou de sortir des voies respiratoires dans certaines occasions: par exemple lors de vomissements, pendant la défécation ou lors d'un lever d'altères, il est nécessaire de maintenir une forte pression intrathoracique et intra-abdominale. Dans les deux premiers cas, la pression permet d'expulser des matières; dans l'autre, elle permet de supporter et de renforcer la colonne. Le larynx sert enfin à l'expression de la parole, la *phonation*.

Les cartilages laryngiens sont agencés de façon fort complexe, certains étant même reliés les uns aux autres par de vraies articulations synoviales. (Ces cartilages peuvent se calcifier à un âge avancé.) Les mouvements de ces pièces squelettiques sont assurés par des activités musculaires non moins complexes. Les cordes vocales sont des replis du revêtement muqueux laryngien, replis renforcés d'un fort squelette conjonctif associé à des muscles (figure 15-1). La voix a pour origine la vibration des cordes vocales, maintenues en position demi-fermée par les muscles constricteurs de la glotte. Le passage de l'air les fait vibrer dans les sens horizontal et vertical, et l'amplitude des vibrations dépend de la force développée par les muscles tenseurs des cordes.

Vous pouvez facilement palper votre larynx à travers la peau de la gorge. Remarquez que lors de la déglutition il se déplace vers le haut puis revient à sa position de départ. Ce va-et-vient, associé à la fermeture de l'épiglotte, dépend de l'activité de plusieurs muscles extrinsèques attachés à l'os hyoïde, lui-même situé à la base de la langue. Reliés au larynx par des tendons, ils peuvent ainsi le soulever en se contractant. Ces mouvements du larynx se produisent aussi pendant la phonation et le chant, alors qu'il peut se soulever de plus de 2 cm (pour les sons aigus) au-dessus de la position d'émission des sons graves. La forme et les dimensions de la gorge et de la bouche peuvent être modifiées, ce qui permet de moduler la tonalité et la qualité de l'émission sonore laryngée[1].

Les cordes vocales contrôlent directement la hauteur de la voix par des modifications de leur tension; ainsi, les muscles intrinsèques du larynx peuvent les étirer, les rapprocher, leur faire prendre plusieurs positions, puisqu'ils s'attachent à de nombreux cartilages qui font partie de la structure du larynx.

Le larynx est susceptible de s'enflammer (la *laryngite* se manifeste souvent par une extinction de voix), de développer des cancers (plus spécialement chez les fumeurs et les gros buveurs), ou encore d'être le site de formation de petits nodules (sur les cordes vocales d'annonceurs professionnels et de chanteurs, par exemple). Il peut aussi s'obstruer avec de la nourriture «qui aurait pris le mauvais tuyau». Si, pendant un repas, l'un de vos voisins de table se met tout à coup à suffoquer et semble chercher son souffle avec désespoir, vous devez lui demander s'il peut parler. S'il ne le peut, ce convive présente une obstruction laryngienne et non une attaque cardiaque. Placez-vous alors rapidement derrière lui (qu'il soit assis ou debout) et glissez vos bras autour de sa taille juste au-dessus de la ceinture; joignez les mains, les pouces appuyant directement contre son corps, et serrez brusquement, avec force, en tirant vers le haut. La plupart du temps l'air résiduel contenu dans les poumons permettra d'évacuer le bouchon alimentaire. Si cette manoeuvre ne réussit pas regardez dans la gorge de la victime et tentez de saisir le morceau avec vos doigts. S'il est assez volumineux pour obstruer le larynx il est d'ordinaire assez gros pour pouvoir être enlevé manuellement.

[1] Pour en savoir plus, voir *La Recherche*, **48**, 734, 1974; «*La mécanique vocale*», par L.-J. Rondeleux.

LA TRACHÉE ET L'ARBRE BRONCHIQUE

La *trachée* est un tube à parois minces, presque droit, dont la longueur et le calibre, chez l'adulte, sont respectivement d'environ 12 cm et 12 mm. Elle est formée d'une mince pellicule de tissu conjonctif résistant, renforcé à intervalles réguliers par des anneaux incomplets, des *arcs cartilagineux* en forme de C dont l'échancrure est dirigée vers l'arrière. Ces arcs maintiennent la béance de la trachée et lui donnent la forme d'un cylindre aplati vers l'arrière. La portion aplatie, appliquée contre l'oesophage, est occupée par des fibres musculaires lisses qui remplissent le vide laissé par les cartilages; l'oesophage peut les repousser au passage du bol alimentaire. On peut palper au moins deux arcs cartilagineux à travers la peau du cou, juste sous le larynx. Si ce n'était de ces structures squelettiques, la trachée pourrait s'effondrer sur elle-même pendant une inspiration normale. La trachée se divise, à sa base, en deux *bronches principales* (*souches*) (figure 15-2). Celles-ci se ramifient à leur tour en bronches de plus en plus étroites qui gagnent l'intérieur des poumons où elles se transforment en *bronchioles*. La structure de base de l'arbre trachéo-bronchique est à peu près la même jusqu'aux bronchioles terminales. On note cependant l'absence de cartilages et de glandes à mucus au niveau de l'épithélium bronchiolaire. L'arbre trachéo-bronchique est recouvert d'un épithélium stratifié cilié contenant de nombreuses glandes à mucus (figure 15-3). La couche muqueuse peut être subdivisée en deux feuillets. Le revêtement de surface, imperméable, sert à engluer les particules solides et à protéger les voies respiratoires de la déshydratation. Un peu comme dans les cavités nasales, la pellicule plus fluide sous-jacente est en contact avec les cils qui, par leurs battements, la tiennent en mouvement. La couche de mucus se déplace ainsi vers le pharynx où elle est déglutie périodiquement. Si peu de microorganismes peuvent résister à l'acidité du suc gastrique, peu d'entre eux parviennent aussi au niveau des alvéoles pulmonaires. L'escalier roulant muco-cilié représente la principale défense naturelle des poumons contre les particules aériennes inhalées (dont les bactéries). Lorsque englués, les corps étrangers sont détruits par des anticorps sécrétés dans le revêtement muqueux ou simplement évacués hors des voies respiratoires.

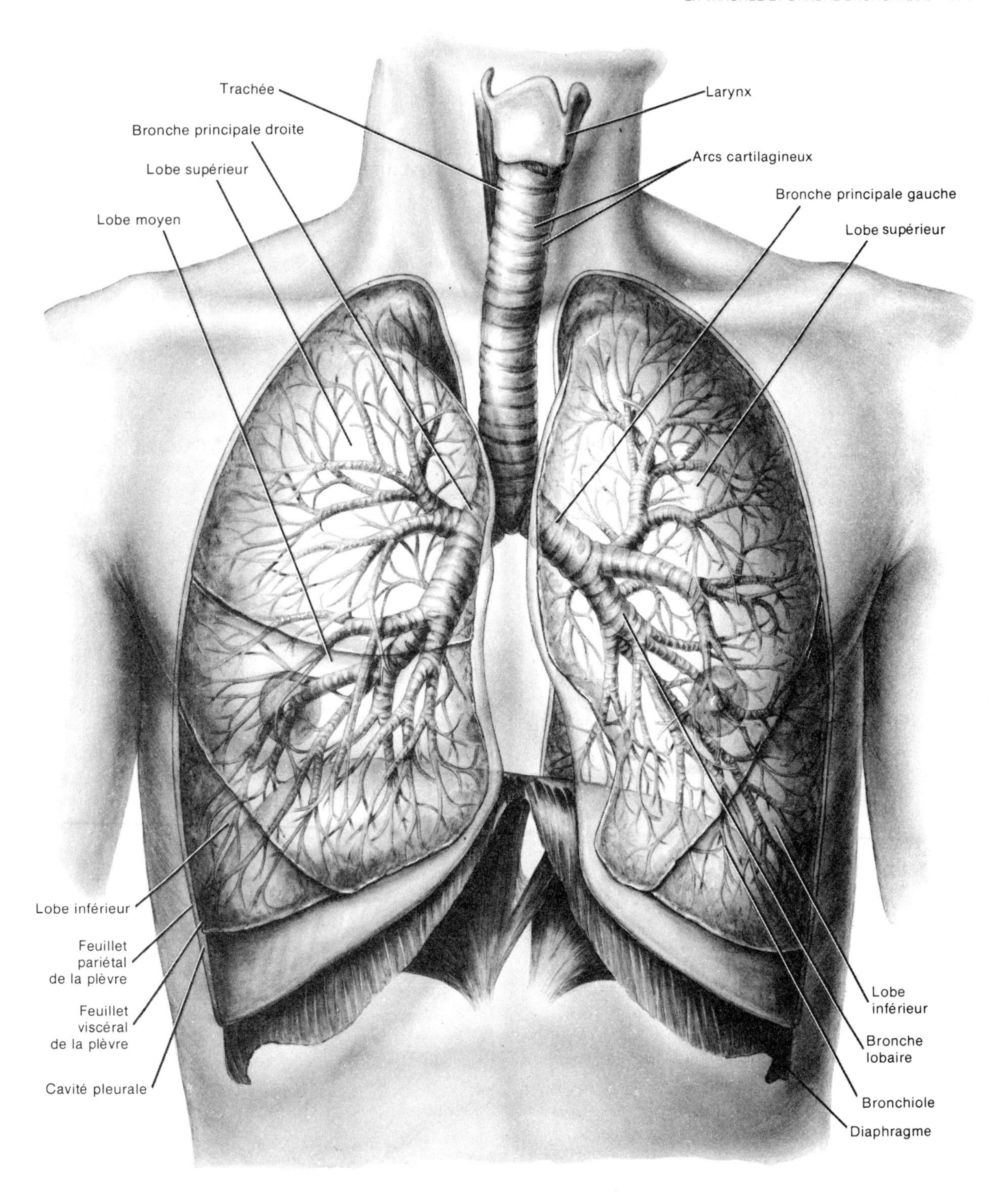

Figure 15-2 La trachée et les poumons. Chaque lobe pulmonaire contient un grand nombre de lobules qui ont la forme de prismes irréguliers de 1 à 2 cm de côté, séparés par des cloisons conjonctives de charpente.

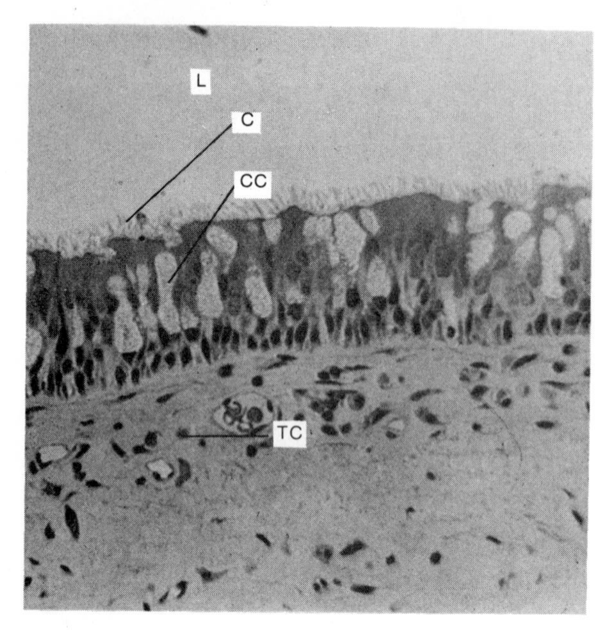

Figure 15-3 L'épithélium pseudostratifié d'une bronche (environ ×4 000). L, lumière de la bronche; C, cils; CC, cellules caliciformes; TC, tissu conjonctif.

Il est parfois nécessaire d'ouvrir chirurgicalement la trachée sous le larynx, en général à la suite d'une obstruction des voies aériennes supérieures. Cette opération, une *trachéotomie*, est généralement de nature provisoire mais peut être rendue permanente si un cancer du larynx, par exemple, requiert une laryngectomie.

LES POUMONS

Les poumons se développent chez l'embryon à partir d'une excroissance ventrale du plancher pharyngien. Celle-ci se ramifie pour donner la trachée et les bronches primitives. Les poumons eux-mêmes apparaissent à l'extrémité des bronches. Au début, ils ont l'aspect de glandes et semblent avoir un rôle sécréteur chez l'embryon, produisant une partie du liquide amniotique dans lequel celui-ci baigne. À la naissance, le développement des poumons est incomplet et il se poursuit pendant l'adolescence par la formation d'un nombre toujours plus grand de ramifications bronchiolaires et d'alvéoles associées. Les poumons sont des organes élastiques, spongieux, comprenant plusieurs lobes et occupant la majeure partie de la cavité thoracique. Chaque poumon est recouvert d'une membrane péritonéale séreuse, la *plèvre*, dont le feuillet viscéral, la *plèvre pulmonaire* ou *viscérale*, revêt toute la surface des poumons et de ses lobes. Elle se continue sous le nom de *plèvre pariétale* (*costale*) pour recouvrir toute la surface interne de la cavité thoracique. L'espace sis entre ces deux feuillets s'appelle la *cavité pleurale*. Chaque poumon est à l'intérieur de sa propre cavité pleurale, de part et d'autre du médiastin.

À la naissance les poumons sont opérationnels; la première respiration du bébé les remplit d'air et, sauf accident, ils demeureront gonflés la vie durant. Pendant les premières heures, toutefois, ils contiennent une certaine quantité de liquide qui se résorbe graduellement en passant dans la circulation sanguine. Il ne reste alors qu'un film de liquide qui possède une très grande tension de surface. (La tension de surface est une force qui s'exerce à la surface d'un liquide et qui y crée une sorte de mince pellicule. C'est une force de cohésion qui permet, par exemple, de déposer à la surface de l'eau une aiguille ou une lame de rasoir et de les faire flotter. C'est aussi la tension de surface qui amène la formation des gouttes.) La tension de surface exerce une force proportionnellement très grande sur des petites structures comme les alvéoles pulmonaires ou les bronchioles terminales; celles-ci ont donc tendance à s'effondrer sur elles-mêmes. C'est pourquoi, un peu avant la naissance, un poumon normal sécrète une sorte de détergent, le *surfactant alvéolaire*, qui recouvre toute la surface interne des poumons et réduit la tension de surface à un point tel qu'ils prennent facilement de l'expansion à l'inspiration et perdent leur tendance à s'affaisser lors de l'expiration. Chez certains bébés prématurés (et même chez des bébés à terme) les cellules pulmonaires n'ont pas encore acquis la capacité de sécréter le surfactant. Chaque respiration doit donc se faire contre une résistance importante et provoque une grande fatigue musculaire. Cet état de détresse respiratoire se nomme maladie de la *membrane hyaline* puisqu'il se forme généralement, dans ces conditions, une membrane claire au niveau des structures respiratoires terminales. Il y a quelques années cette affection était presque toujours fatale. Actuellement, grâce aux progrès enregistrés dans la surveillance continue et le traitement de ces bébés (hydratation, correction de l'acidose et

► La technique de réanimation

La réanimation est une technique d'aide aux accidentés ou aux malades victimes d'arrêt cardiaque et/ou respiratoire. La réanimation doit être entreprise sans retard puisqu'il peut se produire des lésions cérébrales irréversibles dans les 2 ou 3 premières minutes qui suivent l'arrêt respiratoire. Voici l'ABC de la technique de *réanimation*:

Voies respiratoires — étendre le cou de la victime pour dégager les voies respiratoires. Il arrive parfois que cela suffise à la reprise spontanée des mouvements respiratoires.
Respiration — faire le bouche-à-bouche.
Circulation — tenter de rétablir partiellement la circulation en faisant un massage cardiaque.

Le bouche-à-bouche:

1 Étendre la victime sur le dos sur une surface dure.
2 Dégager la gorge et la bouche, et basculer la tête vers l'arrière en hyperextension, le menton pointant vers le haut. S'assurer que la langue n'est pas renversée en direction de la gorge. Si tel est le cas, la saisir avec les doigts et la tirer vers l'avant.
3 Pincer le nez de la victime et souffler dans sa bouche. Faire attention — surtout avec un enfant — de ne pas trop gonfler les poumons; bien surveiller l'élévation de la cage thoracique.
4 Enlever la bouche et écouter l'air évacuer les poumons.
5 Répéter à une fréquence de 12 inflations/min, soit une respiration à toutes les 5 s. Ne pas interrompre le bouche-à-bouche pendant plus de 5 s.

Le massage cardiaque:

1 Placer la paume d'une main sur le tiers inférieur du sternum et soulever les doigts pour ne pas qu'ils touchent à la poitrine de la victime.
2 Placer la paume de l'autre main sur la première, à angle droit avec cette dernière.
3 Presser fermement pour enfoncer le sternum de 4 à 5 cm en direction de la colonne vertébrale. La pression nécessaire varie entre 5,4 et 9 kg pour un adulte, un peu moins pour un enfant.
4 Relever les mains entre les compressions pour permettre l'expansion du thorax.
5 Répéter à un rythme de 1 compression par seconde (60 par minute).

Si vous êtes seul avec la victime, vous devez appliquer 15 compressions puis 2 respirations, soit un rapport de 15:2.
Si quelqu'un d'autre est avec vous, alors le rapport doit être de 5:1.

des déséquilibres électrolytiques, ventilation et oxygénation adéquates) la mortalité est devenue rare.

Les unités respiratoires terminales

Les échanges gazeux se font au niveau d'un ensemble de structures qui s'épanouissent à l'extrémité des bronchioles terminales. Celles-ci perdent à ce niveau leur constitution typique et se ramifient en plusieurs *canaux alvéolaires*, encore appelés *bronchioles respiratoires*. Ces corridors, dont le diamètre est inférieur à celui d'une mine de crayon, sont des tubes simples à parois minces, dénués de cils et de cartilage, et soutenus par une toile très délicate de fibres élastiques. Les canaux alvéolaires, en plus de participer aux échanges respiratoires, sont en communication avec les *alvéoles*, de petites cavités irrégulières spécialisées dans cette fonction. Les canaux alvéolaires se ramifient de 2 à 5 fois avant de se terminer dans une grappe d'alvéoles entourant un espace central. Chaque unité respiratoire terminale comprend donc un certain nombre d'alvéoles et leurs canaux respectifs. Un *lobule* pulmonaire comprend trois à cinq bronchioles terminales possédant chacune leur unité respiratoire terminale. Les poumons sont aussi divisés en *lobes*, trois pour le droit et deux pour le gauche. Chaque lobe est ventilé grâce à une *bronche lobaire.*

Quoique les échanges gazeux puissent se faire au travers des parois des canaux alvéolaires, le site privilégié de cette fonction se situe au niveau de la membrane alvéolaire. Les alvéoles sont les structures pulmonaires responsables de l'énorme surface disponible pour les échanges gazeux (c'est une surface supérieure à celle d'un court de tennis).

Les alvéoles (figure 15-4) sont constituées d'un épithélium très mince contenant assez de fibres élastiques pour leur permettre de s'étirer et de se refermer légèrement pendant un cycle respiratoire. La paroi alvéolaire est si mince que la membrane basale est souvent seule à séparer la paroi endothéliale monocellulaire d'un capillaire du revêtement épithélial monocellulaire d'une alvéole. Deux assises cellulaires seulement s'interposent donc entre l'air et le sang en ces endroits. Le réseau capillaire des parois alvéolaires est beaucoup plus dense que dans toute autre membrane du corps. En plus de se ramifier, les capillaires s'unissent les uns aux autres plusieurs fois avant de rejoindre le circuit veineux. Ils forment ainsi une sorte de toile très dense tout autour des alvéoles, arrangement qui correspond à peu près à l'établissement d'un film sanguin continu dans la paroi alvéolaire.

Les alvéoles contiennent de très grandes cellules sécrétrices du surfactant et beaucoup de macrophages tissulaires. Elles ne possèdent ni revêtement muqueux ni cils. Toutes les particules qui atteignent les alvéoles ne peuvent être éliminées que par les macrophages après phagocytose. Elles sont alors transportées soit au niveau des bronchioles, soit dans le réseau capillaire lymphatique du tissu pulmonaire. Si les macrophages atteignent les bronchioles, l'escalier mobile muco-cilié pourra expulser les particules et leurs hôtes hors des voies respiratoires. Si elles atteignent la lymphe, elles seront probablement capturées au niveau des noeuds lymphatiques. Les poumons des fumeurs d'habitude, des travailleurs des mines de charbon et des citadins en général, contiennent un grand nombre de particules de charbon; il est surprenant de constater combien les noeuds lymphatiques pulmonaires peuvent en accumuler.

De fins pores interalvéolaires font communiquer les alvéoles les unes avec les autres (les *pores de Köhn* appelés *pores septaux*). Leur nombre semble augmenter avec l'âge, peut-être à cause d'infections pulmonaires répétées.

L'appareil circulatoire pulmonaire offre un grand nombre de voies d'évitement au sang pendant son trajet vers et hors des parois alvéolaires. On croit qu'un des rôles du poumon serait d'agir en tant que filtre sanguin. Même chez des individus normaux, le sang coagule d'une façon assez régulière dans les veines; des emboles se détachent éventuellement de ces caillots et atteignent la circulation pulmonaire où elles peuvent être bloquées et détruites par les macrophages. Sans voies d'évitement pour l'écoulement sanguin, tous ces minuscules fragments provoqueraient des lésions du tissu pulmonaire à chaque fois qu'ils resteraient coincés quelque part, empêchant le sang de passer librement. Les poumons possèdent de plus une circulation bronchique à demie indépendante (une branche du réseau circulatoire systémique, et non pas de la circulation pulmonaire) qui irrigue les parois des bronchioles. Un certain nombre de raccords permettent même aux bronchioles de recevoir du sang de la circulation pulmonaire advenant le cas d'un blocage de la circulation bronchique systémique.

LE TRANSPORT DES GAZ

Comment l'oxygène est-il transporté des poumons vers les autres tissus de l'organisme? Comment le gaz carbonique est-il acheminé des tissus vers les poumons? Comment peut-il exister un flux bidirectionnel simultané de O_2 et de CO_2 au niveau des alvéoles, l'oxygène se déplaçant dans une direction alors qu'en même

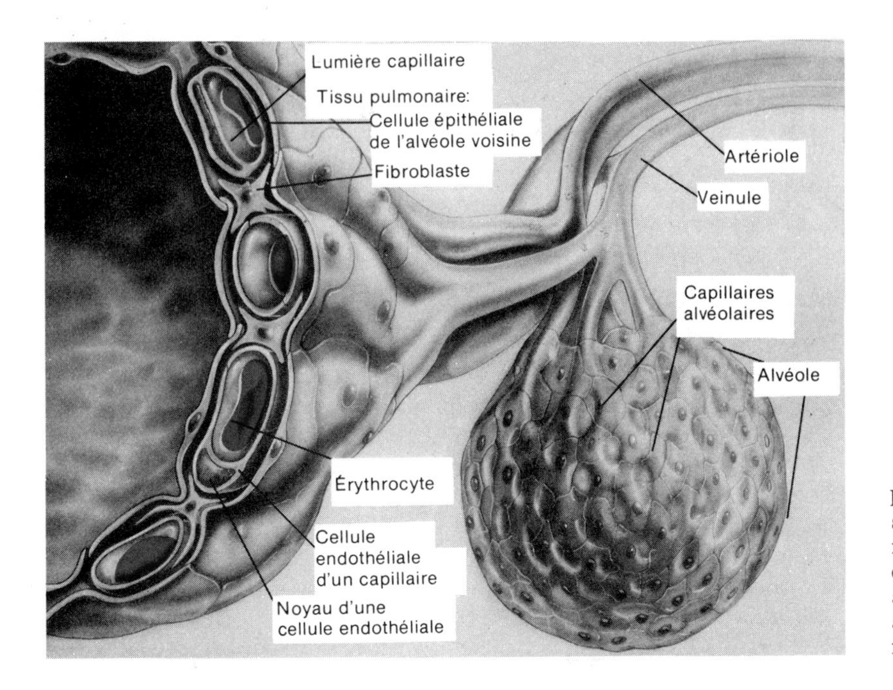

Figure 15-4 Schéma très simplifié de la structure pulmonaire montrant la disposition des capillaires dans les parois interalvéolaires. Les alvéoles adjacentes n'ont pas été dessinées.

temps et au même endroit le gaz carbonique se déplace en sens contraire?

Les pressions partielles

Selon la *loi de Dalton*, la pression totale d'un mélange gazeux est égale à la somme des pressions individuelles des gaz constituants. La pression atmosphérique terrestre, au niveau de la mer, peut soutenir une colonne de mercure (Hg) haute de 760 mm (pression de 101,3 kPa). Comme l'air contient de l'oxygène dans une proportion d'environ 21 pour 100, la part de ce dernier gaz dans la pression totale est $760 \times 0{,}21 = 160$ mm Hg (21,2 kPa): c'est la *pression partielle* d'oxygène, P_{O_2} atmosphérique. Si vous prenez un verre d'eau fraîchement bouillie (l'ébullition ayant chassé presque tous les gaz dissous) et que vous le déposez sur le comptoir, vous pouvez imaginer le scénario suivant. L'eau est exposée à la pression atmosphérique (760 mm Hg ou 101,3 kPa) dont 160 mm (21,2 kPa) sont dus à O_2; comme la pression gazeuse dépend du bombardement de la surface liquidienne par les molécules constituantes du gaz, un certain nombre de molécules de O_2 pénètrent dans le liquide. L'oxygène étant peu soluble dans l'eau, sa diffusion dans le liquide diminue rapidement puis s'arrête. Pour être plus précis, on dira alors qu'il entre dans l'eau autant de molécules de O_2 par unité de temps qu'il en sort. Cet équilibre de diffusion s'établit lorsque P_{O_2} de l'eau devient égale à celle de l'air, soit 160 mm Hg (21,2 kPa); il n'y a plus de flux net de O_2 entre l'air et l'eau.

Appliquons ce scénario aux échanges gazeux pulmonaires tels que présentés à la figure 15-5*a*, en faisant abstraction des GR et de l'hémoglobine. La pression partielle de O_2 moyenne de l'air alvéolaire est d'environ 100 mm Hg (13,3 kPa). [De fait, les alvéoles contiendraient autant de O_2 que l'air atmosphérique, soit 160 mm Hg (21,2 kPa), s'il n'y avait pas toujours un mélange d'air inspiré et expiré dans les poumons.] Puisque l'équilibre de diffusion est atteint au niveau des capillaires pulmonaires, P_{O_2} plasmatique au sortir des poumons égale 100 mm Hg (13,3 kPa). Les cellules de l'organisme prélèvent continuellement O_2 du liquide interstitiel, créant ainsi un déficit en O_2 autour d'elles par un effet de siphon. Comme la diffusion se fait toujours des zones de forte pression vers celles où la pression est plus faible, O_2 quitte les capillaires vers le liquide interstitiel et le milieu intracellulaire où il est utilisé et sort de la solution. Le sang veineux systémique contient donc moins de O_2 que le sang artériel et, au passage suivant dans les alvéoles, il en reprend une nouvelle charge.

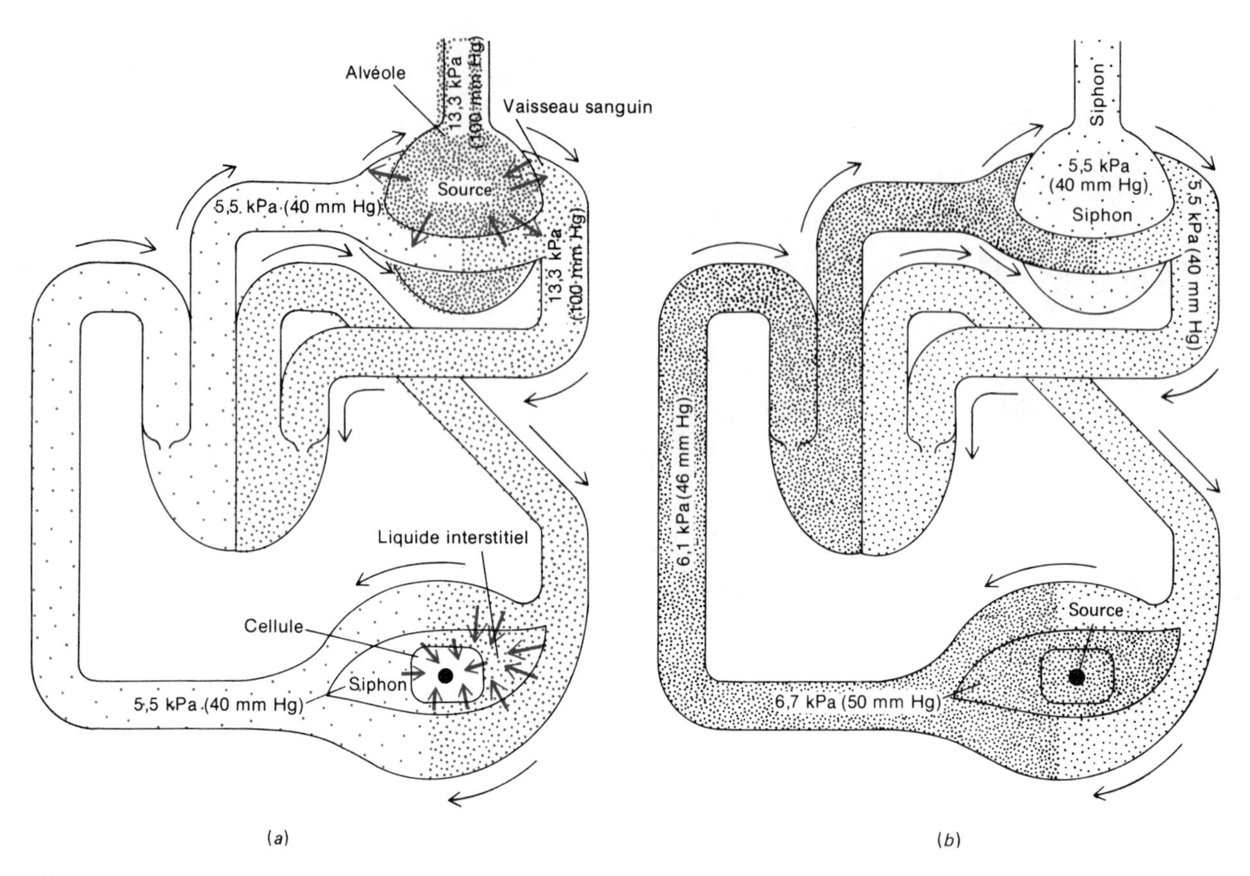

Figure 15-5 Le transport des gaz respiratoires s'il n'y avait pas de globules rouges. (*a*) Oxygène. (*b*) Gaz carbonique.

Appliquons maintenant le même raisonnement au CO_2 (figure 15-5*b*). Dans ce cas la source de CO_2 est le métabolisme cellulaire et le gaz carbonique rejoint le sang au niveau des capillaires systémiques. Transporté vers les poumons, il diffuse vers l'air alvéolaire parce que P_{CO_2} de ce milieu est plus faible que celle du sang.

La loi de Dalton stipule que la pression totale d'un gaz est égale à la somme des pressions partielles des gaz constituants. En conséquence, les gaz tendent à diffuser indépendamment les uns des autres selon les gradients de pression des divers milieux qui leur sont accessibles. La diffusion de O_2 n'interfère donc en rien avec celle de CO_2 et vice versa. On explique ainsi les mouvements gazeux alvéolaires bidirectionnels de O_2 et de CO_2, chacun diffusant selon des forces qui s'appliquent pour eux seuls selon leurs pressions partielles respectives dans le torrent circulatoire, toujours renouvelé et recirculé par la pompe cardiaque, et dans l'air alvéolaire renouvelé par la pompe pulmonaire.

À quoi servent les globules rouges?

Si le plasma sanguin peut ainsi transporter seul les gaz respiratoires, alors pourquoi avons-nous besoin des GR et de tout l'appareil régulateur qui les fabrique et en dispose? Pour répondre à cette question, il faut que vous compreniez très bien la différence qui existe entre la pression partielle d'un gaz dans un liquide et la quantité réelle de gaz dissous. Nous avons déjà dit que la pression d'un gaz est une force qui dépend de l'énergie cinétique des molécules constituantes, leur énergie étant elle-même proportionnelle à la température et inversement proportionnelle au volume. La *solubilité* est le nombre de molécules qui peuvent se dissoudre dans un liquide sous certaines conditions. L'oxygène est peu soluble dans le plasma. Retournez à la figure 15-5*a*; vous constaterez qu'à P_{O_2} égales, il y a plus de molécules de O_2 par unité de volume dans l'air que dans le plasma. Il arrive que P_{O_2} alvéolaire pousse des molécules de O_2 dans le plasma tant que celui-ci peut en dissoudre à cette pression. Ensuite, quoiqu'il entre toujours des molécules de O_2 dans le plasma, il en sort autant par unité de temps, repoussées par une force égale à celle qui les fait entrer. P_{O_2} alvéolaire et plasmatique sont maintenant identiques même si, à volume égal, le plasma contient beaucoup moins de molécules de O_2. Si on augmente artificiellement P_{O_2} alvéolaire, la quantité de O_2 dissoute dans le plasma augmente en proportion, mais ne pourra jamais égaler ou même approcher la densité des molécules dans l'air. Dans des conditions normales, 100 ml d'air contiennent 21 ml de O_2; dans les mêmes conditions, 100 ml de plasma n'en contiennent que 0,03 ml. Cette quantité est totalement inadéquate pour les besoins d'un organisme à sang chaud; ce serait comme aérer un haut fourneau avec un ventilateur de maison!

L'hémoglobine, un siphon à O_2 Lorsque le sang parvient aux poumons, la différence de P_{O_2} entre l'air alvéolaire et le plasma permet à l'oxygène de passer dans ce dernier jusqu'à égalisation des pressions partielles plasmatique et alvéolaire. Les GR toutefois contiennent de l'hémoglobine (Hb), une molécule qui est avide de O_2. Lorsque O_2 pénètre dans les cellules, il se lie immédiatement à Hb pour former de l'*oxyhémoglobine* (*HbO_2*):

$$\text{Hémoglobine} + \text{Oxygène} \leftrightharpoons \text{Oxyhémoglobine}$$

Les GR soutirent ainsi O_2 tant et aussi longtemps que Hb peut en capter. Cette fixation permet la dissolution d'une quantité supplémentaire de O_2 dans le plasma, O_2 qui diffuse vers les GR. Il existe donc un courant continu de O_2 entre l'air alvéolaire et les GR tant que ces derniers peuvent fixer O_2. À saturation ce courant s'arrête; P_{O_2} plasmatique a alors atteint la valeur de P_{O_2} alvéolaire. Ce processus se fait très rapidement et, en général, l'équilibre est atteint en dedans d'une seconde, soit le temps que prennent les GR pour parcourir le premier tiers des capillaires alvéolaires. Le siphon hémoglobinique a alors capté assez d'oxygène pour que le sang contienne environ 20 ml de O_2 par 100 ml.

L'oxyhémoglobine, une source de O_2 Qu'arrive-t-il ensuite à l'oxygène? Il est d'abord transporté vers les tissus où la situation des pressions partielles est inversée. Les cellules enlèvent des molécules de O_2 du liquide interstitiel parce que P_{O_2} tissulaire est plus faible que P_{O_2} plasmatique. L'oxygène diffuse donc hors du plasma et l'oxyhémoglobine se sépare de O_2 qui diffuse vers le plasma pour combler le déficit (maintenir P_{O_2} globulaire = P_{O_2} plasmatique). Le courant de O_2 du plasma vers les tissus se poursuit, de même que la dissociation de HbO_2, jusqu'à ce que P_{O_2} plasmatique soit égale à P_{O_2} tissulaire. À ce moment le sang est encore saturé à 75 pour 100 en O_2, ce qui signifie que la demande tissulaire ne représente en moyenne que 25 pour 100 de la capacité de transport du sang (le sang artériel est normalement saturé à 97,5 pour 100). C'est une marge de sécurité considérable. Certains tissus, comme un muscle en pleine activité, peuvent cependant utiliser jusqu'à 75 pour 100 de l'oxygène transporté par le sang.

L'effet Bohr La baisse de P_{O_2} plasmatique provoque la dissociation de HbO_2. L'accélération de cette réaction due à la présence de CO_2 produit par la respiration cellulaire se nomme l'*effet Bohr*. Lorsque CO_2 est mis en présence de Hb il s'y attache; cette liaison, quoique réalisée en un site moléculaire différent de celui où s'attache O_2, facilite la séparation de O_2 de l'hémoglobine. De plus, CO_2 dissous forme rapidement de l'acide carbonique dans les GR (les GR contiennent de grandes quantités d'anhydrase carbonique qui accélère la réaction $CO_2 + H_2O \leftrightharpoons H_2CO_3$); la dissociation de l'acide carbonique en $H^+ + HCO_3^-$ acidifie le milieu, un autre facteur qui favorise la dissociation de HbO_2. Les muscles en activité libèrent de grandes quantités de CO_2 en plus de former de l'acide qui diminue encore plus le pH sanguin. La dissociation de HbO_2 est encore augmentée par une élévation de la température. On constate que plus un tissu est actif, plus sa demande en O_2 est forte et, parallèlement, plus il peut en soutirer grâce à

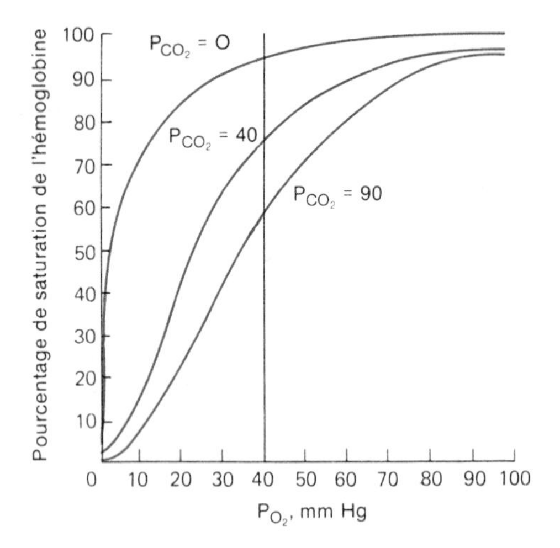

Figure 15-6 Ces trois courbes montrent de quelle façon CO_2 affecte la dissociation de HbO_2. Le pourcentage de saturation est lu sur l'ordonnée (l'axe vertical). Si le sang contient 20 vol. pour 100 de O_2 (le maximum qu'il peut contenir) il est dit «saturé à 100%». Puisque la quantité de O_2 dissous dans le plasma est très faible, la plus grande part est transportée sous la forme de HbO_2. Si le sang ne contient que 5 vol. pour 100 de O_2, il n'est saturé qu'à 25%, etc. La courbe supérieure montre ce qui se passe si le sang ne contient pas de CO_2. La courbe du centre représente la situation normale du sang artériel, lorsque P_{CO_2} = 40 mm Hg (5,5 kPa). La courbe inférieure présente une situation pathologique où P_{CO_2} est de 90 mm Hg (12 kPa). Trouvez maintenant sur l'abscisse (l'axe horizontal) l'endroit où P_{CO_2} = 40 mm Hg (5,5 kPa) et suivez la ligne verticale. Ses points d'intersection respectifs avec les trois courbes permettent d'évaluer le pourcentage de saturation de l'hémoglobine dans les trois conditions, soit des valeurs différentes bien que P_{O_2} soit exactement la même. Ce phénomène se nomme l'effet Bohr.

sa grande production de CO_2 (effet Bohr), d'ions H^+ et de chaleur (figure 15-6).

Le transport du gaz carbonique Le gaz carbonique est transporté vers les poumons sous trois formes principales: 25 pour 100 combiné à Hb, 8 pour 100 dissous dans le plasma, 67 pour 100 en ions bicarbonate, HCO_3^-. La majeure partie du gaz carbonique est donc transportée à la suite de la réaction entre CO_2 et H_2O qui forme HCO_3^-.

$$CO_2 + H_2O \rightleftharpoons H_2CO_3 \rightleftharpoons H^+ + HCO_3^-$$

En plus des ions bicarbonate, ces réactions libèrent des ions H^+ qui réduisent le pH sanguin. Le pH du sang veineux est ainsi plus acide que celui du sang artériel et la différence serait plus considérable si H_2CO_3 était un acide fort et si Hb n'enlevait pas une fraction importante de CO_2 de la solution. La réaction entre Hb et CO_2 forme $HbCO_2$, la *carbamino-hémoglobine*. C'est aussi dans les GR que l'acide carbonique est formé et sa dissociation subséquente se fait dans un milieu riche en protéines qui peuvent associer une partie des ions H^+. Hb sert donc de tampon cellulaire, de la même façon que les protéines plasmatiques, en amortissant les variations de pH consécutives à une libération d'ions H^+. L'un des produits de la réaction $H^+ + HbO_2^-$ est O_2, comme nous l'avons mentionné plus haut.

Quant aux ions bicarbonate, ils diffusent hors des GR vers le plasma. L'équilibre électrique et osmotique est maintenu par un mouvement en sens contraire d'ions Cl^-(effet Hamburger). Lorsque le plasma quitte les capillaires tissulaires, sa P_{CO_2} est augmentée et, à son passage dans le lit capillaire alvéolaire, CO_2 sort du plasma vers le milieu gazeux alvéolaire. La baisse de P_{CO_2} plasmatique provoque l'inversion de toutes les réactions que nous venons de décrire: CO_2 se détache de Hb, les ions HCO_3^- reforment H_2CO_3 puis CO_2 et H_2O, etc. Ces phénomènes produisent un courant de CO_2 vers l'air alvéolaire tant que P_{CO_2} plasmatique est plus grande que P_{CO_2} alvéolaire. À l'équilibre le mouvement s'arrête, soit lorsque P_{CO_2} plasmatique atteint 40 mm Hg (5,5 kPa).

Quelques implications cliniques

Toute obstruction à la libre circulation des gaz respiratoires (par exemple des bouchons muqueux d'une bronchite chronique, un oedème pulmonaire, un épaississement des parois alvéolaires, etc.) peut être traitée par une administration d'oxygène. On augmente ainsi le contenu en O_2 de l'air inspiré et, par voie de conséquence, P_{O_2} alvéolaire, soit pour restaurer un gradient de diffusion normal, soit pour établir un gradient plus important. Si la surface alvéolaire d'un patient est réduite à la suite d'un emphysème pulmonaire, par exemple, ou encore si les parois alvéolaires deviennent trop épaisses (comme dans plusieurs maladies industrielles telles l'amiantose), l'augmentation de P_{O_2} alvéolaire compense en partie la plus grande résistance à la diffusion provoquée par la maladie. On rencontre beaucoup d'autres situations où l'oxygénothérapie peut être profitable. Il y a cependant des dangers à administrer O_2 à forte concentration puisque ce gaz peut provoquer des lésions à différents organes dont les alvéoles pulmonaires elles-mêmes. Le mécanisme de la toxicité de O_2 est peu connu. Dans des cas extrêmes, un empoisonnement à l'oxygène peut même provoquer une pneumonie fatale et faire apparaître des symptômes de troubles nerveux. Chez les bébés, cet empoisonnement peut induire la formation de cataractes ou même causer la cécité, des pneumonies et des crises convulsives. Encore une fois, on ne sait pas comment O_2 fait apparaître ces problèmes.

On peut faire en sorte que le sang de personnes dont la fonction respiratoire est normale puisse transporter une plus grande quantité de O_2. On utilise alors des chambres pressurisées où un sujet peut respirer de l'oxygène pur à une pression, par exemple, de 3 atm. P_{O_2} alvéolaire est alors augmentée d'un facteur 15 par rapport aux conditions normales. Avec une telle P_{O_2}, quelqu'un peut vivre pendant un certain temps sans GR sanguins. Si les GR et la fonction respiratoire sont normaux, on peut ainsi doubler la quantité d'oxygène transportée aux tissus.

Ce traitement *hyperbarique* est utile et bénéfique aux patients qui souffrent de gangrène gazeuse, produite par des bactéries anaérobies incapables de tolérer l'augmentation de P_{O_2} tissulaire due à l'hyperoxie en hyperbarie. On évite l'intoxication du patient en limitant la durée des traitements à une heure.

LA MÉCANIQUE VENTILATOIRE

La cavité thoracique est fermée et étanche; l'air ne peut donc normalement s'y introduire. Un feuillet musculaire, le diaphragme, en forme le plancher alors qu'un feuillet membraneux, le *médiastin*, la sépare en deux cavités latérales. Le médiastin, rappelons-le, contient le coeur, l'oesophage, la trachée et plusieurs structures associées. Chacune des deux cavités latérales renferme un poumon; les poumons sont librement gonflés par l'air. La cavité pleurale contient quelques ml de *liquide pleural*; celui-ci lubrifie l'espace compris entre les deux feuillets (viscéral et pariétal) de la plèvre. Pendant les mouvements respiratoires ils glissent l'un sur l'autre et toute entrave à ce mouvement, par accumulation d'air ou de liquide, est très douloureuse. Les causes les plus fréquentes de l'accumulation de liquide (épanchement pleural) sont les infections, les néoplasies et les embolies pulmonaires. Une *pleurésie* est une inflammation de la plèvre avec ou sans épanchement.

Si on veut comprendre le fonctionnement de la mécanique ventilatoire, il est important de savoir que la quantité de liquide pleural est si faible qu'il ne forme qu'un mince film entre les poumons et les parois de la cage thoracique. Si vous avez déjà essayé de séparer deux lamelles de verre mouillées, vous avez constaté qu'il était très difficile de le faire sans les glisser l'une sur l'autre. On peut comparer les lamelles aux deux feuillets de la plèvre, apposés l'un sur l'autre sans que l'air ne puisse pénétrer dans la cavité pleurale. Lorsque le thorax prend de l'expansion, le liquide pleural entraîne les parois membraneuses des poumons qui suivent le mouvement. Leur volume augmente, la pression du gaz alvéolaire baisse légèrement sous la valeur de la pression atmosphérique, ce qui crée la force nécessaire à la pénétration de l'air dans les poumons. La fin de l'inhalation correspond au moment où l'expansion de la cage thoracique s'arrête; les pressions intra-pulmonaire et atmosphérique deviennent égales et l'air cesse de pénétrer dans les poumons. C'est la fin de l'*inspiration*.

La vue du squelette de la cage thoracique permet de constater que chaque côte peut pivoter autour d'une articulation vertébrale. Du fait de leur forme arquée (voir figure 7-49) les côtes, lorsqu'elles se soulèvent, se portent en dehors en éloignant le sommet des arcs costaux du plan sagittal un peu à la manière de l'anse d'un seau (figure 15-7). L'élévation simultanée de toutes les côtes vers le haut et vers l'extérieur augmente les diamètres antéro-postérieur et transversal de la cage thoracique. Dans la respiration calme, les muscles intercostaux sont responsables de ces mouvements. Au même moment, la contraction du diaphragme comprime les viscères abdominaux et augmente le diamètre vertical de la cage thoracique. L'effet global rappelle celui d'un soufflet à double action qui peut multiplier par deux le volume de la cage thoracique.

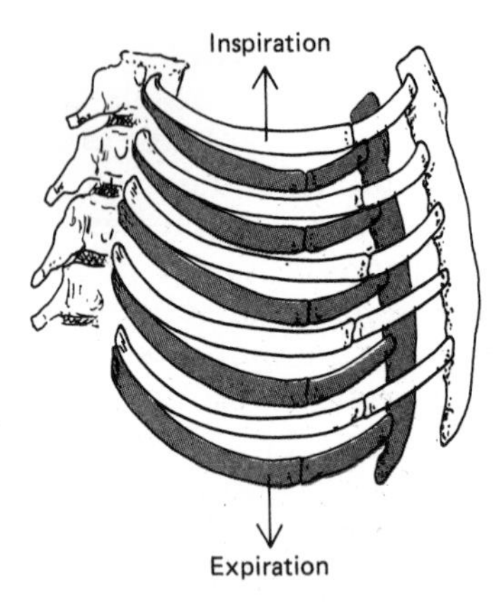

Figure 15-7 La forme et les dimensions de la cage thoracique changent pendant un cycle respiratoire. Lors de l'inspiration les muscles intercostaux externes soulèvent les côtes vers le haut et vers l'extérieur. Au même moment le diaphragme (non illustré) se contracte, augmentant le diamètre vertical de la cage thoracique. Cette double action aspire de l'air dans les poumons. L'expiration spontanée (normale) se fait grâce aux forces de rétraction élastique passives du système poumon-thorax lors de la décontraction des muscles inspiratoires. Pour une expiration forcée (non illustrée), les muscles intercostaux internes se contractent et réduisent encore plus le volume de la cage thoracique.

L'*expiration* est un processus presque complètement passif qui repose sur la force de rétraction élastique des poumons et des structures thoraciques. La relaxation des muscles inspiratoires permet leur retour en position de repos et la diminution du volume de la cage thoracique. L'air quitte les poumons puisque la pression du gaz alvéolaire devient alors plus grande que celle de l'air ambiant.

Cette description des mouvements respiratoires s'applique seulement à la respiration calme. Par exemple, pendant l'expression verbale ou encore la course, les muscles abdominaux appuient sur le contenu abdominal. Les viscères pressent ainsi sur le diaphragme, favorisant l'expiration. Une inspiration forcée, comme par exemple pendant un exercice violent ou à cause d'une maladie pulmonaire, recrute plusieurs des muscles supérieurs du tronc. La ventilation est plus complète et augmente la capacité de diffusion des poumons puisque plus d'alvéoles sont fonctionnelles (la dilatation d'un plus grand nombre d'alvéoles augmente la surface pulmonaire). En conséquence, plus de capillaires participent aux échanges gazeux qui sont ainsi plus efficaces. Les muscles respiratoires accessoires sont attachés indirectement aux côtes, souvent même de façon peu commode; leur efficacité est donc faible en tant que muscles respiratoires, mais en situation d'urgence leur aide peut être considérable et leur activité est déclenchée automatiquement. Le tableau 7-8 décrit le rôle des principaux muscles respiratoires.

Si l'air pénètre dans la cavité pleurale, soit à cause d'une perforation de la cage thoracique ou d'un défaut de la paroi pulmonaire ou trachéale, il se produit un *pneumothorax*. À cause de leur tendance constante à se rétracter, l'un ou l'autre ou les deux poumons s'effondrent alors sur eux-mêmes. Les mouvements de la cage thoracique deviennent inefficaces puisque l'air circule maintenant par la plaie jusque dans la cavité pleurale; les poumons ne peuvent plus être distendus. Le pneumothorax peut survenir spontanément chez des emphysémateux si des alvéoles agrandies se brisent et permettent le passage de l'air dans la cavité pleurale.

LA RÉGULATION DE LA RESPIRATION

Le rôle des mouvements respiratoires est d'assurer le renouvellement du gaz alvéolaire. Les humains possèdent un appareil respiratoire basé sur le va-et-vient continuel de l'air. Puisqu'il reste toujours de l'air dans les poumons, même après une expiration forcée, l'air inspiré se mélange à un volume gazeux dont la composition demeure relativement constante. P_{O_2} varie, dans des conditions de repos, entre 90 et 155 mm Hg (12 et 20,7 kPa) et P_{CO_2} varie entre 32 et 45 mm Hg (4,3 et 6,0 kPa). En autant que l'oxygène est concerné, ces valeurs sont amplement suffisantes pour saturer l'hémoglobine et le poumon jouit, dans ce cas, d'une marge de sécurité importante.

Le problème est différent en ce qui concerne l'élimination de CO_2, un autre rôle important des poumons. Si ce n'était de l'enzyme anhydrase carbonique qui augmente la vitesse de dissociation et de formation de l'acide carbonique, l'évacuation de CO_2 en quantité suffisante serait impossible. On constate malgré

► Quelques termes de physiologie respiratoire couramment utilisés:

Apnée — arrêt de la respiration
Hyperpnée (hyperventilation) — respiration anormalement rapide et profonde
Dyspnée — manque d'air
Eupnée — respiration normale
Respiration de Cheyne-Stokes — périodes d'hyperpnée séparées par des périodes d'apnée. Accompagne plusieurs maladies. Souvent un signe de mort imminente.

tout que les concentrations sanguines de CO_2 (artérielles ou veineuses) sont beaucoup plus susceptibles de varier que celles de O_2, et que les effets de ces variations sur l'organisme sont beaucoup plus marqués lorsqu'ils affectent P_{CO_2} que P_{O_2}. C'est probablement la raison pour laquelle les processus d'évolution ont sélectionné d'abord P_{CO_2} sanguine, avant P_{O_2} sanguine, comme principal agent régulateur de la respiration.

L'automatisme respiratoire

La moelle allongée contient un groupe de neurones dont l'activité soutenue est le support de la commande inspiratoire. D'autres neurones, dispersés parmi les premiers, sont responsables de l'expiration. Ensemble, ces deux groupes assurent la rythmicité des mouvements respiratoires et sont collectivement nommés *centre respiratoire bulbaire* (*de la moelle allongée*), siège de la neurogenèse ventilatoire dans des conditions de repos. L'inspiration étant un processus musculaire actif et l'expiration un processus passif, le système neuroventilatoire possède donc un fonctionnement basé essentiellement sur une commande inspiratoire (provoquant l'inspiration) suivie d'une inhibition de cette commande (amenant l'expiration).

Quoique les interactions des nombreux centres cérébraux soient complexes et difficiles à interpréter (figure 15-8), le mécanisme de base semble reposer sur des neurones bulbaires dits inspiratoires, sur d'autres neurones bulbaires dits expiratoires, et sur l'activité du «centre» pneumotaxique situé dans le pont. En même temps que les neurones inspiratoires de la moelle allongée provoquent la contraction des muscles inspiratoires, ils envoient des influx vers le centre pneumotaxique qui stimule à son tour les neurones expiratoires bulbaires. Ceux-ci inhibent les neurones inspiratoires et l'expiration se produit. Ce circuit oscillant simple est responsable d'un cycle ventilatoire grossier et irrégulier. Il semblerait qu'un groupe de neurones situés près du centre pneumotaxique régulariserait le cycle.

Un individu normal respire souvent d'une façon calme et régulière mais ce n'est pas le seul type de respiration qu'il peut présenter. La ventilation augmente, par exemple, pendant l'exercice, l'acidose (réduction du pH sanguin), l'hypercapnie artérielle (quantité excessive de CO_2 sanguin) et, dans certains cas, l'hypoxie artérielle (faible teneur sanguine en O_2). L'hyperventilation semble être due au circuit oscil-

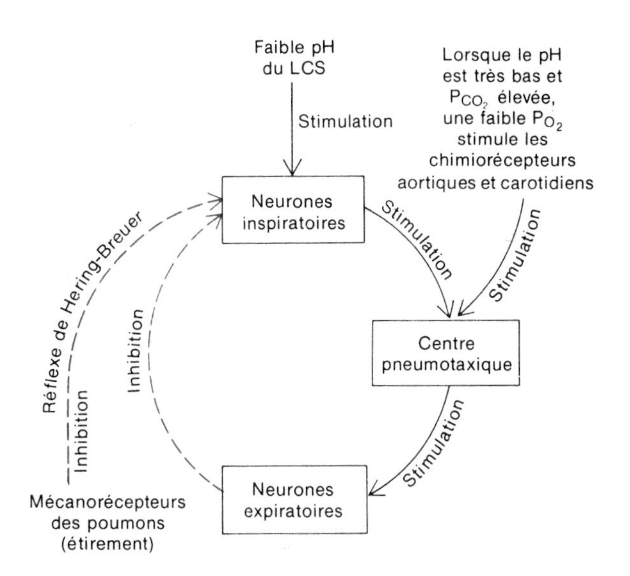

Figure 15-8 Le fonctionnement autorythmique des centres respiratoires (le pace-maker respiratoire).

lant déjà décrit; cependant les phénomènes se suivent à une fréquence beaucoup plus rapide que lors de la respiration calme.

Il semble que les centres respiratoires jouissent de la faculté d'autostimulation. Plusieurs facteurs externes peuvent toutefois l'influencer: l'un d'entre eux est l'étirement des mécanorécepteurs des parois pulmonaires; lorsqu'ils sont excités par l'inflation des poumons, ils produisent des potentiels d'action dont l'effet favorise l'expiration par inhibition de la commande inspiratoire (le réflexe de distension d'Hering-Breuer). D'autres influences viennent des corps aortiques et carotidiens, des structures chimiosensibles localisées dans les artères dont ils portent les noms. Leurs récepteurs détectent les variations de pH et, à un moindre degré, celles de P_{CO_2} et de P_{O_2} du sang. Puisque les changements de pH miment normalement ceux de P_{CO_2}, on peut dire que ces récepteurs sont d'abord sensibles à l'accumulation de CO_2 dans le sang, ce qui provoque une baisse du pH à cause de la formation d'acide carbonique; les signaux issus des récepteurs aortiques et carotidiens stimulent les centres respiratoires et la respiration s'accélère. De plus, les neurones du centre respiratoire bulbaire semblent être eux-mêmes sensibles aux changements de pH du liquide cérébrospinal. Puisque ce liquide est beaucoup moins bien tamponné que le sang, l'acide carbonique qui s'y accumule par diffusion à partir du torrent circulatoire diminue son pH d'une façon beaucoup plus importante qu'il ne pourrait diminuer celui du sang. Si le stimulus est assez intense, l'expiration devient un processus actif (activation des muscles expiratoires) et les muscles respiratoires accessoires entrent en action.

Sauf dans des conditions extrêmes, le rôle joué par l'oxygène dans ces mécanismes est complètement masqué par celui du gaz carbonique. Ainsi, jusqu'à un certain point, des situations comme la vie à haute altitude n'affectent que peu la ventilation.

Qu'est-ce qu'on entend donc par des conditions extrêmes? L'*emphysème* en est un exemple. Cette maladie se caractérise par une dégénérescence alvéolaire; son évolution débouche sur une insuffisance respiratoire, situation où la ventilation n'amène plus assez de O_2 dans le sang et n'en retire plus assez de CO_2. Le moindre exercice provoque l'essoufflement. L'emphysème s'accompagne d'ordinaire d'une inflammation bronchiolaire qui détériore encore plus l'état du malade en réduisant le calibre des voies respiratoires. Lors des exacerbations de la maladie emphysémateuse ou de tout autre trouble respiratoire qui limite les échanges gazeux, P_{CO_2} du sang et du LCS peut augmenter à un niveau critique. Le rythme de la respiration augmente mais est insuffisant pour venir à bout de l'hypercapnie sanguine. Le LCS réajuste éventuellement son pH à une valeur normale malgré cette hypercapnie, le rythme respiratoire diminue et l'oxygénation baisse en proportion. Ce n'est que lorsque P_{O_2} sanguine est tombée à une valeur suffisamment basse que les chimiorécepteurs sensibles à P_{O_2} logés dans les parois des vaisseaux sanguins stimulent enfin les centres respiratoires qui accélèrent le rythme respiratoire. C'est donc le manque de O_2 qui déclenche la ventilation d'appoint susceptible de sauver la vie du malade. L'administration non contrôlée de grandes quantités d'oxygène à ces patients peut être très néfaste.

Vous avez certainement constaté que la ventilation n'est pas réellement une activité volontaire, puisque alors il serait impossible de dormir. On a montré récemment qu'un individu peut être éveillé par des dérangements du système de contrôle de la ventilation. L'insomnie peut donc souvent dépendre d'un mauvais fonctionnement du pace-maker respiratoire. La plupart du temps le cycle ventilatoire se produit de façon automatique pendant les périodes d'éveil mais quelqu'un peut toujours modifier temporairement l'activité du pace-maker en le stimulant ou en l'inhibant de façon consciente.

On inhibe la respiration en retenant son souffle. Tout le monde sait toutefois qu'il y a une limite de temps (environ 1 minute en moyenne) qu'on ne peut dépasser. Même si quelqu'un devait perdre connaissance à la suite d'un essai prolongé (comme c'est parfois le cas chez des jeunes enfants difficiles) la ventilation reprend automatiquement. (Un tel comportement devrait toutefois être vigoureusement défendu puisqu'il est dangereux.)

L'hyperventilation

Certaines gens, comme par exemple les pêcheurs de perles, s'hyperventilent volontairement avant une plongée. La réduction consécutive de P_{CO_2} sanguine sous son niveau normal ne s'accompagne pourtant pas d'une hyperoxie sanguine. Pourquoi alors s'hyperventiler? Parce que l'hyperventilation retarde le moment où la commande inspiratoire devient irrésistible. Si elle dure trop longtemps, l'hyperventilation provoque des étourdissements et même la perte de conscience. L'explication vient du fait que P_{CO_2} agit d'ordinaire sur le centre vasomoteur bulbaire responsable du maintien de la tonicité des muscles vasculaires et, par conséquent, de la valeur de la pression artérielle. La baisse de P_{CO_2} aura donc un effet vasodilatateur généralisé.

Lorsque CO_2 est évacué trop rapidement, la pression artérielle diminue souvent brusquement. De plus, l'hypocapnie sanguine réduit l'importance de l'effet Bohr, de sorte que l'oxygène ne se détache plus aussi facilement de HbO_2 qu'il ne le fait dans des conditions normales. Les cellules nerveuses, particulièrement sensibles à l'hypoxie, seront responsables de la perte de conscience. Enfin l'hyperventilation provoque aussi une augmentation du pH sanguin, condition appelée *alcalose respiratoire*, qui présente de multiples effets physiologiques indésirables. L'hyperventilation peut être consécutive à l'anxiété de même qu'à plusieurs autres causes comme l'adaptation à la haute altitude, certaines maladies respiratoires comme l'asthme bronchique; parfois il semble n'y avoir aucune raison apparente.

L'acidose respiratoire

Suite à une atteinte respiratoire comme, par exemple, une maladie pulmonaire ou une mauvaise perfusion sanguine des poumons qui réduit les échanges gazeux, on assiste à une oxygénation insuffisante et à une évacuation inefficace de CO_2. L'accumulation sanguine de CO_2 diminue le pH à cause de la formation accélérée d'acide carbonique; il se développe une *acidose respiratoire*. L'évolution de cet état amène généralement le coma et la mort si aucun traitement n'est apporté. La *dyspnée* (un état de difficulté à respirer combiné à une sensation de manque d'air) est un signe imminent d'acidose quoiqu'elle puisse se produire en d'autres circonstances, alors que l'acidose n'est pas vraiment menaçante.

LES MÉCANISMES DE DÉFENSE DES POUMONS

Les délicates membranes alvéolaires sont continuellement exposées au milieu extérieur et elles ne possèdent aucun recouvrement protecteur comme, par exemple, le revêtement kératinisé de la peau. On estime à plus de 500 g la quantité de particules étrangères (incluant les microbes) inhalées pendant la vie d'une personne. De cette quantité, seulement 5 à 6 g (soit environ 1 pour 100) pourront être retrouvés dans les poumons à la mort. Avant la venue des antibiotiques, la mort était plus souvent qu'autrement causée justement par les quelques microbes qui réussissaient à traverser les barrières de défense de l'appareil respiratoire.

Le rôle des cils et du mucus

L'escalateur muco-cilié des parois de l'arbre bronchique nettoie l'air inspiré de presque toutes les particules qui s'y trouvent. Si l'air inspiré contient des substances irritantes, les principaux conduits des voies aériennes, surtout les bronchioles, réduisent leur calibre. La bronchoconstriction est extrêmement efficace pour diminuer le débit de l'air puisque la réduction de moitié de leur diamètre diminue le débit d'un facteur 8. Les particules en suspension peuvent ainsi se déposer plus rapidement et d'une façon plus complète; le contact prolongé entre l'air et les parois bronchiques favorise de plus l'absorption par le revêtement muqueux des impuretés de nature gazeuse. Ce qui reste dans l'air se dépose éventuellement dans les alvéoles et est phagocyté par les macrophages; si les particules sont assez fines, elles pourront être expirées. L'irritation de l'appareil respiratoire provoque une sécrétion accrue de mucus et, si elle persiste, de nouvelles glandes à mucus se développeront. L'accumulation de mucus aurait tendance à bloquer les plus petits conduits s'il n'était constamment enlevé par l'activité ciliaire. Lorsque celle-ci est ralentie, comme chez les fumeurs, la toux est le seul moyen d'évacuer le mucus vers la gorge. La contraction soutenue des muscles lisses bronchiolaires les fait grossir, de la même façon que l'exercice développe les muscles squelettiques. Plusieurs maladies respiratoires montrent cette combinaison d'une grande sécrétion de mucus et d'un fort développement de la musculature bronchiolaire.

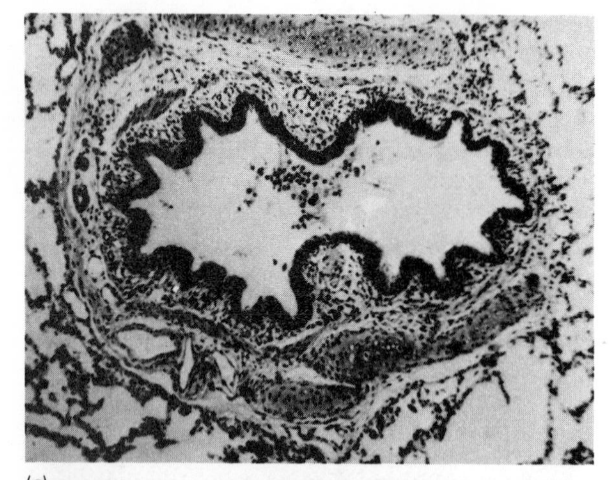

(a)

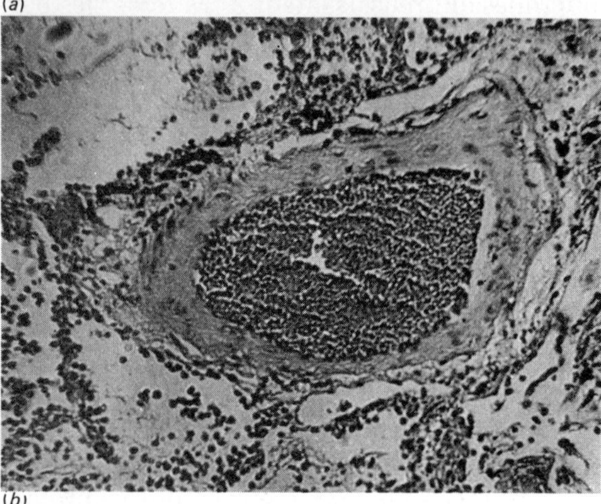

(b)

Figure 15-9 (*a*) Une bronche normale avec son cartilage de renforcement. On aperçoit quelques alvéoles en périphérie de la photomicrographie et on peut voir une faible quantité d'exudat dans la lumière bronchique (environ ×120). (*b*) Bronche complètement obstruée chez un patient souffrant d'une pneumonie en phase terminale (environ ×120). La paroi bronchique a été fortement modifiée par le processus pathologique. De telles obstructions se retrouvent aussi dans la bronchite chronique et dans plusieurs autres maladies respiratoires.

Le mucus contient souvent un grand nombre de leucocytes, soit des macrophages, soit des granulocytes. La présence de ces derniers dans les *expectorations* est d'ordinaire le signe de l'existence d'un processus pathologique. Les neutrophiles sont associés aux infections alors que les éosinophiles sont secondaires à des allergies ou à de l'asthme.

Le liquide tissulaire et les lymphatiques

Les parois des capillaires pulmonaires sont très minces et ne peuvent tolérer d'augmentation importante de la pression sanguine. On constate que le ventricule droit est beaucoup moins puissant et possède des parois plus minces que le gauche. La pression sanguine du circuit pulmonaire est en fait très basse, si basse que le sang peut à peine se rendre dans les parties supérieures des poumons lorsque quelqu'un se tient debout. Il semblerait donc raisonnable de penser qu'il se forme peu de liquide interstitiel dans le tissu pulmonaire, et que les vaisseaux lymphatiques y soient peu nombreux. Il ne semble cependant pas que ce soit le cas puisque les poumons possèdent un réseau très dense de capillaires et de noeuds lymphatiques. Il se peut toutefois que ceux-ci aient comme fonction première le nettoyage des alvéoles plutôt que le drainage du liquide tissulaire. Il se peut même que pendant l'inspiration, le liquide tissulaire, qui ne pourrait autrement quitter les poumons, soit activement succionné hors de ceux-ci par les lymphatiques. Normalement il ne s'accumule pas de liquide dans les alvéoles. Elles sont donc susceptibles de s'assécher et c'est pourquoi il est si important que l'air inspiré soit humidifié au maximum. Cette tâche primordiale est remplie par les cavités nasales.

Un mauvais retour sanguin au niveau des veines pulmonaires ou, plus fréquemment, une insuffisance du ventricule gauche (lors d'une crise cardiaque par exemple) provoque une accumulation de liquide dans les parois alvéolaires et même dans les alvéoles. L'*oedème pulmonaire* est alors dû à une augmentation de la pression sanguine pulmonaire qui favorise la sortie du liquide plasmatique hors des capillaires.

Les affections pulmonaires

Toutes les structures de l'appareil respiratoire sont sujettes à des troubles divers, comme des infections ou des cancers. Bon nombre des infections les plus fréquentes sont même de nature respiratoire; pensez au rhume de cerveau, l'influenza, la sinusite, la laryngite, la bronchite, la tuberculose, la pneumonie, etc.

Le tableau 15-2 présente la liste des volumes primaires du poumon et leurs valeurs normales. Ces mesures, surtout utiles pour faire de

Tableau 15-2 Les volumes primaires du poumon

Nom	Définition	Valeur normale en ml
Volume courant (VC)	Le volume d'air inhalé à chaque inspiration et rejeté à chaque expiration lorsqu'un sujet ventile spontanément (respiration calme)	500
Volume de réserve expiratoire (VRE)	Le volume de gaz additionnel qui peut être volontairement rejeté par un mouvement forcé en fin d'expiration spontanée	1 000-1 200
Volume de réserve inspiratoire (VRI)	Le volume de gaz additionnel qui peut être volontairement inhalé par un mouvement forcé en fin d'inspiration spontanée	3 300
Volume résiduel (VR)	Le volume de gaz dans les poumons qui ne peut être rejeté dans l'atmosphère après une expiration maximale	1 200
Capacité vitale (CV)	Le volume maximal qu'un sujet peut mobiliser volontairement au cours d'un seul mouvement ventilatoire CV = VRI + VC + VRE	5 000
Espace mort anatomique	Le volume d'air contenu dans la trachée, les bronches, et les autres structures pulmonaires qui ne participent pas aux échanges gazeux	150

grandes classifications des maladies respiratoires (obstructives vs restrictives), peuvent aussi servir en clinique puisque tout trouble respiratoire important provoque un changement de leurs grandeurs. Chez l'emphysémateux, par exemple, plusieurs bronchioles sont bloquées, les parois de maintes alvéoles ont perdu leur élasticité et, comme une bande élastique éventée, elles sont étirées en permanence, incapables d'expulser l'air pendant une expiration. En conséquence le volume résiduel est anormalement grand. Le tableau 15-3 présente quelques maladies respiratoires typiques.

Le tabagisme et la pollution de l'air

La forme bronchogénique (d'origine bronchique) du cancer du poumon est apparemment liée directement au tabagisme puisque son incidence est presque nulle chez les non fumeurs. Quelques autres facteurs sont aussi responsables de cette forme de cancer mais, pour les spécialistes, la relation est nette, claire et sans équivoque.

Le tabagisme rend aussi l'individu plus susceptible d'être atteint de la plupart des maladies respiratoires, de faire de l'hypertension artérielle et d'être atteint d'ictus, de crises cardiaques ou même de cancers de la vessie. Les conséquences immédiates du tabagisme sont toutefois le cancer du poumon et les maladies pulmonaires obstructives chroniques (*MPOC*) comme la bronchite chronique et l'emphysème (voir tableau 15-3).

Chaque bouffée de cigarette (surtout) détruit impitoyablement une minuscule surface d'épithélium ciliaire au niveau des bronchioles, favorisant l'accumulation de mucus responsable de ce qu'on appelle la «toux du fumeur». Concurremment les muscles lisses bronchiolaires s'hypertrophient, de nouvelles glandes à mucus se développent, déversant leurs sécrétions abondantes dans des passages déjà encombrés; les alvéoles s'affaissent et leurs parois dégénèrent dans une lente destruction emphysémateuse.

On pense qu'un fumeur peut être intoxiqué par la *nicotine*, un alcaloïde composant de la fumée de tabac. On peut difficilement expliquer autrement le comportement de certains fumeurs; il n'est pas rare en effet de rencontrer, à l'hôpital, des patients atteints de cancers du poumon et du larynx, des victimes de conges-

Tableau 15-3 Quelques maladies respiratoires représentatives

Maladie	Étiologie	Évolution	Traitement
MPOC (maladies pulmonaires obstructives chroniques) bronchite chronique, emphysème	Tabagisme, pollution atmosphérique et, dans de rares cas, facteurs héréditaires ou inconnus	L'irritation prolongée et répétée des parois alvéolaires provoque des lésions; leur destruction progressive réduit d'autant la surface d'échange pulmonaire et le nombre de capillaires fonctionnels. Les bronchioles, et surtout les bronchioles respiratoires, perdent leur support conjonctif et ont tendance à s'affaisser. L'obstruction est augmentée par du mucus et des débris inflammatoires. Le patient suffoque de plus en plus et ceux qui sont atteints gravement meurent d'infection respiratoire aiguë, d'insuffisance cardiaque ou encore d'insuffisance respiratoire terminale ou d'un pneumothorax. On a émis l'hypothèse que ces effets étaient dus à des protéases libérées par des leucocytes à la suite de leur contact avec des irritants.	Symptomatique. L'état du patient est permanent et incurable. On pense que les obstructions respiratoires chroniques seront bientôt la cause la plus fréquente des invalidités prolongées. Éviter les facteurs étiologiques.
Asthme	Hyperréactivité bronchique à différents stimulus dont les irritants, les allergènes, etc.	Bronchoconstriction rendant l'expiration difficile. Accumulation bronchique du mucus réduisant encore plus le débit ventilatoire. (La diminution de moitié du calibre d'un tube augmente d'un facteur 8 la résistance à l'écoulement d'un gaz.) L'asthme est une maladie dont la sévérité varie grandement d'un individu à un autre.	Inefficacité des antihistaminiques. Le soulagement est d'ordinaire obtenu par l'inhalation ou l'ingestion de médicaments bronchodilateurs et parfois par des stéroïdes. Les progrès rapides des recherches actuelles permettent d'améliorer de plus en plus les traitements traditionnels.
Tuberculose	Bactérie spécifique, *Mycobacterium tuberculosis* (susceptibilité très variable selon les groupes ethniques et raciaux)	Les bactéries spécifiques de la tuberculose sont relativement peu virulentes (pouvoir envahisseur et toxigénicité assez faibles) et leur multiplication est lente; elles possèdent toutefois une capsule résistante qui leur permet d'échapper à l'ingestion par les phagocytes. Elles se développent dans de petites loges (des *tubercules*) d'où elles sont expulsées par la toux. Leur ingestion peut leur permettre d'envahir les tissus du tube digestif. La destruction du tissu pulmonaire cause le décès, le plus souvent, en l'absence de traitement adéquat.	Polychimiothérapie antituberculeuse spécifique (streptomycine)

(Suite à la page suivante)

Tableau 15-3 Quelques maladies respiratoires représentatives (*suite*)

Maladie	Étiologie	Évolution	Traitement
Pneumonie	Inhalation d'huile; infection bactérienne (pneumocoques, staphylocoques, mycoplasmes et autres), virus (surtout ceux de la grippe)	Les alvéoles et les plus petites bronchioles s'emplissent de sécrétions épaisses d'où la détresse respiratoire. Le processus de guérison s'accompagne d'une liquéfaction des sécrétions par les leucocytes et de leur réabsorption, suivie par leur disparition par voie lymphatique. Dans la majorité des cas de rémission les poumons ne présentent que peu ou pas de lésions permanentes.	Antibiotique approprié au pathogène en cause; hydratation adéquate
Silicose	Maladie industrielle surtout, due à une exposition à des poussières de silice comme dans le décapage au jet de sable, le travail dans des mines, etc.	Les particules de silice inhalées sont phagocytées par les macrophages dans les alvéoles. Les particules causent la mort des macrophages et elles sont phagocytées de nouveau par d'autres macrophages. Les contenus cellulaires libérés favorisent le dépôt de fibres de collagène au niveau des parois alvéolaires, réduisant l'élasticité du tissu pulmonaire et ses capacités d'échanges gazeux (fibrose).	C'est un état permanent et incurable. Éviter une exposition ultérieure.
Amiantose	Inhalation de fibres d'amiante (maladie industrielle surtout) affectant les mineurs ou les ouvriers qui travaillent à la transformation des produits de l'amiante	Très proche de la silicose sauf en ce qui concerne les macrophages qui ne semblent pas être impliqués. Les fibres d'amiante, cependant, peuvent s'échapper des poumons et causer des mésothéliomes, c'est-à-dire des cancers de la plèvre. Les fibres d'amiante présentes sur les vêtements des mineurs, par exemple, peuvent provoquer la maladie chez des membres de leur famille, même s'ils ne sont pas directement exposés aux poussières de la mine.	Symptomatique. C'est un état permanent et incurable où le patient doit éviter une exposition ultérieure à l'amiante à partir du moment du diagnostic. Quant au mésothéliome, il est traité soit par radiothérapie ou par chimiothérapie, mais la plupart des patients décèdent en dedans de 2 ans.

tion respiratoire chronique et bien d'autres, des gens pour qui le tabagisme est formellement contre-indiqué et qui n'en continuent pas moins de fumer souvent d'une façon ininterrompue, occasionnellement même par une trachéotomie.

La fumée de tabac n'est pas seulement dommageable au fumeur lui-même mais aussi à son entourage puisqu'il pollue l'air que les autres doivent respirer. Plusieurs chercheurs ont montré que les enfants de parents fumeurs sont plus enclins à être affectés de maladies respiratoires de toutes sortes que ceux de parents non fumeurs; de plus en plus de données montrent que les femmes qui fument pendant une grossesse ont plus de chances de donner naissance à des bébés anormaux que celles qui ne fument pas.

Vous pouvez respirer l'air le plus pur qui soit, aussitôt que vous inhalez de la fumée de tabac vous respirez un air pollué au plus haut niveau. La fumée de tabac contient en effet un mélange

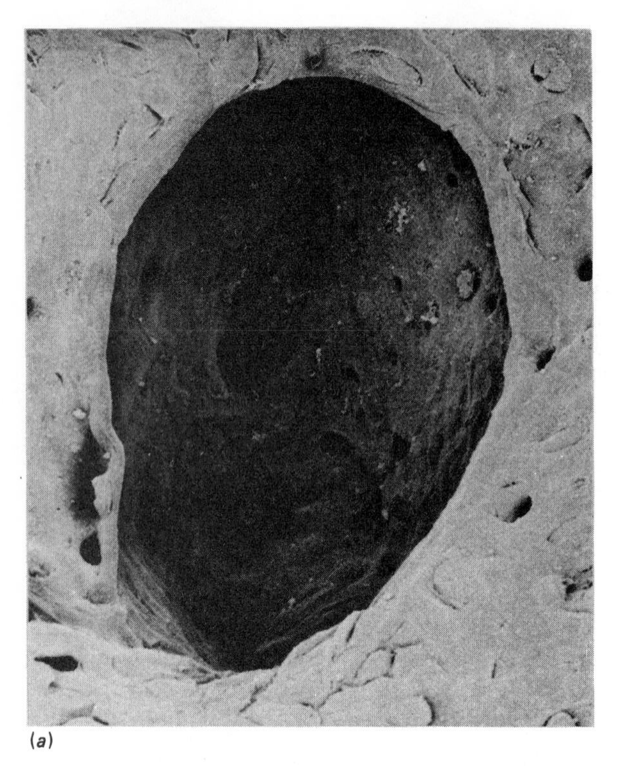

(*a*)

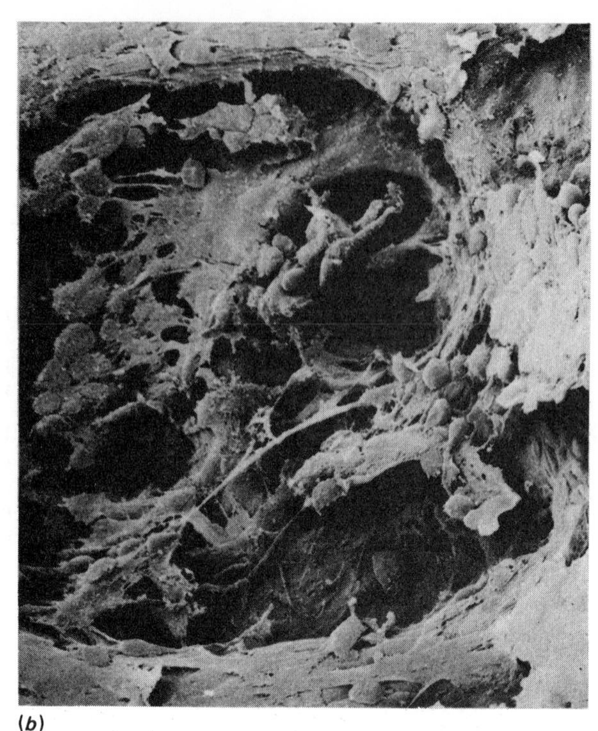

(*b*)

Figure 15-10 Photomicrographies au microscope électronique à balayage (environ ×500) montrant des alvéoles pulmonaires de singes rhésus. (*a*) Alvéole normale. (*b*) Alvéole provenant d'un animal exposé à de l'air contenant 0,5 partie par million d'ozone, un composant commun des atmosphères polluées photochimiquement. On remarque le grand nombre de cellules (probablement des macrophages) qui recouvrent la surface enflammée (ils ont la forme de petits nodules). De nombreux débris formés de tissu épithélial nécrosé obstruent partiellement l'alvéole. (*Dr Paul W. Mellick et Bioscience.*)

d'hydrocarbures, de gaz carbonique, de monoxyde de carbone, de poussières, de cyanure, et même de substances radioactives provenant des fertilisants utilisés pour cultiver la plante. Quoique le «goudron» soit probablement la composante la plus nocive de la fumée, un fumeur ne peut se sentir en sécurité même s'il achète les marques qui affichent les plus bas taux de goudron et de nicotine. La seule chose à faire est d'arrêter ou, encore mieux, de ne jamais commencer à fumer.

Les atmosphères polluées représentent un problème physiologiquement identique. Presque tout peut être une source d'impuretés atmosphériques nocives et notre environnement en contient de plus en plus, surtout en milieu urbain. Les principaux polluants sont des oxydes nitreux, des oxydes de soufre, l'oxyde de carbone et des hydrocarbures.

La plus grande partie de la pollution atmosphérique provient de la combustion interne des moteurs, l'automobile prenant la part du lion avec une proportion d'environ 50 pour 100. Un moteur automobile libère du monoxyde de carbone et des oxydes nitreux comme produits de combustion. De plus, la gazoline s'évapore du réservoir, du carter, et une partie non brûlée fuit avec les gaz d'échappement. Toutes ces substances subissent l'action du rayonnement solaire et produisent de l'ozone (figure 15-10)

$$(\text{Oxydes nitreux} + O_2 \xrightarrow[\textit{solaire}]{\textit{rayonnement}} \text{Ozone})$$

ainsi qu'un assortiment complexe de composés organiques dont certains, aussi présents dans la fumée de tabac, sont cancérogènes. C'est ce qu'on appelle une pollution d'origine photochimique; quelques villes très ensoleillées comme Los Angeles et Yokohama sont des endroits réputés pour la formation de tels brouillards.

La pollution due à des brouillards particulaires provient surtout d'antiques génératrices électriques fonctionnant au mazout sulfuré ou au charbon. Les composants nocifs de ces brouillards sont les particules de carbone, les cendres, les oxydes nitreux et de soufre. L'anhydride sulfureux (SO_2), par exemple, irrite les voies respiratoires en plus de réagir avec l'oxygène et la vapeur d'eau de l'air pour former de l'acide sulfurique. C'est ce type de pollution qui est responsable des «pluies acides».

Si les conditions atmosphériques favorisent la stagnation de ces nuages pollués (aucun vent, inversion thermique, etc.), les individus qui souffrent par exemple d'asthme, d'emphysème, de bronchite ou de pneumonie, voient leur condition empirer. Les périodes de grande accumulation de polluants sont particulièrement dangereuses pour les jeunes enfants et les gens âgés ou affaiblis, augmentant souvent le taux des décès d'une façon importante. Les effets à long terme d'une exposition chronique à des polluants atmosphériques sont moins dramatiques mais non moins dangereux que ceux du tabagisme. En Angleterre, par exemple, la bronchite chronique et l'emphysème, bien que plus fréquents chez les fumeurs, atteignent une proportion non négligeable de non fumeurs habitant des zones fortement polluées. Plusieurs données d'études épidémiologiques tendent à associer la pollution atmosphérique à l'apparition de beaucoup d'autres troubles respiratoires.

► Quelques remarques à propos du tabagisme

SI VOUS FUMEZ, vos chances de mourir d'un cancer du poumon sont 6 fois plus grandes que celles d'un non fumeur.

SI VOUS FUMEZ 2 paquets de cigarettes ou plus par jour, vos chances de mourir d'un cancer du poumon sont multipliées par 19 par rapport à celles d'un non fumeur.

SI VOUS FUMEZ, vos chances d'être atteint d'un cancer de l'oesophage sont 3,4 fois plus grandes que celles de celui qui ne fume pas.

SI VOUS FUMEZ, vous doublez vos chances de mourir d'une maladie cardio-vasculaire.

SI VOUS FUMEZ, vous avez 6 fois plus de chances de mourir d'emphysème pulmonaire que si vous ne fumez pas.

SI VOUS FUMEZ, vous avez 7 fois plus de chances de développer des ulcères gastriques (en particulier des ulcères malins) que si vous ne fumez pas.

SI VOUS FUMEZ, vous avez 3,9 fois plus de chances d'être mort à 45 ans que si vous ne fumez pas.

SI VOUS FUMEZ, vous doublez vos chances d'avoir un bébé qui contractera une bronchite ou une pneumonie pendant sa première année. Si vous êtes la mère et que vous fumez pendant votre grossesse, vous augmentez de plus d'une façon significative vos chances de mettre au monde un enfant mort-né ou de le perdre peu après l'accouchement.

Il n'y a aucune amélioration à fumer des cigarettes à faible teneur en goudron et en nicotine. Le fumeur a tendance à augmenter sa consommation de telle façon qu'il s'administre la même dose quotidiennement.

Si tous les fumeurs aux États-Unis d'Amérique arrêtaient de fumer, il y aurait au moins 70 000 à 80 000 vies de sauvées à chaque année. L'effet serait le même que celui de la découverte d'un traitement du cancer du poumon.

RÉSUMÉ

1 L'air atmosphérique pénètre dans l'appareil respiratoire par les narines, traverse les cavités nasales, le pharynx, la glotte et le larynx, avant d'atteindre la trachée, les bronches, les bronchioles et les alvéoles. L'air alvéolaire est expiré par la même route, en sens inverse.
2 Les cavités nasales filtrent et humidifient l'air; les impuretés qui restent sont presque toutes enlevées grâce à l'escalateur muco-cilié de l'arbre bronchique et de la trachée.
3 Les cordes vocales sont situées dans le larynx et leur tension est contrôlée par des muscles intrinsèques et extrinsèques. Elles permettent de fermer la glotte complètement pendant la déglutition et en certaines autres circonstances; pendant la phonation elles produisent la voix en vibrant dans le courant d'air, et le degré d'ouverture de la glotte détermine entre autres la hauteur des sons produits.
4 Les parois de la trachée et des bronches sont formées d'un mince tissu conjonctif renforcé à intervalles réguliers par des anneaux cartilagineux échancrés en forme de C. Elles sont couvertes du côté luminal par un épithélium cilié sécréteur dont le mucus sert à capturer (par adsorption) les particules inhalées.
5 Les bronches se ramifient en plus petites branches, les bronchioles, qui pénètrent profondément dans le tissu pulmonaire et se transforment en bronchioles respiratoires sur lesquelles s'ouvrent les alvéoles.
6 Les voies aériennes sont protégées non seulement par l'escalateur muco-cilié mais encore par des immunoglobulines, des macrophages et des granulocytes. Les leucocytes et les macrophages sont pratiquement les seuls moyens de défense que possèdent les alvéoles contre la présence de particules ou l'invasion microbienne.
7 En respiration calme, l'acte inspiratoire est actif; il dépend de la distension des parois de la cage thoracique provoquée par la contraction des muscles intercostaux externes et du diaphragme. L'expiration est un acte passif dû aux propriétés de rétraction élastique passive du complexe poumon-thorax. Pendant la respiration forcée plusieurs muscles accessoires sont mis à contribution, en particulier lors de l'expiration.
8 La diminution du pH sanguin est le stimulus adéquat de récepteurs situés dans les corps aortiques et carotidiens, et dans la moelle allongée. En général, l'acidose est accompagnée d'une élévation de P_{CO_2} sanguine et les centres respiratoires bulbaires accélèrent le rythme respiratoire.

QUESTIONS DE RÉVISION

1 Suivre le trajet d'une molécule de O_2 à partir de l'air ambiant jusqu'à son arrivée dans une mitochondrie d'une cellule rénale; nommer successivement et dans l'ordre toutes les structures respiratoires et circulatoires rencontrées.
2 Donner une brève description des mécanismes de protection de l'appareil respiratoire, en insistant sur:
- a) Les raisons pour lesquelles les particules sont captées par le mucus.
- b) L'activité des leucocytes.
- c) Le mouvement ciliaire.
- d) La bronchoconstriction.

3 Comment feriez-vous pour essayer de sauver la vie d'un client assis à une table voisine de la vôtre dans un restaurant et qui semble incapable de reprendre son souffle?
4 Qu'est-ce qui provoque la maladie de la membrane hyaline et pourquoi est-elle dangereuse?
5 Quelles maladies semblent être causées ou tout au moins aggravées par le tabagisme?
6 Comment expliquez-vous les échanges gazeux bidirectionnels entre l'air alvéolaire et le sang?
7 Qu'est-ce qu'une pression partielle?
8 Quels mécanismes incitent les GR à libérer de l'oxygène au niveau des capillaires systémiques?
9 Pourquoi une sténose mitrale peut-elle provoquer un oedème pulmonaire?
10 Qu'est-ce que l'effet Hamburger?
11 Montrer pourquoi *et* l'acide lactique *et* le gaz carbonique produits par un exercice musculaire important stimulent la fonction respiratoire.
12 Pourquoi doit-on être très prudent lorsqu'on donne de l'oxygène à un patient qui souffre d'insuffisance respiratoire chronique par maladie obstructive?
13 On a prouvé expérimentalement qu'un rat, par exemple, pouvait survivre en respirant une solution saline au lieu de l'air. Comment peut-on y arriver?

16 L'APPAREIL URINAIRE

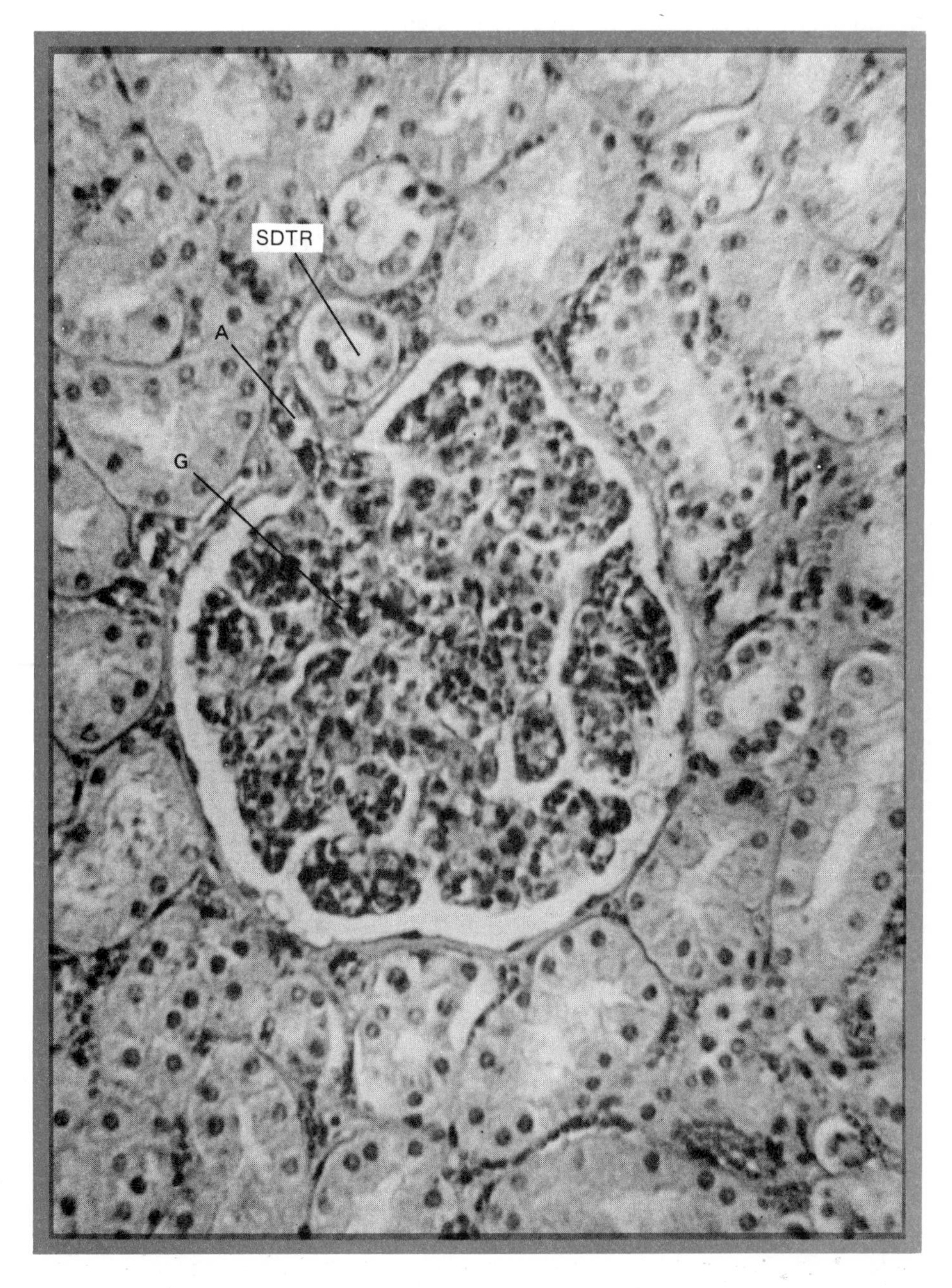

Photomicrographie d'un glomérule et des structures voisines (environ ×450). G, glomérule; A, artériole; SDTR, segment distal du tube rénal. Remarquer l'association étroite entre le segment distal du tube et l'artériole.

OBJECTIFS

L'étude de ce chapitre devrait vous permettre de:

1 Localiser les reins, décrire leur anatomie macroscopique, et connaître leurs principales fonctions.
2 Distinguer les deux grandes catégories de néphrons, les néphrons corticaux et juxtamédullaires, quant à leur anatomie, leurs proportions, leur localisation, leur vascularisation et leur rôle.
3 Décrire le rôle du glomérule et de la capsule glomérulaire dans la filtration.
4 Connaître les fonctions des tubes rénaux en ce qui concerne la concentration, la réabsorption et la sécrétion des principales substances qu'ils manipulent dont l'eau, le sodium, l'urée et le glucose.
5 Résumer le fonctionnement de la pompe à sodium et décrire son rôle en ce qui a trait à la réabsorption rénale du sodium et de l'eau.
6 Décrire le rôle des tubes collecteurs dans la réabsorption de l'eau.
7 Décrire les effets de l'hormone antidiurétique et de l'aldostérone sur le néphron et leur rôle dans l'équilibre liquidien (l'homéostasie liquidienne).
8 Résumer le rôle des reins dans l'ajustement du pH sanguin et expliquer de quelle façon les néphrons effectuent cette régulation.
9 Pouvoir donner des exemples précis de l'utilisation des résultats d'analyses d'urine dans le diagnostic clinique.
10 Décrire sommairement le traitement de l'insuffisance rénale en faisant référence à l'hémodialyse par le rein artificiel et à la transplantation rénale.
11 Décrire l'anatomie, la localisation et le rôle des uretères.
12 Décrire la structure et résumer les rôles de la vessie.
13 Comparer les trajets respectifs de l'urètre chez l'homme et la femme.
14 Schématiser le réflexe de la miction en insistant sur l'action du sphincter urétral et son inhibition.

Un humain produit chaque jour entre 1 et 2 l d'*urine*, un liquide jaune dont la composition est d'une très grande importance physiologique car elle reflète un état corporel sain ou maladif. Longtemps considéré comme un organe d'excrétion ou d'épuration, on constate aujourd'hui que le rein est avant tout un organe qui assure des fonctions de régulation: régulation du volume du milieu intérieur, de sa concentration, de sa composition électrolytique, de son pH, etc. Le rein jouit d'une très grande marge de manoeuvre dans l'élaboration de l'urine dont le volume, la pression osmotique, le pH et la composition, peuvent présenter d'importantes variations. Cette faculté d'adaptation permet au rein de veiller au maintien de l'homéostasie du milieu intérieur, fonction dont il est le principal effecteur. Par voie de conséquence, tout dérèglement organique qui a un impact sur la composition du liquide extracellulaire se répercute d'une manière ou d'une autre au niveau de l'urine formée dont les analyses, en laboratoire, deviennent un outil de diagnostic essentiel et sûr pour le clinicien.

Secondaires et consécutives aux fonctions de régulation, les fonctions d'épuration du rein se résument donc à l'excrétion, après leur filtration, d'un grand nombre de substances comme, par exemple, des déchets métaboliques, divers composés organiques toxiques, etc. Mais cette voie d'excrétion est pavée de mécanismes de récupération qui recueillent sélectivement, de l'autre côté du filtre, les produits utiles et les retournent dans la circulation.

L'appareil urinaire comprend deux *reins* responsables de la production de l'urine; chaque rein est relié à un *uretère*, voie de conduction de l'urine vers la *vessie*, là où elle s'accumule avant d'être rejetée à l'extérieur par l'*urètre* (figure 16-1).

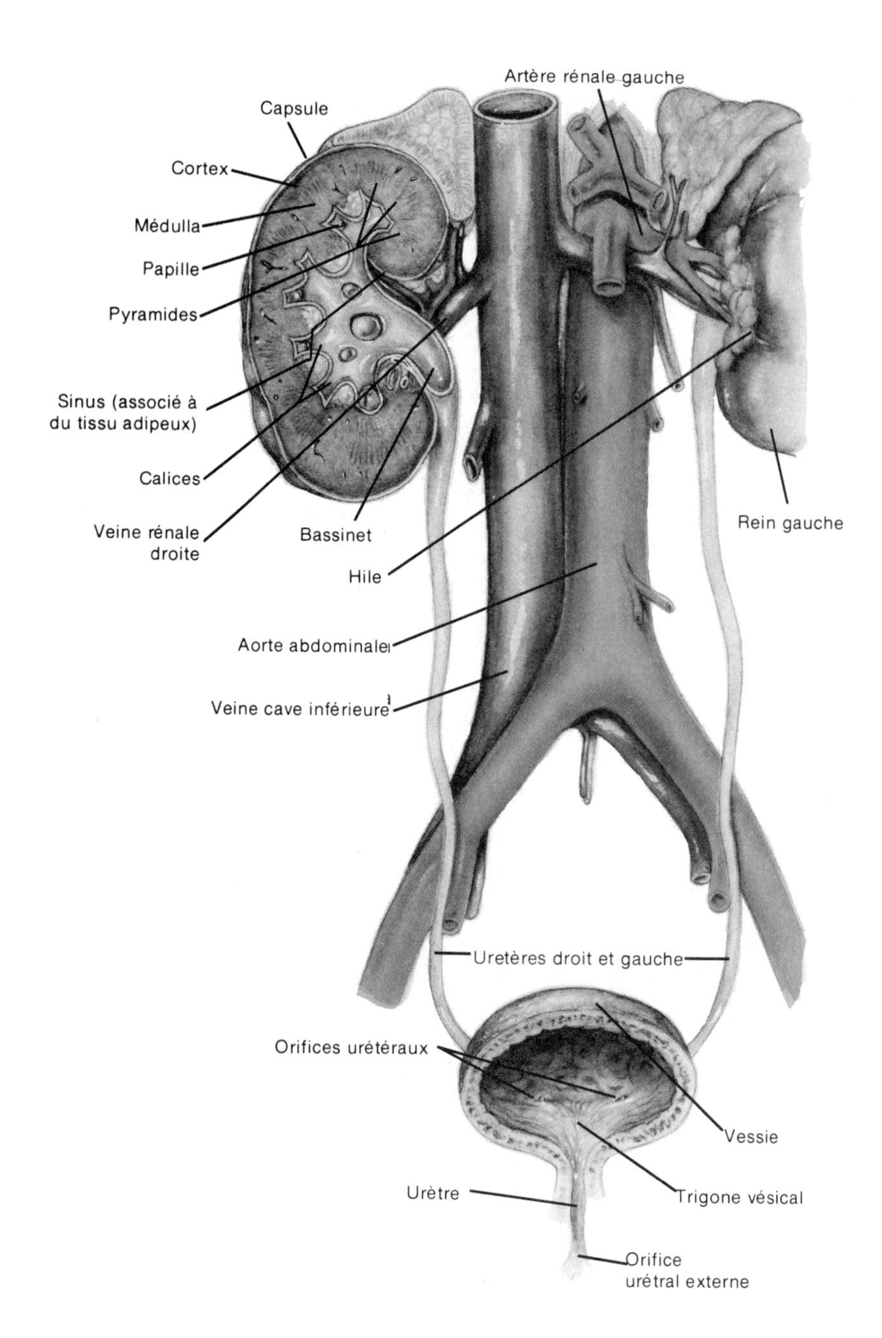

Figure 16-1 L'appareil urinaire féminin. L'un des deux reins est présenté en coupe sagittale pour exposer sa structure interne.

LES REINS

La fonction urinaire repose sur plusieurs organes; mis à part les reins, toutefois, il ne reste à toutes fins pratiques que de la plomberie. En effet les reins ont seuls la charge de produire l'urine, d'évacuer les déchets métaboliques et de récupérer les substances dont l'organisme a besoin. Ils sont situés immédiatement sous le diaphragme, plaqués contre la paroi postérieure de la cavité abdominale au niveau des premières vertèbres lombaires. Des coussins adipeux les maintiennent dans une loge derrière le péritoine. Chez des gens très maigres, ou encore chez ceux qui suivent une cure d'amaigrissement rapide où ils perdent entre 10 et 25 kg, les coussins peuvent s'avérer inadéquats, les reins glissant en position inférieure; cette *ptôse* (le déplacement d'un viscère par relâchement de ses attaches) est suivie parfois d'une obstruction urétérale intermittente ou de divers autres troubles (par exemple de l'infection, de l'hypertension, de la calculose[1]).

[1] Tendance à développer des calculs.

Le rein est un organe rouge foncé en forme de haricot et de la grosseur d'un poing. Le bord interne est concave et le bord externe est convexe. La concavité présente une échancrure en son centre, le *hile*, par où passent les vaisseaux sanguins, les uretères et les nerfs. Les artères et les veines rénales ont un diamètre qui semble démesurément grand par rap-

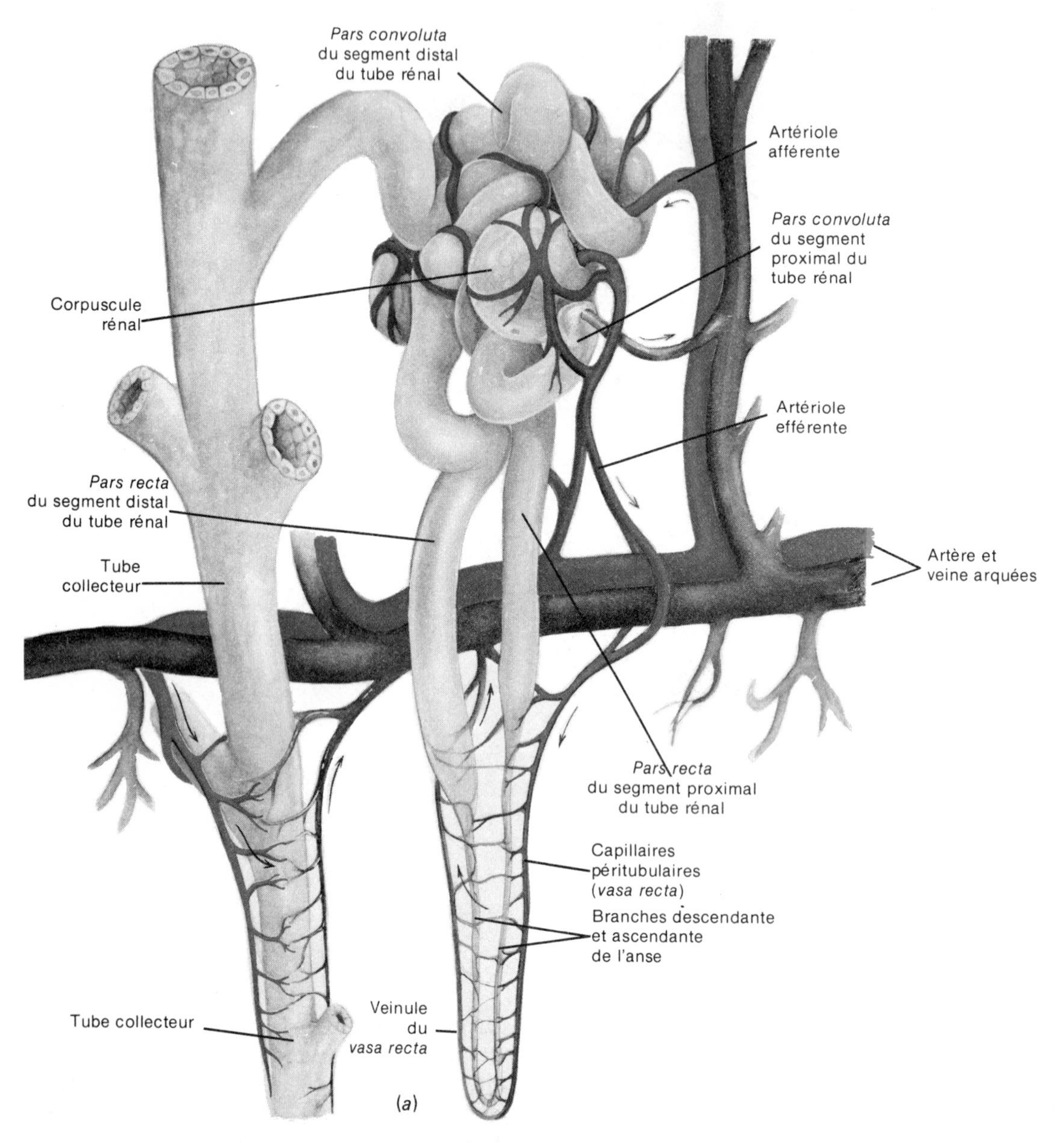

Figure 16-2 (*a*) Un tube rénal (néphron). Les flèches indiquent le sens du courant sanguin. (*b*) Capsule glomérulaire et glomérule. Pour la clarté de l'illustration, la membrane interne de la capsule glomérulaire a été représentée de façon distincte et séparée du glomérule. En réalité le feuillet viscéral est en contact étroit avec les capillaires qu'il entoure. On n'a pas représenté les podocytes.

port à la taille des organes irrigués; ces vaisseaux sont en effet de la grosseur du petit doigt. Mais cette situation s'explique par le fait que les reins, pour maintenir l'homéostasie du milieu intérieur, doivent traiter de grandes quantités de sang, jusqu'à 25 pour 100 du débit sanguin total.

L'examen macroscopique d'une coupe sagittale d'un rein faite parallèlement à ses deux faces révèle la structure interne de cet organe (figure 16-1). En pénétrant dans le rein par le hile, l'uretère s'évase en forme d'entonnoir (le *bassinet*) dans le *sinus rénal* avec les vaisseaux rénaux. Le bassinet se ramifie ensuite en plusieurs *calices*. Le tissu rénal qui entoure le sinus comprend deux zones facilement identifiables: l'une centrale, la *substance médullaire* ou *médulla*, et l'autre périphérique, la *substance corticale* ou *cortex*. De fines travées conjonctives séparent le tissu rénal en plusieurs *lobes* parfois visibles à la surface du rein. Chez la majorité des gens, toutefois, cette surface est lisse. Les lobes ont l'aspect de cônes tronqués et sont disposés de telle façon que l'urine puisse être déversée dans le bassinet.

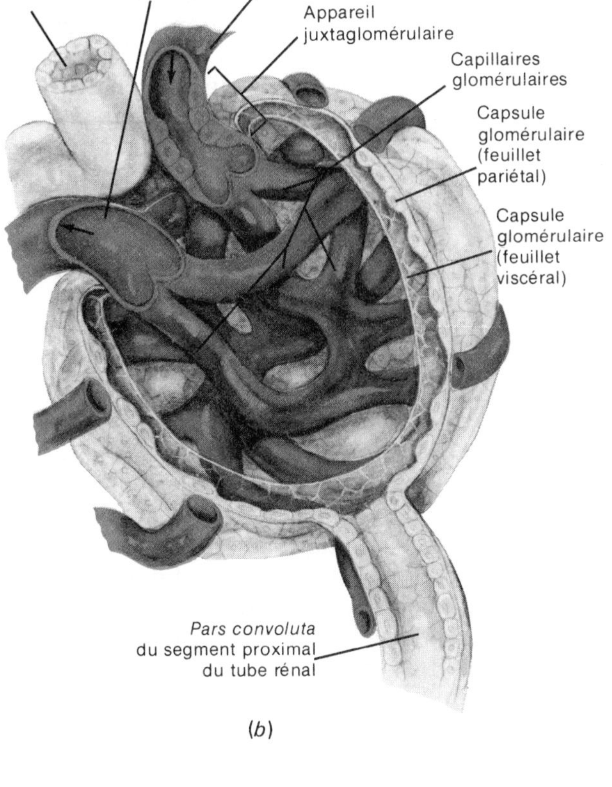

(*b*)

La partie supérieure de chaque cône lobaire est ainsi située dans la région médullaire du rein et porte le nom de *pyramide rénale* (*de Malpighi*). Celle-ci fait saillie dans le sinus et son sommet s'applique sur un calice en forme de coupe. Chaque rein contient en moyenne une douzaine de calices, chacun coiffant l'apex (la *papille*) d'une pyramide. La protubérance papillaire est percée d'un certain nombre de pores où des tubes collecteurs déversent l'urine dans le sinus. L'urine s'écoule continuellement par ces pores vers le bassinet, l'uretère et la vessie.

Les néphrons

L'examen microscopique permet de comprendre l'organisation fonctionnelle du tissu rénal. Celui-ci contient des vaisseaux sanguins, un grand nombre (environ 1 million par rein) de minuscules unités glomérulaires et tubulaires très délicates, les *néphrons* ou *tubes rénaux*, et des tubes collecteurs qui recueillent le liquide effluent et l'acheminent vers les papilles. Le schéma de la figure 16-2 montre qu'un néphron possède une anatomie fort complexe; de plus, *in situ*, les néphrons sont si bien imbriqués que le seul fait de pouvoir décrire un seul d'entre eux et ses relations avec les vaisseaux sanguins qui lui sont associés représente un pas important dans l'histoire de la biologie.

Dans l'ordre, les parties d'un tube rénal sont le *corpuscule rénal* (*de Malpighi*), le *segment proximal* (*tubule contourné proximal*), l'*anse* (*de Henle*) et le *segment distal* (*tubule contourné distal*). Ce sont toutes des structures creuses qui acheminent du liquide. Le corpuscule rénal est formé d'un *glomérule*, une pelote de capillaires entourés d'une capsule, la *capsule glomérulaire* (*de Bowman*). Imaginez un gros ballon partiellement gonflé dans lequel vous enfoncez le poing; l'*invagination* ainsi créée fait que votre poing est dans une cavité sans être réellement à l'intérieur du ballon. Le glomérule est en fait dans la même situation par rapport à la capsule que votre poing par rapport au ballon. Ceci signifie que les capillaires sont à l'intérieur d'une double enveloppe et que le sang est séparé du liquide capsulaire non seulement par la paroi capillaire, mais encore par le feuillet viscéral de la capsule. On peut observer une coupe d'un glomérule, du segment proximal du tube qui lui correspond et de son artériole sur la page titre du chapitre.

La filtration glomérulaire Revoyons ici quelques éléments de dynamique circulatoire. Vous vous rappellerez que lorsque le sang atteint l'extrémité artérielle d'un capillaire, sa pression hydrostatique est relativement élevée. En conséquence beaucoup de liquide (de l'eau et des solutés de faible masse moléculaire) filtre au travers des parois du capillaire vers le liquide extracellulaire, l'interstitium tissulaire. À cause du calibre très fin des capillaires, donc de leur grande résistance à l'écoulement, le sang qui parvient à l'extrémité veineuse a perdu une bonne partie de sa pression hydrostatique. La pression oncotique est alors généralement suffisante pour assurer le retour à l'intérieur du capillaire d'une fraction importante du liquide filtré, la fraction manquante étant, soit utilisée par le métabolisme cellulaire, soit ramenée dans la circulation générale par l'appareil vasculaire lymphatique.

Le glomérule est constitué de nombreuses anses capillaires courtes, pelotonnées à l'intérieur de la capsule. Il n'est donc pas surprenant de constater que l'hémodynamique glomérulaire s'apparente étroitement à celle qui règle les mouvements liquidiens transcapillaires ailleurs dans l'organisme. À son entrée dans le réseau capillaire glomérulaire, le sang pénètre en fait dans une portion évasée, ramifiée et fortement contournée, de l'artériole afférente elle-même. (Une artériole *a*fférente amène du sang *dans* une structure; une artériole *e*fférente ramène du sang *hors* d'une structure.) Le sang quitte ensuite le glomérule par une artériole efférente beaucoup plus petite (*pas* par une veinule). Cette réduction de calibre entre l'entrée et la sortie du glomérule permet d'y maintenir une forte pression. On doit donc s'attendre à une sortie importante de liquide hors des capillaires glomérulaires.

Tous les composants plasmatiques ne peuvent sortir avec la même aisance hors des capillaires glomérulaires. En général la porosité de la membrane basale (la *lamina densa*) du capillaire et du feuillet viscéral de la capsule déterminera la facilité relative avec laquelle les solutés pourront quitter les capillaires. Ces détails sont toutefois toujours sujets à controverse. Comme vous le constatez à la figure 16-3, l'endothélium capillaire est criblé de fénestrations (la *lamina fenestrata*). Ces pores peuvent être obstrués par de minces membranes semi-perméables qui limitent les mouvements des solutés de part et d'autre. Même si l'un d'eux passe au travers de ce premier filtre, il doit encore traverser la membrane basale du capillaire et le feuillet viscéral de la capsule avant d'en atteindre le pôle tubulaire et la lumière des tubes.

Le feuillet viscéral de la capsule glomérulaire est formé de cellules hautement spécialisées, les *podocytes*, qui possèdent des projections cytoplasmiques (en forme de pieds) s'appliquant sur la membrane basale des capillaires. Examinez ces podocytes à la figure 16-3. Les projections et leurs nombreuses digitations couvrent presque complètement la surface des capillaires glomérulaires. Il persiste toutefois des interstices entre les digitations des podocytes; on les appelle des *fentes de filtration*. Le filtrat doit passer au travers de ces fentes avant d'atteindre la lumière tubulaire. Le filtre glomérulaire est donc constitué de trois éléments dont l'intégrité est essentielle pour une filtration normale.

Le débit de liquide filtré (le *taux de filtration glomérulaire, TFG*) dépend de la *pression de filtration efficace*, soit la force résultante des composantes mécanique et osmotique des pressions respectives des compartiments capillaire et capsulaire. Le TFG résulte donc de l'action combinée de plusieurs facteurs. La poussée principale favorisant la filtration est fournie évidemment par la pression hydrostatique sanguine au pôle vasculaire de la capsule. La plus grande part de la résistance à cette poussée vient de: (1) la résistance des membranes au passage des substances, (2) la pression hydrostatique au pôle tubulaire de la capsule, (3) la différence entre les pressions osmotiques respectives du plasma et du filtrat (le liquide capsulaire).

Le processus de filtration ne contrôle à peu près pas la composition de l'urine primitive puisque, mises à part les protéines plasmatiques, presque tous les autres composants du plasma passent dans le filtrat glomérulaire. Les grosses protéines et tous les éléments cellulaires (globules et plaquettes) demeurent dans le sang; seulement un peu d'albumine réussit à filtrer. Le filtrat contient donc, entre autres, des acides aminés, du glucose, du sodium, du potassium, du chlore, des bicarbonates, des phosphates, de l'urée, un peu de protéines, mais surtout de l'eau.

Si le rein n'était qu'un filtre, aucun humain

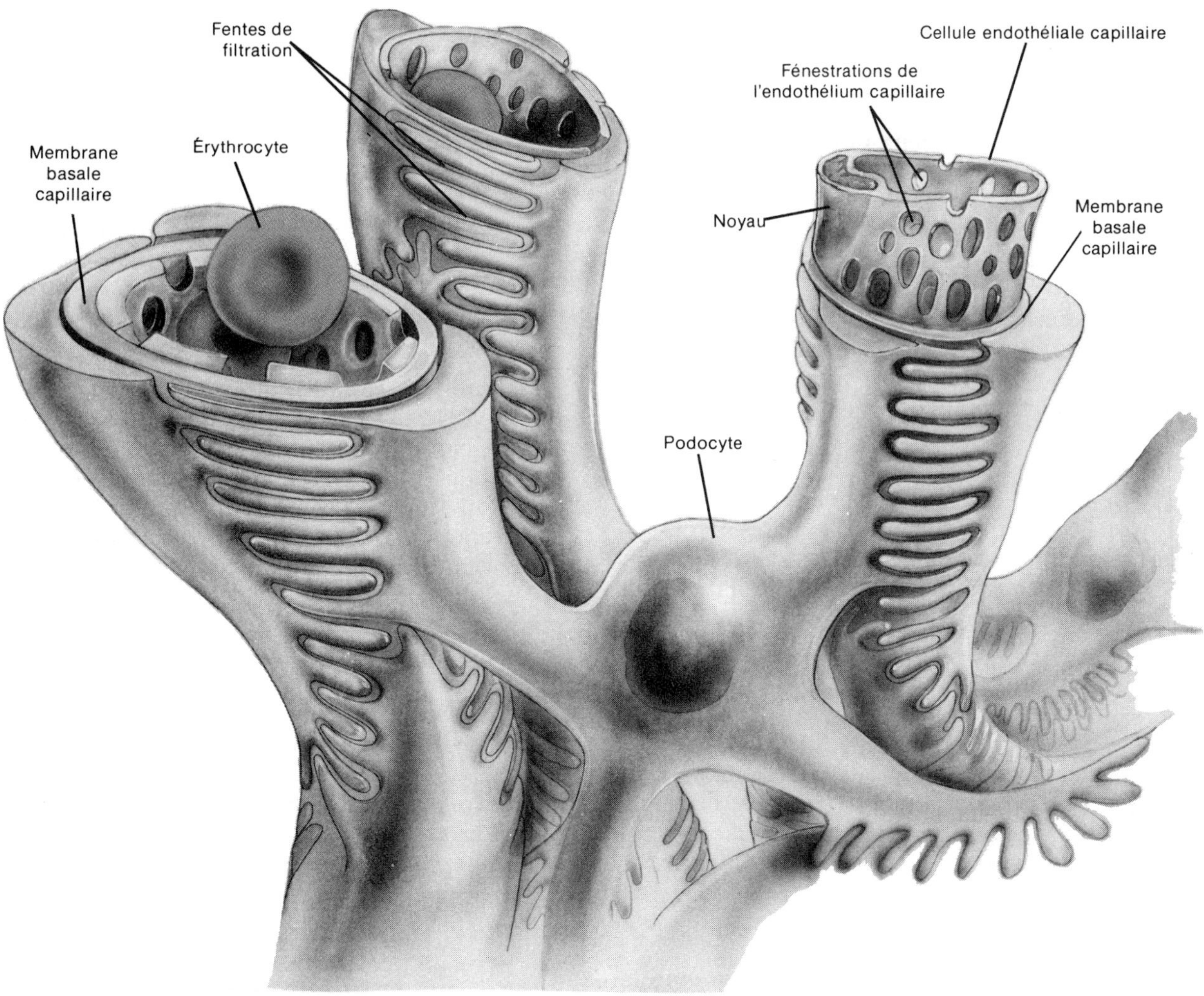

Figure 16-3 Une partie d'une anse capillaire dans un glomérule (environ ×10 000). Les podocytes sont des cellules structuralement compliquées qui forment le feuillet viscéral de la capsule glomérulaire. Leurs extensions cytoplasmiques en forme de pieds recouvrent presque complètement les capillaires sauf au niveau des fentes de filtration. On pense que ces fentes, en association avec la membrane basale et les fénestrations des capillaires, assurent le contrôle de la qualité du filtrat, laissant passer la plupart des substances plasmatiques à l'exception des constituants protéiques.

ne pourrait survivre plus de quelques heures; la perte des composants plasmatiques filtrables provoquerait la déshydratation rapide de l'organisme, de profonds dérangements physico-chimiques et la mort. C'est la réabsorption, l'activité principale des tubes rénaux, qui empêche cette éventualité.

La section spéciale sur la CLEARANCE RÉNALE décrit un test clinique servant à mesurer l'efficacité relative avec laquelle le rein filtre le plasma.

La réabsorption de l'eau En même temps que les déchets métaboliques et les surplus de diverses substances plasmatiques quittent le sang par filtration, un grand nombre de substances vitales passent aussi dans les tubes rénaux. Leur réabsorption est la seule façon de les conserver dans l'organisme. La réabsorption s'avère de plus un moyen d'une grande précision mis à la disposition du rein pour contrôler la composition chimique du sang puisque la quantité réabsorbée de chaque substance est en relation avec la quantité présente au même moment dans le sang. La régulation rénale de l'homéostasie sanguine dépend donc de la réabsorption tubulaire et les néphrons doivent répondre à deux impératifs particulièrement exigeants pour assumer cette fonction: (1) une grande surface de contact avec le filtrat et (2) un intense métabolisme énergétique pour le transport actif. Ainsi le revêtement interne des tubes rénaux est un épithélium cubique simple dont les cellules, en plus de présenter des microvillosités sur leur face apicale, contiennent de nombreuses mitochondries. Retournez au tableau 1-2 pour revoir ce type de tissu.

La qualité de la réabsorption dépend du type de néphron. On distingue en effet des néphrons corticaux (superficiels) et des néphrons juxtamédullaires, plus à l'intérieur du rein, «près de la zone médullaire». La distinction entre les deux types de néphrons n'est pas seulement une question de localisation, mais encore une question de vascularisation et de spécialisation.

Les néphrons corticaux L'anse des *néphrons corticaux* (*superficiels*) est entourée d'un réseau très dense de capillaires issus de l'artériole efférente. Le sodium est transporté activement hors du liquide tubulaire par un mécanisme cellulaire qui l'accumule dans le liquide interstitiel péritubulaire. Les cellules responsables de ce transport sont surtout celles de la partie contournée du segment proximal des tubes quoique celles des courtes anses caractéristiques de ces néphrons puissent aussi y participer. Le mécanisme cellulaire impliqué est la *pompe à sodium* (le *transport actif de* Na^+).

Les principales caractéristiques de ce mécanisme sont les suivantes:

1 Toutes les cellules possèdent un mécanisme actif de transport du sodium quoique certaines, comme les cellules des tubes rénaux et les cellules nerveuses, soient spécialisées dans cette fonction. Les cellules utilisent en général ce mécanisme pour maintenir une faible concentration en sodium dans leur cytoplasme (et en même temps pour y accumuler du potassium).
2 La pompe transporte activement du sodium contre des forces favorisant une diffusion en sens contraire (différence de concentration, différence de potentiel, ou les deux à la fois).
3 La pompe est associée aux membranes cellulaires.
4 La pompe utilise de l'ATP.

► La mesure de la clearance rénale

Il est parfois utile de connaître l'efficacité relative avec laquelle le sang est filtré aux glomérules, soit la capacité rénale de débarrasser le sang de certaines substances. La clearance rénale permet d'évaluer cette efficacité. C'est essentiellement une mesure de la filtration et elle dépend de l'état du glomérule et de son irrigation. On injecte au patient de l'*inuline*, un polyfructose non toxique, non métabolisé par l'organisme, librement filtré par le rein et non réabsorbé par les tubes. En prélevant des échantillons d'urine et de sang à intervalles réguliers et en comparant leurs concentrations respectives en inuline, on peut évaluer l'efficacité relative avec laquelle le polysaccharide est retiré de la circulation et excrété dans les urines. On utilise la formule suivante:

$$C = \frac{UV}{P}$$

où C = clearance à l'inuline, en ml/s, c'est-à-dire le volume de plasma complètement débarrassé de son inuline par unité de temps
U = concentration de l'inuline dans l'urine
V = débit urinaire, en ml/s
P = concentration de l'inuline dans le plasma

Le passage des ions sodium du liquide tubulaire vers le milieu extratubulaire interstitiel rend ce dernier légèrement hypertonique par rapport au liquide tubulaire. L'eau a donc tendance à sortir des tubes par osmose. Les sels, l'eau, et les autres substances réabsorbées par les parois tubulaires rejoignent la circulation capillaire qui les entraîne hors des reins par voie veineuse. On croit que l'eau et les solutés entrent passivement dans le torrent circulatoire. On constate que le sang du réseau capillaire péritubulaire est celui qui vient de passer dans le glomérule; il a donc perdu beaucoup d'eau et de solutés au profit du filtrat glomérulaire et sa pression hydrostatique a beaucoup diminué. Cependant il a conservé son contenu protéique qui exerce une force d'appel sur le liquide interstitiel rénal. Ces conditions favorisent une grande récupération liquidienne péritubulaire. Le liquide ainsi repris contient non seulement de l'eau, mais aussi du sodium et plusieurs autres solutés. Le résultat de ces mouvements est que le liquide tubulaire du néphron cortical demeure à peu près isotonique au sang mais diminue de volume (on estime le volume final à environ 20 pour 100 du volume original).

Quel est donc le rôle des néphrons corticaux? Si la concentration du liquide tubulaire n'a pas changé, il en est autrement de sa composition. Tout soluté dont la réabsorption est proportionnellement plus faible que celle de l'eau se concentre progressivement tout au long du néphron et est excrété plutôt que conservé. L'urée offre un bon exemple d'un tel composant; même si une certaine quantité d'urée est réabsorbée et retournée dans la circulation sanguine, la majeure partie est excrétée. Vous vous rappellerez que l'urée provient du catabolisme des acides aminés (voir au chapitre 12).

Les néphrons juxtamédullaires Les *néphrons juxtamédullaires* sont très différents quant à leur structure et leurs fonctions. Ils possèdent de très longues anses dont le rôle est de rendre le liquide interstitiel médullaire fortement hypertonique par rapport au sang. Leurs anses peuvent être subdivisées en deux segments fonctionnellement distincts: la *branche descendante*, dont les parois sont librement perméables à l'eau et aux solutés, et la *branche ascendante* où la réabsorption active vers le milieu péritubulaire est intense. Les parois de la branche ascendante sont imperméables à l'eau mais perméables au sodium, activement transporté par les cellules tubulaires vers l'interstitium médullaire. Une fraction importante de ce sodium diffuse dans la branche descendante dont le contenu en Na^+ augmente à mesure qu'elle plonge dans la médulla et approche de la pointe de la boucle. Comme Na^+ est activement pompé hors de la branche ascendante, le liquide qui émerge de l'anse et qui atteint le segment distal du tube rénal est généralement hypotonique au sang; en présence de ADH, toutefois, il redevient rapidement isotonique au liquide interstitiel puisque les parois des tubes sont alors perméables à l'eau. Le passage du filtrat par les anses n'aura donc servi qu'à déplacer des ions Na^+ vers la médulla pour y maintenir un important gradient de concentration. C'est le mécanisme d'*échanges par contre-courant* et la section spéciale sur le MÉCANISME DE FORMATION DE L'URINE DANS UN NÉPHRON JUXTAMÉDULLAIRE explique son fonctionnement.

Il semble que les échanges par contre-courant servent à établir une hypertonicité médullaire beaucoup supérieure à celle qui pourrait résulter uniquement des capacités de transport de la pompe à ions. À quoi sert l'hypertonicité médullaire? Notez que les tubes collecteurs des deux types de néphrons traversent la médulla pour atteindre la papille (figure 16-4). Leurs parois, lorsqu'elles sont perméables, laissent passer l'eau librement vers le milieu interstitiel médullaire hypertonique. Cette sortie d'eau, non accompagnée d'un mouvement de solutés, concentre le liquide tubulaire; celui-ci peut alors devenir hypertonique au sang. Une urine hypertonique est peu volumineuse et reflète le rôle homéostatique du rein qui tend alors à conserver l'eau dans l'organisme. L'urine sera concentrée et fortement hypertonique pendant des périodes de déshydratation, alors que l'apport d'eau réduit amène une augmentation de l'osmolarité sanguine; le sujet, dans ces conditions, a soif.

Qu'arrive-t-il à l'eau qui diffuse hors des tubes collecteurs dans le tissu interstitiel? Elle est recueillie par les *vasa recta*, des vaisseaux sanguins orientés dans le sens des pyramides et qui suivent le trajet des anses des tubes. Ils ramènent l'eau dans la circulation générale. Les vasa recta sont de longs prolongements des artérioles efférentes des néphrons juxtamédullaires, qui plongent profondément dans

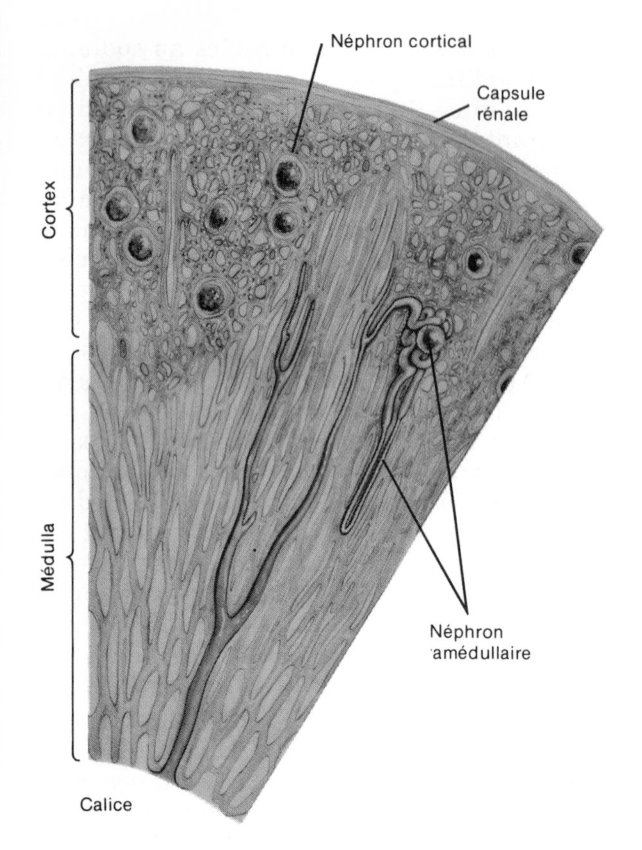

Figure 16-4 Localisation intrarénale des néphrons corticaux et juxtamédullaires.

la médulla pour revenir, après un coude en épingle à cheveu, s'abouter au drainage veineux du rein. Leur forme laisse à penser que, comme les anses des tubes rénaux, ils fonctionnent comme des échangeurs grâce au mécanisme à contre-courant.

En résumé, les néphrons corticaux et juxtamédullaires réabsorbent sélectivement des solutés et de l'eau, mais seuls les seconds participent à l'établissement et au maintien du gradient de concentration médullaire qui permet d'obtenir une urine hypertonique dans les tubes collecteurs.

Le débit urinaire Si les apports d'eau et de sels étaient réguliers, et si quelqu'un était toujours exposé aux mêmes conditions du milieu (température, humidité, sudation, etc.), il y aurait peu d'avantages à ce que le débit urinaire puisse varier. On sait toutefois que malgré des pertes et des gains liquidiens très variables, la concentration sanguine en eau et en sels est maintenue à l'intérieur de limites très étroites; c'est même une question de vie ou de mort. Comment le débit urinaire varie-t-il et comment est-il contrôlé?

► La formation de l'urine dans un néphron juxtamédullaire

La description débute avec la présence d'une certaine quantité de sang dans le glomérule d'un néphron *juxtamédullaire*. La pression hydrostatique pousse de l'eau et des solutés dans la capsule glomérulaire alors que presque toutes les protéines et les éléments cellulaires du sang demeurent dans les anses capillaires.

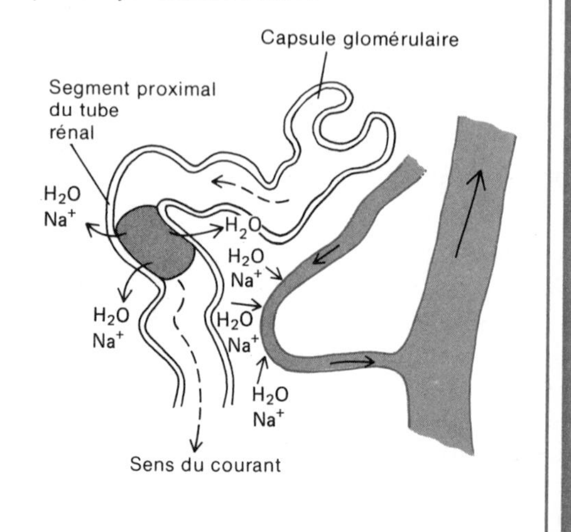

Repoussée par l'accumulation de liquide derrière elle, la gouttelette de filtrat s'engage dans le segment proximal du tube rénal où elle perd du sodium, activement transporté dans le liquide péritubulaire interstitiel par la pompe à sodium. Plusieurs autres solutés sont aussi transportés hors des tubes.

Le liquide interstitiel devient donc légèrement hypertonique. Les parois du segment proximal du tube rénal étant perméables à l'eau, celle-ci diffuse par osmose vers le liquide interstitiel. L'eau suit ainsi le mouvement des solutés hors du tube. Ces translocations ne modifient que très peu la concentration du filtrat tubulaire qui, cependant, perd du volume; environ 70 pour 100 du filtrat tubulaire (surtout de l'eau et des sels) est ainsi réabsorbé par le segment proximal du tube rénal. L'eau et les sels réabsorbés entrent dans le réseau vasculaire cortical et quittent le rein par la veine rénale.

Comme la gouttelette atteint maintenant la branche descendante de l'anse, elle pénètre dans une région où la concentration du liquide péritubulaire est hypertonique au plasma. [Rappelons que le sang a normalement une concentration de 300 mOsm (milliOsmoles), ce qui est en moyenne la concentration du liquide interstitiel cortical.] Les parois de la branche descendante de l'anse étant librement perméables à Na^+, Cl^- et H_2O, le liquide tubulaire se concentre rapidement, la diffusion de l'eau et des solutés maintenant l'isotonicité entre les liquides intra- et péritubulaire.

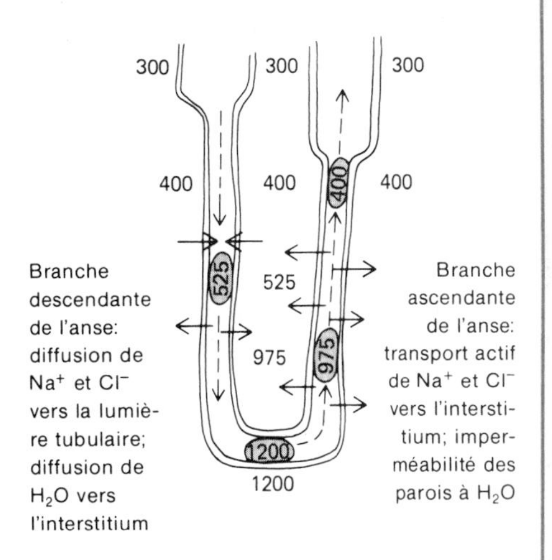

La gouttelette pénètre maintenant dans la branche ascendante dont les cellules pariétales possèdent une pompe à sodium capable de maintenir une différence d'environ 200 mOsm de part et d'autre de la paroi tubulaire. Comme celle-ci est imperméable à l'eau, le sodium passe seul dans le compartiment interstitiel, ce qui a une double conséquence: (1) le filtrat se dilue progressivement et (2) le dépôt continuel de sels dans le liquide péritubulaire provoque son hypertonicité.

Le mécanisme d'échanges par contre-courant ne sert qu'à maintenir cette zone de forte hypertonicité médullaire, particulièrement à l'extrémité des anses. Le parcours de la gouttelette suit un gradient le long duquel la concentration décroît de la pointe de l'anse jusqu'au cortex et la pompe n'a qu'à créer une différence de concentration transcellulaire d'environ 200 mOsm par niveau. Le résultat net de ce passage est donc que la gouttelette, dont la concentration était de 300 mOsm à son entrée dans l'anse, voit sa concentration augmenter jusqu'à éventuellement 1 200 mOsm, puis atteindre 100 mOsm à la sortie. La gouttelette est maintenant dans le segment distal du tube rénal et sa concentration est plus faible que celle du sang. Les parois tubulaires continuent à pomper Na^+ et Cl^-, en plus d'être perméables à l'eau. Ainsi le volume de la gouttelette est réduit d'un autre 10 pour 100, une diminution nette de 80 pour 100 par rapport au volume initial.

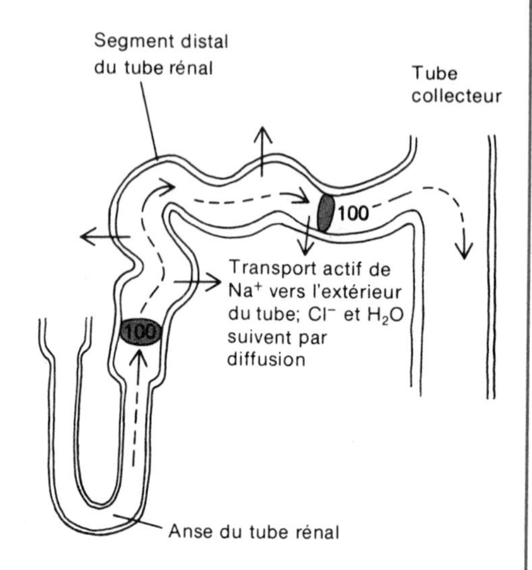

Le tube collecteur replonge dans la médulla le long des anses et des vasa recta. La gouttelette passe donc dans un milieu où la concentration croît progressivement. Les parois des tubes collecteurs étant perméables à l'eau mais non aux sels, le volume de la gouttelette diminue à mesure qu'elle s'enfonce dans la zone médullaire et sa concentration augmente. À la papille, son volume pourra être réduit à 99 pour 100 du volume original et sa concentration être égale à celle de l'interstitium au niveau de la papille, soit 1 200 mOsm. Le filtrat est maintenant de l'urine définitive. Une hormone, ADH, augmente la perméabilité des parois des segments distaux des néphrons et des tubes collecteurs, favorisant la production d'une urine concentrée et à volume réduit. La baisse de la concentration sanguine de ADH diminue la perméabilité tubulaire à l'eau; le volume urinaire s'accroît et sa concentration diminue. Où vont l'eau et les solutés réabsorbés? Ne pouvant s'accumuler en grande quantité dans l'interstitium médullaire, ils sont évacués par les vasa recta. Quoique l'on n'ait pas encore démontré la présence de pompes à Na^+ dans leurs parois, il est probable qu'un transport actif accumule Na^+ et Cl^- dans ces vaisseaux et que l'eau suive par diffusion passive.

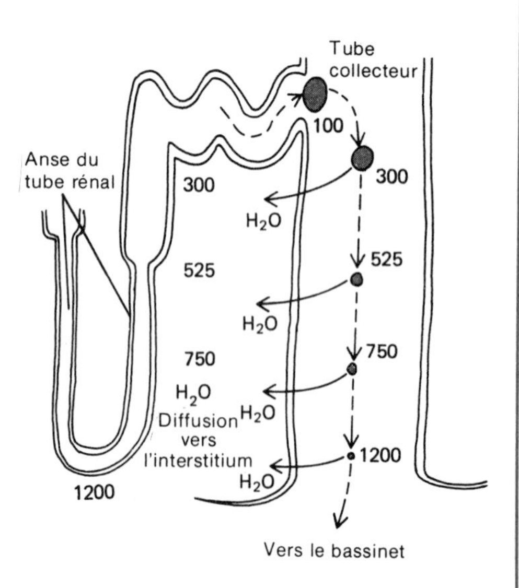

Dans des conditions normales de fonctionnement, le segment proximal des tubes rénaux présente une perméabilité à l'eau qui est indépendante de tout contrôle nerveux ou hormonal. Les mouvements de l'eau, dus essentiellement à la présence d'un gradient osmotique transépithélial établi par le transport actif des solutés, sont qualifiés d'*obligatoires*. Par conséquent la présence dans le filtrat glomérulaire d'un soluté non réabsorbé réduit le gradient osmotique et conserve une quantité d'eau supplémentaire dans les tubes. Il en résulte une diurèse dite de déterminisme proximal (ou *diurèse osmotique*).

Le segment distal des tubes et les tubes collecteurs montrent au contraire une perméabilité à l'eau qui dépend, entre autres, de l'hormone antidiurétique (ADH), sécrétée par la neurohypophyse. Les mouvements de l'eau sont qualifiés de *facultatifs* et sont proportionnels à la quantité de ADH en circulation; plus elle est grande, plus les parois tubulaires sont perméables et plus importante est la réabsorption d'eau vers l'interstitium rénal. L'hormone favorise donc la formation d'une urine concentrée à faible débit (*oligurie*). En l'absence de ADH le volume urinaire est augmenté et les urines sont diluées (*polyurie*). Cette diurèse est dite de déterminisme distal (ou *diurèse aqueuse*). On la retrouve, par exemple, dans le *diabète insipide*, affection où le patient a perdu la capacité de synthétiser ADH. Il doit boire d'énormes quantités de liquide pour compenser les pertes urinaires. Il ne faut pas confondre cette condition avec le *diabète sucré* (*diabetes mellitus*), causé par une incapacité pancréatique à sécréter de l'insuline. Ce dernier type de diabète implique aussi une augmentation du débit urinaire, mais c'est une diurèse de type osmotique, due à la présence d'une trop grande quantité de solutés «anormaux», comme le sucre, dans les urines. Le diabète insipide se traite par injections régulières de ADH et les urines du patient ne contiennent habituellement pas de sucre: elles sont «insipides» (ce nom, toujours utilisé, a été donné dans les temps héroïques du diagnostic médical où l'on goûtait l'urine).

L'ingestion de grandes quantités de liquide produit aussi une polyurie. Il est possible de boire pendant une certaine période de temps un volume de liquide qui dépasse la capacité d'excrétion des reins, réduisant temporairement la pression osmotique sanguine. L'eau excédentaire peut toujours être soutirée du sang grâce à l'appel osmotique de certaines sécrétions corporelles, comme le mucus qui recouvre les parois des voies respiratoires. L'afflux d'eau dans ces sécrétions les éclaircit et elles peuvent être plus facilement évacuées dans les expectorations. C'est la raison pour laquelle on suggère à des patients atteints d'infections respiratoires ou d'asthme de boire beaucoup de liquide.

Une ingestion excessive de liquide, par exemple 15 l par jour pendant plusieurs jours, dépasse les capacités d'excrétion du rein. Il s'ensuit une dilution progressive des liquides corporels qui risque d'être fatale; le liquide s'accumule, entre autres, dans les poumons, provoquant une lente suffocation.

La sécrétion de ADH augmente pendant le sommeil et diminue sous l'effet des *diurétiques*, des substances qui accélèrent la production d'urine. Cependant, les stimulants habituels de la sécrétion de ADH sont d'abord la réduction du volume plasmatique et ensuite l'hypertonicité sanguine alors que les inhibiteurs normaux sont l'hypervolémie et l'hypotonicité sanguine consécutives à une importante ingestion liquidienne. Le niveau de l'hydratation du sang semble être détecté par des osmorécepteurs hypothalamiques. La sécrétion de ADH peut alors être augmentée ou diminuée, selon le cas, par la neurohypophyse.

La réabsorption du sodium est principalement sous le contrôle d'une hormone du cortex surrénal, l'aldostérone. Les deux glandes surrénales sont situées immédiatement au-dessus des reins qu'elles coiffent. La sécrétion de l'aldostérone est contrôlée pour la plus grande part par le système rénine-angiotensine du rein (voir la régulation de la PAS, à la section suivante). Un certain nombre de facteurs hypophysaires, dont ACTH (l'hormone corticotrope), influencent aussi la sécrétion de l'aldostérone. Finalement l'augmentation de la natrémie (le taux du sodium sanguin) provoque une réduction de la production corticosurrénale d'aldostérone; la réabsorption sodique décroît, favorisant le maintien de l'homéostasie du milieu intérieur. L'aldostérone stimule aussi l'excrétion du potassium.

La régulation du volume sanguin Si quelqu'un boit un litre d'eau, elle est rapidement excrétée suite à une réduction de la concentration sanguine de ADH. Si cette même personne boit maintenant un litre de solution saline isotonique, non seulement l'eau mais encore les sels sont excrétés, plus lentement il est vrai, mais aussi sûrement. Si tel n'était pas le cas, le contenu liquidien de l'organisme serait augmenté d'un litre, provoquant un oedème tissulaire ou encore une élévation de la pression artérielle. Le problème ne se pose pas chez les gens en santé, ce qui signifie que l'organisme possède des détecteurs lui permettant de reconnaître le niveau de son capital liquidien et des moyens pour en corriger les variations. On connaît encore assez mal les détails de cette régulation; apparemment plusieurs structures réceptrices associées à l'appareil circulatoire seraient sensibles à des variables telles la densité du sang, sa viscosité, etc. Nous savons d'autre part que les barorécepteurs des corps aortiques et carotidiens sont sensibles aux variations de la pression artérielle. On pense que l'intégration des informations sensitives se fait dans l'hypothalamus où se règlent les taux de sécrétion de ADH *et* d'aldostérone aptes à maintenir l'homéostasie sanguine. La défaillance de ces mécanismes contribue à l'apparition d'une haute pression artérielle; c'est pourquoi le médecin imposera une diète pauvre en sel à des patients souffrant de haute pression ou de diverses autres maladies circulatoires.

La réabsorption des solutés La fonction homéostatique du rein repose sur la réabsorption, un processus très sélectif, alors que la filtration n'est qu'un phénomène passif et non discriminatoire, sauf en ce qui concerne les protéines et les éléments cellulaires du sang.

La réabsorption des solutés autres que le sodium repose aussi sur des mécanismes actifs ayant leurs caractéristiques propres et une localisation particulière le long des néphrons. Le glucose, les phosphates, les bicarbonates, le potassium, les acides aminés et les protéines, sont surtout réabsorbés au niveau des segments proximaux des tubes rénaux; les faces apicales (luminales) des cellules bordantes présentent des microvillosités qui augmentent considérablement la surface de contact, favorisant la réabsorption. [Les cellules épithéliales tubulaires absorbent activement les substances au travers de la surface apicale (ou luminale); puis celles-ci diffusent en général passivement au travers de la surface basale vers l'interstitium rénal.] Le segment distal des tubes rénaux réabsorbe du chlore, de l'urée, du sodium et du potassium; la majeure partie de la réabsorption de l'urée se fait toutefois dans le tube collecteur. Quelques substances, comme l'urée, sont réabsorbées passivement. Celles qui dépendent d'un transport actif démontrent des *seuils* ou encore des *taux de transport maximum* (*Tm*); si la concentration intraluminale d'une ou de plusieurs substances activement réabsorbées dépasse la capacité du mécanisme de transport, alors cette ou ces substances apparaîtront dans l'urine finale. Si le Tm n'est pas atteint, alors la ou les substances seront en général complètement réabsorbées. C'est le cas, par exemple, du glucose, des phosphates et des bicarbonates. L'urée ne démontre pas de Tm[2].

La sécrétion Les cellules tubulaires sécrètent quelques substances *dans* la lumière des tubes, dont le potassium et quelques médicaments. La pénicilline, par exemple, apparaît ainsi dans les urines qui ont alors une odeur de moisi caractéristique.

Les reins et le sang

Les fonctions héméostatiques du rein ne le limitent pas à la régulation des concentrations de l'eau et des solutés du sang. Il participe à la régulation du pH sanguin et des liquides corporels, dirige la production des GR (voir au chapitre 13), et joue un rôle à long terme dans le contrôle de la pression artérielle.

La régulation du pH sanguin La régulation du pH sanguin implique plusieurs organes et systèmes. Vous savez maintenant que le sang est tamponné, c'est-à-dire qu'il offre une résistance intrinsèque aux changements du pH grâce surtout au système tampon (couple tampon) acide carbonique-bicarbonate. La diminution du pH sanguin provoque, par exemple, une hyperventilation réflexe intégrée au niveau du SNC. L'élimination de CO_2 par la ventilation réduit la concentration d'acide carbonique et d'hydrogène; il s'ensuit une éléva-

[2] Il ne faudrait pas croire que l'urée est complètement réabsorbée. Au contraire, la plus grande partie est excrétée. La concentration urinaire de l'urée augmente à mesure que l'eau et les divers solutés sortent des tubes et un peu d'urée diffuse alors vers l'interstitium rénal. Pour plus de détails concernant cette substance, référer au chapitre 12 à la section: le sort des acides aminés.

tion du pH. Inversement un pH trop élevé provoque une hypoventilation, un accroissement de P_{CO_2} sanguin, et une baisse de pH (chapitre 15).

La perte des reins produit, entre autres, une acidose sanguine progressive et éventuellement mortelle. Il est donc évident que l'appareil respiratoire ne peut à lui seul compenser la production constante de métabolites cellulaires acides. L'équilibre acido-basique assuré par les reins implique plusieurs mécanismes plutôt complexes dont l'activité produit une urine acide lorsque le sang est trop acide et une urine basique lorsque le pH du sang est trop élevé. Ces mécanismes sont résumés dans la section spéciale intitulée: LE CONTRÔLE RÉNAL DU pH SANGUIN.

La régulation de la pression artérielle Nous avons déjà traité au chapitre 13 du rôle de la rénine et des angiotensines dans le contrôle de la pression artérielle systémique. La rénine est produite par le rein. En consultant les figures 16-2 et 16-4, vous constaterez que la disposition du segment distal des tubes rénaux est telle qu'il se retrouve à proximité de l'artériole afférente du glomérule dont il est issu. Cette artériole est spécialisée à cet endroit, présentant un manchon de *cellules juxtaglomérulaires* qui semblent avoir la capacité de mesurer directement la valeur de la pression artériolaire en plus d'être sensibles aux faibles concentrations tubulaires de sodium résultant d'une baisse de la pression artérielle. Dans les deux cas leur réponse est une sécré-

► Le contrôle rénal du pH sanguin

Dans des *conditions normales* les reins participent, avec l'appareil respiratoire, au maintien d'un pH sanguin à peu près neutre. Voici comment:

1 Les ions hydrogène (H^+) sont sécrétés activement dans le segment proximal des tubes rénaux.
2 Le filtrat glomérulaire contient Na_2HPO_4 d'origine plasmatique. Cette substance s'ionise en Na^+ et $NaHPO_4^-$. De plus, la présence de l'anhydrase carbonique dans les cellules tubulaires favorise l'accumulation d'acide carbonique; celui-ci s'ionise en H^+ et HCO_3^-. Les ions Na^+ du filtrat se combinent à HCO_3^- des parois tubulaires et $NaHCO_3$ produit est immédiatement repris par le torrent circulatoire. Les ions H^+ et $NaHPO_4^-$ demeurent derrière dans les tubes. Leur combinaison donne NaH_2PO_4, un phosphate de sodium excrété dans les urines. Ce mécanisme permet d'éliminer des ions H^+ et de conserver des ions Na^+. Les urines seront alors acides.

Si le pH sanguin diminue un peu trop et tend à demeurer *bas*, les reins favorisent l'utilisation des AA plutôt que du glucose comme combustible. Le catabolisme des AA libère de l'ammoniac (NH_3) qui s'associe aux ions H^+ pour former NH_4^+ (l'ion ammonium) qui est excrété dans les urines avec des anions comme Cl^-. Par ce processus, les reins peuvent éliminer des ions H^+ sans sacrifier Na^+; celui-ci est nécessaire, en effet, pour maintenir les concentrations sanguines respectives de $NaHCO_3$ et de H_2CO_3 dans un rapport de 20 à 1. Cette proportion assure une valeur normale au pH sanguin.

Si le pH sanguin est trop *haut*, les cellules tubulaires sécrètent moins de H^+ dans la lumière et réabsorbent moins de Na^+. Les urines contiennent donc moins de H^+, plus de Na^+, et sont alors alcalines. On doit constater que les urines contiennent aussi des anions et que les charges de signe contraire s'attirent. Ainsi les anions urinaires sont accompagnés par Na^+ plutôt que par H^+, conservant dans l'organisme les ions H^+ plutôt que les ions Na^+.

tion de rénine. Le rôle homéostatique de cette sécrétion est indéniable jusqu'à un certain point, mais si elle se prolonge et devient excessive, elle est alors dommageable à l'organisme. *Quelques* cas d'hypertension chronique semblent dus à une trop grande sécrétion de rénine.

Le rein participe aussi à la régulation de la pression de filtration par le biais des artérioles glomérulaires. La vasoconstriction de l'artériole afférente réduit la pression intra-glomérulaire; celle-ci augmente par ailleurs si la vasoconstriction affecte l'artériole efférente. En ajustant, probablement par des réflexes autonomes, le degré de contraction des muscles lisses artériolaires aux deux extrémités du glomérule, l'organisme peut maintenir un TFG assez constant.

QUELQUES ASPECTS CLINIQUES DE LA FONCTION RÉNALE

L'analyse d'urine est l'un des tests cliniques les plus fréquents. Trop souvent, cependant, il est fait sur du matériel qui est resté trop longtemps à température de la pièce et qui est ensuite manipulé avec plus ou moins de soin, d'une façon routinière, de telle sorte que les résultats ne peuvent être précis et significatifs. Pourtant les valeurs obtenues sont d'une incontestable utilité pour le diagnostic et le contrôle des cas de diabète, d'affections des

Tableau 16-1 Quelques résultats d'une analyse d'urine*

Résultat	Signification clinique possible
pH élevé	Infection bactérienne des voies urinaires. Significatif seulement si l'analyse a été faite sur un échantillon très frais.
Glucose	*Diabète mellitus* à la condition que le patient n'ait pas ingéré une grande quantité de glucides peu avant la collecte de l'échantillon
Faible densité	L'urine est diluée. Peut être associé à une trop grande ingestion de liquide, à l'usage de diurétiques, au diabète insipide, ou à toute affection rénale réduisant la réabsorption de l'eau.
Sang	Maladie infectieuse des voies urinaires ou infestation par des vers trématodes (*Schistosoma* sp.)
Neutrophiles (pyurie)**	D'ordinaire une infection en un point quelconque des voies urinaires
Cellules pavimenteuses	D'ordinaire ces cellules sont présentes dans des échantillons d'urine féminine; les cellules proviennent de l'épithélium vaginal.
Bactéries	Infection des voies urinaires. Significatif seulement lorsque présentes dans un échantillon très frais puisque les bactéries poussent rapidement dans l'urine.
Cylindres urinaires	Formés par des agrégats protéiques cylindriques ou des amas cellulaires élaborés dans la lumière des tubes rénaux ou des tubes collecteurs. Leur présence est une indication formelle d'une affection rénale. Par exemple, les cylindres contenant des leucocytes sont le signe d'une affection rénale qui peut être ou non de nature infectieuse. Les cylindres de GR sont associés à une maladie rénale glomérulaire. Les cylindres hyalins se rencontrent à la phase terminale d'une maladie rénale; il en est de même de la présence de volumineux cylindres dans la lumière des plus gros tubes collecteurs.
Cristaux	Signification variable selon le type de cristaux; par exemple, les critaux des AA leucine ou tyrosine sont le signe d'une grave affection hépatique. Les cristaux d'acide urique peuvent être associés à la goutte. Divers médicaments, en particulier les sulfamidés, peuvent former des cristaux dans une urine concentrée. C'est la raison pour laquelle on doit boire beaucoup pendant des traitements avec de tels médicaments.

* On doit insister sur le fait que l'interprétation d'une analyse d'urine est une opération complexe et que la majorité des résultats mentionnés ici peuvent avoir plus d'une signification clinique.

** Présence de pus dans les urines.

surrénales, etc. L'examen microscopique des urines est aussi très révélateur de l'état de l'appareil urinaire. Le tableau 16-1 présente un résumé et une courte interprétation de quelques résultats typiques d'une analyse d'urine.

L'insuffisance rénale

Tôt ou tard tout professionnel de la santé doit faire face à un cas d'insuffisance rénale. Parmi les causes les plus fréquentes de cet état, citons l'inflammation rénale (*pyélonéphrite*) ou la *glomérulonéphrite*, une affection probablement secondaire à un trouble d'origine immunologique. Ce sont des maladies qui frappent plus particulièrement les jeunes ou les adultes d'âge moyen. L'insuffisance rénale affecte en général les fonctions homéostatiques du rein plus que ses capacités d'excrétion. Les déséquilibres de plusieurs solutés, du pH et de l'eau, deviennent de plus en plus aigus et, sans traitement, le patient succombera. On appelle *urémie* ou mieux, *syndrome urémique*, cet état de défaillance rénale aiguë.

Le syndrome urémique peut être traité par la *dialyse* (voir au chapitre 3); le sang du patient est mis en contact avec une membrane perméable à certains solutés mais pas à d'autres. La membrane est elle-même en contact avec une solution dont la composition reflète celle du plasma normal. Après un certain temps la diffusion a ajusté automatiquement la concentration des solutés plasmatiques à des valeurs normales. Les appareils à dialyse permettent de sauver bien des vies, mais ce sont des machines encore encombrantes et très dispendieuses en termes de coût d'achat et de coût d'opération. Les appareils domestiques ne sont pas encore portatifs et ne sont à la portée que de patients privilégiés (qui peuvent se payer l'appareil). Mais dans les cas graves d'urémie, c'est souvent le seul traitement possible pour empêcher la mort du patient.

On peut aussi pratiquer des transplantations rénales. Les reins doivent provenir de donneurs vivants ou qui viennent juste de mourir. À cause de la possibilité de rejet du transplant (voir au chapitre 14) les reins doivent subir un typage précis qui servira à déterminer le degré d'histocompatibilité entre le donneur et le receveur. Puisque les caractères immunologiques d'un individu sont héréditaires, l'appariement a le plus de chances de réussir si le donneur et l'hôte sont des proches parents. Si le donneur est vivant (donc volontaire), il peut facilement donner un rein. En effet lorsqu'un seul rein est fonctionnel chez un individu, il grossit par accroissement de la taille des néphrons et réussit rapidement à faire le travail normalement dévolu à une paire de reins. Les progrès récents dans la suppression des réponses immunitaires ont augmenté les chances de succès de telles opérations mais, malgré tout, les reins transplantés sont souvent rejetés (la survie des greffons de 5 ans est inférieure à 50 pour 100).

La goutte

Les déchets azotés provenant du catabolisme des protéines sont surtout sous forme d'urée, une substance très soluble excrétée par le rein. D'autres substances, comme les bases puriques adénine et guanine, contiennent de l'azote, et le produit de déchet de leur renouvellement métabolique est l'*acide urique*, beaucoup moins soluble que l'urée. Ces bases sont des composants essentiels des acides nucléiques (ARN et ADN) et elles participent au métabolisme énergétique sous la forme d'ATP et de GTP. Les purines se retrouvent dans tous les aliments, mais c'est la viande qui en contient la plus forte concentration. L'acide urique produit par l'organisme provient ordinairement en plus grande partie de la dégradation des nucléoprotéines (de leurs bases puriques); c'est la production *endogène* d'acide urique, relativement constante. La fraction qui vient des purines alimentaires, variable, est la production *exogène* d'acide urique. Il est possible de contrôler cliniquement ces deux productions, la première avec des médicaments, la seconde avec le régime alimentaire.

L'excrétion de l'acide urique est surtout due à sa sécrétion par le segment distal du tube rénal; on doit mentionner que le tractus gastrointestinal participe aussi à cette excrétion. Chez un individu normal l'élévation du taux sanguin d'acide urique s'accompagne d'une excrétion augmentée rétablissant ainsi l'équilibre. Parfois, cependant, il se développe une hyperuricémie, soit parce que la production d'acide urique est trop élevée, soit à cause d'un trouble de son excrétion. Il se produit alors souvent une précipitation de l'acide urique qui forme des cristaux dans les cavités articulaires

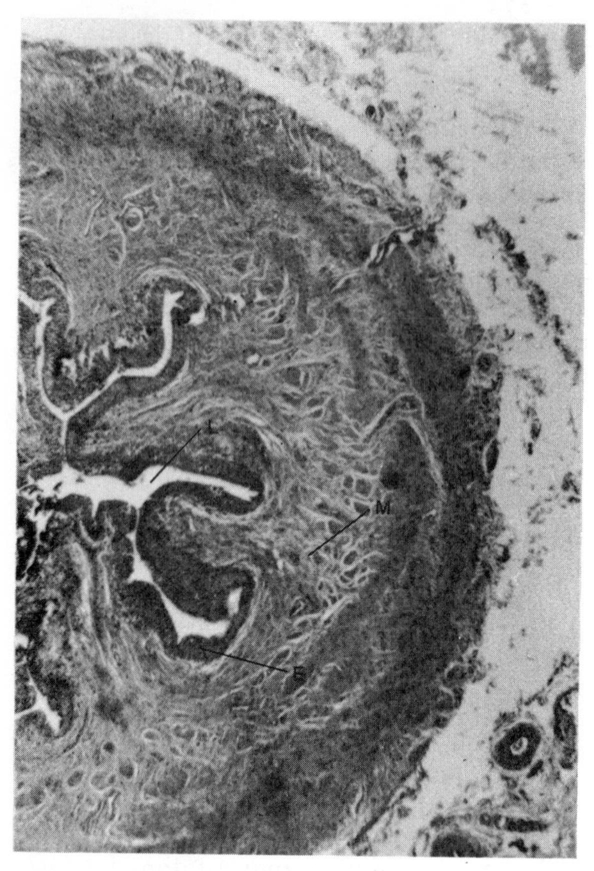

Figure 16-5 Coupe transversale d'un uretère en microscopie optique (environ ×45). L, lumière; M, musculeuse; E, épithélium.

ou dans les tissus conjonctifs mous; c'est la goutte, une maladie extrêmement douloureuse. Les cristaux d'acide urique peuvent aussi s'accumuler dans les tubes rénaux ou dans le bassinet et produire des lésions rénales.

LES URETÈRES

Les *uretères* sont des prolongements du bassinet; il émerge un uretère de chaque rein (figure 16-1). Leur rôle est d'acheminer et, jusqu'à un certain point, de pomper les urines dans la vessie. D'une longueur d'environ 25 à 30 cm, leurs parois sont formées de trois épaisseurs de tissu: une tunique muqueuse interne, une couche de fibres musculaires longitudinales et circulaires, et un revêtement externe de tissu conjonctif fibreux, l'adventice (figure 16-5). La muqueuse sécrète un mucus qui protège les cellules de l'érosion chimique des urines. Une partie de la muqueuse est formée d'épithélium de transition (voir la prochaine section sur la vessie), un reflet de la fonction accessoire de réservoir que les uretères doivent souvent remplir lorsque la vessie est pleine et que les urines refluent vers les reins. L'activité péristaltique de la tunique musculaire évacue les urines dans la vessie par jets périodiques. Comme les autres organes de l'appareil urinaire, les uretères sont situés derrière le péritoine (en position *rétropéritonéale*).

LA VESSIE

La *vessie* est un organe extraordinaire dont la capacité normale, de 250 à 350 ml, peut être volontairement portée à près de 800 ml (avec de l'entraînement) et dont la contenance anatomique peut aller jusqu'à 2 000 ml (en cas d'obstruction de l'urètre, par exemple).

Lorsque la vessie est pleine, elle prend une forme arrondie de la grosseur d'un pamplemousse; sa vidange (la *miction*) lui rend la forme d'un sac aplati. La paroi vésicale comprend quatre tuniques. La plus interne (la muqueuse) est un revêtement épithélial formé d'*épithélium de transition* (voir tableau 1-2). Ce type d'épithélium comprend plusieurs assises cellulaires, les cellules superficielles étant rondes plutôt que plates. Lorsqu'il est étiré, l'épithélium s'aplatit et ne semble plus être formé que de deux assises cellulaires. La muqueuse repose sur une tunique sous-muqueuse surtout formée de tissu conjonctif fibreux. On retrouve ensuite une tunique musculaire épaisse dont les trois plans (fibres longitudinales externes, fibres circulaires moyennes et fibres anastomosées en réseau à l'intérieur) permettent à la vessie de diminuer de volume uniformément pendant la miction. La musculeuse, par sa tonicité, tient sous pression le contenu vésical. La tunique externe, la séreuse et l'adventice, continue celle des uretères et forme une partie du revêtement péritonéal de la cavité abdominale; elle n'est présente que sur la face supérieure de la vessie. La vessie, comme les uretères, n'est pas recouverte par un mésentère; elle repose derrière la symphyse pubienne, sous le péritoine. Lorsqu'elle est vide la vessie présente, un peu comme l'estomac, des plis pariétaux.

Le plancher de la vessie est plat et de forme triangulaire, chaque pointe se terminant par une ouverture: celle de l'urètre et celles des deux uretères. On nomme cette région le *trigone* vésical. Des clapets tissulaires voisins des ouvertures urétérales servent de valves unidirectionnelles; lorsque la vessie est distendue, ces valves empêchent normalement le reflux de l'urine dans les uretères et le bassinet. Pour des raisons qu'on ignore, ces replis sont souvent moins bien développés chez les femmes (en particulier chez les jeunes filles). C'est pourquoi les infections rénales sont plus fréquentes chez elles que chez la plupart des autres personnes; le reflux des urines peut facilement transporter vers les reins des bactéries vésicales.

L'URÈTRE

L'*urètre* conduit l'urine de la vessie vers l'extérieur. Chez l'homme ce canal est long et sinueux, passant au travers de la prostate (une glande) et du pénis (figure 18-1). Chez la femme l'urètre est beaucoup plus court (5 cm contre 15 cm) et s'ouvre dans la vulve au niveau de l'orifice urétral externe placé en avant de l'orifice du vagin. La longueur de l'urètre chez l'homme fait obstacle aux invasions bactériennes de la vessie (la *cystite infectieuse*); ces inflammations sont beaucoup plus fréquentes chez la femme.

LA MICTION

Deux sphincters s'interposent entre la vessie et l'extérieur: l'un, interne, est formé de muscle lisse involontaire alors que l'autre, externe, est formé de muscle strié volontaire. Ces muscles sont innervés par des filets nerveux sacrés et se relâchent ordinairement d'une façon réflexe lorsque le volume vésical atteint 300 à 350 ml (le *réflexe de la miction*). L'inhibition consciente de ce réflexe est impossible pour un SNC immature. On soutient que normalement les enfants en bas de 18 mois ne peuvent développer de contrôle de la miction, quelle que soit l'insistance des parents. Le contrôle de la vessie implique aussi le pouvoir de la vider avant l'apparition du réflexe, comme, par exemple, avant de partir en automobile; cette capacité dépend d'une facilitation consciente du réflexe de la miction.

LA FONCTION HOMÉOSTATIQUE DU REIN

Les reins sont des organes qui font partie de l'appareil urinaire. La première image qui vient à l'esprit lorsqu'on parle des reins est la formation de l'urine, l'aspect excréteur de la fonction rénale. Il serait beaucoup plus juste toutefois de percevoir les reins sous l'angle homéostatique de leur fonction, l'excrétion étant une sous-fonction résultante. Seul le foie se compare aux reins en ce qui a trait au pouvoir d'ajuster et de maintenir un environnement adéquat pour les cellules de l'organisme. Les reins éliminent les substances toxiques et celles qui sont présentes en concentration excessive dans le sang; ils contrôlent le volume sanguin et la pression artérielle; ils régularisent le pH et la pression osmotique du sang à l'intérieur de limites extrêmement étroites.

RÉSUMÉ

1 Le rein est un organe en forme de haricot comprenant un cortex, une médulla et un bassinet. Le cortex et la médulla sont subdivisés en pyramides, chacune drainant une section du rein dans le bassinet. Celui-ci est en continuité avec un uretère qui achemine l'urine à la vessie. L'urine se forme dans le cortex et la médulla.

2 L'unité fonctionnelle du rein est le néphron. Chaque rein en contient environ 1 million. En général les néphrons comprennent une pelote de capillaires ou glomérule, une capsule glomérulaire, un segment proximal, une anse et un segment distal. Les néphrons peuvent être corticaux ou juxtamédullaires. Les deux types ont une fonction excrétoire, mais seuls les derniers participent à l'élaboration d'un gradient médullaire.

3 Du plasma sanguin modifié filtre au travers du glomérule dans la lumière de la capsule glomérulaire. Ce filtrat est de l'urine primitive. La filtration est un processus passif et peu sélectif.

4 Le sodium et l'eau sont sélectivement réabsorbés à partir de l'urine primitive au niveau du segment proximal des tubes. Dans le cas des néphrons juxtamédullaires, les anses sont collectivement responsables de l'établissement d'un gradient de concentration interstitiel qui permet, grâce à la réabsorption d'eau à partir des tubes collecteurs, de produire une urine hypertonique au plasma.

5 Le sodium est activement transporté par la pompe à sodium des cellules du segment proximal des tubes et l'eau suit passivement ce mouvement par osmose.

6 L'hormone antidiurétique ajuste la réabsorption de l'eau, donc la tonicité et le volume urinaires, en modifiant la perméabilité des parois des segments distaux des tubes rénaux et des tubes collecteurs. L'aldostérone semble affecter l'activité de la pompe à sodium. En sa présence la réabsorption sodique augmente et est suivie par une certaine réabsorption d'eau. En même temps l'excrétion du potassium s'accélère. L'action combinée de l'hormone antidiurétique et de l'aldostérone permet de régulariser le volume sanguin.
7 Les reins et les poumons sont impliqués dans la régulation du pH sanguin. Les reins peuvent excréter des ions H^+ et les neutraliser grâce à NH_3 produit à partir de la dégradation des AA. Ils excrètent alors des ions NH_4^+. Les reins peuvent aussi conserver les bicarbonates et le sodium par plusieurs réactions d'échange ionique.
8 La chute de la pression sanguine stimule la libération de rénine par les cellules de l'appareil juxtaglomérulaire des artérioles afférentes. Le taux de filtration dépend avant tout de la pression hydrostatique du sang dans le glomérule. Celle-ci est maintenue constante surtout par la vasomotricité des artérioles efférentes.
9 L'urètre est court chez la femme, plus long chez l'homme. L'urètre, chez l'homme, sert de canal d'évacuation de l'urine et du sperme et est donc un organe uro-génital. On le divise en trois portions: pénile ou spongieuse, membraneuse et prostatique.
10 L'urètre possède deux sphincters à son point d'attache avec la vessie. La miction a lieu lorsque la vessie se contracte et que les sphincters s'ouvrent. Ces phénomènes sont sous le contrôle réflexe de la moelle et se déclenchent lorsque la vessie se distend. Le réflexe de la miction peut être volontairement facilité et inhibé.
11 La vessie est formée de trois tuniques principales; un épithélium de transition interne (la muqueuse), une musculeuse à lits croisés et une séreuse externe. Le revêtement épithélial interne de la vessie est spécialement bien adapté à l'étirement.
12 Deux uretères font communiquer la vessie avec les reins. Ils sont le siège d'un péristaltisme régulier qui achemine l'urine dans la vessie.

QUESTIONS DE RÉVISION

1 Dans les affections rénales où de grandes quantités de protéines filtrent au travers des parois glomérulaires et sont excrétées dans l'urine, les patients présentent un oedème tissulaire généralisé dont l'ampleur augmente progressivement. Expliquer pourquoi?
2 Dessiner un schéma de l'appareil urinaire et des principales structures constituantes.
3 Comparer le tube rénal à une glande sudorifère aux points de vue structural et fonctionnel.
4 Compléter le tableau suivant qui résume les fonctions du néphron.

	Substances filtrées ou sécrétées	Substances activement réabsorbées	Substances osmotiquement ou passivement réabsorbées
Capsule glomérulaire			
Segment proximal			
Anse			
Tube collecteur			

5 Quelles sont les différences structurales et fonctionnelles entre les néphrons corticaux et juxtamédullaires?
6 Comment le rein contrôle-t-il ou participe-t-il au contrôle des paramètres suivants?
a) Contenu aqueux du sang.
b) Contenu sodique du sang.
c) Volume sanguin.
d) pH sanguin.
e) Taux de production des GR.
f) Pression sanguine.
g) Taux de filtration glomérulaire.
7 Qu'est-ce que l'urémie?
8 Qu'est-ce que la goutte et quelle est son étiologie?
9 Quelle est la signification physiologique potentielle des résultats suivants, après une analyse d'urine?
a) Présence de glucose.
b) Faible densité.
c) pH élevé.
d) Présence de cylindres hyalins.
e) Présence de GR.
f) Présence de neutrophiles.
g) Présence de bactéries.

17 LES GLANDES ENDOCRINES

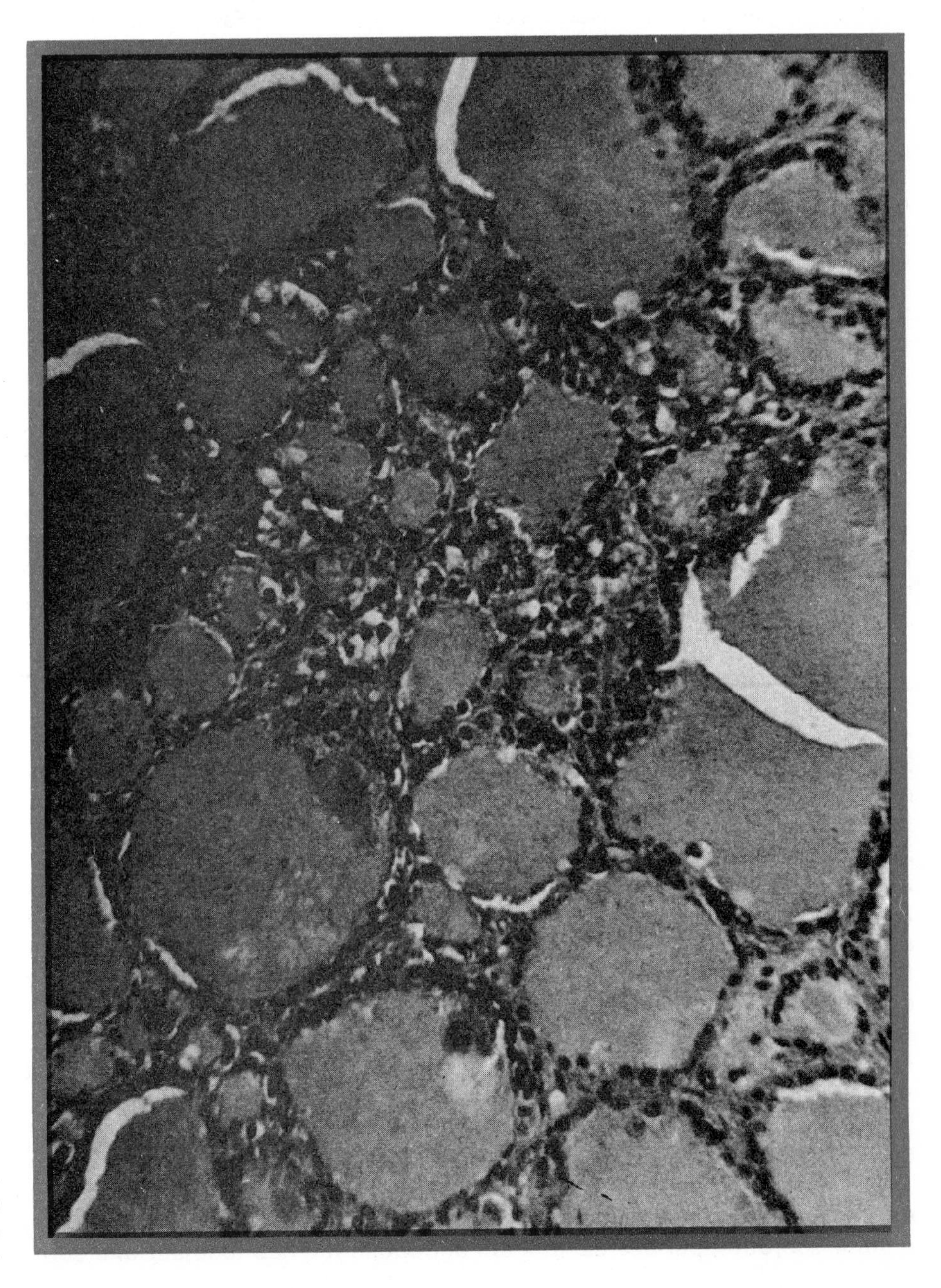

Coupe microscopique de tissu thyroïdien (environ ×400). Remarquer les nombreuses vésicules contenant la substance colloïde.

OBJECTIFS

L'étude de ce chapitre devrait vous permettre de:

1 Distinguer les glandes endocrines et exocrines.
2 Définir ce qu'est une hormone et connaître le rôle des hormones.
3 Identifier les principales glandes endocrines et leur emplacement anatomique.
4 Connaître la relation qui existe entre une glande endocrine et ses cellules cibles; savoir comment les hormones sont transportées.
5 Décrire le mécanisme d'action des hormones, dont le rôle des seconds messagers comme l'AMP cyclique.
6 Décrire en général la régulation de la sécrétion endocrine par des mécanismes de rétrocontrôle; les adapter à chaque hormone spécifique étudiée.
7 Établir pourquoi l'hypothalamus constitue le lien entre les systèmes nerveux et endocrinien; décrire le processus grâce auquel l'hypothalamus exerce son contrôle.
8 Identifier les hormones sécrétées par l'adénohypophyse et la neurohypophyse, préciser leur origine, et décrire leurs actions.
9 Décrire les actions de l'hormone somatotrope sur la croissance et le métabolisme; montrer les répercussions d'une hyposécrétion ou d'une hypersécrétion de cette hormone.
10 Identifier les hormones de la glande thyroïde et établir leurs actions physiologiques.
11 Décrire les mécanismes de rétrocontrôle régissant les sécrétions thyroïdiennes (pouvoir dessiner un schéma illustrant ces mécanismes), et décrire les troubles thyroïdiens dont il est question dans le chapitre.
12 Décrire les interrelations qui existent entre l'hormone parathyroïdienne, la vitamine D et la calcitonine, en vue de contrôler les niveaux du calcium dans le sang et le liquide interstitiel.
13 Nommer les hormones des îlots pancréatiques et décrire l'effet antagoniste de l'insuline et du glucagon sur la régulation de la glycémie.
14 Faire la liste des désordres consécutifs au mauvais fonctionnement des îlots du pancréas, décrire les bases physiologiques du diabète mellitus et de l'hypoglycémie et énumérer leurs principaux symptômes métaboliques et cliniques.
15 Décrire le rôle de la médulla surrénale dans la résistance de l'organisme au stress et décrire les mécanismes d'action des hormones médullaires, l'adrénaline et la noradrénaline.
16 Décrire les mécanismes d'action des minéralocorticoïdes et des glucocorticoïdes; expliquer la régulation de leur sécrétion et énumérer les conséquences d'un trouble de fonctionnement.
17 Décrire la réponse physiologique de l'organisme au stress et le rôle joué par les glandes surrénales dans son adaptation à cette condition.
18 En résumant ce que vous savez des actions des hormones surrénaliennes, pancréatiques, de croissance et de la thyroxine, pouvoir tracer un schéma illustrant le processus ou le mode de régulation de la teneur en glucose du sang.

Le système endocrinien fonctionne en étroite harmonie avec le système nerveux en vue de maintenir l'homéostasie corporelle. Le contrôle endocrinien repose sur des messagers chimiques appelés *hormones*, élaborés par des *glandes endocrines* (par exemple l'hypophyse, la thyroïde). Le terme d'*hormone* est tiré d'un mot grec signifiant «éveiller», «exciter». Les hormones excitent effectivement leurs cellules cibles, ordinairement en induisant une modification de leur activité métabolique. Elles participent à la régulation de phénomènes aussi différents que la croissance, l'utilisation des nutriments, l'ajustement de l'équilibre hydrominéral, l'homéostasie sanguine et le taux de métabolisme. Elles aident l'organisme à faire face au stress et, sans elles, la reproduction serait impossible. (Les hormones de l'appareil reproducteur seront présentées au chapitre 18.) Au point de vue de leur structure chimique les hormones sont soit des stéroïdes, soit des molécules de nature protéique (protéines, peptides, ou dérivés d'acides aminés). Les hormones stéroïdes sont sécrétées par les glandes sexuelles et par le cortex surrénal.

Nous avons vu dans les chapitres précédents plusieurs exemples de *glandes exocrines*, comme les glandes sudorifères et gastriques, qui évacuent le produit de leur sécrétion par des canaux qui débouchent d'habitude sur une surface externe ou interne de l'organisme. Une *glande endocrine*, au contraire, est une glande fermée, c'est-à-dire qu'elle ne possède pas de canal excréteur. Les hormones sont libérées directement dans le liquide interstitiel d'où elles gagnent le torrent circulatoire. Celui-ci les achemine vers leurs tissus cibles où elles exercent leur activité. Ces tissus se trouvent souvent très loin du lieu de sécrétion et peuvent être un autre tissu endocrinien ou encore un tissu tout à fait différent, comme du tissu osseux ou hépatique (figure 17-1).

La liste des principales glandes endocrines apparaît au tableau 17-1 et elles sont illustrées à la figure 17-2. L'*endocrinologie* est la science qui étudie ces glandes, leur fonctionnement et leurs désordres. C'est un champ d'étude relativement neuf et les travaux actuellement en cours sont innombrables. Récemment le champ de l'endocrinologie s'est étendu pour inclure l'étude de messagers chimiques produits par des cellules répandues à travers tout l'organisme plutôt que regroupées en une masse discrète comme une glande. Ces substances peuvent avoir une influence sur les tissus voisins par diffusion. On les appelle parfois, et avec justesse, des «hormones locales».

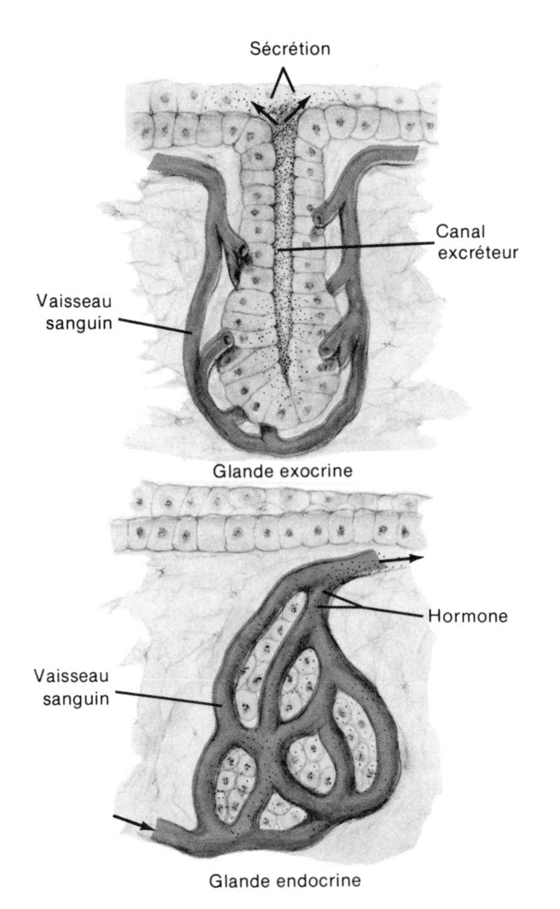

Figure 17-1 Schémas comparatifs simplifiés d'une glande à sécrétion endocrine et d'une glande à sécrétion exocrine. La sécrétion exocrine atteint sa destination par le biais d'un canal, alors que la sécrétion endocrine (hormonale) est libérée dans le liquide interstitiel et diffuse vers l'appareil circulatoire sanguin qui l'achemine vers les cellules cibles.

LES HORMONES

Presque toutes les glandes endocrines sécrètent continuellement de faibles quantités d'hormones. Ainsi, en tout temps, de 30 à 40 hormones différentes peuvent être présentes dans le sang. La plupart d'entre elles n'apparaissent qu'à l'état de traces, parfois à des concentrations aussi faibles que 1 picogramme (un millionnième de milligramme) par ml. Les hormones transportées sont liées chimiquement à des protéines plasmatiques; seule une faible quantité est libre dans le plasma et l'équilibre qui existe entre les formes liée et libre de l'hormone peut être représenté par l'équation suivante:

$$\text{Complexe hormone — protéine} \rightleftharpoons \text{Hormone libre} + \text{Protéine plasmatique}$$

Les hormones libres sont continuellement retirées de la circulation par les tissus cibles, par le foie qui peut les inactiver, et par les reins qui les excrètent. C'est ainsi qu'en clinique on peut évaluer le taux de sécrétion d'une hormone donnée en mesurant son taux d'excrétion urinaire.

L'excrétion urinaire d'une hormone réduit sa concentration plasmatique, ce qui favorise la dissociation du complexe transporteur hormone-protéine et libère l'hormone libre. Bien sûr cette hormone libre sera excrétée à son tour, mais la glande endocrine impliquée, devant toujours renouveler le stock plasmatique

Tableau 17-1 Les principales glandes endocrines et leurs hormones

Glande et hormones	Tissu(s) cible(s)	Principales fonctions
Adénohypophyse		
H. somatotrope (de croissance) (somatotropine)	Effet généralisé	Stimulation de la croissance par l'accélération de la synthèse protéique; mobilisation des lipides; élévation de la glycémie
Prolactine	Glandes mammaires	Stimulation de la sécrétion lactée
H. thyréotrope (TSH) (thyréotropine)	Thyroïde	Stimulation de la synthèse et de la sécrétion des hormones thyroïdiennes; stimulation de l'augmentation de taille de la thyroïde
H. corticotrope (ACTH) (corticotropine)	Cortex surrénal	Synthèse et sécrétion d'hormones du cortex surrénal
H. gonadotropes (FSH, LH) (gonadotropines)	Gonades	Stimulation des gonades
Hypothalamus (synthèse) et neurohypophyse (stockage et libération)		
Ocytocine	Utérus Glandes mammaires	Stimulation des contractions Stimulation de l'éjection du lait dans les conduits lactifères
H. antidiurétique (ADH)	Tubes rénaux	Stimulation de la réabsorption de l'eau
Thyroïde		
Thyroxine et triiodo-thyronine (T3)	Effet généralisé	Élévation du taux de métabolisme; nécessaire à une croissance et à un développement normaux; mobilisation des lipides; influence sur le métabolisme glucidique
Calcitonine	Os	Inhibition de la résorption du calcium à partir des os, donc action hypocalcémiante
Parathyroïdes		
Parathormone	Os, reins, tube digestif	Action hypercalcémiante par stimulation de la résorption du calcium à partir des os, de la réabsorption calcique par les tubes rénaux, et par l'activation de la vitamine D
Îlots pancréatiques		
Insuline	Effet généralisé	Facilitation de la pénétration du glucose dans les cellules et de son utilisation subséquente; action hypoglycémiante; stimulation du stockage des lipides et de la synthèse protéique; glycogenèse
Glucagon	Foie, tissu adipeux	Action hyperglycémiante par stimulation de la glycogénolyse et de la gluconéogenèse; mobilisation des lipides
Médulla surrénale		
Adrénaline et noradrénaline	Muscle, muscle cardiaque, artérioles, foie, tissu adipeux	Augmentation de la fréquence cardiaque, de la pression artérielle, du taux de métabolisme; redistribution du torrent circulatoire; mobilisation des lipides; action hyperglycémiante (glycogénolyse, absorption intestinale stimulée)
Cortex surrénal		
Minéralocorticoïdes (aldostérone)	Tubes rénaux	Augmentation de la réabsorption sodique; maintien de l'équilibre sodique
Glucocorticoïdes (cortisol)	Effet généralisé	Accélération de la gluconéogenèse hépatique; action hyperglycémiante; adaptation au stress; mobilisation des lipides

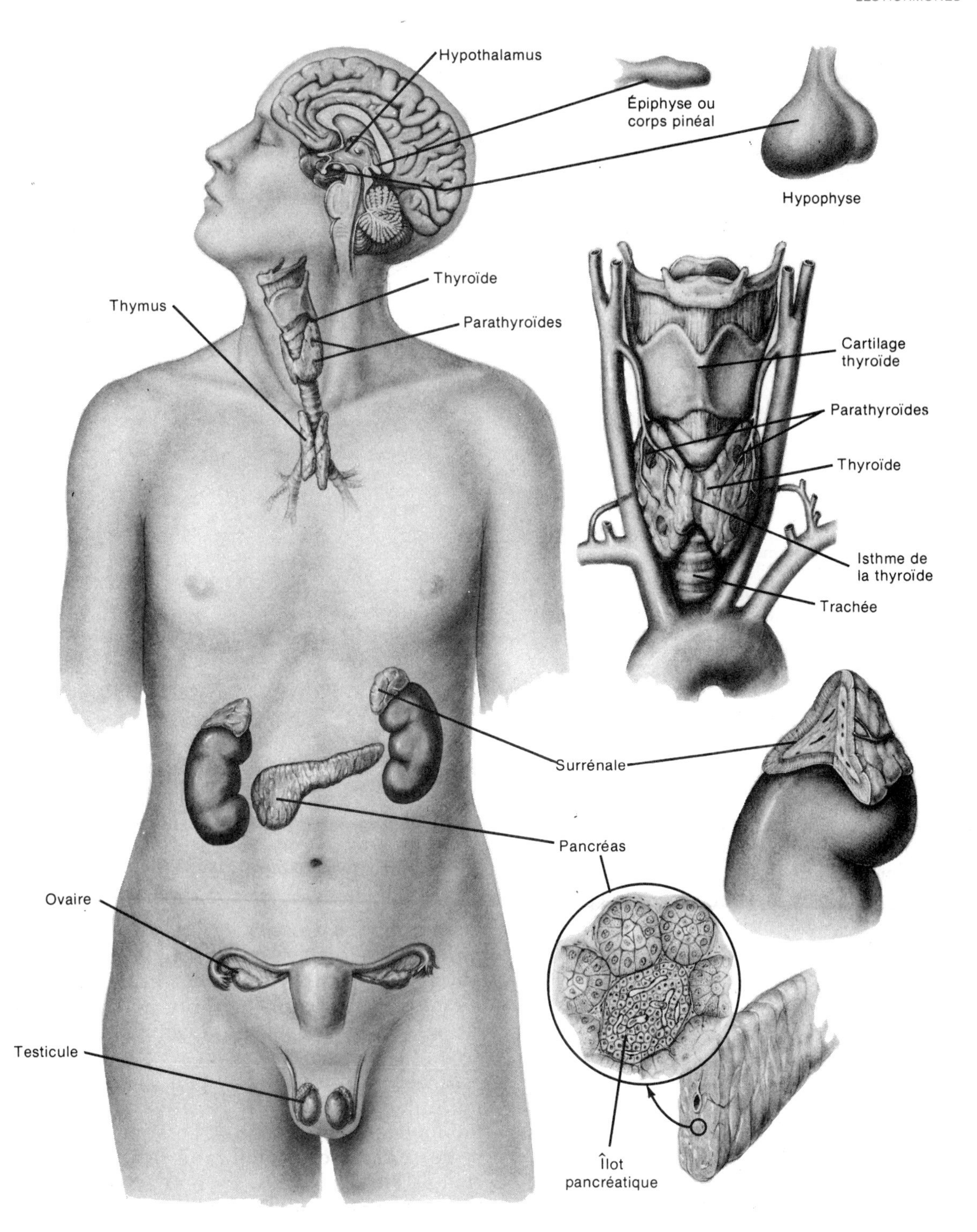

Figure 17-2 Localisation anatomique des principales glandes endocrines chez les deux sexes.

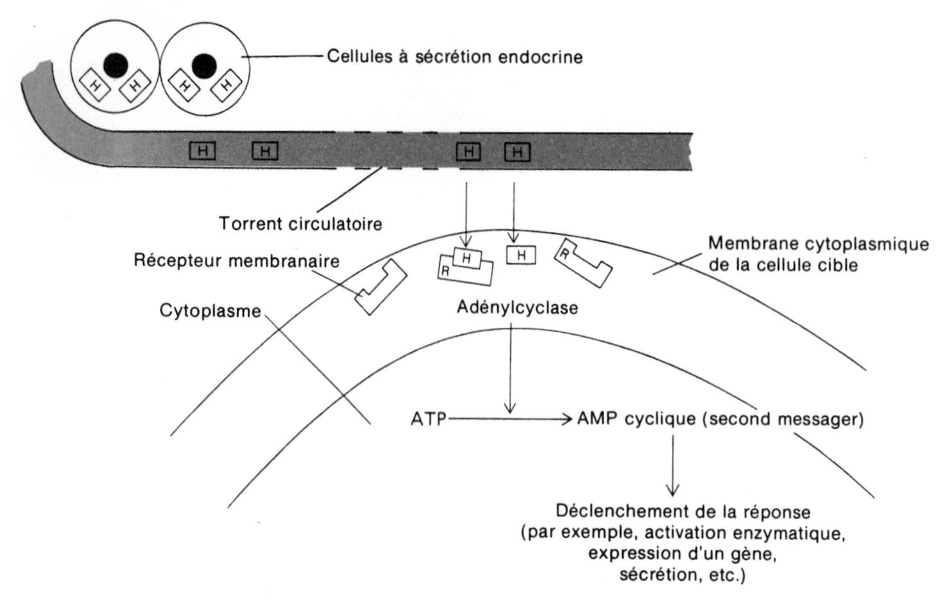

Figure 17-3 Le mécanisme de l'action hormonale par l'AMP cyclique. Les hormones de nature protéique se lient à des récepteurs membranaires des cellules cibles. Le complexe hormone-récepteur active l'adénylcyclase qui migre dans le cytoplasme où elle catalyse la conversion de l'ATP en AMP cyclique, le second messager. Celui-ci est alors responsable de la réponse spécifique de la cellule à la commande hormonale.

de l'hormone, sera prête en tout temps à accélérer sa production si elle en reçoit la commande. Puisque l'organisme doit s'adapter à des conditions qui changent, il est heureux qu'il puisse ainsi inactiver et excréter les hormones; comment pourrait-il, autrement, se débarrasser d'un surplus hormonal qui lui serait éventuellement préjudiciable?

Le contact avec les cellules cibles

Une hormone peut passer à travers plusieurs tissus et n'avoir aucune influence sur ces derniers jusqu'à ce qu'elle atteigne son tissu cible. Comment celui-ci reconnaît-il une hormone particulière? Grâce à des protéines réceptrices spécifiques qui attachent l'hormone à la membrane des cellules du tissu. C'est un processus très sélectif où le site récepteur agit comme une serrure, et les hormones comme différentes clés. Seule l'hormone qui s'ajuste exactement à une serrure donnée pourra influencer l'activité métabolique de la cellule.

Les mécanismes d'action des hormones

Comment une hormone influence-t-elle l'activité d'une cellule?

Les hormones protéiques Les hormones de nature protéique se combinent à des récepteurs au niveau de la membrane de la cellule cible. Le message transmis par l'hormone atteint le site visé à l'intérieur de la cellule grâce à un *second messager* (*hormonal*).

Le second messager le plus étudié jusqu'à maintenant est l'*AMP cyclique* (l'adénosine monophosphate cyclique). Lorsque l'hormone se lie au récepteur membranaire, il y a activation de l'*adényl cyclase*, une enzyme attachée à la membrane cellulaire. Celle-ci se détache, diffuse dans le cytoplasme, et catalyse la conversion de l'ATP en AMP cyclique (figure 17-3). L'AMP cyclique entraîne ensuite la chaîne de réactions qui permet l'expression de l'effet métabolique commandé.

L'activité particulière déclenchée par l'AMP cyclique repose sur la nature des systèmes enzymatiques présents dans la cellule. C'est pourquoi une même hormone peut provoquer des réponses différentes selon le type cellulaire affecté. Dans certains cas, on pense que l'AMP cyclique module l'activité de gènes particuliers, ce qui amène la synthèse de protéines spécifiques. Si le tissu cible est un autre tissu glandulaire (une autre glande endocrine, par exemple) alors l'AMP cyclique régularise la sécrétion hormonale de cette dernière.

Jusqu'à ces derniers temps on pensait que les hormones de nature protéique étaient trop volumineuses pour pénétrer dans les cellules cibles, mais on sait maintenant que l'insuline peut traverser la membrane cytoplasmique et se retrouver à l'intérieur de la cellule. Il est possible que les hormones protéiques affectent le métabolisme cellulaire de deux façons: les effets à court terme pourraient dépendre de la médiation de l'AMP cyclique, comme on vient de le voir, alors que les effets lents, à long terme, impliqueraient un mécanisme comparable à celui qui caractérise le mode d'action des hormones stéroïdes.

Les hormones stéroïdes Les hormones stéroïdes sont liposolubles; elles traversent donc facilement les membranes cellulaires et atteignent le cytoplasme (figure 17-4). Au lieu de se trouver à la surface des cellules cibles, les sites récepteurs sont dans le cytoplasme. Ce sont des protéines solubles et mobiles qui se combinent avec une hormone stéroïde spécifique. Le complexe hormone-protéine diffuse ensuite vers le noyau où il se lie à un autre récepteur, une protéine associée à l'ADN. Le gène approprié est activé et la synthèse protéique s'amorce ou s'accélère.

La plupart des cellules doivent posséder des récepteurs pour plus d'un type d'hormones puisque plusieurs hormones différentes peuvent être impliquées dans la régulation de leurs activités métaboliques. Les hormones ont souvent des effets *synergiques*, c'est-à-dire que la présence de l'une «potentialise», actualise l'effet d'une autre hormone (ou encore l'amplifie).

La régulation de la sécrétion hormonale

Comment une glande endocrine peut-elle connaître en tout temps la quantité d'hormones qu'elle doit sécréter? La sécrétion hormonale est soumise à une autorégulation basée sur des mécanismes de rétrocontrôle (rétroaction négative). La glande est «informée» du taux hormonal sanguin ou encore des effets de l'hormone et sa réponse vise à maintenir l'homéostasie corporelle. Les glandes parathyroïdes, par exemple, régularisent le niveau de calcium dans le sang. L'hormone parathyroïdienne provoque une élévation de la calcémie; la stimulation de la sécrétion hormonale est donc due à une baisse du taux de calcium sanguin (figure 17-9). D'un autre côté, l'augmentation excessive de la calcémie amène une inhibition ou une réduction de la sécrétion hormonale. Ces deux réponses sont basées sur des mécanismes de rétroaction négative puisque, dans les deux cas, les effets sont contraires (négatifs) au stimulus.

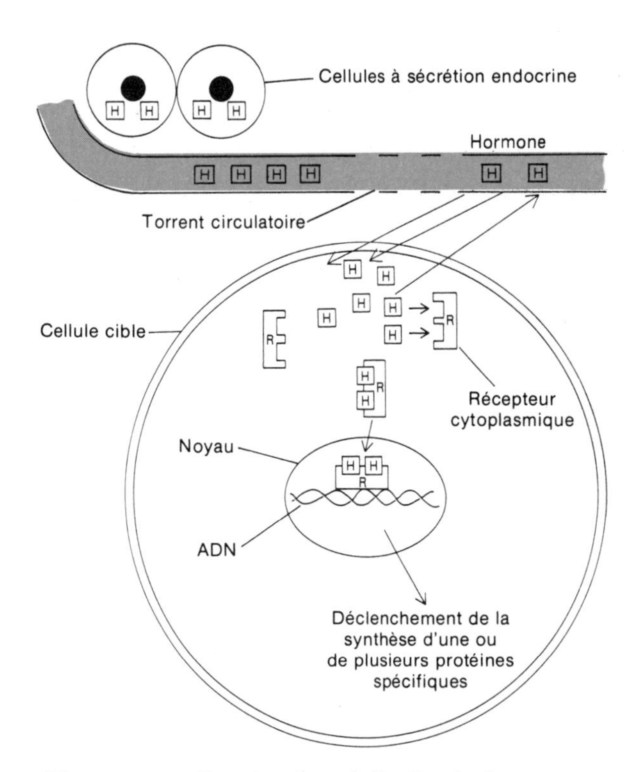

Figure 17-4 Le mécanisme de l'action des hormones stéroïdes. La petite taille et la liposolubilité de ces molécules leur permettent de pénétrer à l'intérieur des cellules où elles peuvent se lier à des récepteurs spécifiques dans les cellules cibles. Le complexe hormone-récepteur atteint éventuellement le noyau où il se combine à une protéine associée à l'ADN. Un gène particulier est ainsi activé et la cellule synthétise une protéine spécifique.

Bien que la régulation de la sécrétion hormonale soit essentiellement une question de boucles de rétrocontrôle, il existe un grand nombre de variantes; plusieurs d'entre elles concernent les relations hypothalamo-hypophysaires.

Les troubles endocriniens

La complexité du système endocrinien va de pair avec le nombre de désordres qui peuvent l'affecter. Lorsqu'une glande endocrine est sujette à un trouble quelconque ou est le siège d'un processus pathologique, c'est le taux de sécrétion de la glande qui est le plus souvent touché et qui devient anormal. Celui-ci peut baisser d'une façon excessive (*hyposécrétion*), privant les cellules cibles d'une stimulation qui leur est nécessaire; le taux de sécrétion peut aussi s'élever à des niveaux trop importants (*hypersécrétion*) et provoquer des déséquilibres dans l'autre sens. Parfois le taux d'hormones est convenable mais les cellules cibles ne peuvent répondre à la commande, les récepteurs étant en trop faible nombre ou inopérants. Tout trouble endocrinien amène des désordres métaboliques caractéristiques qui définissent des syndromes cliniques typiques (tableau 17-2). On en décrira quelques-uns lors de l'étude des glandes endocrines impliquées.

L'HYPOTHALAMUS ET L'HYPOPHYSE

Le tableau 17-1 énumère les principales glandes endocrines; il vous aidera à vous mieux situer et pourra vous servir de résumé partiel.

L'*hypophyse* est un organe endocrinien d'importance primordiale, pas plus gros qu'un pois, et ne pesant environ que 0,5 g. Elle est reliée à l'hypothalamus par un pédoncule constitué de neurones (la *tige hypophysaire* ou *pituitaire*) et repose dans la *fosse hypophysaire*, une cavité osseuse creusée dans la *selle turcique* de l'os sphénoïde. L'hypophyse sécrète au moins 9 hormones distinctes qui contrôlent les activités de plusieurs autres glandes endocrines et influencent un grand nombre de processus physiologiques.

La glande est composée de deux parties principales, l'adénohypophyse et la neurohypophyse (les lobes antérieur et postérieur, l'anté-hypophyse et la post-hypophyse[1]). La fonction, la structure et l'origine embryonnaire des deux parties diffèrent. L'adénohypophyse dérive des tissus ectodermiques de la région bucco-pharyngée alors que la neurohypophyse provient d'une évagination de l'hypothalamus. Quelques vertébrés possèdent une partie intermédiaire qui sécrète deux hormones mélanotropes, l'α-MSH et la β-MSH (Melanocyte Stimulating Hormones); elles ont un rôle dans le contrôle de la pigmentation de la peau. Chez l'humain la *pars intermedia*, peu développée, fait partie de l'adénohypophyse et ses fonctions, si elles existent, demeurent obscures. Cependant les humains synthétisent une MSH; on pense qu'elle est sécrétée par l'adénohypophyse, mais pas nécessairement par la pars intermedia.

[1] Ces termes portent à confusion et devraient être évités.

Tableau 17-2 Les signes cliniques d'un dysfonctionnement endocrinien

Hormone	Hyposécrétion	Hypersécrétion
H. somatotrope	Nain hypophysaire	Gigantisme (si juvénile); acromégalie (si adulte)
H. thyroïdienne	Crétinisme (chez les enfants); myxoedème; goitre	Maladie de Basedow; goitre
Parathormone	Décharges nerveuses spontanées; spasmes; tétanos; mort	Faiblesse, fragilité des os, calculs rénaux
Insuline	Diabète mellitus	Hypoglycémie
H. corticotrope	Maladie d'Addison	Syndrome de Cushing

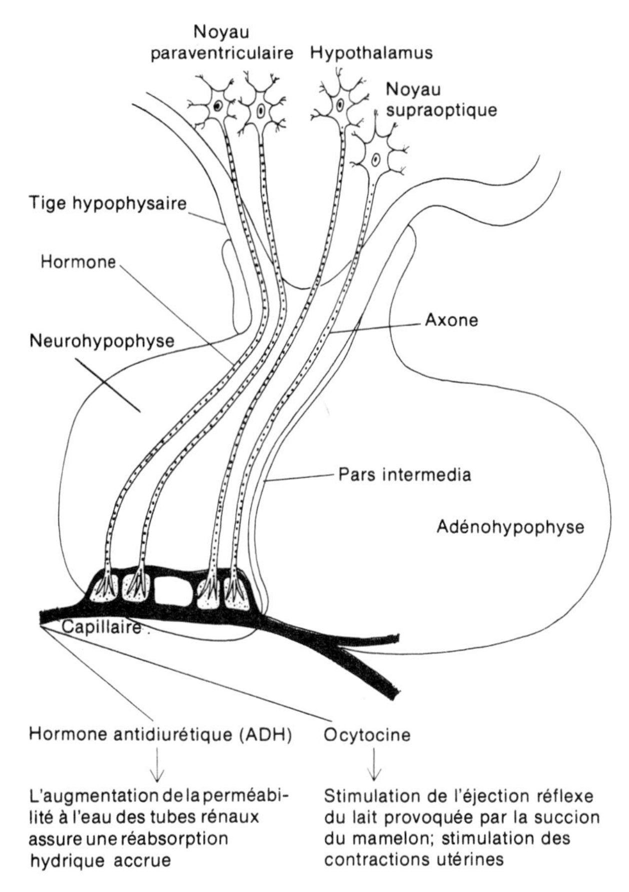

Figure 17-5 Les hormones neurohypophysaires sont synthétisées par des neurones hypothalamiques. Elles sont acheminées dans la neurohypophyse par transport axonique et accumulées dans les arborisations terminales. Leur sécrétion dans le liquide interstitiel est concurrente à l'activité nerveuse des neurones.

Nous verrons qu'un grand nombre d'activités hypophysaires sont contrôlées par l'hypothalamus, lien très important entre les systèmes nerveux et endocrinien.

La neurohypophyse

La *neurohypophyse* provient d'une extension de l'hypothalamus. Les deux hormones neurohypophysaires, l'ocytocine et l'hormone antidiurétique (ADH), bien que libérées par la neurohypophyse, sont produites par des cellules spécialisées de l'hypothalamus (des cellules des noyaux paraventriculaires et supraoptiques). Les hormones, synthétisées dans les corps cellulaires, sont enveloppées dans de petites vésicules et acheminées le long des axones, en passant par la tige hypophysaire, vers le lobe nerveux (figure 17-5). Elles s'accumulent dans les terminaisons axoniques jusqu'à ce que le neurone soit stimulé; elles sont alors libérées et elles diffusent dans les capillaires avoisinants. Cette production neuronique d'hormones s'appelle une *neurosécrétion*.

L'ocytocine L'*ocytocine* est une hormone de nature protéique qui stimule les contractions utérines et provoque l'expulsion du lait maternel. Vers la fin de la grossesse le niveau sanguin d'ocytocine s'élève, ce qui déclenche les fortes contractions utérines nécessaires à l'expulsion du bébé. On administre parfois cette hormone (connue alors sous le nom de Pitocin) pour amorcer ou accélérer le travail.

La succion des mamelons par le bébé pendant l'allaitement stimule les neurones sensitifs qui font synapse avec les neurones hypothalamiques responsables de la libération d'ocytocine. Celle-ci amène la contraction des cellules myo-épithéliales entourant les acinus des glandes mammaires et l'expulsion du lait dans les conduits lactifères d'où il peut être sucé. L'ocytocine stimulant aussi les contractions utérines, on comprend pourquoi l'allaitement au sein d'un nouveau-né favorise le retour à la normale des dimensions de l'utérus après l'accouchement. Les hommes présentent environ le même taux sanguin d'ocytocine que les femmes, mais le rôle de l'hormone chez eux est inconnu.

L'hormone antidiurétique L'*hormone antidiurétique, ADH* (Anti Diuretic Hormone) favorise la conservation de l'eau par l'organisme en augmentant sa réabsorption au niveau des tubes collecteurs du rein (voir le chapitre 16). L'action de l'hormone porte sur l'augmentation de la quantité d'AMP cyclique dans les cellules tubulaires, entraînant une perméabilité membranaire accrue à l'eau.

La sécrétion de ADH est sous le contrôle du volume et de la pression osmotique du sang. Toute augmentation de cette dernière est détectée par des osmorécepteurs hypothalamiques qui stimulent la sécrétion de ADH. La dilution consécutive du sang dépend d'une réabsorption accrue d'eau. Inversement si le sang est dilué, les récepteurs hypothalamiques gonflent (deviennent turgescents) et émettent des influx qui réduisent la sécrétion de ADH.

Si le volume sanguin devient anormalement bas, la pression sanguine chute et les mécanorécepteurs des parois des atriums sont moins étirés. Les signaux qu'ils émettent vers l'hypothalamus accélèrent la sécrétion hormonale. En conséquence l'eau est conservée et le volume sanguin tend à revenir à la normale. Certains mécanorécepteurs artériels (aortiques et carotidiens) sont aussi en contact avec l'hypothalamus et le tiennent au courant de la valeur de la pression sanguine. Si celle-ci augmente, ces récepteurs permettent d'inhiber la sécrétion hormonale; la diurèse augmente, le volume et la pression du sang diminuent. Une lésion des cellules hypothalamiques responsables de la sécrétion de ADH (d'ordinaire due à une tumeur) peut être la cause étiologique d'un diabète insipide.

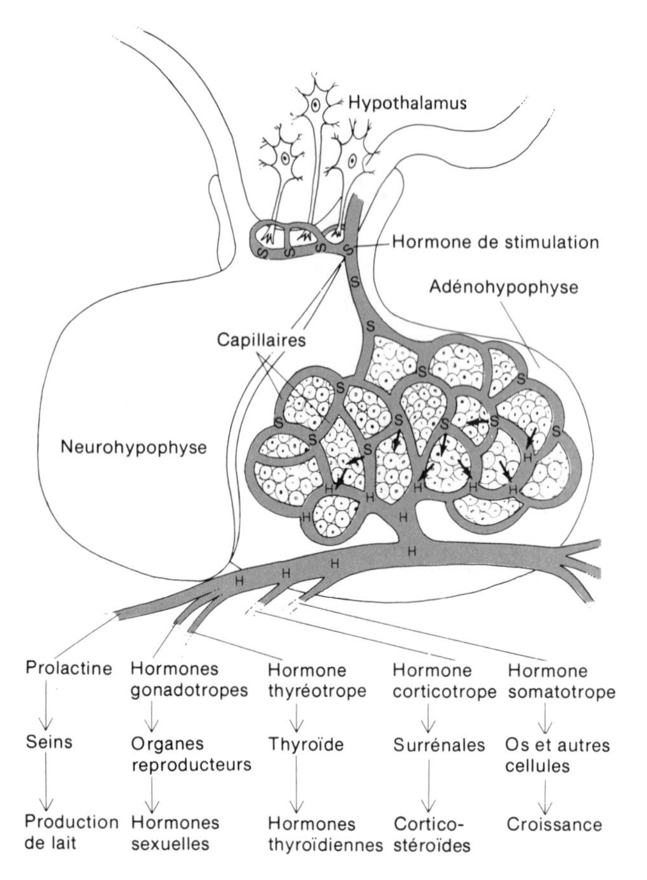

Figure 17-6 L'hypothalamus sécrète des hormones de stimulation et de frénation qui atteignent l'adénohypophyse par voie sanguine (système porte hypothalamo-adénohypophysaire). Chaque hormone de stimulation est responsable de l'accélération de la synthèse d'une hormone adénohypophysaire spécifique.

L'adénohypophyse

L'*adénohypophyse* sécrète six hormones dont l'activité fonctionnelle a été reconnue. Ce sont l'hormone de croissance, dont l'effet se fait sentir sur le soma dans son ensemble, la prolactine, qui prépare les glandes mammaires à la sécrétion lactée, et quatre hormones trophiques ou tropiques dont le rôle est de régulariser l'activité sécrétrice d'autres glandes endocrines.

Le contrôle hypothalamique Des neurones hypothalamiques spécialisés sécrètent des hormones de stimulation ou de frénation de l'activité sécrétoire adénohypophysaire. Par exemple, des cellules hypothalamiques sécrètent, lorsque requise, une hormone de stimulation de l'hormone de croissance et la libèrent dans la partie la plus basse de l'hypothalamus. L'hormone de stimulation diffuse dans un réseau capillaire particulier qui la véhicule dans l'adénohypophyse (figure 17-6). Ce réseau capillaire vital reliant l'hypothalamus à l'adénohypophyse est le *système porte hypothalamo-hypophysaire.*

Si un grand nombre de glandes et d'activités corporelles sont sous le contrôle de l'hypophyse, laquelle est elle-même sous contrôle hypothalamique, vous vous demandez peut-être en ce moment: qu'est-ce qui contrôle l'hypothalamus? Vous constaterez rapidement que ce dernier est soumis à des influences hormonales et nerveuses qui agissent par rétroaction.

L'hormone de croissance L'*hormone de croissance* ou *somatotrope* (*somatotropine*) est un facteur primordial de la croissance. Son activité fonctionnelle détermine une prise en charge cellulaire accélérée d'AA et une stimulation de la synthèse protéique, d'où son qualificatif d'*anabolisant.*

Les effets de l'hormone somatotrope sur la croissance des os longs sont indirects. L'hormone stimule la production d'un peptide appelé *somatomédine* fabriqué par le foie, les reins, et possiblement quelques autres tissus. C'est la somatomédine qui est le médiateur de la réponse osseuse à la stimulation somatotrope. (La somatomédine est nécessaire à la déposition du collagène et du sulfate de chondroïtine; ces deux substances sont essentielles pour assurer la croissance du cartilage et de l'os.)

L'hormone somatotrope a aussi un effet sur le métabolisme des lipides et des glucides. Elle accélère la mobilisation des lipides dans les cellules adipeuses, ce qui élève le taux sanguin d'acides gras libres. Ceux-ci sont alors disponibles comme combustible cellulaire en lieu et place des protéines. Comment ceci favorise-t-il la croissance? L'effet mobilisateur des lipides par l'hormone somatotrope est aussi important pendant un jeûne ou en situation de stress prolongé, deux états où la glycémie est basse. Pouvez-vous expliquer pourquoi?

Plusieurs actions de l'hormone somatotrope ont comme effet direct ou indirect d'élever la glycémie. L'hormone inhibe entre autres la prise en charge et l'utilisation du glucose par les cellules. Quant au glucose cellulaire, ne pouvant être dégradé, il est stocké sous forme de glycogène; les cellules se chargent de glycogène et la glycémie s'élève. Un excès d'hormone somatotrope pendant une période assez longue peut s'exprimer sous une forme particulière de diabète mellitus d'origine hypophysaire. C'est l'*effet diabétogène* de l'hormone de croissance; il se pourrait que la stimulation de la sécrétion pancréatique de glucagon par l'hormone de croissance puisse en être la cause.

Le contrôle de la sécrétion de l'hormone somatotrope La sécrétion de l'hormone somatotrope est contrôlée par deux hormones hypothalamiques, une hormone de stimulation et une hormone de frénation de l'activité sécrétoire adénohypophysaire (cette dernière s'appelle aussi la *somatostatine*). Un fort taux sanguin d'hormone somatotrope augmente la sécrétion hypothalamique de l'hormone de frénation et l'hypophyse réduit sa production d'hormone de croissance. Un faible taux sanguin de cette dernière favorise la sécrétion hypothalamique d'hormone de stimulation et l'hypophyse accélère sa production d'hormone de croissance. La baisse de la glycémie, l'élévation de la concentration sanguine d'AA et le stress, ont aussi une influence positive sur la sécrétion adénohypophysaire d'hormone somatotrope.

Vous vous souvenez sans doute que vos parents vous aient dit que le sommeil et l'exercice étaient indispensables pour assurer une croissance normale. Ces notions ont trouvé aujourd'hui leur confirmation expérimentale. La sécrétion de l'hormone de croissance augmente pendant l'exercice, probablement à cause de la baisse de la glycémie consécutive au métabolisme accéléré des cellules musculaires. La sécrétion de l'hormone de croissance augmente aussi pendant les phases de sommeil lent.

Les enfants entourés d'affection sont favorisés par rapport à ceux qui en manquent. La croissance peut être retardée chez ces derniers même si leurs besoins physiques, comme la nourriture et le gîte, ne leur font pas défaut. Les caresses, les jeux et les autres formes de soins, semblent être essentiels à un développement normal. Quelques enfants privés d'attention et d'amour présentent des troubles du sommeil, ce qui pourrait être à la source de la réduction de la sécrétion de l'hormone somatotrope.

La croissance est aussi sous l'influence d'autres hormones. Les hormones thyroïdiennes apparaissent indispensables à la sécrétion normale et au bon fonctionnement de l'hormone somatotrope. La présence des hormones sexuelles est aussi nécessaire pour que se produise la poussée de croissance associée à la puberté (la période de maturation sexuelle). Celles-ci toutefois provoquent éventuellement la calcification des disques épiphysaires des os longs de sorte que la taille ne peut plus augmenter même en présence de l'hormone de croissance.

Les anomalies de la croissance Vous êtes-vous déjà demandé pourquoi certaines personnes demeuraient naines? Vous avez probablement déjà vu, dans un cirque, des nains hypophysaires, des individus qui ont présenté une insuffisance adénohypophysaire (hyposécrétion d'hormone somatotrope) pendant l'enfance. Ils sont petits, mais d'intelligence normale et ordinairement bien proportionnés. Si on peut diagnostiquer cet état alors que les disques épiphysaires des os longs ne sont pas encore calcifiés, l'injection d'hormone de croissance peut pallier à l'insuffisance glandulaire (l'hormone est maintenant synthétisée sur une base commerciale).

Pouvez-vous imaginer d'autres mécanismes dont le mauvais fonctionnement donnerait des problèmes de croissance? Que pensez-vous des hormones de régulation hypothalamiques? Supposez que l'hormone de régulation soit sécrétée normalement mais que le foie ne sécrète pas de somatomédine! Chez les pygmées d'Afrique, par exemple, l'hormone somatotrope et la somatomédine sont sécrétées en quantités suffisantes, mais la réponse tissulaire est inadéquate. La croissance est anormale. On est en présence d'un problème au niveau du tissu cible.

À l'opposé du nanisme on retrouve le gigantisme. Les géants de cirque, par exemple, ou plusieurs joueurs de ballon-panier (basketball) ont une taille exagérément grande. Cette condition est due à une hypersécrétion adénohypophysaire d'hormone somatotrope pendant l'enfance.

Si cette hypersécrétion apparaît à l'âge adulte, l'individu ne peut plus grandir. Plusieurs os toutefois, comme ceux des mains, des pieds et de la face, peuvent voir leur croissance stimulée, un état appelé *acromégalie* (grandes extrémités).

La prolactine (hormone lactogène) Lorsqu'un bébé est nourri au sein (l'*allaitement*), la *prolactine* stimule les cellules des glandes mammaires à sécréter du lait. La succion du mamelon amorce un réflexe intégré dans l'hypothalamus. Il consiste en une suppression de la sécrétion hypothalamique de l'hormone de frénation de la prolactine, favorisant ainsi la libération adénohypophysaire de cette hormone. La production lactée dure aussi longtemps que le bébé tète, même pendant des années. Celle-ci s'arrête toutefois quelques jours après que la mère ait cessé d'allaiter. On ne connaît pas la fonction de la prolactine chez l'homme.

Les hormones tropiques L'adénohypophyse sécrète quatre *hormones tropiques*, c'est-à-dire des hormones qui stimulent l'activité d'autres glandes endocrines. Ce sont les hormones thyréotrope (TSH), corticotrope (ACTH) et gonadotropes (FSH et LH), qui agissent respectivement sur la thyroïde, le cortex surrénal et les gonades (les glandes sexuelles). L'étude des deux premières se fera en même temps que celle des glandes cibles. Les gonadotropines seront étudiées au chapitre suivant avec l'appareil reproducteur.

LA GLANDE THYROÏDE

Sise à la partie antérieure du cou (devant la trachée, immédiatement sous le larynx), la *thyroïde* a un peu la forme d'un bouclier (figure 17-2). Elle possède deux lobes latéraux de tissu glandulaire rouge foncé, reliés par un *isthme* médian qui repose sur les deuxième et troisième anneaux cartilagineux de la trachée. Les cellules thyroïdiennes sont disposées en millions de vésicules constituées d'une seule couche de cellules épithéliales cubiques entourant un espace central rempli d'une substance protéique appelée la *colloïde*. La glande thyroïde sécrète deux hormones thyroïdiennes et la *calcitonine* (dont l'étude se fera avec celle des glandes parathyroïdes).

Les hormones thyroïdiennes

Les deux hormones que l'on nomme généralement *les* hormones thyroïdiennes sont la *triiodo-thyronine* (T3 pour ses trois atomes d'iode) et la *thyroxine* (T4 pour ses quatre atomes d'iode). La synthèse de ces hormones se fait à partir de l'AA tyrosine et de l'iode. Grâce à une «trappe à iode», un mécanisme qu'on appelle la «pompe à iodure», la thyroïde accumule l'iode à partir du sang. Elle peut ainsi stocker dans la colloïde une réserve de plusieurs semaines de thyroxine et de T3, ces deux hormones étant liées à une protéine appelée *thyroglobuline* (figure 17-7).

Lors d'une demande hormonale les cellules thyroïdiennes ingèrent de la colloïde par pinocytose. À l'aide d'enzymes lysosomiales, les hormones (T3 ou T4) sont détachées de la thyroglobuline et libérées dans le courant circulatoire. La plus grande partie est transportée sous forme d'iode protidique sanguin (*PBI* pour Protein-Bound-Iodine). La mesure clinique de PBI sert donc à déterminer le taux d'hormones thyroïdiennes circulantes, lequel est normalement d'environ 6 μg/100 ml de plasma[2].

Les fonctions thyroïdiennes La thyroïde est essentielle à la croissance et au développement normal. L'effet général des hormones thyroïdiennes est de stimuler le métabolisme énergétique cellulaire, augmentant la consommation de O_2 et la production de chaleur de presque tous les tissus. (Le cerveau et les poumons sont des exceptions importantes.) On pense que cet

[2] Puisque l'iode est essentiellement transporté sous la forme de thyroxine (T4), la concentration de 6 μg/100 ml correspond à peu près à 80 mmol/l de thyroxine liée, en unités SI.

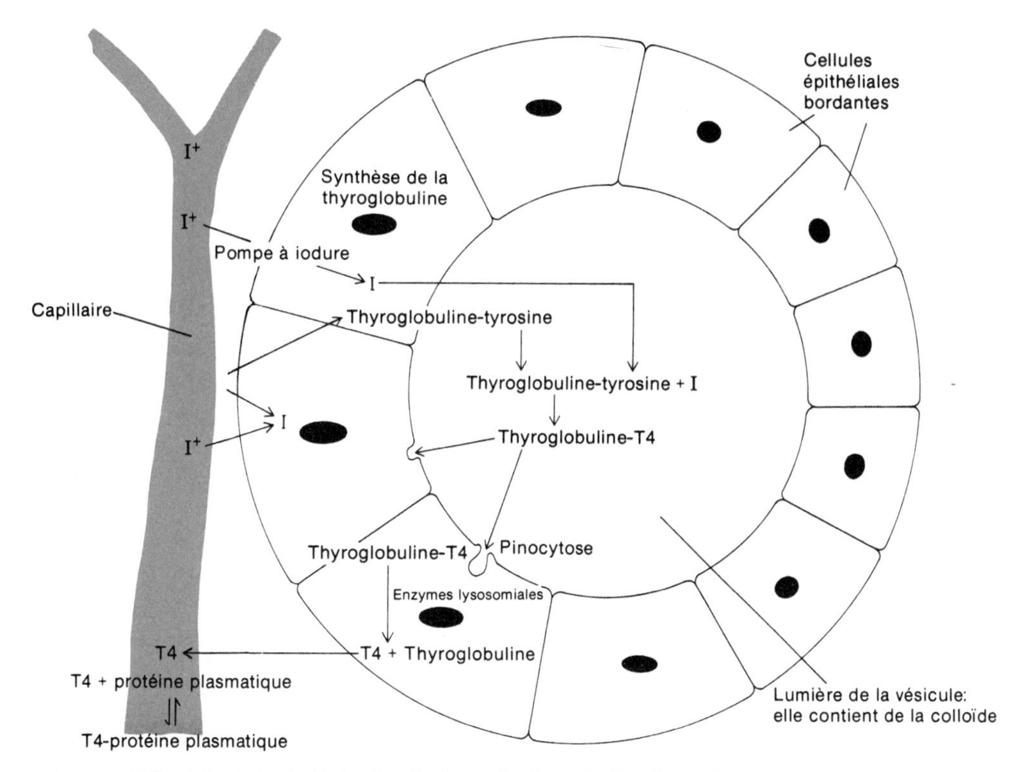

Figure 17-7 Physiologie de la glande thyroïde. Les cellules thyroïdiennes séquestrent l'iode et synthétisent de la thyroglobuline. La tyrosine se combine à la thyroglobuline et l'iode est ajouté au complexe dans la substance colloïde vésiculaire où se fait donc la dernière étape de la production de T4. (La figure ne montre pas la synthèse de T3 qui se fait de façon similaire.) Lors d'une commande de sécrétion hormonale, les cellules captent de la colloïde par pinocytose. Des enzymes lysosomiales libèrent T4 de la thyroglobuline et l'hormone peut atteindre le torrent circulatoire par diffusion.

effet thermogène est dû à la stimulation du transport des électrons (phosphorylation oxydative). Le combustible étant «brûlé» plus rapidement, la chaleur produite augmente. Les hormones thyroïdiennes affectent la croissance en stimulant la synthèse d'ARN et de protéines en plus d'agir en synergie avec l'hormone somatotrope (en amplifiant ses effets).

Les hormones thyroïdiennes affectent presque toutes les étapes du métabolisme des glucides et des lipides. Elles stimulent l'absorption intestinale des glucides, accélèrent la prise en charge du glucose par les cellules et ont un impact sur maints autres aspects du métabolisme des glucides. Elles ont une action stimulante sur la mobilisation des lipides en accélérant l'oxydation cellulaire des acides gras, la synthèse du cholestérol, et sa prise en charge par les cellules hépatiques. Sans connaître à fond leur mode de fonctionnement, on croit qu'elles agissent par le biais de l'AMP cyclique.

La régulation de la sécrétion thyroïdienne
La fonction thyroïdienne est sous le contrôle d'un mécanisme de rétroaction entre l'adénohypophyse et la thyroïde (figure 17-8). Une trop grande concentration sanguine d'hormones thyroïdiennes inhibe l'adénohypophyse. Si la concentration baisse, alors l'adénohypophyse sécrète plus de *TSH* (*hormone thyréotrope, thyréotropine* ou *thyréostimuline*). Celle-ci, par le biais de l'AMP cyclique, favorise la prise en charge d'iode, la synthèse et la sécré-

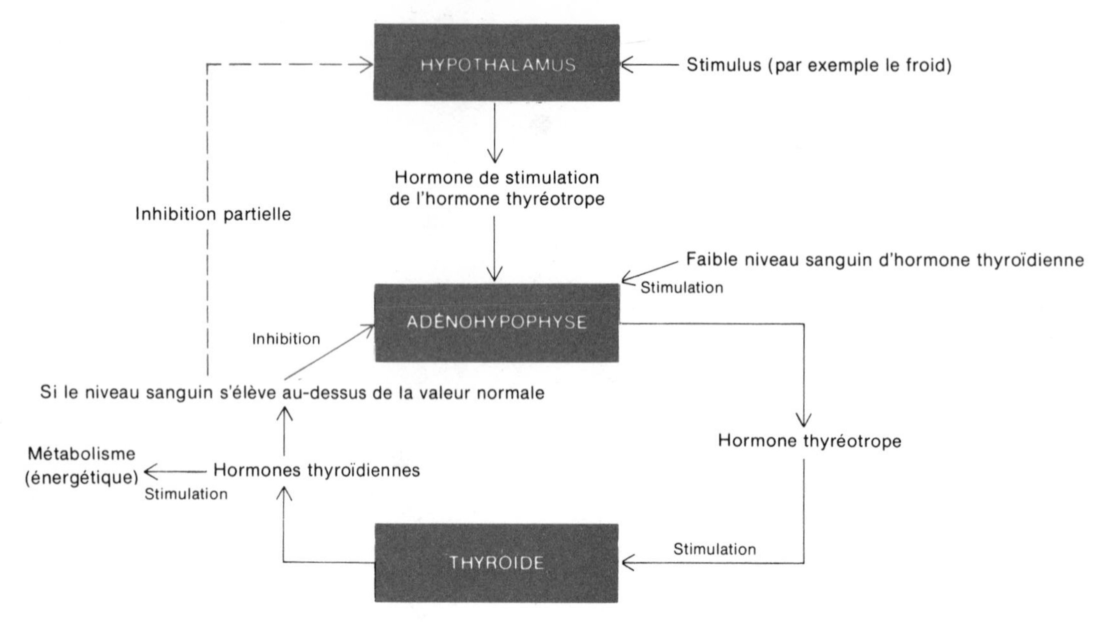

Figure 17-8 La régulation de la sécrétion thyroïdienne. Les flèches colorées marquent une inhibition

tion des hormones thyroïdiennes, et l'augmentation de la taille de la glande elle-même.

L'excès d'hormones thyroïdiennes réduit de plus la sécrétion hypothalamique d'hormone de stimulation de TSH. On pense toutefois que l'hypothalamus agit d'abord dans des situations de stress telles que de très grandes variations de température. L'exposition d'un organisme à un froid intense peut stimuler la sécrétion hypothalamique d'hormones, augmentant ainsi la température corporelle grâce à une plus grande thermogenèse. Les situations anxiogènes de même que les grandes émotions peuvent aussi avoir une influence sur le contrôle hypothalamique de la fonction thyroïdienne. On constate cependant que ces états émotionnels ralentissent la sécrétion de TSH, peut-être à cause de l'élévation du taux de métabolisme par stimulation nerveuse sympathique.

Les affections thyroïdiennes L'hypothyroïdie extrême pendant l'enfance et l'adolescence provoque un ralentissement du métabolisme qui occasionne des retards mentaux et physiques, un état qu'on appelle le *crétinisme*. (On doit clairement distinguer les nains hypophysaires des crétins.) On peut prévenir le crétinisme par un traitement qui doit commencer assez tôt (on utilise d'ordinaire des pilules d'extrait de thyroïde bovine).

Un adulte qui s'endort tout le temps, qui se sent vidé (sans énergie), et qui présente une lenteur ou même de la confusion mentale, peut être atteint d'hypothyroïdie. En absence de fonction thyroïdienne, le taux de métabolisme de base peut être réduit d'environ 40 pour 100 et le patient présente un *myxoedème*; c'est un état d'oedème généralisé et d'hypercholestérolémie qui mène à l'athérosclérose. L'hypothyroïdie peut être traitée en prescrivant des pilules d'extraits thyroïdiens qui remplacent les hormones manquantes.

L'hyperthyroïdie ne provoque pas de croissance anormale; le taux de métabolisme de base augmente toutefois de 60 pour 100 et même plus. Les nutriments sont donc utilisés de façon très rapide et le patient développe un gros appétit et mange énormément. Malgré cela, l'apport est souvent insuffisant et ces patients maigrissent. Ils ont aussi tendance à être nerveux, irritables, et instables au point de vue émotif.

L'hyperthyroïdie est souvent due à la *maladie de Basedow* caractérisée par un accroissement de la taille et de l'activité de la thyroïde. La maladie est provoquée par une gammaglobuline plasmatique appelée *LATS* (Long Acting Thyroid Stimulator), le stimulant thyroïdien à long terme. On pense que c'est un anticorps qui se forme en réponse à quelque composant du tissu thyroïdien, peut-être contre l'antimitotique normal thyroïdien. La maladie de Basedow peut se traiter avec des médicaments ou par la chirurgie, parfois même par injection massive d'iode radioactif qui détruit une partie du tissu thyroïdien.

Tout accroissement anormal de la thyroïde est un *goitre* et peut dépendre soit d'une hypothyroïdie soit d'une hyperthyroïdie. La maladie de Basedow est une cause de goitre, de même qu'une insuffisance alimentaire en iode. Sans iode la glande ne peut synthétiser d'hormones et leur concentration sanguine tombe. Pour compenser cet état de fait l'adénohypophyse sécrète de grandes quantités de TSH et la thyroïde grossit, jusqu'à atteindre parfois des proportions gigantesques. Mais puisque le problème réside dans une carence iodée, la glande grossit pour rien; sans iode elle ne peut synthétiser d'hormones. Ce type de goitre est presque disparu dans beaucoup de régions du monde grâce à l'utilisation du sel de table iodé. En d'autres endroits, cependant, des centaines de milliers de personnes souffrent de cette maladie qu'on peut si facilement prévenir.

LES GLANDES PARATHYROÏDES

Les *glandes parathyroïdes*, généralement au nombre de quatre, sont de petites masses enfouies dans le tissu conjonctif qui enveloppe les lobes latéraux de la thyroïde. Leur masse globale est d'environ 140 mg.

L'hormone parathyroïdienne

Les parathyroïdes sécrètent l'*hormone parathyroïdienne* (la *parathormone*), une petite protéine qui contrôle le niveau du calcium dans le sang et dans le liquide interstitiel. Le fonctionnement normal des nerfs et des muscles, le métabolisme osseux, la perméabilité des membranes cellulaires et la coagulation sanguine, dépendent d'une concentration calcique adéquate.

Les fonctions de la parathormone L'hormone parathyroïdienne agit par le biais de l'AMP cyclique et augmente la concentration calcique du sang. Ses tissus cibles sont les tubes rénaux, l'os et, d'une façon indirecte, l'intestin. Ses rôles sont les suivants:

1 Elle stimule la libération de calcium à partir des os. Environ 99 pour 100 du capital de calcium se trouve dans les os, mais vous devez vous souvenir, comme nous l'avons vu au chapitre 5, que les os sont des organes actifs qui sont continuellement résorbés et remodelés. Les échanges de calcium entre le sang et les os sont constants. La parathormone induit une augmentation du nombre des ostéoclastes et de leur activité, de sorte qu'une plus forte résorption osseuse libère plus de calcium dans le sang.

2 La parathormone stimule la réabsorption du calcium par les tubes rénaux, élevant la calcémie et réduisant la calciurie. L'hormone réduit en même temps la réabsorption des phosphates qui sont excrétés dans l'urine.

3 La parathormone active la vitamine D, laquelle augmente l'absorption intestinale du calcium. La vitamine D agit aussi indépendamment de la parathormone pour accélérer la résorption calcique à partir des os.

La régulation de la sécrétion parathyroïdienne Les os fixent normalement tout surplus calcique sanguin, mais il peut arriver qu'ils soient saturés en sels de calcium; l'augmentation consécutive de la calcémie et de la concentration du calcium interstitiel signalent directement aux parathyroïdes de réduire leur production de parathormone. Si, d'autre part, la calcémie et la concentration calcique interstitielle baissent, ne fusse que très peu, la sécrétion parathyroïdienne s'accroît. Ainsi la sécrétion de la parathormone dépend directement du niveau du calcium sanguin et interstitiel (figure 17-9).

La fonction de la calcitonine

Hormone d'origine thyroïdienne, la *calcitonine* a un effet antagoniste à celui de la parathormone. À partir d'un certain seuil d'é-

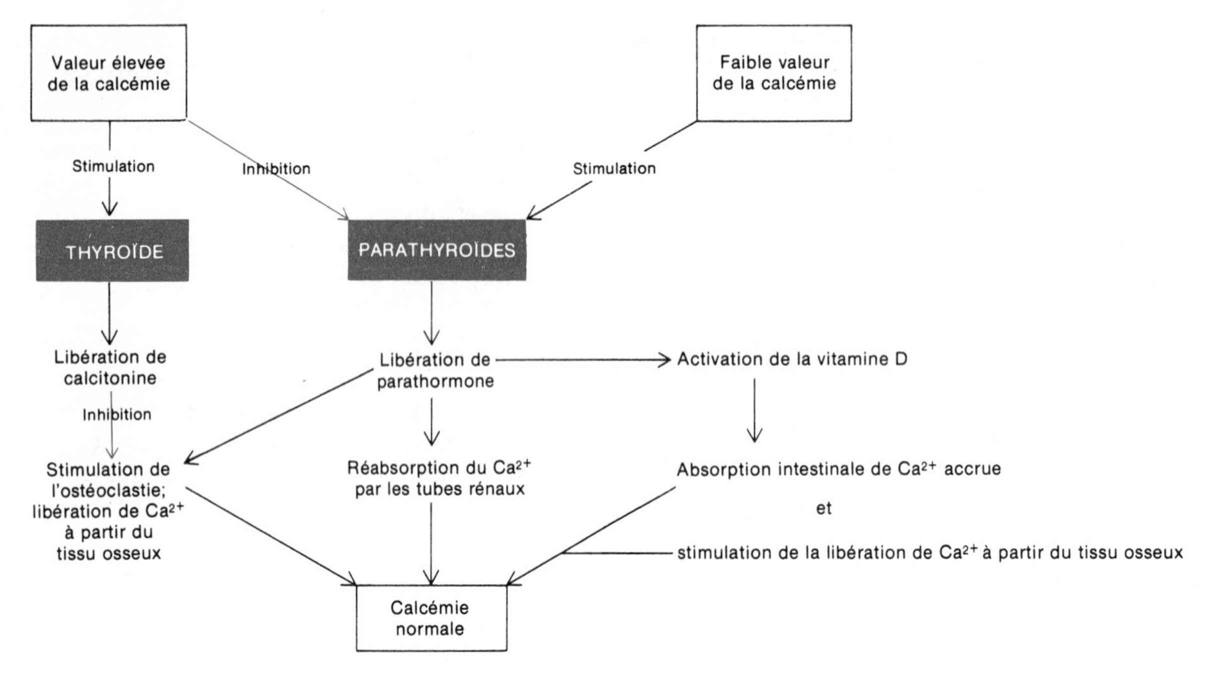

Figure 17-9 La régulation du métabolisme du calcium. Les flèches colorées marquent une inhibition.

lévation de la calcémie (environ 20 pour 100 au-dessus de la normale), la calcitonine apparaît dans le sang et son action rapide inhibe la résorption osseuse de calcium. Son action est à court terme, mais rapide et efficace pour ajuster la concentration calcique.

Les troubles du métabolisme calcique

L'insuffisance parathyroïdienne provoque une baisse de l'activité des ostéoclastes et une baisse du calcium sanguin et interstitiel; elle se traduit par un syndrome d'hyperexcitabilité neuro-musculaire où les neurones peuvent décharger spontanément et causer des secousses musculaires, des spasmes et même de la tétanie. Des spasmes des muscles du larynx peuvent facilement bloquer la respiration et causer la mort de l'organisme. Le niveau normal de la calcémie est d'environ 10 mg/100 ml (2,5 mmol/l); la tétanie se produit lorsque la concentration tombe à environ 6 mg/100 ml (1,5 mmol/l) (une baisse de 40 pour 100). Un niveau de 4 mg/100 ml (1,0 mmol/l) peut-être létal. Les symptômes de l'hypoparathyroïdie disparaissent rapidement après injection de calcium ou de parathormone; en clinique on traite ordinairement cet état avec de grandes quantités de vitamine D.

L'hyperparathyroïdie dépend souvent de petites tumeurs bénignes hypersécrétantes qu'on appelle des *adénomes*. La résorption osseuse du calcium est si importante que les os sont affaiblis et peuvent même fracturer spontanément. L'excrétion rénale de calcium augmente considérablement, si bien qu'il se forme des cristaux de calcium qui précipitent dans l'urine et leur agrégation fait apparaître des calculs rénaux (des «pierres sur les reins»). Dans des cas graves, la fonction cardiaque peut être affectée par l'hypercalcémie et des dépôts de calcium peuvent se former dans les tissus mous de l'organisme.

Pendant la grossesse le foetus accapare de grandes quantités de calcium du sang maternel pour son ostéogenèse. La mère doit donc voir à augmenter son apport calcique alimentaire si elle ne veut pas être affectée d'hyperparathyroïdie et d'une décalcification de ses os.

LES ÎLOTS PANCRÉATIQUES

Le pancréas endocrine contient plus d'un million de petits groupes de cellules dispersés à travers sa masse, les *îlots pancréatiques* (*de Langerhans*). On y trouve des cellules bêta (sécrétrices de l'*insuline*), des cellules alpha (sécrétrices du *glucagon*) et des cellules delta (productrices de *somatostatine*).

L'insuline

L'*insuline* est une hormone protéique dont l'influence sur le métabolisme est très étendue. Sa fonction principale est de faciliter le passage du glucose dans les cellules de l'organisme, en particulier dans les cellules musculaires et adipeuses. Celles-ci, entre autres, incorporent le glucose sanguin d'où le rôle hypoglycémiant de l'hormone.

En présence d'insuline le surplus de glucose pris en charge par les cellules musculaires et adipeuses est transformé respectivement en glycogène et en lipides et mis en réserve. Les cellules hépatiques, très perméables au glucose, n'ont pas besoin d'insuline pour s'en accaparer, mais la présence de l'hormone stimule l'activité d'une enzyme hépatique (une hexokinase) qui assure la phosphorylation (l'addition d'un phosphate) du glucose; celui-ci est alors incapable de sortir de la cellule hépatique où il est emprisonné. L'hormone favorise de plus la glycogenèse et la mise en réserve dans le foie. Quand celui-ci atteint sa pleine capacité de réserves de glycogène, les surplus de glucose sont transformés en lipides et expédiés sous cette forme vers les tissus adipeux où ils sont stockés.

L'insuline influence aussi le métabolisme des protéines en accélérant le transport intracellulaire des AA et la synthèse protéique. La croissance normale de l'organisme ne peut se faire sans une insulinémie normale.

Le glucagon

Le *glucagon* est aussi une protéine mais son action est antagoniste à celle de l'insuline: c'est une hormone hyperglycémiante. Cette action s'exprime par une accélération de la glycogénolyse hépatique (conversion du glycogène en glucose) et par la stimulation de la gluconéogenèse dans le foie. Le glucagon stimule la mobilisation des lipides dans les tissus adipeux, entraîne une augmentation du taux d'acides gras dans le sang, et offre une disponibilité accrue de nutriments pour la gluconéogenèse. Toutes ces fonctions sont opposées à celles de l'insuline. On pense que le glucagon est aussi sécrété par certaines cellules des parois gastriques et duodénales.

La régulation de la sécrétion d'insuline et de glucagon

La sécrétion d'insuline et de glucagon est contrôlée directement par la concentration du glucose dans le sang (figure 17-10). Après un repas, la glycémie s'élève à la suite de l'absorption intestinale de glucose; la sécrétion d'insuline par les cellules bêta est stimulée en même temps. Puis, à mesure que les cellules soutirent du glucose du sang, la sécrétion diminue parallèlement à la baisse de la glycémie. La sécrétion d'insuline est aussi accélérée par une hausse de l'aminoacidémie et par des concentrations élevées de certains corps cétoniques dans le sang.

Après plusieurs heures de jeûne le niveau de la glycémie baisse. La glycémie normale à jeun étant d'environ 90 mg/100 ml (5,0 mmol/l), les cellules alpha sont stimulées et sécrètent du glucagon lorsqu'elle atteint environ 70 mg/100 ml (3,9 mmol/l). La mobilisation du glucose à partir des réserves hépatiques ramène la glycémie à une valeur normale. Le cytoplasme des cellules alpha s'ajuste à la concentration du glucose sanguin et sa concentration en glucose reflète bien le niveau de la glycémie. Si la glycémie augmente, alors la concentration cytoplasmique des cellules alpha en glucose s'élève et la sécrétion de glucagon est inhibée.

L'action antagoniste de l'insuline et du glucagon s'exprime dans le maintien de la glycémie à l'intérieur de limites normales. L'hyperglycémie stimule la sécrétion d'insuline qui réduit la concentration du glucose sanguin; l'hypoglycémie stimule la sécrétion de glucagon qui élève la concentration du glucose sanguin. Le duo insuline-glucagon représente un mécanisme efficace et rapide pour mainte-

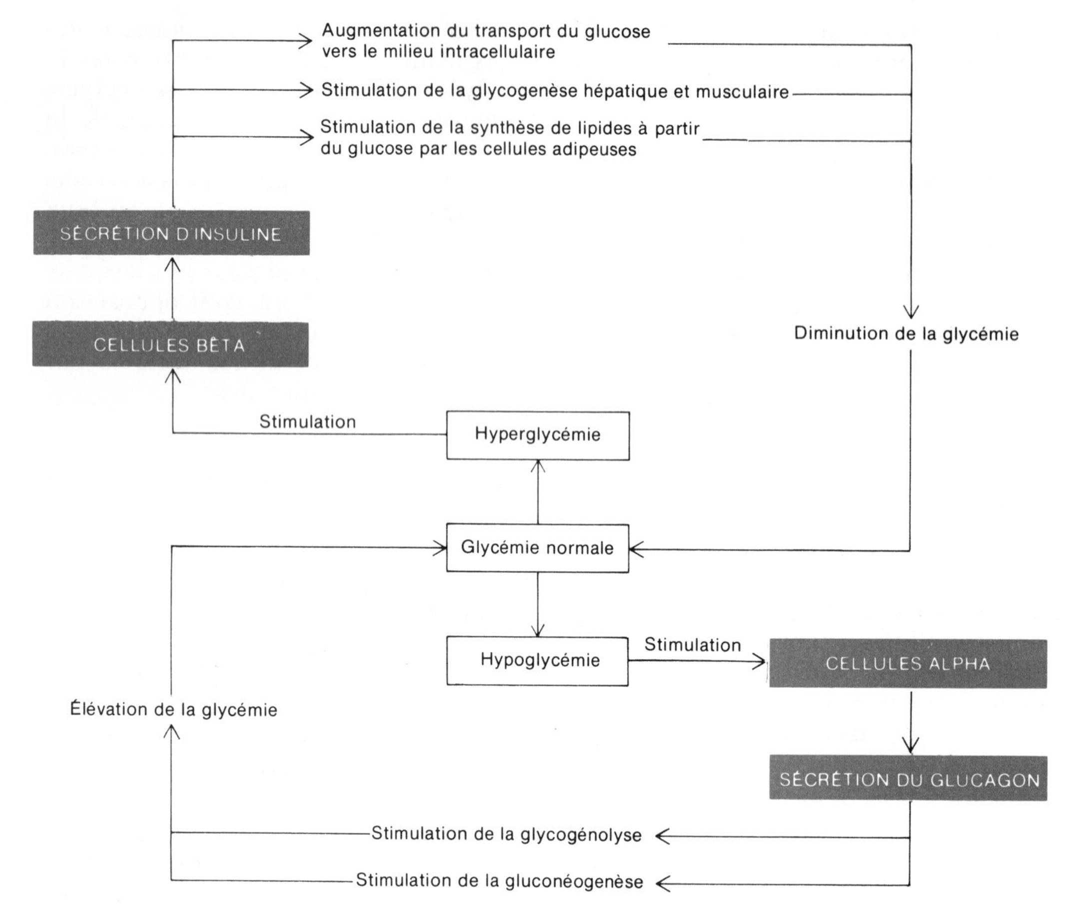

Figure 17-10 La régulation de la glycémie par l'insuline et le glucagon.

nir la glycémie normale. Pouvez-vous imaginer des raisons pour lesquelles il est important de maintenir le taux sanguin de glucose à un niveau constant? La principale raison repose probablement sur le fait que les cellules nerveuses dépendent totalement d'un apport continu de glucose sanguin, étant incapables normalement d'utiliser d'autres nutriments comme combustible. Comme vous le verrez, plusieurs autres hormones influencent la valeur de la glycémie.

Le diabète mellitus

Le principal trouble associé aux hormones pancréatiques est le *diabète mellitus* (*diabète sucré*). On estime à plus de 10 millions le nombre de diabétiques aux États-Unis seulement; en 1975, 40 000 personnes sont mortes des suites de cette maladie qui est ainsi la troisième plus importante cause de décès. Le diabète mal équilibré peut produire la cécité, des troubles rénaux, des affections des petits vaisseaux, la gangrène des membres et plusieurs autres problèmes.

Les symptômes du diabète mellitus ont été reliés à une insuffisance insulinique; cependant des travaux récents ont montré que certains diabétiques pouvaient présenter une insulinémie normale, mais que les récepteurs des cellules cibles étaient incapables de lier l'hormone. D'autres études laissent croire qu'une hypersécrétion de glucagon pourrait aussi être un facteur important. La susceptibilité à développer cette maladie est héréditaire (c'est toutefois un caractère récessif), mais on connaît encore mal les mécanismes responsables de l'apparition de l'affection. On reconnaît cliniquement deux types distincts de diabète: le diabète juvénile qui apparaît avant l'âge de 15 ans et le diabète adulte, lequel s'installe graduellement, en général après 40 ans. Les individus atteints de diabète juvénile ont une espérance de vie relativement plus faible surtout à cause de l'athérosclérose consécutive aux déséquilibres métaboliques qui apparaissent avec la maladie. Une étude récente montre que le diabète pourrait être déclenché chez des personnes génétiquement prédisposées par un virus relié à celui de la poliomyélite. Si ceci s'avérait exact on pourrait mettre au point un vaccin et prévenir l'infection. On peut faire apparaître la maladie chez des animaux expérimentaux en leur administrant des doses massives de certaines hormones, comme l'hormone somatotrope, ou encore en les soumettant à des diètes extrêmement riches en glucides. On peut ainsi garder la glycémie très élevée et peut-être «épuiser» les cellules bêta. On a suggéré que le diabète pouvait apparaître chez des individus génétiquement prédisposés, suite à une ingestion excessive de sucreries ou de tout autre glucide.

La physio-pathologie du diabète La plupart des déséquilibres métaboliques associés au diabète sont la conséquence de trois effets majeurs d'une insuffisance insulinique: (1) faible utilisation du glucose, (2) forte lipolyse, et (3) fort catabolisme protéique. Examinons ces déséquilibres avec un peu plus d'attention.

1 Chez les diabétiques, les cellules insulino-dépendantes ne peuvent accaparer qu'environ 25 pour 100 du glucose dont elles ont besoin comme combustible. Le glucose s'accumule dans le sang et le taux sanguin de glucose s'élève (*hyperglycémie*). Le fardeau glucidique sanguin est accru par le foie qui ne peut, sans insuline, capter efficacement le glucose ou emmagasiner du glycogène. Au lieu de présenter une valeur de glycémie à jeun d'environ 90 mg/100 ml (5,0 mmol/l), un diabétique peut présenter des valeurs de 300 à plus de 1000 mg/100 ml (16 à 55 mmol/l). Malgré ces énormes quantités de glucose disponible les cellules ne peuvent l'utiliser et doivent se tourner vers d'autres nutriments combustibles.

2 Heureusement l'hypo-insulinémie augmente la lipolyse dans les tissus adipeux; la concentration sanguine d'acides gras augmente et ils peuvent être utilisés pour la respiration cellulaire. Par contre cette forte *lipémie* (elle peut atteindre cinq fois la valeur normale) favorise l'évolution de l'athérosclérose. De plus cet important métabolisme lipidique cellulaire augmente la production de *corps cétoniques* (acétone et autres produits de dégradation des lipides). Ceux-ci s'accumulent dans le sang (*cétose*) et peuvent en modifier le pH. Les corps cétoniques s'ionisent, libérant des ions H^+ qui peuvent provoquer une acidose qui, si elle est importante, est susceptible de causer un coma et la mort.

3 L'insuffisance insulinique est une cause de gaspillage protéique. Normalement les protéines sont dégradées et synthétisées de façon permanente. Sans insuline pour stimuler la synthèse, l'équilibre se rompt en faveur du catabolisme protéique. Les AA acheminés au foie sont captés et convertis en glucose, ce qui n'améliore pas le problème de l'hyperglycémie. Le diabétique non traité devient rapidement maigre puis émacié.

Ces déséquilibres métaboliques ont un impact sur les fonctions homéostatiques des reins. Rappelez-vous (chapitre 16) que le glucose est normalement réabsorbé au complet par les tubes rénaux et qu'il n'en apparaît pas dans l'urine. La glycémie des diabétiques est souvent si élevée qu'elle dépasse le taux de transport maximum (Tm) des mécanismes tubulaires et du glucose passe dans l'urine (*glucosurie*). Sans être un critère absolu, le test du glucose urinaire est utile pour le dépistage du diabète et pour l'évaluation du contrôle du métabolisme du glucose chez des diabétiques déclarés.

La *cétonurie* (la présence de corps cétoniques dans l'urine) est un autre paramètre clinique du diabète. Les deux substances étant osmotiquement actives, elles augmentent la rétention tubulaire d'eau, accélèrent la diurèse et provoquent une déshydratation corporelle. Une soif constante et inextinguible est un autre symptôme clinique du diabète. L'excrétion des corps cétoniques entraîne du sodium dans l'urine et la baisse consécutive du capital sodique contribue à l'apparition de l'acidose et de ses conséquences fatales.

Le traitement du diabète Le traitement du diabète implique une diète soigneusement établie et bien équilibrée qui vise à réduire l'apport glucidique et à maintenir l'équilibre pondéral. Dans les cas sérieux, on doit prescrire des injections quotidiennes d'insuline préparée à partir d'extraits de pancréas de boeuf. L'insuline étant une protéine, elle ne peut être administrée par voie orale puisqu'elle serait digérée par les enzymes intestinales. Les cas de diabète léger sont parfois traités avec la tolbutamide ou d'autres médicaments de la même famille qui peuvent être pris oralement. Des études récentes indiquent que ces produits auraient des effets secondaires importants sur la fonction cardiaque et il se pourrait qu'on en cesse l'usage.

L'hypoglycémie

L'*hypoglycémie* (un faible taux de glucose sanguin) se remarque parfois chez des gens qui deviendront diabétiques. L'hypoglycémie peut être une réponse exagérée des îlots à la présence de glucose: une trop grande quantité d'insuline est sécrétée à la suite d'une ingestion de glucides. Environ 3 heures après un repas la glycémie tombe sous sa valeur normale et l'individu se sent moche et somnolent. Si la réaction est importante, le patient peut souffrir d'incoordination et même perdre connaissance.

Il peut se développer une hypoglycémie sévère si, par exemple, un diabétique s'injecte une trop grande quantité d'insuline ou encore à la suite d'une hypersécrétion pancréatique d'origine tumorale. La glycémie peut alors tomber d'une façon drastique privant les cellules nerveuses de tout support nutritif. Il peut s'ensuivre un *choc insulinique* pendant lequel le sujet semble en boisson, perd connaissance, présente des convulsions ou des lésions cérébrales, ou même meurt.

LES GLANDES SURRÉNALES

Les *surrénales* forment une paire de glandes situées au-dessus de chaque rein; ce sont de petites masses de tissus jaunâtres et la paire pèse seulement 10 à 12 g chez l'adulte. Chaque glande présente une portion centrale, la médulla, et une portion périphérique plus grosse, le cortex. Bien qu'unies anatomiquement, les deux parties sont des glandes physiologiquement distinctes qui proviennent de types de tissus différents chez l'embryon. Les deux glandes sécrètent des hormones qui participent à la régulation du métabolisme et les deux aident l'organisme à résister au stress.

La médulla surrénale

La *médulla surrénale* se développe à partir de tissu nerveux et certains physiologistes voient en elle un ganglion sympathique modifié. Son activité sécrétoire est sous l'influence de terminaisons sympathiques préganglionnaires. Elle sécrète deux hormones chimiquement similaires, l'adrénaline et la noradrénaline.

Les actions de l'adrénaline et de la noradrénaline L'*adrénaline* et la *noradrénaline* (parfois appelées *épinéphrine* et *norépinéphrine*) sont des *catécholamines* (des produits chimiques dérivés des AA). La noradrénaline est la même substance qui est sécrétée comme neurotransmetteur par les neurones sympathiques et par quelques neurones centraux. Ses effets sont identiques mais ceux de l'hormone surrénalienne durent plus longtemps (environ 10 fois) que ceux du neurotransmetteur parce que la première est retirée lentement du sang. L'adrénaline cependant représente la sécrétion la plus importante de la glande, soit environ 80 pour 100 de son débit hormonal.

La médulla surrénale est souvent présentée comme la glande des situations d'urgence; par sa sécrétion elle prépare l'organisme à faire face au danger et à être physiologiquement apte au combat ou à la fuite. Le taux de métabolisme augmente de près de 100 pour 100. Le rythme du coeur s'accélère, la pression artérielle augmente. Le sang est dévié de la peau et du lit splanchnique (en particulier le lit rénal) vers les muscles squelettiques et le cerveau. L'organisme est alerte, peut combattre avec plus de vigueur ou fuir plus rapidement qu'en temps normal.

La vasoconstriction splanchnique et périphérique rend disponible une plus grande quantité de sang pour les organes des situations d'urgence où se fait une vasodilatation. La vasoconstriction cutanée offre de plus l'avantage de réduire la perte de sang en cas d'hémorragie et explique aussi la pâleur soudaine qui accompagne la peur ou la rage. La glycémie et la lipémie augmentent, rendant disponibles plus de nutriments énergétiques. La force de contraction musculaire est plus grande.

Les hormones médullosurrénaliennes élèvent la *lipémie* (le niveau des acides gras circulants) en mobilisant les réserves de graisse des tissus adipeux. Elles élèvent la glycémie en accélérant l'absorption intestinale du glucose, en stimulant la glycogénolyse hépatique, et en favorisant la conversion du glycogène musculaire en acide lactique.

Plusieurs actions des catécholamines surrénaliennes sont semblables, mais leurs effets sur l'appareil circulatoire et le coeur sont partiellement différents. (Rappelez-vous de la théorie des alpha et des bêta récepteurs sympathiques rapidement présentée au chapitre 8.) La noradrénaline est un vasoconstricteur qui élève de ce fait la tension artérielle. L'adrénaline aussi élève la tension mais par une augmentation du débit cardiaque.

La régulation de la sécrétion En temps normal la sécrétion d'adrénaline et de noradrénaline, quoique faible, est continue. Elle est sous contrôle nerveux. En situation anxiogène des messages nerveux quittent le cerveau pour atteindre la médulla surrénale par voie sympathique. La libération des hormones est déclenchée par l'Ach, le neurotransmetteur des neurones préganglionnaires.

Le cortex surrénal

Le *cortex surrénal* (la *corticosurrénale*) est formé de trois zones nettement différenciées. La *zone glomérulée*, située immédiatement sous la capsule, produit des hormones appelés des *minéralocorticoïdes*; la *zone fasciculée* intermédiaire produit des *glucocorticoïdes* et la *zone réticulée* juxtamédullaire produit des hormones sexuelles en plus des glucocorticoïdes.

Toutes les hormones du cortex surrénal sont des *corticostéroïdes*, des stéroïdes synthétisés à partir du cholestérol. On a identifié plus de 30 corticostéroïdes différents dont la plupart sont des intermédiaires des nombreuses réactions menant à la synthèse des principales hormones. Quelques intermédiaires se comportent comme des hormones, mais leur potentialité physiologique est faible et ils ne sont généralement pas sécrétés par la glande.

Les hormones sexuelles du cortex surrénal Le cortex surrénal produit, autant chez l'homme que chez la femme, de faibles quantités d'*androgènes* (des hormones masculinisantes) et d'*oestrogènes* (des hormones féminisantes). Leur taux de sécrétion est normalement si faible qu'elles n'ont que peu d'effets physiologiques. Il est toutefois possible que les androgènes participent à l'apparition et à la pousse des poils pubiens et axillaires chez la femme à la puberté. Dans certaines conditions anormales (une tumeur ou une déficience enzymatique congénitale, par exemple), la sécrétion des hormones sexuelles peut être suffisamment élevée pour entraîner des anomalies. Par exemple, la sécrétion d'abondantes quantités d'androgènes chez la femme amène la masculinisation, dont la pousse des poils sur la face et le corps, la réduction de la taille des seins et l'augmentation de celle du clitoris (l'organe génital externe féminin homologue du pénis).

Les minéralocorticoïdes Le principal minéralocorticoïde est l'*aldostérone*. Sa fonction première est d'augmenter la réabsorption du sodium par les tubes rénaux, favorisant le maintien de l'équilibre sodique du sang et de la pression artérielle normale. L'aldostérone stimule aussi l'excrétion rénale du potassium en augmentant sa sécrétion par les tubes distaux et les tubes collecteurs; l'hormone joue donc un rôle dans la régulation de la concentration de cet ion dans l'organisme (figure 17-11).

Nous avons vu au chapitre 16 que l'excrétion sodique dépend aussi du taux de filtration glomérulaire. Des deux mécanismes, toutefois, le rôle de l'aldostérone apparaît comme le plus important. Lorsque la sécrétion surrénalienne d'aldostérone est déficiente, de grandes quantités de sodium sont excrétées par voie urinaire. L'eau est ainsi entraînée avec le sodium et il s'ensuit une diminution du capital hydrique qui peut être létale si la tension artérielle devient trop faible. L'aldostérone stimule la réabsorption sodique au niveau des tubes distaux. Puisque à chaque Na^+ réabsorbé correspond l'excrétion d'un H^+ ou d'un K^+, l'aldostérone participe indirectement au maintien du pH et

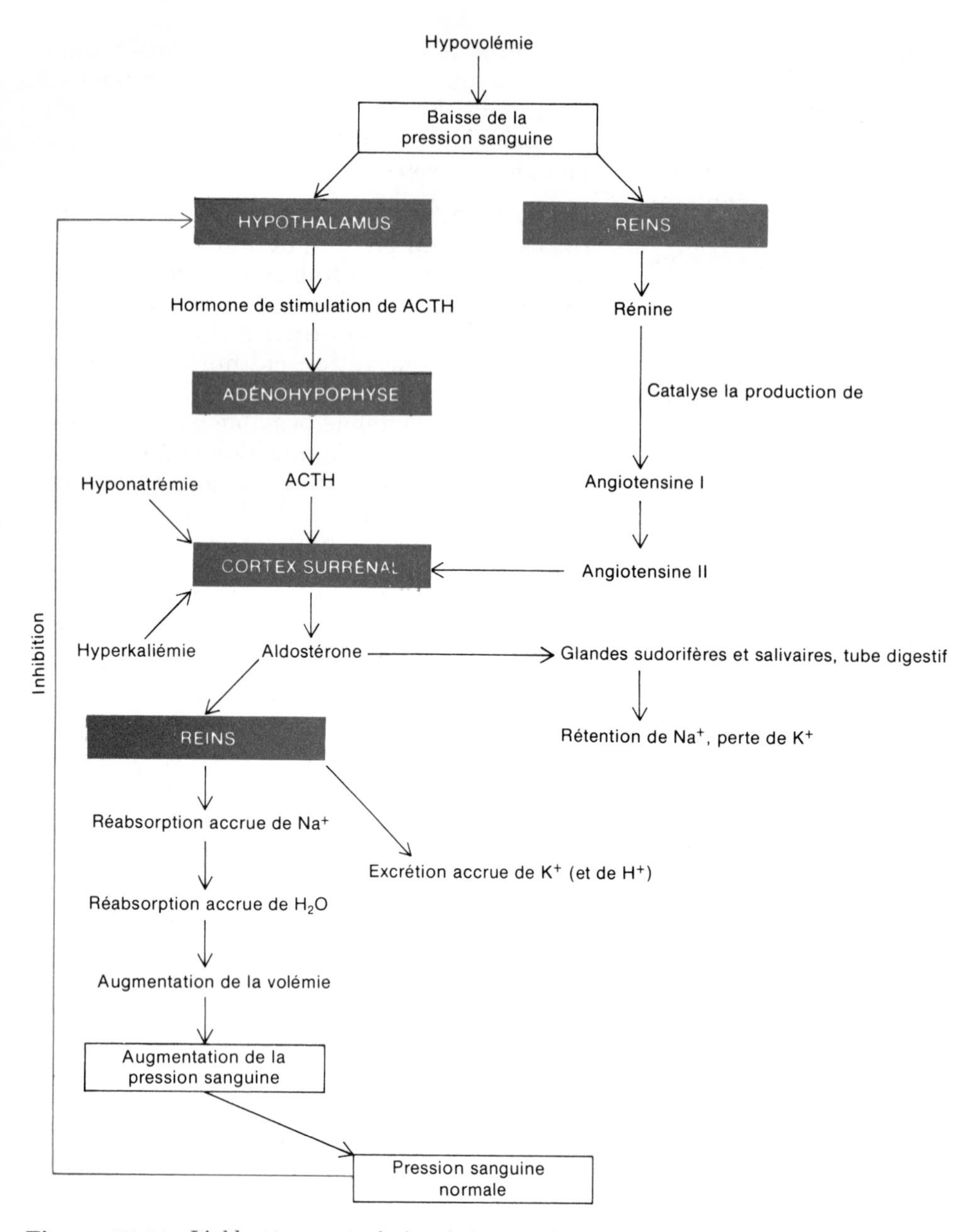

Figure 17-11 L'aldostérone, régulation de la sécrétion et modes d'action. Les flèches colorées marquent une inhibition.

du niveau normal du potassium. Signalons enfin l'influence de l'aldostérone sur les glandes sudorifères et salivaires, et sur le tractus gastro-intestinal, favorisant la conservation de Na^+ et l'excrétion de K^+ par ces structures.

La régulation de la sécrétion de l'aldostérone Quatre facteurs au moins influencent la sécrétion de l'aldostérone. L'augmentation de la concentration interstitielle de K^+ stimule la sécrétion d'aldostérone, de même qu'une baisse de la concentration de Na^+. L'hormone corticotrope adénohypophysaire (ACTH) possède aussi un effet stimulant. Le mécanisme le plus important toutefois est le système rénine-angiotensine. Vous vous rappelez peut-être (chapitre 13) que l'angiotensine II stimule la sécrétion d'aldostérone. De plus grandes quantités de sodium sont réabsorbées, retenant un plus grand volume d'eau. Lorsque le volume sanguin et la pression sont redevenus normaux, la sécrétion d'aldostérone diminue.

Les glucocorticoïdes Le *cortisol* (aussi appelé *hydrocortisone*) compte pour environ 95 pour 100 de l'activité sécrétoire corticosurrénalienne des glucocorticoïdes. La corticostérone et la cortisone sont d'importance mineure. La fonction principale des glucocorticoïdes est de favoriser la gluconéogenèse hépatique.

Le cortisol facilite l'accès aux nutriments gluconéogéniques en stimulant le transport des AA à l'intérieur des cellules hépatiques et en inhibant ce type de transport dans les autres cellules. Le cortisol accélère aussi la mobilisation des graisses dans les tissus adipeux, mettant ainsi des acides gras à la disposition de la gluconéogenèse. L'hormone exerce aussi un effet inhibiteur léger sur l'utilisation du glucose par plusieurs cellules de l'organisme.

Les manifestations de ces actions conjugées sont d'une part la synthèse de grandes quantités de glucose et de glycogène dans le foie et, d'autre part, une nette tendance à la hausse de la glycémie. Un excès de cortisol est susceptible de provoquer une hyperglycémie qui peut atteindre ou même dépasser un niveau de 50 pour 100 supérieur à la normale; on parle alors d'un syndrome diabétique d'origine surrénalienne.

Parmi les effets métaboliques du cortisol, citons l'approvisionnement cellulaire en nutriments énergétiques pendant des périodes de stress. C'est alors un important mécanisme d'appoint aux effets médullosurrénaliens. On discutera un peu plus loin de la physiologie du stress.

Les utilisations cliniques On utilise les glucocorticoïdes en clinique pour réduire l'inflammation qui accompagne les réactions allergiques, les infections, l'arthrite, la glomérulonéphrite aiguë, et dans certains cas de cancer. Les hormones assurent une plus grande stabilité aux membranes lysosomiales, empêchant les enzymes qu'elles enveloppent de détruire les tissus. L'activité anti-inflammatoire des glucocorticoïdes s'exprime aussi dans une réduction de la perméabilité des parois capillaires, ce qui diminue l'oedème tissulaire. Ces hormones ont aussi une activité antihistaminique et elles inhibent la formation de *bradykinine*, un puissant vasodilatateur.

L'usage intensif sur de longues périodes des glucocorticoïdes peut avoir de graves effets secondaires. Ils réduisent le nombre de lymphocytes et peuvent provoquer une atrophie du tissu lymphatique; le patient voit ainsi son potentiel immunitaire partiellement amputé. Les patients peuvent aussi développer des ulcères, de l'hypertension, du diabète mellitus et de l'athérosclérose.

Le contrôle de la sécrétion des glucocorticoïdes Le principal agent de régulation de la sécrétion des glucocorticoïdes est ACTH adénohypophysaire. La sécrétion de ACTH est elle-même sous l'influence d'une hormone de stimulation corticotrope d'origine hypothalamique. Toute situation de stress implique une importante activité nerveuse en direction de l'hypothalamus; celui-ci répond, entre autres, en stimulant la production et la libération rapides de grandes quantitées de cortisol. En périodes de calme ces hauts niveaux de cortisol sanguin entraînent l'inhibition de l'activité hypothalamique et adénohypophysaire.

Les troubles de la sécrétion corticosurrénalienne La surcharge en glucocorticoïdes, qu'elle soit due à un hypercorticisme ou à des injections, rend compte de la symptomatologie du *syndrome de Cushing*. Les graisses sont mobilisées dans les parties inférieures du corps et déposées au niveau du tronc. Le visage devient bouffi par l'oedème et la glycémie s'élève, causant un diabète surrénalien; la persistance de la maladie pendant plusieurs mois peut amener l'épuisement des cellules bêta du pancréas et l'établissement d'un diabète mellitus permanent. La réduction de la synthèse protéique affaiblit le malade et réduit son potentiel immunitaire; le décès viendra souvent d'une infection dévastatrice et aiguë.

La destruction du cortex surrénal et les absences d'aldostérone et de cortisol qui s'ensuivent causent la *maladie d'Addison*. L'addisonien présente une hypoglycémie à jeun liée à la baisse du cortisol sanguin qui empêche l'organisme de fabriquer du glucose par gluconéogenèse; il perd toute capacité de faire face au stress. Si le niveau sanguin du cortisol est trop bas, même le stress d'infections mineures peut entraîner la mort.

Dans l'insuffisance surrénalienne aiguë, le défaut d'aldostérone provoque une énorme fuite sodique par l'urine et une baisse considérable du capital hydrique de l'organisme. Sans traitement, le patient meurt de choc circulatoire en quelques jours. Chez les addisoniens, on note une augmentation de la sécrétion adénohypophysaire de MSH qui s'exprime dans une pigmentation importante de la peau et des muqueuses.

La physiologie du stress

Tout agent est un facteur stressant dans la mesure où il peut causer du tort à l'organisme: l'agent peut être de nature physique, chimique, psychique, etc., et prendre la forme d'un voleur, d'un monstre, d'une maladie, d'une anxiété... Le stress est donc une situation au cours de laquelle un organisme subit un dommage contre lequel il réagit: la sécrétion surrénalienne est mise en branle. Des influx nerveux d'origine centrale parviennent à la médulla surrénale qui libère de l'adrénaline et de la noradrénaline, deux hormones qui préparent au combat ou à la fuite. Des signaux hypothalamiques de nature hormonale stimulent la sécrétion de ACTH qui augmente la sécrétion du cortisol, ajustant ainsi le métabolisme aux exigences particulières de la situation.

Certaines formes de stress sont de courte durée; l'organisme réagit à la situation stressante et s'en sort rapidement. D'autres agents peuvent avoir la vie dure et persister pendant des jours, des semaines, voire même des années. Une maladie chronique, une situation matrimoniale ou une ambiance de travail particulières, par exemple, peuvent représenter des situations stressantes à long terme. L'anxiété et la tension nerveuse sont des exemples de facteurs stressants non spécifiques.

C'est le physiologiste Hans Selye qui a introduit le terme de *maladie de l'adaptation* (*General-Adaptation Syndrome, GAS*) pour décrire la réponse de l'organisme au stress. Celle-ci se divise en trois phases: la première est la réaction d'alarme (avec des manifestations de choc) où la médulla surrénale prépare l'organisme à lutter ou à fuir (accélération du rythme cardiaque, augmentation de la tension artérielle, redistribution du torrent circulatoire, taux de métabolisme élevé, etc.).

Si le stress persiste assez longtemps, on assiste à l'établissement d'une seconde période, dite stade de résistance, qui témoigne de l'état d'adaptation de l'organisme. La tension artérielle est élevée et le métabolisme est maintenu à un niveau suffisant pour que l'organisme puisse faire face à l'agent, que ce soit une lutte contre une infection ou un accommodement à un problème émotionnel. Ce stade se caractérise par un catabolisme protéique accru et des niveaux élevés de plusieurs hormones dont le cortisol, l'aldostérone, la thyroxine et la somatotropine (hormone de croissance) (figure 17-12).

Le stade d'épuisement est la troisième phase de la réponse. Il peut intervenir ou non selon la capacité d'adaptation de l'organisme à l'effet prolongé d'un facteur stressant. L'incapacité de l'organisme se traduit par l'impuissance à utiliser les corticostéroïdes disponibles et il pourra devenir incapable de réagir au stress. On doit noter que les explications de Selye en ce qui concerne le syndrome de l'adaptation sont controversées.

On a suggéré que le rythme trépidant de la vie moderne, avec toutes ses potentialités de stress, maintenait certains individus dans la troisième phase de la réponse d'une façon continuelle. L'hypothèse de Selye est à l'effet que le stress chronique est dommageable à cause des effets secondaires à long terme d'une forte concentration de cortisol. Si les glucocorticoïdes sont utiles pour diminuer l'inflammation, ils peuvent aussi induire une lymphopé-

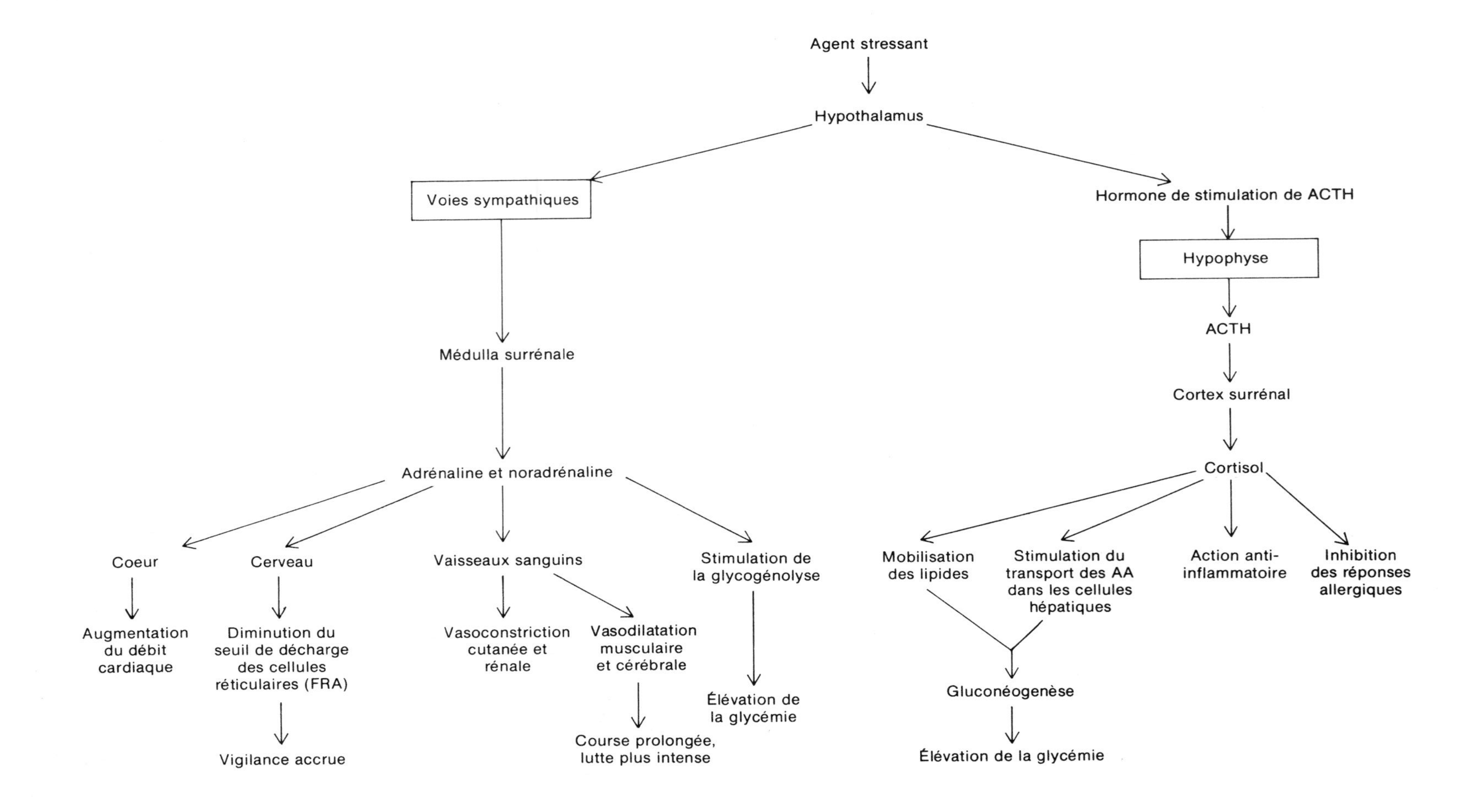

Figure 17-12 Quelques effets du stress.

nie et une éosinopénie qui, en affaiblissant la réponse immunitaire, favorisent la dissémination des agents infectieux. L'hypertension chronique contribue à l'apparition de maladies cardiaques et l'hyperlipémie accélère les processus athéromateux. On peut produire cette symptomatologie chez des animaux expérimentaux auxquels on administre de fortes doses de glucocorticoïdes; on observe des effets semblables chez des patients qui subissent le même traitement en clinique. Parmi les maladies dont l'évolution est liée à l'hypercorticisme, citons les ulcères, l'hypertension, l'athérosclérose et l'arthrite.

LES AUTRES HORMONES

Plusieurs tissus de l'organisme sont hormonogènes. Vous avez constaté que les reins produisent de la rénine (chapitre 16) et un facteur de stimulation de l'érythropoïèse (chapitre 13). Au chapitre 14, vous avez appris que le thymus sécrétait la thymosine. Le tube digestif sécrète aussi plusieurs hormones (chapitre 11). Il est intéressant de savoir que la sécrétine, libérée par des cellules duodénales, fut la première hormone à être mise en évidence. Ses fonctions ont été élucidées en 1902 par les physiologistes Bayliss et Starling. Citons aussi la mélatonine, sécrétée par le corps pinéal, et un groupe de substances à rôle hormonal dérivées d'acides gras, les prostaglandines.

Le corps pinéal

Le *corps pinéal* ou *épiphyse* (*glande pinéale*) est situé dans le toit du troisième ventricule du cerveau. Descartes pensait qu'il était le siège de l'âme. Pendant des siècles et même encore aujourd'hui, son rôle a fait l'objet de bien des débats. L'hormone épiphysaire est la *mélatonine* et son action se fait sentir sur la pigmentation chez quelques mammifères. L'hormone n'a pas d'effets connus chez l'humain; des études récentes suggèrent qu'elle pourrait avoir une certaine influence sur la physiologie de l'appareil reproducteur.

Déjà vers la septième année apparaissent des caractères régressifs, comme la formation de kystes et de dépôts calcaires dans le tissu glandulaire. C'est un phénomène important en clinique puisque les concrétions minérales rendent le corps pinéal opaque aux rayons-X. Il est donc visible sur une radiographie du crâne et tout changement de sa position normale est une indication d'une éventuelle tumeur cérébrale.

Les prostaglandines

Les *prostaglandines* forment un groupe homogène de dérivés d'acides gras insaturés à 20 carbones (dont l'acide arachidonique) libérés par plusieurs tissus dont la prostate (où la première prostaglandine a été identifiée), les poumons, le foie et le tube digestif. Certains auteurs refusent de les appeler des hormones puisqu'elles ne sont pas sécrétées exclusivement par du tissu endocrinien. D'autres cependant les considèrent comme des *hormones locales* douées d'une grande variété d'actions physiologiques sur plusieurs tissus.

On classe les prostaglandines en trois grands groupes — PGA, PGE et PGF — sur la base de leur structure chimique. On ajoute souvent un indice qui indique le nombre de doubles liaisons portées par des chaînes latérales. On parle ainsi de PGE_1 ou PGF_2.

Les membres des groupes A et E sont hypotenseurs; ceux du groupe F sont hypertenseurs. Certaines prostaglandines sont bronchodilatatrices, inhibent la sécrétion gastrique, stimulent les contractions utérines, et ont des effets sur la fonction nerveuse et le métabolisme des lipides. On les voit apparaître pendant le processus de la coagulation et elles sont impliquées dans la réponse inflammatoire. Les prostaglandines produites par le centre thermorégulateur hypothalamique peuvent causer une hyperthermie et on sait maintenant que l'aspirine réduit la fièvre grâce à une inhibition de la synthèse des prostaglandines[3].

Les prostaglandines miment plusieurs des actions de l'AMP cyclique et, selon le type de tissu visé, elles stimulent ou inhibent sa synthèse. Quelques chercheurs pensent qu'elles agissent de pair avec des hormones de premier plan en vue de régler les activités métaboliques. On utilise les prostaglandines en clinique pour déclencher le travail d'enfantement ou d'avortement. Leur utilisation

[3] Voir *La Recherche*, **98**, 242, 1979, «Les prostaglandines».

comme médicaments anticonceptionnels est toujours à l'état expérimental. Certains chercheurs pensent même qu'on pourra un jour se servir de ces substances pour traiter un large éventail de maladies, de l'asthme aux affections cardio-vasculaires.

RÉSUMÉ

1 Les glandes endocrines sont des glandes dépourvues de canaux excréteurs qui sécrètent des hormones dans le liquide interstitiel et dépendent du torrent circulatoire pour les véhiculer.

2 Les hormones sont des messagers chimiques sécrétés par les glandes endocrines. L'importance de ces dernières vient de leur rôle dans le maintien de l'homéostasie de maintes activités métaboliques, telles la glycémie et l'équilibre hydrominéral.

3 Les hormones de nature protéique (non stéroïde) s'attachent à des récepteurs membranaires des cellules cibles et activent un second messager, comme l'AMP cyclique, qui déclenche la chaîne des réactions responsables de la réponse. Quant aux hormones stéroïdes, leur liposolubilité leur permet de pénétrer dans la cellule où elles se combinent à un récepteur cytoplasmique qui achemine l'hormone vers le noyau. Les hormones stéroïdes activent des gènes spécifiques.

4 L'autorégulation des fonctions des glandes endocrines se fait par des mécanismes de rétrocontrôle.

5 L'hypothalamus est le lien structural et fonctionnel entre les systèmes nerveux et endocrinien. Ses cellules sécrètent plusieurs hormones de stimulation et de frénation (RF, Releasing Factors) qui déterminent l'activité de l'adénohypophyse. Les neurones hypothalamiques produisent aussi l'ocytocine et l'hormone antidiurétique, et ces deux hormones sont libérées au niveau de la neurohypophyse.

6 L'hormone somatotrope stimule la croissance en accélérant la synthèse protéique. L'absence de l'hormone pendant l'enfance bloque la croissance; l'hypersécrétion provoque le gigantisme.

7 L'élévation du taux sanguin d'hormone thyroïdienne inhibe la sécrétion hypophysaire d'hormone thyréotrope; la réduction, au contraire, stimule la sécrétion thyréotrope. L'hypothyroïdie extrême de la première enfance peut déboucher sur le crétinisme; l'hypothyroïdie adulte provoque le myxoedème.

8 La parathormone élève la calcémie en favorisant l'ostéolyse et la réabsorption rénale de calcium et en activant la vitamine D. L'hypercalcémie inhibe la sécrétion de la parathormone alors que l'hypocalcémie la stimule.

9 Les îlots pancréatiques sécrètent l'insuline (une hormone hypoglycémiante qui facilite la pénétration du glucose dans les cellules) et le glucagon (une hormone hyperglycémiante qui stimule la gluconéogenèse et la glycogénolyse).

10 La médulla surrénale sécrète l'adrénaline et la noradrénaline, deux catécholamines indispensables à la réaction de l'organisme aux situations d'urgence. Ces hormones accélèrent le rythme cardiaque, élèvent le taux de métabolisme et la force des contractions musculaires; elles assurent la redistribution du torrent circulatoire vers les organes les plus actifs en période de stress.

11 L'aldostérone favorise le maintien de l'équilibre sodique et de la tension artérielle en augmentant le taux de réabsorption de Na^+ par les reins. Le cortisol accélère la gluconéogenèse hépatique, une action hyperglycémiante.

12 La médulla surrénale amorce, en réponse à un stress, une réaction d'alarme qui prépare physiologiquement l'organisme à faire face à la situation; la sécrétion des glucocorticoïdes par le cortex surrénal est un important mécanisme d'appoint puisqu'il fait passer le taux de métabolisme à un niveau plus élevé, mettant à la disposition des cellules un contingent de nutriments aptes à couvrir leurs besoins énergétiques accrus.

QUESTIONS DE RÉVISION

1 Comparer le mécanisme d'action des hormones stéroïdes à celui des hormones de nature protéique.

2 Énumérer les hormones adénohypophysaires et décrire leurs rôles.

3 Quelles sont les actions physiologiques de la parathormone?

4 Comment se fait la régulation de l'activité parathyroïdienne?

5 Illustrer à l'aide d'un diagramme les mécanismes de rétroaction qui régularisent les fonctions thyroïdiennes.

6 Qu'est-ce que l'AMP cyclique? Que sont les prostaglandines?

7 Décrire les conséquences des troubles de la sécrétion somatotrope.

8 Quels sont les symptômes d'une perturbation du métabolisme calcique?

9 Expliquer comment les glandes surrénales permettent à l'organisme de faire face au stress.

10 Comment se fait la régulation de la glycémie? Décrire le rôle de toutes les hormones impliquées dans le contrôle de la glycémie.

11 Quels troubles métaboliques sont associés au diabète mellitus?

18 L'APPAREIL REPRODUCTEUR

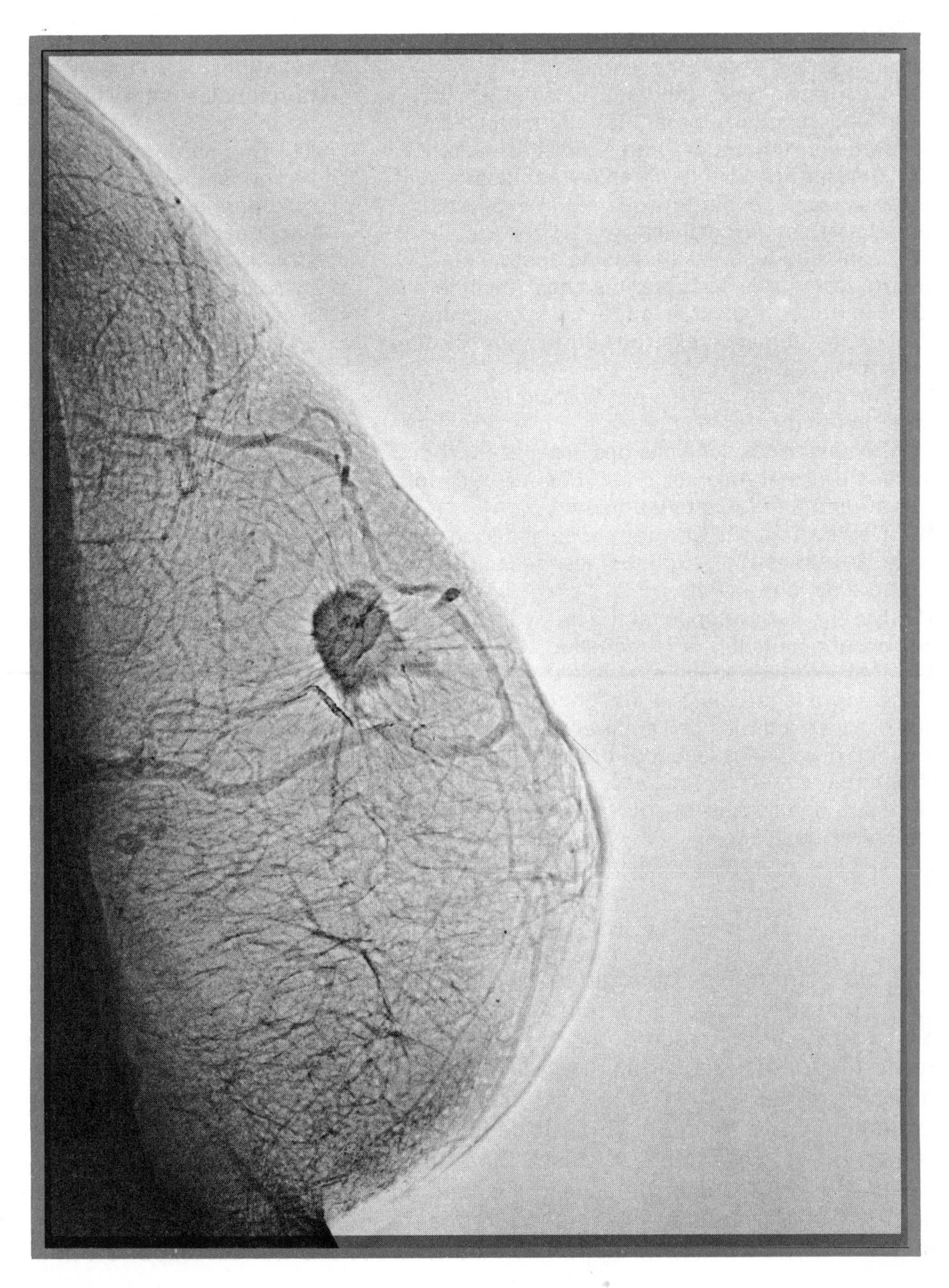

Mammographie révélant la présence d'un cancer. Remarquer la grande vascularisation au niveau de la tumeur.

OBJECTIFS

L'étude de ce chapitre devrait vous permettre de:

1 Décrire la structure interne des testicules.
2 Décrire la spermatogenèse et tracer un schéma qui illustre le processus.
3 Énumérer les étapes de la méiose; mettre en relief celles qui permettent de la distinguer de la mitose.
4 Dessiner et légender un schéma d'un spermatozoïde; décrire le rôle de ses composantes anatomiques spécifiques (par exemple, l'acrosome, la queue, etc.).
5 Décrire la migration des testicules dans le scrotum et le rôle de cet organe.
6 Décrire les voies génitales mâles et les modifications que subissent les spermatozoïdes pendant leur trajet à partir des tubes séminifères.
7 Dresser une liste des glandes génitales annexes (ou légender un schéma) et expliquer leurs fonctions respectives.
8 Connaître les constituants du sperme et décrire les causes de la stérilité chez l'homme.
9 Décrire et pouvoir légender un schéma des structures internes et externes du pénis; connaître leurs rôles respectifs.
10 Décrire le mécanisme physiologique de l'érection et de l'éjaculation.
11 Légender des schémas des organes reproducteurs internes et externes chez l'homme et décrire leur structure et leurs fonctions.
12 Décrire l'activité des hormones gonadotropes et de la testostérone; expliquer les mécanismes de contrôle de leur action.
13 Décrire le développement d'un ovule à partir de l'ovogonie jusqu'à la fécondation.
14 Décrire la formation et le rôle du corps jaune.
15 Décrire la structure et les fonctions de chacun des organes internes de l'appareil reproducteur féminin; dessiner et légender des schémas de ces structures.
16 Faire des dessins et décrire les fonctions des structures de la vulve.
17 Décrire le processus de développement et l'anatomie des glandes mammaires; relier les structures des seins à leurs fonctions.
18 Énumérer les hormones qui agissent sur le développement des seins et la lactation; connaître leurs fonctions.
19 Donner dans les grandes lignes une description des méthodes d'investigation des cancers du sein et du col utérin; décrire leur évolution et leur traitement.
20 Décrire les principaux phénomènes du cycle ovarien; mettre en relation les effets des hormones ovariennes sur l'utérus et les interactions hormonales entre l'hypothalamus, l'hypophyse et les ovaires.
21 Énumérer les activités principales des hormones gonadotropes et ovariennes; tracer un diagramme des mécanismes de rétrocontrôle impliqués dans la régulation de leur sécrétion.
22 Décrire les mécanismes physiologiques de la ménopause; connaître les modifications organiques et les symptômes reliés à la ménopause.
23 Décrire les modifications physiologiques qui se produisent pendant l'excitation sexuelle et comparer les réponses chez l'homme et chez la femme.
24 Décrire le phénomène de la conception et reconnaître le moment du cycle ovarien le plus favorable à la conception.
25 Expliquer en détail comment se fait la détermination du sexe des enfants.
26 Décrire les principales méthodes de contraception présentées dans ce chapitre en soulignant les avantages et les inconvénients de chacune.
27 Comparer les méthodes de stérilisation des hommes et des femmes.
28 Décrire les méthodes d'avortement les plus courantes et discuter de leur sécurité relative.
29 Décrire les principales maladies vénériennes, dont la syphilis, la gonorrhée et l'herpès génital, en insistant sur le mode de transmission, l'évolution, les symptômes cliniques et le traitement.

Au point de vue biologique, le rôle premier de l'appareil reproducteur est d'assurer la perpétuation de l'espèce; l'attirance réciproque et le plaisir associés à la relation sexuelle n'ont pour but que de favoriser la reproduction des individus. Il est évident que l'appareil reproducteur, chez les humains, a des influences physiques, physiologiques et sociales qui débordent largement cette fonction. À partir de la conception, au moment où le sexe de l'embryon est déterminé, la masculinité ou la féminité du nouvel être va s'exprimer dans des organes sexuels spécifiques; secondairement l'individu va acquérir une charpente corporelle, un bagage hormonal, une personnalité, et même un type d'éducation et un rôle dans la société qui correspondront à son sexe. Nous n'insisterons pas ici sur les aspects de la sexologie qui se rapportent au sexisme, à l'égalité des sexes, au féminisme ou à tout autre sujet controversé de ce type, mais plutôt sur ceux qui touchent à la fonction de reproduction elle-même.

Le phénomène de la reproduction comprend de nombreuses étapes: formation et développement des *gamètes* (ovules et spermatozoïdes), préparation physiologique à la grossesse, relation sexuelle (excitation et acte sexuel), fécondation (l'union des gamètes), grossesse et lactation (la production de lait pour l'allaitement). Toutes ces fonctions sont orchestrées d'une façon harmonieuse grâce aux interactions des hormones de l'adénohypophyse et des *gonades* (les glandes sexuelles).

L'HOMME

La responsabilité de l'homme dans la reproduction est de produire des spermatozoïdes et de les introduire dans les voies génitales de la femme. Lorsqu'un spermatozoïde rencontre un ovule, il apporte avec lui la moitié du bagage génétique du futur embryon en plus d'être responsable de la détermination de son sexe. L'appareil reproducteur masculin comprend les testicules, le scrotum, les voies génitales (assurant le transit des spermatozoïdes à partir des testicules vers l'extérieur de l'organisme), les glandes annexes et le pénis (figure 18-1).

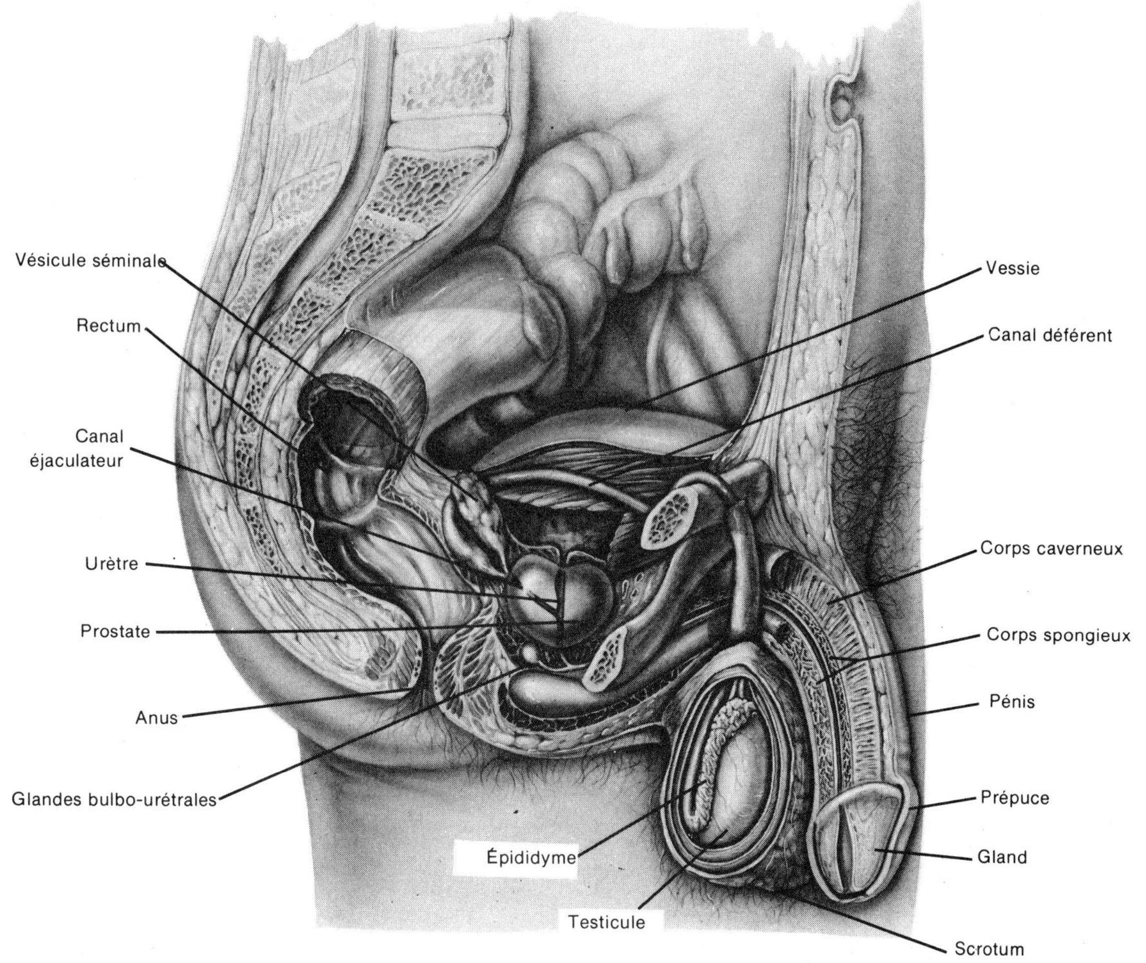

Figure 18-1 L'appareil reproducteur de l'homme.

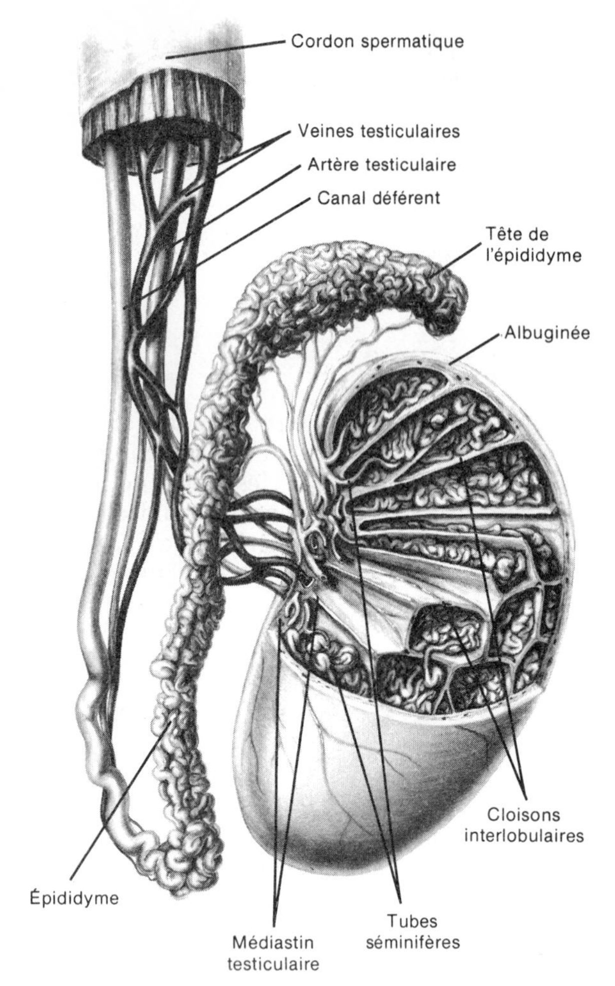

Figure 18-2 Coupe sagittale d'un testicule montrant la disposition des canaux spermatiques.

La production des spermatozoïdes

La production des spermatozoïdes débute à la *puberté*, la période de maturation sexuelle de l'enfant, et se poursuit jusqu'à un âge avancé. Les testicules, les deux gonades de l'homme, fabriquent plusieurs millions de spermatozoïdes chaque jour.

La structure des testicules Un *testicule* est un organe ovoïde de 4 à 5 cm de longueur recouvert d'une épaisse capsule conjonctive blanche, l'*albuginée* (figure 18-2). Cette tunique s'épaissit le long de la face postérieure du testicule où elle forme une bordure arrondie et une paroi percée de nombreuses ouvertures. C'est à cet endroit (le *médiastin testiculaire*) que les vaisseaux, les nerfs et les canaux efférents, entrent et sortent du testicule. L'albuginée émet des prolongements (des *cloisons*) qui divisent le testicule en environ 250 *lobules* de forme pyramidale, communiquant entre eux par des ouvertures ou des perforations dans les cloisons interlobulaires. Celles-ci convergent toutes vers le médiastin. Chaque lobule contient de 1 à 4 *tubes séminifères* très enroulés qui produisent les gamètes mâles.

Chaque testicule contient environ 1 000 tubes séminifères. Si on les déroulait pour les placer bout à bout, ces tubules microscopiques formeraient un fil de près de 0,5 km de longueur. C'est à l'intérieur de ces filaments que sont produits les spermatozoïdes. Voyons de quelle façon se fait cette production.

La spermatogenèse Les spermatozoïdes sont issus de cellules germinales, les *spermatogonies*, situées près de la lame basale des tubes (figure 18-3). Par divisions mitotiques successives elles maintiennent une forte population de cellules indifférenciées de réserve. Environ la moitié des spermatogonies produites se différencient légèrement et deviennent des *spermatocytes de premier ordre*; ceux-ci subissent la *méiose*, une forme particulière de division cellulaire qui produit les gamètes.

Vous devez vous rappeler que lors de la mitose, la forme la plus fréquente de division cellulaire, il y a duplication des chromosomes dont un ensemble complet est transmis à chaque cellule fille (voir au chapitre 3). Chaque cellule humaine produite par mitose contient ainsi 46 chromosomes (en fait 23 paires), le nombre diploïde chez l'humain.

Si les gamètes étaient diploïdes, le *zygote* (l'oeuf fécondé après la pénétration d'un spermatozoïde dans un ovule) posséderait 92 chromosomes, le double du nombre normal. Chacune des cellules du nouvel être, dont ses cellules germinales, aurait donc ce nombre de chromosomes, lequel doublerait encore à la génération suivante. Il est évident que le noyau des cellules ne pourrait contenir éventuellement tout ce bagage et, en peu de temps, il n'y aurait plus de place dans les cellules pour autre chose que les chromosomes. Lorsqu'une cellule présente un surplus de chromosomes (même un seul en trop), on sait aujourd'hui qu'il s'ensuit des troubles du développement ou, plus souvent, l'arrêt complet de la croissance cellulaire.

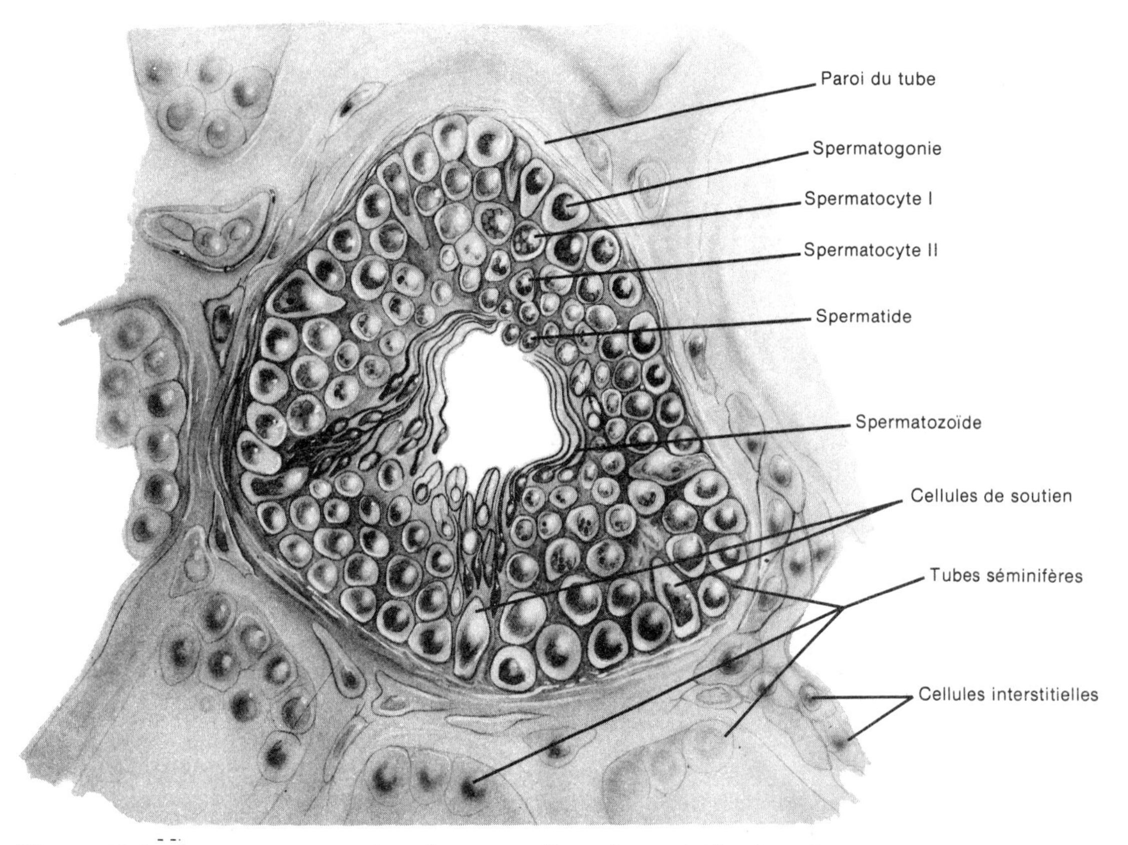

Figure 18-3 Structure microscopique du contenu d'un tube séminifère humain montrant le déroulement de la spermatogenèse.

La méiose permet de pallier à cette difficulté en produisant des gamètes *haploïdes*, des cellules qui ne contiennent que 23 chromosomes (le génome). Lors de la fécondation le spermatozoïde contribue ainsi à un ensemble de 23 chromosomes et l'ovule à l'ensemble complémentaire. Le zygote reçoit donc une moitié de ses chromosomes de chacun des parents et se retrouve avec le nombre diploïde normal (le génotype).

Les 23 chromosomes *paternels* (qui viennent du père) forment des paires avec les 23 chromosomes *maternels* (qui viennent de la mère). Les deux membres d'une paire sont identiques quant à leur taille et à leur forme, et portent des gènes responsables des mêmes caractères. Ces deux chromosomes correspondants formant une paire sont aussi appelés des chromosomes *homologues*. L'une de ces paires est formée des chromosomes sexuels; ceux-ci sont de forme identique chez la femme, mais sont différents chez l'homme. Les chromosomes sexuels féminins sont appelés les chromosomes X. Toutes les cellules somatiques de la femme en possèdent deux alors que celles d'un organisme masculin possèdent un chromosome X et un chromosome Y. Ce dernier, beaucoup plus court que le X, porte les gènes responsables de la masculinité. La figure 18-4 permet de comparer les chromosomes X et Y. Elle représente de plus un caryotype anormal pouvant résulter d'une méiose qui n'aurait pas produit des gamètes haploïdes.

La figure 18-5 permet de comparer la mitose et la méiose. Chaque spermatocyte I subit deux divisions méiotiques successives produisant quatre cellules filles. L'un des phénomènes les plus importants de la prophase de la première division méiotique est l'appariement linéaire des chromosomes homologues, la *synapsis*. (Lors de la mitose cet appariement ne se produit pas.) Puisque la duplication du maté-

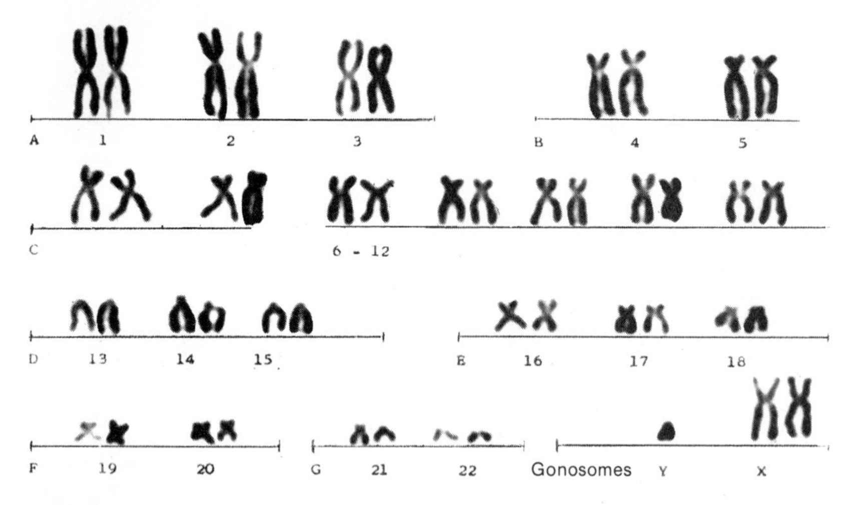

Figure 18-4 Caryotype humain, c'est-à-dire la photographie en microscopie optique de l'assortiment chromosomique d'un individu. Normalement les chromosomes sexuels (les gonosomes) forment la 23e paire. Ici il y a trois gonosomes, une anomalie qu'on appelle le syndrome de Klinefelter. L'individu est de sexe masculin et présente un sous-développement des organes sexuels. Le gonosome excédentaire est dû à l'absence de disjonction des chromosomes X parentaux pendant la méiose. (*Dr Gilbert Echelman.*)

riel chromosomique a eu lieu au préalable, chaque chromosome est constitué de deux chromatides au début de la méiose. La synapsis est donc formée de quatre chromatides reliées par le complexe synaptinémique et on l'appelle une *tétrade.* L'appariement longitudinal des deux chromosomes homologues de chaque paire permet un échange de gènes entre les deux, un phénomène appelé *crossing-over* ou *enjambement.* Ce processus se fait au hasard, semble-t-il, et permet une très grande variété génotypique des descendants éventuels de partenaires sexuels.

Pendant l'anaphase de cette première division méiotique, les chromosomes homologues se séparent au hasard et chaque membre d'une paire migre vers l'une des deux cellules filles. Il est possible qu'une cellule fille reçoive l'assortiment complet des 23 chromosomes paternels et que l'autre hérite par le fait même des 23 chromosomes maternels, mais c'est très peu probable; le nombre de cellules différentes pouvant être obtenues à la suite de la méiose est si élevé (surtout à cause du crossing-over) que chaque gamète possède un assortiment différent de gènes paternels et maternels; à moins d'être des jumeaux identiques deux enfants ne pourront jamais être exactement semblables.

La première division méiotique produit deux *spermatocytes de deuxième ordre* (figure 18-6). Ceux-ci sont haploïdes, ne contenant qu'un seul chromosome de chaque paire; ces chromosomes, toutefois, sont toujours formés de deux chromatides. Il ne se produit plus de duplication chromosomique avant la division cellulaire subséquente de sorte que la seconde division méiotique permet seulement la séparation des chromatides. Les quatre cellules filles ainsi produites sont les *spermatides.* Leur différenciation éventuelle donne des cellules spermatiques mûres, des *spermatozoïdes*; cette dernière étape de la spermatogenèse s'appelle la *spermiogenèse.* Pendant leur développement, les cellules spermatiques vivent en étroite association avec des cellules de support, les *cellules de soutien du testicule* (*de Sertoli*) (figure 18-3). Ces grosses cellules s'étendent de la lame basale jusqu'à la lumière des tubules. Les chercheurs pensent qu'avant de parvenir aux cellules spermatiques en formation, les nutriments et autres substances doivent passer par les cellules de soutien. L'ensemble des phénomènes amenant la production de cellules spermatiques différenciées, la *spermatogenèse*, dure environ 2 mois.

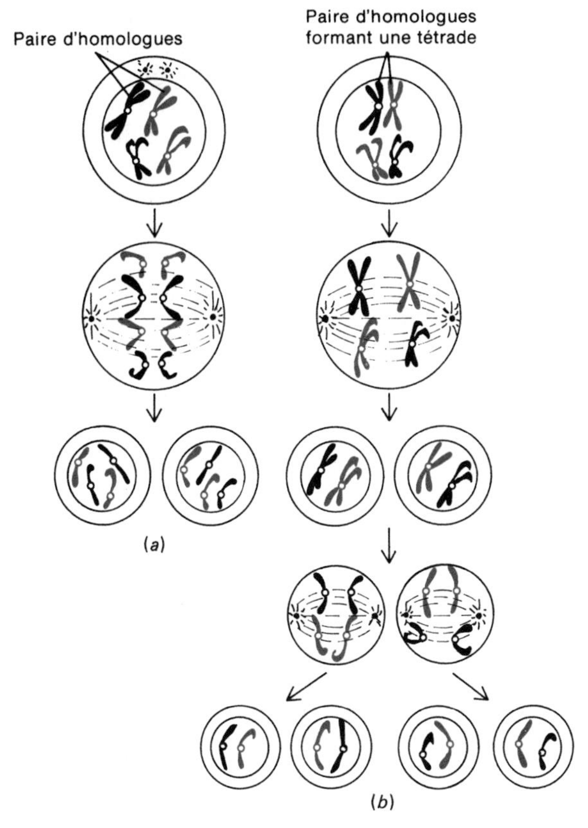

Figure 18-5 Comparaison entre la mitose et la méiose. (*a*) La mitose. Noter que les deux cellules filles possèdent un assortiment identique de quatre chromosomes (deux paires). (*b*) La méiose. Chaque cellule fille ne possède que deux chromosomes (un de chaque paire). (Les chromosomes noirs proviennent à l'origine de l'un des parents; les colorés de l'autre parent.)

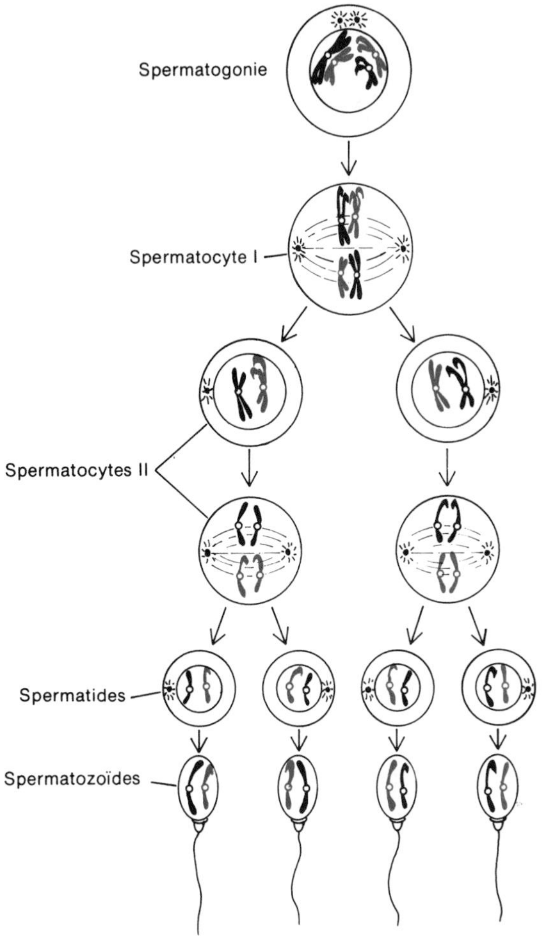

Spermatogonie
Spermatocyte I
Spermatocytes II
Spermatides
Spermatozoïdes

Figure 18-6 La spermatogenèse. La dernière étape, soit la transformation des spermatides en spermatozoïdes, se nomme la spermiogenèse.

Le spermatozoïde

Au fur et à mesure que les futurs spermatozoïdes se divisent et se développent, ils s'éloignent de la lame basale du tubule et s'approchent de la lumière. Le spermatozoïde est peut-être la plus petite cellule qu'on peut trouver dans l'organisme, mais c'est une cellule très spécialisée. De forme allongée, elle comprend une tête, une pièce intermédiaire et une queue. La tête contient le noyau et un capuchon céphalique, l'*acrosome*, formé à partir de l'appareil de Golgi (figure 18-7). L'acrosome est un genre de réservoir d'enzymes qui joueraient un rôle dans la fécondation en dissolvant le cément intercellulaire liant les cellules qui entourent l'ovule. Les mitochondries sont concentrées dans la pièce intermédiaire où, grâce à la respiration aérobie, elles fournissent au spermatozoïde l'énergie nécessaire à sa locomotion. (Une certaine quantité d'ADN se trouve dans ces mitochondries et pourrait avoir un rôle quelconque dans le développement de l'embryon.[1]) La queue, formée de deux microtubules centraux entourés de neuf paires de microtubules périphériques contractiles (une organisation similaire à celle d'un cil), sert à la propulsion de la cellule.

[1] Il y a de l'ADN dans toutes les mitochondries de toutes les cellules. Il sert à la transcription pour la synthèse de certaines des protéines et des enzymes propres à la mitochondrie.

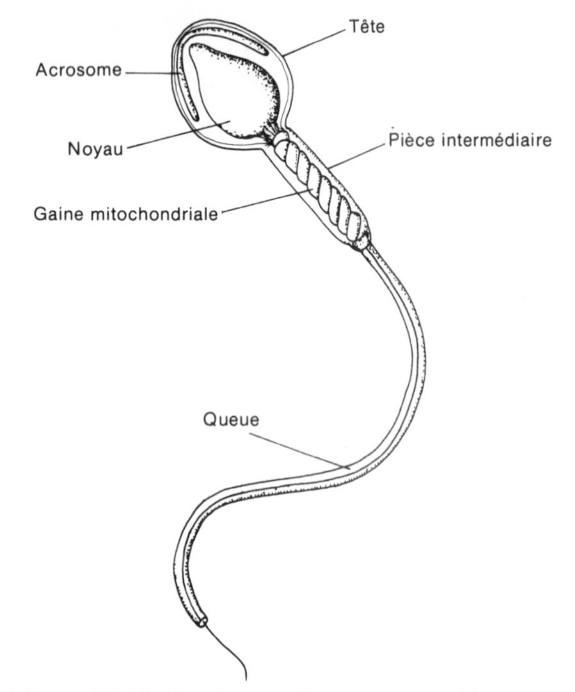

Figure 18-7 La structure d'un spermatozoïde.

Le scrotum Les testicules se développent dans la cavité abdominale de l'embryon; environ 2 mois avant la naissance ils migrent dans le *scrotum*, un sac fait de peau lâche et de tissu sous-cutané, évaginé depuis la partie inférieure de la paroi abdominale antérieure.

Pendant leur descente les testicules passent par les *canaux inguinaux* (les voies de passage entre la cavité abdominale et le scrotum), entraînant avec eux des prolongements tubulaires du péritoine et des différents tissus qu'ils traversent. Les testicules entraînent aussi avec eux leurs artères, veines, nerfs et canaux déférents; toutes ces structures deviennent les constituants du *cordon spermatique*, recouvert du muscle *crémaster* (fibres musculaires provenant du muscle oblique interne) et enveloppé de tissu conjonctif (fascia).

La région inguinale demeure donc une zone où la paroi abdominale est relativement plus faible qu'ailleurs, ce qui explique la fréquence des *hernies inguinales*. Celles-ci sont provoquées généralement par une pression excessive des muscles abdominaux sur les viscères (comme lorsque quelqu'un soulève un objet très lourd), provoquant une déchirure par laquelle une boucle d'intestin fait saillie dans le scrotum.

Les cellules spermatiques, pour être fonctionnelles, doivent se développer à une température d'environ 2°C plus basse que celle du corps; le scrotum leur sert «d'unité réfrigérante». Cette thermorégulation est rendue possible d'une part par les nombreuses glandes sudorifères des parois du scrotum et, d'autre part, par la minceur de son revêtement sous-cutané presque dépourvu de tissu adipeux. Richement vascularisé, le scrotum permet d'évacuer une certaine quantité de chaleur hors de l'organisme.

Les fibres musculaires lisses de la paroi du scrotum, le *dartos*, se décontractent de façon involontaire lorsque l'environnement est chaud, éloignant ainsi les testicules du corps pour les refroidir. Si l'environnement est froid le dartos et le crémaster se contractent, remontant les testicules près de la paroi abdominale pour les garder à la chaleur. La contraction du dartos se voit à l'aspect ridé de la peau du scrotum.

La *cryptorchidie* est un état pathologique où un ou les deux testicules n'ont pas migré dans le scrotum; les spermatozoïdes produits ne sont pas viables. Le traitement peut être hormonal (stimulation de la descente) ou chirurgical. La cryptorchidie peut provoquer la *stérilité* (l'incapacité de procréer) si elle n'est pas traitée puisque les tubes séminifères dégénèrent à la longue. La sécrétion des hormones sexuelles n'est toutefois pas affectée par la température corporelle de sorte que la masculinité ne s'en ressent pas.

Le transport des spermatozoïdes — les voies génitales

À l'apex de chaque lobule les tubes séminifères se réunissent et les spermatozoïdes s'engagent dans le dédale de canaux anastomosés du médiastin. Ils empruntent ensuite les canaux efférents grâce auxquels ils quittent les testicules pour atteindre un tube plus gros, l'épididyme (figure 18-2).

L'épididyme L'*épididyme* est un canal contourné et unique situé sur la face postérieure du testicule auquel il est relié. La lumière des tubes séminifères est étroite et ne laisse que peu d'espace pour le stockage des spermatozoïdes. Après leur production ils sont donc acheminés vers l'épididyme où ils sont emmagasinés.

Si on prélève des spermatozoïdes dans les tubes séminifères, on constate qu'ils sont immobiles et incapables de féconder un ovule; après un séjour d'au moins 18 heures dans l'épididyme ils sont actifs et ont la capacité de féconder. On ne sait pas si leur maturation est due à une substance, à un mécanisme épididymaire quelconque ou simplement au fait qu'à leur sortie des tubes, il leur faut encore un peu de temps pour devenir mûrs.

Le canal déférent Chaque épididyme se transforme, au pôle inférieur du testicule qu'il dessert, en un tube plus ou moins droit, le *canal déférent*. Celui-ci quitte le scrotum par le cordon spermatique et pénètre dans la cavité abdominale par le canal inguinal, refaisant ainsi le trajet inverse de celui suivi par le testicule au cours de sa descente. Il se dirige vers l'arrière de la cavité abdominale puis plonge vers le bas en suivant la surface postérieure de la vessie (figure 18-1). Le canal déférent emmagasine des spermatozoïdes de la même manière que l'épididyme. Ils y demeurent viables jusqu'à 6 semaines.

Le canal éjaculateur et l'urètre Les canaux déférents s'unissent aux canaux des vésicules séminales et forment les *canaux éjaculateurs*. Ceux-ci sont très courts, traversent la prostate et viennent s'ouvrir dans l'urètre. L'urètre est unique et sert à acheminer l'urine ou le sperme; il débouche à l'extérieur de l'organisme par le pénis.

La production du liquide séminal — les glandes annexes

Les spermatozoïdes sont en suspension dans le *liquide séminal*. Il est produit par les vésicules séminales, la prostate et les glandes bulbo-urétrales. La sécrétion de ces glandes est continuelle, mais plus volumineuse pendant les périodes d'excitation et de stimulation sexuelles.

Les vésicules séminales Chaque *vésicule séminale* est une glande en forme de sac allongé et tortueux débouchant dans un canal déférent. La sécrétion de ces glandes représente environ 60 pour 100 du volume du liquide séminal. C'est une sécrétion mucoïde qui contient du fructose et quelques autres nutriments pour supporter l'activité des spermatozoïdes. On y trouve aussi des prostaglandines; celles-ci serviraient à stimuler les contractions musculaires des parois de l'utérus et des trompes, favorisant la montée des spermatozoïdes vers les ovaires.

La prostate La *prostate* est une glande impaire dont la sécrétion fournit 20 pour 100 du volume du liquide séminal. Claire, laiteuse et légèrement alcaline, elle neutralise l'acidité des autres liquides constitutifs du sperme. Les activités métaboliques des spermatozoïdes, pendant leur stockage, produisent de grandes quantités de CO_2 qui acidifient le liquide des canaux déférents et les empêchent de se mouvoir. Lors de l'*éjaculation* (l'éjection du sperme hors de l'organisme) la prostate libère sa sécrétion alcaline dans les canaux déférents; les spermatozoïdes deviennent actifs et peuvent alors féconder un ovule.

Souvent, chez les hommes âgés, la prostate grossit et exerce une pression sur l'urètre, ce qui entrave la miction. On peut enlever la prostate par chirurgie, si c'est nécessaire, et cette opération n'a généralement pas d'effets secondaires nuisibles à l'activité sexuelle. Le cancer de la prostate est une autre affection courante de cette glande. Plus souvent qu'autrement, un cancer de la prostate évolue lentement et demeure localisé. Les formes plus malignes évoluent souvent très rapidement en présence de testostérone; on peut en freiner la progression en enlevant les testicules (la *castration*). Le cancer de la prostate n'est responsable que de 2 pour 100 des décès chez les hommes, mais il est mis en évidence dans presque 40 pour 100 des autopsies d'hommes de plus de 50 ans.

Les glandes bulbo-urétrales Les *glandes bulbo-urétrales* (de *Cowper*) ont à peu près la taille et la forme d'un pois, un de chaque côté de l'urètre dans lequel elles se vident. Au moment de l'excitation sexuelle elles libèrent quelques gouttes d'un liquide clair et visqueux dont l'alcalinité neutralise l'acidité de l'urètre en avant de l'éjaculat.

La composition du sperme Le volume moyen d'un éjaculat est de 3,5 ml. Ce sperme contient environ 400 millions de spermatozoïdes en suspension dans les sécrétions des vésicules séminales, de la prostate, des glandes bulbo-urétrales, et des minuscules glandes qui tapissent les parois des voies génitales. Les spermatozoïdes sont des cellules très petites qui ne représentent qu'une faible proportion du volume du sperme. Si plusieurs éjaculations sont suscitées en un court laps de temps, alors la numération des spermatozoïdes et le volume de sperme éjecté diminuent.

Si le sperme d'un individu contient moins de 20 millions de spermatozoïdes par ml, l'homme est habituellement stérile. L'investigation d'un couple infertile doit donc comprendre des numérations et des analyses de sperme où l'examen microscopique, entre autres, peut révéler la présence d'un grand nombre de spermatozoïdes anormaux ou encore une absence totale de spermatozoïdes. La fièvre ou une infection des testicules (une *orchite*) peuvent causer une stérilité passagère. Les oreillons, s'ils se déclarent chez un homme adulte, s'accompagnent dans presque 25 pour 100 des cas d'une inflammation testiculaire et, parfois, d'une atrophie des spermatogonies qui provoque la stérilité.

Le pénis

Le *pénis* (la *verge*) est l'organe copulateur érectile servant à déposer le sperme dans les voies génitales féminines. Il est formé d'une longue tige (le *corps du pénis*) qui s'épanouit à son extrémité distale en un *gland* (figure 18-1). Le *prépuce* est un fourreau de peau rétractile qui recouvre partiellement le gland. Son ablation chirurgicale est une *circoncision.* Sans entrer dans le débat qui entoure cette pratique, disons que c'est une opération simple que l'on pratique communément dans les hôpitaux. (C'est aussi un rite religieux chez les juifs et les musulmans.) L'un des arguments de nature médicale qui plaide en faveur de cette opération repose sur le fait qu'on constate un taux plus élevé de cancers du pénis chez les hommes non circoncis. On remarque de plus que ces derniers sont plus susceptibles de présenter des infections du pénis. La raison tient à ce que de petites glandes oléagineuses préputiales (sudorifères et sébacées), situées à la face interne du prépuce et sur les parois du gland, sécrètent un matériel qu'on nomme *smegma*. Son accumulation chez les hommes non circoncis peut irriter le gland et provoquer une infection.

Le gland est la partie la plus sensible du pénis à cause de ses nombreuses terminaisons sensitives. Celles-ci se trouvent surtout au niveau de la *couronne* du gland et du *frénulum* (le *frein du prépuce*), un repli de peau qui relie le gland au prépuce. (Le frein n'est pas enlevé à la circoncision.)

Sous la peau fine et délicate qui le recouvre, le pénis est formé de trois cylindres parallèles de tissu érectile, chacun étant enveloppé dans un manchon de tissu conjonctif fibreux. Deux de ces cylindres, les *corps caverneux*, forment une paire (figure 18-1). Le *corps spongieux* repose ventralement et entoure l'urètre. Le tissu érectile de ces cylindres contient de grands sinus veineux.

La longueur moyenne du pénis au repos est d'environ 9 cm; pendant l'érection il atteint de 16 à 19 cm. La taille et la forme du pénis n'ont pas de relation directe avec la race, la corpulence, la virilité, ou encore la capacité de jouir ou de faire jouir. Un pénis plus petit au repos aura tendance à être proportionnellement plus gros pendant une érection; ceci signifie que la taille du pénis en érection varie moins, en moyenne, que celle du pénis au repos. La taille d'un pénis ne change pas à la suite d'un usage intensif.

L'érection L'*érection* du pénis est la première réponse masculine à la stimulation sexuelle et elle est essentielle pour que l'acte sexuel (le coït) atteigne son but. C'est une réponse réflexe qui peut être déclenchée directement par des manipulations du pénis, des cuisses ou de l'aine. L'érection peut aussi se produire en réaction à des pensées érotiques puisque le cerveau possède des liaisons nerveuses avec le centre réflexe de la région lombaire de la moelle qui en est responsable. Le plus souvent les deux types de stimulus sont impliqués.

La stimulation du «centre de l'érection» provoque l'envoi d'influx (par voie parasympathique) vers les muscles artériolaires du pénis et amène leur décontraction. Cette vasodilatation est peut-être aussi accompagnée d'une vasoconstriction veineuse. Le sang envahit les sinus des corps caverneux. Ceux-ci gonflent sous cet afflux sanguin, comprimant les veines effluentes. L'engorgement des tissus érectiles se traduit par une élongation du pénis et l'accroissement de son diamètre et de sa rigidité. Le processus inverse implique la vasoconstriction artériolaire par voie sympathique, l'évacuation sanguine et la flaccidité du pénis.

L'érection peut se produire en moins de 10 secondes, mais la vitesse de cette réponse varie beaucoup selon les individus ou les occasions. Les jeunes hommes ont généralement une réponse plus rapide. La durée d'une érection varie aussi énormément. L'incapacité chronique de maintenir une érection s'appelle l'*impuissance* et dépend souvent de facteurs psychologiques.

L'éjaculation L'*éjaculation*, comme l'érection, est le résultat d'un réflexe spinal. Lorsque l'excitation érotique atteint un point critique, des faisceaux sympathiques issus de la région lombaire de la moelle provoquent l'expulsion dans l'urètre du contenu de la prostate, des vésicules séminales et des canaux déférents. Ce phénomène se nomme l'*émission* et donne à l'homme la sensation que l'éjaculation est imminente. Les contractions péristaltiques des voies spermatiques et des muscles qui entourent la base du pénis (là où il s'attache au plancher pelvien) causent l'éjaculation.

Les hormones sexuelles masculines

Dans les lobules des testicules, entre les tubes séminifères, se trouvent des petites masses de *cellules interstitielles*, qu'on appelle aussi *cellules de Leydig* (figure 18-3), responsables de la production des hormones sexuelles mâles, les *androgènes*. Les testicules produisent plusieurs types différents d'androgènes (souvenez-vous que le cortex surrénal en produit aussi), mais le plus important, la *testostérone*, est de loin le plus abondant et le plus puissant. C'est un stéroïde à 19 carbones produit à partir du cholestérol. On retrouve aussi chez l'homme de faibles quantités d'hormones sexuelles féminines, des *oestrogènes* (environ 20 pour 100 de la quantité présente chez la femme non gravide). On n'en connaît pas la source exacte quoiqu'une partie puisse être produite par les testicules; une autre partie serait fabriquée ailleurs dans l'organisme à partir de la testostérone. Le cortex surrénal produit aussi quelques oestrogènes (chapitre 17).

La masculinité chez l'embryon Les structures sexuelles embryonnaires masculines et féminines sont identiques pendant les six premières semaines du développement. On pense que les gènes masculinisants du chromosome Y stimulent la sécrétion de testostérone par les cellules des gonades. Cette hormone amène la différenciation des gonades en testicules, en plus d'être responsable du développement des structures génitales masculines.

La testostérone produite par les testicules du foetus stimule leur descente dans le scrotum

Tableau 18-1 Les principales hormones sexuelles chez l'homme et leurs actions

Glande endocrine et hormone(s)	Tissu(s) cible(s)	Actions principales
Adénohypophyse		
Folliculostimuline (FSH)	Testicule	Stimulation du développement des tubes séminifères; stimulation de la spermatogenèse
Hormone lutéinisante (LH) (aussi appelée hormone de stimulation des cellules interstitielles ou ICSH)	Testicule	Développement des cellules interstitielles; stimulation de la sécrétion de la testostérone
Testicules		
Testostérone	Effet généralisé	*Avant la naissance:* stimulation du développement des organes sexuels primaires et de la descente des testicules dans le scrotum *À la puberté:* provocation de la poussée de croissance; stimulation du développement des structures génitales; stimulation du développement des caractères sexuels secondaires (silhouette masculine, pousse de la barbe et des poils axillaires et pubiens, voix grave) *Chez l'adulte:* maintien des caractères sexuels secondaires; stimulation de la spermatogenèse

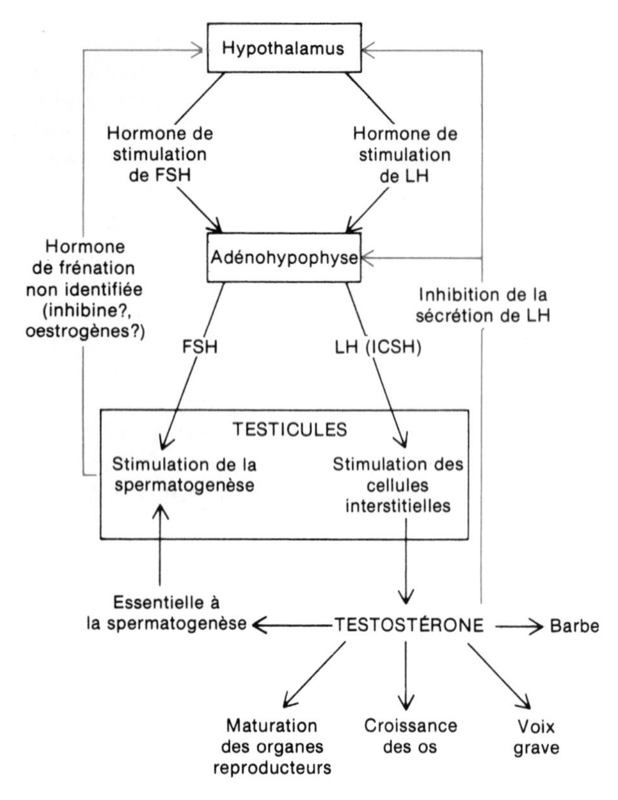

Figure 18-8 Les interrelations hormonales démontrées et hypothétiques chez l'homme.

avant la naissance. Par la suite, les cellules interstitielles des testicules deviennent difficiles à identifier au microscope et les gonades demeurent au repos pendant toute l'enfance.

La régulation de la sécrétion de testostérone chez l'adulte Vers l'âge de 10 ans la fonction gonadotropique de l'hypothalamus s'éveille; il se met à sécréter des hormones de stimulation qui amènent la sécrétion adénohypophysaire des gonadotropines, l'hormone folliculostimulante (FSH) et l'hormone lutéinisante (LH)[2] (tableau 18-1). Il semblerait que même des petites quantités de testostérone puissent inhiber l'hypothalamus pendant l'enfance, mais que cette hypersensibilité s'atténue vers l'âge de 10 ans.

[2] Ces hormones gonadotropes ont d'abord été identifiées chez la femme et leurs noms conviennent mieux chez elle que chez l'homme où LH porte aussi le nom d'hormone de stimulation des cellules interstitielles (ICSH, Interstitial-Cell Stimulating Hormone).

La folliculostimuline (FSH) accélère le développement des tubes séminifères et favorise la spermatogenèse. La lutéostimuline (LH) pousse les cellules interstitielles à sécréter de la testostérone (figure 18-8). On constate la présence d'un mécanisme de rétroaction par lequel de fortes concentrations sanguines de testostérone inhibent l'activité hypothalamique, réduisant la sécrétion hypophysaire de LH. Ce rétrocontrôle permet de maintenir constant le niveau de la testostérone dans le sang. Il est possible que la testostérone ait un léger effet inhibiteur sur la sécrétion de FSH, mais on n'en connaît pas le mécanisme régulateur principal. Quelques chercheurs pensent qu'une hormone (déjà nommée *inhibine*) produite au niveau des tubules bloquerait la libération de FSH. Toutefois cette substance n'a pas encore été purifiée et on n'a pas encore démontré une activité inhibine dans le sang.

Les actions de la testostérone L'une des principales actions de la testostérone est la stimulation de la croissance. De grandes quantités de testostérone apparaissent dans le sang à l'âge de la puberté (vers 13 ans) et le jeune garçon commence sa poussée de croissance d'adolescent. Toutefois, après quelques années, la même hormone agit au niveau des épiphyses des os longs, provoquant leur fusion avec la diaphyse. La disparition consécutive des disques épiphysaires bloque l'élongation osseuse d'une façon permanente. La stimulation de la croissance par la testostérone implique une augmentation de la synthèse des protéines et une diminution de leur dégradation (effet anabolisant); l'hormone influence aussi le taux de métabolisme basal qui augmente de 5 à 10 pour 100.

Le développement des caractères sexuels primaires adultes est sous la responsabilité de la testostérone. Le pénis, le scrotum et les testicules augmentent de taille et le scrotum se pigmente. Les structures génitales internes grossissent et deviennent actives. Il semblerait aussi que la spermatogenèse ne puisse se faire sans testostérone.

Le développement, à la puberté, des caractères sexuels secondaires comme la barbe et les poils pubiens et axillaires, est aussi sous la responsabilité de la testostérone, de même que l'accroissement en longueur et l'épaississement des cordes vocales qui causent la mue, la baisse de la voix. La testostérone stimule de plus le développement musculaire et accroît la sécrétion des glandes sébacées de la peau, ce qui prédispose l'adolescent à l'acné.

Les conséquences d'un défaut de testostérone Lorsqu'un homme est *castré* (l'ablation des testicules) avant la puberté, il devient un *eunuque* et conserve des organes sexuels infantiles. Les caractères sexuels secondaires n'apparaissent pas. Les eunuques sont souvent plus grands que les hommes normaux puisque les disques épiphysaires demeurent fonctionnels plus longtemps; la croissance est toutefois plus lente.

La castration post-pubère peut provoquer l'involution graduelle et même la disparition de certains caractères sexuels secondaires. La libido est réduite mais l'activité sexuelle peut se poursuivre jusqu'à un certain point. On pense que ce sont les androgènes sécrétés par les surrénales qui permettraient de conserver la masculinité.

LA FEMME

L'appareil reproducteur de la femme doit remplir plusieurs fonctions: (1) produire des *ovules*, (2) accepter le pénis et le sperme qu'il libère pendant l'acte sexuel, (3) loger et nourrir l'embryon pendant son développement, et (4) nourrir le bébé. Pour ces raisons la physiologie de la reproduction chez la femme est beaucoup plus complexe que chez l'homme. La plupart des activités de l'appareil reproducteur féminin sont centrées sur le *cycle ovarien* (encore appelé *cycle menstruel*), la préparation mensuelle de la femme à une grossesse possible.

Les principaux organes génitaux féminins (figure 18-9) sont les ovaires (producteurs d'ovules et d'hormones sexuelles), les trompes utérines (où se fait la fécondation), l'utérus (l'incubateur du foetus), le vagin (le réceptacle du pénis et la voie naturelle de l'accouchement) et les seins.

La production des ovules et des hormones — les ovaires

Les deux *ovaires*, les gonades de la femme, produisent les ovules et les hormones sexuelles féminines, les *oestrogènes* et la *progestérone*. Les ovaires sont des corps ovoïdes légèrement aplatis mesurant environ 3 cm de long, 2 cm de large et 2 cm d'épaisseur, situés de chaque côté de l'utérus sur la paroi latérale de la cavité pelvienne (figure 18-10). Ils sont recouverts d'un épithélium de cellules cuboïdes. La structure interne des ovaires comprend essentiellement du tissu conjonctif, le *stroma*, dans lequel sont éparpillés des ovules à divers stades de maturation.

Le développement des follicules Avant la naissance les ovaires contiennent plusieurs centaines de milliers d'*ovogonies* (les cellules qui vont se différencier en ovules). Chaque ovogonie est entourée d'un amas de *cellules folliculaires* et l'ensemble forme un *follicule* (ovogonie et cellules folliculaires). Tous les gamètes de la femme se développent pendant la vie embryonnaire; aucune nouvelle ovogonie n'apparaît après la naissance.

C'est dans l'ovaire foetal que les ovogonies augmentent de taille et deviennent des *ovocytes de premier ordre*. À la naissance, ils sont à peu près au stade de la prophase de la première division méiotique; ils entrent alors dans une période de quiescence qui dure toute l'enfance et une partie de l'âge adulte.

Avec l'arrivée de la puberté, soit vers l'âge de 12 ou 13 ans, quelques follicules se développent chaque mois en réponse à la sécrétion de FSH (folliculostimuline) par l'adénohypophyse. La croissance du follicule s'accompagne de la poursuite de la première division méiotique de l'ovocyte de premier ordre; les deux cellules obtenues ont des tailles tout à fait disproportionnées. La plus petite, le premier *globule polaire*, se divise un peu plus tard pour donner deux globules polaires. La plus grosse cellule, l'*ovocyte de deuxième ordre*, peut poursuivre son développement. La seconde division méiotique, toutefois, ne se terminera qu'après la fécondation. L'*ovogenèse* (figure 18-11) représente le passage de l'ovogonie au stade éventuel d'*ovule* (oeuf mature).

Pendant son développement l'ovocyte s'isole des cellules folliculaires qui l'entourent par une membrane épaisse, la *zone pellucide* (figure 18-12). La prolifération des cellules folliculaires (qui forment la *granulosa* aussi appelée le *stratum granulosum*) et l'addition de stroma qui vient entourer le follicule occasionnent un accroissement de la taille de

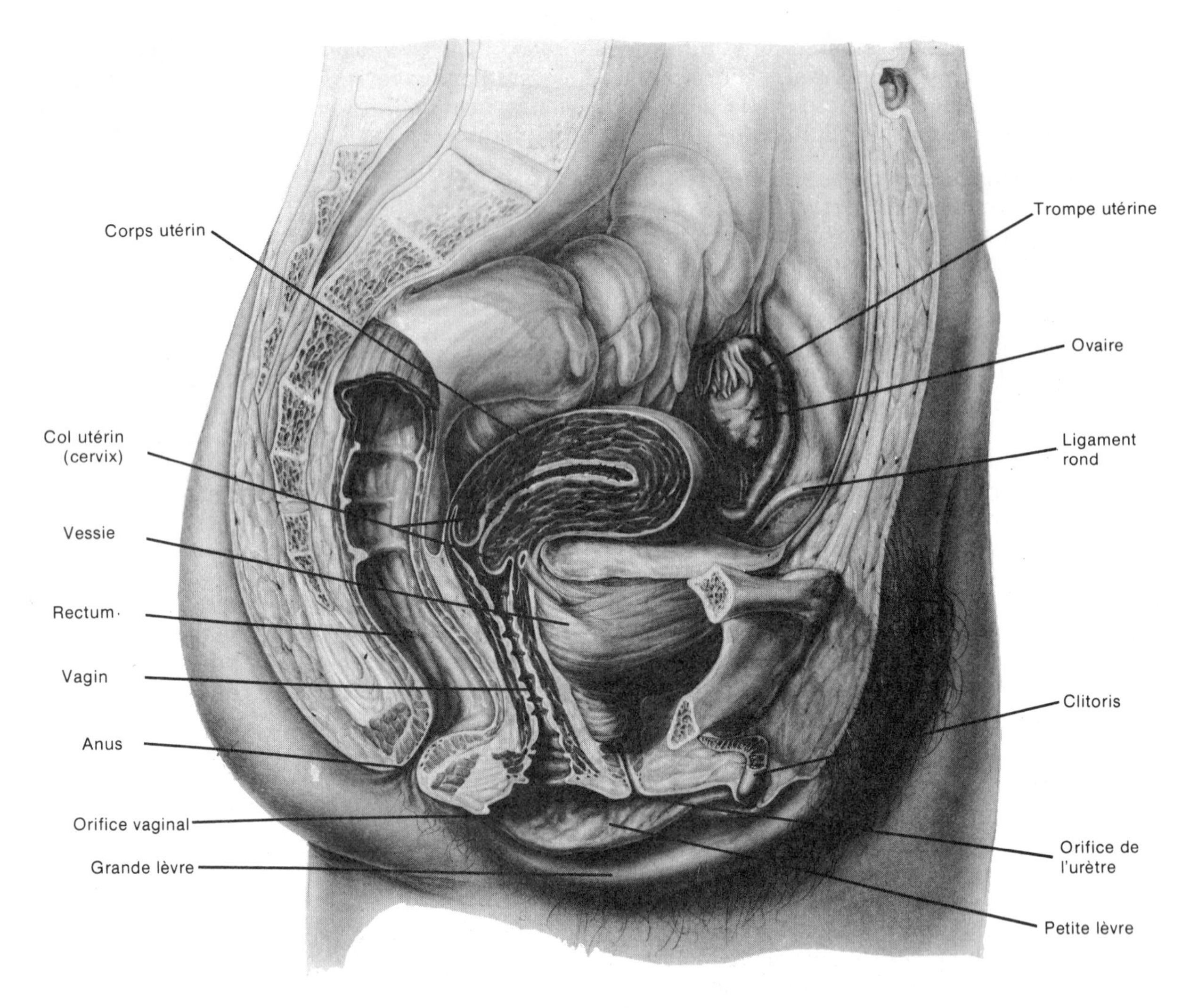

Figure 18-9 Coupe sagittale et médiane du bassin chez la femme exposant les organes génitaux.

ce dernier. La capsule formée par le stroma périphérique, la *thèque folliculaire*, contient des cellules qui sécrètent des oestrogènes. Pendant le développement du follicule les cellules de la granulosa sécrètent un liquide qui finit par former une cavité, l'antre, à l'intérieur de la couche folliculaire.

La maturation du follicule s'accompagne de sa migration vers le cortex ovarien[3] (la zone parenchymateuse); à la fin du processus il ressemble à un petite bulle remplie de liquide à la surface de l'ovaire. Il n'y a normalement qu'un seul follicule qui devient mature à chaque mois. Plusieurs autres se développent pendant environ une semaine puis dégénèrent; ils forment des *follicules atrétiques*.

[3] L'adjectif *ovarique* devrait bientôt remplacer *ovarien*, suite au choix de la Commission de francisation des Nomina Anatomica.

L'ovulation L'unique follicule mûr se brise après environ 2 semaines de croissance en réponse à la sécrétion adénohypophysaire de FSH et de LH. L'*ovulation* correspond à l'éjec-

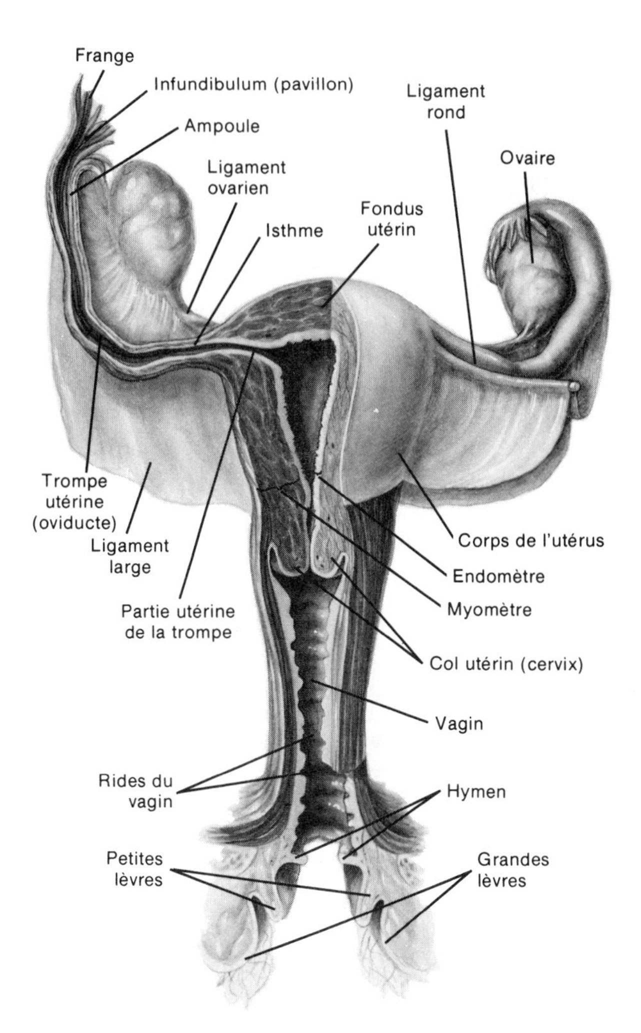

Figure 18-10 Vue de face de l'appareil génital féminin.

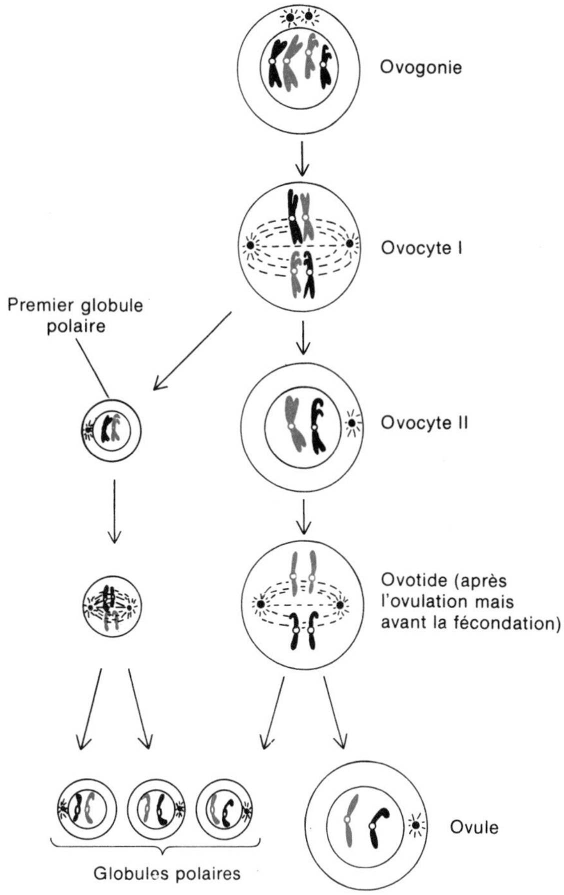

Ovogonie
Ovocyte I
Premier globule polaire
Ovocyte II
Ovotide (après l'ovulation mais avant la fécondation)
Globules polaires
Ovule

Figure 18-11 L'ovogenèse. Si, chez l'homme, la méiose fournit quatre spermatozoïdes fonctionnels, chez la femme elle ne produit qu'un seul ovule fonctionnel; les trois autres cellules deviennent des globules polaires.

tion de l'ovule, au travers de la paroi ovarienne, dans la cavité péritonéale.

Le développement du corps jaune À la suite de l'ovulation le follicule brisé s'emplit de sang. Les cellules de la granulosa et de la thèque prolifèrent et remplacent le sang coagulé par des *cellules lutéiniques* de teinte jaune, riches en lipides. L'hormone lutéinisante est responsable de la transformation du follicule en *corps jaune*.

Celui-ci est une glande endocrine temporaire sécrétant de la progestérone et des oestrogènes, des hormones qui favorisent la préparation de l'utérus à une grossesse éventuelle. Si la femme devient enceinte, alors le corps jaune demeure actif pendant plusieurs mois. Sinon il dégénère après une dizaine de jours et la trace fibreuse blanchâtre qu'il laisse sur l'ovaire s'appelle le *corpus albicans* ou *corps blanc*.

Le transport de l'ovule — les trompes utérines

À l'ovulation l'oeuf mûr est relâché dans la cavité péritonéale. L'extrémité libre des *trompes utérines* (aussi appelées *oviductes* ou *trom-*

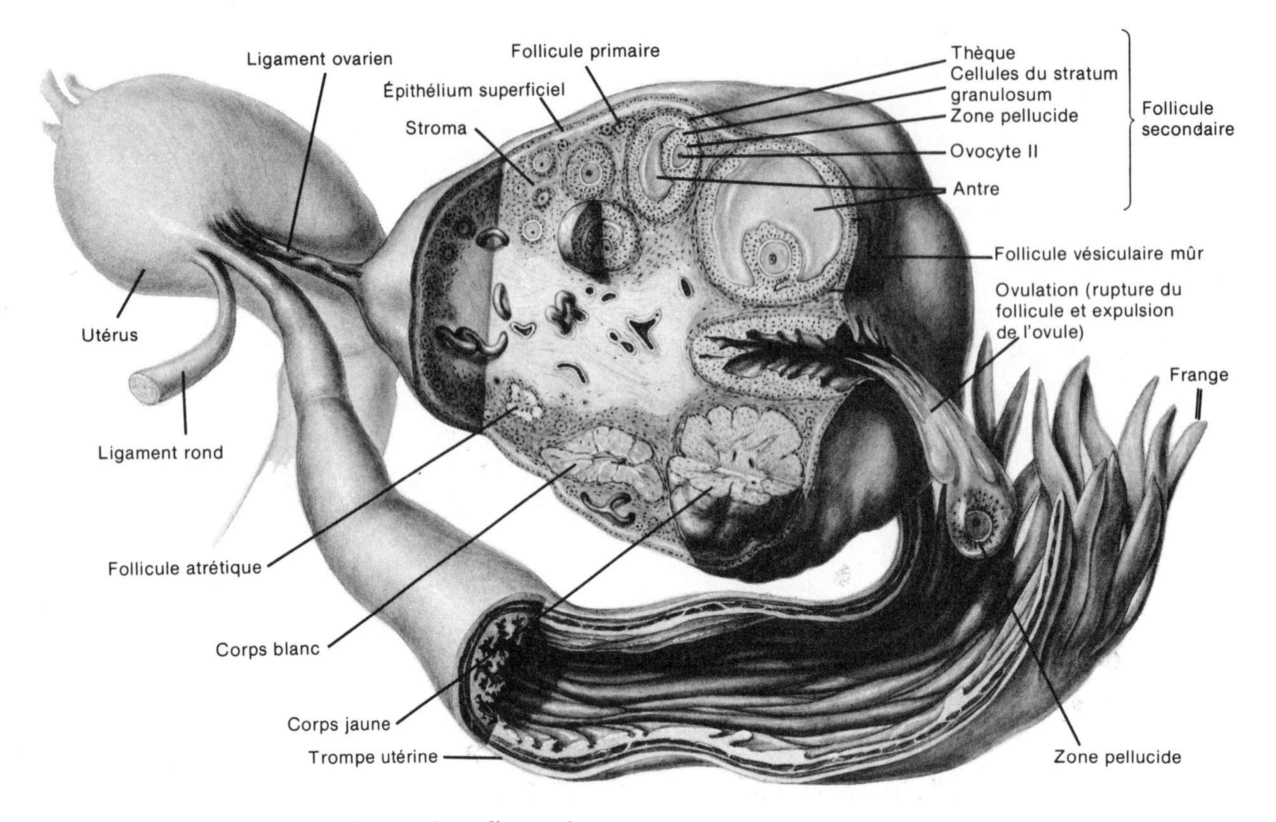

Figure 18-12 La structure microscopique d'un ovaire.

pes de Fallope) est disposée et orientée de telle sorte que l'oeuf s'y engage presque aussitôt (figure 18-10).

Chaque trompe mesure environ 12 cm de longueur. Son extrémité libre, le *pavillon*, a la forme d'un entonnoir et présente de nombreuses projections digitiformes (les *franges de la trompe* ou *fimbriae*). Les parois des trompes comportent une muqueuse dont le revêtement cilié est plissé longitudinalement; la muqueuse repose sur une musculeuse constituée de deux couches musculaires, l'une circulaire et interne, l'autre longitudinale et externe.

L'oeuf est attiré dans la trompe grâce au courant établi par les battements des cils et aux mouvements des franges. Il peut aussi exister une sorte d'attraction de nature chimique (chimiotactisme) puisqu'on a constaté des grossesses chez des femmes qui ne possèdent qu'un ovaire d'un côté du corps et qu'une seule trompe du côté opposé. Il est donc possible que l'oeuf ait été guidé pendant son trajet de part et d'autre de la cavité abdominale par un quelconque attractant chimique.

Une fois dans la trompe l'oeuf passe du pavillon vers l'*ampoule* (la plus longue partie de la trompe), puis vers l'*isthme* (la portion courte et étroite voisine de l'utérus), et finalement à travers la partie *intrapariétale* ou *utérine*, la continuation du canal dans la paroi de l'utérus.

La descente de l'oeuf vers l'utérus est probablement favorisée par des contractions péristaltiques des parois musculeuses des trompes de même que par les battements des cils, l'ovule étant incapable de se mouvoir lui-même.

S'il y a fécondation celle-ci se produit habituellement dans le tiers externe de la trompe utérine et le zygote commence son développement pendant le trajet qui le conduit vers l'utérus. S'il n'y a pas fécondation l'ovule dégénère.

Quelques considérations cliniques Les trompes s'ouvrant dans la cavité péritonéale, les microorganismes qui pénètrent dans le vagin et l'utérus peuvent poser de graves problèmes cliniques; plusieurs infections mortelles ont ainsi été causées, par exemple, par des avortements faits dans des conditions non stériles.

La *salpingite* (l'inflammation des trompes) est causée le plus souvent pas une infection d'origine gonococcique. Il peut s'ensuivre une fibrose qui obstrue partiellement les trompes, situation qui cause parfois une stérilité due au fait que l'oeuf ne peut poursuivre sa route vers l'utérus. Il arrive aussi que la constriction partielle d'une trompe provoque une *grossesse ectopique*, c'est-à-dire le développement d'un embryon dans la paroi de la trompe utérine, parce qu'il ne peut atteindre l'utérus. (De telles grossesses doivent être rapidement diagnostiquées afin que la trompe puisse être enlevée chirurgicalement avant qu'elle ne se brise.)

L'utérus

Les deux trompes utérines rejoignent le corps de l'*utérus*, un organe en forme de poire d'environ 7 cm de longeur, 4 à 5 cm de largeur et 2 à 3 cm d'épaisseur. L'utérus repose au bas de la cavité pelvienne, en position ventrale par rapport au rectum et dorsale par rapport à la vessie. L'utérus et les ovaires sont suspendus par de solides replis péritonéaux très épais, des *ligaments* (rond, large, etc.).

La partie principale de l'utérus est le *corps*; la portion inférieure, le *col*, est plus étroite et se projette partiellement dans le vagin (figure 18-10). La région entre le corps et le col est normalement fléchie de sorte que l'utérus repose presque à angle droit par rapport au vagin; situé derrière la vessie, il la surplombe. Si, par rapport à cette position normale, l'utérus est replié vers l'arrière, on parle d'un *utérus rétroversé* ou *rétrofléchi*.

L'*endomètre* est le recouvrement muqueux interne de l'utérus. Il repose sur le *myomètre* sous-jacent, une couche musculaire épaisse constituée de trois feuillets de muscle lisse dont les fibres sont orientées dans plusieurs directions.

L'activité de l'utérus est cyclique et synchrone avec la maturation d'un ovule par l'ovaire. À chaque mois, en effet, en réponse aux oestrogènes et à la progestérone d'origine ovarienne, l'endomètre subit des modifications qui le préparent à une grossesse possible. On décrit ces changements sous le terme de cycle endométrial.

Le cancer du col utérin Le cancer du col utérin est l'un des types de cancers parmi les plus fréquents chez les femmes, causant environ 13 000 décès par année aux États-Unis seulement[4]. Environ la moitié des cancers du col sont aujourd'hui détectés pendant les premiers stades de développement alors que la patiente peut être guérie. Le diagnostic peut se faire grâce au test de Papanicolaou, un test de routine où quelques cellules sont détachées du col utérin, pendant un examen gynécologique régulier, pour être observées au microscope. Les cellules sont groupées en cinq classes: classe I, cellules normales; classe II, probablement normales (cellules légèrement atypiques); classe III, douteuses (cellules atypiques pouvant être interprétées comme cancéreuses); classe IV, probablement cancéreuses; classe V, cancéreuses. Environ 95 pour 100 des cancers du col sont des carcinomes épidermoïdes qui ont pris naissance dans l'épithélium pavimenteux.

Bien qu'on n'en connaisse pas la cause, des études montrent que l'incidence de ce type de cancer s'accroît avec la précocité des rapports sexuels, la diversité des partenaires et la fréquence des relations. L'incidence de ce cancer est plus faible chez les religieuses et chez les femmes dont les partenaires sexuels ont été circoncis assez jeunes. On a émis l'hypothèse que le virus de l'herpes simplex (type 2) puisse être impliqué dans le cancer du col. Transmis d'un partenaire sexuel à l'autre il pourrait se réfugier dans le smegma d'individus non circoncis et négligents quant à leurs soins hygiéniques péniens.

Le vagin

Situé en avant du rectum et derrière la vessie et l'urètre, le *vagin* est un tube élastique et musculeux qui peut se distendre considérablement.

[4] En Europe et en Amérique du Nord, le cancer du col de l'utérus est toutefois moins fréquent que le cancer du sein, dont l'incidence est environ 6 fois plus grande.

Il va du col utérin jusqu'à son orifice dans le *vestibule* de la vulve. Le vagin est l'organe sexuel qui reçoit le pénis pendant l'acte sexuel; c'est aussi la voie de sortie de l'épithélium utérin pendant la menstruation et le canal d'expulsion du bébé lors de l'accouchement.

Les parois du vagin s'affrontent normalement de sorte qu'en coupe transversale la lumière apparaît comme une fente. Deux replis longitudinaux marquent ses parois antérieure et postérieure; il présente de plus de nombreuses *rides* transversales. Pendant l'acte sexuel, lorsque le pénis est introduit dans le vagin, ou lorsque la tête du bébé s'y engage à l'accouchement, les rides s'effacent et le vagin se distend. La muqueuse vaginale est formée d'un épithélium pavimenteux stratifié reposant sur du tissu conjonctif. Quoiqu'elle soit exempte de glandes, la muqueuse vaginale peut sécréter du liquide lorsque ses nombreux petits vaisseaux sanguins s'engorgent de sang pendant les périodes d'excitation sexuelle. Le liquide exsude des vaisseaux, passe au travers de l'épithélium et vient lubrifier la surface vaginale.

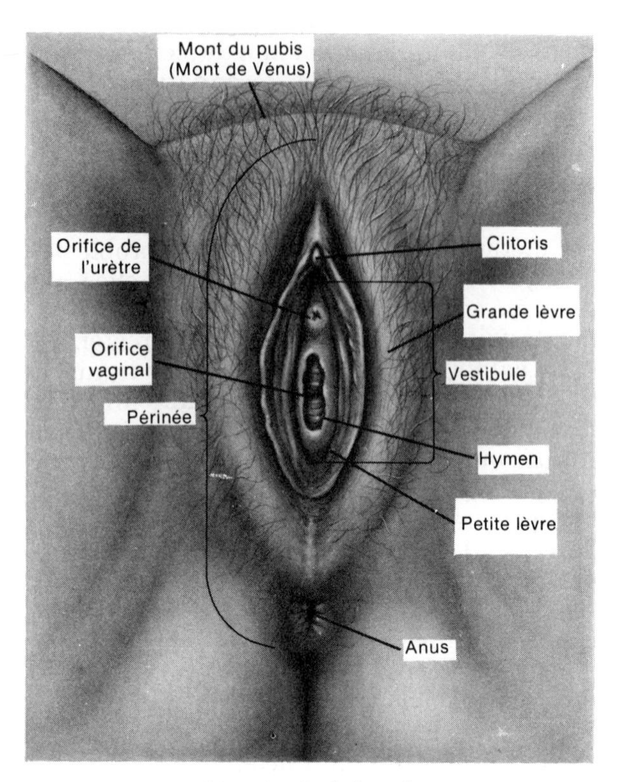

Figure 18-13 L'anatomie de la vulve.

La vulve (les organes génitaux externes)

La *vulve* (*pudendum féminin*) se présente comme une fente antéro-postérieure limitée à l'avant par le mont du pubis et comprenant les grandes et les petites lèvres, le clitoris, et le vestibule (figure 18-13). Le *mont du pubis* (*mont de Vénus*) est un amas de tissu adipeux qui recouvre la symphyse pubienne et qui se couvre de poils à la puberté. On y trouve de nombreux récepteurs tactiles qui en font un organe très sensible. Les *grandes lèvres* sont des replis cutanés qui bordent la fente vulvaire. Unies sur la ligne médiane du périnée à l'arrière de l'orifice vaginal, elles viennent se perdre dans le tissu adipeux du mont du pubis. Elles se touchent normalement sur la ligne médiane, protégeant les organes génitaux profonds. Les grandes lèvres contiennent de nombreux récepteurs tactiles et, à la puberté, leur épiderme extérieur se pigmente et se couvre de poils. Les *petites lèvres* sont situées à l'intérieur des grandes lèvres. Ce sont aussi des replis de peau, mais plus minces que ceux qui forment les grandes lèvres. Les petites lèvres s'unissent vers l'avant où elles sont associées au *clitoris*, un petit organe érectile qui est, chez la femme, l'homologue du pénis chez l'homme. Le clitoris est situé sous le point de jonction des extrémités antérieures des petites lèvres qui forment un prépuce. C'est le foyer des sensations sexuelles, la zone érogène principale chez la femme. Lors de l'excitation sexuelle il s'engorge de sang.

L'espace délimité par les petites lèvres s'appelle le *vestibule*. Deux ouvertures y sont apparentes: l'orifice de l'urètre, antérieur, et celui du vagin, postérieur.

Un mince anneau tissulaire, l'*hymen*, obstrue partiellement l'orifice du vagin. Pendant longtemps l'hymen a été le symbole de la virginité parce qu'il est souvent déchiré au moment du premier coït. Toute l'importance qu'on a attachée à l'hymen n'est toutefois pas méritée puisque c'est un indice de peu de valeur quant à la virginité. Chez certaines femmes l'hymen est très élastique et peut demeurer intact malgré plusieurs coïts. Le plus souvent, toutefois, il se déchire prématurément à l'occasion d'un violent effort physique, pendant l'enfance, ou encore à la suite de l'application de tampons absorbants pendant la menstruation. Il arrive parfois, quoique rarement, que l'hymen soit *imperforé* et bloque complètement l'ouverture du vagin; on doit alors pratiquer une incision chirurgicale avant la puberté afin que le flux menstruel puisse être évacué vers l'extérieur.

Deux *glandes vestibulaires majeures* (*glandes de Bartholin*) s'ouvrent de chaque côté de l'orifice vaginal et sécrètent du mucus. Plusieurs glandes plus petites, les *glandes vestibulaires mineures,* s'ouvrent aussi dans le vestibule, près de l'orifice urétral, où elles sécrètent du mucus. La signification physiologique des glandes vestibulaires, mise à part la lubrification, est inconnue; elles sont cependant susceptibles d'être infectées, en particulier par les bactéries qui causent la gonorrhée.

De part et d'autre de l'orifice du vagin, sous la peau, se trouvent deux masses de tissu érectile, les *bulbes du vestibule.* Toute la région comprise entre l'arc pubien et l'anus s'appelle le *périnée.*

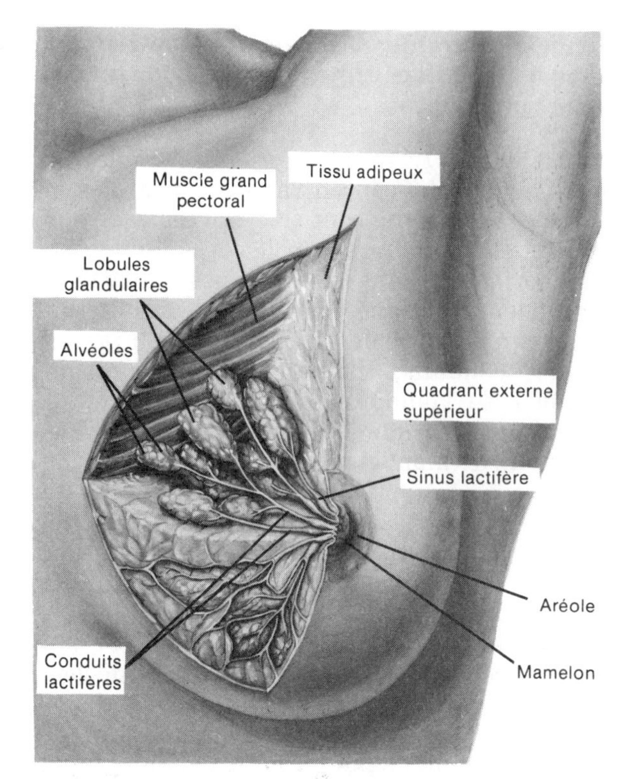

Figure 18-14 L'anatomie d'un sein.

Les seins (les glandes mammaires)

Les *seins* (*mamelles*) sont situés devant les muscles grands pectoraux auxquels ils sont attachés par le fascia (tissu conjonctif constituant l'armature des seins). Des bandelettes de tissu fibreux, les ligaments suspenseurs (de Cooper), fixent fermement les seins à la peau.

La fonction des seins est la lactation. Chaque sein est formé de 15 à 20 lobes de tissu glandulaire, chaque lobe étant lui-même subdivisé en lobules de tissu conjonctif dans lesquels sont enfouies les cellules glandulaires sécrétrices. Elles sont disposées en petites masses compactes, les *alvéoles* (figure 18-14), dont les canaux excréteurs s'unissent les uns aux autres. De chaque lobe émerge un canal unique, le *conduit lactifère* (*canal galactophore*), qui se dilate légèrement pour former un *sinus lactifère* tout près de son point d'émergence à la surface du mamelon. Il y a donc de 15 à 20 petits orifices à la surface de chaque mamelon. (Certaines marques de tétines de bouteilles pour bébés présentent aujourd'hui cette disposition naturelle, soit plusieurs petits trous plutôt qu'un seul.) La quantité de tissu adipeux autour des lobes de tissu glandulaire détermine la grosseur des seins et leur confère leur souplesse. La capacité de production de lait est toutefois indépendante de leur taille.

Le mamelon (la papille de la mamelle) est formé de muscle lisse qui en permet l'érection lorsqu'il se contracte en réponse à des stimulus érotiques ou autres. L'*aréole* rosée qui entoure le mamelon présente souvent plusieurs glandes sécrétrices de lait, mais à l'état rudimentaire (les glandes aréolaires).

Le développement des seins Les seins ne contiennent pendant l'enfance que des glandes très peu développées. Ce n'est qu'à la puberté que les oestrogènes et la progestérone, en présence d'hormone de croissance et de prolactine, stimulent le développement des glandes alvéolaires, des conduits et des dépôts de tissu adipeux caractéristiques des seins bien formés.

Le fort taux de progestérone circulante pendant les derniers jours du cycle menstruel stimule les cellules sécrétrices des seins. La progestérone favorise aussi la rétention d'eau de sorte que les seins, pendant cette période, tendent à gonfler légèrement et deviennent plus tendus; la poitrine apparaît donc un peu plus volumineuse.

La lactation La grossesse est une période pendant laquelle les concentrations d'oestrogènes et de progestérone sont très élevées. Ces hormones sont produites par le corps jaune et le placenta, un organe qui s'interpose entre l'embryon en croissance et la paroi de l'utérus. Elles stimulent le développement des glandes et des conduits; les seins peuvent presque doubler de volume chez la femme enceinte. Pendant les premiers jours qui suivent l'accouchement, les glandes mammaires produisent du *colostrum*, un liquide riche en protéines et en lactose mais assez pauvre en lipides. En effet ce n'est qu'après la naissance que la prolactine sécrétée par l'adénohypophyse peut stimuler la production lactée; celle-ci débute vers le troisième jour après l'accouchement.

La succion du mamelon par le bébé déclenche la sécrétion réflexe de prolactine et d'ocytocine par l'hypophyse. L'ocytocine stimule l'accumulation de lait dans les conduits lactifères et son éjection.

L'allaitement maternel présente plusieurs avantages, en plus de favoriser l'établissement d'un lien intime entre la mère et son enfant. Le lait maternel contient exactement ce qu'il faut pour rencontrer les besoins nutritifs du bébé. Les enfants nourris au lait de vache sont plus susceptibles de développer des allergies aux produits laitiers. On pense de plus que les anticorps présents dans le colostrum et le lait maternel lui-même joueraient un rôle de protection puisque les enfants nourris au sein présentent moins d'infections respiratoires que les autres entre 6 et 12 mois. L'allaitement favorise aussi le rétablissement de l'utérus puisque l'ocytocine libérée le stimule à se contracter; il recouvre ainsi plus vite sa taille normale (non gravide).

Le cancer du sein Le cancer du sein représente le type de cancer le plus fréquent chez les femmes. Son incidence a augmenté ces dernières années et se situe actuellement autour de 70 cas par 100 000 femmes (dans les pays industrialisés)[5].

[5] Curieusement le Japon présente une situation différente, avec environ 15 cas par 100 000 femmes, une incidence pas très éloignée de celle qui prévaut, par exemple, aux Indes et au Nigéria. (*La Recherche*, **115**, 1980.)

Environ la moitié de ces cancers prennent naissance dans le quadrant supérieur externe du sein. La tumeur maligne peut, pendant sa croissance, adhérer au fascia profond de la paroi thoracique; parfois elle s'étend à la peau, causant des rides. À la longue le cancer s'étend à l'appareil lymphatique, souvent aux noeuds axillaires ou à ceux qui longent l'artère mammaire interne (figure 14-1). Les deux tiers environ des cancers du sein ont eu le temps de s'étendre (de développer des métastases) dans les lymphonoeuds au moment de leur premier diagnostic.

La mastectomie (l'excision d'un sein) associée à une radiothérapie représente actuellement le traitement le plus efficace contre ce type de cancer. Lorsque le diagnostic et le traitement sont précoces, 80 pour 100 des patientes vivent 5 ans et 62 pour 100 ont une espérance de vie de 10 ans ou plus. Sans traitement seulement 20 pour 100 des patientes vivront 5 ans ou plus.

Environ un tiers des cancers du sein présentent une croissance dépendante des oestrogènes circulants. L'enlèvement des ovaires chez les patientes qui souffrent de telles tumeurs fait disparaître les symptômes de la maladie et peut même causer sa régression pendant des mois ou même des années.

Puisque le diagnostic précoce de ces cancers augmente considérablement les chances de succès du traitement et l'espérance de vie des patientes, plusieurs campagnes d'information ont été lancées pour sensibiliser les femmes à l'importance de l'auto-examen des seins. La mammographie, une étude radiologique du sein, est une technique très utile pour déceler de petites lésions qui ne seraient pas détectables par palpation. Les lésions prennent la forme de zones denses sur les plaques radiographiques. (Voir la mammographie de la première page de ce chapitre.) De nouvelles techniques pourraient s'avérer efficaces dans la détection précoce des tumeurs; ce sont, entre autres, les études ultrasoniques (des ondes sonores à très haute fréquence sont réfléchies par les tissus, indiquant la présence de tumeurs) et la thermographie. Les enregistrements obtenus par cette technique montrent des différences au niveau de la température de surface, ce qui reflète des variations de la vascularisation des tissus sous-jacents. Souvenez-vous que les cellules cancéreuses stimulent le développement des vaisseaux sanguins dans la région envahie afin que la tumeur puisse se développer.

Le cycle menstruel

Lorsque la jeune fille approche de l'âge de la puberté, l'adénohypophyse sécrète les hormones gonadotropes FSH et LH; celles-ci déclenchent l'activité ovarienne. Les hormones FSH, LH, oestradiol et progestérone, sont responsables collectivement de la régulation du *cycle menstruel*; celui-ci se produit à tous les mois, de la puberté à la *ménopause* (la fin de la période féconde de la vie d'une femme). Les manifestations extérieures du cycle menstruel sont la conséquence de la maturation et de la libération d'un ovule (le cycle ovarien) et de la préparation de l'utérus à la grossesse (le cycle endométrial).

Malgré de grandes variations, un cycle menstruel «type» dure 28 jours. Le premier jour de la menstruation (le saignement) marque le début du cycle. L'ovulation se produit environ 14 jours avant le début du cycle suivant, soit le quatorzième jour d'un cycle de 28 jours (figure 18-15).

Pendant la phase menstruelle qui dure environ 5 jours, on assiste à l'évacuation de la couche fonctionnelle épaisse de l'endomètre. La perte sanguine totale est d'environ 35 ml et vient s'ajouter à un autre 35 ml de liquides sécrétés par les glandes utérines. Le sang de l'écoulement menstruel ne coagule normalement pas à cause de la présence d'un anticoagulant sécrété par l'endomètre. Pendant cette phase du cycle, FSH est la principale hormone sécrétée par l'adénohypophyse. Elle déclenche le réveil et le développement d'un groupe de follicules ovariens.

Durant la phase préovulatoire (aussi appelée phase proliférative ou folliculaire) du cycle menstruel, les oestrogènes relâchés à partir des cellules folliculaires stimulent une nouvel-

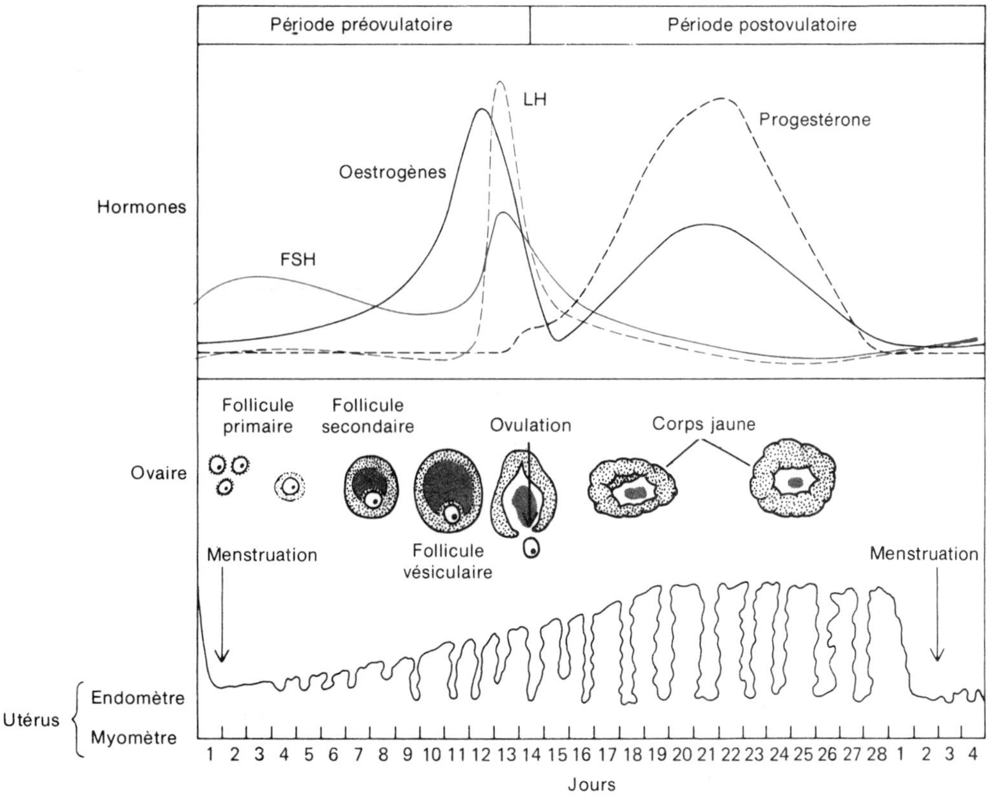

Figure 18-15 Le cycle menstruel tel qu'il se déroule s'il n'y a pas fécondation. Les phénomènes hypophysaires, ovariens et utérins, sont tous synchronisés avec précision.

le fois la croissance de l'endomètre; les vaisseaux sanguins et les glandes prolifèrent à nouveau. Au milieu du cycle les oestrogènes stimulent la sécrétion hypothalamique de LHRH ou GnRH (LH Releasing Hormone ou Gonadotropin Releasing Hormone: hormone de stimulation de la sécrétion de LH et de FSH). Sous l'action de cette hormone l'hypophyse sécrète une importante quantité de LH et de FSH (figure 18-15). L'hormone lutéinisante assure la maturation finale du follicule, l'ovulation et le développement éventuel du corps jaune.

La phase postovulatoire (aussi appelée phase de sécrétion ou progestative) débute après l'ovulation; le corps jaune libère de la progestérone et de l'oestradiol, et ces hormones stimulent encore plus l'épaississement de l'endomètre. La progestérone, en particulier, a un effet stimulant sur les petites glandes endométriales qui sécrètent un liquide riche en nutriments. S'il y a fécondation ce liquide nutritif servira à nourrir le jeune embryon à son arrivée dans l'utérus, après environ quatre jours de développement. Quelques jours plus tard (sept jours après la fécondation), l'embryon commence à s'implanter dans la muqueuse utérine. Le placenta amorce son développement et sécrète une hormone, la gonadotropine chorionique, dont le rôle est de signaler au corps jaune qu'il doit continuer à fonctionner.

En l'absence de grossesse le corps jaune dégénère et les taux sanguins d'oestrogènes et de progestérone chutent d'une façon marquée. Les artérioles spiralées de la paroi utérine se contractent et la couche fonctionnelle de l'endomètre (leur territoire vasculaire effluent) devient ischémique (manque d'oxygène). La phase menstruelle recommence une nouvelle fois avec la nécrose des cellules et les lésions artériolaires responsables des ruptures vasculaires et des saignements. On pense que les prostaglandines libérées dans l'endomètre stimulent la contraction des vaisseaux et de la musculature utérine, entraînant la desquamation du tissu endométrial.

Le moment exact de l'ovulation Lorsqu'un couple désire un enfant, il est utile de connaître le moment exact de l'ovulation. C'est une information qui est importante aussi pour les couples qui pratiquent une méthode de contraception basée sur l'abstinence pendant les périodes de fécondité. On connaît plusieurs indicateurs de l'ovulation, mais malheureusement aucun d'entre eux n'est absolument sûr. L'une des méthodes permettant de connaître le moment exact de l'ovulation (la méthode symptothermique) est basée sur des variations de la température corporelle. À peu près au moment de l'ovulation la température baisse d'abord puis s'élève d'environ 0,3°C au-dessus de la température corporelle moyenne. Elle demeure à cette valeur jusqu'à un peu avant la menstruation; s'il y a grossesse, elle demeure élevée.

Parfois l'ovulation est accompagnée de douleurs abdominales, les douleurs de l'ovulation. La qualité du mucus cervical est un autre indice du moment de l'ovulation puisqu'à son approche, la glaire devient fluide et claire jusqu'à prendre l'apparence et la consistance du blanc d'oeuf frais. Il contient alors beaucoup de glucose qui peut être mis en évidence grâce aux papiers colorés qu'utilisent les diabétiques, entre autres, pour vérifier la présence de glucose dans l'urine.

Les hormones ovariennes Le tableau 18-2 dresse la liste des hormones sexuelles féminines de l'adénohypophyse et des ovaires. Les oestrogènes représentent un groupe de composés assez homogènes au point de vue structural; ce sont des hormones stéroïdes à 18 carbones. Seulement trois d'entre elles (l'oestrone, l'oestriol et le β-oestradiol) sont présentes en quantités significatives; le β-oestradiol est le plus actif des trois et est aussi considéré comme l'oestrogène majeur.

Les oestrogènes sont sécrétés par les cellules thècales des follicules, par le corps jaune, et par le placenta pendant la gestation. Le cortex surrénal en sécrète aussi de très faibles quantités. La biosynthèse des oestrogènes se fait à partir du cholestérol puis des androgènes.

Comme la testostérone chez l'homme, les oestrogènes sont responsables du développement des organes sexuels à la puberté et des caractères sexuels secondaires féminins: développement des seins, élargissement du bassin et répartition caractéristique de la graisse et des muscles. La croissance des poils pubiens serait stimulée par les androgènes d'origine surrénalienne, mais leur distribution sur le pubis serait influencée par les oestrogènes

Tableau 18-2 Les principales hormones sexuelles chez la femme et leurs actions

Glande endocrine et hormone(s)	Tissu(s) cible(s)	Actions principales
Adénohypophyse		
Folliculostimuline (FSH)	Ovaire	Stimulation du développement des follicules et de la sécrétion d'oestradiol; avec FSH, induction de l'ovulation
Hormone lutéinisante (LH)	Ovaire	Stimulation du développement terminal du follicule; induction de l'ovulation; stimulation du développement et maintien du corps jaune (sécrétion d'oestradiol et de progestérone)
Prolactine	Sein	Stimulation de la production lactée (après que les seins aient été préparés par les oestrogènes et la progestérone)
Ovaire		
Oestrogènes	Effet généralisé	Croissance des organes génitaux à la puberté; développement des caractères sexuels secondaires (seins, bassin, répartition des tissus adipeux et musculaire)
	Organes génitaux	Maturation; prolifération mensuelle de l'endomètre; modification de la glaire cervicale, rendue plus liquide et plus alcaline
Progestérone	Utérus	Maturation mensuelle de l'endomètre en vue de la grossesse; rôle important de la progestérone sécrétée par le corps jaune pendant les 3 premiers mois de grossesse
	Sein	Stimulation du développement des lobules et des alvéoles

(leur implantation étant différente chez les deux sexes).

Au cours du cycle menstruel les oestrogènes stimulent la croissance des follicules, la prolifération endométriale, le péristaltisme des trompes utérines, et rendent le mucus cervical plus fluide et plus alcalin, deux modifications favorables à la pénétration et à la survie des spermatozoïdes.

Quelques physiologistes croient qu'il existerait deux centres hypothalamiques responsables de la régulation de la sécrétion des hormones gonadotropes et sensibles au rétrocontrôle des oestrogènes: un centre tonique inhibé par les oestrogènes et un centre cyclique stimulé par un fort taux d'oestrogènes (figure 18-16). Cette théorie permettrait d'expliquer la présence, au milieu du cycle, d'un important pic de LH préovulatoire, résultat de la forte poussée oestrogénique préalable et de son effet sur le centre cyclique.

La progestérone est un stéroïde à 21 carbones sécrété par le corps jaune et, pendant la grossesse, par le placenta. C'est un précurseur de la biosynthèse des androgènes et des oestrogènes. Son action la plus importante est de stimuler l'endomètre afin qu'il complète sa préparation en vue d'une grossesse. En présence de progestérone les glandes endométriales sécrètent du glycogène qui sert à l'alimentation du jeune embryon.

La progestérone inhibe les contractions de l'utérus et des trompes afin que l'embryon ne soit pas expulsé. Elle est responsable des modifications cycliques de l'épithélium vaginal et cervical en plus de favoriser le développement des glandes mammaires. La progestérone est aussi responsable de la légère hyperthermie de la seconde moitié du cycle menstruel.

Il doit être clair que les hommes et les femmes possèdent les mêmes hormones sexuel-

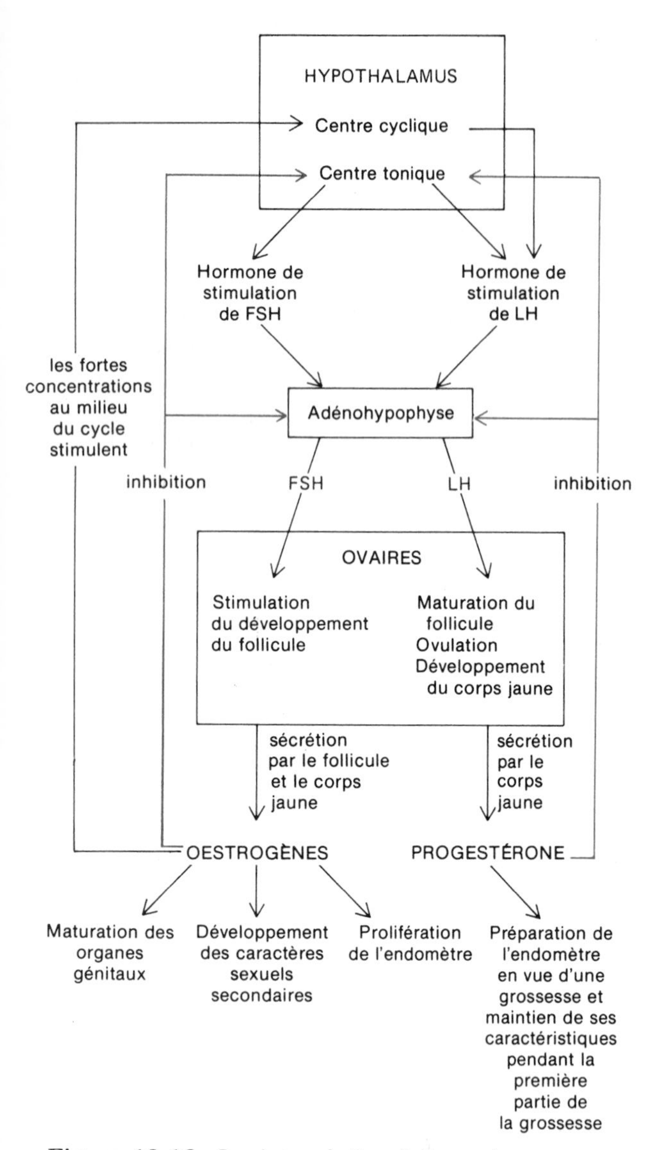

Figure 18-16 Les interrelations hormonales connues et hypothétiques chez la femme. Les flèches colorées montrent une inhibition.

les; la différence réside dans leurs concentrations respectives chez l'un et l'autre sexe. La testostérone, par exemple, est à une concentration sanguine 5 fois plus faible chez la femme que chez l'homme. On ne connaît pas très bien le rôle des androgènes chez la femme. Ils pourraient être responsables, avec les oestrogènes, de la poussée de croissance à la puberté et de la calcification des disques épiphysaires.

La ménopause

Vers l'âge de 50 ans la réponse ovarienne aux gonadotropines s'affaiblit et la sécrétion des oestrogènes et de la progestérone diminue. Il ne reste peut-être plus assez de follicules susceptibles de se développer et de sécréter des hormones. Les ovaires dégénèrent et le cycle menstruel devient irrégulier puis cesse. La femme ménopausée présente parfois des bouffées de chaleur qui sont probablement dues à l'effet d'un déficit d'oestrogènes sur le centre hypothalamique de la thermorégulation. La baisse des oestrogènes peut aussi entraîner des comportements dépressifs et des céphalées. L'épithélium vaginal s'amincit, les seins et la vulve commencent à s'atrophier.

Malgré les modifications physiques qu'entraîne la ménopause, l'intérêt et le comportement de la femme envers le sexe ne sont généralement pas affectés. Le remplacement judicieux des hormones manquantes peut éliminer plusieurs des manifestations désagréables de la ménopause. Récemment, toutefois, on a mis en relation une augmentation des risques de cancer avec l'usage prolongé et continu des oestrogènes. Toutefois cette augmentation du risque n'existerait pas lorsque les oestrogènes sont utilisés de façon cyclique (3 semaines sur 4) et qu'on y ajoute un progestatif pendant la troisième semaine.

LA PHYSIOLOGIE DE LA RÉPONSE SEXUELLE

Les deux réponses physiologiques fondamentales à l'excitation sexuelle sont une vasocongestion et une myotonie (une augmentation de tension musculaire). La vasocongestion dépend du plus grand débit de sang dans les organes génitaux et dans certaines autres structures, comme les seins, la peau et les lobes des oreilles, qui s'engorgent de sang; le pénis et le clitoris gonflent. La myotonie affecte les muscles lisses et striés. La musculature des membres devient plus irritable et on constate une augmentation de l'activité musculaire rythmique volontaire et involontaire.

Le déroulement de la réponse sexuelle

Il est utile de diviser la réponse sexuelle en quatre phases pour présenter une description claire des modifications physiologiques qui l'accompagnent. Identifiées par William H.

Masters et Virginia E. Johnson, ce sont successivement les phases d'excitation, de plateau, d'orgasme et de résolution.

La phase d'excitation Le pénis doit être en érection pour qu'il y ait acte sexuel (*coitus* ou *coït*). La stimulation psychologique et/ou physique (la préparation sexuelle) fournit l'excitation requise et favorise la vasocongestion et la myotonie chez les deux partenaires. Chez l'homme l'érection du pénis est le premier signe d'excitation sexuelle. Pendant cette phase les testicules augmentent de taille et s'élèvent par suite du raccourcissement des cordons spermatiques. Chez les deux sexes on constate une élévation de la fréquence cardiaque et de la pression sanguine.

Chez la femme la première réponse à une stimulation sexuelle efficace est la lubrification vaginale; elle se produit en général en dedans de 30 secondes. Le liquide lubrifiant apparaît suite à la vasocongestion importante qui survient dans les parois du vagin. Pendant la phase d'excitation le vagin s'allonge et se distend en préparation à la pénétration du pénis. Le clitoris et les seins présentent aussi une vasocongestion qui provoque l'érection du clitoris et des mamelons.

La phase du plateau Si les stimulus érotiques sont soutenus, l'excitation sexuelle augmente jusqu'à la phase du plateau pendant laquelle elle s'intensifie et entraîne le sujet à un niveau proche de l'orgasme. La vasocongestion et la myotonie augmentent jusqu'à un sommet. Chez les deux sexes la pression sanguine s'élève et les fréquences cardiaque et respiratoire s'accélèrent.

Chez la femme les deux tiers supérieurs du vagin continuent de se distendre et de s'allonger. Les parois du premier tiers s'engorgent de sang de sorte que l'ouverture du vagin paraît plus étroite. Il est possible que la lubrification du vagin diminue pendant cette phase, en particulier si la période d'excitation se prolonge. Chez l'homme on constate une augmentation de la circonférence du pénis, particulièrement au niveau de la couronne du gland.

La phase de l'orgasme Pendant le coït des poussées du bassin impriment au pénis des mouvements de va-et-vient dans le vagin. Les parois vaginales et la vulve s'engorgent de sang, rétrécissant la voie et augmentant la friction entre le pénis et le vagin. Les sensations physiques et psychiques qui découlent de cette friction et de l'ensemble de cette expérience intime entre les deux partenaires préparent à l'*orgasme*, le paroxysme de l'excitation sexuelle.

Bien qu'il ne dure que quelques secondes, l'orgasme est l'aboutissement et l'expression d'une tension sexuelle maximale. Chez l'homme l'orgasme marque le moment de l'éjaculation du sperme qui se produit à la suite de la contraction de l'urètre. L'urètre, les canaux, les glandes accessoires et les muscles qui entourent la base du pénis, se contractent de façon rythmique à des intervalles de 0,8 seconde. Après les premières contractions, l'intensité des spasmes décroît et ils deviennent moins réguliers et moins fréquents. Chez les deux sexes la fréquence cardiaque et le rythme de la respiration augmentent de plus du double et la pression sanguine s'élève à un sommet.

Chez la femme l'orgasme est caractérisé par les contractions rythmiques des muscles du vagin et de l'utérus; au nombre de 5 à 12, elles sont séparées au début par des intervalles de 0,8 seconde. [L'un des muscles impliqués est un muscle coccygien (pubococcygeus) qui contrôle le débit urinaire aussi bien que la constriction du cylindre vaginal.] Après les 3 à 6 premières contractions, violentes, l'intensité des spasmes diminue et l'intervalle de temps entre eux s'accroît. L'utérus et le sphincter anal peuvent aussi se contracter. On ne sait pas quelle est la réponse clitoridienne pendant l'orgasme puisque à la phase précédente, le plateau, l'organe se rétracte derrière son capuchon, échappant ainsi à l'observation. Le clitoris toutefois semble jouer le rôle d'organe de transformation de la stimulation sexuelle, provoquant l'élévation progressive de l'excitation qui conduit à l'orgasme. L'orgasme est en fait un acte réflexe. Lorsque le clitoris, les lèvres, les mamelons et plusieurs autres zones érogènes sont suffisamment excités, leurs influx, transmis vers un centre réflexe de la moelle épinière, déclenchent l'orgasme sous la forme d'une réponse musculaire. Une étude récente[6] montre que la plupart des femmes n'atteignent pas l'orgasme pendant la relation sexuelle à cause d'un manque de stimulation clitoridienne.

[6] Sharon Hite, «Le rapport Hite», Macmillan, N. Y., 1976.

La phase de résolution Pendant la phase de résolution la relaxation et la *détumescence* (l'inverse de l'engorgement) ramènent l'organisme à son état normal. Chez la majorité des hommes il existe une *période réfractaire* pendant laquelle ils sont impuissants, incapables d'une nouvelle réponse physiologique à des stimulus sexuels. La durée de cette période est variable d'un individu à un autre. Les femmes peuvent répéter le cycle et atteindre de nouveau l'orgasme à partir de n'importe quel moment de la phase de résolution en autant qu'elles soient stimulées comme il convient.

LA CONCEPTION

Pendant le coït une certaine quantité de sperme est déposée dans le vagin (l'*insémination*). On constate toutefois que durant la plus grande partie du cycle menstruel, les voies génitales de la femme présentent un milieu hostile aux spermatozoïdes. L'acidité vaginale est spermicide et l'épais bouchon muqueux qui ferme le col est un obstacle important. À l'approche de l'ovulation les conditions se modifient puisque le vagin devient légèrement alcalin et que le mucus cervical (la glaire) se liquéfie, facilitant le passage des spermatozoïdes vers l'utérus. Le contenu en glycogène de ce mucus augmente considérablement, ce qui assure un apport nutritif aux spermatozoïdes.

Dans de bonnes conditions les premiers spermatozoïdes parviennent au site de fécondation, dans la partie distale des trompes, environ 5 minutes après l'éjaculation. Or la vitesse maximale qu'un spermatozoïde peut atteindre, soit près de 0,4 mm/s, est insuffisante pour expliquer un tel trajet en si peu de temps. Un certain nombre de faits montreraient que les contractions de l'utérus et des trompes (possiblement favorisées par les prostaglandines du liquide séminal) puissent transporter le sperme et que la motilité propre des spermatozoïdes ne deviendrait essentielle qu'au moment d'approcher et de féconder l'ovule.

Si un seul spermatozoïde féconde l'ovule, alors pourquoi y en a-t-il plusieurs millions à être éjaculés? Il semble qu'il y en aurait un grand nombre qui meurent ou se perdent puisque environ 2 000 seulement atteignent la partie distale de la bonne trompe; un nombre plus ou moins semblable doit remonter la mauvaise trompe. Rappelons que normalement un seul ovule atteint la maturité et est expulsé à chaque mois; il s'engage dans la trompe la plus proche de l'ovaire qui l'a produit.

On pense qu'il doit y avoir un grand nombre de spermatozoïdes pour qu'il y ait pénétration de la couche de cellules folliculaires qui entoure l'ovule. Chaque spermatozoïde sécrète une infime quantité d'enzymes préalablement contenues dans l'acrosome. L'action combinée des enzymes des nombreux spermatozoïdes présents permet de dégrader le cément qui lie les cellules folliculaires entre elles autour de l'ovule. (On pense aussi que le bicarbonate de sodium contenu dans les sécrétions des trompes joue un rôle important dans la dissolution de l'anneau cellulaire périovulaire.) Les enzymes pourraient aussi aider le spermatozoïde à traverser la glaire cervicale. En plus de la corona radiata, la zone pellucide doit aussi être traversée pour qu'il y ait fécondation.

Aussitôt qu'un spermatozoïde pénètre dans la zone pellucide et entre dans l'ovule, aucun autre spermatozoïde ne peut s'y frayer un chemin. Le spermatozoïde qui féconde l'ovule perd généralement son flagelle (la queue) au moment de la pénétration et il stimule l'ovule à compléter sa seconde division méiotique. Puis les *pronucléus* des deux gamètes s'unissent, complétant ainsi le processus de la fécondation. Le zygote obtenu contient maintenant le nombre diploïde de chromosomes et il commence à se segmenter pour éventuellement former un nouvel individu.

Les spermatozoïdes sont viables pendant environ 48 heures après l'éjaculation, alors que l'ovule ne demeure fécond qu'environ 24 heures après l'ovulation. Il n'existe donc que quelques jours à chaque cycle (peut-être les jours 12 à 15 d'un cycle régulier) où une relation sexuelle peut permettre la conception.

La détermination du sexe

Le sexe du futur bébé est déterminé au moment de la fécondation et dépend du type de spermatozoïde (X ou Y) qui a pénétré dans l'ovule. Comme nous l'avons déjà vu, chaque humain normal de sexe masculin possède une paire XY de chromosomes sexuels. Ceux-ci sont répartis dans des cellules différentes lors de la méiose des spermatocytes I, produisant un nombre égal de spermatozoïdes X et Y. Si le spermatozoïde qui féconde l'ovule contient un chromosome Y, alors le bébé sera un garçon; s'il contient un X, ce sera une fille.

LA CONTRACEPTION

Toute méthode visant à découpler la relation sexuelle de la conception peut être considérée comme contraceptive (littéralement, «contre la conception»). Il existe aujourd'hui un certain nombre de méthodes éprouvées, mais toutes ont des effets secondaires et présentent des inconvénients ou désavantages divers. La méthode idéale de contraception n'existe pas encore.

Les contraceptifs oraux — la pilule

Plus de 8 millions de femmes utilisent la pilule aux États-Unis. Les préparations les plus utilisées contiennent un mélange de progestérone (progestérone synthétique) et d'oestrogènes synthétiques. (Les hormones naturelles sont rapidement détruites dans le foie alors que celles obtenues par synthèse ne le sont pas.) Si la posologie est bien suivie, la pilule est efficace à 99,9 pour 100 pour prévenir une grossesse. La femme prend une pilule quotidiennement à partir du cinquième jour du cycle menstruel. Elle prend ainsi 20 pilules puis cesse d'en prendre; environ 3 jours plus tard la menstruation commence.

La plupart des contraceptifs oraux préviennent la grossesse en empêchant l'ovulation. Le fait de maintenir artificiellement des concentrations critiques d'hormones ovariennes dans le sang inhibe l'hypothalamus et l'hypophyse. Ainsi l'important pic de LH qui survient normalement au milieu du cycle ne se produit pas et l'ovulation n'a pas lieu. Ils ont aussi un effet sur l'endomètre qui ne se prépare pas d'une façon appropriée à recevoir un embryon; ils affectent également la glaire cervicale qui devient visqueuse et empêche la pénétration des spermatozoïdes dans l'utérus.

Les avantages L'avantage majeur de la pilule est sa grande efficacité. Beaucoup de femmes se réjouissent de la liberté sexuelle que cette méthode procure, aucune préparation spéciale n'étant requise avant ou après une relation sexuelle. Les contraceptifs oraux procurent de plus un contrôle hormonal qui régularise le cycle menstruel de façon très précise.

Les inconvénients Quelques femmes présentent des malaises mineurs lorsqu'elles commencent à prendre la pilule. Certaines engraissent et environ 29 pour 100 d'entre elles voient leur peau se pigmenter, devenir plus foncée. Les contraceptifs oraux ont un effet négatif sur le métabolisme de certaines vitamines de sorte que quelques médecins prescrivent des suppléments vitaminés à leurs patientes qui prennent la pilule.

L'effet secondaire le plus sérieux que l'on connaisse est la thromboembolie, une maladie caractérisée par la formation de caillots sanguins intravasculaires pouvant causer la mort. Le risque, toutefois, est statistiquement faible puisqu'on ne compte que 3 cas par 100 000 utilisatrices de la pilule. C'est une fréquence qui se compare favorablement à celle des 25 décès par 100 000 grossesses (tableau 18-4).

On a aussi démontré une relation directe entre la composante oestrogénique de la pilule et l'hypertension chez environ 18 pour 100 des utilisatrices. On a suggéré récemment que les femmes de plus de 40 ans devraient s'abstenir d'utiliser ces contraceptifs à cause d'un lien possible entre leur utilisation et la fréquence des crises cardiaques. Quoiqu'il n'y ait pas de preuves que la pilule puisse causer le cancer, plusieurs chercheurs sont d'avis qu'on ne pourra rejeter formellement l'existence d'une telle relation avant plusieurs années. La femme qui prend la pilule doit enfin être vigilante et s'arrêter advenant une grossesse, puisque les hormones ingérées peuvent avoir des effets nocifs sur le développement de l'embryon.

Les appareils intra-utérins — les stérilets

Un stérilet est une petite boucle ou une spirale de plastique ou de métal qui doit être introduite dans l'utérus par un médecin (figure 18-17). Une fois en place il peut y demeurer indéfiniment, ou encore jusqu'à ce que la femme désire avoir un enfant. Les derniers modèles de stérilets sont efficaces à environ 99 pour 100. Leur mode d'action est encore inconnu, quoique plusieurs hypothèses aient été avancées. L'une d'elles propose que le stérilet provoque une inflammation locale mineure dans l'utérus, attirant des macrophages qui détruisent l'em-

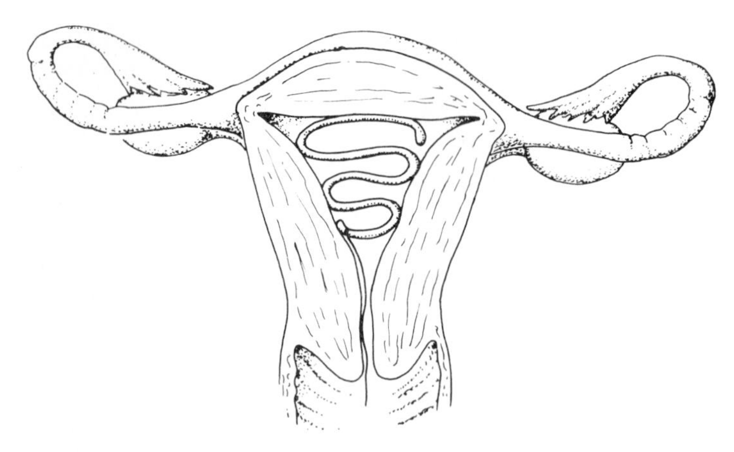

Figure 18-17 Un stérilet *in situ*.

bryon tout autant que les spermatozoïdes. Cette explication est supportée par le fait qu'on retrouve des niveaux augmentés d'immunoglobulines chez les femmes qui utilisent cette méthode; il se pourrait donc qu'un mécanisme de nature immunologique soit impliqué. Quelques stérilets récents (TCu 200 et Cu 7 200) contiennent du cuivre qui, pense-t-on, se dissout lentement dans les sécrétions utérines et interfère, et avec la migration des spermatozoïdes et avec l'implantation de l'embryon. Ils provoquent toutefois des modifications de l'épithélium utérin et, pour cette raison, leur sécurité a été mise en doute.

Les avantages Les femmes qui ne souffrent d'aucun effet secondaire vantent les mérites du stérilet comme moyen de contraception; une fois en place il offre une protection continuelle. Pas besoin de se souvenir de prendre une pilule à chaque jour ou de faire quoi que ce soit avant une relation sexuelle.

Les inconvénients Quelques femmes, particulièrement les *nullipares* (celles qui n'ont jamais eu d'enfant), trouvent que la mise en place du stérilet est douloureuse. D'autres présentent des effets secondaires tels que des crampes, des saignements, ou une augmentation du flux menstruel. Environ 20 pour 100 des femmes qui ont opté pour cette méthode ne portent plus de stérilet au bout d'un an, soit pour les raisons ci-haut mentionnées, soit parce qu'elles l'ont perdu spontanément. Il peut aussi survenir des problèmes lors de la mise en place du stérilet. On compte, par exemple, une perforation de l'utérus par 5 000 implantations, une fréquence qui dépend toutefois beaucoup de l'habileté du médecin.

Autres méthodes courantes

Le tableau 18-3 énumère et compare plusieurs autres méthodes contraceptives. La popularité du diaphragme et du condom est à la hausse. Un grand nombre de personnes qui craignent les effets secondaires de la pilule ou du stérilet se tournent vers ces méthodes à cause de leur sécurité.

Les nouvelles méthodes

Il existe actuellement un contraceptif injectable de longue durée, un composé du genre progestérone administré à tous les 90 jours. Ce n'est toutefois pas une méthode recommandable pour les femmes qui désirent des enfants puisque certaines patientes ont eu de longues périodes d'infertilité (jusqu'à 3 ans) après avoir cessé le traitement.

On expérimente actuellement de nombreux appareils basés sur la libération lente de progestérone à partir d'un silicone caoutchouté. L'un de ces appareils est une capsule qui est enfouie dans le tissu sous-cutané. Un autre appareil est placé dans le canal cervical alors qu'un troisième peut être à volonté inséré ou retiré du vagin par la patiente elle-même. Ces méthodes ne sont pas aussi sûres que la pilule ou le stérilet puisque les progestatifs ne sont pas absolument efficaces pour empêcher la conception.

Tableau 18-3 Les méthodes de contraception

Méthode	Taux d'échec*	Mode d'action	Avantages	Inconvénients
Contraceptifs oraux (pilule)	0,1; 0,7	Pas d'ovulation; modification de l'endomètre et de la glaire cervicale; pas d'implantation	Très efficace; liberté sexuelle; saignement mensuel régulier	Désagréments mineurs chez quelques femmes; possibilité de thromboembolie; hypertension, maladies cardiaques chez certaines femmes à risque
Stérilet	1; 2,7	Inconnu; probablement par la mise en place d'une réaction de nature inflammatoire et/ou immunitaire	Protection permanente et très grande efficacité	Crampes, flux menstruel augmenté; expulsion spontanée
Spermicides (mousses, gelées, crèmes)	20; 32	Destruction chimique des spermatozoïdes	Pas d'effets secondaires	Peu sûr
Diaphragme (avec gelée)	3; 13	Le diaphragme obstrue mécaniquement l'entrée de l'utérus; la gelée a une action spermicide	Pas d'effets secondaires	Doit être prescrit (et ajusté) par un médecin; doit être mis en place avant le coït
Condom	2,6; 15	Mécanique, empêche le sperme d'être déversé dans le vagin	Pas d'effets secondaires; offre une certaine protection contre les maladies vénériennes	Interruption des ébats amoureux pour la mise en place; légère baisse des sensations chez l'homme
Rythme (symptothermique)	38	Abstinence pendant les périodes de fécondité	Pas d'effets secondaires	Peu sûr
Douche	40	Lavage du vagin	Pas d'effets secondaires	Peu sûr; les spermatozoïdes sont hors d'atteinte en dedans de quelques secondes
Retrait (coitus interruptus)	20	Retrait du pénis hors du vagin avant l'éjaculation	Pas d'effets secondaires	Peu sûr; frustrant pour les deux partenaires; contraire aux mouvements réflexes de propulsion qui précèdent l'orgasme
Stérilisation			Méthode la plus sûre	Généralement irréversible
Ligature		Empêche l'ovule de quitter les trompes		
Vasectomie		Empêche les spermatozoïdes de quitter le scrotum		
Hasard (aucune méthode)	environ 80			

* La valeur la plus faible réfère au taux d'insuccès dû à la méthode elle-même; la valeur plus élevée ajoute à ce taux l'insuccès dû à une mauvaise utilisation de la méthode. Les valeurs sont basées sur le nombre d'échecs, par 100 femmes utilisant la méthode, par année, aux États-Unis.

Mise à part la stérilisation, le condom est la seule méthode contraceptive à la disposition de l'homme. On a tenté récemment de supprimer la production des spermatozoïdes en interférant avec la sécrétion de FSH ou de GnRH; les essais se sont avérés négatifs mais les recherches continuent.

On va probablement mettre au point bientôt des tampons de prostaglandines qui vont empêcher l'implantation de l'embryon. La femme pourra peut-être en insérer un à chaque mois, un peu avant la date prévue de la menstruation. Si elle était enceinte les prostaglandines pourraient déclencher un mini-avortement. De nombreux travaux s'effectuent actuellement sur les contraceptifs de la classe des prostaglandines; jusqu'à maintenant le principal problème soulevé par leur utilisation relève du fait qu'ils ont des effets secondaires désagréables, comme de provoquer des nausées.

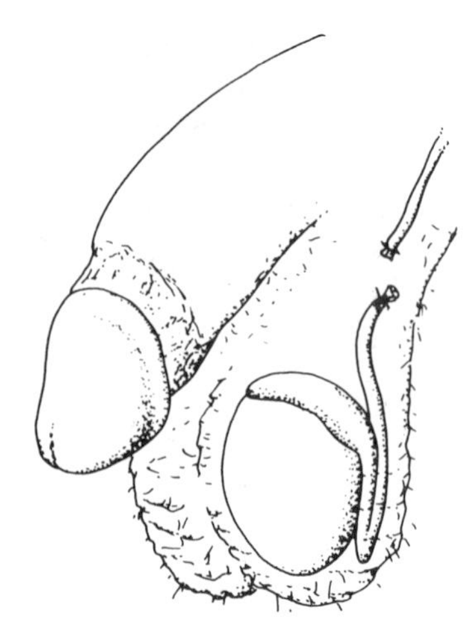

Figure 18-18 La vasectomie.

La stérilisation

La seule méthode de contraception absolument sûre est la stérilisation. Environ 75 pour 100 des opérations de cette sorte sont pratiquées sur des hommes.

La stérilisation de l'homme — la vasectomie On estime qu'il se fait environ 1 million de vasectomies par année aux États-Unis. Le protocole opératoire est très simple; le médecin pratique une petite incision de chaque côté du scrotum, coupe le canal déférent et attache ou encore pince les extrémités sectionnées pour les empêcher de se rabouter (figure 18-18). L'opération peut se faire au bureau du médecin qui emploie un anesthésique local. La sécrétion de testostérone et son transport n'étant aucunement affectés, la vasectomie n'a aucun effet sur la masculinité. La production des spermatozoïdes continue, quoique à un rythme plus lent, et ils sont détruits par les macrophages dans les testicules. On ne constate aucun changement dans le volume de l'éjaculat puisque les spermatozoïdes n'en représentent qu'une toute petite partie.

Une étude impliquant plus de 1 000 hommes vasectomisés a montré que 99 pour 100 d'entre eux ne regrettaient pas leur décision, et 73 pour 100 ont affirmé que leur plaisir sexuel était augmenté, probablement à cause de la disparition de leur anxiété devant la possibilité d'une grossesse. La réunion chirurgicale des extrémités coupées des canaux déférents permet de renverser la stérilisation dans environ 30 pour 100 des cas. Ce faible taux de réussite pourrait être dû au fait que certains hommes vasectomisés développent des anticorps contre leurs spermatozoïdes, ce qui les rend non viables.

La stérilisation de la femme Plusieurs techniques sont utilisées pour empêcher le transport de l'ovule. La plupart d'entre elles impliquent l'ablation d'un segment de trompe avec fulguration ou ligature des extrémités coupées. L'opération peut se faire par le vagin, mais d'ordinaire elle se fait par une incision abdominale et requiert une anesthésie générale. La stérilisation féminine entraîne 25 décès par 100 000 opérations alors qu'il n'y a presque aucun risque de décès par vasectomie. On met actuellement au point de nouvelles techniques pour simplifier la ligature, la rendre plus sûre et aussi augmenter les chances de la rendre réversible. Comme chez l'homme, l'équilibre hormonal et le comportement sexuel ne sont pas affectés par l'opération.

L'avortement

Aux États-Unis seulement il se pratique plus d'un million d'avortements par an (on estime qu'il s'en pratique 40 millions à travers le monde). On reconnaît aujourd'hui trois types d'avortements. Les avortements spontanés (une fausse couche en langage populaire) se produisent sans intervention et sont souvent un moyen naturel pour détruire un embryon anormal. Les avortements thérapeutiques se pratiquent pour sauver la santé de la mère, ou encore lorsqu'il y a des raisons de croire que l'embryon est anormal. Le troisième type d'avortement, celui qui est pratiqué en vue d'une régulation des naissances, est le plus controversé; il est même défendu par la religion catholique et chrétienne.

La majorité des avortements qui se pratiquent pendant les 3 premiers mois de la grossesse se font grâce à une méthode de succion. Après dilatation du col le médecin insère une pompe à succion dans l'utérus et toutes les structures détachables sont rapidement évacuées.

Un peu plus tard pendant la grossesse, les avortements se pratiquent grâce à des injections de solutions salines. Le liquide amniotique qui enveloppe l'embryon est enlevé avec une seringue et remplacé par la solution. Le foetus meurt en 1 heure ou 2 et le travail de la parturition se déclenche plusieurs heures plus tard.

On utilise, à l'état expérimental, des prostaglandines pour provoquer des avortements pendant les deux premiers trimestres de la grossesse. Ces substances semblent représenter un moyen chimique sûr, non chirurgical, de mettre fin à une grossesse.

Les avortements précoces par évacuation utérine, pratiqués pendant les 3 à 5 premières semaines de la grossesse, deviennent de plus en plus populaires. Un fin cathéter de plastique attaché à une pompe à succion est introduit dans l'utérus, sans dilatation du col ou anesthésie. Un nombre de plus en plus grand de femmes dont la menstruation retarde et qui craignent une grossesse se tournent vers cette méthode (extraction menstruelle).

Quel est le coefficient de risque des avortements? Pratiqués pendant le premier trimestre par du personnel médical qualifié, le taux de mortalité maternelle est d'environ 3 par 100 000. Après le premier trimestre, le taux monte à 26 par 100 000 (tableau 18-4).

Tableau 18-4 Taux de mortalité aux États-Unis par suite de grossesse, d'accouchement, et de diverses pratiques anticonceptionnelles

	Taux de mortalité par 100 000 femmes
Grossesse et accouchement	25
Contraception orale	3
Stérilet	0,5
Avortements légaux — premier trimestre	3
Avortements légaux — après le premier trimestre	26
Avortements illégaux pratiqués par du personnel non qualifié médicalement	Environ 100

LES MALADIES VÉNÉRIENNES

Les maladies vénériennes (transmises à l'occasion d'une relation sexuelle) les plus communes sont la gonorrhée, la syphilis et l'herpès génital.

La gonorrhée

On traite plus de 2 millions de cas de *gonorrhée* à chaque année aux États-Unis, ce qui en fait la maladie contagieuse la plus répandue après le rhume. L'une des raisons qui explique cette fréquence est le nombre de souches différentes de microbe. Une personne peut bien développer une immunité contre une souche après infection, mais la réinfection par une autre souche est toujours possible.

La gonorrhée est causée par une bactérie, *Neisseria gonorrhoeae*. L'infection provient le plus souvent d'un contact sexuel direct, mais des faits récents montrent que parfois (mais probablement rarement) la transmission peut se faire indirectement, par contact avec des serviettes ou des bancs de toilette infectés par des bactéries.

De 2 à 31 jours après le contact, les bactéries produisent des endotoxines (de nature antigénique) qui peuvent provoquer des rougeurs et des enflures au site de l'infection. Chez l'homme l'infection débute en général dans l'urètre et occasionne, entre autres, de fréquentes mictions accompagnées d'intenses sensations de brûlure et des pertes importantes. L'infection peut s'étendre à la prostate, aux vésicules séminales et aux épididymes. Il peut se développer à ce niveau des abcès occasionnant des dégâts considérables et provoquant la stérilité.

La maladie ne présente aucun symptôme apparent chez environ 80 pour 100 des femmes contaminées; elles ne peuvent donc être traitées que si elles apprennent qu'elles ont été infectées par un partenaire sexuel. L'urètre, les glandes vestibulaires majeures, les glandes para-urétrales (de Skene) et le col utérin offrent un terrain favorable au développement des bactéries, alors que l'épithélium pavimenteux stratifié de la vulve et du vagin adulte est très résistant à l'infection.

Sans traitement les bactéries peuvent coloniser les trompes utérines et causer une salpingite à gonocoque. Ce type d'infection a tendance à occasionner la formation de tissu cicatriciel qui peut éventuellement bloquer les trompes et rendre la femme stérile. Sans traitement, chez les deux sexes, la gonorrhée peut s'étendre et gagner d'autres parties du corps, comme les valves cardiaques, les méninges et les articulations. En ce dernier site la maladie cause un type particulier d'arthrite.

Les critères de diagnostic sont d'abord le tableau clinique des symptômes puis l'identification positive de la bactérie. Le médicament de choix est la pénicilline, mais les tétracyclines et d'autres antibiotiques ont aussi été utilisés avec succès. Il est apparu dernièrement une souche de gonocoques absolument résistante à la pénicilline, mais d'autres antibiotiques peuvent heureusement en venir à bout.

La syphilis

Quoique un peu plus rare que la gonorrhée, la *syphilis* est une maladie plus grave, mortelle dans 5 à 10 pour 100 des cas. Elle est causée par une délicate bactérie flexible de forme spiralée, le spirochète *Treponema pallidum*, et est contractée presque exclusivement par contact sexuel direct.

Le tréponème pénètre dans l'organisme par une lésion de la peau ou d'une muqueuse et envahit la lymphe ou l'appareil circulatoire en dedans de 24 heures pour se répandre partout. La maladie présente quatre stades: primaire, secondaire, latent et tardif. Le premier stade commence au moment de l'infection et se manifeste après 2 à 4 semaines par l'apparition d'un *chancre primaire*, un petit ulcère indolore. Celui-ci est localisé au site d'infection, généralement le pénis, la vulve, le vagin ou le col utérin (figure 18-19). Le chancre est si infectieux qu'il est presque impossible qu'un partenaire sain ne soit pas contaminé, pendant ce stade, à l'occasion d'une relation sexuelle. Le chancre passe souvent inaperçu et guérit de lui-même en dedans d'un mois.

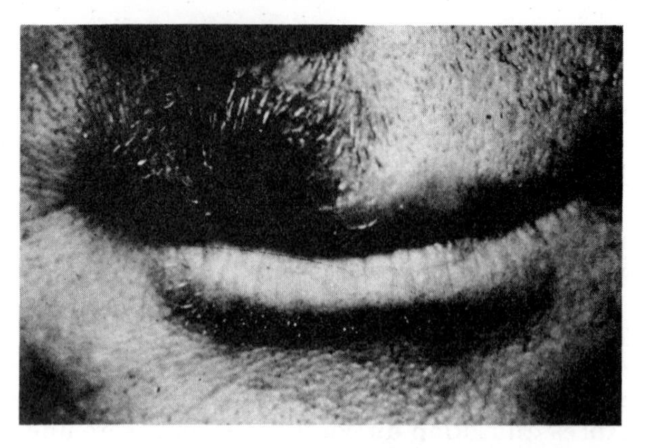

Figure 18-19 Le chancre primaire est ordinairement le premier symptôme de la syphilis. (*Dr Wilfrid D. Little.*)

Environ 2 mois après l'infection la maladie entre dans son stade secondaire; celui-ci est parfois marqué de maux de gorge, de fièvres légères ou de céphalées, ou encore il se développe des lésions circulaires desquamantes. Des plaies peuvent apparaître sur les muqueuses de la bouche et des organes génitaux. Dans tous les cas, les lésions et les plaies fourmillent de spirochètes et la maladie est alors très contagieuse.

Si la maladie n'est pas traitée elle devient latente. Ce stade peut durer 20 ans et même plus encore. Quoiqu'il puisse y avoir aucun symptôme apparent pendant cette période, les spirochètes envahissent plusieurs organes.

Environ un tiers des patients non traités guérissent spontanément. Un autre tiers conserve la maladie sous forme latente. Les autres développent des lésions, généralement dans l'appareil cardio-vasculaire, moins souvent dans le SNC ou ailleurs. Les lésions qu'on nomme *gommes* caractérisent la syphilis tardive; elles se produisent surtout au niveau de la peau, du foie, des os et de la rate. L'implication de l'appareil cardio-vasculaire est la cause principale des décès dus à la syphilis.

Un bon moyen de diagnostic dans le premier stade de la maladie est la mise en évidence des spirochètes, grâce au microscope à fond noir, dans du matériel frais obtenu d'une lésion. Les tests sanguins ne deviennent positifs que dans la deuxième ou troisième semaine suivant l'apparition du chancre. L'un des tests les plus couramment utilisés est le VDRL (Venereal Disease Research Laboratory), un test de précipitation qui ne requiert que du sérum du patient et l'antigène spécifique; lorsqu'un extrait de l'antigène est mélangé au sérum d'un patient syphilitique, il se forme des particules visibles qui précipitent au fond du tube. L'infection fait apparaître dans le sang du patient des anticorps, des réagines, qui s'unissent à l'antigène et troublent la solution.

La pénicilline est ici aussi le médicament de choix. Si le traitement débute très tôt la syphilis peut être guérie complètement. Une syphilis tardive est beaucoup plus difficile à traiter et des lésions peuvent avoir causé des dégâts irréversibles à différents organes.

L'herpes simplex

L'*herpès génital* (ou vénérien) est une maladie de plus en plus fréquente causée par un virus, l'herpes simplex du type 2. Les symptômes apparaissent généralement en dedans d'une semaine après la contamination. Les premières infections peuvent toutefois être bénignes et asymptomatiques. Les petites lésions vésiculeuses typiques d'une infection herpétique des voies génitales sont douloureuses; elles peuvent se transformer en ulcères. Plusieurs symptômes de la grippe, comme la fièvre et l'enflure des noeuds lymphatiques, peuvent accompagner l'ulcération. Les plaies guérissent d'habitude en quelques jours ou quelques semaines.

Certains patients se débarrassent de la maladie d'une façon permanente alors que chez d'autres elle reparaît périodiquement pendant plusieurs années. On pense que le virus pourrait se loger dans les ganglions sympathiques de la racine dorsale, ceux qui reçoivent les influx sensitifs des organes reproducteurs.

On traite maintenant cette maladie par l'inactivation photodynamique des virus grâce à un colorant spécial et à une source lumineuse. Le traitement abrège le cours de la maladie, mais un certain nombre de faits récents laissent à penser que celui-ci pourrait être cancérogène[7].

[7] Terme recommandé par l'Académie des Sciences en remplacement de cancérigène.

RÉSUMÉ

1 Les spermatozoïdes issus des tubes séminifères passent au niveau du médiastin testiculaire par de fins canaux qui les acheminent hors des testicules vers l'épididyme. Ils y sont stockés pendant qu'ils poursuivent leur maturation. De là ils gagnent le canal déférent où ils peuvent aussi passer un certain temps. Au moment de l'éjaculation ils sont propulsés dans le canal éjaculateur et expulsés à l'extérieur par l'urètre.

2 L'appareil reproducteur masculin comprend les testicules (glandes où sont produits les spermatozoïdes et les hormones sexuelles masculines), le scrotum (le sac contenant les testicules), l'ensemble des tubes par lesquels les spermatozoïdes sont transportés hors de l'organisme, les glandes accessoires (productrices du liquide séminal) et le pénis (l'organe qui permet de déposer le sperme dans les voies génitales féminines).

3 Les gonadotropines adénohypophysaires contrôlent le fonctionnement des testicules. FSH favorise la spermatogenèse alors que LH stimule les cellules interstitielles qui sécrètent la testostérone. De cette dernière hormone dépendent le développement des organes sexuels primaires, à la puberté, et l'apparition des caractères sexuels secondaires; la testostérone stimule aussi la croissance de l'organisme entier.

4 Les ovogonies se développent dans l'ovaire embryonnaire et donnent naissance aux ovocytes de premier ordre. Chacun de ceux-ci repose dans un follicule. Après la puberté quelques follicules se développent à chaque mois sous l'influence de FSH. Au moment de l'ovulation l'ovocyte de deuxième ordre est éjecté hors du follicule et capturé par une trompe où il dégénère à moins qu'il ne soit fécondé.

5 Les organes internes de l'appareil reproducteur féminin sont les ovaires (glandes où sont produits les ovules et les hormones sexuelles féminines), les trompes utérines (responsables du transport de l'ovule et site de la fécondation), le corps utérin (organe musculaire creux assurant le développement de l'embryon et responsable de l'accouchement) et le vagin (l'organe de la copulation, la voie de passage du bébé à l'accouchement et de la sortie du flux menstruel).

6 Le cycle menstruel est contrôlé par les gonadotropines adénohypophysaires. FSH stimule la croissance du follicule pendant les deux premières semaines du cycle ovarien. Les oestrogènes sécrétés par les follicules en développement favorisent la prolifération endométriale. Un pic de LH et de FSH déclenche l'ovulation aux alentours du 14e jour. La deuxième partie du cycle est sous l'influence dominante de la progestérone sécrétée par le corps jaune; elle stimule les glandes endométriales à sécréter un liquide nutritif. La dégénérescence du corps jaune s'accompagne d'une baisse des concentrations d'oestrogènes et de progestérone, et le revêtement utérin se nécrose et desquame une fois de plus.

7 Les spermatozoïdes, pour atteindre l'ovule, doivent passer par le col, traverser la cavité utérine et remonter les trompes. Les enzymes de l'acrosome favorisent la dissolution partielle de la barrière de cellules folliculaires qui entoure l'ovule. Une relation sexuelle aura d'autant plus de chances d'être féconde qu'elle se produit près du moment de l'ovulation.

8 Le sexe du bébé est féminin ou masculin suivant que l'ovule est fécondé par un spermatozoïde porteur d'un chromosome X ou Y.

9 Le mécanisme d'action des contraceptifs oraux est de nature hormonale; ils inhibent la production de FSH et de LH par l'hypophyse et l'ovulation n'a donc pas lieu. Les stérilets pourraient causer une réponse inflammatoire locale, dans l'utérus, provoquant la destruction de l'embryon par les macrophages. Le condom et le diaphragme sont des instruments mécaniques de contraception ayant pour but d'empêcher physiquement que les spermatozoïdes n'aillent féconder l'ovule. Les mousses, gelées et crèmes, sont des spermicides.

10 La gonorrhée rend la miction douloureuse chez l'homme, mais peut être asymptomatique chez la femme. Le premier symptôme de la syphilis est le chancre primaire qui apparaît au site de l'infection. Si cette maladie n'est pas traitée, elle peut être latente pendant plusieurs années et entraîner des complications débilitantes et mortelles.

QUESTIONS DE RÉVISION

1 Quelle est la différence entre la mitose et la méiose? Quelle est la principale signification physiologique de la méiose?

2 Décrire les transformations subies au cours du développement d'un spermatozoïde, de son origine en tant que cellule souche jusqu'à sa maturation finale.

3 Décrire le chemin que suivent les spermatozoïdes lors de l'éjaculation, des testicules jusqu'à l'extérieur.

4 Quelle est la différence entre l'impuissance et la stérilité? Qu'est-ce que la castration?

5 Quels sont les rôles de la testostérone?

6 Quels sont les rôles de FSH et de LH chez l'homme?

7 Dessiner un spermatozoïde et en identifier les principales parties.

8 Expliquer la physiologie de l'érection du pénis.

9 Décrire le développement d'un ovule, de son origine jusqu'à la fécondation.

10 Quel est le rôle du corps jaune? Comment se développe-t-il?

11 Dessiner et légender un schéma de l'appareil reproducteur féminin.

12 Quelle est l'importance de la synchronisation précise des cycles ovarien et utérin? Comment cette synchronisation est-elle contrôlée?

13 Quelles sont les activités de FSH et de LH chez la femme?

14 Quels sont les rôles des oestrogènes et de la progestérone?

15 Quels sont les avantages de l'allaitement maternel?

16 Quelles méthodes contraceptives sont les plus efficaces? Quels sont leurs inconvénients?

17 Quel est le mode d'action des contraceptifs oraux? Du diaphragme?

18 Quelles sont les conséquences physiologiques et psychologiques de la vasectomie?

19 Comment le sexe d'un bébé est-il déterminé?

20 Quels sont les symptômes de la syphilis? De la gonorrhée? Comment traite-t-on ces maladies?

21 Qu'est-ce que la puberté? La ménopause?

19 DÉVELOPPEMENT EMBRYONNAIRE ET GÉNÉTIQUE

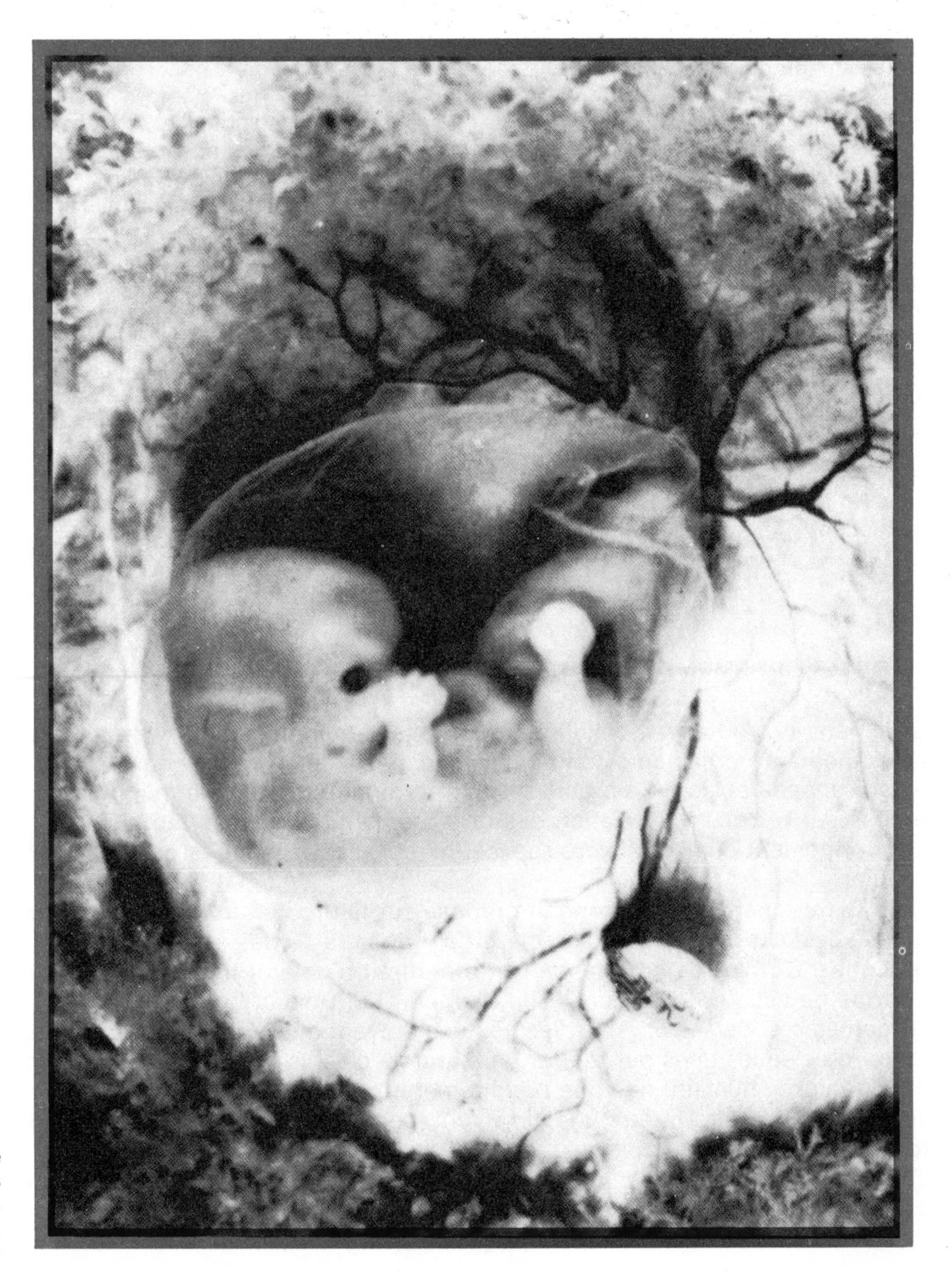

Embryon humain de 7 semaines, entouré de l'amnios et des autres membranes foetales. (*Carnegie Institution, Washington.*)

OBJECTIFS

L'étude de ce chapitre devrait vous permettre de:

1 Reconnaître que la croissance, la morphogenèse et la différenciation cellulaire sont des processus fondamentaux du développement embryonnaire et décrire leurs rôles respectifs dans la formation d'un organisme.
2 Décrire la première semaine du développement d'un embryon; dessiner et légender les principales étapes à partir du zygote jusqu'au blastocyste.
3 Décrire le processus de l'implantation.
4 Décrire le développement des membranes foetales et du placenta; exposer leurs fonctions.
5 Énumérer les structures issues de chaque feuillet embryonnaire.
6 Décrire la suite du développement de l'embryon et du foetus.
7 Décrire les événements caractéristiques de chaque étape du travail lors de l'accouchement (la parturition).
8 Décrire la circulation foetale et les changements qui se produisent au niveau de l'appareil cardio-vasculaire à la naissance.
9 Identifier des agents du milieu susceptibles d'altérer le développement embryonnaire; donner des exemples accompagnés du mode d'action de chacun.
10 Résumer les fonctions de l'ADN et de l'ARN dans **(a)** la réplication, **(b)** la transcription et **(c)** la traduction.
11 Décrire les processus de transcription et de traduction.
12 Savoir ce qu'est un gène et pouvoir donner une définition du terme.
13 Définir la mutation et en expliquer le processus au niveau des acides nucléiques.
14 Résumer l'explication proposée ici en ce qui concerne la différenciation des cellules spécialisées et des tissus.
15 Associer la transmission des caractères héréditaires au comportement des chromosomes lors de la méiose.
16 Résumer les concepts de chromosomes homologues et de gènes alléliques.
17 Distinguer entre un génotype homozygote et hétérozygote. Relier le génotype au phénotype en termes de dominance.
18 Décrire le processus de transmission des gènes (caractères) liés aux chromosomes sexuels.
19 Résumer les caractéristiques de certaines maladies héréditaires.
20 Résumer les caractéristiques de certaines aberrations chromosomiques.
21 Résumer la théorie de Lyon à propos de l'inactivation ou de la «dormance» des chromosomes X.

LE DÉVELOPPEMENT EMBRYONNAIRE

Comment le zygote, une cellule unique de taille microscopique, peut-il donner naissance à un organisme complet possédant un cerveau, un coeur, des muscles, des os, etc.? Ce processus extraordinaire et presque miraculeux repose sur l'étroite interrelation des trois éléments fondamentaux du développement que sont la croissance, la morphogenèse et la différenciation cellulaire.

Le développement embryonnaire repose sur la prolifération cellulaire par mitoses successives et sur l'accroissement de la taille des cellules ainsi obtenues. Ce type de croissance ne permettrait d'obtenir toutefois qu'un amas informe de cellules identiques. Afin d'obtenir la forme et les contours de l'organisme et de ses organes, les cellules doivent migrer, se disposer d'une façon précise les unes par rapport aux autres: c'est la *morphogenèse*. Malgré cela un corps humain, quoique parfaitement formé, ne serait qu'un modèle sans vie, un mannequin. Un être humain vivant, pensant, capable de toutes les fonctions essentielles, doit posséder des cellules spécialisées pouvant se contracter, répondre à des messages et en transmettre, sécréter des produits, bref des cellules ayant développé les potentialités qui leur permettent d'effectuer toutes leurs fonctions propres. C'est pourquoi, très tôt dans le développement, les cellules amorcent leur différenciation et acquièrent une spécificité biochimique et structurale.

Le phénomène de la *différenciation cellulaire* permet ainsi d'obtenir un ensemble de plus de 200 types distincts de cellules dans un corps humain. Nous allons donc examiner successivement les étapes du développement en plus d'identifier certains des facteurs qui viennent en altérer le déroulement normal et donner éventuellement des malformations (facteurs tératogènes).

LES PREMIÈRES ÉTAPES

Peu après la fécondation le zygote entre dans une phase dite de *segmentation* (figure 19-1), une série de mitoses successives qui produisent d'abord deux *blastomères* de taille égale après 24 heures. Chaque blastomère initial se divise à son tour en deux, et ainsi de suite jusqu'à ce que le cytoplasme du zygote soit subdivisé (segmenté) en un certain nombre de cellules de plus en plus petites. La sphère pleine obtenue après quelques divisions et contenant environ 16 cellules s'appelle une *morula.*

Les étapes de la segmentation ont lieu alors que le minuscule embryon indifférencié glisse le long de la trompe vers l'utérus. Il se nourrit, pendant ce déplacement de plusieurs jours, à partir des sécrétions produites par les cellules épithéliales du revêtement interne de l'oviducte. La zone pellucide (la membrane qui entourait l'embryon) se dissout peu après l'arrivée dans l'utérus. Vers le sixième jour l'embryon flotte librement dans la cavité utérine, baigné par le liquide nutritif sécrété par les glandes de l'endomètre (ou muqueuse). Pendant ce temps les cellules de l'embryon se séparent les unes des autres à cause de l'afflux liquidien vers les espaces intercellulaires; il apparaît bientôt une cavité centrale entourée de cellules et l'embryon prend la forme d'une sphère creuse, le *blastocyste* (figure 19-2*a*).

Normalement les cellules qui forment la paroi externe du blastocyste, le *trophoblaste*, donnent les structures membranaires de protection et de nutrition (respectivement le chorion et le placenta) de l'embryon. Un amas excentré de cellules plus volumineuses, le *bouton embryonnaire*, est plaqué à un pôle contre la face interne du trophoblaste et fait saillie dans la cavité du blastocyste; ces cellules sont à l'origine de l'embryon lui-même.

À l'occasion il arrive que le bouton embryonnaire se subdivise en deux masses cellulaires distinctes, chacune pouvant se développer en un être humain complet. L'identité des gènes des deux masses cellulaires en fait des jumeaux identiques. Il arrive exceptionnellement que les deux groupes de cellules ne se séparent pas complètement; on obtient alors des *jumeaux siamois*, des monstres doubles plus ou moins fusionnés. Le plus souvent, toutefois, ces monstres résultent de l'accolement de deux embryons d'abord séparés. Les deux tiers environ des grossesses gémellaires

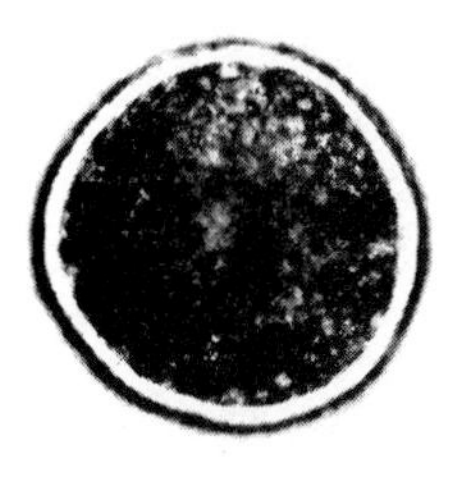
(*a*)

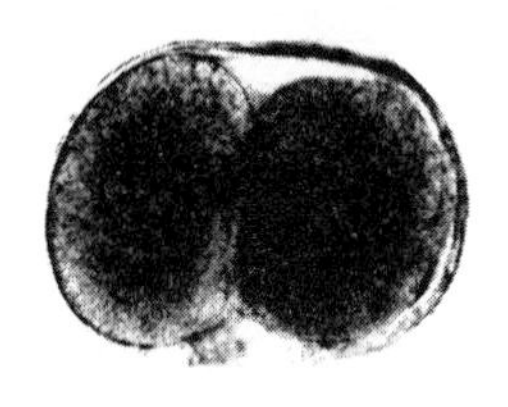
(*b*)

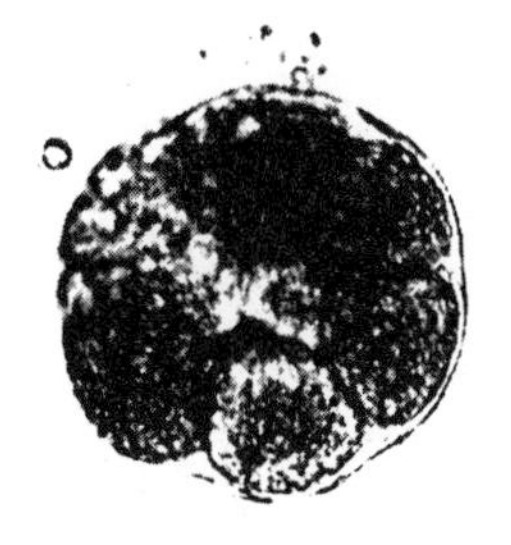
(*c*)

Figure 19-1 Les débuts de la vie (environ ×250). (*a*) Photographie d'un zygote humain. Cette cellule unique possède toutes les instructions génétiques qui vont lui permettre de devenir un être humain complet. (*b*) Le stade à deux cellules. (*c*) La division cellulaire se poursuit et donne bientôt un amas de cellules appelé morula. (*Carnegie Institution, Washington.*)

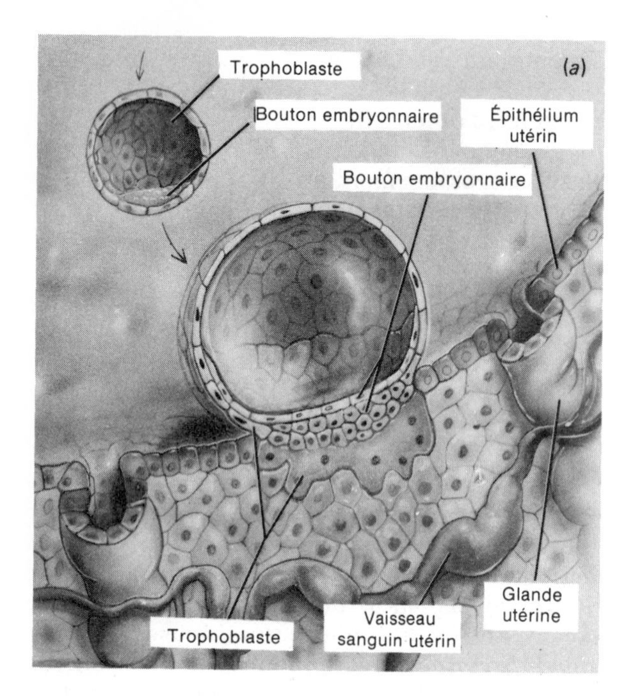

(a)
Trophoblaste
Bouton embryonnaire
Épithélium utérin
Bouton embryonnaire
Trophoblaste
Vaisseau sanguin utérin
Glande utérine

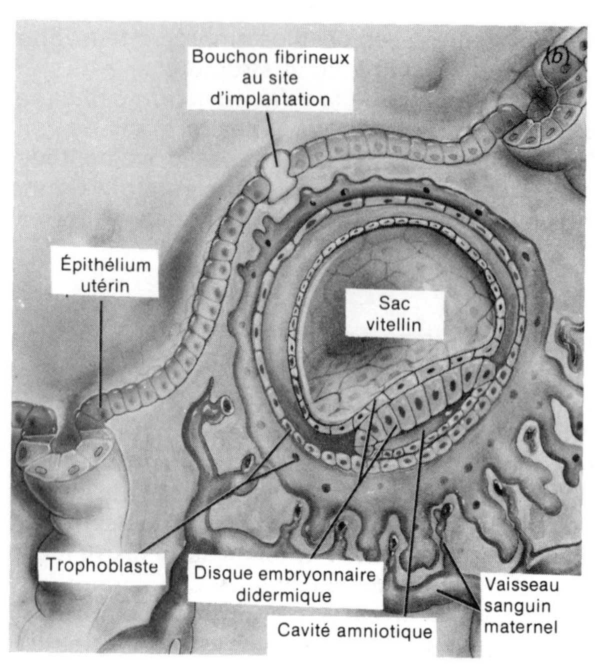

(b)
Bouchon fibrineux au site d'implantation
Épithélium utérin
Sac vitellin
Trophoblaste
Disque embryonnaire didermique
Cavité amniotique
Vaisseau sanguin maternel

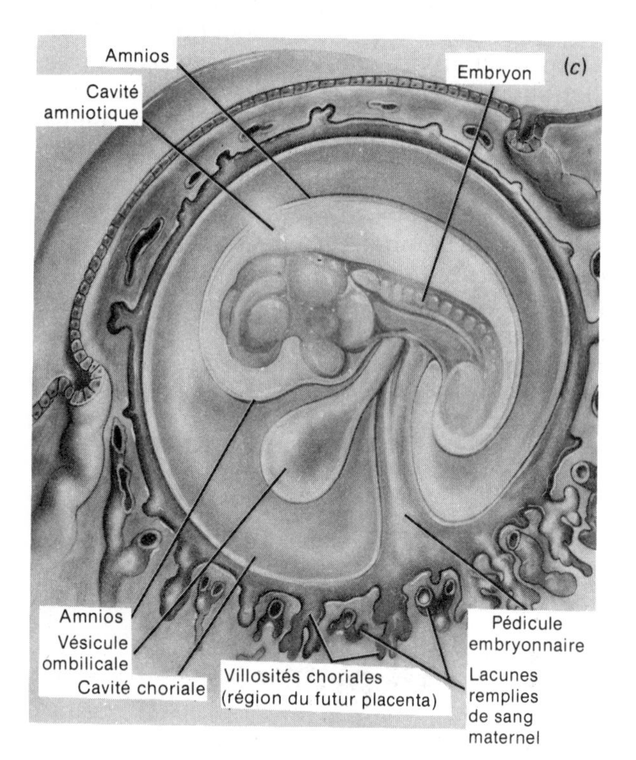

(c)
Amnios
Cavité amniotique
Embryon
Amnios
Vésicule ombilicale
Cavité choriale
Villosités choriales (région du futur placenta)
Pédicule embryonnaire
Lacunes remplies de sang maternel

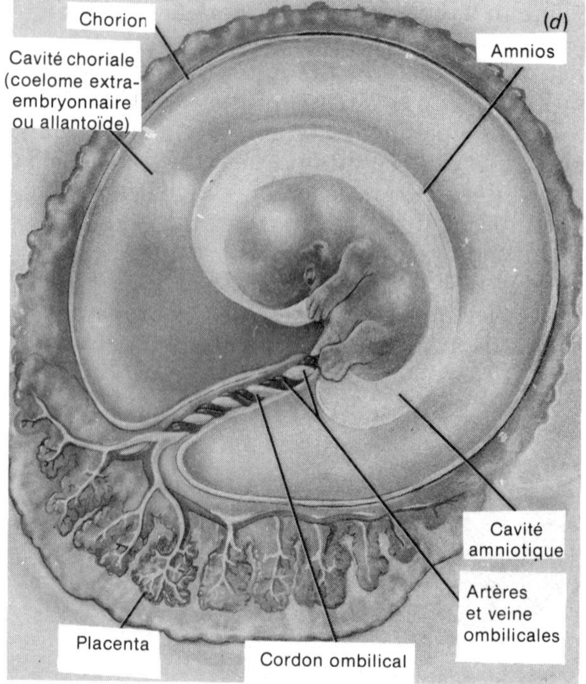

(d)
Chorion
Cavité choriale (coelome extra-embryonnaire ou allantoïde)
Amnios
Cavité amniotique
Artères et veine ombilicales
Placenta
Cordon ombilical

Figure 19-2 Le développement des membranes foetales et du placenta. (*a*) Environ 7 jours après la conception, un blastocyste glisse vers le lieu de l'implantation. Les cellules du trophoblaste se multiplient et envahissent le revêtement utérin. (*b*) Une dizaine de jours après la fécondation. Le chorion s'est formé à partir du trophoblaste. Les cellules du bouton embryonnaire se sont différenciées pour former le disque de deux épaisseurs de cellules à partir duquel se développe l'embryon lui-même. La prolifération des cellules de la couche supérieure (entoblastique) donne la paroi de la future vésicule ombilicale, alors que les cellules de la couche inférieure (ectoblastique) donneront le futur amnios. (*c*) Après 25 jours, des relations étroites sont établies entre l'embryon et les vaisseaux sanguins maternels par l'intermédiaire d'une région spécialisée du chorion qui deviendra bientôt le placenta. L'embryon puise maintenant tout ce dont il a besoin à même le sang de la mère. Le pédicule embryonnaire deviendra le cordon ombilical. (*d*) Au bout de 45 jours environ, l'embryon entouré de ses membranes a atteint la taille d'une balle de ping-pong; il est encore possible que la mère ne sache pas qu'elle est enceinte. L'amnios entoure l'embryon; la circulation sanguine s'est établie dans le cordon ombilical et relie le placenta à l'embryon. La vésicule ombilicale a été incorporée au cordon et l'embryon est entouré d'un coussin de liquide amniotique retenu dans la double membrane amniotique et choriale.

proviennent de la fécondation de deux oeufs par des spermatozoïdes distincts. Ces jumeaux dizygotes ou bi-ovulaires (faux jumeaux) n'ont en commun que la simultanéité de la grossesse: ils peuvent être de sexes opposés et sont aussi différents l'un de l'autre qu'ils peuvent l'être de leurs autres frères et soeurs. Les triplets, quadruplés, etc. sont produits de la même façon et peuvent être, eux aussi, identiques ou non.

Au cours du sixième et du septième jour, l'embryon s'accole à la paroi utérine par son pôle embryonnaire puis *s'implante* dans la paroi en s'insinuant entre les cellules de l'épithélium utérin. Les cellules du trophoblaste sécrètent des enzymes qui érodent une petite partie de la paroi où l'embryon *se niche*. Vers le neuvième ou le dixième jour, l'embryon s'est ainsi frayé un chemin dans l'endomètre et l'ouverture par où il a pénétré s'est refermée, d'abord par un *bouchon fibrineux* puis par régénération épithéliale (figure 19-2*b*). Tous les développements embryonnaires subséquents ont lieu dans la paroi utérine.

LES MEMBRANES FOETALES ET LE PLACENTA

Les membranes foetales protègent l'embryon et participent à son approvisionnement en nutriments et en oxygène ainsi qu'à l'élimination de ses déchets métaboliques. Elles ne font pas partie de l'embryon lui-même et elles s'en détachent à la naissance. Tous les vertébrés terrestres ont quatre membranes foetales: l'*amnios*, le *chorion*, et les membranes respectives de la *vésicule ombilicale* et de l'*allantoïde*.

Quoiqu'il n'y ait pas de vitellus dans l'oeuf humain, il se forme une excroissance à partir de l'intestin primitif, la *vésicule ombilicale* (un genre de *sac vitellin*), visible chez l'embryon entre la seconde et la sixième semaine du développement (figure 19-2). Ses parois sont un site important mais temporaire d'érythropoïèse.

Le chorion se développe à partir du trophoblaste alors que l'allantoïde est un diverticule qui croît à partir de l'intestin primitif. L'allantoïde, comme la vésicule ombilicale, est une structure qu'on qualifie généralement de vestigiale chez l'embryon humain.

L'amnios

L'*amnios* commence à se développer avant que les premières structures de l'embryon lui-même n'aient pris forme et il s'étend pour envelopper éventuellement tout l'embryon (figure 19-2). La *cavité amniotique* (entre l'amnios et l'embryon) est remplie de liquide amniotique transparent qui baigne complètement l'embryon pendant la gestation; il est ainsi à l'abri de l'assèchement et des chocs mécaniques directs. Pendant la seconde moitié de la gestation, le foetus absorbe une partie de ce liquide qui passe éventuellement dans le sang maternel pour être excrété par les reins de la mère.

Le placenta

Le *placenta* est l'organe responsable des échanges entre la mère et le foetus: flux net de nutriments et d'oxygène de la mère au foetus, mouvement inverse des déchets métaboliques produits par ce dernier en vue de leur excrétion par la mère. Le placenta est aussi un organe endocrinien.

Le placenta se développe à partir du chorion embryonnaire et du tissu de la paroi utérine. Après la nidation le chorion poursuit sa croissance rapide, envahissant l'endomètre et formant des villosités où apparaissent des vaisseaux sanguins pendant que se développe la circulation embryonnaire (figure 19-2). Les enzymes libérées par les cellules embryonnaires envahissantes détruisent du tissu endométrial dont plusieurs petits vaisseaux sanguins. De faibles quantités de sang suintent hors de ces vaisseaux et forment des lacunes parmi les villosités choriales.

Le *cordon ombilical* se forme, reliant l'embryon au placenta. Les deux artères ombilicales suivent le cordon et rejoignent un réseau très dense de capillaires en train de se former dans les villosités. Le placenta comprend en fait la portion du chorion qui développe des villosités et le tissu utérin intervilleux où passent des capillaires de la mère et où se forment des lacunes de sang maternel. Le sang retourne des villosités vers l'embryon par la veine ombilicale qui, elle aussi, emprunte le cordon ombilical.

Le placenta sert donc à amener le sang maternel à proximité de celui de l'embryon, les deux réseaux vasculaires demeurant distincts et séparés[1]. L'oxygène et les nutriments diffusent, à partir du sang maternel et au travers du tissu placentaire, vers les capillaires des villosités d'où ils sont acheminés vers l'embryon. Les produits de déchets diffusent du sang capillaire des villosités vers la circulation maternelle, puis vers les reins de la mère où ils sont évacués.

Le placenta produit plusieurs hormones. À partir du moment où l'embryon s'accole à la paroi utérine et commence son implantation, les cellules trophoblastiques sécrètent la gonadotropine chorionique (GC) qui signale au corps jaune qu'une grossesse est en cours. En retour celui-ci augmente de taille et sécrète de grandes quantités de progestérone et d'oestrogènes; ces hormones, à leur tour, favorisent un plus grand développement de l'endomètre et du placenta. Sans GC le corps jaune dégénérerait, comme lors d'un cycle non gravide, et l'embryon serait évacué avec l'écoulement menstruel. La femme pourrait même ne pas se douter d'avoir été temporairement enceinte.

Si le corps jaune est enlevé avant la onzième semaine de grossesse environ, l'embryon avorte spontanément. Passé ce délai, le placenta produit lui-même assez de progestérone et d'oestrogènes pour entretenir la grossesse. On pense que l'hormone chorionique stimule les gonades d'un embryon mâle; celui-ci se met à sécréter de la testostérone, elle-même responsable du développement des organes génitaux masculins.

[1] Ce n'est qu'au moment du décollement placentaire que du sang foetal peut passer dans la circulation maternelle.

LE DÉVELOPPEMENT DE L'EMBRYON ET DU FOETUS

Pendant le développement des membranes foetales et du placenta, de nombreux changements se produisent dans le bouton embryonnaire. Celui-ci se transforme en un *disque embryonnaire* didermique (figure 19-2*b*): les cellules limitant la cavité amniotique forment l'ectoblaste primaire et celles qui limitent le *lécithocèle* (le *sac vitellin*) constituent l'entoblaste. Les cellules de l'entoblaste se multiplient et tapissent éventuellement une cavité interne, l'intestin primitif, qui donnera le tube digestif. Ces cellules forment l'*endoderme* alors que celles de l'ectoblaste, qui demeurent pour recouvrir l'embryon et devenir son revêtement externe, forment l'*ectoderme*. Une troisième couche de cellules, le *mésoderme*, prolifère entre l'ectoderme et l'endoderme. Ces trois couches cellulaires s'appellent les *feuillets embryonnaires*, chaque feuillet étant à l'origine de structures spécifiques chez tous les embryons de vertébrés (tableau 19-1).

Le développement se fait selon un ordre précis d'événements qu'on peut prévoir et selon une chronologie telle qu'une structure donnée commencera à se développer après tant de jours, parfois même après un nombre précis d'heures de développement.

Tableau 19-1 Les principales structures dérivées des feuillets embryonnaires

Feuillet	Structures dérivées
Ectoderme	Épiderme et phanères (ongles, poils, etc.) Système nerveux Neurohypophyse Épithélium des organes des sens, de la bouche et du canal anal
Mésoderme	Os et cartilage Derme et autres tissus conjonctifs Muscle Sang, vaisseaux sanguins et lymphatiques Reins et uretères Gonades et voies génitales Revêtement des cavités du corps
Endoderme	Épithélium du TD et des glandes annexes Épithélium des voies respiratoires et des poumons Thyroïde, parathyroïdes, thymus Revêtement de la vessie et de l'urètre

Le premier mois

Pendant la seconde semaine un cordon cellulaire plein, médian et axial, croît d'un bout à l'autre de l'embryon et forme le *chordo-mésoderme* (la *chorde*). L'ectoderme au-dessus de la chorde s'épaissit, donnant la *plaque neurale.* Avant la fin du mois la plaque, qui est devenue une *gouttière*, se transforme en *tube neural*, l'ébauche embryonnaire du système nerveux central. Pendant ce temps le mésoderme se subdivise en segments qui donneront les muscles, le derme et les structures squelettiques.

La figure 19-3 est une photographie d'un embryon humain vers la fin du premier mois. Après quatre semaines il mesure environ 5 mm de longueur du vertex au coccyx et pèse environ 0,02 g. Quoique minuscule, il est déjà 10 000 fois plus lourd que le zygote. L'embryon présente alors une tête énorme par rapport au reste du corps parce que la région céphalique se développe plus rapidement pendant les premières semaines. Les trois vésicules primaires du cerveau se sont différenciées. Les yeux, les oreilles et la muqueuse olfactive ont amorcé leur développement. Les bourgeons des membres forment déjà des excroissances à la surface de l'embryon et le coeur tubulaire en forme de S bat environ 60 fois par minute.

Les arcs branchiaux se sont développés

Tableau 19-2 Quelques étapes importantes du développement

Délai après fécondation	Événements marquants
24 h	L'embryon est formé de 2 cellules
3e jour	La morula atteint l'utérus
7e jour	Le blastocyste amorce sa nidation
2,5 semaines	La chorde et la plaque neurale sont formées; on peut reconnaître le tissu qui va former le coeur; les cellules sanguines se forment dans le sac vitellin et au niveau du chorion
3,5 semaines	Le tube neural apparaît; on aperçoit les ébauches des yeux et des oreilles; les poches branchiales entoblastiques se forment; on reconnaît l'ébauche du foie; l'appareil respiratoire et la glande thyroïde amorcent leur développement; les deux tubes endocardiques droit et gauche fusionnent et donnent le tube cardiaque primitif qui se tord et commence à se contracter; mise en place du réseau vasculaire
4 semaines	Apparition des bourgeons des membres; les trois vésicules cérébrales embryonnaires sont formées
2e mois	Différenciation des muscles; l'embryon peut bouger. Les gonades sont reconnaissables (sur coupe microscopique) en tant que testicules ou ovaires. L'ossification des os débute; le cortex cérébral se différencie et les principaux vaisseaux sanguins sont à leur place définitive.
3e mois	Le sexe peut être déterminé par examen externe; la chorde dégénère et les organes lymphatiques se développent
4e mois	La face prend apparence humaine; les lobes du cerveau se différencient. Les yeux, les oreilles et le nez commencent à prendre une forme normale.
Dernier trimestre	Apparition du lanugo qui desquame plus tard; myélinisation des neurones et croissance importante du corps
266 jours	Naissance

dans la région pharyngienne; on peut les voir à la figure 19-3. Entre les arcs se trouvent les poches branchiales, des invaginations de l'épiblaste qui se forment en même temps et en regard de poches branchiales entoblastiques, des évaginations des parois latérales de l'in-

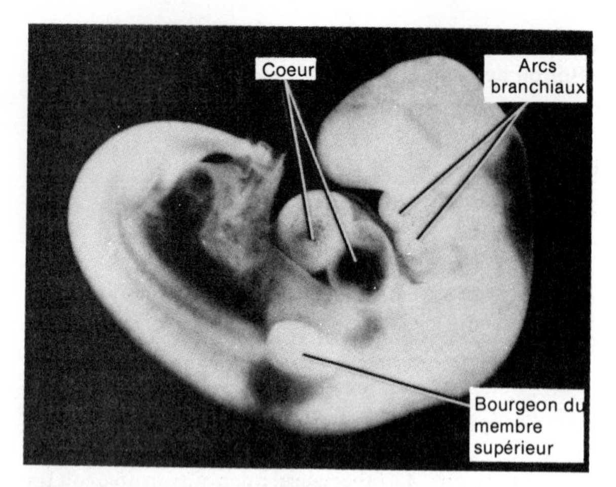

Figure 19-3 Photographie d'un embryon humain de 29 jours. (*Carnegie Institution, Washington.*)

testin pharyngien. Chez les poissons et certains amphibiens, les branchies se développent le long des arcs branchiaux. Chez les humains et les autres vertébrés terrestres, les structures qui se développent sont différentes et donnent des organes mieux adaptés au mode de vie de ces organismes. Par exemple, le tissu qui sépare la première poche branchiale épiblastique de la première poche branchiale entoblastique deviendra le tympan, la poche branchiale épiblastique devenant le conduit auditif et la poche entoblastique formant la trompe auditive. Dans le plancher pharyngien, au niveau de la quatrième poche, un tube de cellules s'est mis à croître en direction caudale et forme la trachée primitive à l'origine des bourgeons (ébauches) pulmonaires.

Le tractus gastro-intestinal est aussi en pleine formation. Le foie, la vésicule biliaire et le pancréas sont visibles sous forme d'excroissances de l'intestin primitif. La thyroïde a commencé à pousser en direction caudale à partir du plancher pharyngien.

Le deuxième mois

La première page de ce chapitre présente une photographie d'un embryon de deux mois. Tous les organes poursuivent leur développement pendant le deuxième mois. Le visage se forme avec un nez proéminent, les lèvres, les paupières, les joues et même les oreilles, quoiqu'elles soient situées au niveau de la région du cou à ce moment. Les bourgeons des membres deviennent des membres supérieurs et inférieurs; les doigts et les orteils prennent forme. Une mince queue apparaît pendant la cinquième semaine mais son développement, trop lent par rapport à celui du reste de l'embryon, la rend indiscernable à la fin du deuxième mois.

Le foie devient relativement gros et l'intestin grêle commence à s'enrouler. Les principaux vaisseaux sanguins prennent leurs positions définitives et le coeur acquiert sa forme finale. Les muscles se développent et l'embryon peut se mettre à bouger. Le cerveau commence à émettre des influx et à contrôler le fonctionnement d'autres organes, et plusieurs réflexes simples surviennent spontanément. On voit les ébauches des organes génitaux externes mais il est encore impossible de distinguer extérieurement le sexe de l'embryon. Sur une coupe, cependant, on peut reconnaître les testicules ou les ovaires. À deux mois l'embryon mesure environ 30 mm et pèse 1 g.

Le troisième mois

À la fin du deuxième mois les ébauches de tous les organes sont formées et on parle souvent alors d'un foetus. C'est pendant le troisième mois qu'il prend apparence humaine. Les organes génitaux externes se différencient, indiquant le sexe du foetus. Les yeux et les oreilles se rapprochent de leurs positions définitives. On distingue quelques os et le chordo-mésoderme dégénère. Le foetus présente des mouvements respiratoires et pompe du liquide amniotique dans ses poumons puis le rejette à l'extérieur. Il peut aussi présenter des mouvements de succion. À la fin du troisième mois le foetus mesure environ 56 mm et pèse 14 g.

Le second trimestre

À cinq mois le foetus mesure environ 250 mm, la moitié de sa taille à la naissance. Sa masse est à peine de 500 g et le coeur, battant à une fréquence d'environ 150 fois par minute, est audible au stéthoscope. Le foetus bouge librement dans la cavité amniotique et c'est à peu près à cette époque que la mère devient consciente des mouvements de son bébé.

Le dernier trimestre

Les trois derniers mois de la grossesse représentent une période de croissance rapide du foetus et une phase finale de différenciation des tissus et des organes. Au début de ce dernier trimestre la peau prend une apparence ridée, peut-être parce qu'elle croît plus vite que le tissu conjonctif sous-jacent. Si le bébé naît prématurément à cet âge, il peut bouger, pleurer, essayer de respirer, mais il mourra presque toujours s'il est laissé à lui-même puisque le cerveau n'est pas encore assez développé pour entretenir des fonctions vitales comme la rythmicité des mouvements respiratoires et la régulation de la température corporelle.

Pendant le septième mois le cerveau se développe rapidement et se creuse de circonvolutions. Les réflexes de préhension et de succion sont fonctionnels; le foetus peut sucer son pouce. La majeure partie du corps foetal est recouverte d'un fin duvet qu'on appelle le *lanugo* et qui tombe généralement avant la naissance. À l'occasion, il peut persister quelques jours après la naissance.

De la graisse se dépose dans l'hypoderme pendant les derniers mois de la grossesse et la peau du foetus perd son apparence ridée. Une substance de protection crémeuse, le *vernix caseosa*, couvre la peau et les cheveux commencent à pousser. À la naissance le bébé à terme pèse en moyenne 3 kg et mesure 52 cm de la tête aux pieds (350 mm de la tête au coccyx).

LA PARTURITION (LA NAISSANCE)

Un bébé humain prend 266 jours environ pour compléter son développement à partir du zygote. À la fin de la période de gestation le foetus prend d'ordinaire une position telle que sa tête vienne appuyer sur la région du col utérin. La *parturition* représente le processus par lequel le bébé est expulsé hors de l'utérus.

L'utérus se contracte périodiquement de façon rythmique pendant toute la grossesse. À la fin, cependant, les contractions deviennent très fortes et leur fréquence augmente; c'est la période qui correspond au *travail.* Plusieurs facteurs concourent à amorcer le travail. La taille du foetus, d'abord, distend l'utérus au maximum de ses capacités. L'irritabilité des tissus augmente et, alors que la tête foetale appuie sur le col utérin et l'étire, l'utérus se contracte par action réflexe. Ce cycle de *rétroaction positive* se répète, amenant de plus fortes contractions. De plus, l'étirement cervical provoque la sécrétion d'ocytocine par la neurohypophyse. L'hormone stimule encore plus les contractions utérines, amorçant un autre cycle de rétroaction positive. Le fait que les quantités d'oestrogènes sécrétées pendant la dernière partie de la grossesse soient plus importantes que celles de progestérone pourrait aussi augmenter l'irritabilité de l'utérus, puisqu'on sait que les oestrogènes stimulent la contractilité utérine alors que la progestérone l'inhibe.

On peut subdiviser le travail en trois étapes. Pendant la première, la mère ressent de fortes contractions utérines qui peuvent se produire à toutes les 30 minutes au début, mais qui deviennent plus intenses, plus régulières et plus fréquentes, se produisant à toutes les minutes ou encore moins plus tard pendant le travail. La sensation douloureuse qui accompagne chaque contraction débute en général dans le bas du dos et s'étend pour gagner la partie antérieure de l'abdomen. Cette première période du travail se caractérise en plus par l'effacement du col pour permettre le passage de la tête du bébé (le col devient alors en continuité avec la paroi utérine et ne peut plus être distingué du corps utérin) et par sa dilatation éventuellement complète (10 cm). Cette première étape est la plus longue, pouvant durer de 8 à 24 heures chez une *primipare* (femme dont c'est la première grossesse).

La deuxième étape représente le passage du bébé par le vagin et son expulsion: c'est la délivrance (figure 19-4). La mère peut faciliter la sortie du bébé en contractant ses muscles abdominaux (en «poussant»). L'amnios se brise souvent pendant cette phase, laissant couler le liquide amniotique tout d'un coup par le vagin. C'est ce qu'on appelle en langage populaire «la rupture de la poche des eaux»; cette rupture peut parfois intervenir plus tôt dans le travail et même le précéder.

Pendant son passage dans le vagin, la tête du bébé subit une rotation qui facilite la sortie. Au moment de la naissance le médecin pratique généralement une incision, une *épisiotomie*, de l'orifice vaginal en direction de l'anus. En plus de faciliter la délivrance, cette coupure empêche ou réduit les déchirures des tissus chez la mère. Elle est ensuite bien suturée et guérit en quelques semaines. La tête du bébé émerge d'abord lentement du vagin, puis deux ou trois contractions additionnelles expulsent le bébé en entier. À ce moment, il est encore relié au placenta par le cordon ombilical. La

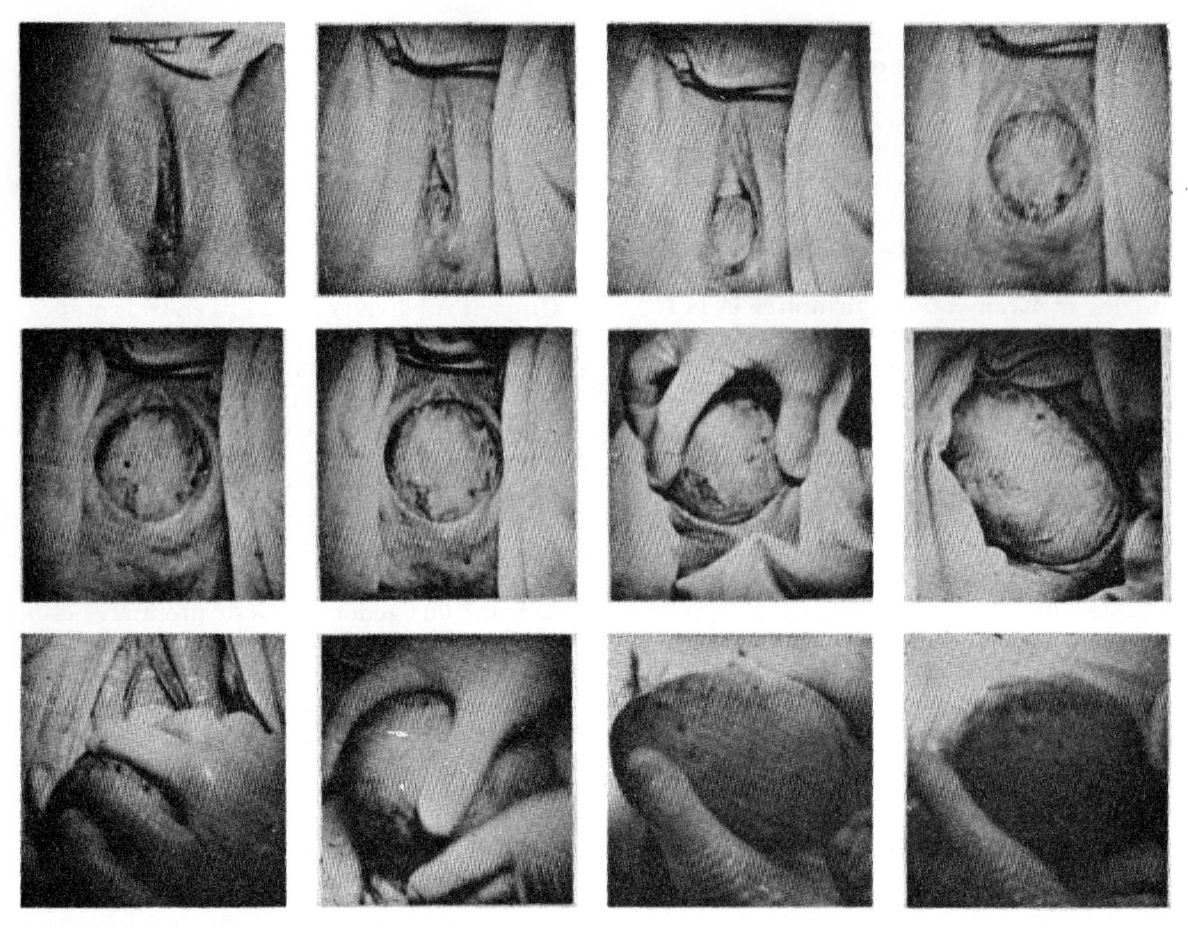

Figure 19-4 Le film d'un accouchement normal. (*Avec la permission du Dr Roberts Rugh et du Dr Landrum B. Shettles, tiré de «From Conception to Birth: The Drama of Life's Beginnings», Harper and Row, Publishers, Incorporated, New York, 1971.*)

plupart des médecins pincent puis coupent le cordon immédiatement après la délivrance.

Pendant la troisième étape du travail le placenta se sépare de la paroi utérine et est expulsé. Ceci se produit généralement entre 10 et 20 minutes après la naissance. Le placenta est d'ordinaire examiné au laboratoire avant d'être jeté.

L'ADAPTATION À LA VIE EXTRA-UTÉRINE (NÉONATALE)

Avant la naissance l'embryon vit en parasite, c'est-à-dire qu'il prend à la mère l'oxygène et les nutriments dont il a besoin, même au détriment de l'équilibre homéostatique de celle-ci. Par exemple, malgré un apport alimentaire insuffisant en calcium chez la mère, celui-ci sera mobilisé à partir de son système osseux pour être déposé dans celui de l'embryon en croissance (chapitre 17). À la naissance, toutefois, le bébé doit immédiatement entreprendre une vie indépendante.

Normalement le nouveau-né commence à respirer quelques secondes après la délivrance et pleure en dedans d'une demi-minute. Si, par exemple, la mère a été anesthésiée, alors le foetus peut aussi subir les effets de la narcose; sa respiration et ses autres activités pourront être ralenties. Il peut arriver que le bébé ne commence à respirer spontanément qu'après plusieurs minutes. C'est l'une des raisons principales pour lesquelles on tend aujourd'hui à favoriser des méthodes d'accouchement aussi naturelles que possible et qu'on réduit la médication au maximum.

Très rapidement après la naissance il se produit des changements importants au niveau de l'appareil cardio-vasculaire du nouveau-né. Les poumons étant non fonctionnels avant la naissance, point n'était besoin d'y maintenir un fort débit sanguin. Le torrent circulatoire était donc dirigé d'une façon particulière pendant la vie foetale (figure 19-5). Les trois principales différences sont les suivantes: (1) le sang doit aller et venir du placenta par les vaisseaux de l'ombilic. À son retour du placenta, avant d'atteindre l'atrium droit, une bonne partie du sang passe par les sinusoïdes hépatiques. Une certaine partie, toutefois, est déviée directement dans la veine cave inférieure par le *canal veineux* foetal (*ductus venosus*); (2) parvenue dans l'atrium droit, la majeure partie du torrent circulatoire court-circuite la circulation pulmonaire grâce au *foramen ovale* (*trou de Botal*), une communication interatriale. Le sang gagne donc directement l'atrium gauche puis la circulation générale; (3) le sang des deux veines caves qui passe dans le ventricule droit est pompé dans l'artère pulmonaire. Là aussi un vaisseau sanguin foetal, le *canal artériel* (*ductus arteriosus*), dérive une bonne partie de ce sang direc-

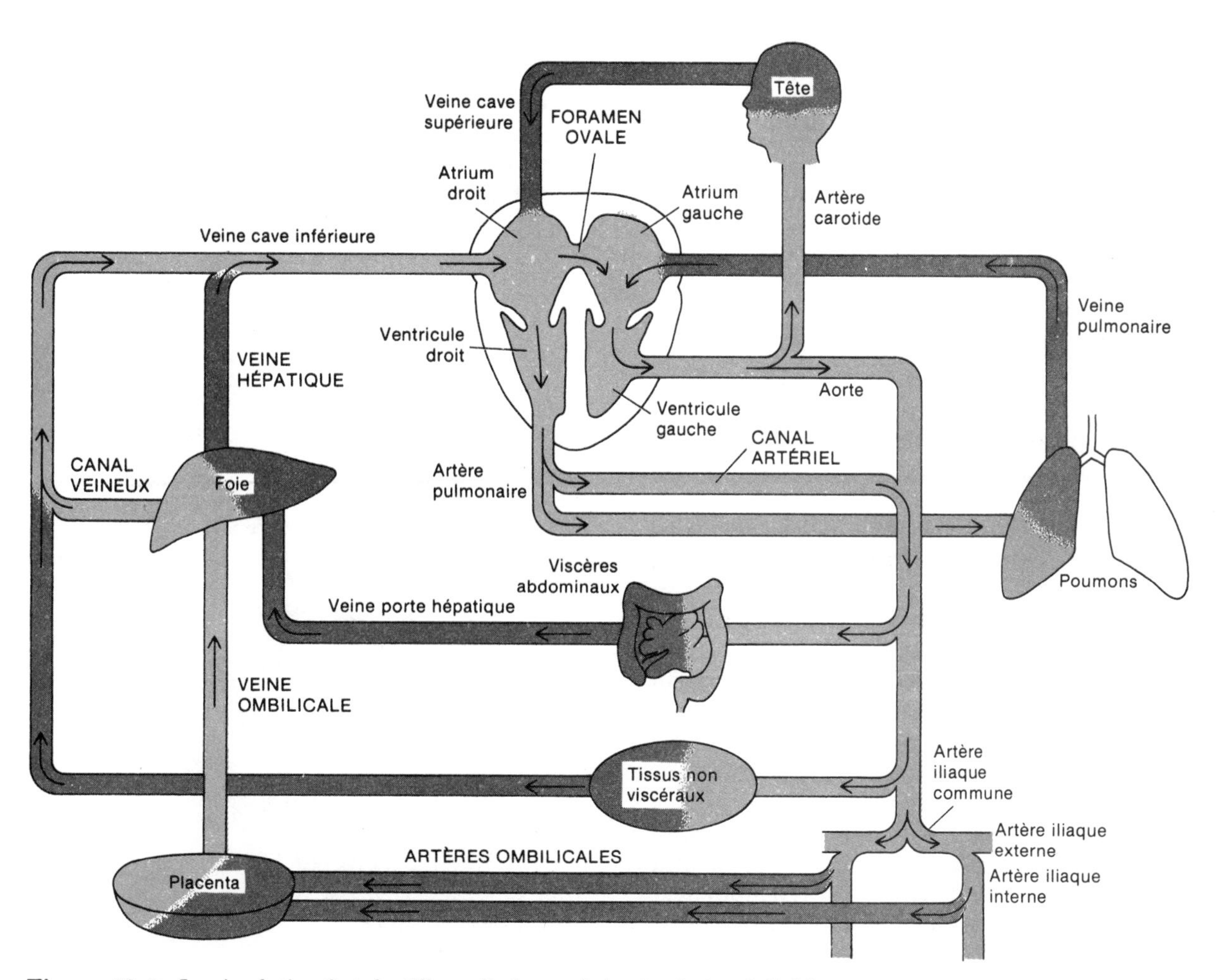

Figure 19-5 La circulation foetale. Elle se distingue de la circulation définitive par la présence des vaisseaux ombilicaux, des canaux veineux et artériel, et du foramen ovale (le trou de Botal) dans la cloison interatriale.

tement dans l'aorte descendante d'où il pourra atteindre le placenta par les artères ombilicales.

Les quelques ajustements qui se produisent à la naissance sont donc: (1) la cessation brusque de la circulation placentaire, suite à l'oblitération des artères ombilicales, qui fait qu'en moins de 3 heures les parois musculeuses du canal veineux se contractent et interdisent toute circulation dans cette dérivation. Le sang de la veine porte qui empruntait ce court-circuit doit donc passer par les sinusoïdes hépatiques. (2) La modification des pressions intra-cardiaques par l'arrêt de la circulation placentaire et le début de la circulation pulmonaire qui inverse la direction du débit sanguin par le foramen ovale; un petit clapet tissulaire s'applique sur l'ouverture interatriale et la bouche. En général ce tissu se développe pendant quelques mois et se soude fermement à la cloison. (3) La contraction réflexe de la musculature des parois du canal artériel qui réduit le calibre de cette anastomose, le débit sanguin cessant complètement en quelques jours. Pendant le deuxième mois après la naissance la lumière de ce canal est obstruée définitivement par du tissu fibreux issu des parois.

L'IMPACT DE L'ENVIRONNEMENT SUR L'EMBRYON

Il naît environ 175 000 bébés par an aux États-Unis (près de 5 pour 100 des naissances) qui présentent une malformation cliniquement significative. Les malformations congénitales peuvent être dues à des influences du milieu, à des facteurs génétiques ou à une combinaison des deux. Nous parlerons ici des facteurs d'origine environnementale, ceux d'origine génétique étant présentés dans la deuxième partie du chapitre.

Il n'y a pas très longtemps on pensait encore que le placenta constituait une barrière qui empêchait toutes les substances dangereuses présentes dans le sang de la mère d'atteindre l'embryon. On sait maintenant qu'un grand nombre de médicaments, des hormones et même certains virus parviennent à traverser le placenta et à nuire à l'embryon.

Puisque la plupart des structures se forment pendant les 3 premiers mois de la grossesse, l'embryon est plus sujet aux influences nocives pendant cette période. Malheureusement, pendant une bonne partie de cette étape de la grossesse, la mère peut même être ignorante de son état et ne prendre aucune précaution particulière.

Chaque structure présente, pendant son développement, une période critique où sa vulnérabilité aux influences adverses de l'environnement est maximale. Cette période critique survient en général assez tôt dans le développement de la structure et toute interférence avec les mouvements, les migrations ou les divisions cellulaires peut l'empêcher d'atteindre une taille ou une forme normale: on obtient alors une malformation.

Des techniques nouvelles permettent aux médecins de diagnostiquer de plus en plus de malformations foetales *in utero*. Il est même possible parfois d'appliquer un traitement prénatal. La figure 19-6 montre une photographie prise par *échographie*, une technique qui emploie les ultrasons. Ces images prénatales sont précieuses pour le médecin qui doit poser un diagnostic de malformation ou encore qui veut déceler une possible gémellité.

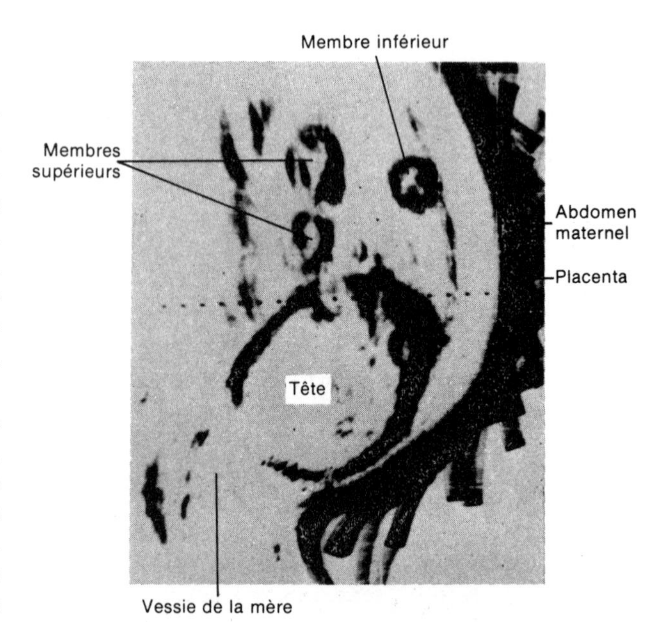

Figure 19-6 Photographie d'un foetus *in utero* à partir de techniques ultrasoniques appelées échographie. Les images obtenues aident le clinicien à diagnostiquer des malformations ou des gémellités.

Tableau 19-3 Quelques influences du milieu sur l'embryon

Facteur	Exemple et effet	Commentaires
Nutrition	La malnutrition aiguë de nature protéique double la probabilité de malformations. Il se développe moins de cellules cérébrales et la capacité d'apprendre peut être affectée de façon permanente.	La vitesse de croissance dépend surtout du taux net de synthèse protéique par l'embryon
Hypervitaminose	Quoiqu'elle soit essentielle, la vitamine D en excès peut causer une forme de retard mental	Les vitamines A et K sont aussi nuisibles en excès
Médicaments	Plusieurs médicaments influencent le développement du foetus. On a montré, par exemple, que l'aspirine inhibe la croissance de cellules foetales humaines (surtout des cellules rénales) cultivées en laboratoire. L'aspirine pourrait inhiber l'action des prostaglandines dont la concentration est élevée dans le tissu en croissance.	Les quantités prescrites d'un médicament sont en rapport avec la taille de la mère; les concentrations peuvent ainsi être plusieurs centaines de fois trop importantes pour l'embryon
Alcool	Une femme enceinte qui consomme de grandes quantités d'alcool peut mettre au monde un enfant qui présente un syndrome alcoolique; il sera alors malformé et retardé	
Héroïne	L'héroïne est la cause d'un important taux de mortalité infantile et de naissances prématurées. Les bébés qui survivent naissent avec la dépendance au narcotique et doivent être traités pendant des semaines ou des mois.	
Méthadone	La méthadone produit aussi une dépendance chez le foetus	
Thalidomide	La thalidomide a été mise sur le marché en tant que sédatif léger et s'est avérée responsable de plus de 7 000 cas de malformations congénitales chez des bébés nés à la fin des années 1950 et au début des années '60 dans 20 pays différents. La principale malformation est la *phocomélie*, c'est-à-dire le rattachement direct des mains et des pieds au tronc sans segments intermédiaires.	Le médicament perturbe le métabolisme cellulaire. Dangereux surtout lorsqu'il était pris entre la 4e et la 6e semaine alors que les membres sont en plein développement.
Oxygène	Le tabagisme réduit la quantité de O_2 disponible au foetus parce qu'une partie de Hb maternel est liée à du monoxyde de carbone et est impropre au transport de O_2. Peut ralentir la croissance et causer des dommages souvent peu apparents. À la limite l'empoisonnement au monoxyde de carbone provoque des malformations graves comme l'hydrocéphalie.	Les bébés de mères fumeuses ont une masse moyenne réduite à la naissance; le pourcentage d'avortements spontanés, de mises au monde d'un enfant mort-né et de morts de nouveau-nés est plus élevé. Les études montrent aussi un lien possible avec un retard du développement intellectuel.
Microorganismes	Le virus de la rubéole peut traverser le placenta et infecter l'embryon; il perturbe le métabolisme normal et les mouvements des cellules. Il est la cause d'un syndrome qui comprend cataractes, surdité, malformations cardiaques et retard mental. Le risque est le plus grand lorsque la femme gravide contracte la rubéole pendant le premier mois (environ 50 pour 100); le risque est ensuite de plus en plus faible à chaque mois.	L'épidémie de rubéole aux États-Unis de 1963-1965 a causé environ 20 000 morts foetales et 30 000 cas de malformations congénitales importantes
	La syphilis est transmise au foetus dans environ 40 pour 100 des cas où la mère est atteinte. Le foetus peut mourir ou venir au monde avec des malformations et une syphilis congénitale.	Le test de la syphilis est fait de routine chez les femmes enceintes lors d'un examen prénatal
Radiations ionisantes	Lorsque la mère est soumise à des rayons-X ou à toute autre forme de radiations pendant la grossesse, le risque de malformation et de leucémie chez le bébé augmente	L'un des premiers tératogènes connus

GÉNÉTIQUE

C'est en 1866 qu'un moine augustin, Gregor Mendel, découvrit les lois fondamentales de l'hérédité qui portent aujourd'hui le nom de «lois mendéliennes». Mendel cultivait des pois dans le jardin de son couvent. Ses observations portèrent sur deux types de plants dont les graines différaient par la forme, soit des pois lisses et des pois ridés. Après avoir constaté que chaque lignée donnait toujours la même sorte de pois, après autofécondation. Mendel fit des hybridations et il constata qu'à la première génération tous les pois étaient lisses. Si les plants de première génération étaient alors autofécondés, les pois obtenus étaient lisses ou ridés, mais dans des proportions fixes, toujours les mêmes, de 3 pour 1. Ainsi le croisement de deux plants à pois lisses obtenus par l'hybridation d'un plant à pois lisses et d'un plant à pois ridés faisait réapparaître le caractère «ridé», caractère caché à la première génération mais toujours présent dans le bagage génétique des plants. Mendel qualifia donc le caractère lisse de dominant et l'autre, le caractère dominé, de récessif. C'est ainsi qu'il démontra que l'union de deux gamètes n'aboutissait pas à un mélange des caractères (les pois de première génération ne sont pas à moitié lisses ou à moitié ridés), mais que ceux-ci demeuraient intacts même s'ils ne pouvaient s'extérioriser.

Grâce à des expériences où les caractères utilisés étaient jaune et vert en plus de lisse et ridé, Mendel découvrit que chaque paire de caractères se transmettait aux descendants d'une façon indépendante, de sorte que le croisement de plants de première génération obtenus à partir de plants à graines jaunes-lisses et de plants à graines vertes-ridées donnait des plants dont les pois étaient jaunes ou verts dans des proportions de 3 pour 1, proportion identique à celle des pois lisses ou ridés portés par ces mêmes plants.

LE CODE GÉNÉTIQUE

L'étude du code génétique nous oblige à retourner à la molécule par excellence de l'hérédité, l'ADN (chapitre 2). La molécule d'ADN est une longue chaîne de *nucléotides*, des composés chimiques constitués d'une purine ou d'une pyrimidine associée à un glucide et à un groupement phosphate. La molécule est formée d'une succession d'unités pentose-phosphate (le sucre étant le désoxyribose) sur lesquelles les bases azotées sont attachées plus ou moins à angle droit par rapport au grand axe de la molécule, un peu à la manière des barreaux d'une échelle à un seul montant. Les bases puriques sont l'*adénine* (A) et la *guanine* (G); la *thymine* (T) et la *cytosine* (C) sont les bases pyrimidiques. Un coup d'oeil distrait à un filament d'ADN pourrait laisser croire que les bases sont disposées au hasard, un peu comme le néophyte pourrait penser que les perforations d'une carte d'ordinateur ont une disposition aléatoire. Au contraire, c'est justement l'ordre dans lequel les bases sont placées qui détermine le code génétique. Ainsi la série AGGTCCATCCGA porte une information différente de la série TGGAACTAGTCC.

L'ADN existe dans la nature sous la forme de *deux* brins attachés l'un à l'autre par leurs bases puriques et pyrimidiques: la molécule ressemble ainsi encore plus à une échelle (figure 19-7). Ce long filament double est tordu pour prendre l'allure d'une *hélice* ou d'une *spirale*, quelque chose comme un ressort ou, plus justement, un escalier tournant. Un filament d'*histones*, des protéines basiques, fait aussi partie de l'hélice d'ADN.

Le point le plus important réside dans le fait que la connaissance de l'ordre des bases nucléiques d'un brin d'ADN permet de connaître celui des bases de l'autre brin. En effet, l'adénine d'un brin ne peut s'apparier qu'avec la thymine sur l'autre brin, alors que la cytosine ne s'associe qu'avec la guanine. Aucune autre forme d'appariement n'est normalement possible. Qualifions le brin génétiquement ac-

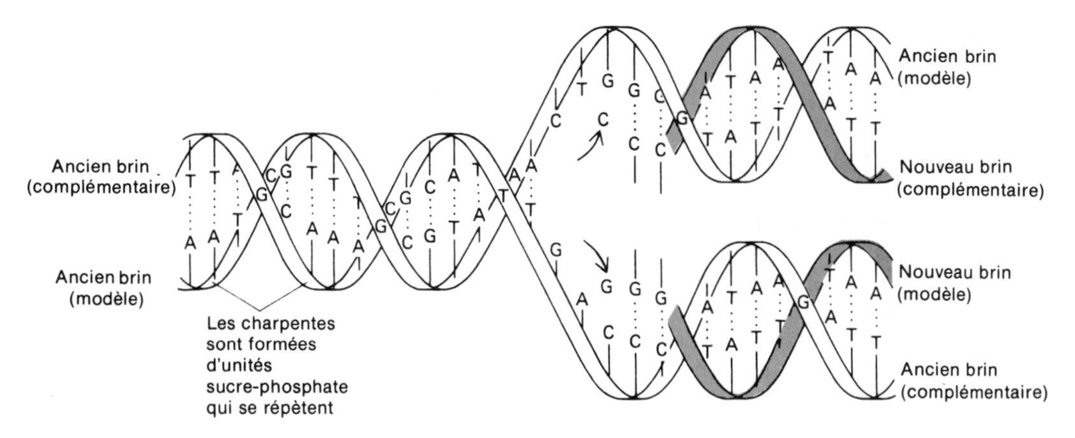

Figure 19-7 L'ADN. La molécule est en train de se dédoubler (réplication de l'ADN) de la droite vers la gauche.

tif de l'ADN de *brin modèle.* La série de bases AATCGTTTGCGT d'un brin modèle doit donc se refléter dans son partenaire, le *brin complémentaire,* qui se lira TTAGCAAACGCA. Quoique absolument différent du brin modèle quant à l'ordre des bases, le brin complémentaire se présente comme le reflet de la suite des bases du modèle, un peu de la même façon que l'impression photographique reflète fidèlement les patrons de zones claires et sombres du négatif tout en étant différente de ce dernier.

À quoi donc sert le brin complémentaire? Souvenez-vous que lors de la division cellulaire la cellule ne fait pas seulement se scinder physiquement en deux (la *cytocinèse*), mais elle doit encore passer toute son information génétique aux cellules filles. Ceci implique que chaque brin d'ADN doit se dupliquer (la *réplication*) avant même que ne débute le processus de division. Les deux brins s'écartent l'un de l'autre (figure 19-7) et, sous contrôle enzymatique approprié, chacun sert de gabarit pour l'édification d'une copie complémentaire à lui-même. On obtient ainsi deux duplex d'ADN identiques et la division cellulaire peut alors se produire.

L'ADN et la cellule «au repos»

Traditionnellement la cellule en interphase a été appelée «au repos». Quant à savoir de quoi elle se repose, c'est difficile à dire, à moins que ce ne soit de la mitose précédente. En fait l'interphase représente la période pendant laquelle la cellule effectue presque toutes ses activités vitales, plusieurs d'entre elles étant suspendues pendant la division. Nous venons de voir comment l'ADN se dédouble pendant la mitose, mais cette réplication du matériel génétique ne serait d'aucune utilité si les informations étaient inutilisées; c'est pendant l'interphase qu'elles s'expriment.

Le chromosome interphasique est invisible en microscopie optique parce que la molécule d'ADN est déroulée dans le noyau. Les différents segments sont ainsi accessibles et peuvent déclencher la production des protéines dont la cellule a besoin pour sa structure et son fonctionnement. Ce que la cellule peut faire ou non dépend presque entièrement des protéines qu'elle fabrique.

LE RÔLE DES GÈNES ET LEUR MODE D'EXPRESSION

La plus petite pièce d'information portée par l'ADN s'appelle un *gène.* Comme nous le verrons, un *gène représente généralement l'information nécessaire à la fabrication d'une protéine.* (Il y a quelques exceptions importantes à cette généralisation, comme les gènes régulateurs et les gènes opérateurs, mais leur étude détaillée dépasse le cadre de ce livre.) Ainsi chaque section de la molécule d'ADN qui porte le code d'assemblage d'une protéine est un gène. Il peut sembler étrange de définir le gène de cette façon, mais voyons comment on peut illustrer cette définition avec un exemple d'albinisme. Un individu ou un animal peut être *albinos* pour différentes raisons dont, par exemple, l'incapacité de produire de la mélanine, le pigment brun de la peau humaine. Cette substance est aussi responsable en grande partie de la coloration des poils, des cheveux et des yeux. En son absence, la peau et les poils sont blancs et les yeux sont rouges puisque la choroïde, non pigmentée, ne peut masquer la coloration de l'hémoglobine du sang. On a montré que ce type d'albinisme ne dépendait que de l'incapacité de fabriquer une enzyme nécessaire à la synthèse de la mélanine à partir de l'acide aminé tyrosine. Sans cette enzyme la biosynthèse du pigment est impossible. En fait, qu'est-ce qu'une enzyme, sinon une protéine? Les protéines dirigent donc les activités biochimiques de la cellule, et le contrôle de la production des protéines cellulaires implique le contrôle des activités de la cellule elle-même.

La synthèse des protéines

La synthèse d'une protéine à partir de l'ADN comprend de nombreuses étapes: la première est le déroulement d'un segment du duplex d'ADN, celui qui contient le code pour la synthèse de cette protéine particulière. Puis le brin modèle et le brin complémentaire se séparent. Il se forme ensuite une nouvelle molécule

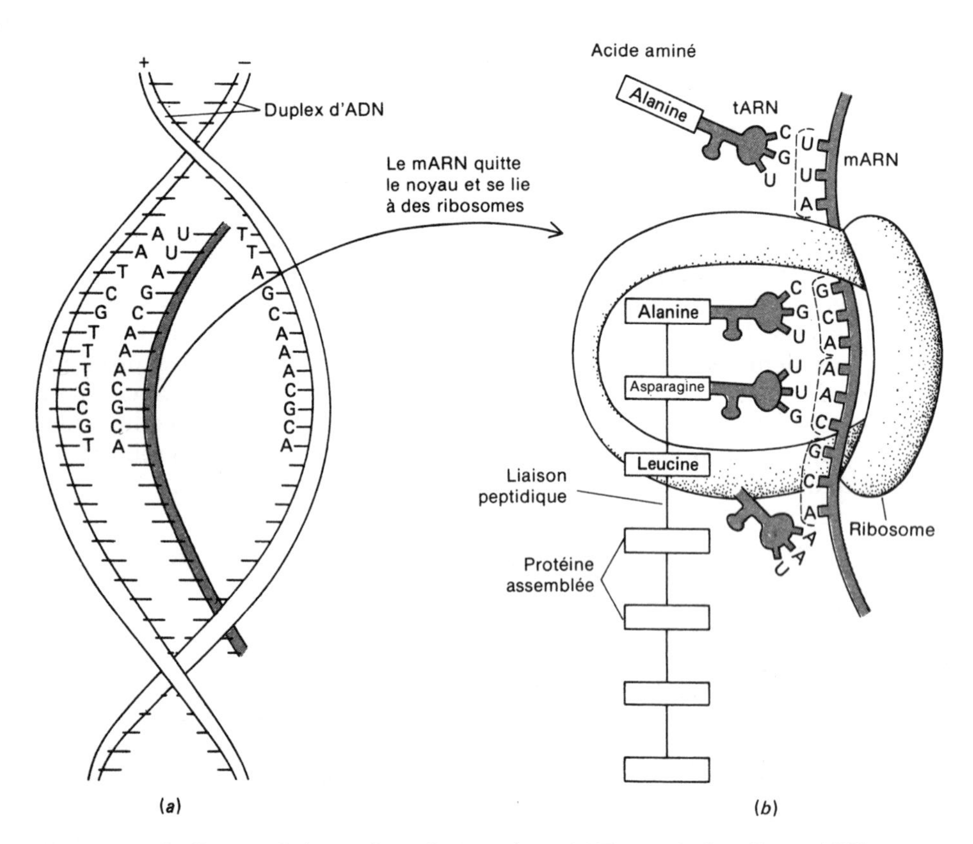

Figure 19-8 Résumé de la synthèse des protéines. (*a*) Transcription d'un mARN. Les brins d'ADN se séparent en une région donnée; un simplex d'ARN se construit selon le principe de la concordance des bases puis quitte le noyau. (*b*) Le mARN s'associe à des ribosomes. Des molécules de tARN sont ensuite réunies sur le brin de mARN en fonction de l'ordre des bases de celui-ci et toujours selon le principe de leur concordance. Chaque triplet de bases du mARN qui définit un tARN particulier est un *codon*; son complément sur le tARN est un *anticodon*. Chaque codon détermine donc un acide aminé particulier qui est ainsi placé dans une position prédéfinie, caractéristique de l'ordre des acides aminés dans la protéine complétée.

par appariement de bases à partir du brin modèle; les composants de cette nouvelle molécule ne sont pas ceux de l'ADN, mais ceux de l'ARN. C'est la *transcription.*

L'ARN ressemble beaucoup à l'ADN, mais c'est une molécule de taille beaucoup plus faible et formée d'un seul brin. Les différences chimiques sont de deux ordres: le glucide est le *ribose* (au lieu du désoxyribose) et l'une des bases est différente, soit l'*uracile* à la place de la thymine. Par exemple, si le brin modèle comporte la série AATCGTTTGCGT, alors le simplex d'ARN complémentaire formé se lira UUAGCAAACGCA. Le simplex d'ARN complémentaire s'appelle un *ARN messager* ou *mARN* (figure 19-8*a*). Il se sépare de l'ADN et migre dans le cytoplasme en passant au travers des pores de la membrane nucléaire.

Dans le cytoplasme le brin de mARN rencontre un ou peut-être plusieurs ribosomes. On sait que les ribosomes sont formés de deux sous-unités, une plus grosse et une plus petite, toutes deux composées d'*ARN ribosomal* ou *rARN*, et de protéines globulaires, probablement des enzymes.

D'une manière quelconque, peut-être de la façon présentée à la figure 19-8*b*, le brin de mARN se lie au ribosome qui le manipule en quelque sorte. Le ribosome attire en même temps des molécules d'ARN d'un troisième type, des *ARN de transfert* ou *tARN.* Il y a plusieurs sortes de tARN, chacun s'associant et transférant un acide aminé particulier. Chaque tARN ne peut s'associer au ribosome que si l'ordre des bases du brin de mARN qui est alors découvert sur le ribosome lui correspond. Les acides aminés transportés par les tARN sont alignés dans un ordre précis correspondant à celui de la protéine spécifique codée dans le gène original de l'ADN et les liens peptidiques sont formés. Sans entrer dans les détails (lesquels sont encore hypothétiques pour la plupart), on peut dire que la suite des bases du mARN détermine le type de tARN choisi et l'ordre selon lequel ils sont choisis. À leur tour les tARN définissent le type d'acide aminé et l'ordre selon lequel ils seront alignés sur le ribosome pour former une protéine distincte, comme l'hémoglobine. Cette étape finale où la protéine est assemblée s'appelle la *traduction.*

Retournons maintenant à la définition d'un gène. Une molécule de mARN est beaucoup plus courte qu'un brin d'ADN. Un coup d'oeil à la figure 19-8*a* suffit pour constater qu'un segment seulement de l'ADN se déroule lors de la transcription. La portion de la molécule d'ADN qui sert de gabarit à l'édification d'une molécule de mARN représente le gène correspondant à la protéine assemblée plus tard dans le cytoplasme.

Les erreurs génétiques

Qu'arriverait-il si, par un hasard quelconque, l'une des bases d'une molécule d'ADN était échangée pour une autre? L'erreur serait d'abord transmise à tous les brins d'ADN constitués à partir du brin défectueux, et toutes les cellules filles ainsi obtenues présenteraient l'erreur génétique. Cette anomalie mènerait, d'autre part, à la transcription de la substitution dans le mARN complémentaire de la cellule touchée et, finalement, au choix possible d'un mauvais acide aminé dans une protéine. De fait, si l'erreur donne une suite de bases qu'on appelle un «non-sens», c'est-à-dire une série qui ne correspond à aucun tARN donc qui ne code aucun acide aminé, la protéine va voir sa synthèse bloquée à ce niveau et ne possédera peut-être qu'une fraction de sa longueur normale. Si, par contre, la série a un sens, mais autre que le sens original, alors un acide aminé différent sera introduit dans la protéine qui pourra être peu modifiée ou encore considérablement endommagée par ce changement.

L'anémie à hématies falciformes (chapitre 13) doit être apparue un peu de cette manière et peut-être aussi l'enzyme non fonctionnelle responsable de l'albinisme. Une telle modification subite du bagage génétique s'appelle une *mutation.* Si elle se produit dans une cellule sexuelle ou dans l'une des cellules de la lignée germinale, la mutation peut être transférée, par exemple, d'un parent à un enfant.

La plupart des mutations sont une menace potentielle pour un certain pourcentage d'individus à naître. Il est peu probable qu'une modification génétique due au hasard puisse être favorable à un organisme, pas beaucoup plus, par exemple, que d'améliorer un ordinateur en changeant au hasard un transistor ou un condensateur pour un autre. Chacune des maladies génétiques discutées plus loin dans ce chapitre doit être apparue sous la forme d'une mutation qui rendit un gène ou un autre incompétent.

Quelle est la cause des mutations? Il est malheureusement impossible d'éviter les mutations. Toutes les populations d'organismes qui ont été étudiées sont sujettes aux mutations. Une partie des mutations spontanées qui se produisent naturellement dépend d'agents chimiques largement répandus dans l'environnement, en particulier ceux qui présentent une structure parente de celle des bases nucléiques. Une autre partie des mutations spontanées dépend de radiations naturelles, comme celles des minéraux radioactifs, des rayons cosmiques, et (dans le cas des microorganismes) des rayons ultraviolets du soleil. Cependant toutes les causes connues des mutations ne rendent pas entièrement compte de leur incidence observée.

Il est clair, toutefois, que toute augmentation des substances *mutogènes* (susceptibles de causer des mutations) dans notre milieu, ou toute augmentation du niveau des radiations auxquelles nous sommes exposés, provoquera une élévation du taux d'apparition des mutations. La très grande majorité de ces mutations sera nuisible. Malgré des recherches poussées il a été impossible d'établir un seuil minimum de radiations ou de produits chimiques mutogènes sous lequel il ne se produit plus de mutations, quoiqu'il demeure toujours vrai que moins on y est exposé mieux on se porte. Signalons toutefois qu'il est clair que plus le niveau de base des radiations ou des substances mutogènes s'élève, plus la fréquence des mutations augmente et plus on ajoute au fardeau de maladies génétiques que l'humanité doit porter. On a de bonnes raisons de croire que les radiations et les substances mutogènes causent en plus une augmentation de l'incidence des cancers dans la population humaine car on sait que les mutogènes ont ce pouvoir par le biais de mutations qui affectent l'ADN des cellules somatiques. On pense que la vaste majorité des cancers prennent naissance de cette façon.

Les effets des mutogènes peuvent être imperceptibles au début. Si l'on considère, cependant, les grandes dimensions de la population mondiale, force est de reconnaître qu'un facteur, même s'il ne touche qu'une faible proportion du bagage génétique humain, finira par avoir un impact sur un grand nombre de personnes, probablement sur une période de plusieurs milliers d'années.

Le contrôle de l'expression génétique

Nous avons déjà mentionné que toutes les cellules d'un organisme possèdent un ancêtre commun (le zygote ou l'oeuf fécondé), une cellule unique qui a donné, à travers de nombreuses générations cellulaires, une population très diversifiée. La cellule musculaire autant que la cellule épithéliale d'un même organisme, quoique très différentes, ont cette cellule comme ancêtre commun. Mises à part les cellules sexuelles ou germinales, tous les descendants du zygote ont été formés par mitoses qui, comme vous le savez, assurent la transmission du même bagage génétique (exactement le même ADN) à toutes les cellules filles. Est-ce que ceci veut dire que toutes les cellules filles sont des jumelles identiques?

Évidemment que non! Alors comment cela se peut-il? L'explication généralement acceptée est que les différentes cellules différenciées d'un organisme possèdent la même information génétique, mais que des parties différentes de cette information s'expriment dans les différents tissus. Toute l'information non pertinente est réprimée, non seulement dans chaque cellule, mais encore dans tous ses descendants; c'est un énorme bagage d'informations qui est ainsi gardé au secret. Dans le cas d'une cellule différenciée qui se divise activement, comme par exemple une cellule épithéliale, l'absence d'expression de la plus grande partie de son bagage génétique est devenue héréditaire.

L'autre aspect de l'expression génétique, en plus de la suppression, tient au fait que certaines cellules ne peuvent exprimer une partie de leur information qu'en des périodes définies. Prenons la thyroïde, par exemple. La glande sécrète son hormone seulement lorsqu'elle est stimulée par une autre hormone, elle-même sécrétée dans le sang par une autre glande, l'hypophyse. Il semblerait que certains gènes des cellules thyroïdiennes ne seraient en opération que lorsque les cellules sont stimulées de façon adéquate.

Il semble que l'ADN soit maintenu fermement enroulé par les histones qui lui sont associées. Dans ce cas, son expression est absolument impossible. Si toutefois les histones pouvaient être modifiées d'une façon ou d'une autre au niveau d'un segment d'ADN et permettre à la molécule de se dérouler dans cette région, alors les gènes ainsi libérés pour-

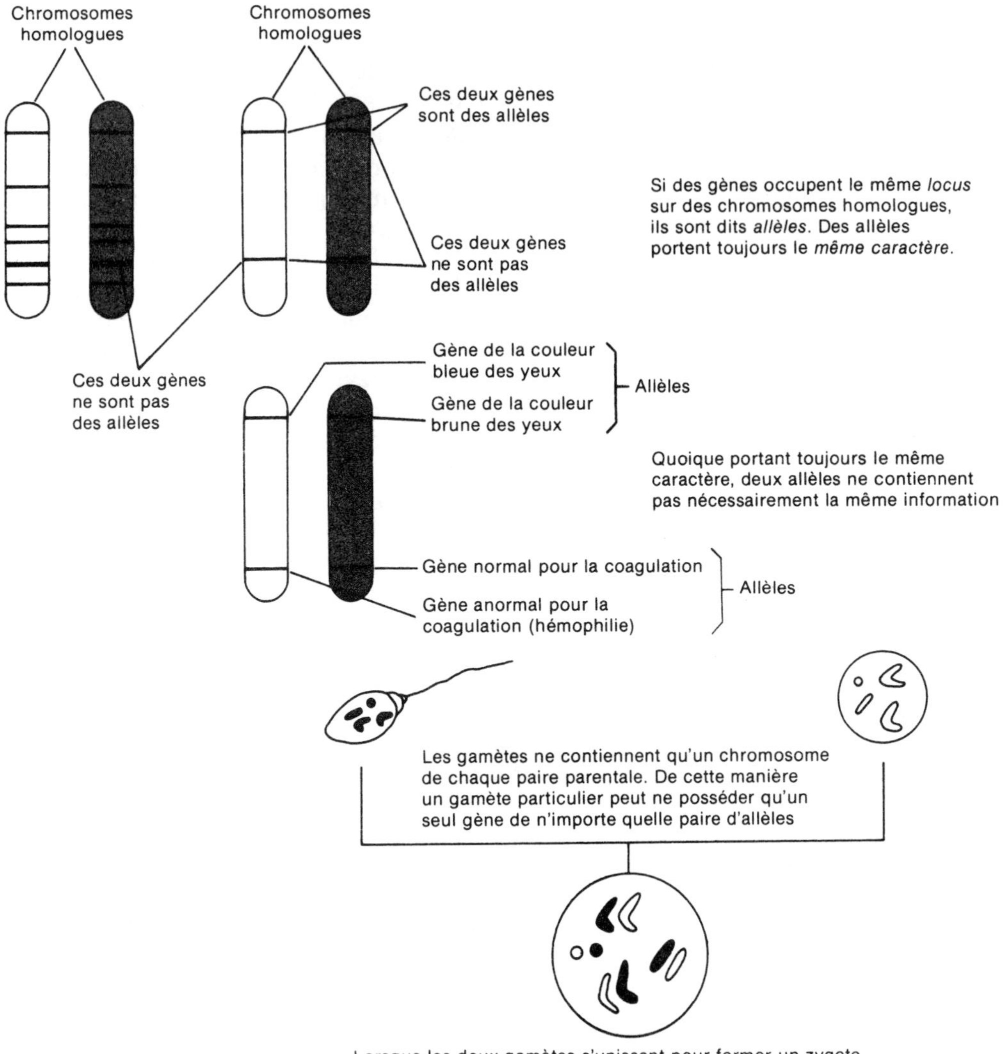

Figure 19-9 Chromosomes homologues et gènes allèles.

raient s'engager dans la transcription de mARN et la synthèse des protéines correspondantes pourrait se faire. D'un autre côté si les histones pouvaient être fixées d'une façon permanente à ce segment d'ADN, alors cette région ne pourrait plus jamais s'exprimer de nouveau.

LE COMPORTEMENT DES GÈNES

Un chromosome est une pelote d'ADN et d'histones. (Rappelez-vous que pendant l'interphase les chromosomes ne peuvent être distingués en microscopie optique. La raison en est que les molécules d'ADN sont en grande partie déroulées car il se fait de la transcription et de la réplication.)

Vous devez savoir maintenant que les chromosomes existent par paires et que les deux membres de la paire sont appelés des homologues. Les chromosomes homologues portent les mêmes caractères. Par exemple, si un membre de la paire contient un gène responsable de la coloration des yeux, il en sera de même pour l'autre chromosome de la paire. Les deux gènes qui se correspondent dans une paire et qui occupent le même *locus* sur chaque chromosome homologue sont des *allèles* (figure 19-9). Si les deux gènes portent le caractère «coloration brune», alors les allèles sont identiques et la personne est dite *homozygote* pour ce caractère. Une autre personne peut porter le caractère «coloration bleue» sur les deux gènes; elle sera elle aussi homozygote pour ce caractère. Il arrive souvent, cependant, que l'un des gènes porte l'information pour une couleur alors que l'allèle porte celle de l'autre couleur. L'individu est alors un *hétérozygote* pour le caractère de la couleur des yeux. Malgré cela un seul des deux gènes s'exprimera, celui des yeux bruns, en dépit du fait que le gène des yeux bleus soit présent.

Examinons donc un cas précis, comme le caractère de l'albinisme par déficit en tyrosinase, pour mettre en pratique ces informations. La personne qui présente cette maladie cutanée ne peut fabriquer de tyrosinase, une enzyme nécessaire à la production du pigment mélanine à partir de l'acide aminé tyrosine. Il n'est donc pas surprenant que cette personne ne possède pas de pigment, puisqu'il ne peut être fabriquée même si de grandes quantités de précurseur sont disponibles. Qu'est-ce qu'on veut dire exactement par un déficit en tyrosinase? Il est possible de démontrer par des techniques immunochimiques qu'un grand nombre de patients affectés d'albinisme par déficit en tyrosinase possèdent l'enzyme mais qu'elle n'est pas fonctionnelle. Pratiquement, donc, ils ne la possèdent pas.

Considérons maintenant ce qui va arriver si Claude, un albinos souffrant de cette carence, s'unit à une compagne absolument normale. Nommons le gène délétère *a* minuscule. Il arrive qu'un déficit en tyrosinase ne se manifeste par l'albinisme que si les deux allèles sont défectueux. Claude peut être représenté, pour ce caractère, par *aa*. Isabelle, sa compagne, est aussi une homozygote, mais ses deux allèles pour ce caractère sont normaux. On les représente par les majuscules *AA*. Regardez maintenant la figure 19-10. *À cause de la méiose, les cellules sexuelles ne contiendront qu'un seul chromosome de chaque paire d'homologues* (le *génome*). Les spermatozoïdes de Claude contiennent donc tous le gène *a* et les ovules d'Isabelle, le gène *A*. À sa conception, le bébé François reçoit le gène *a* de son père et le gène *A* de sa mère. François est un hétérozygote (*Aa*). Par chance, l'allèle *A* permet à lui seul de synthétiser assez de tyrosinase pour que la coloration soit normale, et une inspection attentive de François ne permet pas de déceler la présence du gène défectueux dans son bagage génétique. Des examens chimiques minutieux, toutefois, peuvent bien révéler que son taux d'enzyme est inférieur à la quantité normale que possède, par exemple, sa mère.

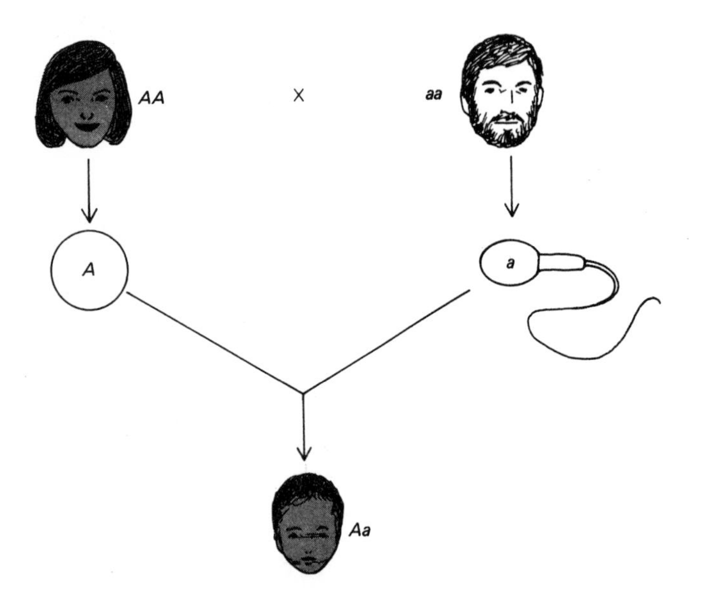

Figure 19-10 Un exemple de croisement de deux homozygotes. La coloration normale de la peau est un caractère dominant par rapport à l'albinisme; dans cet exemple, l'albinisme dépend de l'absence de l'enzyme tyrosinase. Le croisement d'un parent normal avec un albinos produit un enfant hétérozygote mais dont le phénotype est normal.

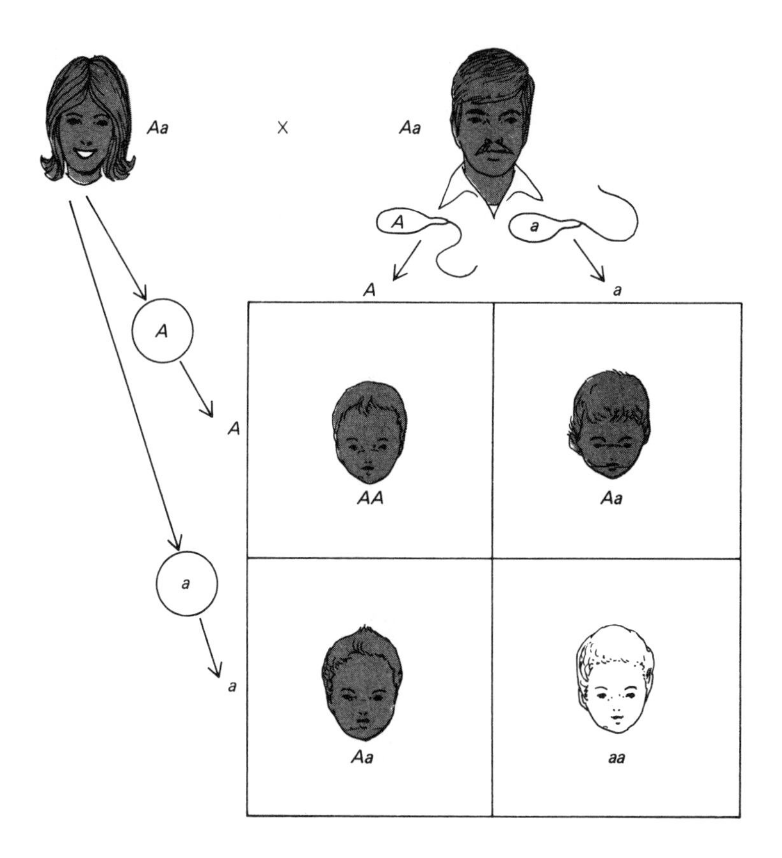

Figure 19-11 Un exemple de croisement de deux hétérozygotes. Si deux hétérozygotes pour la couleur de la peau s'accouplent, leurs descendants peuvent présenter trois génotypes différents, dont des albinos. On peut ainsi montrer la présence d'un gène anormal chez des parents dont le phénotype est normal.

Le bagage génétique d'un individu est son *génotype*. Par exemple, le génotype de l'albinisme de Claude est *aa*, celui d'Isabelle est *AA* et celui de François *Aa*. Le génotype n'est pas toujours discernable, chez un hétérozygote, pour un caractère donné. On emploie donc le terme *phénotype* pour représenter l'effet des gènes sur l'organisme. Isabelle et François ont un phénotype normal; Claude a un phénotype anormal. Les trois toutefois ont des génotypes différents.

Lorsqu'un membre d'une paire d'allèles domine l'autre complètement de sorte qu'il est le seul à s'exprimer chez un hétérozygote, on l'appelle *dominant*. Si, d'un autre côté, un gène ne s'exprime que chez un homozygote, on l'appelle *récessif*. Dans le type d'albinisme que l'on vient de décrire, *A* est dominant et *a* est récessif. Plusieurs gènes démontrent un comportement moins bien marqué au point de vue dominance et récessivité; lorsqu'on les retrouve ensemble ils tendent à donner un moyen terme. De tels caractères sont *incomplètement* ou *partiellement dominants*. Si les deux s'expriment d'une façon indépendante, on parle alors de *co-dominance* génétique.

Essayons de comprendre maintenant ce qui se passe lorsque François s'unit à Valérie, elle aussi une hétérozygote pour l'albinisme (figure 19-11). Au cours de la méiose les chromosomes de Valérie se séparent et l'ovule qu'elle libère à chaque mois a autant de chances de porter le caractère *A* normal que *a*. Même chose en ce qui a trait aux spermatozoïdes de François dont la moitié portera un *A* et l'autre moitié un *a*. Au moment de la conception la probabilité d'obtenir un zygote *AA* est de 25 pour 100, celle d'obtenir *Aa* est de 50 pour 100 et celle d'obtenir *aa* est de 25 pour 100. Le caractère albinisme apparaît donc dans une proportion de 1 pour 3. (Retourner à l'introduction de la section GÉNÉTIQUE.)

L'hérédité liée au sexe

Des 23 paires de chromosomes humains, 22 sont formées de deux homologues identiques. Ce sont les *autosomes*. L'autre paire, les *chro-*

mosomes sexuels ou *gonosomes*, est formée de deux homologues identiques chez la femme mais non chez l'homme. Vous savez maintenant que le sexe est déterminé par les chromosomes et que, dans un certain sens, c'est un caractère héréditaire. Deux chromosomes X font une femme. Un chromosome X et un Y font un homme. Le chromosome Y est un des plus petits chromosomes et, en autant qu'on sache, ne contient chez l'humain que des gènes masculinisants. Bien que formant une paire avec X lors de la méiose, Y n'est pas un vrai homologue de X sauf en ce qui a trait à un court segment qui ne pourrait exister que pour les besoins de la méiose. Ainsi les gènes qui se trouvent sur X n'ont pas d'allèles connus sur Y. Donc, chez l'homme, tous les gènes qui apparaissent au chromosome X vont s'exprimer, indépendamment du fait qu'ils soient dominants ou récessifs chez la femme XX. En ce qui concerne ces gènes, un homme ne peut être ni un homozygote, ni un hétérozygote; il est *hémizygote*. Les gènes liés au sexe sont particulièrement importants en médecine (daltonisme, hémophilie, etc.) et le terme *lié au sexe* désigne des caractères rattachés aux chromosomes X.

La plupart des gènes liés au sexe sont récessifs de sorte que chez une femme, ils doivent apparaître sur les deux chromosomes pour s'exprimer. L'une des conséquences pratiques de ce fait est que les femmes peuvent être porteuses de ces caractères mais n'en retrouver l'expression que chez leurs fils. Un garçon reçoit son X de sa mère, jamais de son père.

Pour qu'un caractère récessif lié au sexe s'exprime chez une femme il doit apparaître sur les deux chromosomes et doit donc être hérité des deux parents. Une daltonienne, par exemple, sera la fille d'un père daltonien et d'une mère au moins hétérozygote pour le daltonisme, une situation pour le moins inhabituelle. D'un autre côté, un daltonien peut hériter de ce caractère de deux parents normaux, sa mère toutefois doit être hétérozygote pour ce caractère.

LES MALADIES HÉRÉDITAIRES

Le tableau 19-4 dresse une liste de plusieurs maladies héréditaires humaines. Remarquer qu'il ne semble pas y avoir de règle en ce qui a trait à la dominance des caractères liés aux autosomes, mais ceux qui sont liés au sexe sont presque tous récessifs. On ne connaît pas la raison de ce fait.

L'hérédité polygénique

Nous n'avons considéré jusqu'ici que des gènes dont l'expression phénotypique était du type «oui ou non», c'est-à-dire des caractères que l'organisme présente ou ne présente pas. Les phénotypes de ce genre sont probablement en minorité. On sait, par exemple, que la couleur de la peau est due à l'effet combiné de plusieurs paires de gènes, des *polygènes*. Ainsi le teint semble dépendre de 4 paires de gènes qu'on appellera A, B, C et D. Un individu très foncé sera *AABBCCDD* alors qu'un blond très pâle, presque un albinos, sera *aabbccdd*. Les colorations intermédiaires, les plus fréquentes, seraient représentées par une quelconque combinaison de ces lettres: une brunette au teint bistré pourrait ainsi posséder un génotype du genre *AaBbccdd* tout autant que *aaBbccDd*. La teinte de la peau serait ainsi reliée au nombre de majuscules dans le génotype. Les enfants de parents au teint intermédiaire peuvent avoir une couleur de peau qui va du clair au foncé. La variabilité de l'intelligence, de la taille, et de plusieurs autres caractères qu'on trouve parmi les enfants d'une même famille aurait une explication semblable.

Le dépistage génétique

Il est maintenant possible de détecter plusieurs maladies héréditaires récessives chez des hétérozygotes (par exemple, la maladie de Tay-Sachs ou idiotie amaurotique infantile) grâce à des dosages enzymatiques ou d'autres techniques chimiques. Les troubles peuvent parfois être mis en évidence grâce aux fibroblastes du liquide amniotique (par l'amniocentèse) puisque ceux-ci viennent du foetus. On peut ainsi diagnostiquer une maladie héréditaire avant même la naissance du bébé. Disons enfin qu'il est souhaitable de diagnostiquer une maladie qu'on peut traiter aussitôt que possible dans la vie d'un enfant.

L'exemple classique de ce dépistage précoce est le test de la phénylcétonurie qui sert à détecter les hauts niveaux de phénylalanine dans le sang d'un nouveau-né (tableau 19-4). Les pires effets de la maladie peuvent être évités grâce à une diète spéciale, pauvre en phénylalanine.

Tableau 19-4 Quelques maladies héréditaires

Nom de la maladie	Mode de transmission	Description	Traitement s'il y a lieu	Commentaires
Alcaptonurie	Autosomal récessif	Pigmentation des cartilages articulaires et du tissu conjonctif pouvant être à l'origine d'une arthrose. La présence d'acide homogentisique (alcaptone) dans les urines provoque leur brunissement après exposition à l'air libre.	Traitement possible de l'arthrose	Déficience de l'enzyme assurant l'oxydation de l'acide homogentisique (homogentisate oxydase)
Dystrophie musculaire pseudo-hypertrophique de l'enfance	Récessif lié au sexe	Apparition de la maladie avant l'âge de trois ans. Les fibres musculaires dégénèrent pour être remplacées par du tissu adipeux et fibreux. La détérioration progressive de la musculature conduit l'enfant à la chaise roulante. Le décès survient au début de la vingtaine.	Symptomatique	Maladie connue aussi sous le nom de dystrophie musculaire de Duchenne. Elle est extrêmement rare chez les femmes quoique les hétérozygotes puissent présenter de légères dysfonctions musculaires. Élévation de la phospho-créatine kinase.
Fibrose kystique	Autosomal récessif	Haut niveau des électrolytes sudoraux, atteintes pulmonaires, cirrhose hépatique, insuffisance pancréatique, mais surtout absence de sécrétion des enzymes digestives. Absence de spermatogenèse chez l'homme; la femme peut parfois enfanter. L'expectative de vie est de 12 à 16 ans; quelques patients atteignent 30 ou même 40 ans. Incidence plus grande dans les populations du nord de l'Europe.	Symptomatique avec emphase sur le remplacement des enzymes digestives et sur le contrôle des infections pulmonaires	Plus d'enfants meurent de FK que de diabète, de fièvres rhumatismales et de poliomyélite réunis. La gravité de l'atteinte est variable. Un épais mucus nuit au drainage des sécrétions pulmonaires.
Gangliosidoses	Autosomal récessif	Existent sous plusieurs formes. L'une d'elles, la maladie de Tay-Sacks, se présente sous la forme d'une déficience en hexosamidase A. Toutes les variantes comportent une accumulation anormale de sphingolipides habituellement évacués hors des cellules, nerveuses ou autres, par l'action d'enzymes spécifiques déficientes chez les sujets atteints. Ceux-ci meurent généralement en bas âge, aveugles et paralysés.		La maladie de Tay-Sacks s'observe surtout chez les juifs originaires de l'Europe de l'Est

(Suite à la page suivante)

Tableau 19-4 Quelques maladies héréditaires (*suite*)

Nom de la maladie	Mode de transmission	Description	Traitement s'il y a lieu	Commentaires
Hémoglobinopathies	Groupe de caractères autosomaux récessifs, ou à dominance intermédiaire ou incomplète	Anomalies des globules rouges dues à la substitution de certains acides aminés en des sites cruciaux de la molécule d'hémoglobine	Variable selon le type de maladie. La méthémoglobinémie, par exemple, ne requiert aucun traitement. D'autres, comme l'anémie falciforme, peuvent être traitées partiellement.	L'anémie microcytaire est plus fréquente dans les populations méditerranéennes; l'anémie falciforme, dans les populations noires. Chez les hétérozygotes, cette dernière offre une certaine protection contre la malaria.
Hémophilie	Récessif lié au sexe	Saignements chroniques incluant des hémorragies intra-articulaires avec déformations importantes des articulations. La maladie de Von Willebrand ressemble à l'hémophilie mais c'est un caractère récessif autosomal. Il existe plusieurs formes d'hémophilies.	L'hémophilie A se traite avec des transfusions de facteur VIII, déficient; l'hémophilie B se traite avec le facteur IX. L'anormalité du facteur VIII dans la maladie de Von Willebrand s'accompagne de troubles plaquettaires absents chez les hémophiles.	Les hétérozygotes ont souvent des taux sanguins des facteurs VIII ou IX anormalement bas. Les hémophiles possèdent ces globulines, mais leur structure chimique est anormale.
Syndrome de Lesch-Nyhan	Récessif lié au sexe	Lente paralysie progressive accompagnée de déficience mentale et d'automutilation, surtout par morsure. Il se développe aussi une forme de goutte par déficience d'une enzyme impliquée dans le métabolisme des purines.	On peut traiter la goutte	La maladie dépend d'un déficit enzymatique spécifique. L'hétérozygotie peut être détectée à partir de cultures de fibroblastes. La population cellulaire est mixte; la moitié des cellules a une activité enzymatique déficiente, l'autre moitié est normale.

(Suite à la page suivante)

Tableau 19-4 Quelques maladies héréditaires (*suite*)

Nom de la maladie	Mode de transmission	Description	Traitement s'il y a lieu	Commentaires
Phénylcétonurie	Autosomal récessif	Le blocage de l'hydroxylation de la phénylalanine au niveau du foie provoque une élévation du taux sanguin de cet AA, entraîne une baisse de la synthèse de certains acides aminés et conduit à une déficience mentale sévère accompagnée d'hypopigmentation	Diète pauvre en phénylalanine pour minimiser les symptômes. Il existe des programmes de dépistage chez le nouveau-né dans plusieurs pays, par dosage sanguin de cet AA ou dosage urinaire de certains produits de son catabolisme.	La mélanine est synthétisée à partir de la tyrosine. Le blocage de l'hydroxylation de la phénylalanine entraîne un déficit en tyrosine, donc en mélanine, et une hypopigmentation du sujet atteint.
Daltonisme*				
Deutéranopie	Récessif lié au sexe	Les sujets atteints ne peuvent distinguer que 5 à 25 nuances de couleurs par rapport à une normalité de 150 et plus. L'acuité visuelle est normale puisque seul le pigment des cônes sensibles au vert est déficient. Toutes les couleurs sont donc perçues comme des teintes de bleu et de jaune.		Il semble exister plusieurs gènes allèles de sévérité variable, les plus près de la normale étant dominants sur les plus déficients. Les femmes hétérozygotes pour les deux formes de daltonisme montrent quelques troubles de la perception des couleurs.
Protanopie	Récessif lié au sexe, non allélique avec la variété deutéranope	Déficience du pigment des cônes sensibles au rouge. NOTE: Il existe d'autres troubles de la vision des couleurs, associés à des déficiences de l'un ou l'autre type de cône. Leur transmission est presque toujours selon un mode récessif lié au sexe.		
Albinisme oculocutané tyrosinase-négatif (Albinisme T^-)	Autosomal récessif	L'absence fonctionnelle de la tyrosinase entraîne une absence de pigmentation. L'acuité visuelle est de 20/200 ou moins. Susceptibilité des sujets aux cancers de la peau.	Éviter l'exposition au soleil	Fréquence un peu plus élevée chez les Noirs que chez les Blancs.
Albinisme oculocutané tyrosinase-positif (Albinisme T^+)	Autosomal récessif	L'hypopigmentation est secondaire à une mauvaise absorption de la tyrosine par les cellules de l'organisme. Si les sujets sont très pigmentés de par leurs origines raciales, il persiste une certaine pigmentation quoique dans certains cas le phénotype soit virtuellement identique à celui de la forme T^-. La pigmentation et l'acuité visuelle s'améliorent avec l'âge.		Forte incidence chez les Indiens d'Amérique, moindre chez les Noirs et rare chez les Blancs. Les individus hybrides T^+/T^- apparaissent normaux.

* Le daltonisme se définit comme une anomalie qui consiste en une impossibilité de distinguer le rouge du vert.

Tableau 19-5 Quelques anomalies chromosomiques

Anomalie	Nom du syndrome	Description
Trisomie 13		Malformations multiples avec décès vers l'âge de 1 à 3 mois
Trisomie 14		Rare chez les sujets vivants, mais fréquente dans les produits d'avortements spontanés
Trisomie 18		Malformation des oreilles et du coeur, spasticité, et autres anomalies. Décès vers l'âge de 1 an.
Trisomie 21	Syndrome de Down (mongolisme)	La fréquence est de 1 cas par 700 naissances vivantes. C'est surtout la trisomie libre (trois chromosomes 21) qui se rencontre chez la femme âgée. La trisomie par translocation est plus fréquente chez les jeunes mères. Le risque, pour une femme de 35 ans, d'avoir un enfant mongol est de 1:200. À 40 ans ce risque augmente à 1:50 et à 44 ans il est de 1:20. L'épicanthus proéminent donne au sujet une certaine ressemblance avec la race mongole d'où l'ancien nom d'idiotie mongolienne donnée à ce syndrome. Le retard mental est variable mais le QI se situe habituellement en dessous de 70. Les individus présentent fréquemment une courte stature et ont la langue épaisse, plicaturée et sortie de la bouche. Souvent ils ont un pli palmaire transverse unique et des malformations cardiaques. Les sujets décèdent vers l'âge de 30 à 35 ans; 50% meurent vers l'âge de 3 à 4 ans. Ils sont plus susceptibles aux infections respiratoires et à la leucémie. Les femmes mongoles sont fertiles et si elles atteignent la maturité sexuelle, leur risque d'avoir à leur tour un enfant mongol est de 50%.
Trisomie 22		Elle est rare et se caractérise par une hypotrophie importante, une débilité profonde et un dysmorphisme facial particulier
XO	Syndrome de Turner	Courte stature, cou palmé et parfois léger retard mental. Les ovaires dégénèrent dès la vie embryonnaire, entraînant un hypodéveloppement sexuel global. Le phénotype demeure gynécoïde. Les mêmes anomalies peuvent se rencontrer chez des individus XX (syndrome de Noonan); la maladie pourrait être due à des troubles d'inactivation d'un des chromosomes X.
XXY	Syndrome de Klinefelter	Sujet mâle eunuchoïde avec gynécomastie et atrophie testiculaire
XYY		Sujet mâle de grande taille avec acné sévère. Tendance à développer un léger retard mental.
XXX		Malgré cette triploïdie X, les sujets féminins demeurent fertiles et le phénotype est presque normal
Délétion du bras court du chromosome 5	Cri-du-chat	Microcéphalie, retard mental sévère. Chez le nouveau-né les pleurs rappellent les miaulements d'un chat. Un seul des deux chromosomes de la paire 5 est amputé.

LES MALADIES CHROMOSOMIQUES

Les *aberrations chromosomiques* sont des anomalies du nombre ou de la structure des chromosomes. L'*anaploïdie* définit un état où le nombre de chromosomes n'est pas exactement un multiple du nombre haploïde (23 chez l'humain). Une anaploïdie peut consister, par exemple, en un chromosome surnuméraire de sorte que l'un des jeux d'homologues d'un individu est formé de 3 chromosomes (une *trisomie*) au lieu de 2. Ces situations semblent être le résultat d'un trouble de la méiose, pendant laquelle des chromosomes ne se séparent pas (*non-disjonction*). Il peut aussi se produire des *délétions* (perte d'un fragment de chromosome) ou encore des *translocations*, lorsqu'un fragment de chromosome est transféré sur un autre chromosome. Le gamète peut alors posséder des chromosomes qui sont anormalement longs ou courts. Le tableau 19-5 décrit quelques troubles résultant d'anomalies chromosomiques.

Une trisomie peut fort bien amener une augmentation de 50 pour 100 de l'activité des produits de la plupart des gènes en surnombre. Il n'est donc pas surprenant que la biochimie et le développement du porteur en soient déséquilibrés. Les sujets qui présentent une trisomie des chromosomes numérotés 21 ou 22, ou encore les gonosomes (XXX), peuvent survivre jusqu'à l'âge adulte. Les autres trisomies sont presque toujours létales. Pourquoi les trisomies 21 ne sont-elles pas mortelles comme les autres? Peut-être parce que ces chromosomes sont les plus petits et portent donc peu de gènes.

Il est surprenant qu'il y ait aussi peu d'anomalies consécutives à une anaploïdie du chromosome X malgré sa grande taille. L'explication probable de cette situation réside dans le fait que même chez les femmes normales, l'un des deux chromosomes X est non fonctionnel ou, tout au moins, pas totalement fonctionnel. C'est la *théorie de Lyon* (Mary) selon laquelle l'un des deux X est inactivé au début du développement. Il semblerait que ce choix soit fait au hasard et se maintienne dans les lignées cellulaires successives. Ainsi une femme n'aurait en gros que les enzymes et autres protéines produites par la moitié de ses chromosomes X, quantités qui seraient assez souvent les mêmes que celles produites par le seul chromosome X de l'homme. Il est intéressant de constater que dans la majorité des cas étudiés, lorsqu'une femme est hétérozygote pour un caractère lié au sexe, une moitié de ses cellules affiche le caractère alors que l'autre moitié ne le présente pas; ainsi le chromosome X paternel aurait été inactivé dans la moitié des cellules alors que les autres auraient inactivé le X maternel.

Le X inactivé semble même être visible dans certaines cellules somatiques féminines. Ainsi les granulocytes de la femme possèdent souvent une excroissance nucléaire en «baguette de tambour» qui est absente des granulocytes d'un homme normal, et les cellules épithéliales de la femme présentent des dépôts chromatiniens (*corps de Barr*) normalement absents des cellules de l'homme. Ces masses sembleraient être le second chromosome X, condensé et inactivé.

PROBLÈMES PRATIQUES

Vous pouvez connaître parfaitement tout ce qui vient d'être dit sur la génétique, mais si vous ne pouvez appliquer vos connaissances à des situations ou des cas précis, il vous manque quelque chose d'important. L'application pratique des connaissances en génétique se fait le plus souvent sous la forme d'une évaluation de probabilité. Quelles sont les chances qu'un enfant d'une femme qui souffre d'une fibrose kystique présente cette maladie? Quelle est la probabilité qu'une femme dont un frère est hémophile soit porteuse du caractère? Est-ce qu'une anomalie de type dominant, inconnue préalablement dans une famille, vient d'une mutation récente d'un gène normal ou est-ce qu'il est possible que d'autres membres de la famille soient hétérozygotes pour ce caractère? Il est inutile d'essayer de répondre à ces questions si vous ne pouvez résoudre des problèmes de génétique. Faute d'espace dans ce volume pour en discuter, vous trouverez une analyse détaillée de ce sujet dans le manuel d'accompagnement «Guide de l'étudiant».

RÉSUMÉ

1 La croissance, la morphogenèse et la différenciation cellulaire, représentent trois phénomènes fondamentaux du développement.

2 Pendant la première semaine l'embryon subit une segmentation et devient une morula puis un blastocyste. Le blastocyste est formé d'un trophoblaste et d'un bouton embryonnaire.

3 Vers le 7e jour les cellules du trophoblaste s'insinuent entre les cellules de l'épithélium utérin et, par digestion enzymatique, ouvrent une voie de pénétration au blastocyste dans la paroi utérine où il s'implante.

4 Le placenta se forme à partir du chorion et du tissu utérin situé entre les villosités choriales. C'est un organe d'échanges entre la mère et le foetus où celui-ci peut s'approvisionner en oxygène et en nutriments et rejeter dans le sang maternel ses déchets métaboliques. C'est aussi une glande endocrine qui sécrète la GC, des oestrogènes et de la progestérone.

5 Les ébauches de presque tous les organes sont en place après un mois de développement.

6 Le 2e mois coïncide avec l'apparition des ébauches des bourgeons des membres supérieurs et inférieurs et le début de la différenciation des ovaires ou des testicules. Pendant les 3 derniers mois le foetus augmente rapidement de taille.

7 Les étapes du travail: 1re étape, douleurs des contractions, effacement et dilatation du col; 2e étape, passage du bébé par le vagin et naissance; 3e étape, expulsion du placenta.

8 La circulation placentaire s'arrête à la naissance, les vaisseaux ombilicaux se contractent et on constate la lente fermeture des canaux artériel et veineux qui modifie le parcours de la circulation sanguine. Le foramen ovale est obstrué par un clapet tissulaire qui sépare complètement les circulations pulmonaire et systémique.

9 L'alimentation, les médicaments, l'oxygène, les microorganismes et les mutations, sont tous des facteurs de l'environnement qui peuvent affecter le développement de l'embryon.

10 La molécule d'ADN se présente sous la forme de deux filaments spiralés en double hélice. Elle est très longue et sa charpente consiste en une succession d'unités désoxyribose-phosphate, axe à partir duquel font saillie les bases nucléiques adénine, cytosine, thymine et guanine. Les deux brins sont reliés grâce à la complémentarité des bases qui forment des paires. A s'attache à T, C s'attache à G.

11 Lors de la réplication les deux brins du duplex d'ADN se séparent, chacun servant de gabarit à la synthèse d'un brin complémentaire. À la fin du processus deux duplex d'ADN identiques ont été formés, chacun s'orientant vers une cellule fille.

12 Lors de la transcription, le brin modèle de l'ADN assure la synthèse d'un simplex d'ARN complémentaire. Le mARN diffuse dans le cytoplasme où il entre en contact avec des ribosomes. Grâce aux tARN, ces organites peuvent construire des peptides et des protéines.

13 Quoique toutes les cellules somatiques soient supposées partager le même bagage génétique, leurs formes et leurs activités diffèrent beaucoup. Cette constatation implique qu'il doit exister des moyens de rendre silencieux un certain nombre de gènes dans chaque cellule. Ce silence génétique peut être obtenu par le bloquage permanent ou temporaire du duplex d'ADN dans les régions où se trouvent les gènes qui ne doivent pas s'exprimer; il est possible que les histones du noyau soient impliquées dans ce phénomène.

14 Une mutation est une modification soudaine et transmissible du patrimoine héréditaire. Elle peut dépendre d'un changement dans l'ordre des bases d'un acide nucléique, surtout de l'ADN. Le résultat est l'inactivité, l'absence réelle, ou toute autre anomalie de la protéine dont la production dépend du gène ou des gènes délétères.

15 Une bonne part des connaissances génétiques peut être réduite à une série d'énoncés fondamentaux décrivant le comportement des gènes et leurs interactions:

a) L'élément fondamental de l'hérédité est le gène.

b) La plupart des gènes s'expriment en guidant la production d'un peptide ou d'une protéine.

c) Les caractéristiques de ces protéines définissent les caractères de l'organisme.

d) Les gènes sont associés aux chromosomes qui sont essentiellement une suite de gènes.

e) Le comportement des gènes est semblable à celui des chromosomes.

f) Les individus adultes possèdent les deux chromosomes de chaque paire; ils présentent l'état diploïde. Les gamètes présentent un assortiment chromosomique haploïde, c'est-à-dire qu'ils ne possèdent qu'un des deux chromosomes de chaque paire.

g) La production de n'importe quelle protéine ou peptide est sous la responsabilité de deux gènes présents dans toutes les cellules somatiques. Ces gènes sont des allèles.

h) Les allèles sont portés sur des chromosomes homologues qui, comme les gènes, forment une paire.

i) Un membre de chaque paire d'homologues vient de la mère; l'autre vient du père.

j) Les deux membres d'une paire de gènes (d'allèles) peuvent être semblables (homozygote) ou différents (hétérozygote).

k) Lorsque les deux membres d'une paire de gènes sont différents, les caractères qu'ils portent peuvent parfois ne relever que d'un seul d'entre eux s'il est dominant ou, dans d'autres cas, des deux. Un gène qui ne s'exprime que chez un homozygote est dit récessif.

l) Normalement les descendants ne doivent recevoir ni plus ni moins qu'un membre de chaque paire de chromosomes homologues de chaque parent.

m) La chance seule détermine lequel des deux homologues d'une paire de chromosomes parentaux va se retrouver dans un gamète donné.

n) La combinaison particulière de chromosomes paternels et maternels qu'un enfant hérite de ses parents est donc aussi due au hasard.

o) La transmission d'un chromosome particulier n'a aucune influence sur le partage ou la ségrégation des chromosomes transmis autres que l'homologue.

p) La transmission d'un gène particulier n'a aucune influence sur la transmission de tout autre gène porté sur un chromosome non homologue.

q) Le chromosome X a ceci d'exceptionnel qu'il ne possède pas de partenaire homologue chez l'homme. Un gène défectueux situé sur un chromosome X ne s'exprimera, chez la femme hétérozygote, que s'il est dominant; son expressivité sera indépendante de la dominance chez l'homme.

16 La théorie de Lyon veut que les chromosomes X chez la femme soient inactivés au hasard au début de la vie embryonnaire, de sorte que chaque cellule ne possède qu'un seul X fonctionnel d'origine paternelle ou maternelle.

QUESTIONS DE RÉVISION

1 Décrire le développement de l'embryon, du stade zygote au stade blastocyste. Dessiner et légender des schémas pour illustrer votre description.

2 Quelles sont les rôles du placenta? De l'amnios?

3 Décrire le phénomène de l'implantation.

4 À quelles étapes du travail le bébé puis le placenta sont-ils expulsés?

5 Quelles sont les particularités de la circulation foetale? Quels changements se font à la naissance?

6 Nommer un certain nombre de précautions que peut prendre une future mère pour assurer le bien-être de son bébé.

7 Si le brin modèle d'un duplex d'ADN présente la suite de bases *ATTGCGAAG* sur un segment, quel est l'ordre correspondant des bases sur le brin complémentaire? Sur un simplex de mARN complémentaire?

8 Pourquoi la réplication de l'ADN doit-elle se faire avant la distribution des chromosomes dans la mitose?

9 Quel est le rôle d'un ribosome?

10 Que sont les mutations? Sont-elles généralement favorables? Quels sont les facteurs mutogènes connus?

11 Pourquoi un descendant ne peut-il recevoir qu'un seul membre d'une paire de chromosomes homologues de chaque parent?

12 Que sont des allèles?

13 Que signifient les termes suivants: homozygote, hétérozygote, hémizygote?

14 Définir la dominance, la récessivité, la co-dominance, la dominance incomplète.

15 Qu'est-ce que la polygénie? Donner un exemple.

16 Qu'est-ce qui fait ordinairement qu'un gène est dominant? Pourquoi la majorité des défauts génétiques sont-ils récessifs?

17 Quel chromosome porte les caractères liés au sexe?

18 Expliquer la théorie de Lyon.

19 Donner un exemple de dépistage génétique.

20 Qu'est-ce que l'anaploïdie? Donner un exemple.

21 Pourquoi, à votre avis, les anaploïdies du chromosome X sont-elles fréquentes, alors que la plupart des anaploïdies possibles sont très rares ou inexistantes?

APPENDICE 1

La structure du SI

Unités SI de base

Grandeur	*Unité*	*Symbole*
Longueur	mètre	m
Masse	kilogramme	kg
Temps	seconde	s
Intensité de courant électrique	ampère	A
Température[1] thermodynamique	kelvin	K
Quantité de matière	mole	mol
Intensité lumineuse	candela	cd

[1] Dans la vie de tous les jours on utilise le degré Celsius (C) où 0°C = 273,15°K

Unités dérivées à noms composés d'usage courant

Grandeur	*Unité*	*Symbole*
Superficie	mètre carré	m^2
Volume	mètre cube	m^3
Vitesse	mètre par seconde	m/s
Accélération	mètre par seconde au carré	m/s^2
Masse volumique	kilogramme par mètre cube	kg/m^3
Volume massique	mètre cube par kilogramme	m^3/kg
Concentration molaire volumique	mole par mètre cube	mol/m^3
Luminance	candela par mètre carré	cd/m^2

Unités dérivées d'usage courant ayant des noms spéciaux

Grandeur	*Unité*	*Symbole*	*Dérivation*
Fréquence	hertz	Hz	1/s
Force	newton	N	$kg \cdot m/s^2$ (masse multipliée par accélération)
Pression	pascal	Pa	N/m^2 (force par superficie)
Énergie, travail	joule	J	$N \cdot m$ (force multipliée par déplacement)
Puissance	watt	W	J/s (énergie par temps)
Charge électrique	coulomb	C	$A \cdot s$ (intensité de courant multipliée par temps)
Potentiel électrique	volt	V	J/C (énergie par charge)
Résistance électrique	ohm	Ω	V/A (différence de potentiel par intensité de courant)

Préfixes SI

Préfixe	*Symbole*	*Valeur numérique*	
Exa	E	1 000 000 000 000 000 000	$= 10^{18}$
Péta	P	1 000 000 000 000 000	$= 10^{15}$
Téra	T	1 000 000 000 000	$= 10^{12}$
Giga	G	1 000 000 000	$= 10^{9}$
Méga	M	1 000 000	$= 10^{6}$
Kilo	k	1 000	$= 10^{3}$
Hecto	h	100	$= 10^{2}$
Déca	da	10	$= 10^{1}$
		1	$= 10^{0}$
Déci	d	0,1	$= 10^{-1}$
Centi	c	0,01	$= 10^{-2}$
Milli	m	0,001	$= 10^{-3}$
Micro	μ	0,000 001	$= 10^{-6}$
Nano	n	0,000 000 001	$= 10^{-9}$
Pico	p	0,000 000 000 001	$= 10^{-12}$
Femto	f	0,000 000 000 000 001	$= 10^{-15}$
Atto	a	0,000 000 000 000 000 001	$= 10^{-18}$

Unités hors du SI admises partout

Unité et symbole	*Valeur et utilisation*	
Minute (min)	1 min = 60 s	temps
Heure (h)	1 h = 60 min	temps
Jour (d)	1 d = 24 h	temps
Litre (l)	1 l = 1 dm^3	volume
Tonne métrique (t)	1 t = 1 000 kg	masse

Unités admises temporairement avec le SI

Unité et symbole	*Valeur et utilisation*	
Bar (bar)	1 bar = 100 kPa	pression
Atmosphère normale (atm)	1 atm = 101,325 kPa	pression
Kilowatt-heure (kW•h)	1 kW•h = 3,6 MJ	énergie

Unités métriques à ne plus employer avec le SI

Unité et symbole anciens	*Valeur et utilisation*	
Micron (μ)	1 μ = 1 μm	longueur
Ångström (Å)	1 Å = 0,1 nm	longueur
Dyne (dyn)	1 dyn = 10 μN	force
Calorie (cal)	1 cal = 4,19 J	énergie
Erg (erg)	1 erg = 0,1 μJ	énergie
Millimètre de mercure (torr)	$1 \text{ torr} = \frac{101,325}{760} \text{ Pa}$	pression

Source: Guide d'usage du système métrique, Conseil des ministres de l'Éducation (Canada). Deuxième impression 1976. ISBN 0-7744-0127-3.

APPENDICE 2

Formules chimiques et abréviations des 20 acides α-aminés les plus communs

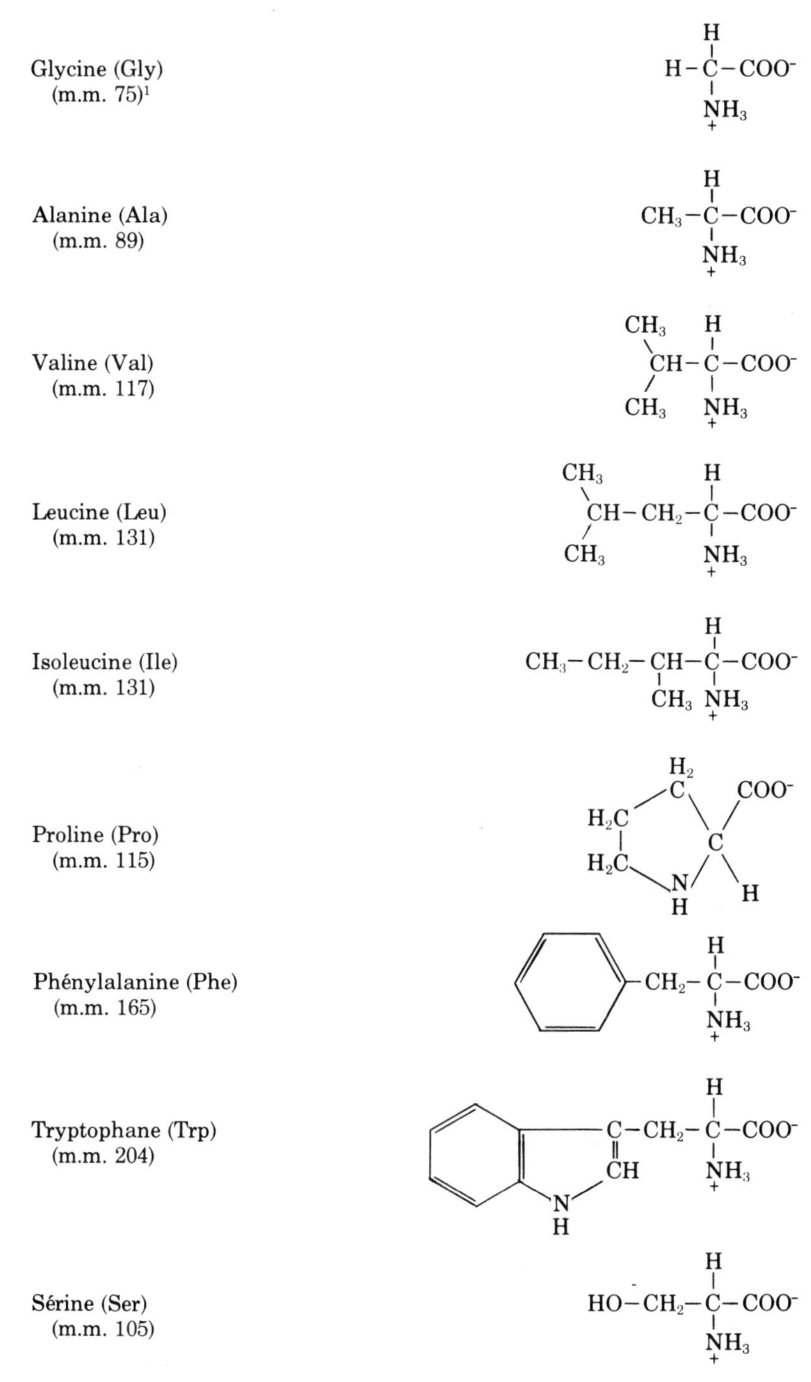

[1] m.m. = masse moléculaire

Thréonine (Thr)
(m.m. 119)

$$CH_3-CH(OH)-CH(NH_3^+)-COO^-$$

Cystéine (Cys)
(m.m. 121)

$$HS-CH_2-CH(NH_3^+)-COO^-$$

Méthionine (Met)
(m.m. 149)

$$CH_3-S-CH_2-CH_2-CH(NH_3^+)-COO^-$$

Acide aspartique (Asp)
(m.m. 133)

$$^-OOC-CH_2-CH(NH_3^+)-COO^-$$

Acide glutamique (Glu)
(m.m. 147)

$$^-OOC-CH_2-CH_2-CH(NH_3^+)-COO^-$$

Asparagine (Asn)
(m.m. 132)

$$H_2N-C(=O)-CH_2-CH(NH_3^+)-COO^-$$

Glutamine (Gln)
(m.m. 146)

$$H_2N-C(=O)-CH_2-CH_2-CH(NH_3^+)-COO^-$$

Tyrosine (Tyr)
(m.m. 181)

$$HO-C_6H_4-CH_2-CH(NH_3^+)-COO^-$$

Histidine (His)
(m.m. 155)

$$HC{=}C(-CH_2-CH(NH_3^+)-COO^-)-NH-CH{=}NH^+ \text{ (cycle)}$$

Lysine (Lys)
(m.m. 146)

$$H_3\overset{+}{N}-CH_2-CH_2-CH_2-CH_2-CH(NH_3^+)-COO^-$$

Arginine (Arg)
(m.m. 174)

$$H_2N-C(=\overset{+}{N}H_2)-NH-CH_2-CH_2-CH_2-CH(NH_3^+)-COO^-$$

Note: Les acides aminés sont présentés sous leur forme la plus fréquente à des pH compris entre 6,0 et 7,0 (Asp et Glu ont alors une charge négative; His, Lys et Arg ont une charge positive).

APPENDICE 3

Noms latins des muscles tabulaires, noms français et numéros

Adductor brevis	Petit adducteur	17
Adductor longus	Long adducteur	16
Adductor magnus	Grand adducteur	18
Biceps brachii	Biceps brachial	47
Biceps femoris	Biceps fémoral	11
Brachialis	Brachial	51
Brachioradialis	Brachio-radial	49
Buccinator	Buccinateur	110
Coracobrachialis	Coraco-brachial	54
Corrugator supercilii	Corrugateur du sourcil	101
Deltoideus	Deltoïde	53
Diaphragma	Diaphragme	83
Digastricus	Digastrique	105
Epicranius	Occipito-frontal	102
Erectorspinae	Érecteur du rachis	32
Extensor carpi radialis brevis	Court extenseur radial du carpe	43
Extensor carpi radialis longus	Long extenseur radial du carpe	42
Extensor carpi ulnaris	Extenseur ulnaire du carpe	44
Extensor digitorum communis	Extenseur des doigts	36
Extensor digitorum longus	Long extenseur des orteils	1
Extensor indicis	Extenseur de l'index	37
Extensor pollicis longus	Long extenseur du pouce	34
Flexor carpi radialis	Fléchisseur radial du carpe	41
Flexor carpi ulnaris	Fléchisseur ulnaire du carpe	45
Flexor digitorum longus	Long fléchisseur des orteils	2
Flexor digitorum profundus	Fléchisseur profond des doigts	35
Flexor digitorum superficialis	Fléchisseur superficiel des doigts	38
Flexor pollicis longus	Long fléchisseur du pouce	33
Gastrocnemius	Gastrocnémien	8
Gluteus maximus	Grand fessier	19
Gluteus medius	Moyen fessier	20
Gluteus minimus	Petit fessier	21
Gracilis	Gracile	13
Iliacus	Iliaque	23
Iliocostalis cervicis	Ilio-costal du cou	70
Iliocostalis lumborum	Ilio-costal des lombes	68
Iliocostalis thoracis	Ilio-costal du thorax	69
Iliopsoas	Ilio-psoas	23,24
Infraspinatus	Infra-épineux	56
Intercostales externi	Intercostaux externes	81
Intercostales interni	Intercostaux internes	82
Latissimus dorsi	Grand dorsal	27, 59
Levator scapulae	Élévateur de la scapula	65, 93
Longissimus capitis	Longissimus de la tête	73, 98
Longissimus cervicis	Longissimus du cou	72
Longissimus thoracis	Longissimus du thorax	71
Masseter	Masséter	107
Obliquus capitis inferior	Oblique inférieur de la tête	79
Obliquus capitis superior	Oblique supérieur de la tête	78
Obliquus externus abdominis	Oblique externe	26, 84
Obliquus internus abdominis	Oblique interne	85
Occipito-frontalis	Occipito-frontal	102
Opponens pollicis	Opposant du pouce	40

Orbicularis oculi	Orbiculaire de l'oeil	100
Orbicularis oris	Orbiculaire de la bouche	103
Palmaris longus	Long palmaire	39
Pectoralis major	Grand pectoral	58, 90
Pectoralis minor	Petit pectoral	63, 91
Peroneus brevis	Court péronier	5
Peroneus longus	Long péronier	3
Peroneus tertius	Troisième péronier	6
Piriformis	Piriforme	22
Platysma	Platysma	99
Procerus	Procerus	101
Pronator quadratus	Carré pronateur	46
Pronator teres	Rond pronateur	50
Psoas major	Psoas	24
Psoas minor	Petit psoas	29
Pterygoideus lateralis	Ptérygoïdien latéral	108
Pterygoideus medialis	Ptérygoïdien médial	109
Quadratus lumborum	Carré des lombes	31, 80
Quadriceps femoris	Quadriceps fémoral	10
Rectus abdominis	Droit de l'abdomen	28, 87
Rectus capitis posterior major	Grand droit postérieur de la tête	76
Rectus capitis posterior minor	Petit droit postérieur de la tête	77
Rectus femoris	Droit fémoral	10
Rectus medialis	(voir *Gracilis*)	
Rhomboideus	Rhomboïdes	66, 67, 92
Rhomboideus major	Grand rhomboïde	67, 92
Rhomboideus minor	Petit rhomboïde	66, 92
Sacrospinalis	(voir *Erectorspinae*)	
Sartorius	Sartorius	15
Scaleni	Scalènes	88
Semimembranosus	Semi-membraneux	12
Semispinalis capitis	Semi-épineux de la tête	75
Semitendinosus	Semi-tendineux	14
Serratus anterior	Dentelé antérieur	62
Soleus	Soléaire	9
Splenius capitis	Splénius de la tête	74, 97
Sterno-cleido-mastoideus	Sterno-cléido-mastoïdien	89, 96
Subscapularis	Subscapulaire	61
Supinator	Supinateur	48
Supraspinatus	Supra-épineux	57
Temporalis	Temporal	106
Tensor fasciae latae	Tenseur du fascia lata	25
Teres major	Grand rond	60
Teres minor	Petit rond	55
Tibialis anterior	Tibial antérieur	4
Tibialis posterior	Tibial postérieur	7
Transversus abdominis	Transverse de l'abdomen	30, 86
Trapezius	Trapèze	64, 94, 95
Triceps brachii	Triceps brachial	52
Triceps surae	Triceps sural	8, 9
Vastus intermedius	Vaste intermédiaire	10
Vastus lateralis	Vaste latéral	10
Vastus medialis	Vaste médial	10
Zygomaticus major	Grand zygomatique	104

APPENDICE 4

Noms français des muscles tabulaires, noms latins et numéros

Biceps brachial	*Biceps brachii*	47
Biceps fémoral	*Biceps femoris*	11
Brachial	*Brachialis*	51
Brachio-radial	*Brachioradialis*	49
Buccinateur	*Buccinator*	110
Carré des lombes	*Quadratus lumborum*	31, 80
Carré pronateur	*Pronator quadratus*	46
Coraco-brachial	*Coracobrachialis*	54
Corrugateur du sourcil	*Corrugator supercilii*	101
Court adducteur	*Adductor brevis*	17
Court extenseur radial du carpe	*Extensor carpi radialis brevis*	43
Court péronier	*Peroneus brevis*	5
Deltoïde	*Deltoideus*	53
Dentelé antérieur	*Serratus anterior*	62
Diaphragme	*Diaphragma*	83
Digastrique	*Digastricus*	105
Droit de l'abdomen	*Rectus abdominis*	28, 87
Droit fémoral	*Rectus femoris*	10
Élévateur de la scapula	*Levator scapulae*	65, 93
Érecteur du rachis	*Sacrospinalis* ou *Erectorspinae*	32
Extenseur de l'index	*Extensor indicis*	37
Extenseur des doigts	*Extensor digitorum communis*	36
Extenseur ulnaire du carpe	*Extensor carpi ulnaris*	44
Fléchisseur profond des doigts	*Flexor digitorum profundus*	35
Fléchisseur radial du carpe	*Flexor carpi radialis*	41
Fléchisseur superficiel des doigts	*Flexor digitorum superficialis*	38
Fléchisseur ulnaire du carpe	*Flexor carpi ulnaris*	45
Gastrocnémien	*Gastrocnemius*	8
Gracile	*Gracilis*	13
Grand adducteur	*Adductor magnus*	18
Grand dorsal	*Latissimus dorsi*	27, 59
Grand droit postérieur de la tête	*Rectus capitis posterior major*	76
Grand fessier	*Gluteus maximus*	19
Grand pectoral	*Pectoralis major*	58, 90
Grand rhomboïde	*Rhomboideus major*	67, 92
Grand rond	*Teres major*	60
Grand zygomatique	*Zygomaticus major*	104
Iliaque	*Iliacus*	23
Ilio-costal des lombes	*Iliocostalis lumborum*	68
Ilio-costal du cou	*Iliocostalis cervicis*	70
Ilio-costal du thorax	*Iliocostalis thoracis*	69
Ilio-psoas	*Iliopsoas*	23, 24
Infra-épineux	*Infraspinatus*	56
Intercostaux externes	*Intercostales externi*	81
Intercostaux internes	*Intercostales interni*	82
Long adducteur	*Adductor longus*	16
Long extenseur des orteils	*Extensor digitorum longus*	1
Long extenseur du pouce	*Extensor pollicis longus*	34
Long extenseur radial du carpe	*Extensor carpi radialis longus*	42
Long fléchisseur des orteils	*Flexor digitorum longus*	2
Long fléchisseur du pouce	*Flexor pollicis longus*	33
Longissimus de la tête	*Longissimus capitis*	73, 98
Longissimus du cou	*Longissimus cervicis*	72

COMPOSITION SAVANTE

a- (aussi ad-, ac-, af-, al-, am-, ar-, as-, at-) direction, but à atteindre (adduction)
a-, an- privation ou négation (anaérobie, anormal)
ab-, abs- idée d'éloignement (abduction)
-able marque la capacité (viable)
aden- glande (adénoïde)
aéro- air (aérophagie)
-algie douleur (névralgie)
amyl-, amylo- amidon (amylase)
ana- de bas en haut (anaphase)
angi-, angio- vaisseau (angiotensine)
anthropo- homme (anthropologie)
anti-, anté- contre (anticoagulant); parfois marque l'antériorité (antécédent)
apo- indique l'éloignement (apophyse)
arthr(o)- articulation (arthrite)
-ase enzyme (maltase)
-ature désigne généralement l'ensemble des caractères indiqués par le radical (musculature)
auto- soi-même (autostimulation)

-bare lourd, désigne la pression (isobare)
baro- pesanteur (barorécepteurs)
bi-, bio- vie (biologie)
bi-, bis- idée de doublement (biceps, bisannuel)
bili- bile (bilirubine)
-blaste germe (ostéoblaste)
blasto- germe (blastomère)
brachi- bras (brachial)
brady- lent (bradycardie)
bronch(o)- bronche (bronchite)

caco- mauvais (cacophonie)
-carde, -cardie coeur (endocarde)
cardio- coeur (cardiologie)
cata- en bas, en dessous (catabolisme)
-céphale tête (encéphale)
céphalo- tête (céphalo-rachidien)
cérébr- tête, cerveau (cérébral)
cervi- cou, nuque (cervical)
chol(é)- bile (cholédoque)
chondr(o)- cartilage (chondrocyte)
chromat(o)- couleur (chromatophore)
-cide tuer (insecticide)
circum-, circon-, circom- autour (circumduction, circoncision)
-cole cultiver, habiter (arboricole)
com-, col-, con-, cor-, co- avec (congénital)
contra-, contro-, contre- marque l'opposition le contraire (contraception, controlatéral)
crani(o)- crâne (crânien)
crypto- caché (cryptorchidie)
-cycle cercle (tricycle)
-cyte cellule (chondrocyte)
cyto- cellule (cytologie)

-dactyle doigt (syndactylie)
dermato-, derm(o)- peau (dermatologie, dermique)
di-, dis- exprime l'idée du double (dichromatique, dicrote)
dis-, di(a)- marque la séparation (dissection, diamètre); peut signifier *à travers* (diapédèse)
-ducte conduit (oviducte)
dys- difficulté, mauvais état (dysfonctionnement, dyspnée)

ecto- au dehors (ectoderme)
-ectomie action de couper (appendicectomie)
embryo- embryon (embryologie)
-émie réfère au sang (glycémie)
en- dans (encéphale)
end(o)- en dedans (endochondral, endomysium)
entér(o)- intestin (entérite)
-entère intestin (mésentère)
épi- sur, vers (épiderme)
érythr-, érythro- rouge (érythrocyte)
eu- bien, bon (euphorie, euthanasie)
ex- hors de (exophtalmie)
extra- en dehors (extracellulaire)

-fère porter (calorifère)
-fique faire (soporifique)
-fuge mettre en fuite (centrifuge)

gast(é)r(o)- estomac (gastralgie)
-gène qui engendre (hydrogène)
gloss(o)- langue (glossopharyngien)
gluc(o)-, glyc(o)- doux, sucré (glycogène)
-graphe qui écrit (électrocardiographe)

héma-, hémat(o)-, hémo- sang (hématie, hématocrite, hémophilie)
hémi- moitié, demi (hémisphère)
hépat(o)- foie (hépatique)
hétér(o)- autre, différent (hétérogène, hétérozygote)
histo- tissu (histologie)
hom(é)o- semblable (homogène, homéostasie)
hydr(o)- eau (hydrominéral)
-hydre eau (anhydre)
hyper- au-dessus, sur; excessif (hypertension)
hypo au-dessous, sous; déficient (hypoderme, hyposécrétion)
hyster(o)- utérus (hystérectomie)

-ible exprime la possibilité (digestible)
-id(e) qui a la forme de (ovoïde)
in-, im-, il-, ir- dans; négation (infléchir, insuffisance)
infra- en bas, sous, moins (infrarouge)
inter- entre (interstitiel)

intra- au-dedans (intraveineux)
ipsi- le même (ipsilatéral)
-ique sert à la formation d'adjectifs, particulièrement en terminologie scientifique (céphalique)
iso- égal (isotonique)
-ite idée d'inflammation (laryngite)

juxta- auprès de (juxtamédullaire)

leuc(o)- blanc (leucocyte)
-lithe pierre (otolithe)
-logie science (biologie)
-logue savant en (pneumologue)
-lyse dissolution, séparation, destruction (hydrolyse)

macro- long, gros (macroscopie)
mal- mauvais (malnutrition)
-mane qui a la folie de (héroïnomane)
-manie folie (héroïnomanie)
még-, méga-, mégal-, mégalo- grand, très agrandi, très gros (mégalomane)
méso- milieu (mésoderme)
-mètre mesure (thermomètre)
micro- petit (microscopie)
mono- un seul (monocellulaire)
morph(o)- forme (morphologie)
-morphe, -morphique, -morphisme forme (polymorphe)
my(o)- muscle (myocarde)
myél(o)- moelle (myéline)
-myélite moelle (poliomyélite)

nécr-, nécro- mort (nécrophage)
néo- nouveau (néonatal)
néphr(o)- rein (néphron)
neur(o)-, névr(o)- nerf (neurone, névroglie)
noci- douleur (nocicepteur)
-nome règle (autonome)

-ode route (anode)
odont(o)- dent (odontoblaste)
-oïde de la forme de (thyroïde)
olig-, oligo- rare, dispersé, défaut de (oligo-éléments)
-ome tumeur (carcinome, adénome)
omni- tout (omnivore)
onir(o)- rêve (onirique)
-ope, -opie vue (héméralopie)
-ophtalmie oeil (exophtalmie)
ophtalmo- oeil (ophtalmologie)
ortho- droit, correct (orthopédie)
-ose donne des termes médicaux, de maladie (psychose, névrose)
ostéo(o)- os (ostéologie)
-oste os (périoste)
ot(i)-, ot(o)- oreille (otite)
ovi-, ovo- oeuf (oviducte, ovocyte)

paléo- ancien (paléocortex)
par(a)- contre, auprès, le long de (parathyroïdes)
-pare mettre au monde (nullipare, ovipare)
-pathie maladie (cardiopathie)
patho- douleur, maladie (pathogène, pathologie)
péd(o)- enfant (pédiatrie)
-pédie éducation (orthopédie)
péri- autour (périmysium, périnèvre)
-phage qui mange (macrophage)

-phagie action de manger (macrophagie)
phago- manger (phagocytose)
-phile ami de (acidophile)
phleb- veine (phlébite)
-phobe qui a de la crainte, de la répulsion (hydrophobe)
-phore porter (chromatophore)
-plégie paralysie (hémiplégie)
-plexie attaque, choc, crise (apoplexie)
-pnée respiration (eupnée)
pneum(at)o- souffle (pneumographe)
-pode pied (pseudopode)
podo- pied (podocyte)
poly- plusieurs (polysaccharide)
post- après, dans le temps et dans l'espace (post-scriptum, post-synaptique)
pré- en avant, devant, dans le temps; marque l'antériorité (prénatal)
pro- devant, à l'origine de (prosencéphale)
proct-, procto- anus (proctite, proctoscope)
prot(o)- premier (protozoaire)
pseudo- faux (pseudopode)
psych(o)- âme (psychique)
pulmo- poumon (pulmonaire)
pyro- feu (pyrogène)

ren-, réni-, réno- rein (réniforme)
rétro- auparavant, derrière (rétroaction)
rhin(o)- nez (rhinencéphale)

salping- trompe utérine (salpingite)
scléro- dur (sclérotique)
-scope qui permet de regarder (microscope)
-scopie action de regarder (cardioscopie)
semi- à demi (canaux semi-circulaires)
somato- corps (somatotrope)
sténo- étroit (sténose)
-stomie opération chirurgicale consistant à pratiquer une ouverture artificielle (côlostomie)
sub- sous (submerger)
super-, supra- au-dessus (supraliminaire)
syn- avec, ensemble (syndrome)

tachy- rapide (tachypnée)
-thérapie guérison (hydrothérapie)
thermo- chaleur (thermogenèse)
thromb(o)- caillot (thrombus)
-tomie couper (lobotomie)
trans- au-travers (transépithélial)
-trope, -tropie, -tropisme tour, direction; aussi tourner (phototropisme)
-trophe, -trophie nourriture (atrophie)

-ule signification diminutive (particule)
ultra- très grand, excessif, au-delà (ultrason)
uni- un (unicellulaire)
-urie réfère à l'urine (glucosurie)
uro- urine (urologue)

top(o)- lieu (topographie)
trans- au-delà (transport)

vaso- récipient, vaisseau (vasomotricité)
-vore manger (herbivore)

zoo- animal (zoologie)

LEXIQUE

Abcès Amas de pus localisé.
Abdomen Partie du corps située entre le diaphragme et le pelvis. Avec le thorax il forme le tronc.
Abduction Mouvement par lequel un membre ou un segment de membre est éloigné du plan médian du corps ou du membre, respectivement.
Absorption Passage de matériel à l'intérieur ou au travers d'une cellule ou d'un tissu.
Acclimatation Ajustement physiologique de l'organisme à d'autres conditions du milieu.
Accomodation Ajustement de la focale de l'oeil permettant de faire la mise au point sur la rétine d'objets placés à des distances diverses. Se fait grâce à la déformation du cristallin.
Acétate Forme ionisée de l'acide acétique (CH_3COO^-).
Acétyl coenzyme A (AcCoA) Fragment bicarboné attaché à la coenzyme A; intermédiaire métabolique fournissant des atomes de carbone au cycle tricarboxylique et à des voies métaboliques de biosynthèse.
Acétylcholine (Ach) Molécule formée de choline et d'acide acétique (CH_3-CO-O-CH_2-CH_2-N$(CH_3)_3$-OH). Transmetteur chimique des nerfs cholinergiques.
Acide Substance qui peut donner ou libérer des ions hydrogène (H^+).
Acide aminé (AA) Composé organique comprenant un groupement (radical) aminé (-NH_2) et un groupement (radical) carboxyle (-COOH) attachés au même atome de carbone, le carbone α; 20 AA différents forment les sous-unités structurales des protéines. (*Voir* Appendice 2.)
Acide carbonique Molécule formée d'eau et de gaz carbonique. (H_2CO_3).
Acide citrique Intermédiaire du cycle tricarboxylique.
Acide désoxyribonucléique (ADN) Acide nucléique porteur de l'information génétique de la cellule. Se trouve dans le noyau et dans certains organites (par exemple les mitochondries). Molécule formée d'une suite de nucléotides comprenant le désoxyribose (glucide), un radical phosphate, et une base purique ou pyrimidique.
Acide gamma-amino-butyrique (GABA) Transmetteur chimique du système nerveux central; associé à l'inhibition synaptique.
Acide gras Longue molécule constituée d'une chaîne d'atomes de carbone (C_{14} à C_{20}) et possédant un radical carboxyle (-COOH) à une extrémité.
Acide lactique Glucide à 3 carbones; produit terminal de la glycolyse anaérobie.
Acide nucléique *Voir* Acide désoxyribonucléique et Acide ribonucléique.
Acide pantothénique Membre de la famille des vitamines du complexe B.
Acide ribonucléique (ARN) Acide nucléique qu'on retrouve dans le noyau et le cytoplasme; molécule formée d'une suite de nucléotides comprenant le ribose (glucide), un radical phosphate, et une base purique ou pyrimidique. L'ARN peut être messager (mARN), de transfert (tARN) ou ribosomal (rARN).
Acide urique Produit de déchet du métabolisme de l'azote; peu soluble dans l'eau.
Acidose État anormal caractérisé par une réduction du pH sanguin. Souvent consécutive à un trouble respiratoire.
Acné Maladie inflammatoire affectant les glandes sébacées.
Acoustique Qui se rapporte à l'audition ou au son.
Acromégalie Hypersécrétion d'hormone de croissance chez l'adulte causant un élargissement des os des extrémités des membres et de la face.
Acromion Processus de la scapula formant le point le plus haut de l'épaule.
Acrosome Vésicule remplie d'enzymes digestives située à l'extrémité antérieure des spermatozoïdes.
Actine Protéine filamenteuse des cellules musculaires participant au processus de la contraction. Souvent qualifiée de filament mince.
Activité enzymatique Mesure du potentiel catalytique d'une enzyme: le nombre de molécules de substrat qui réagissent avec chaque molécule d'enzyme par unité de temps (min).
Acuité Pouvoir de résolution, clarté et précision de l'image visuelle.
Adaptation 1. Capacité d'un organisme à s'ajuster à une modification de son environnement. (*Voir aussi* Acclimatation.) 2. Réduction de la réponse d'un récepteur soumis à une stimulation répétée ou prolongée.
Adduction Mouvement par lequel un membre ou un segment de membre est rapproché du plan médian du corps ou du membre, respectivement.
Adénohypophyse Partie de l'hypophyse comprenant la pars infundibularis, la pars intermedia et la pars distalis.
Adénoïde Qui a l'aspect d'une glande.
Adénosine monophosphate cyclique (AMP cyclique) Substance ayant un rôle de second messager dans plusieurs mécanismes hormonaux.
Adénosine triphosphate (ATP) Molécule (nucléotide) servant au transfert de l'énergie; source immédiate d'énergie pour les processus vitaux des cellules.
Adénylcyclase Enzyme transformant l'ATP en AMP cyclique.
Adipeux Contenant des lipides, de la «graisse».
Adrénaline Principale hormone sécrétée par la médulla surrénale.
Adrénergique Terme s'appliquant aux fibres nerveuses dont les terminaisons sécrètent de la noradrénaline, soit la plupart des fibres sympathiques post-ganglionnaires.
Adventice Enveloppe conjonctive externe d'une structure.
Aérobie Utilisant de l'oxygène moléculaire.
Afférent Se rapporte à un mouvement vers une structure centrale; mouvement centripète par rapport à la structure concernée.
Agglutination Processus d'agrégation de cellules en suspension dans un liquide; en général le résultat de réactions antigéniques.

Agoniste Un muscle actif impliqué dans le mouvement d'une pièce du squelette et qui agit en opposition avec un muscle antagoniste.
Albinos Se dit d'une personne de quelque race que ce soit qui a hérité de l'incapacité à synthétiser de la mélanine.
Albumine Une classe de protéines des tissus animaux; une partie des protéines plasmatiques.
Alcalose État anormal caractérisé par une élévation du pH sanguin. Souvent produite à la suite d'un trouble respiratoire.
Aldostérone Principal minéralocorticoïde (hormone du cortex surrénal); contrôle le métabolisme du sodium.
Allergie État dû à une mauvaise réponse immunologique; hypersensibilité.
Allostérie Réfère à l'altération d'une région d'une protéine qui en affecte ou en modifie d'une façon ou d'une autre la configuration fonctionnelle.
Alvéole 1. Loge osseuse d'une dent. 2. Minuscule sac aérien des poumons.
Aménorrhée Absence pathologique des menstruations.
Amidon Polysaccharide d'origine végétale $(C_6H_{10}O_5)n$.
Amine Groupe de composés organiques contenant de l'azote, en général sous la forme d'un radical aminé $(-NH_2)$.
Amnésie Incapacité de se souvenir de faits passés.
Amnios Membrane foetale formant un sac rempli de liquide autour de l'embryon.
Amplitude Importance de l'écart entre les valeurs extrêmes que peut prendre une variable de nature sinusoïdale, comme une onde sonore ou lumineuse.
Ampoule Dilatation d'une structure tubulaire.
Amylase Enzyme digestive qui dégrade l'amidon en polysaccharides plus petits.
Anabolisme Ensemble des réactions cellulaires menant à la synthèse de substances complexes à partir de leurs éléments constituants.
Anaérobie Pouvant se passer d'oxygène moléculaire.
Analgésie Insensibilité à la douleur sans perte de conscience.
Anaphylaxie Réaction immunitaire exagérée à un microorganisme ou à une protéine agissant comme antigène.
Anaploïdie État caractérisé par un nombre de chromosomes qui n'est pas un multiple exact du nombre haploïde.
Anastomose Interconnexion.
Anastomose artério-veineuse Connexion directe entre une artériole et une veinule permettant de court-circuiter un lit capillaire.
Androgènes Groupe d'hormones à effets masculinisants.
Anémie Anomalie des globules rouges ou de l'hémoglobine affectant le transfert des gaz respiratoires, de O_2 en particulier.
Anesthésie Absence de sensations dans l'une ou l'autre partie du corps. Peut être locale ou générale.
Anévrisme Portion dilatée d'une artère.
Angiotensine Protéine sanguine obtenue par l'action de la rénine sur l'angiotensinogène. Le décapeptide obtenu, l'angiotensine I, est alors transformé en un octopeptide, l'angiotensine II, dont l'activité hypertensive puissante s'accompagne d'une action stimulante sur la sécrétion de l'aldostérone.
Anhydrase carbonique Enzyme catalysant d'une façon reversible la formation d'acide carbonique à partir de gaz carbonique et d'eau.
Anion Ion de charge électrique négative.
Anode Électrode positive, celle vers laquelle sont attirés les ions négatifs.
Anorexie Perte de l'appétit.
Anoxémie Manque d'oxygène dans le sang.
Anoxie Manque d'oxygène.
Anse rénale Portion du tube rénal en forme de U qui se trouve en général dans la zone médullaire du rein.
Antagoniste 1. Muscle à action contraire. 2. Facteur ou substance qui s'oppose à l'action d'un autre facteur.
Antépulsion La propulsion d'une partie du corps vers l'avant, comme la langue ou la mâchoire.
Antérieur Situé en direction de la partie frontale ou ventrale du corps.
Anticodon Triplet de nucléotides d'un tARN complémentaire d'un codon.
Anticorps Substance protéique (immunoglobuline) fabriquée à la suite d'une stimulation antigénique spécifique; possède le pouvoir de se lier chimiquement à l'antigène et de le neutraliser.
Antidiurétique Qui réduit la formation d'urine et la diurèse. (*Voir aussi* Hormone antidiurétique.)
Antigène Toute substance capable de provoquer une réponse immunitaire; en général une protéine ou une grosse molécule glucidique étrangère à l'organisme.
Antihistaminique Qui bloque l'action de l'histamine.
Anus L'extrémité du tube digestif par où se fait l'évacuation du matériel indigeste, les fèces.
Aorte L'artère de plus gros calibre; issue du ventricule gauche, elle distribue le sang à toutes les autres artères systémiques du corps.
Apatite Substance minérale présente dans les os et les dents, composée en général de calcium, de carbone, d'oxygène et de phosphate. C'est un complexe phosphocalcique.
Aphasie Dérangement ou perte de l'usage de la parole, de la compréhension verbale, ou des deux à la fois; dû à une lésion du cortex cérébral.
Apnée Absence de mouvements respiratoires.
Apocrine Type de sécrétion où les produits de synthèse s'accumulent dans la région apicale de la cellule et sont excrétés avec une partie de la cellule elle-même.
Apoenzyme La fraction protéique d'une enzyme qui, en présence de la coenzyme, forme une enzyme complète et fonctionnelle.
Aponévrose Feuillet de tissu conjonctif fibreux entourant un muscle et pouvant servir d'attache à d'autres muscles. *Syn.* Périmysium.
Appareil de Golgi Empilement de membranes intracellulaires associées à la sécrétion cellulaire et à la production des lysosomes.
Appendiculaire Se rapportant aux membres; s'oppose à axial.
Arachnoïde 1. En forme de toile d'araignée. 2. Membrane méningée située entre la dure-mère et la pie-mère.
Arc réflexe Voie nerveuse utilisée pour un acte réflexe. Comprend des nerfs afférents acheminant des influx vers un centre nerveux qui met en action des effecteurs par des nerfs efférents.
Aréole Cercle pigmenté entourant le mamelon, la papille de la mamelle.
Artère Vaisseau sanguin acheminant le sang à partir du coeur.
Artériole Une très petite artère.
Arthrite Inflammation d'une articulation.
Articulation Un lien, une union entre deux ou plusieurs os.
Aryténoïde Se dit de deux petits cartilages du larynx.
Arythmie Toute variation du rythme normal des battements cardiaques.
Ascite Épanchement liquidien dans la cavité péritonéale.
Asphyxie Baisse de O_2 sanguin accompagnée d'une augmentation de CO_2 menant à la suffocation.
Asthme Maladie caractérisée par une constriction des voies respiratoires causant souvent de la difficulté à respirer (de la dyspnée).

Astigmatisme Défaut de la vision dû à une irrégularité du rayon de courbure de la cornée ou du cristallin.
Astrocyte Cellule gliale en forme d'étoile dans le cerveau et la moelle épinière.
Ataxie Perte, faiblesse, ou incoordination de l'activité musculaire posturale.
Athérosclérose Maladie à évolution lente où des dépôts de cellules musculaires lisses et de lipides s'accumulent dans la tunique interne des artères, en obstruent progressivement la lumière, et est éventuellement à l'origine d'une maladie cardiaque.
Atlas Première vertèbre cervicale.
Atome La plus petite partie d'un élément qui en conserve les propriétés.
ATPase Classe d'enzymes catalysant l'hydrolyse de l'ATP.
Atrium Chambre cardiaque située en avant d'un ventricule et qui reçoit du sang veineux.
Atrophie Diminution du volume d'une partie du corps due à un défaut de nutrition ou à un arrêt d'utilisation.
Auditif Qui relève du sens de l'audition (l'ouïe).
Auricule Oreille externe, le pavillon de l'oreille.
Autoimmunité Production par un organisme d'anticorps contre ses propres protéines.
Autorythmicité Production d'une activité rythmique indépendante de tout contrôle extrinsèque.
Autosome Un chromosome autre qu'un chromosome sexuel (X ou Y).
Avortement Expulsion d'un embryon ou d'un foetus non viable.
Axe optique Droite imaginaire passant par le centre optique d'une lentille simple.
Axial Se rapportant à l'axe ou à la partie centrale du corps; s'oppose à appendiculaire.
Axillaire Se rapportant à l'aisselle.
Axone Prolongement d'une cellule nerveuse acheminant les influx à partir du corps cellulaire. Nom masculin.
Axoplasme Cytoplasme axonique.

Barorécepteur Terminaison nerveuse spécialisée des parois des vaisseaux sanguins, sensible aux variations de tension pariétale consécutives aux changements de la pression du sang.
Base Substance pouvant capter des ions H^+ dans l'eau.
Basophile Globule blanc (leucocyte) fixant les colorants basiques.
Bâtonnet Classe de récepteurs visuels de la rétine des vertébrés, l'autre classe étant formée des cônes. Très sensible mais ne permet habituellement pas de discerner les couleurs.
Bénin Non malin (cancéreux).
Bicarbonate Anion résultant de la dissociation (ionisation) de l'acide carbonique. (HCO_3^-).
Biceps Muscle à deux têtes ou à deux chefs.
Bile Liquide jaune-verdâtre sécrété dans l'intestin grêle par le foie.
Bilirubine Produit de dégradation de l'hémoglobine excrété dans la bile.
Blastocoele La cavité de la blastule.
Blastocyste Un des premiers stades du développement embryonnaire; consiste en une sphère monocellulaire à l'intérieur de laquelle se projette une petite masse de cellules, le bouton embryonnaire.
Bol alimentaire Masse de nourriture mâchée et insalivée.
Bourgeon du goût Organe situé sur la langue, contenant des récepteurs sensibles à diverses classes de produits chimiques et donnant naissance au sens gustatif.
Bourse Petite cavité tapissée d'une membrane synoviale et remplie d'un liquide qui facilite le mouvement de deux pièces squelettiques l'une par rapport à l'autre dans une articulation.
Bradycardie Ralentissement de la fréquence cardiaque sous le niveau normal.
Bradykinine Polypeptide formé de 9 résidus AA; vasoconstricteur en circulation dans le sang.
Bronche Une des ramifications primaires de la trachée. Le terme s'applique aussi aux ramifications secondaires.
Bronchiole Voie aérienne de fin calibre reliant les bronches aux canaux alvéolaires.
Bronchite Inflammation de la muqueuse bronchique.
Buccal Se rapportant à la bouche.

Caecum Cul-de-sac au début du gros intestin.
Cal Tissu néoformé et incomplètement organisé entourant une région d'un os en voie de guérison à la suite d'une fracture.
Calcification Processus de déposition de calcium dans un tissu.
Calcitonine Hormone sécrétée par les glandes parathyroïdes et qui favorise une baisse rapide de la concentration sanguine de calcium.
Calice Structure en forme de coupe, une subdivision du bassinet du rein.
Canal cochléaire Labyrinthe membraneux de la cochlée. Il sépare les deux rampes, vestibulaire et tympanique, sur toute leur longueur et contient l'organe spiral et la membrane tectoriale.
Canal collecteur Dernière portion des tubes rénaux, là où se fait la concentration finale de l'urine.
Canal déférent Canal spermatique reliant l'épididyme au canal éjaculateur.
Canal haversien Canal dans la substance compacte de l'os contenant des vaisseaux sanguins et des nerfs; il est entouré des lamelles concentriques du système haversien ou ostéon.
Cancer Toute néoplasie maligne, carcinome; néoplasme.
Cancérogène Agent produisant des cancers ou accélérant leur développement. *Ancienn.* Cancérigène.
Capacitation Processus pendant lequel un spermatozoïde acquiert la faculté de féconder un ovule.
Capacité vitale Quantité maximale d'air volontairement mobilisable au cours d'un seul mouvement d'inspiration ou d'expiration.
Capillaire Fin vaisseau sanguin ou lymphatique dont les parois permettent des échanges de substances entre les tissus et le sang ou la lymphe.
Capsule Enveloppe de tissu conjonctif fibreux ou membraneux autour d'une structure.
Capsule glomérulaire Expansion en forme de cupule à l'extrémité proximale d'un tube rénal, enserrant le glomérule.
Carbaminohémoglobine Hémoglobine chimiquement liée au gaz carbonique. ($HbCO_2$).
Carbonyle Groupement (radical) organique (C = O).
Carboxyhémoglobine Hémoglobine chimiquement liée au monoxyde de carbone. (HbCO).
Carboxyle Groupement (radical) organique des acides carboxyliques. $\left(-C{\overset{\displaystyle O}{\underset{\displaystyle OH}{\lessgtr}}}\right)$.
Carotène Pigment d'origine végétale transformé en vitamine A dans l'organisme.
Cartilage Tissu conjonctif blanc, semi-opaque et souvent caoutchouteux, ayant des fonctions squelettiques (de soutien).

Cartilage articulaire Coussin cartilagineux recouvrant les extrémités des os longs qui forment des articulations synoviales.
Caryoplasme Contenu du noyau de la cellule. *Syn.* Nucléoplasme.
Caryotype Assortiment chromosomique d'une cellule somatique.
Caséine Protéine contenant du phosphore et présente dans le lait.
Castration Enlèvement des gonades, testicules ou ovaires.
Catabolisme Le démembrement de molécules complexes en molécules plus simples.
Catalyse Augmentation de la vitesse d'une réaction chimique grâce à une substance (le catalyseur) qui demeure inchangée à la fin de la réaction.
Catalyseur Substance qui accélère la vitesse d'une réaction chimique sans subir de modifications permanentes pendant celle-ci.
Cataracte Opacité complète ou partielle du cristallin ou de sa capsule.
Catécholamines Groupe de composés sympathicomimétiques comme l'adrénaline, la noradrénaline et la dopamine.
Cathartique Qui augmente la motilité intestinale.
Cathode Électrode négative, celle qui attire les cations.
Cation Substance chimique chargée positivement.
Cavité pleurale Cavité virtuelle située entre les poumons et la paroi thoracique (entre les deux feuillets de la plèvre).
Cellule bipolaire Neurone possédant deux axones qui émergent de part et d'autre du corps cellulaire.
Cellule cible Cellule qui lie une hormone spécifique, qui en affecte le métabolisme.
Cellule de Schwann Cellule gliale qui enveloppe une partie d'axone de plusieurs feuillets membranaires pendant son développement, formant ainsi une gaine isolante myélinisée interrompue de place en place par les noeuds de Ranvier.
Cellule germinale Spermatozoïde ou ovule.
Cellule gliale Cellule non nerveuse du système nerveux central.
Cellules interstitielles Amas de cellules situées entre les tubes séminifères des testicules; sécrètent de la testostérone.
Cellules juxtaglomérulaires Manchon de cellules spécialisées situé autour de l'artériole afférente du glomérule rénal.
Cellule pariétale Cellule de la muqueuse gastrique sécrétant HCl.
Cellule principale Cellule épithéliale de la muqueuse gastrique qui sécrète la pepsine.
Cellulose Polysaccharide constituant de la paroi des cellules végétales.
Centre actif Région où s'exerce l'activité catalytique d'une enzyme.
Centre pneumotaxique Groupe de neurones pontiques impliqués dans la régulation de l'activité ventilatoire rythmique.
Centriole Organite cellulaire fait de microtubules et qui est opérant pendant la division cellulaire. Chaque centriole forme alors un pôle du fuseau mitotique.
Centromère Structure localisée au niveau de la constriction des chromosomes, là où les chromatides sont unies et où s'attachent les fibres du fuseau mitotique.
Céphalique Qui appartient, qui est en direction de la tête.
Cervelet Seconde plus grosse structure du cerveau, particulièrement impliquée dans la coordination des efférences motrices posturales.
Cervix Le col d'un organe; le col de l'utérus, par exemple.
Cétone Composé chimique contenant un groupement (radical) carbonyle (C = O).
Cétonurie Présence de corps cétoniques dans l'urine.
Chaleur Énergie, sous la forme d'une agitation ou d'une vibration atomique, qui peut être transférée par conduction, convection ou radiation dans le sens du gradient thermique.
Champ récepteur La région d'une zone sensible (comme la rétine) qui, lorsque stimulée, influence l'activité d'un neurone, fait partie du champ récepteur de ce neurone.
Chiasma 1. Croisement entre les chromatides de deux chromosomes homologues de la tétrade. 2. Croisement partiel des deux nerfs optiques.
Chiasma optique Lieu de croisement partiel des voies optiques situé sous l'hypothalamus.
Chimiorécepteur Structure sensitive spécifiquement sensible à certaines molécules.
Chimiotaxie L'orientation et le mouvement de cellules en réponse à un stimulus chimique. *Syn.* Chimiotactisme.
Cholécystokinine (CCK) Hormone sécrétée par la muqueuse duodénale provoquant la contraction de la vésicule biliaire et la libération des enzymes pancréatiques. *Ancienn.* Pancréozymine.
Cholestérol Stérol naturel, précurseur des hormones stéroïdes.
Cholinergique Associé à l'acétylcholine ou à des substances dont l'action est semblable à celle de l'Ach.
Cholinestérase Enzyme catalysant l'hydrolyse de l'acétylcholine.
Chondrocyte Cellule formatrice du cartilage. Cellule cartilagineuse mature.
Chorion Membrane embryonnaire formée des feuillets trophoblastique et mésodermique; fait contact avec l'utérus et est à l'origine du placenta.
Chromatide Chacun des deux chromosomes obtenus par la réplication de l'ADN et encore unis par le centromère.
Chromatine Substance facilement colorable dans le noyau, surtout formée d'ADN déballé.
Chromosome Chacun des corps denses qui apparaît dans le noyau au moment de la division et qui contient le matériel génétique fortement emballé.
Chromosomes homologues Ceux qui forment une paire dans les cellules diploïdes; ils possèdent les mêmes locus dans le même ordre. L'un des membres de la paire vient de la mère, l'autre du père.
Chylifère Petit vaisseau lymphatique occupant le centre des villosités intestinales.
Chylomicron Petite vésicule de lipides émulsifiés pénétrant dans la voie sanguine au cours du processus d'absorption des lipides par l'intestin.
Chyme Bouillie semi-liquide homogène de la lumière intestinale produite au cours de la digestion des aliments.
Chymotrypsine Enzyme pancréatique sécrétée dans l'intestin; hydrolyse les polypeptides en acides aminés.
Cil Organite filamenteux dont les mouvements permettent de propulser soit la cellule elle-même, soit le liquide qui l'entoure. S'applique aussi à la frange des paupières.
Circadien Cycle d'une durée approximative de 24 h.
Circumduction Mouvement permettant de faire décrire à un membre un cône dont l'articulation proximale forme le sommet.
Cirrhose Dégénérescence du tissu hépatique caractérisée par une destruction progressive des cellules hépatiques et une déposition de tissu conjonctif.
Citerne Cavité intracellulaire formée par les replis du réticulum endoplasmique. Au niveau de l'appareil de Golgi les citernes forment des saccules.
Clearance rénale Le volume de plasma contenant la quan-

tité d'une substance librement filtrable qui apparaît dans l'urine par unité de temps.

Clitoris Petit organe de tissu érectile situé à la partie antérieure de la vulve et centre des sensations sexuelles chez la femme.

Clone Ensemble des cellules dérivées d'une même cellule primordiale, possédant donc la même constitution génétique et phénotypique.

Cochlée La portion spiralée de l'os temporal qui loge le labyrinthe de l'oreille interne (organe de l'audition).

Code génétique Les triplets d'ADN et d'ARN qui portent l'information génétique.

Codominance Expression phénotypique des deux allèles chez un hétérozygote.

Codon Triplet de nucléotides d'un mARN spécifiant un acide aminé déterminé.

Coefficient de partition Rapport de la distribution d'une substance entre deux phases liquides (par exemple, huile-eau).

Coeliaque Qui se rapporte à l'abdomen.

Coelome Terme général pour représenter les cavités thoracique et abdominale.

Coenzyme Substance non protéique, composant essentiel d'une enzyme. *Syn.* Cofacteur.

Coenzyme A (CoA) Dérivé de l'acide pantothénique; forme de l'acétyl CoA en se liant à un acétate.

Cofacteur Un atome, un ion, une molécule, qui se combine à une enzyme pour l'activer.

Coït Accouplement de l'homme et de la femme. Relation sexuelle.

Col utérin Partie de l'utérus qui se projette dans le vagin.

Collagène Protéine fibreuse, constituant du cartilage, de l'os, et des fibres blanches des tissus conjonctifs.

Collatérale Branche secondaire d'un nerf ou d'un vaisseau sanguin.

Colloïde Système où l'on retrouve de fines particules solides en suspension dans un liquide.

Côlon Principale partie du gros intestin.

Colostrum Liquide sécrété par les glandes mammaires pendant les premiers jours après l'accouchement.

Complexe QRS Partie de l'électrocardiogramme reliée à la dépolarisation des ventricules.

Composé En chimie, une substance constituée de deux éléments ou plus unis chimiquement.

Compteur Geiger Appareil servant à déceler la présence de radiations ionisantes et à en mesurer l'intensité.

Condyle Excroissance osseuse arrondie.

Cône Cellule photoréceptrice de la rétine permettant la vision des couleurs.

Cône d'implantation Région unissant l'axone au corps cellulaire du neurone. (*Voir aussi* Segment initial.)

Congénital Caractère de ce qui existe à la naissance ou avant, indépendamment de son origine: embryologique, génétique, etc. Peut être héréditaire ou non.

Conjonctive Membrane recouvrant la surface du globe oculaire et des paupières.

Consanguinité Lien de parenté dû à un ancêtre commun.

Contraception Qui s'oppose à la conception, qui l'empêche.

Contre-courant Mécanisme utilisant un système d'échanges transversaux entre des canaux dans lesquels l'écoulement du fluide se fait en sens contraire en vue d'établir et de maintenir un gradient.

Controlatéral Du côté opposé, de l'autre côté.

Cornée Partie antérieure transparente qui recouvre le globe oculaire.

Cornet osseux Un des processus osseux qui fait saillie dans une cavité nasale à partir de la paroi latérale.

Corps aortiques Régions de la crosse aortique contenant des chimiorécepteurs et des barorécepteurs, sensibles respectivement à la composition du sang et à la valeur de la pression.

Corps calleux Bande de fibres nerveuses reliant les deux hémisphères sous la fissure longitudinale.

Corps carotidien Nodule de cellules réceptrices situé immédiatement au-dessus du sinus carotidien; contient des chimiorécepteurs.

Corps cétoniques Acétone, acide acétoacétique, acide β-hydroxybutyrique. Produits du métabolisme des lipides et du pyruvate formés dans le foie à partir de l'acétyl CoA. Sont oxydés dans le muscle et le système nerveux central en période de jeûne.

Corps géniculés Projections des ganglions géniculés où parviennent les informations rétiniennes avant d'être relayées vers le cortex. Siège probable de la stéréoscopie.

Corps jaune Structure endocrine qui se développe à partir du follicule rupturé au moment de l'ovulation; sécrète de la progestérone.

Corps pinéal Glande formant une excroissance dans le toit du diencéphale.

Corps vitré Constituant transparent du globe oculaire remplissant l'espace compris entre le cristallin et la rétine.

Corpuscule lamelleux (de Pacini) Pressorécepteur de la peau, du muscle, des articulations et du tissu conjonctif; consiste en une terminaison nerveuse enveloppée dans une capsule conjonctive laminée.

Cortex 1. La portion externe d'un organe. 2. Le recouvrement de substance grise du cerveau.

Cortex moteur Partie du cortex cérébral contrôlant la motricité; située en avant du sillon central séparant les lobes frontal et pariétal.

Cortisol Principal glucocorticoïde; accélère la gluconéogenèse hépatique.

Couplage excitation-contraction Processus par lequel une excitation électrique de la membrane d'une cellule musculaire amène l'activation du mécanisme contractile.

Courbes de dissociation de l'oxygène Courbes décrivant la relation entre le degré d'association de O_2 avec l'hémoglobine et la pression partielle de l'oxygène dans la solution.

Covalence Liaison entre deux atomes fournissant chacun des électrons qui sont partagés.

Crâne Enveloppe osseuse du cerveau.

Créatine phosphate (CP) Un composé chimique servant au transfert de l'énergie; se trouve surtout dans les cellules musculaires.

Créatinine Produit de déchet azoté de la créatine musculaire.

Crêtes mitochondriales Replis formés par la membrane interne des mitochondries.

Crétinisme Condition pathologique caractérisée par le nanisme et le retard mental, secondaires à une déficience aiguë en hormones thyroïdiennes.

Cricoïde Cartilage du larynx en forme d'anneau.

Cristallin Organe transparent situé derrière la pupille et l'iris du globe oculaire et en avant du corps vitré. Lentille convergente pour la mise au point fine de l'image sur la rétine.

Crossing-over Échange de gènes entre les deux chromosomes d'une paire. *Syn.* Enjambement.

Curare Poison d'origine sud-américaine. Bloque la transmission synaptique à la plaque motrice par inhibition compétitive des récepteurs de l'acétylcholine.

Cutané Se rapportant à la peau.

Cyanure Poison qui bloque le transfert des électrons au niveau du dernier cytochrome de la chaîne respiratoire.

Cybernétique Science de la communication de l'information et du contrôle des organismes vivants et des machines.

Cycle menstruel Changements physiologiques périodiques chez la femme, comprenant la menstruation.
Cycle tricarboxylique ite de réactions permettant d'oxyder une molécule d'acétate (à 2 carbones) en gaz carbonique et en eau pour en retirer de l'énergie.
Cytochrome Groupe de protéines contenant du fer (des pigments du genre de l'hémoglobine) dont le rôle est d'accepter et de donner des électrons en présence d'oxygène. Font partie de la chaîne du transport des électrons des cellules aérobies.
Cytocinèse Les changements de forme de la cellule en division; division physique de la cellule.
Cytoplasme La substance intracellulaire contenant les organites autres que le noyau.
Cytosine Base azotée des acides nucléiques.

Débit cardiaque Le volume total de sang pompé par un ventricule par unité de temps. Le débit cardiaque égale la fréquence des battements multipliée par le volume d'éjection.
Décibel Unité de mesure non admise dans le SI servant à mesurer l'intensité sonore.
Décussation Croisement d'un côté à l'autre.
Défécation Évacuation par l'anus de matières non digérées dans le tube digestif, les fèces.
Déférent Qui transporte en éloignant de.
Déglutition Action d'avaler; implique une suite de mouvements réflexes.
Délai synaptique Le laps de temps, caractéristique de chaque type de synapse, que prend l'excitation nerveuse pour passer de la membrane présynaptique à la membrane postsynaptique.
Délétion Perte d'un fragment de chromosome.
Dénaturation Altération ou destruction de la nature d'une substance par des moyens chimiques ou physiques.
Dendrite Prolongement d'une cellule nerveuse spécialisé dans la réception des influx.
Dentine Substance dure de la dent entourant la pulpe et recouverte d'émail.
Dépolarisation Réduction (valeur moins négative) ou inversion du potentiel transmembranaire par rapport à sa valeur au repos.
Dérive génétique Fluctuation de la fréquence d'un gène d'une génération à l'autre.
Derme Épais revêtement cutané sous l'épiderme.
Désamination L'enlèvement d'un groupement (radical) $-NH_2$ d'un acide aminé.
Déshydratation 1. État de l'organisme en déficit d'eau. 2. La perte d'une ou de plusieurs molécules d'eau lors d'une réaction chimique.
Desmosome Un type d'union entre deux cellules.
Dette d'oxygène L'oxygène supplémentaire nécessaire pour oxyder les produits du métabolisme anaérobie qui se sont accumulés dans les muscles pendant un exercice physique intense.
Dextrine Produit de dégradation de l'amidon.
Dextrose Monosaccharide semblable au glucose.
Diabète insipidus Trouble de la sécrétion de ADH accompagné d'une soif constante et d'un grand débit urinaire.
Diabète mellitus Affection métabolique impliquant la sécrétion pancréatique d'insuline dont le défaut réduit la prise en charge du glucose par les cellules.
Dialyse Séparation de substances par diffusion au travers d'une membrane semi-perméable.
Diaphyse Le corps d'un os long.
Diarthrose Articulation synoviale, mobile, contenant de la synovie.
Diastole Phase de relaxation du coeur entre deux contractions.
Diencéphale Partie du cerveau comprenant essentiellement le thalamus et l'hypothalamus.
Diéthylstilboestrol Composé chimique possédant une activité oestrogénique.
Diffusion Dispersion d'atomes, de molécules ou d'ions, causée par leur agitation thermique.
Diffusion facilitée Diffusion au travers d'une membrane avec l'aide d'un transporteur moléculaire qui augmente la mobilité de la substance transportée dans la membrane.
Digestion Processus par lequel les aliments ingérés sont amenés sous la forme de nutriments, de molécules pouvant être absorbées au travers des parois intestinales.
Digitaline Médicament servant à augmenter la force de contraction d'un coeur affaibli.
Diphosphoglycérate (DPG) Intermédiaire dans les réactions de la glycolyse.
Diploïde Possédant le nombre normal de chromosomes pour une cellule somatique, soit 2 N chromosomes. (N = 23 chez l'espèce humaine.)
Disjonction Séparation des chromosomes lors de la méiose; séparation des chromatides lors de la mitose.
Disque intercalaire Région à la surface des cellules musculaires cardiaques où les cellules sont unies par des desmosomes.
Dissociation Séparation; résolution, due à l'agitation thermique ou à la dissolution, d'une substance en constituants plus simples.
Distal Le plus éloigné de l'origine; le plus près de l'extrémité; en général, le plus éloigné de l'axe du corps.
Diurétique Agent qui augmente la production d'urine.
Diurne 1. Qui s'accomplit dans un cycle de 24 h. 2. Qui se produit pendant le jour.
Dominance L'expression d'un gène à l'état hétérozygote.
Dopamine (hydroxytyramine) Produit de la décarboxylation de la dopa, un intermédiaire de la synthèse de la noradrénaline; probablement un neurotransmetteur central.
Dorsal Vers l'arrière, postérieur par rapport à l'axe du corps.
Dos Face dorsale du tronc; le dessus de la main; le dessus du pied.
Duodénum Portion initiale de l'intestin grêle située entre le pylore et le jéjunum.
Dure-mère La plus externe des membranes méningées recouvrant le cerveau.
Dysménorrhée Menstruations douloureuses.
Dyspnée Difficulté à respirer accompagnée d'une sensation de manque d'air.
Dystrophie Dégénérescence d'un organe ou d'un tissu souvent due à une malnutrition.

Eau métabolique Eau produite par oxydation cellulaire.
Écoulement laminaire Débit d'un fluide dans lequel la direction du mouvement est la même partout. S'oppose à l'écoulement turbulent.
Écoulement turbulent Écoulement dans lequel le fluide est projeté dans toutes les directions. S'oppose à l'écoulement laminaire.
Ectoderme Le plus superficiel des trois feuillets embryonnaires.
Ectopique Situé en un lieu autre que l'endroit normal.
Effecteur Tissu ou organe produisant une réponse (sécrétion, mouvement, etc.) à un signal nerveux ou hormonal.
Efférent Centrifuge; qui s'éloigne d'un point de référence.
Effet Bohr Modification de l'affinité de l'hémoglobine pour l'oxygène due à une variation du pH du sang.

Éjaculat Liquide de composition complexe expulsé lors de l'éjaculation. *Syn.* Sperme.
Éjaculation Expulsion brusque, comme l'émission du sperme lors de l'orgasme.
Élastique Qualité de ce qui peut subir un changement de forme et la recouvrer spontanément lorsque laissé à lui-même.
Électrocardiogramme (ECG) Enregistrement graphique des phénomènes électriques associés à la révolution cardiaque. S'obtient grâce à des électrodes placées en divers endroits du corps.
Électrode Élément d'un circuit électrique servant à faire le contact avec une solution, un tissu, l'intérieur d'une cellule, etc. Peut être utilisé pour mesurer un potentiel ou pour porter un courant.
Électroencéphalogramme (EEG) Enregistrement graphique de l'activité électrique des neurones du cortex cérébral.
Électrogène Qui produit un courant ou un potentiel électrique.
Électrolyte Composé qui se dissocie en ions lorsque dissout dans l'eau.
Électron La plus petite particule de charge négative; tourne autour du noyau de l'atome.
Électronégativité Affinité pour les électrons.
Électrophorèse Mouvement de charges électriques dans un champ électrique.
Électrovalence Nombre d'électrons qu'un atome peut perdre ou accepter par transfert lors d'une réaction chimique.
Élément Une des quelque 103 substances pures à partir desquelles sont formés tous les composés chimiques.
Élimination Processus d'évacuation de substances de rebut, en particulier des aliments non absorbés dans le tube digestif.
Émail Substance blanche très dure qui recouvre la dentine et la couronne des dents.
Embole Tout corps étranger circulant dans le sang jusqu'à en bloquer l'écoulement: caillot, bulle d'air, amas de cellules cancéreuses, lipides, tissu, objets quelconque.
Embolie Obstruction d'un vaisseau sanguin par une substance quelconque (une embole), causant divers syndromes.
Embryon Les premiers stades du développement, les huit premières semaines qui suivent la conception.
Emphysème État pathologique associé à un agrandissement des alvéoles pulmonaires.
Émulsion Suspension de fines gouttelettes d'un liquide non miscible dans un autre.
Endergonique Caractérisé par une consommation concurrente d'énergie.
Endocarde Revêtement interne des chambres cardiaques.
Endochondral Qui appartient au cartilage, dans son action ou sa localisation.
Endocrine Qui est déversé directement dans le torrent circulatoire; glande sans canal excréteur.
Endocytose Invagination de petites surfaces de la membrane cellulaire qui se détachent et introduisent des portions du milieu extracellulaire dans le cytoplasme.
Endoderme Le plus interne des trois feuillets embryonnaires.
Endogène Produit par l'organisme lui-même ou dû à des causes internes.
Endolymphe Le liquide contenu dans le labyrinthe membraneux de l'oreille.
Endomètre Épithélium du revêtement interne de l'urérus.
Endomysium Tissu conjonctif compris entre les cellules musculaires d'un faisceau.
Endoste Mince revêtement de tissu conjonctif tapissant la cavité médullaire des os.
Endothélium Épithélium simple pavimenteux composé de très fines cellules aplaties tapissant l'intérieur des vaisseaux sanguins et certaines cavités (pleurale, cardiaque, abdominale).
Énergie Capacité de faire un travail.
Énergie cinétique Énergie provenant du mouvement d'une masse.
Énergie potentielle Énergie emmagasinée et pouvant être libérée pour effectuer un travail.
Enjambement Synonyme de crossing-over.
Enzyme Catalyseur organique de nature protéique.
Éosinophile Globule blanc du sang coloré fortement par l'éosine et les colorants acides. *Syn.* Acidophile.
Épicarde Recouvrement externe des parois du coeur.
Épiderme Couche superficielle de la peau.
Épididyme Tube enroulé recueillant les spermatozoïdes produits dans les testicules et les acheminant vers les canaux déférents.
Épiglotte Clapet cartilagineux situé au-dessus de l'orifice du larynx.
Épilepsie Maladie du système nerveux central s'exprimant par une soudaine apparition de mouvements musculaires incontrôlés parfois accompagnés de perte de conscience.
Épimysium Feuillet de tissu conjonctif qui enveloppe un muscle.
Épinèvre Manchon de tissu conjonctif enveloppant un nerf périphérique.
Épiphyse Extrémité d'un os long. Pendant un certain temps l'épiphyse n'est attachée à l'os que par du cartilage. *Syn.* Corps pinéal.
Épiploon Repli du péritoine (mésentère) attaché à l'estomac.
Épithélium Tissu de recouvrement des surfaces corporelles et de revêtement interne des organes creux.
Équilibre électrochimique État d'un ion dont la différence de concentration de part et d'autre d'une membrane est exactement compensée par un potentiel électrique dirigé en sens contraire.
Érythème Rougeur de la peau causée par une congestion capillaire.
Érythroblastose foetale Anémie hémolytique du foetus causée par le passage au travers du placenta d'anticorps Rh maternels s'attaquant à un foetus Rh positif.
Érythrocyte Globule rouge.
Érythropoïèse Production des globules rouges.
Érythropoïétine Hormone de nature glycoprotéique stimulant la production des globules rouges.
Ésérine (physostigmine) Alcaloïde d'origine végétale qui bloque l'action de la cholinestérase.
Espace mort physiologique Partie des voies respiratoires contenant de l'air qui ne participe pas aux échanges gazeux.
État d'activité Se rapporte à la capacité d'un muscle à exercer une force ou à y résister, à longueur constante. Réfère à l'état d'un muscle où les myofilaments d'actine et de myosine sont attachés par des ponts d'union.
Eunuque Mâle adulte dont les testicules n'ont jamais été fonctionnels ou ont été enlevés.
Eupnée Respiration normale.
Évagination Processus de formation d'un organe ou d'une partie du corps par une excroissance.
Excitabilité Propriété de conductivité particulière d'une membrane excitable en réponse à une stimulation; souvent exprimée sous la forme d'une modification du potentiel de membrane.
Excitateur Se rapporte à la plus grande probabilité de produire un potentiel d'action.

Exergonique Caractérisé par une libération concomitante d'énergie.
Exocytose Fusion de la membrane d'une vacuole à la membrane cytoplasmique avec expulsion du contenu vacuolaire à l'extérieur de la cellule.
Exogène Dû à, produit par, une cause externe; n'ayant pas été produit à l'intérieur de l'organisme.
Extension Mouvement qui augmente la valeur de l'angle entre deux os unis par une articulation mobile.
Extérocepteur Catégorie de récepteurs qui captent les stimulus provenant du milieu extérieur, de l'environnement externe.
Extrasystole Contraction cardiaque se produisant en avance, plus rapidement que prévu, dans un cycle cardiaque.

Facilitation Augmentation de l'efficacité de la fonction synaptique due à une activation préalable ou simultanée de cette synapse.
Faisceau Groupe de fibres nerveuses dans le SNC; groupe de fibres musculaires dans un muscle.
Faisceau atrio-ventriculaire Tissu de conduction situé dans la paroi interventriculaire.
Fascia Minces feuillets de tissu conjonctif formant un support sur lequel s'attachent d'autres tissus.
Fascicule Petit faisceau de fibres nerveuses.
Fèces Substances évacuées hors du gros intestin lors de la défécation; contiennent surtout de l'eau, des bactéries et des matières indigestes.
Fécondation Union des gamètes mâle et femelle.
Fenêtre cochléaire Ouverture recouverte d'une membrane, située dans la paroi interne de l'oreille moyenne; sa vibration en phase avec celles du stapes, dont la base s'applique sur la fenêtre vestibulaire, permet aux ondes sonores d'ébranler les cellules ciliées de la cochlée.
Fenêtre vestibulaire Ouverture dans la paroi interne de l'oreille moyenne recouverte par la base du stapes.
Fente synaptique Espace séparant deux cellules excitables à la synapse.
Fermentation Décomposition enzymatique; transformation anaérobie de nutriments (sans oxydation ou transport d'électrons).
Ferritine Complexe ferro-protéique, l'une des formes de stockage du fer dans le corps.
Fibre de Purkinje Fibre musculaire différenciée de la paroi ventriculaire conduisant rapidement les potentiels d'action dans la masse musculaire myocardique.
Fibre extrafusale Fibre musculaire hors des fuseaux neuro-musculaires.
Fibre fusoriale Fibre musculaire constituante d'un fuseau neuro-musculaire.
Fibre musculaire Cellule musculaire.
Fibrillation Contractions cardiaques rapides et incoordonnées.
Fibrine Protéine fibreuse insoluble constituant des caillots sanguins; formée grâce à l'action de la thrombine sur le fibrinogène.
Fibrinogène Protéine plasmatique qui forme de la fibrine pendant le processus de la coagulation.
Fibroblaste Grosse cellule de tissu conjonctif qui sécrète les fibres du tissu conjonctif et qui peut se différencier en chondroblastes, en collagénoblastes ou en ostéoblastes.
Filament épais Myofilament de myosine.
Filament fin Myofilament d'actine.
Filtration Processus par lequel une pression produit un débit de liquide au travers d'une membrane semi-perméable qui empêche le passage d'éléments en solution ou en suspension.
Fistule Communication anormale entre deux structures internes ou entre une structure interne et la surface du corps.
Flagelle Organite cellulaire en forme de fouet utilisée comme organe locomoteur par les spermatozoïdes, par exemple.
Flavine adénine dinucléotide (FAD) Coenzyme importante en particulier dans les réactions du transport des électrons.
Flexion Mouvement qui réduit l'angle entre deux os unis par une articulation.
Flux Taux de transfert de matière ou d'énergie au travers d'une surface unitaire.
Foetus Organisme humain après deux mois de gestation.
Follicule Petite structure creuse contenant des cellules ou des produits de sécrétion; dans l'ovaire, l'ovule est entouré de cellules folliculaires.
Follicule primaire Follicule ovarique (ovarien) immature.
Fontanelle Région non ossifiée du crâne d'un bébé.
Foramen Une perforation, un trou, spécialement dans un os.
Formation réticulée activatrice (FRA) Système d'éveil du cerveau.
Fornix Terme général désignant une structure en forme d'arche.
Fovea Dépression de la rétine contenant une grande densité de cônes.
Frange Projection digitiforme à l'extrémité de la trompe utérine.
Fréquence Nombre de fois par unité de temps que se produit un phénomène périodique, comme une onde sonore ou une onde lumineuse.
Frontal La partie antérieure d'un organe. Un plan frontal passe au travers du corps, en avant de son axe principal.
Fundus La base d'un organe creux.
Fuseau mitotique Structure de forme ovale (ballon de football) composée de fibrilles et dont l'activité se manifeste lors de la division du noyau.
Fuseau neuro-musculaire Organe récepteur sensible à l'élongation du muscle; situé parmi et en parallèle avec les fibres musculaires extrafusales. Point de départ du réflexe myotatique (consécutif à une secousse tendineuse).

Gaine de myéline Couches superposées de membranes de cellules de Schwann qui enveloppent des segments d'axone de nerfs de vertébrés. Sert d'isolant électrique pour la conduction saltatoire.
Gamète Spermatozoïde ou ovule.
Gamma (γ) Troisième lettre de l'alphabet grec.
Gammaglobuline Fraction des protéines plasmatiques comprenant les anticorps.
Ganglion Amas de corps cellulaires de neurones ordinairement situé à l'extérieur du système nerveux central.
Ganglions de la base *Voir* Noyaux gris centraux.
Gastrine Hormone protéique sécrétée par la portion antrale de la muqueuse gastrique; stimule les sécrétions gastriques et la motilité stomacale.
Gène L'entité de transmission des caractères héréditaires dont la présence est susceptible de se manifester dans le phénotype.
Gène régulateur Gène commandant la synthèse d'une substance répressive s'opposant à l'action d'un gène opérateur spécifique.
Génome Ensemble des chromosomes et des gènes

contenus dans un gamète. Correspond au nombre haploïde de chromosomes.
Génotype Totalité du stock chromosomique caractéristique de l'organisme. Correspond au nombre diploïde de chromosomes.
Germains Frères et soeurs.
Germen Lignée des cellules reproductrices; par opposition à soma.
Gestation Durée de la grossesse; période de développement intra-utérin d'un organisme.
Gigantisme Croissance excessive due à une hypersécrétion d'hormone de croissance depuis la naissance.
Glande Cellule, tissu ou organe qui sécrète une substance utilisée ou éliminée de l'organisme. (*Voir aussi les glandes particulières.*)
Glande endocrine Glande sans canal pour évacuer son produit de sécrétion, une hormone. Celle-ci dépend donc du liquide interstitiel et du sang pour son transport.
Glande exocrine Glande dont le produit de sécrétion atteint une surface épithéliale, généralement par un canal ou un conduit.
Glande holocrine Glande dont le produit de sécrétion contient la cellule glandulaire elle-même, désintégrée.
Glande mérocrine Type de glande dans laquelle les cellules sécrétrices demeurent intactes pendant tout le cycle sécrétoire, en opposition aux sécrétions apocrines et holocrines.
Glandes bulbo-urétrales Paire de glandes, chez l'homme, qui sécrètent du liquide dans l'urètre pendant l'excitation sexuelle. *Syn.* Glandes de Cowper.
Glandes vestibulaires majeures Deux glandes à mucus situées de part et d'autre de l'orifice vaginal, chez la femme.
Glaucome Une des nombreuses maladies causées par une trop grande pression intraoculaire.
Globule rouge Cellule anucléée du sang transportant essentiellement de l'hémoglobine. *Syn.* Hématie; Érythrocyte.
Globuline Classe de protéines; l'une des variétés de protéines plasmatiques.
Glomérule Amas d'anses capillaires enfermées dans la capsule glomérulaire d'un néphron (tube rénal).
Glomérulonéphrite Inflammation des anses capillaires des glomérules rénaux.
Glotte Espace compris entre les cordes vocales.
Glucagon Hormone peptidique d'origine pancréatique sécrétée en réponse à l'hypoglycémie; stimule la production hépatique de glucole par glycogénolyse.
Glucide Substance organique composée de carbone, d'hydrogène et d'oxygène, les deux derniers éléments étant dans des proportions approximatives de 2 pour 1. (Glycogène, amidon, cellulose, glucose, sucrose, etc.)
Glucocorticoïdes Hormones sécrétées par le cortex surrénal; elles modifient le métabolisme du glucose (entre autres). En font partie la cortisone, le cortisol, la corticostérone et la 11-désoxycorticostérone.
Gluconéogenèse La synthèse hépatique de glucose à partir de substances autres que celles de nature glucidique.
Glucose Monosaccharide à 6C présent dans le sang et principal nutriment cellulaire. Autres hexoses: fructose, galactose, etc.
Glucosurie Excrétion de quantités anormalement grandes de glucose dans l'urine.
Glycérol Glucide à trois carbones qui forme des glycérides en se liant à des acides gras.
Glycogène Polysaccharide ressemblant à l'amidon et présent dans plusieurs tissus, surtout dans le foie et les muscles squelettiques.
Glycogenèse Processus de synthèse de glycogène à partir du glucose.
Glycogénolyse Processus d'hydrolyse du glycogène en vue de libérer du glucose.
Glycolyse Processus de dégradation des glucides, surtout le glucose, en acide pyruvique ou en acide lactique avec libération d'énergie.
Goitre Accroissement anormal de la taille de la glande thyroïde, généralement dû à un manque d'iode dans l'alimentation.
Gonade Terme général pour représenter les organes sexuels qui produisent les gamètes: ovaires et testicules.
Gonadotropine chorionique (GC) Hormone sécrétée par le placenta et stimulant l'activité du corps jaune.
Gonadotropines Groupe d'hormones qui influent sur l'activité des gonades; le terme s'applique surtout à celles qui sont sécrétées par l'adénohypophyse.
Gonosomes Chromosomes sexuels X et Y.
Grand mal Attaque épileptique majeure.
Granulocyte Un des nombreux types de globules blancs contenant des granules cytoplasmiques; éosinophiles, neutrophiles et basophiles.
Groupement chimique. *Voir* Radical.
Guanine 2-amino-6-oxypurine; base azotée présente dans les acides nucléiques.
Guanosine triphosphate Molécule à forte teneur énergétique, comme l'ATP, qui participe à beaucoup de réactions endergoniques.
Gustation Sens de goûter, basé essentiellement sur la chimioréception.
Gyrus Circonvolution à la surface du cerveau.

Habituation Diminution progressive de la probabilité d'obtenir une réponse comportementale ou de la grandeur de cette réponse à la suite de la répétition d'une stimulation.
Hamatum Os du carpe en forme de crochet.
Haploïde Nombre de chromosomes caractéristique d'un gamète, la moitié du nombre diploïde. Chez l'humain le nombre haploïde N = 23.
Haptène La portion d'une molécule d'antigène qui définit sa spécificité immunologique.
Haustrations Renflements sacculiformes des parois du gros intestin.
Hélice Terme servant à désigner une spirale quelconque; en biochimie le terme s'applique en général à une spirale dont le diamètre est constant.
Hélice alpha Structure secondaire en spirale de plusieurs protéines et de l'ADN.
Hélicotrème Ouverture faisant communiquer les rampes tympanique et vestibulaire à la pointe de la cochlée.
Hématie Globule rouge.
Hématocrite Pourcentage du volume sanguin total occupé par les globules blancs et rouges. Chez l'humain l'hématocrite varie entre 40 et 50%.
Hématome Épanchement sanguin localisé dans le liquide interstitiel d'un tissu.
Hématopoïèse Processus de formation des globules rouges sanguins.
Hémisphères du cerveau Forment la majeure partie du cerveau, site de la conscience et de la motricité. *Syn.* Télencéphale.
Hémizygote État d'un sujet mâle en ce qui regarde le chromosome X.
Hémoglobine Pigment rouge des globules sanguins servant au transport des gaz respiratoires.
Hémoglobinurie Présence d'hémoglobine dans l'urine.

Hémolyse Destruction des globules rouges et la perte consécutive de leur hémoglobine.
Hémophilie Maladie héréditaire liée au sexe, caractérisée par un défaut du mécanisme de la coagulation du sang.
Hémorragie Épanchement de sang hors de l'appareil vasculaire sanguin.
Hémorroïde Dilatation variqueuse des veines de la région anale.
Héparine Acide organique (mucopolysaccharide) empêchant la coagulation sanguine.
Hépatite Inflammation du foie causée par un virus ou par une (des) substance(s) toxique(s).
Hérédité Phénomène par lequel des caractères sont transmis des ascendants aux descendants.
Hermaphrodite Sujet possédant à la fois des gonades mâles et femelles.
Hernie Saillie anormale d'un organe ou d'un tissu par une ouverture.
Hétérozygote Possédant deux allèles différents sur un locus particulier de deux chromosomes homologues.
Hexose Monosaccharide formé de 6 atomes de carbone.
Hile Concavité, dépression, en particulier à l'endroit où des vaisseaux, des nerfs, etc., pénètrent ou sortent d'un organe.
Hippocampe Région du cerveau associée étroitement avec les sensations olfactives, l'alimentation et les émotions; partie du télencéphale bordant les ventricules latéraux.
Histamine Amine dérivé de l'histidine; stimule le muscle lisse et le tissu glandulaire, localement, là où il est libéré.
Histiocyte Cellule phagocytaire formée dans le système phagocytaire mononucléé; correspond au macrophage.
Histologie Étude des tissus, de leur structure.
Histone Protéine basique de structure simple et répétitive qui s'associe à l'ADN.
Homéostasie Maintien par un organisme de conditions stables de son milieu intérieur grâce à des processus physiologiques coordonnés. *Adj.* Homéostatique.
Homéothermie Maintien d'une température corporelle constante.
Homologue Marque une correspondance au point de vue de l'origine embryonnaire, souvent même au point de vue structural (*Voir aussi* Chromosome homologue.)
Homozygote Possédant deux allèles identiques (les deux gènes d'une paire donnée) sur un locus défini de deux chromosomes homologues.
Hormone Molécule, messager chimique produit par une glande endocrine ou par certaines cellules (hormones locales par exemple).
Hormone adrénocorticotrope (ACTH) Hormone adénohypophysaire stimulant le cortex surrénal, sa croissance et sa production de corticostéroïdes. *Syn.* Hormone corticotrope; corticotropine.
Hormone antidiurétique (ADH) Hormone produite par des neurones hypothalamiques et sécrétée par la neurohypophyse. Favorise la réabsorption de l'eau en augmentant la perméabilité des parois des tubes rénaux; agent hypertenseur. *Ancienn.* Vasopressine.
Hormone de croissance Hormone adénohypophysaire qui stimule la croissance corporelle. *Syn.* Hormone somatotrope; somatotropine.
Hormone de frénation Neurosécrétion hypothalamique transportée par les vaisseaux porte vers l'adénohypophyse où elle restreint la sécrétion d'une hormone spécifique.
Hormone de stimulation Neurosécrétion hypothalamique favorisant la sécrétion d'une hormone spécifique par l'adénohypophyse.
Hormone de stimulation des cellules interstitielles (ISCH) Identique à l'hormone lutéinisante, mais chez l'homme.
Hormone folliculo-stimulante (F.S.H.) Hormone gonadotrope adénohypophysaire; stimule la prolifération des follicules chez la femme et la spermatogenèse chez l'homme.
Hormone lutéinisante (LH) Hormone adénohypophysaire responsable de l'ovulation et de la formation du corps jaune; stimule les cellules interstitielles chez l'homme.
Hormone mélanotrope (MSH) Hormone protéique sécrétée par l'adénohypophyse et qui contrôle la répartition de la mélanine chez les mammifères.
Hormone parathyroïdienne Hormone sécrétée par les parathyroïdes et dont l'action est d'élever le taux de calcium sanguin. *Syn.* Parathormone.
Hormone somatotrope Hormone de croissance.
Hormone thyréotrope (TSH) Hormone adénohypophysaire stimulant l'activité sécrétrice des cellules thyroïdiennes.
Humeur aqueuse Liquide clair remplissant la partie antérieure du globe oculaire.
Hyalin Translucide, vitreux, apparamment sans organisation. Le cartilage hyalin est ainsi un tissu transparent, dépourvu de grosses fibres, présent dans les articulations synoviales.
Hydratation Combinaison avec de l'eau.
Hydrofuge S'applique à des structures dont les surfaces ne se mouillent pas ou à des substances peu ou pas solubles dans l'eau.
Hydrolyse Réaction impliquant une molécule d'eau; en biologie les hydrolyses donnent des plus petites molécules à partir d'une plus grosse, comme dans la digestion.
Hydroxyle Le radical $-OH^-$.
Hypercalcémie Trop grande quantité de calcium plasmatique.
Hypercaliémie Trop grande quantité de potassium dans le plasma.
Hypercapnie Augmentation de la pression partielle de CO_2 dans le plasma.
Hyperémie Augmentation du débit sanguin dans un tissu ou un organe.
Hyperglycémie Trop forte concentration de glucose dans le sang.
Hypermétropie Trouble de la réfraction visuelle où des rayons parallèles vont converger derrière la rétine. Contraire de la myopie.
Hypernatrémie Trop grande quantité de sodium plasmatique.
Hyperosmotique Contenant un plus grand nombre de solutés osmotiquement actifs que la solution de référence.
Hyperplasie Augmentation du nombre de cellules dans un tissu ou un organe.
Hyperpnée *Voir* Hyperventilation.
Hyperpolarisation Augmentation de la différence de potentiel transmembranaire rendant l'intérieur de la cellule plus négatif qu'au repos.
Hypertension Haute pression artérielle.
Hypertonique Dont la pression osmotique ou la concentration en solutés est plus élevée que celle d'une autre solution utilisée comme témoin.
Hypertrophie Développement excessif d'un organe ou d'un tissu par augmentation de la taille des cellules individuelles.
Hyperventilation Respiration anormalement rapide et profonde.
Hypoglycémie Trop faible concentration de glucose sanguin.
Hypophyse Glande endocrine située à la base du cerveau et reliée à l'hypothalamus par une tige. Elle sécrète plusieurs hormones dont les effets se font sentir sur un grand nombre d'activités physiologiques. Son origine est double: le lobe antérieur (adénohypophyse) dérive de l'épithélium buccal

embryonnaire, alors que le lobe postérieur (neurohypophyse) vient d'une excroissance du diencéphale.
Hypotension Pression artérielle sous la valeur normale.
Hypothalamus Partie du cerveau formant le plancher du troisième ventricule; relié anatomiquement et fonctionnellement à l'hypophyse. Associé surtout à des activités nerveuses autonomes.
Hypotonique Solution dont la pression osmotique ou la concentration en solutés est plus faible que celle d'une autre solution prise comme témoin ou point de comparaison.
Hypoxie Manque d'oxygène.
Hystérectomie Ablation totale au partielle de l'utérus.

Ictère Coloration jaunâtre de la peau due à une accumulation anormale de pigments biliaires (bilirubine).
Ictus Arrêt brusque et local de la circulation cérébrale provoqué par un caillot sanguin ou une rupture vasculaire.
Iléum Portion distale du petit intestin.
Îlots pancréatiques Amas de cellules, la composante endocrine du pancréas; sécrétion d'insuline et de glucagon.
Immun Protégé contre les effets dommageables d'une substance étrangère.
Immunité La capacité de résister et de se défendre avec succès contre l'infection ou la maladie.
Immunoglobulines Anticorps; protéines spécifiques fabriquées en réaction à la présence d'antigènes particuliers.
Impuissance Incapacité masculine d'avoir une relation sexuelle.
In vitro Dans un milieu artificiel, à l'extérieur de l'organisme. À l'intérieur de l'organisme ou d'un tissu.
Incus L'osselet intermédiaire de l'oreille moyenne. (L'enclume).
Induction enzymatique Production d'enzymes stimulée par le substrat spécifique de cette enzyme (l'inducteur).
Inertie Tendance des masses à résister aux changements de leur mouvement ou de la direction de celui-ci.
Infarcissement Formation localisée de tissu nécrotique consécutif à une oxygénation insuffisante.
Inférieur Terme de direction en anatomie s'appliquant à des structures du corps en dessous d'un point de référence.
Inflammation Réaction tissulaire aux blessures; caractérisée par de la rougeur, de l'enflure, de la chaleur et de la douleur.
Influx nerveux Potentiel d'action propagé le long d'une fibre nerveuse ou musculaire.
Infrarouge Radiation thermique. Radiation électromagnétique dont la longueur d'onde est comprise entre $7{,}7 \times 10^{-5}$ et 12×10^{-5} cm; bande du spectre comprise entre la lumière rouge et les ondes radio.
Infundibulum Tige reliant l'hypophyse à l'hypothalamus.
Ingestion Action d'introduire des substances à l'intérieur de l'organisme par la bouche.
Inguinal Se rattachant à la région de l'aine.
Inhibition S'applique à la réduction de la probabilité d'obtenir un potentiel d'action.
Inhibition par le produit final Mécanisme de rétrocontrôle d'une voie métabolique par le produit final de la chaîne de réactions.
Inhibition réciproque Inhibition des motoneurones commandant à un groupe de muscles au moment de l'excitation réflexe des muscles antagonistes.
Inné Existant à la naissance.
Innervé Atteint par des nerfs.
Inosine Base nucléique formée par la désamination de l'adénosine.
Insertion Le point d'attache le plus mobile d'un muscle squelettique.
Instinct Groupes de comportements ou de réponses innés (non appris) particuliers à une espèce donnée.
Insuline Hormone protéique sécrétée par les îlots pancréatiques; elle facilite la diffusion du glucose dans la majorité des cellules. Hormone hypoglycémiante.
Intégration nerveuse Processus basé sur la synthèse (la sommation) des intrants d'une neurone ou d'un réseau neuronique et qui détermine un type particulier de réponse.
Interféron Protéine produite par des cellules infectées par un virus; empêche la reproduction virale et rend les autres cellules résistantes.
Interneurone Cellule nerveuse reliant deux neurones ou plus.
Intérocepteur terminaison neveuse ou toute autre structure sensitive qui est sensible aux conditions internes de l'organisme. L'activité des intérocepteurs peut être consciente ou inconsciente.
Interphase Intervalle entre deux division cellulaires.
Interstitiel Situé entre des structures tissulaires ou entre des cellules.
Intima Recouvrement interne des vaisseaux sanguins.
Inuline Polyfructore non digestible d'origine végétale. Utilisé dans l'étude de la fonction rénale parce qu'il filtre librement et n'est pas transporté activement par les parois des tubes.
Invagination Creux formé par un processus de reploiement.
Ion Atome ou groupe d'atomes possédant une charge électrique nette due à un gain ou à une perte d'électrons.
Ionisation Processus de dissociation en ions d'un composé mis en solution.
Ipsilatéral Du même côté.
Iris Le disque circulaire et coloré de l'oeil qui contrôle le degré d'ouverture de la pupille, donc de la quantité de lumière qui pénètre dans l'oeil.
Irritabilité La qualité de pouvoir répondre à un stimulus.
Ischémie L'absence de circulation sanguine (dans un organe ou un tissu).
Ischium Os de la hanche formant la partie postéro-inférieure de l'os coxal (iliaque).
Isomère L'un des deux ou plusieurs composés chimiques possédant la même formule brute mais qui diffèrent par la disposition des atomes constituants.
Isométrique Dont les dimensions demeurent inchangées; en physiologie musculaire le terme s'applique à une contraction sans raccourcissement.
Isosmotique Ayant la même pression osmotique.
Isotonique 1. Solution dont la pression osmotique ou la concentration en solutés est égale à celle de la solution de référence. 2. Variété de contraction musculaire où la longueur du muscle change, mais non la tension qu'il doit développer.
Isotope L'une des deux ou plusieurs formes d'un élément, ayant le même nombre de protons (numéro atomique) que celui-ci, mais un nombre différent de neutrons (masse atomique).
Isthme Raccord étroit entre deux masses plus importantes.
Ivoire *Voir* Dentine.

Jaunisse Nom vulgaire de l'ictère.
Jéjunum Segment intermédiaire du petit intestin reliant le duodénum et l'iléum.
Jonction serrée Région de fusion de deux membranes cellulaires voisines; empêche le passage de matériel extracellulaire entre les deux cellules.

Joule Unité d'énergie égale à un newton par mètre. Correspond à peu près au travail que quelqu'un doit faire pour soulever 2 balles de golf à une hauteur de 1 mètre.
Jugulaire Appartenant au cou.

Kératine Protéine insoluble caractéristique des tissus et des structures épidermiques (par exemple les poils, les ongles).
Kinines plasmatiques Hormones transportées par le sang (par exemple la bradykinine).

Labyrinthe Le système de canaux et de cavités intercommunicants de l'oreille interne.
Lacrymal Qui se rapporte aux larmes.
Lactation 1. Production et éjection du lait maternel. 2. Période pendant laquelle le bébé est nourri au sein (allaitement maternel).
Lactose Disaccharide formé de glucose et de galactose; le sucre du lait.
Lacune La cavité de la matrice dans laquelle se trouve une cellule cartilagineuse ou osseuse.
Larynx L'organe d'émission de la voix, situé à l'extrémité supérieure de la trachée.
Latent En état d'inactivité.
Latéral Placé ou situé sur un côté de l'axe principal du corps.
Lécithine Groupe de phospholipides composés de choline, d'acide phosphorique, d'acides gras et de glycérol.
Lemnisque Faisceau de fibres nerveuses de la moelle allongée dont la décussation se fait au niveau du pont; porte des influx vers le thalamus.
Lésion Tissu pathologique ou blessé.
Létal Qui entraîne la mort.
Leucémie Forme de cancer caractérisée par une multiplication incontrôlée des globules blancs et de leurs précurseurs.
Leucocyte Globule blanc.
Leucocytose Augmentation du nombre de globules blancs dans le sang (>10 000/mm³).
Leucopénie Baisse du nombre de globules blancs dans le sang (<5 000/mm³).
Levier Système mécanique formé d'un axe rigide mobile autour d'un point fixe, le pivot.
Liaison ionique Liaison chimique entre deux ions de charge opposée.
Libido État du désir sexuel. La libido varie chez la femme en fonction du cycle ovarien.
Lien peptidique La liaison chimique centrale de -CO-NH-, celle qui unit entre eux deux acides aminés ou plus pour former un peptide.
Ligament Bandelette au feuillet de tissu conjonctif résistant reliant l'extrémité articulée d'un os à celle d'un autre os.
Lipase Enzyme qui catalyse l'hydrolyse des acides gras à partir des triglycérides et des phospholipides.
Lipémie Présence dans le sang d'un excès de lipides.
Lipide Substance graisseuse. Classe de molécules organiques peu solubles dans l'eau et surtout composées de glycérol et d'acides gras.
Liquide cérébro-spinal (LCS) Liquide clair emplissant les ventricules du cerveau. *Syn.* Liquide céphalorachidien (LRC).
Liquide spermatique Liquide contenant les spermatozoïdes; produit par les structures génitales de l'homme.
Lobe temporal Lobe des hémisphères cérébraux situé latéralement au niveau des tempes.
Loi d'action de masse La vitesse d'une réaction chimique est proportionnelle à la quantité disponible des réactifs.
Loi de Henry La quantité de gaz dissoute dans un liquide est proportionnelle à la pression partielle de ce gaz dans la phase gazeuse.
Loi de Starling 1. Loi du coeur, décrivant la relation entre le travail fourni par le coeur et la pression de remplissage. 2. Loi des capillaires, expliquant les relations entre les forces hydrostatiques et oncotiques s'appliquant aux mouvements liquidiens transcapillaires.
Lumière Intérieur d'une cavité ou d'un conduit.
Lumière visible Lumière dont la longueur d'onde se situe entre $3{,}9 \times 10^{-5}$ et $7{,}4 \times 10^{-5}$ cm.
Lymphe Le liquide des vaisseaux lymphatiques, formé à partir du liquide interstitiel.
Lymphocyte Variété de globule blanc agranulaire ayant un rôle dans les réponses immunitaires.
Lyse Destruction cellulaire consécutive à une dislocation de la membrane.
Lysosome Organite cytoplasmique vacuolaire contenant des enzymes digestives.
Lysosyme Protéine présente dans les larmes et la salive; sert d'enzymes antibactérienne.

Macrophage Grosse cellule phagocytaire appartenant au système «réticulo-endothélial» ou phagocytaire mononucléé.
Macule Tache ou point dont l'aspect et le rôle sont différents de ceux du tissu environnant.
Malignité Cancer.
Malléole Processus arrondi de part et d'autre de l'articulation de la cheville.
Malleus Osselet de l'oreille moyenne relié au tympan (le marteau).
Maltose Disaccharide formé pendant la digestion de l'amidon; constitué de deux molécules de glucose.
mARN La variété d'ARN responsable de la transmission du message génétique du noyau vers les ribosomes. Acide ribonucléiques messager.
Mastocyte Basophile tissulaire; sécrète de l'héparine; rôle important dans les réactions allergiques.
Mastoïde En forme de mamelon.
Matrice Terme souvent utilisé pour désigner de la substance extracellulaire formée de tissu conjonctif.
Méat Ouverture, passage menant à l'extérieur du corps.
Mécanorécepteur Récepteur sensitif sensible à la distorsion mécanique.
Médial (médian) Vers l'axe principal du corps, en opposition à latéral.
Médiastin 1. L'espace sis entre les deux membranes pleurales et contenant, entre autres, le coeur. 2. Région du hile testiculaire.
Médullaire Région centrale d'un organe, par rapport à la région superficielle, le cortex.
Mégakaryocyte Grosse cellule de la moelle osseuse à l'origine des plaquettes sanguines.
Méiose Division cellulaire réductionnelle, celle qui permet de produire des gamètes possédant un nombre réduit de chromosomes, le nombre haploïde.
Mélanine Pigment foncé qu'on retrouve en plusieurs endroits du corps, comme au niveau de la peau.
Mélanocyte Cellule qui produit la mélanine.
Membrane basilaire Délicat ruban de tissu qui porte les cellules auditives ciliées de la cochlée de l'oreille.
Membrane semi-perméable Membrane perméable (laissant passer) à certaines substances mais pas à d'autres.
Membrane tectoriale Mince feuillet gélatineux reposant

sur l'organe spiral de l'oreille, en contact avec les cils des cellules ciliées.
Mendélisme Transmission des caractères héréditaires selon les lois de Mendel.
Méninges Les trois enveloppes membraneuses du cerveau: la dure-mère, la pie-mère et l'arachnoïde.
Méningite Inflammation des méninges.
Ménopause L'arrêt du cycle menstruel chez la femme adulte.
Menstruation Saignement utérin périodique (mensuel) marquant le début de chaque cycle menstruel.
Mésencéphale Partie moyenne du cerveau; passe dans l'incisure de la tente du cervelet.
Mésenchyme Réseau de tissu conjonctif embryonnaire du mésoderme; à l'origine du tissu conjonctif, et des vaisseaux sanguins et lymphatiques.
Mésentère Repli du péritoine qui relie l'intestin à la paroi abdominale postérieure.
Mésothélium Épithélium pavimenteux simple recouvrant les cavités pleurale, péricardique, abdominale, et le scrotum.
Métabolisme Transformations chimiques se produisant dans l'organisme. Comprend l'anabolisme, le catabolisme, et les réactions énergétiques des cellules.
Métaphase Stade de la division cellulaire où les chromosomes, chacun constitué des deux chromatides, occupent la plaque équatoriale sur le fuseau.
Métaphyse Zone de croissance d'un os jeune située entre une épiphyse et la diaphyse.
Métastase Déplacement d'une maladie, comme un cancer, de son lieu d'origine vers un autre site; apparition nouvelle de la même maladie en un autre lieu.
Méthémoglobine Hémoglobine dont le Fe^{3+} de l'hème à été oxydé en Fe^{2+}.
Micelle Amas microscopique de molécules de lipides formant une solution aqueuse limpide malgré le fait que les lipides demeurent dans une phase différente. En général, agrégation de molécules présentant des groupements aux propriétés contraires (par exemple hydrophile et hydrophobe). Nom féminin.
Microglie Sorte de cellule gliale dans le système nerveux central.
Microtubule Petit cylindre creux dans le cytoplasme, fait partie d'organites tels que les flagelles ou les centrioles.
Microvillosité Évagination ou excroissance de la surface apicale d'une cellule spécialisée dans l'absorption ou la sécrétion.
Miction Action d'uriner.
Minéralocorticoïde Hormone du cortex surrénal contrôlant le métabolisme des substances inorganiques et, indirectement, l'homéostasie liquidienne.
Mitochondrie Organite cellulaire formé de deux membranes et dans lequel se fait la respiration cellulaire aérobie.
Mitose Division cellulaire permettant de distribuer tous les chromosomes parentaux (le nombre diploïde) à chacune des deux cellules filles; division équationnelle.
Mitotique Qui favorise les mitoses.
Moelle allongée La partie la plus basse du cerveau, celle qui relie la moelle épinière au reste du cerveau. Le bulbe dans la nomenclature traditionnelle.
Moelle épinière Portion du système nerveux central des vertébrés contenue dans le canal vertébral et s'étendant de la moelle allongée jusqu'à la région lombaire.
Molalité Le nombre de moles d'un soluté dans un kilogramme de solvant pur.
Molarité Le nombre de moles d'un soluté dans un litre de solution.
Mole Le nombre d'Avogadro ($6{,}023 \times 10^{23}$) d'atomes d'un élément ou de molécules d'une substance. Correspond à la masse atomique ou moléculaire en gramme.
Molécule La plus petite quantité d'un composé chimique qui en conserve les propriétés.
Monocyte Gros leucocyte agranulaire et à noyau ovale.
Monomère Composé pouvant se combiner en unités répétitives pour former un dimère, un trimère, un polymère.
Monosaccharide Sucre simple ne pouvant donner un sucre plus simple par hydrolyse.
Monosynaptique Se rapportant ou transmis par une seule synapse.
Monovalent Possédant une valence de 1.
Monozygote Jumeau provenant de la fécondation d'un seul ovule par un seul spermatozoïde.
Mont du pubis Amas arrondi de tissu graisseux recouvrant la symphyse pubienne et recouvert de poils pubiens.
Morule Masse de cellules formant un globule plein.
Motoneurone Cellule nerveuse activant des cellules musculaires striées squelettiques.
Mucine Mélange de mucopolysaccharides formant une solution épaisse et visqueuse connue sous le nom de mucus.
Mucopolysaccharide Polysaccharide contenant un glucide aminé; présent dans le mucus et dans diverses sécrétions des cellules du tissu conjonctif.
Mucus Liquide visqueux sécrété par certaines cellules glandulaires, en particulier dans les voies respiratoires et le tube digestif. *Adj.* Muqueux.
Multisynaptique Conduction d'influx nerveux le long de chaînes neuroniques à plusieurs synapses (plus de 1).
Muqueuse Une membrane muqueuse comme le revêtement du tube digestif. C'est un épithélium humide non kératinisé contenant des glandes à mucus.
Muscle Tissu formé de cellules contractiles. (Les muscles individuels ne sont pas présentés dans ce lexique; voir l'index général ou celui du chapitre 7.)
Muscle ciliaire Muscle lisse du corps ciliaire de l'oeil permettant l'accomodation visuelle grâce à son activité sur le cristallin.
Muscle fixateur Muscle dont l'action tend à assujettir les pièces squelettiques qui font partie d'une articulation. C'est un muscle périarticulaire dont l'action complète souvent celle des muscles mobilisateurs.
Muscle mobilisateur Muscle dont l'action tend à produire un mouvement particulier.
Muscle strié Caractérisé par l'alignement des sarcomères; présente un patron caractéristique et régulier de bandes claires et sombres.
Mutation Changement des caractères d'un organisme dû à une altération transmissible de son matériel génétique.
Mutogène Qui provoque des mutations. *Ancienn.* Mutagène.
Myéline Substance lipoprotéique entourant l'axone de plusieurs neurones.
Myéloïde Se rapportant à la moelle osseuse.
Myoblaste Cellule embryonnaire précurseur du muscle.
Myocarde Muscle cardiaque.
Myofibrille Minuscule organite filamenteux et principal constituant des cellules des muscles squelettiques et cardiaque.
Myofilament L'un des filaments (protéines filamenteuses) formant l'essentiel de la machinerie contractile des myofibrilles.
Myoglobine Pigment de type hémoglobine présent dans les cellules musculaires.
Myomètre La couche musculaire lisse de l'utérus.
Myopie Trouble de la vision caractérisé par une trop grande convergence du système optique de l'oeil, les objets éloignés formant une image en avant de la rétine.

Myosine Protéine formant les myofilaments épais des cellules musculaires et capable de se lier à l'actine pour causer la contraction. Possède une activité ATPasique.

Nanisme Taille anormalement petite résultant d'une hyposécrétion d'hormone de croissance pendant l'enfance et l'adolescence.
Naviculaire En forme de bateau.
Nécrose Mort d'un tissu ou d'une partie d'un organe.
Néoplasme Tumeur; croissance anormale de cellules ou de tissus.
Néphron *Voir* Tube rénal.
Nerf Faisceau de fibres nerveuses, ou, plus exactement, d'axones de cellules nerveuses.
Nerf vague Dixième nerf crânien, véhicule d'influx sensitifs et moteurs à partir et vers un grand nombre de territoires corporels.
Neurofibrille Fines fibrilles présentes dans l'axone des cellules nerveuses.
Neurohypophyse Partie postérieure (nerveuse) de l'hypophyse, rattachée à l'hypothalamus, et site de la neurosécrétion de l'ocytocine et de ADH. Comprend 3 parties: l'éminence médiane, la tige infundibulaire et le lobe nerveux ou processus infundibulaire.
Neurone Cellule nerveuse comprenant l'axone, les dendrites et le corps cellulaire (périkaryon).
Neurosécrétion Sécrétion d'hormones par des cellules nerveuses.
Neurotransmetteur Substance libérée par une terminaison nerveuse présynaptique et qui se lie à des récepteurs de la membrane postsynaptique. Il en résulte généralement une variation de sa perméabilité.
Neutron Particule atomique nucléaire ne portant pas de charge électrique.
Neutrophile Variété de granulocytes (leucocytes granulaires) fortement sensibles aux colorants neutres.
Névralgie Douleur s'étendant le long du trajet d'un ou de plusieurs nerfs.
Névrilemme Manchon conjonctif entourant un faisceau d'axones.
Névroglie Tissu de soutien inexcitable du système nerveux central (cellules gliales).
Nicotinamide adénine dinucléotide (NAD) Coenzyme largement distribuée dans les cellules et participant à plusieurs réactions enzymatiques; sert d'accepteur d'hydrogène.
Nodule Un petit noeud ferme pouvant être palpé.
Noeud atrio-ventriculaire Tissu cardiaque spécialisé dans la conduction des influx électriques des atriums vers les ventricules.
Noeud (étranglement) de Ranvier Discontinuité de la gaine de myéline régulièrement espacée (environ à tous les mm) le long d'un axone.
Noeud sinu-atrial Pace-maker, entraîneur du coeur. Masse de tissu musculaire spécialisé située dans la paroi postérieure de l'atrium droit, près de l'endroit où vient s'abouter la veine cave supérieure.
Noradrénaline 1. Transmetteur chimique. 2. Hormone de la médulla surrénale.
Norépinéphrine *Voir* Noradrénaline.
Noyau 1. Le centre d'un atome. 2. L'organite cellulaire contenant le matériel génétique. 3. Groupe de corps cellulaires de neurones du SNC impliqués dans une fonction particulière.
Noyau paraventriculaire Groupe de neurones sécréteurs de la région supraoptique de l'hypothalamus dont les axones se terminent dans la neurohypophyse.
Noyau supraoptique Groupe distinct de neurones hypothalamiques situés immédiatement au-dessus du chiasma optique. Leurs terminaisons libèrent des neurosécrétions dans la neurohypophyse.
Noyaux gris centraux Plusieurs noyaux situés dans les hémisphères cérébraux qui codent et servent de relais à l'information touchant le contrôle précis des mouvements musculaires.
Nucléole Petite structure sphérique du noyau de la cellule.
Nucléotide Composé chimique constitué d'une base purique ou pyrimidique, d'un glucide et d'un radical phosphate.
Nystagmus Mouvements involontaires et saccadés du globe oculaire.

Obésité État d'une personne présentant un embonpoint excessif.
Ocytocine Hormone produite par l'hypothalamus et sécrétée au niveau de la neurohypophyse; stimulation des contractions utérines et de la sécrétion du lait en période de lactation.
Oedème Surplus de liquide tissulaire; enflure.
Oesophage Tube musculeux s'étendant du pharynx à l'estomac.
Oestradiol (17 β-) L'oestrogène naturel le plus actif.
Oestrogènes Hormones féminisantes.
Oestrus Période d'activité sexuelle cyclique chez les mammifères autres que les primates; la période de l'accouplement chez ces animaux. Période de fécondité chez la femme.
Olfaction Le sens de l'odorat, la perception des odeurs.
Oligodendrocyte Cellule gliale possédant de fines projections; probablement responsable de la synthèse de myéline dans le système nerveux central.
Oligurie Réduction du débit urinaire.
Oncotique Synonyme de colloïdal dans le sens où pression oncotique est la même chose que pression osmotique colloïdale.
Onde P Déflexion de l'électrocardiogramme correspondant à la dépolarisation des atriums.
Onde T Partie de l'électrocardiogramme associée à la repolarisation des ventricules.
Ontogénie Les étapes du développement d'un organisme.
Opéron Groupe de gènes de structure intimement liés et dont les fonctions sont sous le contrôle d'un gène opérateur.
Opsine Partie protéique des pigments visuels; sa liaison avec le 11-*cis* rétinal donne un pigment.
Optimum Réunion de l'ensemble des conditions les plus favorables à la bonne marche d'une fonction.
Orbitale L'une des positions possibles d'un électron dans un atome.
Orbite Cavité osseuse de la face où loge le globe oculaire.
Oreillette *Voir* Atrium.
Organe Partie differenciée d'un organisme adaptée à une fonction particulière (par exemple le coeur, l'estomac).
Organe spiral Tissu du canal cochléaire contenant les cellules ciliées de l'audition.
Organite Structure au partie spécialisée de la cellule ayant une fonction particulière, connue ou supposée (par exemple la mitochondrie).
Orifice L'ouverture sur l'extérieur de toute cavité corporelle.
Origine La structure la moins mobile sur laquelle s'attache un muscle.
Oscillation Vibration, ou un mouvement de va-et-vient.

Osmolarité La somme des concentrations de tous les solutés d'une solution.
Osmole L'unité de pression osmotique; correspond au nombre d'Avogadro de particules osmotiquement actives. Se définit comme la masse moléculaire d'une substance divisée par le nombre de particules qu'elle libère en solution.
Osmose Le passage d'un solvant au travers d'une membrane sélectivement perméable suite à des différences de concentration du solvant ou des solutés.
Osselet Un petit os. S'applique généralement aux minuscules structures osseuses de l'oreille moyenne.
Ossification endomembraneuse Formation de substance osseuse directement dans le tissu membraneux.
Ostéoblaste Cellule responsable de la formation de la matrice osseuse extracellulaire.
Ostéoclaste Grosse cellule à plusieurs noyaux associée à la destruction physiologique et à la résorption de l'os.
Ostéocyte Cellule osseuse différenciée faisant partie du tissu osseux.
Ostéon Unité constituante de l'os mature, de taille microscopique, consistant en rangées successives et concentriques d'ostéocytes et de matrice osseuse autour d'un canal central, le canal haversien.
Otolithe Particules de carbonate de calcium présentes dans le labyrinthe de l'oreille.
Ouabaïne Inhibiteur sélectif de plusieurs mécanismes de transport, dont la pompe Na - K.
Ovaire Gonade de la femme; produit des ovules et des hormones féminines.
Oviducte Trompe utérine (de Fallope), menant de l'ovaire à l'utérus.
Ovocyte Cellule de la lignée germinale provenant de l'ovogonie.
Ovogonie Gamète primaire, cellule souche germinale.
Ovulation Libération d'un ovule par l'ovaire.
Ovule Cellule haploïde, gamète féminin.
Oxydation 1. Liaison d'une substance avec l'oxygène. 2. La perte d'électrons par un atome. 3. La perte d'hydrogène par une substance. (On reconnaît encore plusieurs autres définitions.)
Oxyhémoglobine Hémoglobine chimiquement liée à l'oxygène moléculaire. (HbO_2).

Pace-maker Tissu spécialisé dont les cellules se dépolarisent spontanément de façon rythmique, et donnant naissance à des potentiels d'action propagés qui entraînent d'autres cellules excitables. (Par exemple le noeud sinu-atrial du coeur.)
Palmaire Se rapportant à la paume de la main, parfois aussi à la surface voisine du poignet et de l'avant-bras.
Pancréozymine *Voir* Cholécystokinine.
Papille Petite excroissance en forme de mamelon.
Paralysie Blocage du mécanisme de la contraction musculaire consécutif à une lésion nerveuse ou musculaire.
Paraplégie Paralysie des jambes et de la partie inférieure du corps.
Parasympathicomimétique Produit chimique produisant des effets semblables à ceux d'un nerf parasympathique.
Parasympathique Portion crâniosacrée du système nerveux autonome.
Parathyroïdes Petites glandes endocrines sécrétant une hormone qui contrôle le métabolisme du calcium et du phosphore.
Parturition L'acte d'accoucher, de mettre un bébé au monde.
Patella Rotule du genou.
Pathogène Tout agent capable d'induire une maladie; le terme s'applique en général à des agents vivants (microorganismes).
Pathologie L'étude des maladies, de leur évolution, de leurs conséquences, et des troubles physiologiques qui leur sont associés. Le terme *pathologique* s'applique à toute modification par une maladie, d'une structure ou d'une fonction normales d'un organisme.
Pavimenteux Plat, en forme d'écailles, comme les cellules d'un épithélium pavimenteux.
Pédicule Partie d'une vertèbre reliant les lames au corps vertébral.
Pédoncule Partie d'une structure en forme de bâtonnet.
Pénis L'organe mâle de la copulation.
Pentose Monosaccharide à 5 carbones.
Pepsine Enzyme principale du suc gastrique; agit sur les protéines par hydrolyse.
Pepsinogène La protéine inactive sécrétée par les cellules principales de l'estomac; elle est transformée en pepsine par l'action de HCl.
Peptide Composé comprenant deux acides aminés ou plus liés les uns aux autres par des liens peptidiques CO-NH.
Perfusion Le passage d'un liquide sur ou au travers d'un organe, d'un tissu ou d'une cellule.
Péricarde L'enveloppe conjonctive dans laquelle se trouve le coeur.
Périchondre Tissu conjonctif fibreux recouvrant les surfaces cartilagineuses non articulaires.
Périlymphe Le liquide situé entre les labyrinthes osseux et membraneux de l'oreille interne.
Périmysium Lames de tissu conjonctif réunissant plusieurs fibres musculaires en faisceaux.
Périnée Région située à la base du pelvis et s'étendant entre l'anus et le scrotum ou l'orifice de l'urètre selon le sexe.
Période réfractaire La période pendant laquelle l'excitabilité d'une membrane est réduite pendant et après le passage d'un potentiel d'action.
Périoste Membrane fibreuse recouvrant la plupart des surfaces osseuses.
Péristaltisme Onde contractile voyageant le long d'un tube musculeux.
Périténon Étui fibreux blanchâtre recouvrant des tendons.
Péritoine Membrane tapissant l'intérieur de la cavité abdominale et entourant les viscères.
Perméabilité Indice de la facilité avec laquelle une substance peut passer au travers d'une membrane.
Petit mal Forme particulière de crise d'épilepsie.
pH Échelle logarythmique négative dans la base 10 de la concentration de l'ion H^+ d'une solution. $pH = -\log [H^+]$.
Phagocyte Cellule capable d'engloutir et de digérer des particules ou des cellules qui présentent un danger pour l'organisme.
Phagocytose L'ingestion de particules, de cellules ou de microorganismes par une cellule dans des vacuoles cytoplasmiques.
Phalange Nom des os des doigts et des orteils.
Phallus Le pénis ou le clitoris.
Pharynx Région de la gorge.
Phasique Transitoire.
Phénotype Ensemble des caractères apparents d'un individu, qu'ils soient dus au génotype ou à l'influence du milieu.
Phénylcétonurie Maladie héréditaire impliquant un trouble du métabolisme de la phénylalanine et une augmentation de son excrétion urinaire; associée à des retards mentaux.
Phlébite Inflammation d'une veine.
Phlorizin Glycoside inhibiteur du transport actif du glucose.

Phosphagène Composé phosphaté à forte teneur énergétique (phosphoarginine, phosphocréatine, etc.) servant de donneur de radicaux phosphate en vue d'une rephosphorylation rapide de l'ADP en ATP.
Phospho-créatine Composé transformé par le métabolisme des cellules musculaires en créatine et en phosphore inorganique, ce dernier servant à rephosphoryler l'ADP en ATP.
Phospholipide Lipide contenant du phosphore et dont l'hydrolyse libère des acides gras, du glycérol et un composé azoté.
Phosphorylation Incorporation d'un radical phosphate (HPO_3^-) dans une molécule organique.
Phosphorylation oxydative Formation de liaisons phosphate énergétiques par phosphorylation de l'ADP en ATP, le tout accompagné par le transport d'électrons à partir du substrat vers l'oxygène.
Photon Quantum d'énergie d'une radiation électromagnétique.
Photopigment Molécule pigmentaire excitée par la lumière.
Photorécepteur Cellule sensorielle spécifiquement sensible à l'énergie lumineuse.
Phrénique Le nerf qui innerve le diaphragme.
Physiologie Étude des mécanismes fonctionnels normaux de l'organisme.
Pic-mère La membrane méningée recouvrant directement le cerveau et la moelle épinière.
Pinocytose Type de prise en charge, par une cellule, de matériel liquide extracellulaire par un processus d'invagination membranaire.
Placenta Organe endocrine, site des échanges entre la mère et le foetus.
Plantaire Se rapportant à la plante du pied.
Plaque motrice Nom de la synapse neuro-musculaire des vertébrés, où l'axone se ramifie en nombreuses terminaisons au-dessus d'une région spécialisée de la membrane des cellules musculaires squelettiques.
Plaquettes Fragments cellulaires en circulation dans le sang ayant un rôle important dans l'hémostase (coagulation sanguine). *Syn.* Thrombocytes.
Plasma Portion liquide du sang complet.
Plasmalemme Membrane cytoplasmique, membrane externe de la cellule.
Plasmocyte Cellule sécrétrice d'anticorps.
Pleurésie Inflammation de la plèvre.
Plèvre Membrane simple enveloppant les poumons et tapissant la surface interne de la cavité thoracique.
Plexus Réseau de fibres nerveuses ou de vaisseaux sanguins enchevêtrés.
Plexus choroïde Projections fortement vascularisées faisant saillie dans les ventricules du cerveau et qui sécrètent le liquide cérébro-spinal.
Pneumonie Inflammation des poumons associée à la présence de liquide ou de sécrétions dans les alvéoles.
Pneumothorax Accumulation d'air dans une cavité pleurale causant l'affaissement du poumon correspondant.
Poïkilotherme Animal dont la température corporelle suit plus ou moins celle du milieu ambiant.
Polarité Le fait de posséder deux pôles électriques, l'un positif et l'autre négatif.
Polycythémie Condition caractérisée par un excès de globules rouges dans le sang.
Polygénie Se rapporte à l'action cumulative de plusieurs gènes situés sur des locus différents sur des chromosomes, chaque action individuelle n'ayant qu'un faible effet.
Polymère Grosse molécule constituée de l'attache à la suite d'un grand nombre de plus petites molécules identiques, les monomères.
Polype Excroissance dans une muqueuse.
Polyploïdie Présence d'un nombre de chromosomes supérieur au nombre diploïde (2n), soit 3n, 4n chromosomes (69, 92, etc.).
Polypnée Augmentation de la fréquence des mouvements respiratoires.
Polysaccharide Glucide formé par condensation et liaison chimique entre deux ou plusieurs monosaccharides (en général plusieurs).
Polyurie Excrétion d'un volume urinaire important, excessif.
Pomme d'Adam Proéminence, saillie du cartilage thyroïde du larynx sous la peau de la gorge.
Pompe à sodium Mécanisme membranaire responsable de la sortie active du sodium hors de la cellule grâce à une dépense d'énergie.
Pont Tout lien tissulaire entre deux régions; partie du cerveau située entre la moelle allongée et le mésencéphale.
Pont d'union Liaison chimique entre la tête globulaire de la myosine et l'actine.
Porphyrine Molécule en forme d'anneau habituellement liée à un atome métallique comme le fer (par exemple, le groupement hème de l'hémoglobine).
Postsynaptique Situé en aval de la fente synaptique.
Potentiel d'action (influx nerveux, potentiel de pointe) Inversion fugace du potentiel de membrane causée par une augmentation brusque et transitoire de la perméabilité au sodium d'une membrane excitable.
Potentiel de repos Le potentiel normal d'une membrane non excitée d'une cellule au repos.
Potentiel électrique «Pression» électrostatique analogue à celle de l'eau (hydrostatique). Une différence de potentiel s'appelle un voltage, et permet le passage d'un courant lorsqu'elle s'applique de part et d'autre d'une résistance.
Potentiel générateur Dépolarisation d'une membrane réceptrice, due à une augmentation du flux ionique transmembranaire, susceptible d'induire la production de potentiels d'action.
Potentiel transmembranaire Potentiel électrique mesuré à l'intérieur d'une cellule par rapport à celui du liquide extracellulaire réputé à O mV. La différence de potentiel de part et d'autre de la membrane cellulaire.
Pouls Onde de distension des parois d'une artère provoquée par l'éjection de sang à chaque contraction cardiaque.
Précipitation Processus par lequel une substance ou un composé en solution forme un agrégat insoluble qui sort de la solution.
Prépuce Fourreau de peau qui recouvre le gland du pénis.;
Presbytie État d'un moindre pouvoir d'accomodation de l'oeil empirant progressivement avec l'âge et aboutissant à une vision rapprochée défectueuse.
Pression Force s'appliquant sur une unité de surface.
Pression hydrostatique Force exercée sur une surface par la pression d'un liquide.
Pression osmotique Pression pouvant être créée par la force osmotique développée entre deux solutions séparées par une membrane semi-perméable. La pression qu'on doit appliquer pour empêcher un tel mouvement.
Pression transmurale La différence de pression de part et d'autre de la paroi d'un vaisseau sanguin.
Pressorécepteur *Voir* Barorécepteur.
Présynaptique Situé en amont de la fente synaptique.
Procaïne 2-diéthylaminoéthyl-*p*-aminobenzoate. Anesthésique local affectant la conductance ionique des membranes excitables.
Progestérone Hormone sécrétée par le corps jaune, le cortex surrénal et le placenta, favorisant la croissance d'un

revêtement utérin adéquat pour l'implantation et le développement de l'embryon.

Prolactine Hormone adénohypophysaire stimulant la production lactée et la lactation après la parturition.

Pronation Le geste de diriger la paume de la main vers le bas ou vers l'arrière.

Prophase Premier stade de la division cellulaire, celui où les chromosomes deviennent visibles en microscopie optique sous la forme de bâtonnets foncés.

Prophylaxie Procédure visant à prévenir l'apparition d'une maladie.

Propriocepteurs Récepteurs sensitifs surtout concentrés dans les muscles, les tendons et l'appareil vestibulaire; leurs informations touchent la position ou les mouvements du corps.

Prostaglandines Groupe d'hormones locales (des acides gras naturels) sécrétées par plusieurs tissus différents; exercent un large spectre d'activités physilogiques.

Prostate Glande qui, chez l'homme, entoure le début de l'urètre et dont la sécrétion contribue à la formation du liquide spermatique.

Protéine L'une parmi les très nombreuses molécules d'un groupe de substances organiques très complexes formées d'acides aminés attachés les uns aux autres par des liens peptidiques.

Protéolytique Se dit de ce qui détruit les liens peptidiques unissant les acides aminés dans les protéines.

Prothrombine Protéine plasmatique transformée en thrombine pendant le processus de la coagulation.

Proton Particule subatomique de charge positive généralement située dans le noyau de l'atome.

Proximal Le plus près du corps ou de la ligne médiane du corps.

Pseudopode Extension temporaire d'une portion du cytoplasme d'une cellule amiboïde servant à la locomotion ou à la phagocytose.

Pseudostratifié Se rapporte à un tissu épithélial d'apparence stratifiée mais dont toutes les cellules sont attachées à la même membrane basale.

Psychose Trouble cérébral où l'individu affecté présente des désordres au niveau de l'interprétation et de la réponse à la réalité; se traduit par un comportement anormal et par une inadaptation sociale.

Ptyaline Enzyme présente dans la salive et transformant l'amidon en maltose et en dextrose.

Puberté Période de maturation sexuelle consécutive à la sécrétion des gonadotropines hypophysaires.

Pupille L'ouverture au centre de l'iris laissant passer la lumière vers la rétine.

Purine Groupe de composés azotés hétérocycliques, $C_5H_4N_4$, dont les dérivés (les bases puriques) se trouvent dans les acides nucléiques.

Pus Liquide contenant des microbes, des globules blancs et des sous-produits du processus inflammatoire; formé à la suite d'une destruction cellulaire.

Pylore Extrémité distale de l'estomac entourée d'un fort anneau de muscle lisse, contrôlant le passage de la bouillie gastrique dans le duodénum.

Pyrimidine Groupe de composés azotés hétérocycliques, $C_4H_4N_2$, dont les dérivés (les bases pyrimidiques) se retrouvent dans les acides nucléiques (cytosine, thymine et uracile).

Pyrogène Substance induisant de la fièvre.

Pyruvate Anion formé par la dissociation de l'acide pyruvique.

Quadriceps Muscle à quatre chefs (quatre têtes).

Quantum Réfère à une quantité discrète et unitaire comme, par exemple, une vésicule présynaptique d'un neurotransmetteur libérée dans la fente synaptique.

Rachitisme Maladie osseuse due à un déficit en vitamine D.

Racine dorsale Faisceau de fibres nerveuses pénétrant dans le canal vertébral près de la face postérieure de la moelle. Ne contient que des axones afférents.

Radiation Propagation d'énergie dans l'espace sous la forme d'ondes électromagnétiques.

Radical Regroupement particulier d'atomes se retrouvant dans plusieurs types de molécules; par exemple, les radicaux aminé, carboxyle, carbonyle, etc. *Syn.* Groupement.

Râle Bruit anormal produit par la respiration et indiquant un état pathologique.

Rampe tympanique Cavité cochléaire reliée à la rampe vestibulaire par l'hélicotrème. Contient de la périlymphe.

Rampe vestibulaire Cavité cochléaire s'étendant du vestibule de l'oreille moyenne (au niveau de la fenêtre vestibulaire) et qui est reliée à la rampe tympanique par l'hélicotrème; contient de la périlymphe.

Rate Gros organe lymphatique situé immédiatement sous le diaphragme.

Rayon gamma Radiation électromagnétique très pénétrante (énergétique) de courte longueur d'onde (10^{-12} cm).

Réagine Substance se comportant comme un anticorps dans une réaction de fixation du complément.

Récepteur 1. Structure nerveuse spécialisée, excitée par un type précis de stimulus. 2. Site membranaire spécialisé, situé sur la face externe, pouvant reconnaître et s'associer à des substances spécifiques (par exemple, une hormone, un neurotransmetteur).

Récepteur proprioceptif des tendons Terminaisons nerveuses sensibles à l'étirement qu'on retrouve dans les tendons des muscles.

Récessif Se rapporte à un gène qui ne s'exprime pas chez un hétérozygote.

Rechute Réapparition d'une maladie en cours de guérison.

Rectum Portion terminale du gros intestin, située entre le côlon et l'anus.

Réduction 1. Perte chimique d'oxygène. 2. Gain d'électrons par une molécule ou un atome. 3. Addition d'hydrogène à une substance organique ou à un composé chimique formé par covalence. Le contraire de l'oxydation. 4. Remettre en place un os fracturé.

Réflexe Une réponse involontaire, stéréotypée, inscrite dans le patrimoine génétique et dans l'organisation anatomique des liens nerveux entre récepteurs et effecteurs.

Réflexe de Hering-Breuer Réflexe dans lequel l'inflation des poumons active des récepteurs à l'étirement situés dans les parois pulmonaires; il s'ensuit une inhibition de l'inspiration dans ce cycle ventilatoire. Le nerf vague transmet les influx issus des récepteurs vers la moelle allongée.

Réfraction Déviation de la trajectoire de rayons lumineux à l'interface de deux milieux de densité différente.

Régénérateur Qui se renforce lui-même par rétroaction positive. Souvent un phénomène explosif.

Régurgitation Retour de liquides ou d'aliments vers la bouche.

Rénine Hormone sécrétée par des cellules des parois artériolaires rénales et qui transforme l'angiotensinogène en angiotensine.

Repolarisation Le retour du potentiel membranaire à sa valeur normale de repos après une dépolarisation.
Réponse immunitaire Toute réaction visant à défendre l'organisme contre des pathogènes ou des substances étrangères.
Répresseur Composé agissant de pair avec les gènes opérateurs afin de bloquer la transcription de gènes structuraux et la synthèse de protéines spécifiques.
Résistance Opposition offerte par un conducteur au passage d'un courant électrique.
Résorption La disparition d'une substance ou d'un tissu par des réactions biochimiques.
Respiration Échanges gazeux entre l'environnement et le milieu intérieur.
Respiration cellulaire Processus grâce auquel la cellule dégrade du glucose en gaz carbonique et en eau en vue d'obtenir de l'énergie.
Réticulum endoplasmique Réseau intracellulaire de membranes qui compartimentent la cellule et qui sont en continuité avec les membranes cytoplasmique et nucléaire.
Réticulum sarcoplasmique Système de membranes à l'intérieur d'une cellule musculaire.
Rétinal L'aldéhyde du rétinol obtenu par coupure enzymatique du carotène. Il s'unit à l'opsine dans la rétine pour former le pigment visuel.
Rétine Feuillet photosensible de l'oeil.
Retour veineux Quantité de sang ramenée au coeur par les veines.
Rétroaction Le retour du produit d'un système comme information sur son mécanisme de production. La rétroaction négative, ou rétrocontrôle, stabilise un système; la rétroaction positive (rétroamplification) aboutit à un emballement du système.
Rétropéritonéal Situé derrière le péritoine, comme les reins qui n'ont qu'une seule surface pérotonéale.
Révolution cardiaque La suite des phénomènes qui se produisent pendant un battement cardiaque.
Rhinencéphale Portion du cerveau associée à l'interprétation des odeurs.
Rhodopsine Pigment visuel des bâtonnets de la rétine.
Rhumatisme Maladie inflammatoire des structures cartilagineuses et conjonctives, en particulier des articulations.
Riboflavine Vitamine thermostable du complexe B qui favorise la croissance; vitamine B_2.
Ribose Monosaccharide constituant de l'ARN.
Ribosome Organite cytoplasmique formé d'ARN et de protéines, servant de gabarit pour l'assemblage des acides aminés en vue de synthétiser des protéines.
Ride Crête ou repli présent dans la paroi d'un organe creux.
Rigidité cadavérique (rigor mortis) La rigidité (durcissement) qui se développe dans un muscle lorsque le manque d'ATP empêche les ponts d'union de se défaire.
Ringer Solution physiologique saline.

Saccharides Terme général servant à diviser les glucides en quatre classes principales: les mono-, di-, oligo- et polysaccharides. Ces derniers donnent, à l'hydrolyse, plus de 10 molécules de monosaccharides.
Sacrum Les cinq dernières vertèbres fusionnées de la colonne vertébrale, donnant un os en forme de coin que l'on peut palper au bas du dos.
Salive Liquide clair et alcalin sécrété par les glandes salivaires (parotides, submandibulaires et sublinguales) dans la bouche.
Saltatoire Discontinu, par bonds.
Sarcome Tumeur dérivée d'un tissu autre qu'épithélial.
Sarcomère Portion d'une fibrille de muscle strié comprise entre deux lignes Z.
Sarcoplasme Le cytoplasme d'une cellule musculaire.
Sarcotubulaire Système comprenant le réticulum sarcoplasmique plus les tubules transverses.
Sclérotique Revêtement externe fibreux et rigide du globe oculaire.
Scoliose Courbure latérale anormale de la colonne vertébrale.
Scorbut État pathologique causé par un déficit en vitamine C.
Scrotum Sac contenant les testicules.
Sébum Sécrétion des glandes sébacées.
Second messager Terme général appliqué à l'AMP ou à la GMP cycliques, au Ca^{++}, ou à tout agent régulateur intracellulaire, lui-même sous le contrôle d'un «premier messager» extracellulaire comme une hormone.
Secousse Contraction musculaire rapide et simple en réponse à une seule volée de potentiels d'action.
Sécréter Libérer des substances de l'intérieur d'une cellule dans le milieu interstitiel qui la baigne.
Sécrétine Hormone polypeptidique sécrétée par la muqueuse duodénale et jéjunale suite à la présence de chyme acide dans l'intestin. Stimule la sécrétion pancréatique. Identité chimique avec l'entérogastrone.
Segment initial (cône d'implantation) La portion de l'axone adjacente au corps du neurone et proximale au premier segment myélinisé; région généralement responsable de l'apparition des potentiels d'action.
Segmentation Suite des mitoses successives du début du développement permettant au zygote d'atteindre le stade de blastocyste.
Ségrégation Conséquence génétique de la séparation des chromosomes homologues au moment de la méiose.
Sélection Effet des avantages conférés à un ou des individus par un génotype donné.
Semen Liquid spermatique.
Semi-lunaire Structure en forme de croissant ou de demi-lune.
Semi-perméabilité Qualité de ce qui est perméable à certaines substances et imperméable à d'autres.
Septicémie Présence de bactéries et de leurs toxines dans le sang.
Septum Cloison de division.
Séreux Appartenant au côté d'un épithélium faisant face au sang, par rapport au côté muqueux qui fait face au milieu extérieur ou à la lumière d'une structure tubulaire.
Sérotonine Neurotransmetteur 5-hydroxytryptamine; 5-HT; 3-(2-aminoéthyl-5-indolol). ($C_{10}H_{12}N_2O$).
Sérum Fraction claire du sang obtenue après la coagulation, processus qui entraîne la disparition des éléments cellulaires du sang et de plusieurs protéines.
Servomécanisme Système de contrôle utilisant un mécanisme de rétroaction négative en vue de corriger des déviations par rapport à un niveau présélectionné ou précalibré.
Seuil de potentiel Valeur critique du potentiel de membrane à partir de laquelle apparaît un potentiel d'action.
Sigmoïde En forme de S.
Sinus Un trou ou une cavité remplie ou non de liquide.
Sinus carotidien Dilatation de la partie proximale de l'artère carotide interne dont les parois contiennent des barorécepteurs.
Sinusoïdes Délicats vaisseaux sanguins (guère plus gros que des capillaires) situés dans le foie, la rate, et quelques autres organes. Leurs parois contiennent des phagocytes.

Soluté Substance dissoute dans un solvant et formant avec lui une solution.
Solvant Liquide qui dissout une autre substance sans modification chimique de l'un et de l'autre.
Soma 1. Ensemble des cellules du corps à l'exception des cellules germinales. 2. Le corps cellulaire d'un neurone, le périkaryon. 3. Le corps. Dans ce sens, soma s'oppose à germen.
Somesthésique Qui se rapporte aux sensations corporelles générales.
Sommation spatiale Intégration de courants synaptiques simultanés au niveau d'une membrane neuronique.
Sommation temporelle Addition dans le temps des effets de plusieurs potentiels membranaires.
Sous-muqueuse Membrane de tissu conjonctif servant à fixer une muqueuse aux tissus sous-jacents.
Spasme Contraction musculaire involontaire.
Spectre 1. Bandes caractéristiques obtenues par réfraction ou diffraction d'ondes de radiations électromagnétiques. 2. Le domaine d'action d'un antibiotique.
Spermatocyte Cellule dont la différenciation, au cours de divisions successives lors de la spermatogenèse, produit des spermatides.
Spermatogenèse Le processus de formation des gamètes mâles, les spermatozoïdes.
Spermatozoïde Cellule spermatique mature, le gamète mâle.
Spermiogenèse Transformation des spermatides en spermatozoïdes.
Sphincter Anneau musculaire autour d'une ouverture, pouvant l'obstruer par contraction.
Splanchnique Qui se rapporte aux viscères.
Spongieux De nature spongieuse, en treillis, comme dans l'os spongieux.
Stapes Le plus interne des trois osselets de l'oreille moyenne; il est articulé à son sommet avec l'incus et sa base s'applique sur la fenêtre vestibulaire (l'étrier).
Stase Arrêt de l'écoulement sanguin dans une partie du corps.
Sténose Constriction, rétrécissement, surtout au niveau de la lumière d'un tube ou à un orifice; par exemple, une sténose mitrale.
Stérilisation 1. Action de rendre quelqu'un incapable de procréer. 2. Procédé de destruction des microorganismes ou autres pathogènes avec divers agents, dont l'alcool, la chaleur, etc.
Stéroïde Terme s'appliquant à une classe de lipides formés de plusieurs anneaux carbonés; par exemple, le cholestérol et plusieurs hormones corticosurrénaliennes et gonadiques.
Stimulus Substance, action, influence quelconque qui, lorsque appliquées avec une intensité suffisante au niveau d'une membrane excitable, provoquent une réponse de celle-ci.
Stimulus liminaire Intensité de stimulation minimale pouvant produire une réponse détectable ou encore intensité suffisante pour déclencher une réponse du genre tout ou rien.
Strabisme Croisement des axes optiques des deux yeux.
Stratum basale Couche basale ou germinative de l'épiderme; la partie la plus profonde.
Structure quaternaire Réfère entre autres à la disposition spatiale des sous-unités d'une protéine formée par la liaison d'au moins deux chaînes polypeptidiques.
Structure secondaire Réfère à la configuration rectiligne ou hélicoïdale d'une chaîne peptidique.
Structure tertiaire Correspond à la disposition spatiale d'une chaîne polypeptidique, à la façon dont elle est repliée ou spiralée dans sa forme normale et fonctionnelle.
Strychnine Poison de la famille des alcaloïdes ($C_{21}H_{22}N_2O_2$) qui bloque les PPSI, la transmission synaptique inhibitrice, dans le SNC.
Styloïde Qui ressemble à une longue tige pointue.
Substance blanche Tissu du SNC consistant essentiellement en axones myélinisés.
Substrat Substance qui subit l'action d'une enzyme.
Suc gastrique Liquide sécrété par les cellules de l'épithélium gastrique.
Sucre Tout glucide ayant un goût doux.
Sucrose Sucre de table, disaccharide constitué d'une molécule de glucose et d'une molécule de fructose.
Sudorifère Qui produit la sueur.
Sulcus Sillon ou scissure comme ceux qui séparent les circonvolutions des hémisphères cérébaux.
Sulfhydryl Le radical -SH.
Supination Action de diriger la paume de la main vers le haut ou vers la face antérieure du corps.
Surfactant Substance tenso-active ayant le pouvoir de réduire la tension de surface des alvéoles pulmonaires.
Surrénales Glandes endocrines coiffant les reins; produisent l'adrénaline et la noradrénaline.
Suspension État d'un liquide mélangé à des particules solides non dissoutes.
Suture 1. Articulation entre les os du crâne. 2. Rapprochement avec du fil des deux lèvres d'une plaie.
Sympathicomimétique Produisant des effets similaires à ceux du système nerveux sympatique.
Sympathique La portion dorso-lombaire du système nerveux autonome.
Symphyse Articulation dans laquelle les os sont unis par du fibrocartilage.
Synapse 1. Lieu de passage de l'influx nerveux d'un neurone à un autre. 2. Appariement des paires chromosomiques lors de la méiose (synapsis).
Syncytium Tissu formé de cellules non séparées les unes des autres par des membranes cytoplasmiques.
Syndrome Ensemble de symptômes présents en même temps.
Synergiste Muscle qui, sans être le principal responsable d'un mouvement, participe à son accomplissement.
Synovial Qui se rapporte au liquide visqueux présent dans la capsule d'une articulation très mobile.
Système de transport des électrons Suite d'une dizaine d'accepteurs d'hydrogène et d'électrons qui transfèrent des électrons à l'oxygène moléculaire en produisant de l'ATP.
Système du complément Suite de réactions impliquant des protéines du plasma et des autres liquides corporels qui est activée par un complexe antigènes-anticorps; sert à la lutte contre les pathogènes.
Système limbique Partie du télencéphale associée à plusieurs aspects des émotions et du comportement.
Système nerveux autonome (SNA) Partie du système nerveux périphérique qui innerve le coeur, les muscles lisses et les glandes; comprend le sympathique et le parasympathique.
Système porte Dispositif vasculaire reliant deux lits capillaires successifs sur le trajet du sang.
Système porte hypothalamo-hypophysaire Réfère au lien fonctionnel établi par le réseau de capillaires sanguins qui relient l'hypothalamus et l'adénohypophyse.
Systémique Relatif à la circulation sanguine entre le ventricule gauche et l'atrium droit.
Systole Phase de contraction de la révolution cardiaque.

Tachycardie Augmentation de la fréquence des battements cardiaques au-dessus d'un niveau normal.

Tactile Qui se rapporte au toucher.
Tactisme Mouvement d'une cellule ou d'un organisme en réponse à un stimulus particulier (lumineux, chimique, thermique, etc.).
Taenia Une des bandes longitudinales de muscle lisse sur le gros intestin.
Talus Un os de la cheville.
Tampon Substance dont la présence, dans une solution, tend à en réduire les changements de pH consécutifs à l'addition d'un acide ou d'une base.
tARN Acide ribonucléique de transfert responsable du choix des acides aminés devant servir à la synthèse protéique.
Taux de filtration glomérulaire Volume de filtrat glomérulaire produit par tous les néphrons des deux reins par unité de temps. Égal à la valeur de la clearance d'une substance librement filtrable, non réabsorbée ni sécrétée, comme l'inuline.
Taux de métabolisme basal Quantité d'énergie dépensée par unité de temps par un organisme au repos complet, dans un environnement chaud, et à jeûn depuis 12 à 18 heures.
Taux de mutation Taux des mutations sur un locus défini, exprimé par gamète, par locus et par génération.
Tégument Peau et phanères recouvrant le corps.
Télencéphale Partie antérieure du cerveau comprenant les hémisphères cérébraux.
Temporal Réfère aux régions latérales de la tête au-dessus de l'arcade zygomatique.
Tendon Bande ou cordon de tissu conjonctif fibreux dense qui attache un muscle à un os.
Tendon calcanéen Tendon qui attache les muscles du mollet (gastrocnémien et soléaire) au talon du pied.
Tension de surface Force existant à la surface d'une substance (entre autres un liquide) tendant à réduire la superficie de la surface à chaque interface.
Testicule Gonade mâle.
Testostérone Hormone sexuelle masculine; l'androgène le plus abondant dans la sécrétion testiculaire humaine. Responsable du développement et du maintien des caractères sexuels secondaires. Produit par les cellules interstitielles.
Tétanos Contraction musculaire soutenue due à une fréquence élevée d'influx moteurs parvenant au muscle d'une façon ininterrompue.
Tétrade Association ou appariement des chromosomes homologues lors de la méiose (1re division méiotique).
Thalamus Partie du cerveau; structure bilobée du diencéphale, principal relais sensitif du cerveau.
Thèque folliculaire Couche cellulaire d'un follicule ovarien responsable de l'élaboration et de la sécrétion d'oestrogènes.
Thermorécepteur Terminaison nerveuse sensible aux changements de la température.
Thorax Poitrine.
Thrombine Enzyme transformant le fibrinogène en fibrine dans le sang.
Thrombocyte Plaquette sanguine.
Thromboplastine Substance produite dans le sang et jouant un rôle dans la coagulation.
Thrombose Formation ou présence d'un caillot dans un vaisseau sanguin.
Thrombus Caillot sanguin formé à l'intérieur d'un vaisseau sanguin ou d'une cavité cardiaque.
Thymine Base pyrimidique, 5-méthyluracile, constituant de l'ADN ($C_5H_6N_2O$).
Thymus Glande endocrine faisant partie de l'appareil lymphatique. (En cuisine c'est le ris).
Thyroïde 1. Glande endocrine reposant devant la trachée et sécrétant des hormones qui contrôlent le taux de métabolisme. 2. Cartilage du larynx.
Thyroxine Principale hormone thyroïdienne; contrôle le taux de métabolisme.
Tissu Ensemble de cellules semblables spécialisées dans une fonction particulière.
Tonicité (hyper-, hypo-, iso-) Pression osmotique relative d'une solution dans des conditions données.
Tonique Constant, à adaptation lente ou nulle; en opposition à phasique.
Tonsille Petite masse arrondie de tissu lymphoïde située dans la muqueuse du pharynx (amygdale).
Tonus Contraction soutenue d'un muscle au repos due à une activité nerveuse motrice basale.
Tout ou rien Type de réponse dont l'amplitude est indépendante de l'intensité du stimulus. La réponse se produit si le stimulus atteint ou dépasse un seuil; elle ne se produit pas si le stimulus est infraliminaire.
Toxique Qui se rapporte à la nature d'un poison.
Trabécule Cloison pénétrant dans une structure à partir de la surface marginale.
Trachée Voie aérienne reliant le larynx aux bronches.
Trachéotomie Incision permettant d'ouvrir la trachée au niveau de la gorge afin de rétablir la respiration lorsque les voies respiratoires supérieures sont obstruées.
Traduction La synthèse cellulaire des protéines à partir de l'information contenue sur le mARN.
Train d'influx Succession rapide de potentiels d'action propagés le long d'une fibre nerveuse.
Transamination Transfert d'un radical aminé d'un acide aminé à un acide cétonique produisant respectivement l'acide cétonique et l'acide aminé correspondants.
Transcription Synthèse de mARN et le transfert d'information concomitant.
Transduction Transformation d'énergie d'une forme à une autre grâce à des transducteurs. Les principaux transducteurs biologiques sont les récepteurs.
Translocation Transfert d'un fragment de chromosome sur un autre chromosome non homologue.
Transmetteur chimique (neurotransmetteur) Substance libérée par une terminaison nerveuse et qui affecte la conductance ionique de la membrane post-synaptique.
Transplantation Raccordement vasculaire d'un organe ou d'un tissu d'un donneur à un receveur.
Transport actif Mouvement transmembranaire de substances requérant de l'énergie métabolique.
Traumatisme Blessure, plaie.
Triglycéride Molécule neutre composée de trois acides gras liés à une molécule de glycérol.
Triiodo-thyronine Dérivé iodé de la tyrosine synthétisé et sécrété par la thyroïde; élève le taux de métabolisme de la même manière que la thyroxine.
Triplet Suite de trois bases qui code un acide aminé particulier. (*Voir aussi* Codon).
Trisomie Présence d'un chromosome supplémentaire dans une cellule, où une paire de chromosomes est remplacée par un jeu de trois.
Trompe auditive (d'Eustache) Conduit permettant de faire communiquer l'oreille moyenne avec le pharynx.
Trompe utérine (de Fallope) Tube s'aboutant au corps de l'utérus et dont le rôle est de capturer l'ovule et de l'acheminer vers l'utérus.
Tronc cérébral Ensemble des structures de la moelle allongée, du pont et du mésencéphale.
Trophoblaste La couche cellulaire formant l'enveloppe du blastocyste.
Tropomyosine Protéine du muscle située dans les

myofilaments fins; possède une activité régulatrice de l'activité contractile.
Troponine Association de protéines globulaires liant du calcium et faisant partie des myofilaments fins.
Trypsine Une des enzymes protéolytiques du suc pancréatique.
Tube rénal Unité anatomique et fonctionnelle du rein. Comprend le glomérule, la capsule, le segment proximal, l'ance, le segment distal et le tube collecteur. Chaque rein contient environ 1 million de tubes.
Tube rénal juxtamédullaire La catégorie des tubes rénaux responsables de l'établissement de l'hypertonicité médullaire du rein.
Tube séminifère Tubule à l'intérieur des testicules dans lequel les spermatozoïdes se développent.
Tubules transverses Système de tubules ramifiés et interconnectés, limités par une membrane, et venant au voisinage des sacs latéraux du réticulum sarcoplasmique. Sont en continuité avec la membrane superficielle ou plasmique.
Tumeur Excroissance anormale; peut être bénigne ou maligne (cancéreuse).
Tunique Enveloppe.
Turgescence Gonflement.
Tympan Membrane séparant l'oreille moyenne du conduit auditif et dont l'ébranlement permet le mouvement des osselets.

Ulcère Érosion locale de tissu; plaie ouverte qui ne cicatrise pas.
Ultraviolet Lumière dont la longueur d'onde se situe entre $1,8 \times 10^{-5}$ et $3,9 \times 10^{-5}$ cm.
Unité motrice L'unité fonctionnelle constituée d'un motoneurone et des fibres musculaires auxquelles il est relié par synapse.
Uracile Pyrimidine présente dans l'ARN ($C_4H_4O_2N_2$).
Urée Le plus important déchet azoté de l'urine des mammifères; produit au niveau du foie.
Urémie Accumulation dans le sang de produits normalement excrétés dans l'urine.
Uretère Tube de drainage d'un rein dans la vessie.
Urètre Canal d'évacuation de l'urine hors de la vessie.
Utérus Organe qui reçoit et loge l'embryon pendant son développement.
Utricule Petite cavité de l'oreille interne associée au sens de l'équilibre.
Uvula Petite pointe de tissu qui pend dans le pharynx à partir du palais mou.

Vaccin Administration de microorganismes morts ou atténués en vue de prévenir une maladie infectieuse.
Vacuole Cavité intracellulaire entourée d'une membrane.
Vagin Tube musculeux et élastique s'étendant du col de l'utérus au vestibule de la vulve; accepte le pénis pendant le coït et sert de canal naturel au bébé à l'accouchement.
Valence 1. Propriété d'un atome ou d'un groupe d'atomes de se combiner avec d'autres atomes dans des proportions précises. 2. Le nombre d'électrons qu'un atome peut chimiquement gagner, perdre, partager.
Valve mitrale Valve cardiaque bicuspide sise entre l'atrium et le ventricule gauches.
Valvule Partie d'une valve.
Varice Distension d'une veine due à un mauvais fonctionnement des valves qui laissent refluer du sang.
Vas deferens *Voir* Canal déférent.
Vasopresseur Substance provoquant la contraction du muscle lisse artériolaire et capillaire.
Vasopressine *Voir* Hormone antidiurétique.
Vecteur 1. Un transporteur; un animal passant une infection d'un hôte à un autre. 2. Terme mathématique représentant une quantité qui possède un sens, une grandeur et un signe.
Veine Vaisseau sanguin acheminant du sang vers le coeur.
Veine cave L'urine des deux veines qui retourne le sang à l'atrium droit. Supérieure ou inférieure.
Veinule Petite veine.
Ventilation Mouvements rythmiques de l'air vers et hors des voies respiratoires permettant d'amener O_2 vers les alvéoles et d'expulser CO_2 dans le milieu ambiant.
Ventral En direction de la face antérieure du corps.
Ventricule Cavité musculeuse du coeur pompant le sang dans un réseau artériel.
Vertèbre Un des os de la colonne vertébrale.
Vésicule Petit sac.
Vésicule séminale Glande masculine dont la sécrétion contribue à la formation du liquide séminal.
Villosité Minuscule projection cytoplasmique à la surface d'une cellule.
Virus Minuscule structure formée d'un noyau d'acides nucléiques généralement enfermés dans une enveloppe protéique et capable d'infecter un organisme vivant; un virus dépend totalement de son hôte pour se développer.
Viscère Organe interne de l'organisme, en particulier ceux des cavités thoracique et abdominale.
Viscosité Propriété physique des fluides représentée par leur résistance à l'écoulement.
Vision diurne Vision dans des conditions de bonne illumination permettant de bien discerner les couleurs.
Vision nocturne Vision adaptée à la pénombre.
Vitamine L'une quelconque des substances d'un groupe de composés organiques requis en très faibles quantités pour une croissance et un entretien normaux de l'organisme.
Voie métabolique Suite de réactions enzymatiques impliquées dans la transformation d'une substance en une autre.
Voie pyramidale Faisceau de fibres nerveuses prenant naissance dans le cortex moteur, passant par la moelle allongée et descendant dans la moelle épinière. Responsable du contrôle des mouvements musculaires volontaires.
Volume courant Le volume d'air impliqué dans une respiration normale.
Volume d'éjection Volume éjecté par un ventricule au cours d'une révolution cardiaque.
Volume résiduel Le volume d'air qui demeure dans les poumons après une expiration forcée.
Vomer Os plat formant la partie inférieure et postérieure du septum nasal.
Vulve Structures génitales externes chez la femme.

Wormien Se rapporte à l'un des os suturaux du crâne.

Xiphoïde En forme d'épée; le dernier segment cartilagineux du sternum.
Xylose Monosaccharide à 5 carbones.

Zone pellucide La membrane épaisse qui entoure l'ovule.
Zygote Oeuf fécondé.

INDEX

Les articles en couleur correspondent à un terme défini dans le lexique. Les renvois en couleur font référence à des mots apparaissant en italique dans le texte; les renvois en caractère gras à des termes contenus dans un tableau; les renvois en italique à des termes apparaissant sur les illustrations.

Lexique, **tableau**, *illustration*

Lexique, **tableau**, *illustration*

Lexique, **tableau**, *illustration*

Lexique, **tableau**, *illustration*

Lexique, **tableau**, *illustration*

Lexique, **tableau**, *illustration*

Lexique, **tableau**, *illustration*

Lexique, **tableau**, *illustration*

Lexique, **tableau**, *illustration*

Lexique, **tableau**, *illustration*

Lexique, **tableau**, *illustration*

Lexique, **tableau**, *illustration*

Lexique, **tableau**, *illustration*

Lexique, **tableau**, *illustration*

Lexique, **tableau**, *illustration*

Lexique, **tableau**, *illustration*

Lexique, **tableau**, *illustration*

Lexique, **tableau**, *illustration*

Lexique, **tableau**, *illustration*

Lexique, **tableau**, *illustration*

Lexique, **tableau**, *illustration*

Achevé d'imprimer sur les presses de
Métropole Litho le 19 août 1981.